ハリー・ポッターと死の秘宝

J・K・ローリング

松岡佑子 訳

静山社

ハリー・ポッターと死の秘宝　目次

主な登場人物

ハリー・ポッター
十七歳。緑の目に黒い髪、額には稲妻形の傷。幼くして両親を亡くし、マグル（人間）界で育った魔法使い

ロン・ウィーズリー
ハリーの親友。兄にチャーリー、ビル、パーシーと双子のフレッドとジョージ、妹にジニーがいる

ハーマイオニー・グレンジャー
ハリーの親友。マグルの子なのに、魔法学校の優等生

ドラコ・マルフォイ
ハリーのライバル。父親はルシウス。母親はシリウスのいとこでベラトリックスの妹ナルシッサ

アルバス・ダンブルドア
ホグワーツ魔法魔術学校の前校長。不死鳥の騎士団を率い、闇の魔法使いと戦った

ミネルバ・マクゴナガル
ホグワーツの副校長で不死鳥の騎士団のメンバー

ルビウス・ハグリッド
ホグワーツの鍵と領地を守る番人

ネビル・ロングボトム
ハリーの同級生。ＤＡ（ダンブルドア軍団）のメンバー

ルーナ・ラブグッド
レイブンクローの生徒。ＤＡのメンバー
ゼノフィリウス・ラブグッド
ルーナの父親で、雑誌『ザ・クィブラー』の編集長
グリップフック
魔法界の銀行グリンゴッツに勤める小鬼（ゴブリン）
オリバンダー
ダイアゴン横丁に店をかまえる、優秀な杖作り
ドビー
かつてマルフォイ家に仕えた屋敷しもべ妖精
リリーとペチュニア
ハリーの母親のリリーと、その姉で、後にハリーの育ての親となったペチュニア
セブルス・スネイプ
ホグワーツ魔法魔術学校の現校長。騎士団のメンバーでありながら、ヴォルデモートに情報を流す
ヴォルデモート（**例のあの人、闇の帝王**）
最強の闇の魔法使い。多くの魔法使いや魔女を殺した

この
物語を
七つに
分けて
捧げます。
ニールに
ジェシカに
デイビッドに
ケンジーに
ダイに
アンに
そしてあなたに。
もしあなたが
最後まで
ハリーに
ついてきて
くださったの
ならば

おお、この家を苦しめる業の深さ、
そして、調子はずれに、破滅がふりおろす
血ぬれた刃、
おお、呻きをあげても、堪えきれない心の煩い、
おお、とどめようもなく続く責苦。

この家の、この傷を切り開き、膿をだす
治療の手だては、家のそとにはみつからず、
ただ、一族のものたち自身が、血を血で洗う
狂乱の争いの果てに見出すよりほかはない。
この歌は、地の底の神々のみが、嘉したまう。

いざ、地下にましまず祝福された霊たちよ、
ただいまの祈願を聞こし召されて、助けの力を遣わしたまえ、
お子たちの勝利のために。お志を嘉したまいて。

アイスキュロス「供養するものたち」より
（久保正彰訳『ギリシア悲劇全集I』岩波書店）

死とはこの世を渡り逝くことに過ぎない。友が海を渡り行くように。
友はなお、お互いの中に生きている。
なぜなら友は常に、偏在する者の中に生き、愛しているからだ。
この聖なる鏡の中に、友はお互いの顔を見る。
そして、自由かつ純粋に言葉を交わす。
これこそが友であることの安らぎだ。たとえ友は死んだと言われようとも、
友情と交わりは不滅であるがゆえに、最高の意味で常に存在している。

ウィリアム・ペン「孤独の果実」より
（松岡佑子訳）

Original Title: HARRY POTTER AND THE DEATHLY HALLOWS

First published in Great Britain in 2007
by Bloomsburry Publishing Plc, 50 Bedford Square, London WC1B 3DP

Japanese edition first published in 2008

This book is published in Japan by arrangement with
the author through The Blair Partnership

第1章　闇の帝王動く

月明かりに照らされた狭い道に、どこからともなく二人の男が現れた。男たちの間はほんの数歩と離れていない。一瞬、互いの胸元に杖(つえ)を向けたまま身じろぎもしなかったが、やがて相手がわかると、二人とも杖をマントにしまい、足早に同じ方向に歩きだした。

「情報は？」背の高い男が聞いた。

「上々だ」セブルス・スネイプが答えた。

小道の左側にはイバラの灌木(かんぼく)がぼうぼうと伸び、右側にはきっちり刈りそろえられた高い生け垣が続いている。長いマントをくるぶしのあたりではためかせながら、男たちは先を急いだ。

「遅れてしまったかもしれん」

ヤックスリーが言った。覆いかぶさる木々の枝が月明かりをさえぎり、そのすきまからヤックスリーの厳(いか)つい顔が見え隠れしていた。

「思っていたより少々面倒だった。しかし、これであの方もお喜びになることだろう。君のほうは、受け入れていただけるという確信がありそうだが？」

スネイプはうなずいただけで何も言わなかった。右に曲がると、小道は広い馬車道に変わった。行く手には壮大な錬鉄の門が立ちふさがっている。高い生け垣も同じく右に折れ、道に沿って門の奥まで続いている。二人とも足を止めず、無言のまま左腕を伸ばして敬礼の姿勢を取り、黒い鉄が煙であるかのように、そのまま門を通り抜けた。

イチイの生け垣が、足音を吸い込んだ。右のほうでザワザワという音がした。ヤックスリーが再び杖を抜き、スネイプの頭越しにねらいを定めたが、音の正体は単なる白孔雀で、生け垣の上を気位高く歩いていた。

「ルシウスのやつ、相変わらず贅沢な趣味だな。**孔雀とはね……**」

ヤックスリーはフンと鼻を鳴らしながら、杖をマントに収めた。

まっすぐに延びた馬車道の奥の暗闇に、瀟洒な館が姿を現した。一階のひし形格子の窓に明かりがきらめいている。生け垣の裏の暗い庭のどこかで、噴水が音を立てている。玄関へと足を速めたスネイプとヤックスリーの足元で、砂利がきしんだ。二人が近づくと、人影もないのに玄関のドアが突然内側に開いた。

明かりをしぼった広い玄関ホールは贅沢に飾り立てられ、豪華なカーペットが石の床をほぼ全面にわたって覆っている。壁にかかる青白い顔の肖像画たちが、大股に通り過ぎる二人の男を目で追った。ホールに続く部屋の、がっしりした木の扉の前で二人とも立ち止まり、一瞬ためらったが、スネイプがすぐにブロンズの取っ手を回した。

客間の装飾を凝らした長テーブルは、だまりこくった人々で埋められていた。客間に日常置かれている家具は、無造作に壁際に押しやられている。見事な大理石のマントルピースの上には金箔貼りの鏡がかかり、その下で燃え盛る暖炉の火だけが部屋を照らしている。スネイプとヤックスリーは、しばらく部屋の入口にたたずんでいた。薄暗さに目が慣れてきた二人は、その場でも最も異様な光景に引きつけられ、視線を上に向けた。テーブルの上に逆さになって浮かんでいる人間がいる。どうやら気を失っているらしい。見えないロープで吊り下げられているかのように、ゆっくりと回転する姿が、暖炉上の鏡と、クロスのかかっていない磨かれたテーブルとに映っている。テーブルの周囲では、誰一人としてこの異様な光景を見てはいない。ただ、真下に座っている青白い顔の青年だけは、ほとんど一分おきに、ちらちらと上を見ずにはいられない様子だ。

「ヤックスリー、スネイプ」

テーブルの一番奥から、かん高い、はっきりした声が言った。

「遅い。遅刻すれすれだ」

声の主は暖炉を背にして座っていた。そのため、いま到着したばかりの二人には、はじめその黒い輪郭しか見えなかった。しかし、影に近づくにつれて、薄明かりの中にその顔が浮かび上がってきた。髪はなく、蛇のような顔に鼻孔が切り込まれ、赤い両眼の瞳は、細い縦線のようだ。ろうのような顔は、青白い光を発しているように見える。

「セブルス、ここへ」

ヴォルデモートが自分の右手の席を示した。

「ヤックスリー、ドロホフの隣へ」

二人は示された席に着いた。ほとんどの目がスネイプを追い、ヴォルデモートが最初に声をかけたのもスネイプだった。

「それで？」

「わが君、不死鳥の騎士団は、ハリー・ポッターを現在の安全な居所から、来る土曜日の日暮れに移動させるつもりです」

テーブルの周辺がにわかに色めき立った。緊張する者、そわそわする者、全員がスネイプとヴォルデモートを見つめていた。

「土曜日……日暮れ」

ヴォルデモートがくり返した。赤い目がスネイプの暗い目を見すえた。その視線のあまりの烈(はげ)しさに、そばで見ていた何人かが目をそむけた。凶暴な視線が自分の目を焼き尽くすのを恐れているかのようだった。しかしスネイプは、静かにヴォルデモートの顔を見つめ返した。ややあって、ヴォルデモートの唇のない口が動き、笑うような形になった。

「そうか。よかろう。情報源は――――」

「打ち合わせどおりの出所から」スネイプが答えた。

「わが君」

ヤックスリーが長いテーブルのむこうから身を乗り出して、ヴォルデモートとスネイプを見た。全員の顔がヤックスリーに向いた。

「わが君、わたしの得た情報はちがっております」

ヤックスリーは反応を待ったが、ヴォルデモートがだまったままなので、言葉を続けた。

「闇祓(オーラー)いのドーリッシュがもらしたところでは、ポッターは十七歳になる前の晩、すなわち三十日の夜中までは動かないとのことです」

スネイプがニヤリと笑った。

「我輩の情報源によれば、偽の手がかりを残す計画があるとのことだ。きっとそれだろう。ドーリッシュは『錯乱の呪文』をかけられたにちがいない。これが初めてのことではない。あやつは、かかりやすいことがわかっている」

「おそれながら、わが君、わたしが請け合います。ドーリッシュは確信があるようでした」

ヤックスリーが言った。

「『錯乱の呪文』にかかっていれば、確信があるのは当然だ」スネイプが言った。

「ヤックスリー、我輩が君に請け合おう。闇祓い局は、もはやハリー・ポッターの保護にはなんの役割もはたしておらん。騎士団は、我々が魔法省に潜入していると考えている」

「騎士団も、一つぐらいは当たっているじゃないか、え？」

ヤックスリーの近くに座っているずんぐりした男が、せせら笑った。引きつったようなその笑い声を受けて、テーブルのあちこちに笑いが起こった。

ヴォルデモートは笑わなかった。上でゆっくりと回転している宙吊りの姿に視線を漂わせたまま、考え込んでいるようだった。

「わが君」ヤックスリーがさらに続けた。「ドーリッシュは、例の小僧の移動に、闇祓い局から相当な人数が差し向けられるだろうと考えておりますし――」

ヴォルデモートは、指の長いろうのような手を挙げて制した。ヤックスリーはたちまち口をつぐみ、ヴォルデモートが再びスネイプに向きなおるのを恨めしげに見た。

「あの小僧を、今度はどこに隠すのだ？」

「騎士団の誰かの家です」スネイプが答えた。「情報によれば、その家には、騎士団と魔法省の両方が、できうるかぎりの防衛策を施したとのこと。いったんそこに入れば、もはやポッターを奪う可能性はまずないと思われます。もちろん、わが君、魔法省が土曜日を待たずして陥落すれば話は別です。さすれば我々は、施された魔法のかなりの部分を見つけ出して破り、残りの防衛線を突破する機会も充分にあるでしょう」

「さて、ヤックスリー？」

ヴォルデモートがテーブルの奥から声をかけた。赤い目に暖炉の灯りが不気味に反射している。

「はたして、魔法省は土曜日を待たずして陥落しているか？」

再び全員の目がヤックスリーに注がれた。ヤックスリーは肩をそびやかした。

「わが君、そのことですが、よい報せがあります。わたしは――だいぶ苦労しましたし、並たいていの努力ではなかったのですが――パイアス・シックネスに『服従の呪文』をかけることに成功しました」

ヤックスリーの周りでは、これには感心したような顔をする者が多かった。隣に座っていた、長いひん曲がった顔のドロホフが、ヤックスリーの背中をパンとたたいた。

「手ぬるい」ヴォルデモートが言った。「シックネスは一人にすぎぬ。俺様が行動に移る前に、わが手勢でスクリムジョールを包囲するのだ。大臣の暗殺に一度失敗すれば、俺様は大幅な後退を余儀なくされよう」

「御意――わが君、仰せのとおりです――しかし、わが君、魔法法執行部の部長として、シックネスは魔法大臣ばかりでなく、他の部長全員とも定期的に接触しています。このような政府高官を我らが支配の下に置いたからには、他の者たちを服従せしめるのはたやすいことだと思われます。そうなれば、連中が束になってスクリムジョールを引き倒すでしょう」

「我らが友シックネスが、ほかのやつらを屈服させる前に見破られてしまわなければ、だが――」ヴォルデモートが言った。「いずれにせよ、土曜日までに魔法省がわが手に落ちるとは考えにくい。小僧が目的地に着いてからでは手出しができないとなれば、移動中に始末せねばなるまい」

「わが君、その点につきましては我々が有利です」

ヤックスリーは、少しでも認めてもらおうと躍起になっていた。

「魔法運輸部に何人か手勢を送り込んでおります。ポッターが『姿あらわし』したり、『煙突飛行ネットワーク』を使ったりすれば、すぐさまわかりましょう」

「ポッターはそのどちらも使いませんな」スネイプが言った。「騎士団は、魔法省の管理・規制下にある輸送手段すべてをさけています。魔法省がらみのものは、いっさい信用しておりません」

「かえって好都合だ」ヴォルデモートが言った。「やつはおおっぴらに移動せねばならん。ずっとたやすいわ」

ヴォルデモートは再びゆっくりと回転する姿を見上げながら、言葉を続けた。

「あの小僧は俺様が直々に始末する。ハリー・ポッターに関しては、これまであまりにも失態が多かった。俺様自身の手抜かりもある。ポッターが生きているのは、あやつの勝利というより俺様の思わぬ誤算によるものだ」

テーブルを囲む全員が、ヴォルデモートを不安な表情で見つめていた。どの顔も、自分がハリー・ポッター生存の責めを負わされるのではないかと恐れていた。しかし、ヴォルデモートは、誰に向かって話しているわけでもなかった。頭上に浮かぶ意識のない姿に目を向けたまま、むしろ自分自身に話していた。

「俺様はあなどっていた。その結果、綿密な計画には起こりえぬことだが、幸運と偶然というつまらぬやつにはばまれてしまったのだ。しかし、いまはちがう。以前には理解していなかったことが、いまはわかる。ポッターの息の根を止めるのは、俺様でなければならぬ。そうしてやる」

その言葉に呼応するかのように、突然、苦痛に満ちた恐ろしいうめき声が、長々と聞こえてきた。テーブルを囲む者の多くが、ぎくりとして下を見た。うめき声が足元から上がってくるかのようだったからだ。

「ワームテールよ」

ヴォルデモートは、思いにふける静かな調子をまったく変えず、宙に浮かぶ姿から目を離すこともなく呼びかけた。

「囚人をおとなしくさせておけと言わなかったか？」

「はい、わ――わが君」

テーブルの中ほどで、小さな男が息をのんだ。あまりに小さくなって座っていたので、一見、その席には誰も座っていないかのようだった。ワームテールはあわてて立ち上がり、大急ぎで部屋を出ていった。あとには得体のしれない銀色の残像が残っただけだった。

「話の続きだが――」

ヴォルデモートは、再び部下の面々の緊張した顔に目を向けた。

「俺様は、以前よりよくわかっている。たとえば、ポッターを亡き者にするには、おまえたちの誰かから、杖を借りる必要がある」

全員が衝撃を受けた表情になった。腕を一本差し出せと宣言されたかのようだった。

「進んで差し出す者は？」ヴォルデモートが聞いた。

「さてと……ルシウス、おまえはもう杖を持っている必要がなかろう」

ルシウス・マルフォイが顔を上げた。暖炉の灯りに照らし出された顔は、皮膚が黄ばんでろうのように血の気がなく、両眼は落ちくぼんでくまができていた。

「わが君？」聞き返す声がしわがれていた。

「ルシウス、おまえの杖だ。俺様はおまえの杖をご所望なのだ」

「私は……」

マルフォイは横目で妻を見た。夫と同じく青白い顔をした妻は、長いブロンドの髪を背中に流し、まっすぐ前を見つめたままだったが、テーブルの下では一瞬、ほっそりした指で夫の手首を包んだ。妻の手を感じたマルフォイは、ローブに手を入れて杖を引き出し、杖は次々と手送りでヴォルデモートに渡された。ヴォルデモートはそれを目の前にかざし、赤い目が丹念に杖を調べた。

「物はなんだ？」

「楡(にれ)です、わが君」マルフォイがつぶやくように言った。

「芯は？」

「ドラゴン――ドラゴンの心臓の琴線です」

「うむ」ヴォルデモートは自分の杖を取り出して長さを比べた。

ルシウス・マルフォイが一瞬、反射的に体を動かした。かわりにヴォルデモートの杖を受け取ろうとしたような動きだった。ヴォルデモートは見逃さなかった。その目が意地悪く光った。

「ルシウス、俺様の杖をおまえに？　**俺様の**杖を？」

周囲からあざ笑う声が上がった。

「ルシウス、おまえには自由を与えたではないか。それで充分ではないのか？　どうやらこのところ、おまえも家族もご機嫌うるわしくないように見受けるが……ルシウス、俺様がこの館にいることがお気に召さぬのか？」

「とんでもない――わが君、そんなことはけっして！」

「ルシウス、この**うそつきめ**が……」

残忍な唇の動きが止まったあとにも、シューッという密(ひそ)やかな音が続いているようだった。そのシューッという音はしだいに大きくなり、一人、二人とこらえきれずに身震いした。テーブルの下を、何か重たいものがすべっていく音が聞こえてきた。

巨大な蛇が、ゆっくりとヴォルデモートの椅子に這(は)い上がった。大蛇は、どこまでも伸び続けるのではないかと思われるほど高々と伸び上がり、ヴォルデモートの首の周りにゆったりと胴体を預けた。大の男の太ももほどもある鎌首。瞬きもしない両目。縦に切り込まれた瞳孔。ヴォルデモートは、ルシウス・マルフォイを見すえたまま、細長い指で無意識に蛇をなでていた。

「マルフォイ一家はなぜ不幸な顔をしているのだ？　俺様が復帰して勢力を強めることこそ、長年の望みだったと公言していたのではないか？」

「わが君、もちろんでございます」

ルシウス・マルフォイが言った。上唇の汗をぬぐうマルフォイの手が震えていた。

「私どもはそれを望んでおりました——いまも望んでおります」

マルフォイの左隣では、ヴォルデモートと蛇から目をそむけたまま、妻が不自然に硬いうなずき方をした。右隣では、宙吊りの人間を見つめ続けていた息子のドラコが、ちらりとヴォルデモートを見たが、直接に目が合うことを恐れてすぐに視線をそらした。

「わが君」

テーブルの中ほどにいた黒髪の女が、感激に声を詰まらせて言った。

「あなた様がわが親族の家におとどまりくださることは、この上ない名誉でございます。これにまさる喜びがありましょうか」

厚ぼったいまぶたに黒髪の女は、隣に座っている妹とは似ても似つかない容貌の上、立ち居振る舞いもまったくちがっていた。体をこわばらせ、無表情で座る妹のナルシッサに比べて、姉のベラトリックスは、おそばに侍りたい渇望を言葉では表しきれないとでも言うように、ヴォルデモートのほうに身を乗り出していた。

「これにまさる喜びはない」

ヴォルデモートは言葉をくり返し、ベラトリックスを吟味するようにわずかに頭をかしげた。

「おまえの口からそういう言葉を聞こうとは。ベラトリックス、殊勝なことだ」

ベラトリックスはパッとほおを赤らめ、喜びに目をうるませた。

「わが君は、私が心からそう申し上げているのをご存じでいらっしゃいます！」

「これにまさる喜びはない……今週、おまえの親族に喜ばしい出来事があったと聞くが、それに比べてもか？」

ベラトリックスは、ポカンと口を開け、困惑した目でヴォルデモートを見た。

「わが君、なんのことやら私にはわかりません」

「ベラトリックス、おまえの姪（めい）のことだ。ルシウス、ナルシッサ、おまえたちの姪でもある。先ごろその姪は、狼男（おおかみおとこ）のリーマス・ルーピンと結婚したな。さぞ鼻が高かろう」

一座から嘲笑が湧き起こった。身を乗り出して、さもおもしろそうに顔を見合わせる者も大勢いたし、テーブルを拳でたたいて笑う者もいた。騒ぎが気に入らない大蛇は、カッと口を開けて、シューッと怒りの音を出した。しかし、ベラトリックスやマルフォイ一族がはずかしめを受けたことに狂喜している死喰い人（デス・イーター）たちの耳には入らない。いましがた喜びに上気したばかりのベラトリックスの顔は、ところどころ赤い斑点の浮き出た醜い顔に変わった。

「わが君、あんなやつは姪ではありません」

大喜びで騒ぐ周囲の声に負けじと、ベラトリックスが叫んだ。

「私たちは――ナルシッサも私も――穢（けが）れた血と結婚した妹など、それ以来一顧だにしておりません。そんな妹のガキも、そいつが結婚する獣（けだもの）も、私たちとはなんの関係もありません」

「ドラコ、おまえはどうだ？」

ヴォルデモートの声は静かだったが、ヤジや嘲笑の声を突き抜けてはっきりと響いた。

「狼の子が産まれたら、子守をするのか？」

浮かれ騒ぎが一段と高まった。ドラコ・マルフォイは恐怖に目を見開いて父親を見た。しかし、ルシウスは自分のひざをじっと見つめたままだったので、今度は母親の視線をとらえた。ナルシッサはほとんど気づかれないくらいに首を振ったきり、むかい側の壁を無表情に見つめる姿勢に戻った。

「もうよい」気の立っている蛇をなでながら、ヴォルデモートが言った。「もうよい」

笑い声は、ぴたりとやんだ。

「旧い家柄の血筋も、時間とともにいくぶんくさってくるものが多い」

ベラトリックスは息を殺し、取りすがるようにヴォルデモートを見つめながら聞いていた。

「おまえたちの場合も、健全さを保つには枝落としが必要ではないか？　残り全員の健全さをそこなう恐れのある、くさった部分を切り落とせ」

「わが君、わかりました」ベラトリックスは再び感謝に目をうるませて、ささやくように言った。「できるだけ早く！」

「そうするがよい」ヴォルデモートが言った。「おまえの家系においても、世界全体でも……純血のみの世になるまで、我々をむしばむ病根を切り取るのだ……」

ヴォルデモートはルシウス・マルフォイの杖を上げ、テーブルの上でゆっくり回転する宙吊りの姿をぴたりとねらって小さく振った。息を吹き返した魔女はうめき声を上げ、見えない束縛から逃れようともがいた。

「セブルス、客人が誰だかわかるか？」ヴォルデモートが聞いた。

スネイプは上下逆さまになった顔のほうに目を上げた。居並ぶ死喰い人も、興味を示す許可が出たかのように囚われ人を見上げた。宙吊りの顔が暖炉の灯りに向いたとき、魔女がおびえきったしわがれ声を出した。

「セブルス！　助けて！」

「なるほど」

囚われの魔女の顔が再びゆっくりとむこう向きになったとき、スネイプが言った。

「おまえはどうだ？　ドラコ？」

杖を持っていない手で蛇の鼻面をなでながら、ヴォルデモートが聞いた。ドラコはけいれんしたように首を横に振った。魔女が目を覚ましたいまは、ドラコはもうその姿を見ることさえできないようだった。

「いや、おまえがこの女の授業を取るはずはなかったな」ヴォルデモートが言った。「知らぬ者にご紹介申し上げよう。今夜ここにおいでいただいたのは、最近までホグワーツ魔法魔術学校で教鞭(きょうべん)を執られていたチャリティ・バーベッジ先生だ」

周囲からは、合点がいったような声がわずかに上がった。怒り肩で猫背の魔女が、とがった歯を見せてかん高い笑い声を上げた。

「そうだ……バーベッジ教授は魔法使いの子弟にマグルのことを教えておいでだった……やつらが我々魔法族とそれほどちがわないとか……」

死喰い人の一人が床につばを吐いた。チャリティ・バーベッジの顔が回転して、またスネイプと向き合った。

「セブルス……お願い……お願い……」

「だまれ」

ヴォルデモートが再びマルフォイの杖をヒョイと振ると、チャリティは猿ぐつわをかまされたように静かになった。

「魔法族の子弟の精神を汚辱するだけではあき足らず、バーベッジ教授は先週、『日刊予言者新聞』に穢れた血を擁護する熱烈な一文をお書きになった。我々の知識や魔法を盗むやつらを受け入れなければならぬ、とのたもうた。純血が徐々に減ってきているのは、バーベッジ教授によれば最も望ましい状況であるとのことだ……我々全員をマグルと交わらせるおつもりよ……もしくは、もちろん、狼人間とだな……」

今度は誰も笑わなかった。ヴォルデモートの声には、紛れもなく怒りと軽蔑がこもっていた。チャリティ・バーベッジがまた回転し、スネイプと三度目の向き合いになった。涙がこぼれ、髪の毛に滴り落ちている。ゆっくり回りながら離れていくその目を、スネイプは無表情に見つめ返した。

「**アバダ　ケダブラ**」

緑色の閃光(せんこう)が、部屋の隅々まで照らし出した。チャリティの体は、真下のテーブルに落下した。ドサッという音が響き渡り、テーブルは揺れ、きしんだ。死喰い人の何人かは椅子ごと飛びのき、ドラコは椅子から床に転げ落ちた。

「ナギニ、夕食だ」

ヴォルデモートのやさしい声を合図に、大蛇はゆらりと鎌首をもたげ、ヴォルデモートの肩から磨き上げられたテーブルへとすべり下りた。

第2章　追悼

ハリーは血を流していた。けがした右手を左手で押さえ、小声で悪態をつきながら二階の寝室のドアを肩で押し開けた。ガチャンと陶器の割れる音がして、ハリーは、ドアの外に置かれていた冷めた紅茶のカップを踏んづけていた。

「いったいなんだ――？」

ハリーはあたりを見回した。プリベット通り四番地の家。二階の階段の踊り場には誰もいない。紅茶のカップは、ダドリーの仕掛けた罠（わな）だったのかもしれない。ダドリーは、賢い「まぬけ落とし」と考えたのだろう。血の出ている右手を上げてかばいながら、ハリーは左手で陶器のかけらをかき集め、ドアの内側に少しだけ見えているごみ箱へ投げ入れた。ごみ箱はすでに、かなりぎゅうぎゅう詰めになっている。それから腹立ち紛れに足を踏み鳴らしながらバスルームまで行き、指を蛇口の下に突き出して洗った。

あと四日間も魔法が使えないなんて、ばかげている。なんの意味もないし、どうしようもないほどいらだたしい……しかし考えてみれば、この指のギザギザした切り傷は、ハリーの魔法ではどうにもならなかった。傷の治し方など習ったことはない。そういえば――特にこれからやろうとしている計画を考えると――これは、ハリーが受けてきた魔法教育の重大な欠陥のようだ。どうやって治すのか、ハーマイオニーに聞かなければと自分に言い聞かせながら、ハリーはトイレットペーパーを分厚く巻き取って、こぼれた紅茶をできるだけきれいにふき取り、部屋に戻ってドアをバタンと閉めた。

ハリーは、六年前に荷造りして以来初めて、学校用のトランクを完全にからにするという作業を、午前中いっぱい続けていた。これまでは、学期が始まる前にトランクの上から四分の三ほどを出し入れしたり入れ替えたりしただけで、底のがらくたの層はそのままにしておいた――古い羽根ペン、ひからびたコガネムシの目玉、片方しかない小さくなったソックスなどが残っていた。そのごたごたした万年床に、ほんの数分前、右手を突っ込み、薬指に鋭い痛みを感じて引っ込めると、ひどく出血していたのだ。

　ハリーは、今度はもっと慎重に取り組もうと、もう一度トランクの脇にひざをついて、底のほうに探りを入れた。「セドリック・ディゴリーを応援しよう」と「汚いぞ、ポッター」の文字が交互に光る古いバッジが弱々しく光りながら出てきたあとに、割れてぼろぼろになった「かくれん防止器（スニーコスコープ）」、そして「R・A・B」の署名のあるメモが隠されていた金のロケットが出てきた。それからやっと、切り傷の犯人である刃物が見つかった。正体はすぐにわかった。名付け親のシリウスが死ぬ前にくれた魔法の鏡の、長さ六センチほどのかけらだった。それを脇に置き、ほかにかけらは残っていないかと注意深く手探りしたが、粉々になったガラスが一番底のがらくたにくっついてキラキラしているだけで、シリウスの最後の贈り物は、ほかに何も残っていなかった。

　ハリーは座りなおし、指を切ったギザギザのかけらをよく調べたが、自分の明るい緑の目が見つめ返すばかりだった。ハリーは、読まずにベッドの上に置いてあるその日の「日刊予言者新聞」の上に、そのかけらを置いた。割れた鏡が、つらい思い出を一時によみがえらせた。後悔が胸を刺し、会いたい思いがつのった。ハリーはトランクに残ったがらくたをやっつけることで胸の痛みをせき止めようとした。

　むだなものを捨て、残りを今後必要なものと不要なものとに分けて積み上げ、トランクを完全にからにするのにまた一時間かかった。学校の制服、クィディッチのユニフォーム、大鍋、羊皮紙、羽根ペン、それに教科書の大部分は置いていくことにして、部屋の隅に積み上げた。ふと、おじさんとおばさんはう処理するのだろう、と思った。恐ろしい犯罪の証拠ででもあるように、たぶん真夜中に焼いてしまうだろう。マグルの洋服、透明マント、魔法薬調合キット、本を数冊、それにハグリッドに昔もらったアルバムや、手紙の束と杖は、古いリュックサックに詰めた。リュックの前ポケットには、忍びの地図と「R・A・B」の署名入りメモが入ったロケットをしまった。ロケットを名誉ある特別席に入れたのは、それ自体に価値があるからではなく――普通に考えればまったく価値のないものだ――払った犠牲が大きかったからだ。

残るは新聞の山の整理だ。ペットの白ふくろう、ヘドウィグの脇の机に積み上げられている。プリベット通りで過ごしたこの夏休みの日数分だけある。

ハリーは床から立ち上がり、伸びをして机に向かった。ヘドウィグは、ハリーが新聞をぱらぱらめくっては一日分ずつごみの山に放り投げる間、ぴくりとも動かなかった。眠っているのか眠ったふりをしているのか、最近はめったに鳥かごから出してもらえないので、ハリーに腹を立てているのだ。

新聞の山が残り少なくなると、ハリーはめくる速度を落とした。探している記事は、確か夏休みでプリベット通りに戻ってまもなくの日付の新聞にのっていたはずだ。一面に、ホグワーツ校のマグル学教授であるチャリティ・バーベッジが辞職したという記事が小さくのっていた記憶がある。やっとその新聞が見つかった。ハリーは十面をめくりながら椅子に腰を落ち着かせて、探していた記事をもう一度読みなおした。

アルバス・ダンブルドアを悼む

エルファイアス・ドージ

私がアルバス・ダンブルドアと出会ったのは、十一歳のとき、ホグワーツでの最初の日だった。互いにのけ者だと感じていたことが、二人をひきつけたにちがいない。私は登校直前に龍痘にかかり、他人に感染する恐れはもうなかったもののあばたが残っていたし、顔色も緑色がかっていたため、積極的に近づこうとする者はほとんどいなかった。一方、アルバスは、かんばしくない評判を背負ってのホグワーツ入学だった。父親のパーシバルが三人のマグルの若者を襲った件で有罪になり、その残忍な事件がさんざん報道されてから、まだ一年とたっていなかったのだ。

アルバスは、父親（その後アズカバンで亡くなった）がそのような罪を犯したことを、否定しようとはしなかった。むしろ、私が思いきって聞いたときは、父親は確かに有罪であると認めた。この悲しむべき出来事については、どれだけ多くの者が聞き出そうとしても、ダンブルドアはそれ以上話そうとはしなかった。実は、一部の者が彼の父親の行為を称賛する傾向にあり、その者たちはダンブルドアもまた、マグル嫌いなのだと思い込んでいた。見当ちがいもはなはだしい。アルバスを知る者なら誰もが、彼には反マグル的傾向の片鱗（へんりん）すらなかったと証言するだろう。むしろ、その後の長い年月、断固としてマグルの権利を支持してきたことで、アルバスは多くの敵を作った。

しかしながら、入学後数か月をへずして、アルバス自身の評判は、父親の悪評をしのぐほどになった。一学年の終わりには、マグル嫌いの父親の息子という見方はまったくなくなり、ホグワーツ校始まって以来の秀才ということだけで知られるようになった。光栄にもアルバスの友人であった我々は、彼を模範として見習うことができたし、アルバスが常に喜んで我々を助けたり、激励してくれたりしたことで恩恵を受けたことは言うまでもない。後年アルバスが私に打ち明けてくれたことには、すでにそのころから、人を導き教えることがアルバスの最大の喜びだったと言う。

学校の賞という賞を総なめにしたばかりでなく、アルバスはまもなく、その時代の有名な魔法使いたちと定期的に手紙のやり取りをするようになった。たとえば、著名な錬金術師の ニコラス・フラメル、歴史家として知られるバチルダ・バグショット、魔法理論家のアドルバート・ワフリングなどが挙げられる。彼の論文のいくつかは、『変身現代』や『呪文の挑戦』、『実践魔法薬』などの学術出版物に取り上げられるようになった。ダンブルドアには、華々しい将来が約束されていると思われた。あとは、いつ魔法大臣になるかという時期の問題だけだった。後年、いく度となく、ダンブルドアがまもなくその地位につくと人の口に上ったが、彼が大臣職を望んだことは、実は一度もなかった。

我々がホグワーツに来て三年後に、弟のアバーフォースが入学してきた。兄弟とはいえ、二人は似ていなかった。アバーフォースはけっして本の虫ではなかったし、もめ事の解決にも、アルバスとはちがって論理的な話し合いよりも決闘に訴えるほうを好んだ。とはいえ、兄弟仲が悪かったという一部の見方は大きなまちがいだ。あれだけ性格のちがう兄弟にしては、うまくつき合っていた。アバーフォースのために釈明するが、アルバスの影のような存在であり続けるのは、必ずしも楽なことではなかったにちがいない。アルバスの友人であることは、何をやっても彼にはかなわないという職業病を抱えるようなもので、弟だからといって、他人の場合より楽だったはずはない。

アルバスとともにホグワーツを卒業したとき、私たちは、そのころの伝統であった卒業世界旅行に一緒に出かけるつもりだった。海外の魔法使いたちをたずねて見聞を広め、それから各々の人生を歩みだそうと考えていた。ところが、悲劇が起こった。旅行の前夜、アルバスの母親、ケンドラが亡くなり、アルバスは家長であり家族唯一の稼ぎ手となってしまった。私は出発を延ばしてケンドラの葬儀に列席し、礼を尽くしたあとに、一人旅となってしまった世界旅行に出かけた。面倒を見なければならない弟と妹を抱え、残された遺産も少なく、アルバスはとうてい私と一緒に出かけることなどできなくなっていた。

　それからしばらくは、我々二人の人生の中で、最も接触の少ない時期となった。私はアルバスに手紙を書き、いま考えれば無神経にも、ギリシャで危うくキメラから逃れたことからエジプトでの錬金術師の実験にいたるまで、旅先の驚くべき出来事を書き送った。アルバスからの手紙には、日常的なことはほとんど書かれていなかった。あれほどの秀才のことだ。毎日が味気なく、焦燥感にかられていたのではないか、と私は推察していた。旅の体験にどっぷりつかっていた私は、一年間の旅の終わり近くになって、ダンブルドア一家をまたもや悲劇が襲ったという報せを聞き、驚愕した。妹、アリアナの死だ。

　アリアナは長く病弱だった。とはいえ、母親の死に引き続くこの痛手は、兄弟二人に深刻な影響を与えた。アルバスと近しい者はみな――私もその幸運な一人だが――アリアナの死と、その死の責めが自分自身にあると考えたことが（もちろん彼に罪はないのだが）、アルバスに一生消えない傷痕を残したという一致した見方をしている。

　帰国後に会ったアルバスは、年齢以上の辛酸をなめた人間になっていた。以前に比べて感情を表に出さず、快活さも薄れていた。アルバスをさらにみじめにしたのは、アリアナの死によって、アバーフォースとの間に新たな絆が結ばれるどころか、仲たがいしてしまったことだった（その後この関係は修復する――後年、二人は親しいとは言えないまでも、気心の通じ合う関係に戻った）。しかしながら、それ以降アルバスは、両親やアリアナのことをほとんど語らなくなったし、友人たちもそのことを口にしないようになった。

その後のダンブルドアの顕著な功績については、他の著者の羽根ペンが語るであろう。魔法界の知識を豊かにしたダンブルドアの貢献は数えきれない。たとえば、ドラゴンの血液の十二の利用法などは、この先何世代にもわたって役立つであろうし、ウィゼンガモット最高裁の主席魔法戦士として下した、数多くの名判決に見る彼の叡智(えいち)もしかりである。さらに、一九四五年のダンブルドアとグリンデルバルドとの決闘をしのぐものはいまだにないと言われている。決闘の目撃者たちは、傑出した二人の魔法使いの戦いが、見る者をいかに畏怖せしめたかについて書き残している。ダンブルドアの勝利と、その結果魔法界に訪れた歴史的な転換の重要性は、国際機密保持法の制定もしくは「名前を言ってはいけないあの人」の凋落(ちょうらく)に匹敵するものだと考えられている。

アルバス・ダンブルドアはけっして誇らず、おごらなかった。誰に対しても、たといはた目にはどんなに取るに足りない者、見下げはてた者にでも、何かしらすぐれた価値を見出した。若くして身内を失ったことが、彼に大いなる人間味と思いやりの心を与えたのだと思う。アルバスという友を失ったことは、私にとって言葉に尽くせないほどの悲しみである。しかし、私個人の喪失感は、魔法界の失ったものに比べれば何ほどのものでもない。ダンブルドアがホグワーツの歴代校長の中でも最も啓発力に富み、最も敬愛されていたことは疑いの余地がない。彼の生き方は、そのまま彼の死に方でもあった。常により大きな善のために力を尽くし、最後の瞬間まで、私が初めて彼に出会ったあの日のように、龍痘の少年に喜んで手を差し伸べたアルバス・ダンブルドアそのままであった。

ハリーは読み終わってもなお、追悼文に添えられた写真を見つめ続けていた。ダンブルドアは、いつものあのやさしいほほえみを浮かべていた。しかし、新聞の写真にすぎないのに、半月形めがねの上からのぞいているその目は、ハリーの気持ちをX線のように透視しているようだった。ハリーのいまの悲しみには、恥じ入る気持ちがまじっていた。

ハリーはダンブルドアをよく知っているつもりだった。しかしこの追悼文を最初に読んだときから、実はほとんど何も知らなかったことに気づかされていた。ダンブルドアの子供のころや青年時代など、ハリーは一度も想像したことがなかった。最初からハリーの知っている姿で出現した人のような気がしていた。人格者で、銀色の髪をした高齢のダンブルドアだ。十代のダンブルドアなんてちぐはぐだ。愚かなハーマイオニーとか、人なつっこい尻尾爆発スクリュートを想像するのと同じくらいおかしい。

ハリーは、ダンブルドアの過去を聞こうとしたことさえなかった。聞くのはなんだかおかしいし、むしろ不躾に感じられただろう。しかし、ダンブルドアが臨んだグリンデルバルドとのあの伝説の決闘なら、誰でも知っていることだ。それなのに、ハリーは、決闘の様子をダンブルドアに聞こうともしなかったし、そのほかの有名な功績についても、いっさい聞こうと思わなかった。そうなのだ。二人はいつもハリーのことを話した。ハリーの過去、ハリーの未来、ハリーの計画……自分の未来がどんなに危険極まりなく不確実なものであったにせよ、いまにして思えば、ダンブルドアについてもっといろいろ聞いておかなかったのは、取り返しのつかない機会を逃したことになる。もっとも、ハリーは、たった一度だけダンブルドア校長に個人的な質問をしたことがあったが、その時だけは、ダンブルドアが正直に答えなかったのではないかと、ハリーは疑っていた。

——先生ならこの鏡で何が見えるんですか?

——わしかね? 厚手のウールの靴下を一足、手に持っておるのが見える。

しばらく想いにふけったあと、ハリーは「日刊予言者新聞」の追悼文を破り取り、きちんとたたんで『実践的防衛術と闇の魔術に対するその使用法』第一巻の中にはさみ込んだ。それから、破った残りの新聞をごみの山に放り投げ、部屋をながめた。ずいぶんすっきりした。まだ片づいていないのけ、ベッドに置いたままにしてある今朝の「日刊予言者新聞」と、その上にのせた鏡のかけらだけだ。

ハリーはベッドまで歩いて、鏡のかけらを新聞からそっとすべらせて脇に落とし、紙面を広げた。今朝早く、配達ふくろうから丸まったまま受け取り、大見出しだけをちらりと見て、ヴォルデモートの記事が何もないことを確かめてから、そのまま投げ出しておいた新聞だ。魔法省が「予言者新聞」に圧力をかけて、ヴォルデモートに関する記事を隠蔽しているにちがいないと思い込んでいたので、ハリーはいまあらためて、読みすごしていた記事に気がついた。

一面の下半分を占める記事に、悩ましげな表情のダンブルドアが大股で歩いている写真があり、その上に小さめの見出しがついていた。

ダンブルドア——ついに真相が？

同世代で最も偉大と称された天才魔法使いの欠陥を暴く衝撃の物語、いよいよ来週発売。

銀のひげを蓄えた静かな賢人、ダンブルドアのその親しまれたイメージの仮面をはぎ、リータ・スキーターが暴く精神不安定な子供時代、法を無視した青年時代、生涯にわたる不和、そして墓場まで持ち去った秘密の罪。魔法大臣になるとまで目された魔法使いが、単なる校長に甘んじていたのはなぜか？「不死鳥の騎士団」と呼ばれる秘密組織の真の目的はなんだったのか？ダンブルドアはどのように最期を迎えたのか？

これらの疑問に答え、さらにさまざまな謎に迫る、リータ・スキーターの衝撃の新刊、評伝『アルバス・ダンブルドアの真っ白な人生と真っ赤な嘘』。

（ベティ・ブレイスウェイトによる著者独占インタビューが十三面に）

ハリーは乱暴に紙面をめくって十三面を見た。記事の一番上に、こちらもまた見慣れた顔の写真があった。宝石縁のめがねに、念入りにカールさせたブロンドの魔女が、本人は魅力的だと思っているらしい歯をむき出しにした笑顔で、ハリーに向かって指をごにょごにょ動かし、愛嬌をふりまいていた。吐き気をもよおすような写真を必死で無視しながら、ハリーは記事を読んだ。

リータ・スキーター女史は、辛辣な羽根ペン使いで有名な印象とはちがい、会ってみるとずっと温かく人当たりのよい人物だった。居心地のよさそうな自宅の玄関で出迎えを受け、女史に案内されるままにキッチンに入ると、紅茶とパウンド・ケーキと、言うまでもなく湯気の立つほやほやのゴシップでたっぷり接待された。

「そりゃあ、もちろん、ダンブルドアは伝記作家にとっての夢ざんすわ」とスキーター女史。「あれだけの長い、中身の濃い人生ざんすもの。あたくしの著書を皮切りに、もっともっと多くの伝記が出るざんしょうよ」

スキーターはまちがいなく一番乗りだった。九百ページにおよぶ著書を、ダンブルドアが謎の死を遂げた六月からわずか四週間で上梓したわけだ。筆者は、この超スピード出版をなしとげた秘訣を聞いてみた。

「ああ、あたくしのように長いことジャーナリストをやっておりますとね、しめきりに間に合わせるのが習い性となってるんざんすわ。魔法界が完全な伝記を待ち望んでいることはわかっていたざんすしね、そういうニーズに真っ先に応えたかったわけざんす」

筆者は、アルバス・ダンブルドアの長年の友人であり、ウィゼンガモットの特別顧問でもあるエルファイアス・ドージの、最近話題になっているあのコメントに触れてみた。「スキーターの本に書いてある事実は、『蛙（かえる）チョコ』の付録のカード以下でしかない」という批判だ。

スキーターはのけぞって笑った。

「ドジのドージ！　二、三年前、水中人（マーピープル）の権利についてインタビューしたことがあるざんすけどね。かわいそうに、完全なボケ。二人でウィンダミア湖の湖底に座っていると勘ちがいしたらしくて、あたくしに『鱒（ます）』に気をつけろと何度も注意していたざんすわ」

しかしながら、エルファイアス・ドージと同様に、事実無根と非難する声はほかにも多く聞かれる。スキーターは、たった四週間で、ダンブルドアの傑出した長い生涯を完全に把握できると、本気でそう思っているのだろうか？

「まあ、あなた」スキーターは、ペンを握った私の手の節を親しげに軽くたたいてニッコリした。「あなたもよくご存じざんしょ。ガリオン金貨のぎっしり詰まった袋、『ノー』という否定の言葉には耳を貸さないこと、それにすてきな鋭い『自動速記羽根ペンＱＱＱ』が一本あれば、情報はザックザク出てくるざんす！　いずれにせよ、ダンブルドアの私生活をなんだかんだと取りざたしたい連中はうようよしてるざんすわ。誰もが彼のことをすばらしいと思っていたわけじゃないざんすよ――他人の、しかも重要人物の領域にちょっかいを出して、かなり大勢に煙たがられてたざんすからね。とにかく、ドジのドージじいさんには、ヒッポグリフに乗った気分で、偉そうに知ったかぶりするのはやめていただくことざんすね。何しろあたくしには、大方のジャーナリストが杖を差し出してでも手に入れたいと思うような情報源が一つあるざんす。これまで公には一度も話さなかった人ざんしてね、ダンブルドアの若かりしころ、最も荒れ狂った危ない時期に、彼と親しかった人物ざんす」

スキーターの伝記の前宣伝によれば、ダンブルドアの完全無欠な人生を信じていた人たちには衝撃が待ち受けていると、明らかにそうにおわせている。スキーターの見つけた事実の中で、一番衝撃的なものは何かと聞いてみた。

「さあ、さあ、ベティ、そうは問屋がおろさないざんす。まだ誰も本を買わないうちに、おいしいところを全部差し上げるわけにはいかないざんしょ！」スキーターは笑った。「でもね、約束するざんすわ。ダンブルドアがあのひげのように真っ白だと、まだそう思っている人には衝撃の発見ざんす！　これだけは言えるざんすがね、ダンブルドアが『例のあの人』に激怒するのを聞いた人は夢にもそうは思わないざんしょうが、ダンブルドア自身、若いころは闇の魔術にちょいと手を出していたざんす！　それに、後年、寛容を説くことに生涯を費やした魔法使いにしては、若いころは必ずしも心が広かったとは言えないざんすね！　ええ、アルバス・ダンブルドアは非常に薄暗い過去を持っていたざんすとも。もちろんうさんくさい家族のことは言うにおよばないざんす。ダンブルドアは躍起になってそのことを葬ろうとしたざんすがね」

スキーターが示唆しているのは、ダンブルドアの弟、アバーフォースのことかと聞いてみた。十五年前、魔法不正使用によりウィゼンガモットで有罪判決を受け、ちょっとしたスキャンダルの元になった人物だ。

「ああ、アバーフォースなんか、糞山(ふんざん)の一角ざんすよ」スキーターは笑い飛ばした。「いやいや、山羊(やぎ)とたわむれるのがお好きな弟なんかよりはるかに悪質で、マグル傷害事件の父親よりもさらに質(たち)が悪いざんす——いずれにせよ、二人ともウィゼンガモットに告発されたざんすから、ダンブルドアは、どちらの件ももみ消すことはできなかったざんすけどね。いいえ、実は、母親と妹のことざんすよ、あたくしが興味を引かれたのは。ちょっとほじくってみたら、ありましたざんすよ。胸の悪くなるような巣窟が——ま、先ほど言いましたざんすが、くわしくは第九章から第十二章までを読んでのお楽しみざんすね。いまはただ、自分の鼻がなぜ折れたかを、ダンブルドアがけっして話さなかったのも無理はない、とだけ申し上げておくざんす」

家族の恥となるような秘密は別として、スキーターは、多くの魔法を発見したダンブルドアの、卓越した能力をも否定するのだろうか？

「頭はよかったざんすね」スキーターは認めた。「ただ、ダンブルドアの業績とされているものすべてが、ほんとうに彼一人の功績であったかどうかは、いまでは疑う人も多いざんすよ。第十六章であたくしが明らかにしてるざんすが、アイバー・ディロンスビーは、自分がすでに発見していたドラゴンの血液の八つの使用法を、ダンブルドアが論文に『借用』したと主張しているざんす」

しかし、筆者はあえて、ダンブルドアの功績のいくつかが重要なものであることは否定できないと主張した。グリンデルバルドを打ち負かしたという有名な一件はどうだろう？

「ああ、それそれ、グリンデルバルドを持ち出してくださってうれしいざんす」スキーターはじらすようにほほえんだ。「ダンブルドアの胸のすくような勝利に目をうるませるみなさまには悪うござんすけど、心の準備が必要ざんすね。これは爆弾ざんすよ——むしろクソ爆弾。まったく汚い話ざんす。ま、伝説の決闘と言えるものがほんとうにあったのかどうか、あまり思い込まないことざんすね。あたくしの本を読んだら、グリンデルバルドは単に杖の先から白いハンカチを出して神妙に降参しただけだ、なんていう結論を出さざるをえないかもしれないざんす！」

スキーターはこの気になる話題について、これ以上は明かそうとしなかった。そこで、読者にとってはまちがいなく興味をそそられるであろう、ある人間関係に水を向けてみた。

「ええ、ええ」スキーターは勢いよくうなずいた。「一章まるまる割いたざんすよ。ポッター＝ダンブルドアの関係のすべてにはね。不健全で、むしろいまわしい関係だと言われてたざんす。まあ、この全容も、新聞の読者にあたくしの本を買ってもらうしかないざんすがね、ダンブルドアがはじめっからポッターに不自然な関心を持っていたことは、まちがいないざんす。それがあの少年にとって最善だったかどうか――ま、そのうちわかるざんしょ。とにかく、ポッターが問題のある青春時代を過ごしたことは、公然の秘密ざんす」

スキーターは二年前、ハリー・ポッターとの、かの有名な独占インタビューをはたした。ポッターが確信を持って、「例のあの人」が戻ってきたと語った画期的記事だったが、いまでもポッターと接触があるかどうかと尋ねてみた。

「ええ、そりゃ、あたくしたち二人は親しい絆で結ばれるようになったざんす」スキーターが言った。「かわいそうに、ポッターには真の友と呼べる人間がほとんどいないざんしてね。しかも、あたくしたちが出会ったのは、あの子の人生でも最も厳しい試練のとき――三校対抗試合のときだったざんす。たぶんあたくしは、ハリー・ポッターの実像を知る、数少ない生き証人の一人ざんしょね」

話の流れが、いまだに流布しているダンブルドアの最期に関するさまざまなうわさへと、うまく結びついた。ダンブルドアが死んだとき、ポッターがその場にいたといううわさを、スキーターは信じているだろうか？

「まあ、しゃべりすぎないようにしたいざんすけどね――すべては本の中にあるざんす――しかし、ダンブルドアが墜落したか、飛び降りたか、押されて落ちたかした直後に、ホグワーツ城内の目撃者が、ポッターが現場から走り去るところを見ているざんす。ポッターはその後、セブルス・スネイプに不利な証言をしているざんすが、ポッターがこの人物に恨みを抱いていることは有名ざんすよ。はたして言葉どおり受け取れるかどうか？　それは魔法界全体が決めること――あたくしの本を読んでからざんすけどね」

思わせぶりな一言を受けて、筆者はいとまを告げた。スキーターの羽根ペンによる本書は、たちどころにベストセラーとなることまちがいなしだ。一方、ダンブルドアを崇拝する多くの人々にとっては、その英雄像から何が飛び出すやら、戦々恐々の日々かもしれない。

記事を読み終わっても、ハリーはぼうぜんとその紙面をにらみつけたままだった。嫌悪感と怒りが反吐のように込み上げてきた。新聞を丸め、力まかせに壁に投げつけた。ごみ箱はすでにあふれ、新聞はごみ箱の周りに散らばっているごみの山に加わった。

ハリーは部屋の中を無意識に大股で歩き回った。からっぽの引き出しを開けたり、本を取り上げてはまた元の山に戻したり、ほとんど何をしているかの自覚もなかった。リータの記事の言葉が、バラバラに頭の中で響いていた。――**ポッター＝ダンブルドアの関係のすべてには、一章まるまる割いた……不健全で、むしろいまわしい関係だと言われてた……ダンブルドア自身、若いころは闇の魔術にちょいと手を出していた……あたくしには、大方のジャーナリストが杖を差し出してでも手に入れたいと思うような情報源が一つある……。**

「うそだ*！*」ハリーは大声で叫んだ。

窓のむこうで、芝刈り機の手を休めていた隣の住人が、不安げに見上げるのが見えた。

ハリーはベッドにドスンと座った。割れた鏡のかけらが、踊り上がって遠くに飛んだ。ハリーはそれを拾い、指で裏返しながら考えた。ダンブルドアのことを、そしてダンブルドアの名誉を傷つけているリータ・スキーターの嘘八百を……。

明るい、鮮やかなブルーがきらりと走った。ハッと身を硬くしたとたん、けがをした指が再びギザギザした鏡の縁ですべった。気のせいだ。気のせいにちがいない。ハリーは振り返った。しかし、背後の壁はペチュニアおばさん好みの、気持ちの悪い桃色だ。鏡に映るようなブルーのものはどこにもない。ハリーはもう一度鏡のかけらをのぞき込んだが、明るい緑色の自分の目が見つめ返しているだけだった。

気のせいだ。それしか説明のしようがない。亡くなった校長のことを考えていたから、見えたような気がしただけだ。アルバス・ダンブルドアの明るいブルーの目が、ハリーを見透かすように見つめることはもう二度とない。それだけは確かだ。

第3章　ダーズリー一家去る

玄関のドアがバタンと閉まる音が階段の下から響いてきたと思ったら、呼び声が聞こえた。

「おい、こら！」

十六年間こういう呼び方をされてきたのだから、おじさんが誰を呼んでいるかはわかる。しかしハリーは、すぐには返事をせず、まだ鏡のかけらを見つめていた。いましがた、ほんの一瞬、ダンブルドアの目が見えたような気がしたのだ。「**小僧！**」のどなり声でようやくハリーはゆっくり立ち上がり、部屋のドアに向かった。途中で足を止め、持っていく予定のものを詰め込んだリュックサックに、割れた鏡のかけらも入れた。

「ぐずぐずするな！」ハリーの姿が階段の上に現れると、バーノン・ダーズリーが大声で言った。「下りてこい。話がある！」

ハリーはジーンズのポケットに両手を突っ込んだまま、ぶらぶらと階段を下りた。居間に入ると、ダーズリー一家三人がそろっていた。全員旅支度だ。バーノンおじさんは淡い黄土色のブルゾン、ペチュニアおばさんはきちんとしたサーモンピンクのコート、ブロンドで図体が大きく、筋骨隆々のいとこのダドリーはレザージャケット姿だ。

「何か用？」ハリーが聞いた。

「座れ！」バーノンおじさんが言った。ハリーが眉を吊り上げると、バーノンおじさんは「どうぞ！」とつけ加えたが、言葉が鋭くのどに突き刺さったかのように顔をしかめた。

ハリーは腰かけた。次に何が来るか、わかるような気がした。おじさんは往ったり来たりしはじめ、ペチュニアおばさんとダドリーは心配そうな顔でその動きを追っていた。バーノンおじさんは、意識を集中するあまり、どでかい赤ら顔を紫色のしかめっ面にして、やっとハリーの前で立ち止まって口を開いた。

「気が変わった」

「そりゃあ驚いた」ハリーが言った。

「そんな言い方はおやめ――」ペチュニアおばさんがかん高い声で言いかけたが、バーノン・ダーズリーは手を振って制した。

「たわ言もはなはだしい」バーノンおじさんは豚のように小さな目でハリーをにらみつけた。「一言も信じないと決めた。わしらはここに残る。どこにも行かん」

ハリーはおじさんを見上げ、怒るべきか笑うべきか複雑な気持ちになった。この四週間というもの、バーノン・ダーズリーは二十四時間ごとに気が変わっていた。そのたびに、車に荷物を積んだり降ろしたり、また積んだりをくり返していた。ある時など、ダドリーが自分の荷物に新たにダンベルを入れたのに気づかなかったバーノンおじさんが、その荷物を車のトランクに積みなおそうと持ち上げたとたんに押しつぶされて、痛みに大声を上げながら悪態をついていた。これがハリーのお気に入りの一場面だった。

「おまえが言うには」バーノン・ダーズリーはまた居間の往復を始めた。「わしらが――ペチュニアとダドリーとわしだが――ねらわれとるとか。相手は――その――」

「『僕たちの仲間』、そうだよ」ハリーが言った。

「いいや、わしは信じないぞ」バーノンおじさんはまたハリーの前で立ち止まり、くり返した。「昨夜はそのことを考えて、半分しか寝とらん。これは家を乗っ取る罠だと思う」

「家?」ハリーがくり返した。「どの家?」

「**この家だ!**」バーノンおじさんの声が上ずり、こめかみの青筋がピクピクしはじめた。「**わしらの家だ!** この あたりは住宅の値段がうなぎ上りだ! おまえは邪魔なわしらを追い出して、それからちょいとチチンプイプイをやらかして、あっという間に権利証はおまえの名前になって、そして——」

「気は確かなの?」ハリーが問いただした。「この家を乗っ取る罠? おじさん、顔ばかりか頭までおかしいのかな?」

「なんて口のきき方を——!」

ペチュニアおばさんがキーキー声を上げたが、またしてもバーノンおじさんが手を振って制止した。顔をけなされることなど、自分が見破った危険に比べればなんでもないという様子だ。

「忘れちゃいないとは思うけど」ハリーが言った。「僕にはもう家がある。名付け親が遺してくれた家だよ。なのに、どうして僕がこの家を欲しがるってわけ? 楽しい思い出がいっぱいだから?」

おじさんがぐっと詰まった。ハリーは、この一言がおじさんにはかなり効いたと思った。

「おまえの言い分は」バーノンおじさんはまた歩きはじめた。「そのなんとか卿が——」

「ヴォルデモート」ハリーはいらいらしてきた。「もう百回も話し合ったはずだ。僕の言い分なんかじゃない。事実だ。ダンブルドアが去年おじさんにそう言ったし、キングズリーさんも——」

バーノン・ダーズリーは怒ったように肩をそびやかした。ハリーはおじさんの考えていることが想像できた。夏休みに入ってまもなく、正真正銘の魔法使いが二人、前触れもなしにこの家にやってきたという記憶を振り払おうとしているのだ。キングズリー・シャックルボルトとアーサー・ウィーズリーの二人が戸口に現れたこの事件は、ダーズリー一家にとって不快極まりない衝撃だった。ハリーにもその気持ちはわかる。ウィーズリーおじさんは、かつてこの居間の半分を吹っ飛ばしたことがあるのだから、再度の訪問にバーノンおじさんがうれしい顔をするはずがない。

「――キングズリーもウィーズリーさんも、全部説明したはずだ」ハリーは手かげんせずにぐいぐい話を進めた。「僕が十七歳になれば、僕の安全を保ってきた護りの呪文が破れるんだ。そしたら、おじさんたちも僕も危険にさらされる。騎士団は、ヴォルデモートが必ずおじさんたちをねらうと見ている。僕の居場所を見つけ出そうとして拷問するためか、さもなければ、おじさんたちを人質に取れば僕が助けにくるだろうと考えてのことだ」

バーノンおじさんとハリーの目が合った。その瞬間ハリーは、はたしてそうだろうか……と互いにいぶかっているのがわかった。それからバーノンおじさんはまた歩きだし、ハリーは話し続けた。

「おじさんたちは身を隠さないといけないし、騎士団はそれを助けたいと思っているんだよ。おじさんたちには厳重で最高の警護を提供するって言ってるんだ」

バーノンおじさんは、何も言わず往ったり来たりを続けていた。家の外では、太陽がイボタノキの生け垣にかかるほど低くなっていた。隣の芝刈り機がまたエンストして止まった。

「魔法省とかいうものがあると思ったのだが？」バーノン・ダーズリーが出し抜けに聞いた。

「あるよ」ハリーが驚いて答えた。

「さあ、それなら、どうしてそいつがわしらを守らんのだ？　わしらは、お尋ね者をかくまっただけの、それ以外はなんの罪もない犠牲者だ。当然政府の保護を受ける資格がある！」

ハリーはがまんできずに声を上げて笑った。おじさん自身が軽蔑し、信用もしていない世界の政府だというのに、あくまで既成の権威に期待をかけるなんて、まったくどこまでもバーノン・ダーズリーらしい。

「ウィーズリーさんやキングズリーの言ったことを聞いたはずだ」ハリーが言った。「魔法省にはもう敵が入り込んでいるんだ」

バーノンおじさんは暖炉まで行ってまた戻ってきた。息を荒らげているので巨大な黒い口ひげが小刻みに波打ち、意識を集中させているので顔はまだ紫色のままだ。

「よかろう」おじさんはまたハリーの前で立ち止まった。「よかろう。たとえばの話だが、わしらがその警護とやらを受け入れたとしよう。しかし、なぜあのキングズリーというやつがわしらに付き添わんのだ。理解できん」

ハリーはやれやれという目つきになるのをかろうじてがまんした。同じ質問にもう何度も答えている。

「もう話したはずだけど」ハリーは歯を食いしばって答えた。「キングズリーの役割は、マグ――つまり、英国首相の警護なんだ」

「そうだとも――あいつが一番だ！」

バーノンおじさんは、ついていないテレビの画面を指差して言った。ダーズリー一家は、病院を公式見舞いするマグルの首相の背後にぴったりついて、さり気なく歩くキングズリーの姿をニュースで見つけたのだった。その上、キングズリーはマグルの洋服を着こなすコツを心得ているし、ゆったりした深い声は何かしら人を安心させるものがある。それやこれやで、ダーズリー一家は、キングズリーをほかの魔法使いとは別格扱いにしているのだ。もっとも、片耳にイヤリングをしているキングズリーの姿を、ダーズリーたちが見ていないのも確かだ。

「でも、キングズリーの役目はもう決まってる」ハリーが言った。「だけど、ヘスチア・ジョーンズとディーダラス・ディグルなら充分にこの仕事を――」

「履歴書でも見ていれば……」バーノンおじさんが食い下がろうとしたが、ハリーはがまんできなくなった。立ち上がっておじさんに詰め寄り、今度はハリーがテレビを指差した。

「テレビで見ている事故はただの事故じゃない――衝突事故だとか爆発だとか脱線だとか、そういうテレビニュースのあとにも、いろいろな事件が起こっているにちがいないんだ。人が行方不明になったり死んだりしてる裏には、やつがいるんだ――ヴォルデモートが。いやというほど言って聞かせたじゃないか。あいつはマグル殺しを楽しんでるんだ。霧が出るときだって――吸魂鬼(ディメンター)の仕業なんだ。吸魂鬼がなんだか思い出せないのなら、息子に聞いてみろ！」

ダドリーの両手がびくっと動いて口を覆った。両親とハリーが見つめているのに気づき、ダドリーはゆっくり手を下ろして聞いた。「いるのか……もっと？」

「もっと？」ハリーは笑った。「僕たちを襲った二人のほかにもっといるかって？　もちろんだとも。何百、いやいまはもう何千かもしれない。恐れと絶望を食い物にして生きるやつらのことだ――」

「もういい、もういい」バーノンおじさんがどなり散らした。「おまえの言いたいことはわかった――」

「そうだといいけどね」ハリーが言った。「何しろ僕が十七歳になったとたん、連中は――死喰(しく)い人だとか吸魂鬼だとか、たぶん亡者たちまで、つまり闇の魔術で動かされる屍(しかばね)のことだけど――おじさんたちを見つけて、必ず襲ってくる。それに、おじさんが昔、魔法使いから逃げようとしたときのことを思い出せばわかってくれると思うけど、おじさんたちには助けが必要なんだ」

一瞬沈黙が流れた。その短い時間に、ハグリッドがその昔ぶち破った木の扉の音が遠く響き、その時からいままでの長い年月を伝わって反響してくるようだった。ペチュニアおばさんはバーノンおじさんを見つめ、ダドリーはハリーをじっと見ていた。やがてバーノンおじさんが口走った。「しかし、わしの仕事はどうなる？　ダドリーの学校は？　そういうことは、のらくら者の魔法使いなんかにゃ、どうでもいいことなんだろうが――」

「まだわかってないのか?」ハリーがどなった。「**やつらは、僕の父さんや母さんとおんなじように、おじさんたちを拷問して殺すんだ!**」

「パパ」ダドリーが大声で言った。「パパ――僕、騎士団の人たちと一緒に行く」

「ダドリー」ハリーが言った。「君、生まれて初めてまともなことを言ったぜ」

勝った、とハリーは思った。ダドリーが怖気づいて騎士団の助けを受け入れるなら、親もついていくはずだ。かわいいダディちゃんと離れればなれになることなど考えられない。ハリーは暖炉の上にある骨董品の時計をちらりと見た。

「あと五分くらいで迎えに来るよ」

そう言ってもダーズリーたちからはなんの反応もないので、ハリーは部屋を出た。おじ、おば、そしていとことの別れ――それもたぶん永遠の別れ――ハリーにはむしろ喜ばしい別れだった。にもかかわらず、なんとなく気づまりな雰囲気が流れていた。十六年間しっかり憎しみ合った末の別れには、普通、なんと挨拶するのだっけ?

ハリーは自分の部屋に戻り、意味もなくリュックサックをいじり、それから、ふくろうナッツを二個、鳥かごの格子から押し込むようにヘドウィグに差し入れたが、二つともかごの底にボトッと鈍い音を立てて落ち、ヘドウィグは見向きもしなかった。

「僕たち出かけるんだ。もうすぐだよ」ハリーは話しかけた。「そしたら、また飛べるようになるからね」

玄関の呼び鈴が鳴った。ハリーはちょっと迷ったが、部屋を出て階段を下りた。ヘスチアとディーダラスだけでダーズリー一味を相手にできると思うのは期待しすぎだ。

「ハリー・ポッター!」

ハリーが玄関を開けたとたん、興奮したかん高い声が言った。藤紫色のシルクハットをかぶった小柄な男が、深々とハリーにおじぎした。

「またまた光栄のいたり！」

「ありがとう、ディーダラス」

黒髪のヘスチアに、ちょっと照れくさそうに笑いかけながら、ハリーが言った。

「お二人にはお世話になります……おじとおばといとこはこちらです……」

「これはこれは、ハリー・ポッターのご親戚の方々！」

ディーダラスはずんずん居間に入り込み、うれしそうに挨拶した。ダーズリー一家のほうは、そういう呼びかけはまったくうれしくないという顔をした。ハリーはこれでまた気が変わるのではないかと半ば覚悟した。ダドリーは魔法使いと魔女の姿に縮み上がって、ますます母親にくっついた。

「もう荷造りもできているようですな。けっこう、けっこう！　ハリーが話したと思いますがね、なに、簡単な計画ですよ」

チョッキのポケットから巨大な懐中時計を引っ張り出し、時間を確かめながらディーダラスが言った。

「我々はハリーより先に出発します。この家で魔法を使うと危険ですから――ハリーはまだ未成年なので、魔法省がハリーを逮捕する口実を与えてしまいますんでね――そこで、我々は車で、そうですな、十五、六キロ走りましてね、それからみなさんのために我々が選んでおいた安全な場所へと『姿くらまし』するわけです。車の運転は、確か、おできになりますな？」

バーノンおじさんに、ディーダラスがていねいに尋ねた。

「おできに――？　むろん運転はよくできるわい！」

バーノンおじさんがつばを飛ばしながら言った。

「それはまた賢い。実に賢い。わたしなぞ、あれだけボタンやら丸い握りやらを見たら、頭がこんがらがりますすな」

ディーダラスはバーノン・ダーズリーを誉め上げているつもりにちがいなかったが、何か言うたびに、見る見るダーズリー氏の信頼を失っていった。

「運転もできんとは」ダーズリー氏が口ひげをわなわな震わせながら、小声でつぶやいたが、幸いディーダラスにもヘスチアにも聞こえていなかった。

「ハリー、あなたのほうは」ディーダラスが話し続けた。「ここで護衛を待っていてください。手はずにちょっと変更がありましてね――」

「どういうこと？」ハリーが急き込んで聞いた。「マッド-アイが来て、『付き添い姿くらまし』で僕を連れていくはずだけど」

「できないの」ヘスチアが短く答えた。「マッド-アイが説明するでしょう」

それまでさっぱりわからないという顔で聞いていたダーズリーたちは、「急げ！」とどなるキーキー声で飛び上がった。ハリーは部屋中を見回してやっと気づいたが、声の主はディーダラスの懐中時計だった。

「そのとおり。我々は非常に厳しいスケジュールで動いていますんでね」

ディーダラスは懐中時計に向かってうなずき、チョッキにそれをしまい込んだ。

「我々は、ハリー、あなたがこの家から出発する時間と、ご家族が『姿くらまし』する時間を合わせようとしていましてね。そうすれば、呪文が破れると同時に、あなたがた全員が安全な所に向かっているという算段です。さて――」ディーダラスはダーズリー一家に振り向いた。「準備はよろしいですかな？」

誰も応えなかった。バーノンおじさんは愕然とした顔で、ディーダラスのチョッキのふくれたポケットをにらみつけたままだった。

「ディーダラス、わたしたちは玄関ホールで待っていたほうが」ヘスチアがささやいた。

ハリーとダーズリー一家が、涙の別れを交わすかもしれない親密な場に同席するのは、無粋だと思ったにちがいない。

「そんな気づかいは」ハリーはボソボソ言いかけたが、バーノンおじさんの「さあ、小僧、ではこれでおさらばだ」の大声で、それ以上説明する手間が省けた。

ダーズリー氏は右腕を上げてハリーと握手するそぶりを見せたが、間際になってとても耐えられないと思ったらしく、拳を握るなり、メトロノームのように腕をぶらぶら振りだした。

「ダディちゃん、いい？」ペチュニアおばさんは、ハンドバッグの留め金を何度もチェックすることで、ハリーと目を合わすのをさけていた。ダドリーは応えもせず、口を半開きにしてその場に突っ立っていた。ハリーは巨人のグロウプをちらりと思い出した。

「それじゃあ、行こう」バーノンおじさんが言った。

おじさんが居間のドアまで行ったとき、ダドリーがぼそりと言った。

「わかんない」

「かわい子ちゃん、何がわからないの？」ペチュニアおばさんが息子を見上げて言った。

ダドリーは丸ハムのような大きな手でハリーを指した。

「あいつはどうして一緒に来ないの？」

バーノンおじさんもペチュニアおばさんも、ダドリーがたったいま、バレリーナになりたいとでも言ったように、その場に凍りついてダドリーを見つめた。

「なんだと？」バーノンおじさんが大声を出した。

「どうしてあいつも来ないの？」ダドリーが聞いた。

「そりゃ、あいつは――来たくないんだ」そう言うなり、バーノンおじさんはハリーをにらみつけて聞いた。「来たくないんだろう。え？」

「ああ、これっぽっちも」ハリーが言った。

「それ見ろ」バーノンおじさんがダドリーに言った。「さあ、来い。出かけるぞ」

ダーズリー氏はさっさと部屋から出ていった。玄関のドアが開く音がした。しかしダドリーは動かない。二、三歩ためらいがちに歩きだしたペチュニアおばさんも立ち止まった。

「今度はなんだ？」部屋の入口にまた顔を現したバーノンおじさんがわめいた。

ダドリーは、言葉にするのが難しい考えと格闘しているように見えた。いかにも痛々しげな心の葛藤がしばらく続いたあと、ダドリーが言った。

「それじゃ、あいつはどこに行くの？」

ペチュニアおばさんとバーノンおじさんは顔を見合わせた。ダドリーにぎょっとさせられたにちがいない。ヘスチア・ジョーンズが沈黙を破った。

「でも……あなたたちの甥御さんがどこに行くか、知らないはずはないでしょう？」

ヘスチアは困惑した顔で聞いた。

「知ってるとも」バーノンおじさんが言った。「おまえたちの仲間と一緒に行く。そうだろうが？　さあ、ダドリー、車に乗ろう。あの男の言うことを聞いたろう。急いでいるんだ」

バーノン・ダーズリーは再びさっさと玄関まで出ていった。しかしダドリーはついていかなかった。

「**私たちの**仲間と一緒に行く？」

ヘスチアは憤慨したようだった。同じような反応を、ハリーはこれまでも見てきた。有名なハリー・ポッターに対して、まだ生きている親族の中では一番近いこの家族があまりに冷淡なことに、魔法使いたちはショックを受けるらしい。

「気にしないで」ハリーがヘスチアに言った。「ほんとに、なんでもないんだから」

「なんでもない？」聞き返すヘスチアの声が高くなり、険悪になった。

「この人たちは、あなたがどんな経験をしてきたか、わかっているのですか？　あなたがどんなに危険な立場にあるか、知っているの？　反ヴォルデモート運動にとって、あなたが精神的にどんなに特別な位置を占めているか、認識しているの？」

「あの――いえ、この人たちにはわかっていません」ハリーが言った。

「僕なんか、粗大ごみだと思われているんだ。でも僕、なれてるし――」

「おまえ、粗大ごみじゃないと思う」

ダドリーの唇が動くのを見ていなかったら、ハリーは耳を疑ったかもしれない。ハリーはそれでもなおダドリーを見つめ、いましゃべったのが自分のいとこだと納得するのに、数秒かかった。まちがいなくダドリーがそう言った。一つには、ダドリーが赤くなっていたからだ。ハリーもきまりが悪くなったし、意表をつかれて驚いていた。

「えーと……あの……ありがとう、ダドリー」

ダドリーは再び表現しきれない思いと取り組んでいるように見えたが、やがてつぶやいた。

「おまえはおれの命を救った」

「正確にはちがうね」ハリーが言った。「吸魂鬼が奪いそこねたのは、君の魂さ……」

ハリーは不思議なものを見るように、いとこを見た。今年も、去年の夏も、ハリーは短い間しかプリペット通りにいなかったし、ほとんど部屋にこもりきりだったので、ダドリーとは事実上接触がなかった。しかし、ハリーはたったいま、はたと思い当たった。今朝がた踏んづけたあの冷めた紅茶のカップは、いたずらではなかったのかもしれない。ハリーは胸が熱くなりかけたが、ダドリーの感情表現能力がどうやら底をついてしまったらしいのを見て、やはりホッとした。ダドリーはさらに一、二度、口をパクパクさせたが、真っ赤になってだまり込んでしまった。

ペチュニアおばさんはワッと泣きだした。ヘスチアはそれでよいという顔をしたが、おばさんが駆け寄って抱きしめたのがハリーではなくダドリーだったので、憤怒の表情に変わった。

「な――なんてやさしい子なの、ダッダーちゃん……」ペチュニアは息子のだだっ広い胸に顔をうずめてすすり泣いた。「な――なんて、い、いい子なんでしょう……あ、ありがとうって言うなんて……」

「その子はありがとうなんて、言っていませんよ！」ヘスチアが憤慨して言った。「ただ、『ハリーは粗大ごみじゃないと思う』って言っただけでしょう！」

「うん、そうなんだけど、ダドリーがそう言うと、『君が大好きだ』って言ったようなものなんだ」

ハリーは説明した。ペチュニアおばさんがダドリーにしがみつき、まるでダドリーが燃え盛るビルから ハリーを救い出しでもしたかのように泣き続けるのを見て、ハリーは困ったような、笑いたいような複雑な気持ちだった。

「行くのか行かないのか？」居間の入口にまたまた顔を現したバーノンおじさんがわめいた。「スケジュールが厳しいんじゃなかったのか！」

「そう――そうですとも」わけがわからない様子で一部始終をながめていたディーダラス・ディグルが、やっと我に返ったかのように言った。「もうほんとうに行かないと。ハリー――」

ディーダラスはひょいひょい歩きだし、ハリーの手を両手でギュッと握った。

「――お元気で。またお会いしましょう。魔法界の希望はあなたの双肩にかかっております」

「あ、ええ、ありがとう」ハリーが言った。

「さようなら、ハリー」ヘスチアもハリーの手をしっかり握った。「私たちはどこにいても、心はあなたと一緒です」

「何もかもうまくいくといいけど」

ハリーは、ペチュニアおばさんとダドリーをちらりと見ながら言った。

「ええ、ええ、私たちはきっと大の仲良しになりますよ」ディグルは部屋の入口でシルクハットを振りながら、明るく言った。ヘスチアもそのあとから出ていった。

ダドリーはしがみついている母親からそっと離れ、ハリーのほうに歩いてきた。ハリーは魔法でダドリーを脅してやりたいという衝動を抑えつけなければならなかった。ダドリーが出し抜けに大きなピンクの手を差し出した。

「驚いたなあ、ダドリー」ペチュニアおばさんがまたしても泣きだす声を聞きながら、ハリーが言った。「吸魂鬼に別な人格を吹き込まれたのか?」

「わかんない」ダドリーが小声で言った。「またな、ハリー」

「ああ……」ハリーはダドリーの手を取って握手した。「たぶんね。元気でな、ビッグD」

ダドリーはニヤッとしかけ、それからドスドスと部屋を出ていった。庭の砂利道を踏みしめるダドリーの重い足音が聞こえ、やがて車のドアがバタンと閉まる音がした。ハンカチに顔をうずめていたペチュニアおばさんは、その音であたりを見回した。ハリーと二人きりになるとは、思ってもいなかったようだ。ぬれたハンカチをあわててポケットにしまいながら、おばさんは「じゃ――さよなら」と言って、ハリーの顔も見ずにどんどん戸口まで歩いていった。

「さようなら」ハリーが言った。

ペチュニアおばさんが立ち止まって、振り返った。一瞬ハリーは、おばさんが自分に何か言いたいのではないかという、不思議な気持ちに襲われた。なんとも奇妙な、おののくような目でハリーを見ながら、言おうか言うまいかと迷っているようだったが、やがてくいっと頭を上げ、おばさんは夫と息子を追って、せかせかと部屋を出ていった。

第4章　七人のポッター

ハリーは二階に駆け戻り、自分の部屋の窓辺に走り寄った。ちょうど、ダーズリー一家を乗せた車が、庭から車道に出ていくところに間に合った。後部座席に座ったペチュニアおばさんとダドリーの間に、ディーダラスのシルクハットが見えた。プリベット通りの端で右に曲がった車の窓ガラスが、沈みかけた太陽で一瞬真っ赤に染まった。そして次の瞬間、車の姿はもうなかった。

ハリーはヘドウィグの鳥かごを持ち上げ、ファイアボルトとリュックサックを持って、不自然なほどすっきり片づいた部屋をもう一度ぐるりと見回した。それから、荷物をぶらさげた不格好な足取りで階段を下り、階段下に鳥かごと箒、リュックを置いて玄関ホールに立った。陽射しは急速に弱まり、夕暮れの薄明かりがホールにさまざまな影を落としていた。静まり返った中にたたずみ、まもなくこの家を永久に去るのだと思うと、なんとも言えない不思議な気持ちがした。その昔、ダーズリー一家が遊びに出かけたあとの取り残された孤独な時間は、貴重なお楽しみの時間だった。まず冷蔵庫からおいしそうなものをかすめて急いで二階に上がり、ダドリーのコンピュータ・ゲームをしたり、テレビをつけて心行くまで次から次とチャンネルを替えたりしたものだ。そのころを思い出すと、なんだかちぐはぐでうつろな気持ちになった。まるで死んだ弟を思い出すような気持ちだった。

「最後にもう一度、見ておきたくないのかい？」

ハリーは、すねて翼に頭を突っ込んだままのヘドウィグに話しかけた。

「もう二度とここには戻らないんだ。楽しかったときのことを思い出したくないのかい？　ほら、この玄関マットを見てごらん。どんな思い出があるか……ダドリーを吸魂鬼から助けたあとで、あいつ、ここに吐いたっけ……あいつ、結局、僕に感謝してたんだよ。信じられるかい？　……それに、去年の夏休み、ダンブルドアがこの玄関から入ってきて……」

ハリーはふと、何を考えていたかわからなくなった。ヘドウィグは思い出す糸口を見つける手助けもせず、頭を翼に突っ込んだままだった。ハリーは玄関に背を向けた。

「ほら、ヘドウィグ、ここだよ――」ハリーは階段の下のドアを開けた。「――僕、ここで寝てたんだ！　そのころ、君はまだ僕のことを知らなかった――驚いたなあ、こんなに狭いなんて。僕、忘れてた……」

ハリーは、積み上げられた靴や傘を眺めて、毎朝目が覚めると階段の裏側が見えたことを思い出した。だいたいいつも、クモが一匹か二匹はぶら下がっていたものだ。ほんとうの自分が何者なのかを、まったく知らなかったころの思い出だ。両親がどのようにして死んだのかも知らず、なぜ自分の周りで、いろいろと不思議なことが起きるのかもわからなかったころのことだ。しかし、すでにその当時から自分につきまとっていた夢のことは覚えている。緑色の閃光（せんこう）が走る、混乱した夢だ。そして一度は――ハリーが夢の話をしたら、バーノンおじさんが危うく車をぶつけそうになったっけ――空飛ぶオートバイの夢だった……。

突然、どこか近くで轟音（ごうおん）がした。かがめていた体を急に起こしたとたん、ハリーは頭のてっぺんを低いドアの枠にぶつけてしまい、一瞬その場に立ったまま、バーノンおじさんとっておきの悪態を二言三言吐いた。それからすぐに、ハリーは頭を押さえながらよろよろとキッチンに入り、窓から裏庭をじっとのぞいた。

暗がりが波立ち、空気そのものが震えているようだった。そして、一人、また一人と、「目くらまし術」を解いた人影が現れた。その場を圧する姿のハグリッドは、ヘルメットにゴーグルを着け、黒いサイドカーつきの巨大なオートバイにまたがっている。その周囲に出現した人たちは次々に箒から降り、二頭の羽の生えた骸骨のような黒い馬から下りる人影も見えた。

ハリーはキッチンの裏戸を開けるのももどかしく、その輪に飛び込んでいった。ワッといっせいに声が上がり、ハーマイオニーがハリーに抱きついた。ロンはハリーの背をパンとたたき、ハグリッドは「大丈夫か、ハリー？　準備はええか？」と声をかけた。

「ばっちりだ」ハリーは全員にニッコリと笑いかけた。「でも、こんなにたくさん来るなんて思わなかった！」

「計画変更だ」マッド-アイが唸るように言った。

マッド-アイは、ふくれ上がった大きな袋を二つ持ち、魔法の目玉を、暮れゆく空から家へ、庭へと目まぐるしく回転させていた。

「おまえに説明する前に、安全な場所に入ろう」

ハリーはみんなをキッチンに案内した。にぎやかに笑ったり話したりしながら、椅子に座ったり、ペチュニアおばさんが磨き上げた調理台に腰かけたり、しみ一つない電気製品などに寄りかかったりして、全員がどこかに収まった。ロンはひょろりとした長身。ハーマイオニーは豊かな髪を後ろで一つに束ね、長い三つ編みにしている。フレッドとジョージは瓜二つのニヤニヤ笑いを浮かべ、ビルはひどい傷痕の残る顔に長髪だ。頭のはげ上がった親切そうな顔のウィーズリーおじさんは、めがねが少しずれている。歴戦のマッド-アイは片足が義足で、明るいブルーの魔法の目玉がぐるぐる回っている。トンクスの短い髪はお気に入りのショッキングピンクだが、ルーピンは白髪もしわも増えていた。フラーは長い銀色の髪を垂らし、ほっそりとして美しい。黒人のキングズリーははげていて、肩幅ががっちりしている。

髪もひげもぼうぼうのハグリッドは、天井に頭をぶつけないように背中を丸めて立っていた。マンダンガス・フレッチャーは、バセットハウンド犬のように垂れ下がった目ともつれた髪の、おどおどした汚らしい小男だ。みんなを眺めていると、ハリーは心が広々として光で満たされるような気がした。みんながが好きでたまらなかった。前に会ったときにはしめ殺してやろうと思ったマンダンガスでさえ、好きだった。

「キングズリー、マグルの首相の警護をしてるんじゃなかったの？」

ハリーは部屋のむこうに呼びかけた。

「ひと晩ぐらい私がいなくとも、あっちは差しつかえない」キングズリーが言った。「君のほうが大切だ」

「ハリー、これな～んだ？」

洗濯機に腰かけたトンクスが、ハリーに向かって左手を振って見せた。指輪が光っている。

「結婚したの？」ハリーは思わず叫んで、トンクスからルーピンに視線を移した。

「来てもらえなくて残念だったが、ハリー、ひっそりした式だったのでね」

「よかったね。おめで──」

「さあさあ。積もる話はあとにするのだ！」

ガヤガヤをさえぎるように、ムーディが大声を出すと、キッチンが静かになった。ムーディは袋を足元に下ろし、ハリーを見た。

「ディーダラスが話したと思うが、計画Aは中止せざるをえん。パイアス・シックネスが寝返った。これは我々にとって大問題となる。シックネスめ、この家を『煙突飛行ネットワーク』と結ぶことも、『移動キー(ポートキー)』を置くことも、『姿あらわし』で出入りすることも禁じ、違反すれば監獄行きとなるようにしてくれおった。おまえを保護し、『例のあの人』がおまえに手出しできんようにするためだという口実だが、まったく意味をなさん。おまえの母親の魔法がとっくに保護してくれておるのだからな。あいつのほんとうのねらいは、おまえをここから無事には出させんようにすることだ」

「二つ目の問題だが、おまえは未成年だ。つまりまだ『におい』をつけておる」

「僕、そんなもの――」

「『におい』だ、『におい』！」マッド‐アイがたたみかけた。「『十七歳未満の者の周囲での魔法行為をかぎ出す呪文』、魔法省が未成年の魔法を発見する方法のことだ！　おまえないしおまえの周辺の者がここからおまえを連れ出す呪文をかけると、シックネスにそれが伝わり、死喰い人にもかぎつけられるだろう」

「我々は、おまえの『におい』が消えるまで待つわけにはいかん。十七歳になったとたん、おまえの母親が与えた護りはすべて失われる。要するに、パイアス・シックネスはおまえをきっちり追い詰めたと思っておる」

　面識のないシックネスだったが、ハリーもシックネスの考えどおりだと思った。

「それで、どうするつもりですか？」

「残された数少ない輸送手段を使う。『におい』がかぎつけられない方法だ。何しろこれなら呪文をかける必要がないからな。箒、セストラル、それとハグリッドのオートバイだ」

　ハリーにはこの計画の欠陥が見えた。しかし、マッド‐アイがその点に触れるまでだまっていることにした。

「さて、おまえの母親の魔法は、二つの条件のどちらかが満たされたときにのみ破れる。おまえが成人に達したとき、または――」

　ムーディはちり一つないキッチンをぐるりと指した。

「――この場所を、もはやおまえの家と呼べなくなったときだ。おまえは今夜、おじおばとは別の道に向かう。もはや二度と一緒に住むことはないとの了解の上だ。そうだな？」

ハリーはうなずいた。

「さすれば、今回この家を去れば、おまえはもはや戻ることはない。おまえがこの家の領域から外に出たとたん、呪文は破れる。我々は早めに呪文を破るほうを選択した。なんとなれば、もう一つの方法では、おまえが十七歳になったとたん、『例のあの人』がおまえを捕らえにくる。それを待つだけのことになるからだ」

「我々にとって一つ有利なのは、今夜の移動を『例のあの人』が知らぬことだ。魔法省にガセネタを流しておいた。連中はおまえが三十日の夜中までは発たぬと思っておる。しかし相手は『例のあの人』だ。やつが日程を誤まることだけを当てにするわけにはいかぬ。万が一のために、このあたりの空全体を、二人の死喰い人にパトロールさせているにちがいない。そこで我々は十二軒の家に、できうるかぎりの保護呪文をかけた。そのいずれも、わしらがおまえを隠しそうな家だ。騎士団となんらかの関係がある場所ばかりだからな。わしの家、キングズリーの所、モリーのおば御のミュリエルの家――わかるな」

「ええ」と言ってはみたが、必ずしも正直な答えではなかった。ハリーにはまだ、この計画の大きな落とし穴が見えていた。

「おまえはトンクスの両親の家に向かう。いったん我々がそこにかけておいた保護呪文の境界内に入ってしまえば、『隠れ穴』に向かう移動キーが使える。質問は？」

「あ――はい」ハリーが言った。「最初のうちは、十二軒のどれに僕が向かうのか、あいつらにはわからないかもしれませんが、でも、もし――」ハリーはサッと頭数を数えた。「――十四人もトンクスのご両親の家に向かって飛んだら、ちょっと目立ちませんか？」

「ああ」ムーディが言った。「肝心なことを忘れておった。十四人がトンクスの実家に向かうのではない。今夜は七人のハリー・ポッターが空を移動する。それぞれに随行がつく。それぞれの組が、別々の安全な家に向かう」

ムーディはそこで、マントの中から、泥のようなものが入ったフラスコを取り出した。それ以上の説明は不要だった。ハリーは計画の全貌をすぐさま理解した。

「ダメだ！」ハリーの大声がキッチン中に響き渡った。「絶対ダメだ！」

「きっとそう来るだろうって、私、みんなに言ったのよ」ハーマイオニーが自慢げに言った。

「僕のために六人もの命を危険にさらすなんて、僕が許すとでも――！」

「――何しろ、そんなことは僕らにとって初めてだから、とか言っちゃって」ロンが言った。

「今度はわけがちがう。僕に変身するなんて――」

「そりゃ、ハリー、好きこのんでそうするわけじゃないぜ」フレッドが大真面目な顔で言った。「考えてもみろよ。失敗すりゃ俺たち、永久にめがねをかけたやせっぽちの、さえない男のままだぜ」

ハリーは笑うどころではなかった。

「僕が協力しなかったらできないぞ。僕の髪の毛が必要なはずだ」

「ああ、それがこの計画の弱みだぜ」ジョージが言った。「君が協力しなけりゃ、俺たち、君の髪の毛をちょっぴりちょうだいするチャンスは明らかにゼロだからな」

「まったくだ。我ら十三人に対するは、魔法の使えないやつ一人だ。俺たちのチャンスはゼロだな」フレッドが言った。

「おかしいよ」ハリーが言った。「まったく笑っちゃうよ」

「力ずくでもということになれば、そうするぞ」ムーディが唸った。魔法の目玉がハリーをにらみつけて、いまやわなわなと震えていた。「ここにいる全員が成人に達した魔法使いだぞ、ポッター。しかも全員が危険を覚悟しておる」

マンダンガスが肩をすくめてしかめっ面をした。ムーディの魔法の目玉がぐるりと横に回転し、頭の横からマンダンガスをにらみつけた。

「議論はもうやめだ。刻々と時間がたっていく。さあ、いい子だ、髪の毛を少しくれ」

「でも、とんでもないよ。そんな必要はないと――」

「必要はないだと！」ムーディが歯をむき出した。「『例のあの人』が待ち受けておるし、魔法省の半分が敵に回っておってもか？　ポッター、うまくいけば、あいつは疑似餌に食らいつき、三十日におまえを待ち伏せするように計画するだろう。しかしあいつもばかじゃないからな、死喰い人の一人や二人は見張りにつけておるだろう。わしならそうする。おまえの母親の護りが効いているうちは、おまえにもこの家にも手出しができんかもしれんが、まもなく呪文は破れる。それにやつらは、この家の位置のだいたいの見当をつけている。おとりを使うのが我らに残された唯一の途だ。『例のあの人』といえども、体を七つに分けることはできまい」

ハリーはハーマイオニーの視線をとらえたが、すぐに目をそらした。

「そういうことだ、ポッター――髪の毛をくれ。頼む」

ハリーはちらりとロンを見た。ロンは、いいからやれよと言うように、ハリーに向かって顔をしかめた。

「さあ！」ムーディが吠えた。

全員の目が注がれる中、ハリーは頭のてっぺんに手をやり、髪をひと握り引き抜いた。

「よーし」ムーディが足を引きずって近づき、魔法薬のフラスコの栓を抜いた。「さあ、そのままこの中に」

ハリーは泥状の液体に髪の毛を落とし入れた。液体は、髪がその表面に触れるや否や、泡立ち、煙を上げ、それから一気に明るい金色の透明な液体に変化した。

「うわぁ、ハリー、あなたって、クラッブやゴイルよりずっとおいしそう」

そう言ったあとで、ハーマイオニーはロンの眉毛が吊り上がるのに気づき、ちょっと赤くなってあわててつけ足した。

「あ、ほら――ゴイルのなんか、鼻クソみたいだったじゃない」

「よし。では偽ポッターたち、ここに並んでくれ」ムーディが言った。

ロン、ハーマイオニー、フレッド、ジョージ、そしてフラーが、ペチュニアおばさんのピカピカの流し台の前に並んだ。

「一人足りないな」ルーピンが言った。

「ほらよ」ハグリッドがどら声とともにマンダンガスの襟首をつかんで持ち上げ、フラーのかたわらに落とした。フラーはあからさまに鼻にしわを寄せ、フレッドとジョージの間に移動した。

「言っただろうが。俺は護衛役のほうがいいって」マンダンガスが言った。

「だまれ」ムーディが唸った。「おまえに言って聞かせたはずだ。この意気地なしめが。死喰い人に出くわしても、ポッターを捕まえようとはするが殺しはせん。ダンブルドアがいつも言っておった。『例のあの人』は自分の手でポッターを始末したいのだとな。護衛のほうこそ、むしろ心配すべきなのだ。死喰い人は護衛を殺そうとするぞ」

マンダンガスは、格別納得したようには見えなかった。しかしムーディはすでに、マントからゆで卵立てほどの大きさのグラスを六個取り出し、それぞれに渡してポリジュース薬を少しずつ注いでいた。

「それでは、一緒に……」

ロン、ハーマイオニー、フレッド、ジョージ、フラー、そしてマンダンガスが飲んだ。薬がのどを通るとき、全員が顔をしかめてゼイゼイ言った。たちまち六人の顔が熱いろうのように泡立ち、形が変わった。ハーマイオニーとマンダンガスが縦に伸びだす一方、ロン、フレッド、ジョージのほうは縮んでいった。全員の髪が黒くなり、ハーマイオニーとフラーの髪は頭の中に吸い込まれていくようだった。ムーディはいっさい無関心に、今度は持ってきた二つの大きいほうの袋の口を開けていた。ムーディが再び立ち上がったときには、その前に、ゼイゼイ息を切らした六人のハリー・ポッターが現れていた。

フレッドとジョージは互いに顔を見合わせ、同時に叫んだ。

「わおっ――俺たちそっくりだぜ！」

「しかし、どうかな、やっぱり俺のほうがいい男だ」

やかんに映った姿を眺めながら、フレッドが言った。

「アララ」フラーは電子レンジの前で自分の姿を確かめながら嘆いた。「ビル、見ないでちょうだい――わたし、いどいわ」

「着ているものが多少ぶかぶかな場合、ここに小さいのを用意してある」ムーディが最初の袋を指差した。「逆の場合も同様だ。めがねを忘れるな。横のポケットに六個入っている。着替えたら、もう一つの袋のほうに荷物が入っておる」

本物のハリーは、これまで異常なものをたくさん見てきたにもかかわらず、いま目にしているほど不気味なものを見たことがないと思った。六人の「生き霊」が袋に手を突っ込み、服を引っ張り出してめがねをかけ、自分の服を片づけている。全員が公衆の面前で臆面もなく裸になりはじめたのを見て、ハリーは、もう少し自分のプライバシーを尊重してくれと言いたくなった。みんな自分の体ならこうはいかないだろうが、他人の体なので気楽なのにちがいない。

「ジニーのやつ、刺青のこと、やっぱりうそついてたぜ」ロンが裸の胸を見ながら言った。

「ハリー、あなたの視力って、ほんとに悪いのね」ハーマイオニーがめがねをかけながら言った。

着替えが終わると、偽ハリーたちは、二つ目の袋からリュックサックと鳥かごを取り出した。かごの中にはぬいぐるみの白ふくろうが入っている。

服を着てめがねをかけた七人のハリーが、荷物を持ってついにムーディの目の前に勢ぞろいした。

「よし」と、ムーディが言った。「次の者同士が組む。マンダンガスはわしとともに移動だ。箒を使う――」

「どうして、おれがおめえと？」出口の一番近くにいるハリーがブツクサ言った。

「おまえが一番、目が離せんからだ」ムーディが唸った。

確かに魔法の目玉は、名前を呼び上げる間も、ずっとマンダンガスをにらんだままだった。

「アーサーはフレッドと――」

「俺はジョージだぜ」ムーディに指差された双子が言った。「ハリーの姿になっても見分けがつかないのかい？」

「すまん、ジョージ――」

「ちょっと揚げ杖を取っただけさ。俺、ほんとはフレッド――」

「こんなときに冗談はよさんか！」ムーディが歯がみしながら言った。「もう一人の双子――ジョージだろうがフレッドだろうが、どっちでもかまわん――リーマスと一緒だ。ミス・デラクール――」

「僕がフラーをセストラルで連れていく」ビルが言った。「フラーは箒が好きじゃないからね」

フラーはビルの所に歩いていき、メロメロに甘えた顔をした。ハリーは、自分の顔に二度とあんな表情が浮かびませんように、と心から願った。

「ミス・グレンジャー、キングズリーと。これもセストラル――」

ハーマイオニーはキングズリーのほほえみに応えながら、安心したように見えた。ハーマイオニーも箒には自信がないことを、ハリーは知っていた。

「残ったのは、あなたとわたしね、ロン！」

トンクスが明るく言いながらロンに手を振ったとたん、マグカップ・スタンドを引っかけて倒してしまった。

ロンは、ハーマイオニーほどうれしそうな顔をしなかった。

「そんでもって、ハリー、おまえさんは俺と一緒だ。ええか？」

ハグリッドはちょっと心配そうに言った。

「俺たちはバイクで行く。箒やセストラルじゃ、俺の体重を支えきれんからな。だけんどバイクの座席のほうも、俺が乗るとあんまり場所がねえんで、おまえさんはサイドカーだ」

「すごいや」心底そう思ったわけではなかったが、ハリーはそう言った。

「死喰い人のやつらは、おまえが箒に乗ると予想するだろう」

ムーディがハリーの気持ちを見透かしたように言った。

「スネイプは、おまえに関して、以前には話したことがないような事柄までくわしく連中に伝える時間があったはずだ。さすれば、死喰い人に遭遇した場合、やつらは箒に慣れた様子のポッターをねらうだろうと、我々はそう読んでおる。それでは、いいな」

ムーディは、偽ポッターたちの服が入った袋の口を閉め、先頭に立って裏口に向かった。「出発すべき時間まで三分と見た。鍵などかける必要はない。死喰い人が探しにきた場合、鍵で締め出すことはできん……いざ……」

ハリーは急いで玄関に戻り、リュックサックとファイアボルト、それにヘドウィグの鳥かごをつかんで、みんなの待つ暗い裏庭に出た。あちらこちらで、箒が乗り手の手に向かって飛び上がっていた。ハーマイオニーはキングズリーに助けられて、すでに大きな黒いセストラルの背にまたがっていたし、フラーもビルに助けられてもう一頭の背に乗っていた。ハグリッドはゴーグルを着け、バイクの脇に立って待っていた。

「これなの？　これがシリウスのバイクなの？」

「まさにそれよ」ハグリッドは、ハリーを見下ろしてニッコリした。「そんで、おまえさんがこの前これに乗ったときにゃあ、ハリーよ、俺の片手に乗っかるほどだったぞ！」

サイドカーに乗り込んだハリーは、なんだか屈辱的な気持ちになった。みんなより体一つ低い位置に座っていた。ロンは、遊園地の電気自動車に乗った子供のようなハリーを見て、ニヤッと笑った。ハリーはリュックサックと箒を両足の横に置き、ヘドウィグの鳥かごを両ひざの間に押し込んだ。とても居心地が悪かった。

「アーサーがちょいといじくった」

ハグリッドは、ハリーのきゅうくつさなど、まったく気づいていないようだった。ハグリッドがまたがって腰を落ち着けると、バイクが少しきしんで地面に数センチめり込んだ。

「ハンドルに、ちいっとばかり種も仕掛けもしてある。俺のアイデアだ」

ハグリッドは太い指で、スピードメーターの横にある紫のボタンを指した。

「ハグリッド、用心しておくれ」

すぐ横に箒を持って立っていたウィーズリーおじさんが言った。

「よかったのかどうか、私にはまだ自信がないんだよ。とにかく緊急のときにしか使わないように」

「ではいいな」ムーディが言った。「全員、位置に着いてくれ。いっせいに飛び立ってほしい。さもないと陽動作戦は意味がなくなる」

全員が箒にまたがった。

「さあ、ロン、しっかりつかまって」トンクスが言った。

ロンが申し訳なさそうな目でこっそりルーピンを見てから両手をトンクスの腰に回すのを、ハリーは見た。ハグリッドがペダルを蹴るとバイクにエンジンがかかった。バイクはドラゴンのような唸りを上げ、サイドカーが振動しはじめた。

「全員、無事でな」ムーディが叫んだ。「約一時間後に、みんな『隠れ穴』で会おう。三つ数えたらだ。一……二……三」

オートバイの爆音とともに、サイドカーが突然ぐらりと気持ちの悪い傾き方をした。ハリーは急速に空を切って昇っていった。目が少しうるみ、髪の毛は押し流されてはためいた。ハリーの周りには、箒が数本上昇し、セストラルの長く黒いしっぽがサッと通り過ぎた。サイドカーに押し込まれたハリーの両足は、ヘドウィグの鳥かごとリュックサックにはさまれ、痛みを通り越してしびれかけていた。あまりの乗り心地の悪さに、危うく最後にひと目プリベット通り四番地を見るのを忘れるところだった。気がついてサイドカーの縁越しにのぞいたときには、どの家がそれなのか、もはや見分けがつかなくなっていた。高く、さらに高く、一行は空へと上昇していく――。

その時、どこからともなく降って湧いたような人影が、一行を包囲した。少なくとも三十人のフードをかぶった姿が宙に浮かび、大きな円を描いて取り囲んでいた。騎士団のメンバーは、その真っただ中に飛び込んできたのだ。何も気づかずに――。

叫び声が上がり、緑色の閃光があたり一面にきらめいた。ハグリッドがウオッと叫び、バイクがひっくり返った。ハリーは方角がわからなくなった。頭上に街灯の明かりが見え、周り中から叫び声が聞こえた。ハリーは必死でサイドカーにしがみついていた。ヘドウィグの鳥かご、ファイアボルト、リュックサックがハリーのひざ下からすべり落ちた。

「ああっ――**ヘドウィグ！**」

箒はきりもみしながら落ちていったが、ハリーはやっとのことでリュックのひもと鳥かごのてっぺんをつかんだ。その時バイクがぐるりと元の姿勢に戻った。ホッとしたのもつかの間、またしても緑の閃光が走った。白ふくろうがキーッと鳴き、かごの底にポトリと落ちた。

「そんな――**うそだー！**」

バイクが急速で前進した。ハグリッドが囲みを突き破って、フードをかぶった死喰い人を蹴散らすのが見えた。

「ヘドウィグ――**ヘドウィグ**――」

白ふくろうはまるでぬいぐるみのように、哀れにも鳥かごの底でじっと動かなくなっていた。何が起こったのか理解できなかった。同時にほかの組の安否を思うと恐ろしくなり、ハリーは振り返った。すると、ひと塊の集団が動き回り、緑の閃光が飛び交っていた。その中から箒に乗ったふた組が抜け出し、遠くに飛び去っていったが、ハリーには誰の組なのかわからなかった――。

「ハグリッド。戻らなきゃ。戻らなきゃ！」

エンジンの轟音をしのぐ大声で、ハリーが叫んだ。杖を抜き、ヘドウィグの鳥かごを足元に押し込みながら、ヘドウィグの死を認めるものかと思った。

「ハグリッド！　**戻ってくれ！**」

「ハリー、俺の仕事はおまえさんを無事に届けることだ！」

ハグリッドが破れ鐘のような声を上げ、アクセルを吹かした。

「止まれ――**止まれ！**」ハリーが叫んだ。しかし、再び振り返ったとき、左の耳を二本の緑の閃光がかすめた。死喰い人が四人、二人を追って包囲網から離れ、ハグリッドの広い背中を標的にしていた。ハグリッドは急旋回したが、死喰い人がバイクに追いついてきた。背後から次々と浴びせられる呪いを、ハリーはサイドカーに身を沈めてよけた。狭い中で身をよじりながら、ハリーは「**ステューピファイ！　まひせよ！**」と叫んだ。赤い閃光がハリーの杖から発射され、死喰い人たちはそれをかわして二手に割れた。

「つかまっちょれ、ハリー、これでも食らえだ！」ハグリッドが吠えた。

ハリーが目を上げると、ちょうどハグリッドが、燃料計の横の緑のボタンを太い指でたたくのが見えた。

排気筒から壁が現れた。固いれんがの壁だ。その壁が空中に広がっていくのを、ハリーは首を伸ばして見ていた。三人の死喰い人は壁をかわして飛んだが、四人目は悪運尽きて姿を消し、バラバラになった箒とともに壁のむこう側から石のように落下していった。死喰い人三人のうちの一人が、救出しようとして速度を落とし、ハグリッドがハンドルにのしかかってスピードを上げると、その死喰い人たちも空中の壁も、背後の暗闇に吸い込まれていった。

残る二人の死喰い人の杖から放たれたいくつもの「死の呪い」が、ハリーの頭上を通り過ぎた。ハグリッドをねらっている。ハリーは「失神の呪文」の連続で応酬した。赤と緑の閃光が空中で衝突し、色とりどりの火花が降り注いだ。ハリーは、こんなときなのに花火を思い出した。下界のマグルたちには、何が起こっているのかさっぱりわからないだろう――。

「またやるぞ、ハリー、つかまっちょれ！」

大声でそう言うなり、ハグリッドは二番目のボタンを押した。排気筒から今度は巨大な網が飛び出したが、用心していた死喰い人たちは引っかからなかった。二人とも旋回してよけたばかりか、気絶した仲間を救うためにいったん速度を落とした死喰い人も追いついてきた。闇の中から忽然と姿を現し、三人で呪いを浴びせながら、バイクを追ってきた。

「そんじゃ、取っておきのやつだ。ハリー、しっかりつかまっちょれ！」

ハグリッドが叫んだ。ハリーは、スピードメーターの横の紫のボタンを、ハグリッドが手のひら全体でバーンとたたくのを見た。

紛れもないドラゴンの咆哮とともに、排気筒から白熱したドラゴンの青い炎が噴き出した。バイクは、金属がねじ曲がる音を響かせて、弾丸のように飛び出した。ハリーは死喰い人が死の炎をよけて旋回し、視界から消えていくのを見たが、同時にサイドカーが不吉に揺れだすのを感じた。バイクに結合している金属部分が加速の力で裂けたのだ。

「心配ねえぞ、ハリー！」

急加速の勢いで仰向けにひっくり返ったハグリッドがどなった。いまや誰もハンドルを握っていない。サイドカーはバイクのスピードが起こす乱流に巻き込まれ、激しくぐらつきはじめた。

「ハリー、俺が面倒見る。心配するな！」

ハグリッドが声を張り上げ、上着のポケットからピンクの花柄の傘を引っ張り出した。

「ハグリッド！　やめて！　僕に任せて！」

「**レパロ！　直れ！**」

耳をつんざくバーンという音とともに、サイドカーは完全にバイクから分離した。バイクの前進する勢いに押し出されて、サイドカーは前に飛び出したが、やがて高度を下げはじめた――。

ハリーは死に物狂いでサイドカーに杖を向け叫んだ。

「**ウィンガーディアム　レヴィオーサ！　浮遊せよ！**」

サイドカーはコルクのように浮かんだ。舵(かじ)は取れないものの、とにかくまだ浮かんでいる。ホッとしたのもつかの間、何本もの呪いが、矢のようにハリーのそばを飛んでいった。三人の死喰い人が迫っていた。

「いま行くぞ、ハリー！」

暗闇の中からハグリッドの大声が聞こえたが、ハリーはサイドカーが再び沈みはじめるのを感じた。できるだけ身をかがめ、ハリーは襲ってくる死喰い人の真ん中の一人をねらって叫んだ。

「**インペディメンタ！　妨害せよ！**」

呪詛(じゅそ)が真ん中の死喰い人の胸に当たった。男は見えない障壁にぶつかったかのように、一瞬、大の字形の滑稽な姿をさらして宙に浮かび、死喰い人仲間の一人が、危うくそれに衝突しそうになった――。

次の瞬間、サイドカーは本格的に落下しはじめた。三人目の死喰い人が放った呪いがあまりにも近くに飛んできたので、ハリーはサイドカーの縁に隠れるようにすばやく頭を引っ込めたが、その拍子に座席の端にぶつかって、歯が一本折れた――。

「いま行くぞ、ハリー、いま行くからな！」

巨大な手がハリーのローブの背中をつかまえ、落ちていくサイドカーから持ち上げた。ハリーはリュックを引っ張りながら、バイクの座席に這(は)い上がった。気がつくとハグリッドと背中合わせに座っていた。二人の死喰い人を引き離して上昇しながら、ハリーは口からペッと血を吐き出し、落下していくサイドカーに杖を向けて叫んだ。

「**コンフリンゴ！　爆発せよ！**」

　サイドカーが爆発したとき、ハリーはヘドウィグを思い、腸がよじれるような激しい痛みを感じた。その近くにいた死喰い人が箒から吹き飛ばされ、姿が見えなくなった。もう一人の仲間も、退却して姿を消した。

「ハリー、すまねえ、すまねえ」ハグリッドがうめいた。「俺が自分で直そうとしたんが悪かった――座る場所がなかろう――」

「大丈夫だから飛び続けて！」ハリーが叫び返した。暗闇からまた二人の死喰い人が現れて、だんだん近づいていた。

　追っ手の放つ呪いが、再びオートバイ目がけて矢のように飛んできたが、ハグリッドはジグザグ運転でかわした。ハリーが不安定な座り方をしている状態では、ハグリッドは二度とドラゴン噴射ボタンを使う気にはなれないだろうとハリーは思った。追っ手に向かって、ハリーは次から次へと「失神呪文」を放ったが、かろうじて死喰い人との距離を保てただけだった。追っ手を食い止めるためにハリーはまた呪文を発した。一番近くにいた死喰い人がそれをよけようとした拍子に、頭からフードがすべり落ちた。ハリーが続けて放った「失神呪文」の赤い光が照らし出した顔は、奇妙に無表情なスタンリー・シャンパイク――スタンだ――。

「**エクスペリアームス！　武器よ去れ！**」ハリーが叫んだ。

「あれだ。あいつがそうだ。あれが本物だ！」

　もう一人の、まだフードをかぶったままの死喰い人の叫び声は、エンジンの轟音をも乗り越えてハリーに届いた。次の瞬間、追っ手は二人とも退却し、視界から消えた。

「ハリー、何が起こった？」ハグリッドの大声が響いた。「連中はどこに消えた？」

「わからないよ！」

しかしハリーは不安だった。フード姿の死喰い人が、「あれが本物だ」と叫んだ。どうしてわかったのだろう？　一見何もない暗闇をじっと見つめながら、ハリーは迫り来る脅威を感じた。やつらはどこへ？

ハリーはなんとか半回転して前向きに座りなおし、ハグリッドの上着の背中につかまった。

「ハグリッド、ドラゴン噴射をもう一度やって。早くここから離れよう！」

「そんじゃ、しっかりつかまれ、ハリー！」

またしても耳をつんざくギャーッという咆哮とともに、灼熱(しゃくねつ)の青白い炎が排気筒から噴き出した。ハリーは、もともとわずかしかない座席からさらにずり落ちるのを感じた。ハグリッドはハリーの上に仰向けにひっくり返ったが、まだかろうじてハンドルを握っていた――。

「ハリー、やつらをまいたと思うぞ。うまくやったぞ！」ハグリッドが大声を上げた。

しかしハリーにはそう思えなかった。まちがいなく追っ手が来るはずだと左右を見回しながら、ハリーは恐怖がひたひたと押し寄せるのを感じていた……連中はなぜ退却したのだろう？　一人はまだ杖を持っていたのに――**あいつがそうだ。あれが本物だ**――スタンに武装解除呪文をかけた直後に、死喰い人は言い当てた……。

「もうすぐ着くぞ、ハリー。もうちっとで終わるぞ！」ハグリッドが叫んだ。

ハリーはバイクが少し降下するのを感じた。しかし地上の明かりは、まだ星のように遠くに見えた。

その時、額の傷痕が焼けるように痛んだ。死喰い人がバイクの両側に一人ずつ現れ、同時に、背後から放たれた二本の「死の呪い」は、ハリーをすれすれにかすめた――。

そして、ハリーは見た。ヴォルデモートが風に乗った煙のように、箒もセストラルもなしに飛んでくる。蛇のような顔が真っ暗な中で微光を発し、白い指が再び杖を上げた——。

ハグリッドは恐怖の叫び声を上げ、バイクを一直線に下に向けた。ハリーは生きた心地もせずしがみつきながら、ぐるぐる回る夜空に向かって失神呪文を乱射した。誰かが物体のようにそばを落ちていくのが見えたので、一人に命中したことはわかったが、その時、バーンという音が聞こえ、エンジンが火を噴くのが見えた。オートバイはまったく制御不能となり、きりもみしながら落ちていった——。

またしても緑の閃光が、いく筋か二人をかすめて通り過ぎた。ハリーは上も下もわからなくなった。傷痕はまだ焼けるように痛んでいる。ハリーは死を覚悟した。間近に箒に乗ったフード姿が迫り、その腕が上がるのが見えた——。

「**この野郎！**」

怒りの叫び声を上げながら、ハグリッドがバイクから飛び降りてその死喰い人に襲いかかった。ハリーが恐怖に目を見開くその前を、ハグリッドは死喰い人もろとも落ちていき、姿が見えなくなった。箒は二人の重みに耐えられなかったのだ——。

落下するバイクをやっと両ひざで押さえながら、ハリーはヴォルデモートの叫びを聞いた。

「**俺様のものだ！**」

もうおしまいだ。ヴォルデモートがどこにいるのか、姿も見えず、声も聞こえなくなった。死喰い人が一人、すっと道を空けるのがちらりと見えたとたん、声が聞こえた。

「**アバダ**——」

傷痕の激痛で、ハリーは目を固く閉じた。その時、ハリーの杖がひとりでに動いた。まるで巨大な磁石のように、杖がハリーの手を引っ張っていくのを感じた。閉じたまぶたの間から、ハリーは金色の炎が杖から噴き出すのを見、**バシン**という音とともに、怒りの叫びを聞いた。一人残っていた死喰い人が大声を上げ、ヴォルデモートは「**しまった！**」と叫んだ。なぜか、ハリーの目と鼻の先にドラゴン噴射のボタンが見えた。杖に引かれていないほうの手を握って拳でボタンをたたくと、バイクはまたしても炎を噴き出して、一直線に地上に向かった。

「ハグリッド！」ハリーは必死でバイクにつかまりながら呼んだ。

「ハグリッド――**アクシオ　ハグリッド！**」

バイクは地面に吸い込まれるようにスピードを上げた。ハリーの顔はハンドルと同じ高さにあり、遠くの明かりがどんどん近づいてくるのだけが見えた。このままでは衝突する。しかしどうしようもない。背後でまた叫ぶ声がした――。

「**おまえの杖だ。セルウィン、おまえの杖をよこせ！**」

ヴォルデモートの姿が見える前に、ハリーはその存在を感じた。横を見ると、赤い両眼と目が合った。きっとこれがこの世の見納めだ。ヴォルデモートは再びハリーに死の呪いをかけようとしている――。

ところがその時、ヴォルデモートの姿が消えた。下を見ると、ハグリッドが真下の地面に大の字に伸びていた。ハグリッドの上に落ちないようにと、ハリーはハンドルをぐいと引き、ブレーキをまさぐったが、耳をつんざき地面を揺るがす衝突音とともに、ハリーは池の泥水の中に突っ込んだ。

第5章　倒れた戦士

「ハグリッド？」

　ハリーは金属や革の残骸に埋もれながら、起き上がろうともがいた。立ち上がろうとすると、両手が数センチ泥水の中に沈み込んだ。ヴォルデモートがどこに行ってしまったのか、わけがわからなかったし、いまにも暗闇からぬっと現れるのではないかと気が気でなかった。あごや額からは、どろっとした生暖かいものが滴り落ちてくる。ハリーは池から這い出し、地面に横たわる巨大な黒い塊に見えるハグリッドに、よろよろと近づいた。

「ハグリッド？　ハグリッド、何か言ってよ――」

　しかし、黒い塊は動かなかった。

「誰かね？　ポッターか？　君はハリー・ポッターかね？」

　ハリーには聞き覚えのない男の声だった。それから女性の声がした。

「テッド！　墜落したんだわ。庭に墜落したのよ！」

　ハリーは頭がくらくらした。

「ハグリッド」ハリーはふぬけのようにくり返し、がっくりとひざを折った。

　気がつくと、ハリーは仰向けに寝ていた。背中にクッションのようなものを感じ、肋骨と右腕に焼けるような感覚があった。折れた歯は元どおり生えていたが、額の傷痕はまだずきずきしていた。

「ハグリッド？」

目を開けると、ランプに照らされた見知らぬ居間のソファに横になっていた。ぬれて泥だらけのリュックサックが、すぐそばの床に置かれている。腹の突き出た、明るい色の髪をした男が、心配そうにハリーを見つめていた。

「ハグリッドは大丈夫だよ」男が言った。

「いま、妻が看病している。気分はどうかね？ ほかに折れた所はないかい？ 肋骨と歯と腕は治しておいたがね。ところで私はテッドだよ。テッド・トンクス――ドーラの父親だ」

ハリーはガバッと起き上がった。目の前に星がチカチカし、吐き気とめまいがした。

「ヴォルデモートは――」

「さあ落ち着いて」テッド・トンクスはハリーの肩に手を置いて、クッションに押し戻した。

「ひどい激突だったからね。何が起こったのかね？ バイクがおかしくなったのかね？ アーサー・ウィーズリーがまたやりすぎたのかな？ 何しろマグルの奇妙な仕掛けが好きな男のことだ」

「ちがいます」額の傷痕は、生傷のようにずきずき痛んだ。「死喰い人が、大勢で――僕たち、追跡されて――」

「死喰い人？」テッドが鋭い声を上げた。「死喰い人とは、どういうことかね？ あいつらは、君が今夜移動することを知らないはずだ。連中は――」

「知ってたんです」ハリーが言った。

テッド・トンクスは、まるで天井から空が透視できるかのように、上を見上げた。

「まあ、それじゃあ、我々の保護呪文が効いたというわけだね？ 連中はここから周辺百メートル以内には侵入できないはずだ」

ヴォルデモートがなぜ消えたのか、ハリーはやっとわかった。あれは、オートバイが騎士団の呪文の境界内に入った時点だったのだ。ハリーは呪文の効果が続きますようにと願った。こうして話をしている間にも、ヴォルデモートが百メートル頭上で大きな透明の泡のような障壁から侵入する方法を探している姿を、ハリーは想像した。

ハリーは腰をひねってソファから両足を下ろした。ハグリッドが生きていることを、自分の目で確かめないと信用できなかった。しかし、ハリーがまだ立ち上がりきらないうちにドアが開いて、ハグリッドがきゅうくつそうに入ってきた。顔は泥と血にまみれ、少し足を引きずっていたが、奇跡的に生きていた。

「ハリー！」

華奢(きゃしゃ)なテーブルを二脚と観葉植物のハランをひと鉢ひっくり返し、ハグリッドはたった二歩で部屋を横切ってハリーを抱きしめた。治ったばかりの肋骨がまた折れそうになった。

「おったまげた。ハリー、いったいどうやって助かった？　てっきり俺たち二人ともお陀仏だと思ったぞ」

「うん、僕も。信じられな――」

ハリーは突然言葉を切った。ハグリッドのあとから部屋に入ってきた女性に気づいたからだ。

「おまえは！」叫ぶなりハリーは、ポケットに手を突っ込んだが、からっぽだった。

「杖(つえ)ならここにあるよ」テッドが杖で、ハリーの腕を軽くたたきながら言った。「君のすぐ脇に落ちていたので、拾っておいた。それに、私の妻だよ、いま、君がどなりつけたのは」

「えっ、あ、僕――すみません」

部屋の中に入ってくるにつれて、トンクス夫人と姉のベラトリックスの似ている点はあまり目立たなくなった。髪は明るくやわらかい褐色だったし、目はもっと大きく、親しげだった。にもかかわらず、ハリーが大声を出したせいか、少しツンとしているように見えた。

「娘はどうなったの？」夫人が聞いた。「ハグリッドが、待ち伏せされたと言っていましたが、ニンファドーラはどこ？」

「僕、わかりません」ハリーが言った。「ほかのみんながどうなったのか、僕たちにはわからないんです」

夫人はテッドと顔を見合わせた。その表情を見て、ハリーは恐怖と罪悪感の入りまじった気持ちにとらわれた。ほかの誰かが死んだら、自分の責任だ。全部自分のせいだ。計画に同意して、髪の毛を提供したのは自分だ……。

「移動キー(ポートキー)だ」ハリーは急に思い出した。「僕たち、『隠れ穴』に戻らないといけない。どうなったか様子を見ないと――そうしたら僕たち、お二人に伝言を送れます。でなければ――でなければトンクスからお送りします。着いたときに――」

「ドーラは大丈夫だよ、ドロメダ」テッドが言った。「あの子は、どうすればよいか知っている。闇祓(やみばら)いの仲間と一緒に、これまでも、さんざん危ない目にあってきた子だ。さあ、移動キーはこっちだよ」テッドがハリーを見た。「使うつもりなら、あと三分でここを発(た)つことになっている」

「ええ、行きます」ハリーは、リュックサックをつかんで背中に担ぎ上げた。「僕――」

ハリーはトンクス夫人を見た。夫人を恐怖におとしいれたまま残していくことを、わびたかった。しかも、自分がどんなにその責任を深く感じているかを述べて、謝りたかった。しかし、言うべき言葉を思いつかない。どんな言葉もむなしいし、誠意がないように思えた。

「僕、トンクスに――ドーラに――連絡するように言います。トンクスが戻ってきたときに……。僕たちのこと、あちこち治していただいてありがとうございます。いろいろお世話になりました。僕――」

その部屋を出ていけるのが、ハリーにとっては救いだった。テッド・トンクスについて玄関の短い廊下を抜け、ハリーは寝室に入った。ハグリッドが二人のあとから、ドアの上に頭をぶつけないように上体を曲げて入ってきた。

「さあ、あれが移動キーだよ」

トンクス氏は、化粧台に置かれた小さな銀のヘアブラシを指差していた。

「ありがとう」ハリーは手を伸ばして指を一本そこに乗せ、いつでも出発できるようにした。

「ちょっと待った」ハグリッドがあたりを見回した。「ハリー、ヘドウィグはどこだ？」

「ヘドウィグは……撃たれた」ハリーが言った。

現実が実感として押し寄せてきた。鼻の奥がツンと痛くなるのを、ハリーは恥ずかしく思った。ヘドウィグは、ずっとハリーと一緒だった。そして、義務的にダーズリー家に戻らなければならなかった日々には、ハリーと魔法界とをつなぐ一つの大きな絆（きずな）だった。

ハグリッドは大きな手でハリーの肩を軽く、しかし痛いほどにたたいた。

「もう、ええ」ハグリッドの声がかすれた。「もう、ええ。あいつは幸せに長生きした——」

「ハグリッド！」テッド・トンクスが気づかわしげに声をかけた。ヘアブラシが明るいブルーに光りだしていた。間一髪、ハグリッドは人差し指でブラシに触れた。

見えない鉤（かぎ）と糸で引かれるように、へその裏側をぐいと前に引っ張られ、ハリーは無の中へと引き込まれた。指を移動キーに貼りつけたまま、くるくると無抵抗に回転しながら、ハリーはハグリッドとともにトンクス氏から急速に離れていった。数秒後、両足が固い地面を打ち、ハリーは「隠れ穴」の裏庭に両手両ひざをついて落ちた。叫び声が聞こえた。もう光らなくなったヘアブラシを放り投げ、ハリーは、少しよろめきながら立ち上がった。ウィーズリーおばさんとジニーが、勝手口から階段を駆け下りてくるのが見えた。ハグリッドも着地で倒れ、どっこいしょと立ち上がるところだった。

「ハリー？　あなたが本物のハリー？　何があったの？　ほかのみんなは？」

ウィーズリーおばさんが叫んだ。

「どうしたの？　ほかには誰も戻っていないの？」ハリーがあえぎながら聞いた。

ウィーズリーおばさんの青い顔に、答えがはっきり刻まれていた。

「死喰い人たちが待ち伏せしていたんだ」ハリーはおばさんに話した。

「飛び出すとすぐに囲まれた――やつらは今夜だってことを知っていたんだ――ほかのみんながどうなったか、僕にはわからない。僕らは四人に追跡されて、逃げるので精いっぱいだった。それからヴォルデモートが僕たちに追いついて――」

ハリーは、自分の言い方が弁解がましいのに気づいていた。それは、おばさんの息子たちがどうなったのか、自分が知らないわけを理解してほしいという、切実な気持ちだった。しかし――。

「ああ、あなたが無事で、ほんとうによかった」おばさんはハリーを抱きしめた。ハリーは、自分にはそうしてもらう価値がないと感じた。

「モリー、ブランデーはねえかな、え？」ハグリッドは少しよろめきながら言った。「気つけ薬用だが？」

魔法で呼び寄せることができるはずなのに、曲がりくねった家に走って戻るおばさんの後ろ姿を見て、ハリーは、おばさんが顔を見られたくないのだと思った。ハリーはジニーを見た。すると、様子が知りたいという無言のハリーの願いを、ジニーはくみ取ってくれた。

「ロンとトンクスが一番に戻るはずだったけど、移動キーの時間に間に合わなかったの。キーだけが戻ってきたわ」ジニーはそばに転がっているさびた油注しを指差した。「それから、あれは」ジニーは、ぼろぼろのスニーカーを指しながら言った。「パパとフレッドのキーのはずだったの。二番目に着く予定だった。ハグリッドとあなたが三番目で」ジニーは腕時計を見た。「間に合えば、ジョージとルーピンがあと一分ほどで戻るはずよ」

ウィーズリーおばさんがブランデーの瓶を抱えて再び現れ、ハグリッドに手渡した。ハグリッドは栓を開け、一気に飲み干した。

「ママ！」ジニーが、少し離れた場所を指差して叫んだ。

暗闇に青い光が現れ、だんだん大きく、明るくなった。そして、ルーピンとジョージが独楽のように回りながら現れて倒れた。何かがおかしいと、ハリーはすぐに気づいた。ルーピンは、血だらけの顔で気を失っているジョージを支えている。

ハリーは駆け寄って、ジョージの両足を抱え上げた。ルーピンと二人でジョージを家の中に運び込み、台所を通って居間のソファに寝かせた。ランプの光がジョージの頭を照らし出すと、ジニーは息をのみ、ハリーの胃袋はぐらりと揺れた。ジョージの片方の耳がない。側頭から首にかけて、驚くほど真っ赤な血でべっとり染まっていた。

ウィーズリーおばさんが息子の上にかがみ込むとすぐ、ルーピンがハリーの二の腕をつかんで、とてもやさしいとは言えない強さで引っ張り、台所に連れ戻した。そこでは、ハグリッドが、巨体をなんとか勝手口から押し込もうとがんばっていた。

「おい！」ハグリッドが憤慨した。「ハリーを放せ！　放さんか！」

ルーピンは無視した。

「ホグワーツの私の部屋を、ハリー・ポッターが初めて訪ねたときに、隅に置いてあった生き物はなんだ？」ルーピンはハリーをつかんだまま小さく揺すぶった。「答えろ！」

「グ――グリンデロー、水槽に入った水魔、でしょう？」

ルーピンはハリーを放し、台所の戸棚に倒れるようにもたれかかった。

「な、なんのつもりだ？」ハグリッドがどなった。

「すまない、ハリー。しかし、確かめる必要があった」ルーピンは簡潔に答えた。「裏切られたのだ。ヴォルデモートは、君が今夜移されることを知っていた。やつにそれを教えることができたのは、計画に直接関わった者だけだ。君が偽者の可能性もあった」

「そんなら、なんで俺を調べねえ？」

勝手口を通り抜けようとまだもがきながら、ハグリッドが息を切らして聞いた。

「君は半巨人だ」ルーピンがハグリッドを見上げながら言った。「ポリジュース薬はヒトの使用に限定されている」

「騎士団のメンバーが、ヴォルデモートに今夜の移動のことを話すはずがない」ハリーが言った。疑うことさえ、ハリーにはいとわしかった。誰一人として、そんなことをするとは思えなかった。「ヴォルデモートは、最後のほうになって僕に追いついたんだ。最初は、誰が僕なのか、あいつは知らなかった。あいつが計画を知っていたなら、僕がハグリッドと一緒だと、はじめからわかっていたはずだ」

「ヴォルデモートが君を追ってきたって？」ルーピンが声をとがらせた。「何があったんだ？　どうやって逃れた？」

ハリーはかいつまんで説明した。自分を追っていた死喰い人たちが、本物のハリーだと気づいたらしいこと、追跡を急に中止したこと、ヴォルデモートを呼び出したにちがいないこと、そしてハリーとハグリッドが安全地帯のトンクスの実家に到着する直前に、ヴォルデモートが現れたこと、などなど。

「君が本物だと気づいたって？　しかし、どうして？　君は何をしたんだ？」

「僕……」ハリーは思い出そうとした。

今夜のことすべてが、恐怖と混乱のぼやけた映像のように思えた。

「僕、スタン・シャンパイクを見たんだ……ほら、夜の騎士（ナイト）バスの車掌を知ってるでしょう？　それで、『武装解除』しようとしたんだ。ほんとうなら別の――だけど、スタンは自分で何をしているのかわかってない。そうでしょう？　『服従の呪文』にかかっているにちがいないんだ！」

ルーピンはあっけに取られたような顔をした。

「ハリー、武装解除の段階はもう過ぎた！　あいつらが君を捕らえて殺そうとしているというのに！　殺すつもりがないなら、少なくとも『失神』させるべきだった！」

「何百メートルも上空だよ！　スタンは正気を失っているし、もし僕があいつを『失神』させたら、スタンはきっと落ちて死んでいた！　それに、『**アバダ　ケダブラ**』を使ったも同じことになっていた！　スタンは正気を失っていた！　それに、『**エクスペリアームス**』の呪文だって、二年前、僕をヴォルデモートから救ってくれたんだ」最後の言葉を、ハリーは挑戦的につけ加えた。

いまのルーピンは、ダンブルドア軍団に「武装解除術」のかけ方を教えようとするハリーをあざ笑った、ハッフルパフ寮のザカリアス・スミスを思い出させた。

「そのとおりだよ、ハリー」ルーピンは必死に自制していた。「しかも、その場面を、大勢の死喰い人が目撃している！　こんなことを言うのは悪いが、死に直面したそんな切迫した場面でそのような動きに出るのは、まったく普通じゃない。その現場を目撃したか、または話に聞いていた死喰い人たちの目の前で、今夜また同じ行動をくり返すとは、まさに自殺行為だ！」

「それじゃ、僕はスタン・シャンパイクを殺すべきだったと言うんですか？」

ハリーは憤慨した。

「いや、そうではない」ルーピンが言った。「しかし、死喰い人たちは――率直に言って、たいていの人なら――君が反撃すると予想しただろう！　『**エクスペリアームス、武器よ去れ**』は役に立つ呪文だよ、ハリー。しかし、死喰い人は、それが君を見分ける独特の動きだと考えているようだ。だから、そうならないようにしてくれ！」

ルーピンの言葉でハリーは自分の愚かしさに気づいたが、それでもまだわずかに反発したい気持ちがあった。

「たまたまそこにいるだけで、邪魔だから吹き飛ばしたりするなんて、僕にはできない」ハリーが言った。「そんなことは、ヴォルデモートのやることだ」

ルーピンが言い返したが、その時ようやく狭い勝手口を通り抜けたハグリッドが、よろよろと椅子に座り込んだとたんに椅子がつぶれ、ルーピンの言葉は聞こえなかった。ののしったり謝ったりのハグリッドを無視して、ハリーは再びルーピンに話しかけた。

「ジョージは大丈夫？」

ハリーに対するルーピンのいらだちは、この問いかけですっかりどこかに消えてしまったようだった。

「そう思うよ。ただ、耳は元どおりにはならない。呪いでもぎ取られてしまったのだからね――」

外で、何かがゴソゴソ動き回る音がした。ルーピンは勝手口の戸に飛びつき、ハリーはハグリッドの足を飛び越えて裏庭に駆け出した。

裏庭には二人の人影が現れていた。ハリーが走って近づくにつれて、それが元の姿に戻る最中のハーマイオニーとキングズリーだとわかった。二人とも曲がったハンガーをしっかりつかんでいた。ハーマイオニーはハリーの腕に飛び込んだが、キングズリーは誰の姿を見てもうれしそうな顔をしなかった。ハリーは、キングズリーが杖を上げてルーピンの胸をねらうのを、ハーマイオニーの肩越しに見た。

「アルバス・ダンブルドアが、我ら二人に遺した最後の言葉は？」

「『ハリーこそ我々の最大の希望だ。彼を信じよ』」ルーピンが静かに答えた。

キングズリーは次に杖をハリーに向けたが、ルーピンが止めた。

「本人だ。私がもう調べた！」

「わかった、わかった！」キングズリーは杖をマントの下に収めた。「しかし、誰かが裏切ったぞ！あいつらは知っていた。今夜だということを知っていたんだ！」

「そのようだ」ルーピンが応えた。「しかし、どうやら七人のハリーがいるとは知らなかったようだ」

「たいしたなぐさめにはならん！」キングズリーが歯がみした。「ほかに戻った者は？」

「ハリー、ハグリッド、ジョージ、それに私だけだ」

ハーマイオニーが口を手で覆って、小さなうめき声を押し殺した。

「君たちには、何があった？」ルーピンがキングズリーに聞いた。

「五人に追跡されたが二人を負傷させた。一人殺したかもしれん」キングズリーは一気に話した。「それに、『例のあの人』も目撃した。あいつは途中から追跡に加わったが、たちまち姿を消した。リーマス、あいつは――」

「飛べる」ハリーが言葉を引き取った。「僕もあいつを見た。ハグリッドと僕を追ってきたんだ」

「それでいなくなったのか――君を追うために！」キングズリーが言った。「なぜ消えてしまったのか理解できなかったのだが。しかし、どうして標的を変えたのだ？」

「ハリーが、スタン・シャンパイクに少し親切すぎる行動を取ったためだ」

ルーピンが答えた。

「スタン？」ハーマイオニーが聞き返した。「だけどあの人は、アズカバンにいるんじゃなかったの？」

キングズリーが、おもしろくもなさそうに笑った。

「ハーマイオニー、集団脱走があったのはまちがいない。魔法省は隠蔽しているがね。私の呪いでフードがはずれた死喰い人は、トラバースだった。あいつも収監中のはずなのだが。ところで、リーマス、君のほうは何があったんだ？　ジョージはどこだ？」

「耳を失った」ルーピンが言った。

「何をですって――？」ハーマイオニーの声が上ずった。

「スネイプの仕業だ」ルーピンが言った。

「**スネイプだって？**」ハリーが叫んだ。「さっきはそれを言わなかった――」

「追跡してくる途中であいつのフードがはずれた。『**セクタムセンプラ**』の呪いは、昔からあいつの十八番だった。そっくりそのままお返しをしてやったと言いたいところだが、負傷したジョージを箒に乗せておくだけで精いっぱいだった。出血が激しかったのでね」

四人は、空を見上げながらだまり込んだ。何も動く気配はない。星が、瞬きもせず冷たく見つめ返すばかりで、光をよぎって飛んでくる友の影は見えない。ロンはどこだろう？　フレッドとウィーズリーおじさんは？　ビル、フラー、トンクス、マッド－アイ、マンダンガスは？

「ハリー、手を貸してくれや！」

ハグリッドがまた勝手口につっかえて、かすれ声で呼びかけた。何かすることがあるのは救いだった。ハリーはハグリッドを外に引っ張り出し、誰もいない台所を通って居間に戻った。ウィーズリーおばさんとジニーが、ジョージの手当てを続けていた。ウィーズリーおばさんの手当てで、血はもう止まっていたが、ランプの灯りの下で、ハリーは、ジョージの耳があった所にぽっかり穴が開いているのを見た。

「どんな具合ですか？」ハリーが聞いた。

ウィーズリーおばさんが振り返って答えた。

「私には、また耳を生やしてあげることはできないわ。闇の魔術に奪われたのですからね。でも、不幸中の幸いだったわ……この子は生きているんですもの」

「ええ」ハリーが言った。「よかった」

「裏庭で、誰かほかの人の声がしたようだったけど？」ジニーが聞いた。

「ハーマイオニーとキングズリーだ」ハリーが答えた。

「よかったわ」ジニーがささやくように言った。二人は互いに見つめ合った。ハリーはジニーを抱きしめたかった。ジニーにすがりつきたかった。ウィーズリーおばさんがそこにいることさえあまり気にならなかった。しかし衝動に身を任せるより前に、台所ですさまじい音がした。

「キングズリー、私が私であることは、息子の顔を見てから証明してやる。さあ、悪いことは言わんから、そこをどけ！」

ハリーは、ウィーズリーおじさんがこんな大声を出すのを初めて聞いた。おじさんははげた頭のてっぺんを汗で光らせ、めがねをずらしたまま居間に飛び込んできた。フレッドもすぐあとに続いていた。二人とも真っ青だったが、けがはしていない。

「アーサー！」ウィーズリーおばさんがすすり泣いた。「ああ、無事でよかった！」

「様子はどうかね？」

ウィーズリーおじさんは、ジョージのそばにひざをついた。フレッドは、言葉が出ない様子だった。ハリーは、そんなフレッドを見たことがなかった。目にしているものが信じられないという顔で、フレッドは、ソファの後ろから双子の相棒の傷をポカンと眺めていた。

フレッドと父親がそばに来た物音で気がついたのか、ジョージが身動きした。

「ジョージィ、気分はどう？」ウィーズリーおばさんが小声で聞いた。

ジョージの指が、耳のあたりをまさぐった。

「聖人みたいだ」ジョージがつぶやいた。

「いったい、どうしちまったんだ?」フレッドが、ぞっとしたようにかすれ声で言った。「頭もやられっちまったのか?」

「聖人みたいだ」ジョージが目を開けて、双子の兄弟を見上げた。「見ろよ……穴だ。ホールだ、**ホーリー**だ。ほら、聖人(ホーリー)じゃないか、わかったか、フレッド?」

ウィーズリーおばさんがますます激しくすすり泣いた。フレッドの蒼白(そうはく)な顔に赤みがさした。

「なっさけねえ」フレッドがジョージに言った。「情けねえぜ! 耳に関するジョークなら、掃いて捨てるほどあるっていうのに、なんだい、**ホーリー**しか考えつかないのか?」

「まあね」ジョージは涙でぐしょぐしょの母親に向かって、ニヤリと笑った。「ママ、これで二人の見分けがつくだろう」

ジョージは周りを見回した。

「やあ、ハリー――君、ハリーだろうな?」

「ああ、そうだよ」ハリーがソファに近寄った。

「まあ、なんとか君を無事に連れて帰ることはできたわけだ」ジョージが言った。「我が病床に、ロンとビルが侍っていないのはどういうわけ?」

「まだ帰ってきていないのよ、ジョージ」

ウィーズリーおばさんが言った。ジョージの笑顔が消えた。ハリーはジニーに目配せし、一緒に外に出てくれというしぐさをした。台所を歩きながら、ジニーが小声で言った。

「ロンとトンクスはもう戻ってないといけないの。長い旅じゃないはずなのよ。ミュリエルおばさんの家はここからそう遠くないから」

ハリーは何も言わなかった。「隠れ穴」に戻って以来ずっとこらえていた恐怖が、いまやハリーを包み込み、皮膚を這い、胸の中でずきずきと脈打って、のどを詰まらせているような気がした。勝手口から暗い庭へと階段を下りながら、ジニーがハリーの手を握った。

キングズリーが大股で往ったり来たりしながら、折り返すたびに空を見上げていた。ハリーは、バーノンおじさんが居間を往ったり来たりしていた様子を、もう百万年も昔のことのように思い出した。ハグリッド、ハーマイオニー、そしてルーピンの黒い影が、肩を並べてじっと上を見つめていた。ハリーとジニーが沈黙の見張りに加わっても、誰も振り向かなかった。

何分間が何年にも感じられた。全員が、ちょっとした風のそよぎにもびくりとして振り向き、葉ずれの音に耳をそばだて、灌木や木々の葉陰から行方不明の騎士団員の無事な姿が飛び出てきはしないかと、望みをかけるのだった――。

やがて箒が一本、みんなの真上に現れ、地上に向かって急降下してきた――。

「帰ってきたわ！」ハーマイオニーが喜びの声を上げた。

トンクスが長々と箒跡を引きずり、土や小石をあたり一面にはね飛ばしながら着地した。

「リーマス！」よろよろと箒から降りたトンクスが、叫びながらルーピンの腕に抱かれた。ルーピンは何も言えず、真っ青な硬い表情をしていた。ロンはぼうっとして、よろけながらハリーとハーマイオニーのほうに歩いてきた。

「君たち、無事だね」ロンがつぶやいた。

ハーマイオニーは飛びついてロンをしっかりと抱きしめた。

「心配したわ――私、心配したわ――」

「僕、大丈夫」ロンは、ハーマイオニーの背中をたたきながら言った。「僕、元気」

「ロンはすごかったわ」トンクスが、抱きついていたルーピンから離れて、ロンをほめそやした。「すばらしかった。死喰い人の頭に『失神呪文』を命中させたんだから。何しろ飛んでいる箒から動く的をねらうとなると――」

「ほんと？」

ハーマイオニーはロンの首に両腕を巻きつけたまま、ロンの顔をじっと見上げた。

「意外で悪かったね」

ロンはハーマイオニーから離れながら、少しむっとしたように言った。

「僕たちが最後かい？」

「ちがうわ」ジニーが言った。「ビルとフラー、それにマッド-アイとマンダンガスがまだなの。ロン、私、パパとママに、あなたが無事だって知らせてくるわ――」

ジニーが家に駆け込んだ。

「それで、どうして遅くなった？　何があったんだ？」

ルーピンは、まるでトンクスに腹を立てているような聞き方をした。

「ベラトリックスなのよ」トンクスが言った。「あいつ、ハリーをねらうのと同じくらいしつこく私をねらってね、リーマス、私を殺そうと躍起になってた。あいつをやっつけたかったなぁ。ベラトリックスには借りがあるんだから。でも、ロドルファスには確実にけがをさせてやった……それからロンのおばさんのミュリエルの家に行ったけど、移動キーの時間に間に合わなくて、ミュリエルにさんざんやきもきされて――」

ルーピンは、あごの筋肉をピクピクさせて聞いていた。うなずくだけで、何も言えないようだった。

「それで、みんなのほうは何があったの？」

トンクスがハリー、ハーマイオニー、そしてキングズリーに聞いた。

それぞれがその夜の旅のことを語った。しかし、その間も、ビル、フラー、マッド-アイ、マンダンガスの姿がないことが、霜が降りたように全員の心にのしかかり、その冷たさはしだいに無視できないつらさになっていた。

「私はダウニング街の首相官邸に戻らなければならない。一時間前に戻っていなければならなかったのだが――」しばらくしてキングズリーがそう言い、最後にもう一度、隅々まで空を見回した。「戻ってきたら、報せをくれ」

ルーピンがうなずいた。みんなに手を振りながら、キングズリーは暗闇の中を門へと歩いていった。ハリーは、「隠れ穴」の境界のすぐ外で、キングズリーが「姿くらまし」するポンというかすかな音を聞いたような気がした。

ウィーズリー夫妻が、裏庭への階段を駆け下りてきた。すぐ後ろにジニーがいた。二人はロンを抱きしめ、それからルーピンとトンクスを見た。

「ありがとう」ウィーズリーおばさんが二人に言った。「息子たちのことを」

「あたりまえじゃないの、モリー」トンクスがすぐさま言った。

「ジョージの様子は？」ルーピンが聞いた。

「ジョージがどうかしたの？」ロンが口をはさんだ。

「あの子は、耳――」

ウィーズリーおばさんの言葉は、途中で歓声に飲み込まれてしまった。高々と滑空するセストラルが見えたのだ。目の前に着地したセストラルの背から、風に吹きさらされてはいたが、ビルとフラーの無事な姿がすべり下りた。

「ビル！　ああよかった、ああよかった――」

ウィーズリーおばさんが駆け寄ったが、ビルは、母親をおざなりに抱きしめただけで、父親をまっすぐ見て言った。

「マッド‐アイが死んだ」

誰も声を上げなかった。誰も動かなかった。ハリーは体の中から何かが抜け落ちて、自分を置き去りにしたまま、地面の下にどんどん落ちていくような気がした。

「僕たちが目撃した」ビルの言葉に、フラーがうなずいた。そのほおに残る涙の跡が、台所の明かりにキラキラ光った。「僕たちが敵の囲みを抜けた直後だった。マッド‐アイとダングがすぐそばにいて、やはり北を目指していた。ヴォルデモートが――あいつは飛べるんだ――まっすぐあの二人に向かっていった。ダングが動転して――僕はやつの叫ぶ声を聞いたよ――マッド‐アイがなんとか止めようとしたけれど、ダングは『姿くらまし』してしまった。ヴォルデモートの呪いがマッド‐アイの顔にまともに当たって、マッド‐アイは仰向けに箒から落ちて、それで――僕たちは何もできなかった。なんにも。僕たちも六人に追われていた――」

ビルは涙声になった。

「当然だ。君たちには何もできはしなかった」ルーピンが言った。

全員が、顔を見合わせて立ち尽くした。ハリーはまだ納得できなかった。マッド‐アイが死んだ。そんなはずはない……あんなにタフで、勇敢で、死地をくぐり抜けてきたマッド‐アイが……。

やがて、誰も口に出しては言わなかったが、誰もがもはや庭で待ち続ける意味がなくなったと気づいたようだった。全員が無言で、ウィーズリー夫妻に続いて「隠れ穴」の中へ、そして居間へと戻った。そこではフレッドとジョージが、笑い合っていた。

「どうかしたのか？」居間に入ってきたみんなの顔を次々に見回して、フレッドが聞いた。「何があったんだ？　誰かが――？」

「マッド‐アイだ」ウィーズリーおじさんが言った。「死んだ」

双子の笑顔が衝撃でゆがんだ。何をすべきか、誰にもわからなかった。トンクスはハンカチに顔をうずめて、声を出さずに泣いていた。トンクスはマッド‐アイと親しかった。魔法省で、マッド‐アイの秘蔵っ子として目をかけられていたことを、ハリーは知っていた。ハグリッドは部屋の隅の一番広く空いている場所に座り込み、テーブルクロス大のハンカチで目をぬぐっていた。

ビルは戸棚に近づき、ファイア・ウィスキーを一本と、グラスをいくつか取り出した。

「さあ」そう言いながら、ビルは杖をひと振りし、十二人の戦士に、なみなみと満たしたグラスを送った。十三個目のグラスを宙に浮かべ、ビルが言った。

「マッド‐アイに」

「マッド‐アイに」全員が唱和し、飲み干した。

「マッド‐アイに」ひと呼吸遅れて、しゃっくりしながらハグリッドが唱和した。

ファイア・ウィスキーはハリーののどを焦がした。焼けるような感覚がハリーをしゃきっとさせた。まひした感覚を呼び覚まし、現実に立ち戻らせ、何かしら勇気のようなものに火をつけた。

「それじゃ、マンダンガスは行方をくらましたのか？」

一気にグラスを飲み干したルーピンが聞いた。

周りの空気がサッと変わった。緊張した全員の目が、ルーピンに注がれていた。ルーピンにそのまま追及してほしいという気持ちと、答えを聞くのが少し恐ろしいという気持ちが混じっている。ハリーにはそう思えた。

「みんなが考えていることはわかる」ビルが言った。「僕もここに戻る道々、同じことを疑った。何しろ連中は、どうも我々を待ち伏せしていたようだったからね。しかし、マンダンガスが裏切ったはずはない。ハリーが七人になることを、連中は知らなかったし、だからこそ、我々が現れたとき、連中は混乱した。それに、忘れてはいないだろうが、このインチキ戦法を提案したのはマンダンガスだった。肝心なポイントをやつらに教えていなかったのは、おかしいだろう？　僕は、ダングが単純に恐怖にかられただけだと思う。あいつは、はじめから来たくなかったんだが、マッド-アイが参加させた。それに、『例のあの人』が真っ先にあの二人を追った。それだけで誰だって動転するよ」

「『例のあの人』は、マッド-アイの読みどおりに行動したわ」トンクスがすすり上げた。「マッド-アイが言ったけど、『あの人』は、本物のハリーなら、一番タフで熟練の闇祓いと一緒だと考えるだろうって。マッド-アイを最初に追って、マンダンガスが正体を現したあとは、キングズリーに切り替えた……」

「ええ、それはそのとーりでーすが」フラーが切り込んだ。「でも、わたしたちが今夜アリーを移動することを、なぜ知っていーたのか、説明つきませーんね？　誰かがうっかりでしたにちがいありませーん。誰かが外部のいとにうっかりもらしましたね。彼らがいにちだけ知っていーて、プランの全部は知らなーいのは、それしか説明できませーん」

フラーは美しい顔にまだ涙の跡を残しながら、全員をにらみつけ、異論があるなら言ってごらんと、無言で問いかけていた。誰も反論しなかった。沈黙を破るのは、ハグリッドがハンカチで押さえながらヒックヒックしゃくり上げる声だけだった。ハリーはハグリッドをちらりと見た。ほんの少し前、ハリーの命を救うために自分の命を危険にさらしたハグリッド——ハリーの大好きな、ハリーの信じているハグリッド。そして、一度はだまされて、ドラゴンの卵と引き換えに、ヴォルデモートに大切な情報を渡してしまったハグリッド……。

「ちがう」ハリーが口に出してそう言うと、全員が驚いてハリーを見た。ファイア・ウィスキーのせいで、ハリーの声が大きくなっていたらしい。

「あの……誰かがミスを犯して」ハリーは言葉を続けた。「それでうっかりもらしたのなら、きっとそんなつもりはなかったんだ。その人が悪いんじゃない」ハリーは、いつもより少し大きい声でくり返した。「僕たち、お互いに信頼し合わないといけないんだ。僕はみんなを信じている。この部屋にいる人は、誰も僕のことをヴォルデモートに売ったりはしない」

ハリーの言葉のあとに、また沈黙が続いた。全員の目がハリーに注がれていた。ハリーは再び高揚した気持ちになり、何かをせずにはいられずにファイア・ウィスキーをまた少し飲んだ。飲みながらマッド-アイのことを思った。マッド-アイは、人を信用したがるダンブルドアの傾向を、いつも痛烈に批判していたものだ。

「よくぞ言ったぜ、ハリー」フレッドが不意に言った。

「傾聴、傾聴！　傾耳(けいみみ)、傾耳！」ジョージがフレッドを横目で見ながら合いの手を入れた。フレッドの口の端がいたずらっぽくヒクヒク動いた。

ルーピンは、哀れみとも取れる奇妙な表情で、ハリーを見ていた。

「僕が、お人好しのばかだと思っているんでしょう？」ハリーが詰問した。

「いや、君がジェームズに似ていると思ってね」ルーピンが言った。「ジェームズは、友を信じないのは、不名誉極まりないことだと考えていた」

ハリーには、ルーピンの言おうとすることがわかっていた。父親は友人のピーター・ペティグリューに裏切られたではないかということだ。ハリーは説明できない怒りにかられ、反論したいと思った。しかしルーピンは、ハリーから顔をそむけ、グラスを脇のテーブルに置いてビルに話しかけていた。

「やらなければならないことがある。私からキングズリーに頼んで、手を貸してもらえるかどうかと――」

「いや」ビルが即座に応えた。「僕がやります。僕が行きます」

「どこに行くつもり？」トンクスとフラーが同時に聞いた。

「マッド-アイのなきがらだ」ルーピンが言った。「回収する必要がある」

「そのことは――？」ウィーズリーおばさんが、懇願するようにビルを見た。

「待てないかって？」ビルが言った。「いや。死喰い人たちに奪われたくはないでしょう？」

誰も何も言わなかった。ルーピンとビルは、みんなに挨拶して出ていった。

残った全員がいまや力なく椅子に座り込んだが、ハリーだけは立ったままだった。死は突然であり、妥協がない。全員がその死の存在を意識していた。

「僕も行かなければならない」ハリーが言った。

十組の驚愕（きょうがく）した目がハリーを見た。

「ハリー、そんなばかなことを」ウィーズリーおばさんが言った。「いったい、どういうつもりなの？」

「僕はここにはいられない」

ハリーは額をこすった。こんなふうに痛むことはここ一年以上なかったのに、またチクチクと痛みだしていた。

「僕がここにいるかぎり、みんなが危険だ。僕はそんなこと――」

「バカなことを言わないで！」ウィーズリーおばさんが言った。「今夜の目的は、あなたを無事にここに連れてくることだったのよ。そして、ああ、うれしいことにうまくいったわ。それに、フラーが、フランスではなく、ここで結婚式を挙げることを承知したの。私たちはね、みんながここに泊まってあなたを護れるように、何もかも整えたのよ――」

おばさんにはわかっていない。気が楽になるどころか、ハリーはますます気が重くなった。

「もしヴォルデモートが、ここに僕がいることをかぎつけたら――」

「でも、どうしてそうなるって言うの？」ウィーズリーおばさんが反論した。

「ハリー、いま現在、君のいそうな安全な場所は十二か所もある」ウィーズリーおじさんが言った。「その中の、どの家に君がいるのか、あいつにわかるはずがない」

「僕のことを心配してるんじゃない！」ハリーが言った。

「わかっているよ」ウィーズリーおじさんが静かに言った。「しかし、君が出ていけば、今夜の私たちの努力はまったく無意味になってしまうだろう」

「おまえさんは、どこにも行かねえ」ハグリッドが唸るように言った。「とんでもねえ、ハリー、おまえさんをここに連れてくるのに、あんだけいろいろあったっちゅうのにか？」

「そうだ。俺の流血の片耳はどうしてくれる？」ジョージはクッションの上に起き上がりながら言った。

「わかってる――」

「マッド-アイはきっと喜ばないと――」

「**わかってるったら！**」ハリーは声を張り上げた。

ハリーは包囲されて責められているような気持ちだった。みんなが自分のためにしてくれたことを、僕が知らないとでも思っているのか？　だからこそ、みんなが僕のためにこれ以上苦しまないうちに、たったいま出ていきたいんだってことがわからないのか？　長い、気づまりな沈黙が流れ、その間もハリーの傷痕はチクチクと痛み、うずき続けていた。

しばらくして沈黙を破ったのは、ウィーズリーおばさんだった。

「ハリー、ヘドウィグはどこなの？」おばさんがなだめすかすように言った。「ピッグウィジョンと一緒に休ませて、何か食べ物をあげましょう」

ハリーは内臓がギュッとしめつけられた。おばさんにほんとうのことが言えなかった。答えずにすむように、ハリーはグラスに残ったファイア・ウィスキーを飲み干した。

「いまに知れわたるだろうが、ハリー、おまえさんはまた勝った」ハグリッドが言った。「あいつの手を逃れたし、あいつに真上まで迫られたっちゅうのに、戦って退けた！」

「僕じゃない」ハリーがにべもなく言った。「僕の杖がやったことだ。杖がひとりでに動いたんだ」

しばらくしてハーマイオニーがやさしく言った。

「ハリー、でもそんなことありえないわ。あなたは自分で気がつかないうちに魔法を使ったのよ。直感的に反応したんだわ」

「ちがうんだ」ハリーが言った。「バイクが落下していて、僕はヴォルデモートがどこにいるのかもわからなくなっていた。それなのに杖が手の中で回転して、あいつを見つけて呪文を発射したんだ。しかも、僕にはなんだかわからない呪文だった。僕はこれまで、金色の炎なんて出したことがない」

「よくあることだ」ウィーズリーおじさんが言った。「プレッシャーがかかると、夢にも思わなかったような魔法が使えることがある。まだ訓練を受ける前の小さな子供がよくやることだが――」

「そんなことじゃなかった」ハリーは歯を食いしばりながら言った。傷痕が焼けるように痛んだ。腹が立っていらいらしていた。ハリーこそヴォルデモートと対抗できる力を持っていると、みんなが勝手に思い込んでいるのが、いやでたまらなかった。

誰も何も言わなかった。自分の言ったことを信じていないのだと、ハリーにはわかっていた。それに、考えてみれば、杖がひとりでに魔法を使うという話は聞いたことがない。

傷痕が焼けつくように痛んだ。うめき声を上げないようにするのが精いっぱいだった。外の空気を吸ってくるとつぶやきながら、ハリーはグラスを置いて居間を出た。

暗い裏庭を横切るとき、骨ばったセストラルが顔を向けて、巨大なコウモリのような翼をすり合わせたが、またすぐ草を食(は)みはじめた。ハリーは庭に出る門の所で立ち止まり、伸び放題の庭木を眺め、ずきずきうずく額をさすりながら、ダンブルドアのことを考えた。

ダンブルドアなら、ハリーを信じてくれただろう、絶対に。ダンブルドアならハリーの杖がなぜひとりでに動いたのかも、どのように動いたのかもわかっていただろう。ダンブルドアは、どんなときにも答えを持っていた。杖一般についても知っていたし、ハリーの杖とヴォルデモートの杖の間に不思議な絆があることも説明してくれた……しかし、ダンブルドアは逝ってしまった。そして、マッド‐アイも、シリウスも、両親も、哀れなハリーのふくろうも、みんな、ハリーと二度と話ができない所へ行ってしまった。ハリーはのどが焼けるような気がしたが、それは、ファイア・ウィスキーとはなんの関係もなかった……。

するとその時、まったく唐突に、傷痕の痛みが最高潮に達した。額を押さえ、目を閉じると、頭の中で声が聞こえてきた。

「**誰かほかの者の杖を使えば問題は解決すると、貴様はそう言ったな！**」

ハリーの頭の中に映像がパッと浮かんだ。ぼろぼろの服の、やせおとろえた老人が石の床に倒れ、長く恐ろしい叫び声を上げている。耐えがたい苦痛の悲鳴だ……。

「やめて！　やめてください！　どうか、どうかお許しを……」

「ヴォルデモート卿(きょう)に対して、うそをついたな、オリバンダー！」

「うそではない……けっしてうそなど……」

「おまえはポッターを助けようとしたな。俺様の手を逃れる手助けをしたな！」

「けっしてそのようなことは……別の杖ならうまくいくだろうと信じていました……」

「それなら、なぜあのようなことが起こったのだ。言え。ルシウスの杖は破壊されたぞ！」

「わかりません……絆は……二人の杖の間に……その二本の間にしかないのです……」

「**うそだ！**」

「どうか……お許しを……」

ハリーは、ろうのような手が杖を上げるのを見た。そしてヴォルデモートの邪悪な怒りがどっと流れるのを感じ、弱りきった老人が苦痛に身をよじり、床をのたうち回る姿を見た――。

「ハリー？」

始まったときと同様に、事は突然終わった。ハリーは、門にすがって震えながら暗闇の中に立っていた。動悸が高まり、傷痕はまだ痛んでいた。しばらくしてやっと、ロンとハーマイオニーがそばに立っているのに気づいた。

「ハリー、家の中に戻って」ハーマイオニーが小声で言った。「出ていくなんて、まだ、そんなことを考えてるんじゃないでしょうね？」

「そうさ、おい、君はここにいなきゃ」ロンがハリーの背中をバンとたたいた。

「気分が悪いの？」近づいたハーマイオニーが、ハリーの顔をのぞき込んで聞いた。

「ひどい顔よ！」

「まあね」ハリーが弱々しく応えた。

「たぶん、オリバンダーよりはましな顔だろうけど……」

いま見たことをハリーが話し終えると、ロンはあっけに取られた顔をしたが、ハーマイオニーはおびえきっていた。

「そういうことは終わったはずなのに！　あなたの傷痕――こんなことはもうしないはずだったのに！　またあのつながりを開いたりしてはいけないわ――ダンブルドアはあなたが心を閉じることを望んでいたのよ！」

ハリーが応えずにいると、ハーマイオニーはハリーの腕を強く握った。

「ハリー、あの人は魔法省を乗っ取りつつあるわ！　新聞も、魔法界の半分もよ！　あなたの頭の中までそうなっちゃダメ！」

第6章　パジャマ姿の屋根裏お化け

マッド-アイを失った衝撃は、それから何日も、家中に重くたれ込めていた。ハリーは、ニュースを伝えに家に出入りする騎士団のメンバーにまじって、マッド-アイも裏口からコツッコツッと義足を響かせて入ってくるような気がしてならなかった。罪悪感と哀しみをやわらげるには行動しかない。分霊箱(ホークラックス)を探し出して破壊する使命のために、できるだけ早く出発しなければならない、とハリーは感じていた。

「でも、十七歳になるまでは、君は何もできないじゃないか。その『×××』のこと」ロンは「**分霊箱**」と声には出さず、口の形で言った。「何しろ、まだ『におい』がついているんだから。それに、ここだってどこだって計画は立てられるだろ？　それとも」ロンは声を落としてささやいた。「『例のあいつら』がどこにあるか、もうわかってるのか？」

「いいや」ハリーは認めた。

「ハーマイオニーが、ずっと何か調べていたと思うよ」ロンが言った。「君がここへ来るまではだまってるって、ハーマイオニーがそう言ってた」

ハリーとロンは、朝食のテーブルで話していた。ウィーズリーおじさんとビルがいましがた仕事に出かけ、おばさんはハーマイオニーとジニーを起こしに上の階に行き、フラーが湯船に浸かるために、ゆったりと出ていったあとのことだ。

「『におい』は三十一日に消える」ハリーが言った。「ということは、僕がここにいなければならないのは、四日だ。そのあとは、僕――」

「五日だよ」ロンがはっきり訂正した。「僕たち、結婚式に残らないと。出席しなかったら、あの人たちに殺されるぜ」

ハリーは、「あの人たち」というのが、フラーとウィーズリーおばさんだと理解した。

「たった一日増えるだけさ」抗議したそうなハリーの顔を見て、ロンが言った。

「『あの人たち』には、事の重要さが——？」

「もちろん、わかってないさ」ロンが言った。「あの人たちは、これっぽっちも知らない。そう言えば、話が出たついでに君に言っておきたいことがあるんだ」

ロンは、玄関ホールへのドアをちらりと見て、母親がまだ戻ってこないことを確かめてから、ハリーのほうに顔を近づけて言った。

「ママは、僕やハーマイオニーから聞き出そうと、躍起になってるんだ。僕たちが何をするつもりなのかって。次は君の番だから、覚悟しとけよ。パパにもルーピンにも聞かれたけど、ハリーはダンブルドアから、僕たち二人以外には話さないようにと言われてるって説明したら、もう聞かなくなった。でもママはあきらめない」

ロンの予想は、それから数時間もたたないうちに的中した。昼食の少し前、ウィーズリーおばさんはハリーに頼み事があると言って、みんなから引き離した。ハリーのリュックサックから出てきたと思われる片方だけの男物の靴下が、ハリーのものかどうかを確かめてほしいというわけだ。台所の隣にある小さな洗い場にハリーを追いつめるや否や、おばさんのそれ、が始まった。

「ロンとハーマイオニーは、どうやらあなたたち三人とも、ホグワーツ校を退学すると考えているらしいのよ」おばさんは、なにげない軽い調子で始めた。

「あー」ハリーが言った。「あの、ええ、そうです」

隅のほうで洗濯物しぼり機がひとりでに回り、ウィーズリーおじさんの下着のようなものを一枚しぼり出した。

「ねえ、**どうして**勉強をやめてしまうのかしら?」おばさんが言った。

「あの、ダンブルドアが僕に……やるべきことを残して」ハリーは口ごもった。「ロンとハーマイオニーはそのことを知っています。それで二人とも一緒に来たいって」

「『やるべきこと』ってどんなことなの?」

「ごめんなさい。僕、言えない——」

「あのね、率直に言って、アーサーと私は知る権利があると思うの。それに、グレンジャーご夫妻もそうおっしゃるはずよ!」ウィーズリーおばさんが言った。「子を心配する親心」の攻撃作戦を、ハリーは前から恐れていた。ハリーは気合いを入れて、おばさんの目をまっすぐに見た。そのせいで、おばさんの褐色の目が、ジニーの目とまったく同じ色合いであることに気づいてしまった。これには弱かった。

「おばさん、ほかの誰にも知られないようにというのが、ダンブルドアの願いでした。すみません。ロンもハーマイオニーも、一緒に来る必要はないんです。二人が選ぶことです——」

「**あなただって**、行く必要はないわ!」いまや遠回しをかなぐり捨てたおばさんが、ピシャリと言った。「あなたたち、ようやく成人に達したばかりなのよ! まったくナンセンスだわ。ダンブルドアが何か仕事をさせる必要があったのなら、騎士団全員が指揮下にいたじゃありませんか! ハリー、あなた、誤解したにちがいないわ。ダンブルドアは、たぶん、**誰かにやりとげてほしい**ことがあると言っただけなのに、あなたは**自分に**言われたと考えて——」

「誤解なんかしていません」ハリーはきっぱりと言った。「僕でなければならないことなんです」

ハリーは自分のものかどうかを見分けるはずの靴下を、おばさんに返した。金色のパピルスの模様がついている。

「それに、これは僕のじゃないです。僕、パドルミア・ユナイテッドのサポーターじゃありません」

「あら、そうだったわね」

ウィーズリーおばさんは急になにげない口調に戻ったが、かなり気になる戻り方だった。

「私が気づくべきだったのにね。じゃあ、ハリー、あなたがまだここにいる間に、ビルとフラーの結婚式の準備を手伝ってもらってもかまわないかしら？　まだまだやることがたくさん残っているの」

「いえ――あの――もちろんかまいません」

急に話題が変わったことに、かなり引っかかりを感じながら、ハリーが答えた。

「助かるわ」おばさんはそう言い、洗い場から出ていきながらほほえんだ。

その時を境に、ウィーズリーおばさんは、ハリーとロン、ハーマイオニーを、結婚式の準備で大わらわにしてくれた。忙しくて何も考える時間がないほどだった。おばさんの行動を善意に解釈すれば、三人ともマッド-アイのことや先日の移動の恐怖を忘れていられるように、と配慮してのことなのだろう。しかし、二日間休む間もなく、ナイフやスプーン磨き、パーティ用の小物やリボンや花などの色合わせ、庭小人駆除、大量のカナッペを作るおばさんの手伝い等々を続けたあと、ハリーは、おばさんには別の意図があるのではないかと疑いはじめた。おばさんが言いつける仕事のすべてが、ハリー、ロン、ハーマイオニーの三人を、別々に引き離しておくためのものに思えた。最初の晩、ヴォルデモートがオリバンダーを拷問していた話をしたあとは、誰もいない所で二人と話す機会はまったくなかった。

「ママはね、三人が一緒になって計画するのを阻止すれば、あなたたちの出発を遅らせることができるだろうって、考えているんだわ」

三日目の夜、一緒に夕食の食器をテーブルに並べながら、ジニーが声をひそめてハリーに言った。

「でも、それじゃおばさんは、そのあと、どうなると思っているんだろう？」ハリーがつぶやいた。「僕たちをここに足止めして、ヴォローヴァン・パイなんか作らせている間に、誰かがヴォルデモートの息の根を止めてくれるとでも言うのか？」

深く考えもせずにそう言ったあとで、ハリーはジニーの顔が青ざめるのに気づいた。

「それじゃ、ほんとなのね？」ジニーが言った。「あなたがしようとしていることは、それなのね？」

「僕——別に——冗談さ」ハリーはごまかした。

二人はじっと見つめ合った。ジニーの表情には、単に衝撃を受けただけではない何かがあった。突然ハリーは、ジニーと二人きりになったのはしばらくぶりであることに気がついた。ホグワーツの校庭の隠れた片隅で、こっそり二人きりの時間を過ごした日々以来、初めてのことだった。ハリーは、ジニーもその時間のことを思い出しているにちがいないと思った。その時、勝手口の戸が開いて、二人とも飛び上がるほど驚いた。ウィーズリーおじさんとキングズリー、ビルが入ってきた。

いまでは、夕食に騎士団のメンバーが来ることが多くなっていた。「グリモールド・プレイス十二番地」にかわって、「隠れ穴」が本部の役目をはたしていたからだ。ウィーズリーおじさんの話では、騎士団の「秘密の守人」だったダンブルドアの死後は、本部の場所を打ち明けられていた騎士団員が、ダンブルドアにかわってあの本部の「秘密の守人」を務めることになったとのことだ。

「しかし、守人は二十人ほどいるから、『忠誠の術』も相当弱まっている。死喰い人が、我々のうちの誰かから秘密を聞き出す危険性は二十倍だ。秘密が今後どれだけ長く保たれるか、あまり期待できないね」

「でも、きっとスネイプが、もう十二番地を死喰い人に教えてしまったのでは？」ハリーが聞いた。

「さあね、スネイプが十二番地に現れたときに備えて、マッド‐アイが二種類の呪文をかけておいた。それが効いて、スネイプを寄せつけず、もしあの場所のことをしゃべろうとしたらあいつの舌を縛ってくれることを願っているがね。しかし確信は持てない。護りが危うくなってしまった以上、あそこを本部として使い続けるのは、まともな神経とは言えないだろう」

その晩の台所は超満員で、ナイフやフォークを使うことさえ難しかった。気がつくとハリーは、ジニーの隣に押し込まれていた。いましがた無言で二人の間に通い合ったものを思うと、ハリーはジニーとの間にもう二、三人座っていてほしかった。ジニーの腕に触れないようにしようと必死になって、チキンを切ることさえできないくらいだった。

「マッド-アイのことは、何もわからないの？」ハリーがビルに聞いた。

「なんにも」ビルが答えた。

ビルとルーピンが遺体を回収できなかったために、まだ、マッド-アイ・ムーディの葬儀ができないままだった。あの暗さ、あの混戦状態からして、マッド-アイがどこに落ちたのかを知るのは難しかった。

『日刊予言者』には、マッド-アイが死んだとも遺体を発見したとも、一言ものっていない」ビルが話を続けた。「しかし、それは取りたてて言うほどのことでもない。あの新聞は、最近いろいろなことに口をつぐんだままだからね」

「それに、死喰い人から逃れるときに、未成年の僕があれだけ魔法を使ったのに、まだ尋問に召喚されないの？」ハリーはテーブルのむこうにいるウィーズリーおじさんに聞いたが、おじさんは首を横に振った。「僕にはそうするしか手段がなかったって、わかっているからなの？　それともヴォルデモートが僕を襲ったことを、公表されたくないから？」

「あとのほうの理由だと思うね。スクリムジョールは、『例のあの人』がこれほど強くなっていることも、アズカバンから集団脱走があったことも、認めたくないんだよ」

「そうだよね、世間に真実を知らせる必要なんかないものね？」ハリーはナイフをギュッと握りしめた。

すると、右手の甲にうっすらと残る傷痕が白く浮かび上がった——僕はうそをついてはいけない。

「魔法省には、大臣に抵抗しようって人はいないの？」ロンが憤慨した。

「もちろんいるよ、ロン。しかし誰もがおびえている」ウィーズリーおじさんが答えた。「次は自分が消される番じゃないか、自分の子供たちが襲われるんじゃないか、とね！　いやなうわさも飛び交っている。たとえば、ホグワーツのマグル学の教授の辞任にしたって、信じていないのはおそらく私だけじゃない。もう何週間も彼女は姿を消したままだ。一方、スクリムジョールは一日中大臣室にこもりきりだ。何か対策を考えていると望みたいところだがね」

一瞬話がとぎれたところで、ウィーズリーおばさんがからになった皿を魔法で片づけ、アップルパイを出した。

「アリー、あなたをどんなふうに変装させるか、決めないといけませーんね」

デザートが行き渡ったところでフラーが言った。ハリーがキョトンとしていると、フラーが、「結婚式のためでーすね」とつけ加えた。

「もちろん、招待客に死喰い人はいませーん。でも、シャンパーニュを飲んだあと、いみつのことをもらさなーいという保証はありませーんね」

その言い方で、ハリーは、フラーがまだハグリッドを疑っていると思った。

「そうね、そのとおりだわ」テーブルの一番奥に座っていたウィーズリーおばさんが、鼻めがねをかけて、異常に長い羊皮紙に書きつけた膨大な仕事のリストを調べながら言った。「さあ、ロン、部屋のお掃除はすんだの？」

「**どうして？**」ロンはスプーンをテーブルにたたきつけ、母親をにらみながら叫んだ。「どうして自分の部屋まで掃除しなきゃならないんだ？　ハリーも僕もいまのままでいいのに！」

「まもなくお兄さんがここで結婚式を挙げるんですよ、坊ちゃん――」

「僕の部屋で挙げるっていうのか？」ロンがカンカンになって聞いた。「ちがうさ！　なら、なんでまた、おたんこなすのすっとこどっこいの――」

「母親に向かってそんな口をきくものじゃない」ウィーズリーおじさんがきっぱりと言った。「言われたとおりにしなさい」

ロンは父親と母親をにらみつけ、それからスプーンを拾い上げて、少しだけ残っていたアップルパイに食ってかかった。

「手伝うよ。僕が散らかしたものもあるし」

ハリーはロンにそう言ったが、おばさんがハリーの言葉をさえぎった。

「いいえ、ハリー、あなたはむしろ、アーサーの手伝いをしてくださると助かるわ。鶏小屋を掃除してね。それからハーマイオニー、デラクールご夫妻のためにシーツを取りかえておいてくださるとありがたいんだけど。ほら、明日の午前十一時に到着なさる予定なのよ」

結局、鶏のほうは、ほとんどすることがなかった。

「なんと言うか、その、モリーには言う必要はないんだが」おじさんはハリーが鶏小屋に近づくのをさえぎりながら言った。「しかし、その、テッド・トンクスがシリウスのバイクの残骸をほとんど送ってくれてね、それで、なんだ、ここに隠して――いやその、保管して――あるわけだ。すばらしいものだよ。排気ガス抜きとか――確かそんな名前だったと思うが――壮大なバッテリーとかだがね。それにブレーキがどう作動するかがわかるすばらしい機会だ。もう一度組み立ててみるつもりだよ。モリーが見ていない――いや、つまり、時間があるときにね」

二人で家の中に戻ったときには、おばさんの姿はどこにも見えなかった。そこでハリーは、こっそり屋根裏のロンの部屋に行った。

「ちゃんとやってるったら、やってる！──あっ、なんだ、君か」

ハリーが部屋に入ると、ロンがホッとしたように言った。ロンは、いまのいままで寝転がっていたことが見え見えのベッドに、また横になった。ずっと散らかしっぱなしだった部屋はそのままで、ちがうと言えば、ハーマイオニーが部屋の隅に座り込んでいることぐらいだった。足元には、ふわふわしたオレンジ色のクルックシャンクスがいた。ハーマイオニーは本を選り分け、二つの大きな山にして積み上げていた。中にはハリーの本も見えた。

「あら、ハリー」ハリーが自分のキャンプベッドに腰かけると、ハーマイオニーが声をかけた。

「ハーマイオニー、君はどうやって抜け出したの？」

「ああ、ロンのママったら、きのうもジニーと私にシーツをかえる仕事を言いつけたことを、忘れているのよ」

ハーマイオニーは『数秘学と文法学』を一方の山に投げ、『闇の魔術の興亡』をもう一方の山に投げた。

「マッド-アイのことを話してたところなんだけど」ロンがハリーに言った。「僕、生き延びたんじゃないかと思うんだ」

「だけど、『死の呪文』に撃たれたところを、ビルが見ている」ハリーが言った。

「ああ、だけど、ビルも襲われてたんだぞ」ロンが言った。「そんなときに、何を見たなんて、はっきり言えるか？」

「たとえ『死の呪文』がそれていたにしても、マッド-アイは地上三百メートルあたりから落ちたのよ」

『イギリスとアイルランドのクィディッチ・チーム』の本の重さを手で量りながら、ハーマイオニーが言った。

「『盾の呪文』を使ったかもしれないぜ――」

「杖が手から吹き飛ばされたって、フラーが言ったよ」ハリーが言った。

「そんならいいさ、君たち、どうしてもマッド-アイを死なせたいんなら」ロンは、枕をたたいて楽な形にしながら、不機嫌に言った。

「もちろん死なせたくないわ！」ハーマイオニーが衝撃を受けたような顔で言った。「あの人が死ぬなんて、あんまりだわ！　でも現実的にならなくちゃ！」

ハリーは初めて、マッド-アイのなきがらを想像した。ダンブルドアと同じように折れ曲がっているのに、片方の目玉だけが眼窩に収まったまま、ぐるぐる回っている。ハリーは目をそむけたいような気持ちが湧いてくると同時に、笑いだしたいような奇妙な気持ちが混じるのを感じた。

「たぶん死喰い人のやつらが、自分たちの後始末をしたんだよ。だからマッド-アイは見つからないのさ」ロンがいみじくも言った。

「そうだな」ハリーが言った。「バーティ・クラウチみたいに、骨にしてハグリッドの小屋の前の庭に埋めたとか。『変身呪文』で姿を変えたムーディを、どこかに無理やり押し込んだかも――」

「やめて！」ハーマイオニーが金切り声を上げた。

ハリーが驚いて声のほうを見ると、ハーマイオニーが自分の教科書の『スペルマンのすっきり音節』の上にワッと泣き伏すところだった。

「ごめん」ハリーは、旧式のキャンプベッドから立ち上がろうとじたばたしながら謝った。「ハーマイオニー、いやな思いをさせるつもりは――」

しかしその時、さびついたベッドのバネがきしむ大きな音がして、ベッドから飛び起きたロンが先に駆け寄っていた。ロンは片腕をハーマイオニーに回しながら、ジーンズのポケットを探って、前にオーブンをふいたむかつくほど汚らしいハンカチを引っ張り出した。あわてて杖を取り出したロンは、ボロ布に杖を向けて唱えた。

「**テルジオ、ぬぐえ**」

杖が、油汚れを大部分吸い取った。さも得意気な顔で、ロンは少しくすぶっているハンカチをハーマイオニーに渡した。

「まあ……ありがとう、ロン……ごめんなさい……」ハーマイオニーは鼻をかみ、しゃくり上げた。

「ひ、ひどいことだわ。ダンブルドアのす、すぐあとに……。私、ほ、ほんとうに――い、一度も――マッド‐アイが死ぬなんて、考えなかったわ。なぜだか、あの人は不死身みたいだった！」

「うん、そうだね」ロンは、ハーマイオニーを片腕でギュッと抱きしめながら言った。「でも、マッド‐アイがいまここにいたら、なんて言うかわかるだろ？」

「『ゆ――油断大敵』」ハーマイオニーが涙をぬぐいながら言った。

「そうだよ」ロンがうなずいた。「自分の身に起こったことを教訓にしろって、そう言うさ。そして、僕は学んだよ。あの腰抜けで役立たずのチビのマンダンガスを、信用するなってね」

ハーマイオニーは泣き笑いをし、前かがみになって本をまた二冊拾い上げた。次の瞬間、ロンはハーマイオニーの両肩に回していた腕を、急に引っ込めた。ハーマイオニーが『怪物的な怪物の本』をロンの足に落としたのだ。本を縛っていたベルトがはずれ、解き放たれた本が、ロンのかかとに荒々しくかみついた。

「ごめんなさい、ごめんなさい！」

ハーマイオニーが叫び声を上げ、ハリーはロンのかかとから本をもぎ取って元どおり縛り上げた。

「一体全体、そんなにたくさんの本をどうするつもりなんだ？」

ロンは片足を引きずりながらベッドに戻った。

「どの本を持っていくか、決めているだけよ」ハーマイオニーが答えた。「分霊箱を探すときにね」

「ああ、そうだった」ロンが額をピシャリとたたいて言った。「移動図書館の車に乗ってヴォルデモートを探し出すってことを、すっかり忘れてたよ」

「ハ、ハ、ハ、ね」ハーマイオニーが『スペルマンのすっきり音節』を見下ろしながら言った。「どうかなぁ……ルーン文字を訳さないといけないことがあるかしら？　ありうるわね……万が一のために、持っていったほうがいいわ」

ハーマイオニーは『すっきり音節』を二つの山の高いほうに置き、それから『ホグワーツの歴史』を取り上げた。

「聞いてくれ」ハリーが言った。ハリーはベッドに座りなおしていた。ロンとハーマイオニーは、二人そろってあきらめと挑戦の入りまじった目で、ハリーを見た。

「ダンブルドアの葬儀のあとで、君たちは僕と一緒に来たいと言ってくれたね。それはわかっているんだ」ハリーが話しはじめた。

「ほら来た」ロンが目をぎょろぎょろさせながら、ハーマイオニーに言った。

「そう来ると思ってたわよね」

ハーマイオニーがため息をついて、また本に取りかかった。

「あのね、『ホグワーツの歴史』は**持っていく**わ。もう学校には戻らないけど、やっぱり安心できないのよ、これを持っていないと――」

「聞いてくれよ！」ハリーがもう一度言った。

「いいえ、ハリー、**あなたのほうこそ**聞いて」ハーマイオニーが言った。「私たちはあなたと一緒に行くわ。もう何か月も前に決めたことよ――実は何年も前にね」

「でも――」

「だまれよ」ロンがハリーに意見した。

「――君たち、ほんとうに真剣に考え抜いたのか？」ハリーは食い下がった。

「そうね」

ハーマイオニーはかなり激しい表情で『トロールとのとろい旅』を不要本の山にたたきつけた。

「私はもう、ずいぶん前から荷造りしてきたわ。だから、私たち、いつでも出発できます。ご参考まで に申し上げますけど、準備にはかなり難しい魔法も使ったわ。特に、ロンのママの目と鼻の先で、マッドーアイのポリジュース薬を全部ちょうだいするということまでやってのけました」

「それに、私の両親の記憶を変えて、ウェンデル・ウィルキンズとモニカ・ウィルキンズという名前だと信じ込ませ、オーストラリアに移住することが人生の夢だったと思わせたわ。二人はもう移住したの。ヴォルデモートが二人を追跡して、私のことで、または――残念ながら、あなたのことを両親にずいぶん話してしまったから――あなたのことで二人を尋問するのがいっそう難しくなるようにね」

「もし私が分霊箱探しから生きて戻ったら、パパとママを探して呪文を解くわ。もしそうでなかったら――そうね、私のかけた呪文が充分に効いていると思うから、安全に幸せに暮らせると思う。ウェンデルとモニカ・ウィルキンズ夫妻はね、娘がいたことも知らないの」

ハーマイオニーの目が、再び涙でうるみはじめた。ロンはまたベッドから下り、もう一度ハーマイオニーに片腕を回して、繊細さに欠けると非難するように、ハリーにしかめっ面を向けた。

ハリーは言うべき言葉を思いつかなかった。ロンが誰かに繊細さを教えるというのが、非常にめずらしかったせいばかりではない。

「僕――ハーマイオニー、ごめん――僕、そんなことは――」

「気づかなかったの？　ロンも私も、あなたと一緒に行けばどういうことが起こるかって、はっきりわかっているわ。それに気づかなかったの？　ええ、私たちにはわかっているわ。ロン、ハリーにあなたのしたことを見せてあげて」

「うえぇ、ハリーはいま、食事したばかりだぜ」ロンが言った。

「見せるのよ。ハリーは知っておく必要があるわ！」

「ああ、わかったよ。ハリー、こっちに来いよ」

ロンは、再びハーマイオニーに回していた腕を放し、ドアに向かってドスドス歩いた。

「来いよ」

「どうして？」ロンについて部屋の外の狭い踊り場に出ながら、ハリーが聞いた。

「**ディセンド、降下**」

ロンは杖を低い天井に向け、小声で唱えた。真上の天井の跳ね戸が開き、二人の足元にはしごがすべり降りてきた。四角い跳ね戸から、半分息を吸い込むような、半分うめくような恐ろしい音が聞こえ、同時に下水を開けたような悪臭が漂ってきた。

「君の家の、屋根裏お化けだろう？」ハリーが聞いた。ときどき夜の静けさを破る生き物だったが、ハリーはまだ実物にお目にかかったことはなかった。

「ああ、そうさ」ロンがはしごを上りながら言った。「さあ、こっちに来て、やつを見ろよ」

ロンのあとから短いはしごを数段上ると、狭い屋根裏部屋に出た。頭と肩をその部屋に突き出したところで、一メートルほど先に身を丸めている生き物の姿がハリーの目にとまった。薄暗い部屋で大口を開けてぐっすり寝ている。

「でも、これ……見たところ……屋根裏お化けって普通、パジャマを着てるの？」

「いいや」ロンが言った。「それに、普通は赤毛でもないし、こんなできものも噴き出しちゃいない」

ハリーは少し吐き気をもよおしながら、生き物をしげしげと眺めた。形も大きさも人間並みだし、暗闇に目が慣れてよく見ると、着ているのはロンのパジャマのお古だと明らかにわかる。普通の屋根裏お化けは、確かはげてぬるぬるした生き物だったはずだ、とハリーは思った。こんなに髪の毛が多いはずはないし、体中に赤紫の疱疹の炎症があるはずもない。

「こいつが僕さ。わかるか？」ロンが言った。

「いや」ハリーが言った。「僕にはさっぱり」

「部屋に戻ってから説明するよ。このにおいには閉口だ」ロンが言った。二人は下に降り、ロンがはしごを天井に片づけて、まだ本を選り分けているハーマイオニーの所に戻った。

「僕たちが出発したら、屋根裏お化けがここに来て、僕の部屋に住む」ロンが言った。「あいつ、それを楽しみにしてると思うぜ――まあ、はっきりとはわからないけどね。何しろあいつは、うめくこととよだれをたらすことしかできないからな――だけど、そのことを言うと、あいつ何度もうなずくんだ。とにかく、あいつが僕になる。黒斑病にかかった僕だ。さえてるだろう、なっ？」

ハリーは混乱そのものの顔だった。

「さえてるさ！」ロンは、ハリーがこの計画のすばらしさを理解していないことにじりじりしていた。「いいか、僕たち三人がホグワーツに戻らないと、みんなはハーマイオニーと僕が、君と一緒だと考える。そうだろ？　つまり、死喰い人たちが、君の行方を知ろうとして、まっすぐ僕たちの家族の所へ来る」

「でも、うまくいけば、私は、パパやママと一緒に遠くへ行ってしまったように見えるわけ。マグル生まれの魔法使いたちは、いま、どこかに隠れる話をしている人が多いから」ハーマイオニーが言った。

「僕の家族を全員隠すわけにはいかない。それじゃあんまり怪しすぎるし、全員が仕事をやめるわけにはいかない」ロンが言った。「そこで、僕が黒斑病で重体だ、だから学校にも戻れない、という話をでっち上げる。誰かが調査に来たら、パパとママが、できものだらけで僕のベッドに寝ている屋根裏お化けを見せる。黒斑病はすごくうつるんだ。だから連中はそばに寄りたがらない。やつが話せなくたって問題ないんだ。だって、菌がのどまで広がったら、当然話せないんだから」

「それで、君のママもパパも、この計画に乗ってるの?」ハリーが聞いた。

「パパのほうはね。フレッドとジョージが屋根裏お化けを変身させるのを、手伝ってくれた。ママは……まあね、ママがどんな人か、君もずっと見てきたはずだ。僕たちがほんとうに行ってしまうまでは、ママはそんなこと受け入れないよ」

部屋の中が静かになった。ときどき静けさを破るのは、ハーマイオニーがどちらかの山に本を投げるトン、トンという軽い音だけだった。ロンは座ってハーマイオニーを眺め、ハリーは何も言えずに二人を交互に見ていた。二人は、ほんとうにハリーと一緒に来るつもりなのだ。二人が家族を護るためにそこまで準備していたということが、何にも増してはっきりとハリーにそのことを気づかせてくれた。それに、それがどんなに危険なことか、二人にはよくわかっているのだ。ハリーは、二人の決意が自分にとってどんなに重みを持つことなのかを伝えたかった。しかし、その重みに見合う言葉が見つからない。

沈黙を破って、四階下からウィーズリーおばさんのくぐもったどなり声が聞こえてきた。

「ジニーが、ナプキン・リングなんてつまんないものに、ちょっぴりしみでも残してたんじゃないか」

ロンが言った。「デラクール一家が、なんで式の二日も前に来るのか、わかんねえよ」

「フラーの妹が花嫁の付き添い役だから、リハーサルのために来なきゃいけないの。それで、まだ小さいから、一人では来られないのよ」ハーマイオニーが『泣き妖怪バンシーとのナウな休日』をどちらに分けるか決めかねて、じっと見ながら答えた。

「でもさ、お客が来ると、ママのテンションは上がる一方なんだよな」ロンが言った。

「絶対に決めなくちゃならないのは――」

ハーマイオニーは『防衛術の理論』をちらと見ただけでごみ箱に投げ入れ、『ヨーロッパにおける魔法教育の一考察』を取り上げながら言った。

「ここを出てから、どこへ行くのかってこと。ハリー、あなたが最初にゴドリックの谷に行きたいって言ったのは知ってるし、なぜなのかもわかっているわ。でも……ねえ……分霊箱を第一に考えるべきなんじゃないかしら？」

「分霊箱の在りかが一つでもわかっているなら、君に賛成するけど」ハリーが言った。

ハリーには、ゴドリックの谷に帰りたいという自分の願いを、ハーマイオニーがほんとうに理解しているとは思えなかった。両親の墓があるというのは、そこにひかれる理由の一つにすぎない。ハリーには、あの場所が答えを出してくれるという、強い、しかし説明のつかない気持ちがあるのだ。もしかしたら、ヴォルデモートの死の呪いから生き残ったのがその場所だったという、単にそれだけの理由かもしれない。もう一度生き残れるかどうかの挑戦に立ち向かおうとしているいま、ハリーは最初にその出来事が起こった場所にひかれ、理解したいと考えているのかもしれない。

「ヴォルデモートが、ゴドリックの谷を見張っている可能性があるとは思わない？」ハーマイオニーが聞いた。「あなたがどこへでも自由に行けるようになったら、両親のお墓参りに、そこに戻ると読んでいるんじゃないかしら？」

ハリーはこれまで、そんなことを思いつきもしなかった。反論はないかとあれこれ考えているうちに、どうやら別のことを考えていたらしいロンが発言した。

「あのR・A・Bって人。ほら、本物のロケットを盗んだ人だけど？」

ハーマイオニーがうなずいた。

「メモに、自分が破壊するつもりだって書いてあった。そうだろ？」

ハリーはリュックサックを引き寄せて、にせの分霊箱を取り出した。中にR・A・Bのメモが、折りたたんで入ったままになっている。

「『ほんとうの分霊箱は私が盗みました。できるだけ早く破壊するつもりです』」ハリーが読み上げた。

「うん、それで、彼が**ほんとに**やっつけてたとしたら？」ロンが言った。

「彼女かもね」ハーマイオニーが口をはさんだ。

「どっちでもさ」ロンが言った。「そしたら、僕たちのやることが一つ少なくなる！」

「そうね。でも、いずれにしても本物のロケットの行方は追わなくちゃならないわ。そうでしょう？」

ハーマイオニーが言った。「ちゃんと破壊されているかどうかを、確かめるのよ」

「それで、分霊箱を手に入れたら、**いったい**どうやって破壊するのかなぁ？」ロンが聞いた。

「あのね」ハーマイオニーが答えた。「私、そのことをずっと調べていたの」

「どうやるの？」ハリーが聞いた。「図書館には分霊箱に関する本なんてないと思ってたけど？」

「なかったわ」ハーマイオニーがほおを赤らめた。「ダンブルドアが全部取り除いたの――でも処分したわけじゃなかったわ」

ロンは、目を丸くして座りなおした。

「おっどろき、桃の木、山椒（さんしょ）の木だ。どうやって分霊箱の本を手に入れたんだい？」

「別に――別に盗んだわけじゃないわ！」

ハーマイオニーはすがるような目でハリーを見て、それからロンを見た。

「ダンブルドアが本棚から全部取り除きはしたけれど、まだ図書館の本だったのよ。とにかく、ダンブルドアが**ほんとうに**誰の目にも触れさせないつもりだったら、きっととても困難な方法でしか――」

「結論を早く言えよ！」ロンが言った。

「あのね……簡単だったの」ハーマイオニーは小さな声で言った。『呼び寄せ呪文』を使ったのよ。ほら――**アクシオ、来い**って。そしたら――ダンブルドアの書斎の窓から飛び出して、まっすぐ女子寮に来たの」

「だけど、いつの間にそんなことを？」

ハリーは半ば感心し、半ばあきれてハーマイオニーを見た。

「あのあとすぐ――ダンブルドアの――葬儀の」ハーマイオニーの声がますます小さくなった。「私たちが学校をやめて分霊箱を探しにいくって決めたすぐあとよ。荷造りをしに女子寮に上がったとき、ふと思いついたの。分霊箱のことをできるだけ知っておいたほうがいいんじゃないかって……それで、周りに誰もいなかったから……それで、やってみたの……そうしたらうまくいったわ。開いていた窓からまっすぐ飛び込んできて、それで私――本をみんなしまい込んだの」

ハーマイオニーはゴクリとつばを飲み込んで、哀願するように言った。

「ダンブルドアはきっと怒らなかったと思うの。私たちは、分霊箱を作るために情報を使おうとしているわけじゃないんだから。そうよね？」

「僕たちが文句を言ってるか？」ロンが言った。「どこだい、それでその本は？」

ハーマイオニーはしばらくゴソゴソ探していたが、やがて本の山から、すり切れた黒革綴じの分厚い本を一冊取り出した。ハーマイオニーは、ちょっと吐き気をもよおしたような顔をしながら、まだ生々しい死骸を渡すように、恐る恐る本を差し出した。

「この本に、分霊箱の作り方が具体的に書いてあるわ。『深い闇の秘術』——恐ろしい本、ほんとうにぞっとするわ。邪悪な魔法ばかり。ダンブルドアはいつ図書館から取り除いたのかしら……もし校長になってからだとすれば、ヴォルデモートは、必要なことをすべて、この本から学び取ったにちがいないわ」

「でもさ、もう読んでいたんなら、どうしてスラグホーンなんかに、分霊箱の作り方を聞く必要があったんだ？」ロンが聞いた。

「あいつは、魂を七分割したらどうなるかを知るために、スラグホーンに聞いただけだ」ハリーが言った。「リドルがスラグホーンに分霊箱のことを聞いたときには、もうとっくに作り方を知っていただろうって、ダンブルドアはそう確信していた。ハーマイオニー、君の言うとおりだよ。あいつはきっと、その本から情報を得ていたと思う」

「それに、分霊箱のことを読めば読むほど」ハーマイオニーが言った。「ますます恐ろしいものに思えるし、『あの人』がほんとうに六個も作ったとは信じられなくなってくるの。この本は、魂を裂くことで、残った魂がどんなに不安定なものになるかを警告しているわ。しかもたった一つの分霊箱を作った場合のことよ！」

ハリーはダンブルドアの言葉を思い出した。ヴォルデモートは、「通常の悪」を超えた領域にまで踏み出した、と言っていた。

「また元どおりに戻す方法はないのか？」ロンが尋ねた。

「あるわよ」ハーマイオニーがうつろにほほえみながら答えた。「でも地獄の苦しみでしょうね」

「なぜ？　どうやって戻すの？」ハリーが聞いた。

「良心の呵責」ハーマイオニーが言った。「自分のしたことを心から悔いないといけないの。注釈があるわ。あまりの痛みに、自らを滅ぼすことになるかもしれないって。ヴォルデモートがそんなことをするなんて、私には想像できないわ。できる？」

「できない」ハリーが答えるより先にロンが言った。「それで、その本には分霊箱をどうやって破壊するか、書いてあるのか？」

「あるわ」ハーマイオニーは、今度はくさった内臓を調べるような手つきで、もろくなったページをめくった。

「というのはね、この本に、この術を使う闇の魔法使いが、分霊箱に対していかに強力な呪文を施さなければならないかを、警告している箇所があるの。私の読んだことから考えると、分霊箱を確実に破壊する方法は少ないけど、ハリーがリドルの日記に対して取った方法が、その一つだわ」

「え？　バジリスクの牙で刺すってこと？」ハリーが聞いた。

「へー、じゃ、バジリスクの牙が大量にあってラッキーだな」ロンが混ぜっ返した。「あんまりありすぎて、どう始末していいのかわかんなかったぜ」

「バジリスクの牙でなくともいいのよ」ハーマイオニーが辛抱強く言った。「分霊箱が、ひとりでに回復できないほど強い破壊力を持ったものであればいいの。バジリスクの毒に対する解毒剤はたった一つで、しかも信じられないぐらい稀少なもの――」

「――不死鳥の涙だ」ハリーがうなずきながら言った。

「そう」ハーマイオニーが言った。「問題は、バジリスクの毒と同じ破壊力を持つ物質はとても少ないということ。しかも持ち歩くには危険なものばかりだわ。私たち、これからこの問題を解決しなければならないわね。だって、分霊箱を引き裂いたり、打ち砕いたり、押しつぶしたりするだけでは効果なしなんだから。魔法で回復することができない状態にまで破壊しないといけないわけなのよ」

「だけど、魂の入れ物になってるやつを壊したにしても」ロンが言った。「中の魂のかけらがほかのものに入り込んで、その中で生きることはできないのか？」

「分霊箱は、人間とは完全に逆ですもの」

ハリーもロンもまるでわけがわからない様子なのを見て、ハーマイオニーは急いで説明した。

「いいこと、私がいま、刀を手にして、ロン、あなたを突き刺したとするわね。でも私はあなたの魂を壊すことはできないわ」

「そりゃあ、僕としては、きっとホッとするだろうな」ロンが言った。

ハリーが笑った。

「ホッとすべきだわ、ほんとに！　でも私が言いたいのは、あなたの体がどうなろうと、魂は無傷で生き残るということなの」ハーマイオニーが言った。「ところが、その逆が分霊箱。中に入っている魂の断片が生き残るかどうかは、その入れ物、つまり魔法にかけられた体に依存しているの。体なしには存在できないのよ」

「あの日記帳は、僕が突き刺したときに、ある意味で死んだ」

ハリーは穴の開いたページからインクが血のようにあふれ出したこと、そしてヴォルデモートの魂の断片が消えていくときの悲鳴を思い出した。

「そして、日記帳が完全に破壊されたとき、その中に閉じ込められていた魂の一部は、もはや存在できなくなったの。ジニーはあなたより先に日記帳を処分しようとしてトイレに流したけど、当然、日記帳は新品同様で戻ってきたわ」

「ちょっと待った」ロンが顔をしかめた。「あの日記帳の魂のかけらは、ジニーに取り憑いていたんじゃなかったか？　どういう仕組みなんだ？」

「魔法の容器が無傷のうちは、中の魂の断片は、誰かが容器に近づきすぎると、その人間に出入りできるの。何もその容器を長く持っているという意味ではないのよ。容器に触れることとは関係がないの」ハーマイオニーはロンが口をはさむ前に説明を加えた。「感情的に近づくという意味なの。ジニーはあの日記帳に心を打ち明けた。それで極端に無防備になってしまったのね。分霊箱を気に入ってしまったり、それに依存するようになると問題だわ」

「ダンブルドアは、いったいどうやって指輪を破壊したんだろう？」ハリーが言った。「僕、どうしてダンブルドアに聞かなかったのかな？　僕、一度も……」

ハリーの声がだんだん弱くなった。ダンブルドアに聞くべきだったさまざまなことを、ハリーは思い浮かべていた。どんなに多くの機会を逃してしまったことか、校長先生が亡くなったいま、ハリーはしみじみそう思った。ダンブルドアが生きているうちに、もっといろいろ知る機会があったのに……あれもこれも知る機会があったのに……。

壁を震わせるほどの勢いで部屋の戸が開き、一瞬にして静けさが破られた。ハーマイオニーは悲鳴を上げ、『深い闇の秘術』を取り落とした。クルックシャンクスはすばやくベッドの下にもぐり込み、シャーッと威嚇した。ロンはベッドから飛び下り、落ちていた「蛙チョコ」の包み紙ですべって反対側の壁に頭をぶつけた。ハリーは本能的に杖に飛びついたが、気がつくと目の前にいるのはウィーズリーおばさんだった。髪は乱れ、怒りで顔がゆがんでいる。

「せっかくの楽しいお集まりを、お邪魔してすみませんね」おばさんの声はわなわなと震えていた。「みなさんにご休息が必要なのはよーくわかりますけどね……でも、私の部屋に山積みになっている結婚祝いの品は、選り分ける必要があるんです。私の記憶では、あなた方が手伝ってくださるはずでしたけど」

「はい、そうです」ハーマイオニーがおびえた顔で立ち上がった拍子に、本が四方八方に散乱した。

「手伝います……ごめんなさい」

ハリーとロンに苦悶の表情を見せながら、ハーマイオニーはおばさんについて部屋を出ていった。

「まるで屋敷しもべ妖精だ」ハリーと一緒にそのあとに続いたロンが、頭をさすりながら低い声で言った。「仕事に満足してないとこがちがうけどな。結婚式が終わるのが早ければ早いだけ、僕、幸せだろうなあ」

「うん」ハリーがあいづちを打った。「そしたら僕たちは、分霊箱探しをすればいいだけだし……まるで休暇みたいなもんだよな？」

ロンが笑いはじめたが、ウィーズリーおばさんの部屋に山と積まれた結婚祝いを見るなり、突然笑いが止まった。

デラクール夫妻は、翌日の朝十一時に到着した。ハリー、ロン、ハーマイオニー、それにジニーは、それまでに、すでにフラー一家に対する怨みつらみがつのっていた。ロンは左右そろった靴下にはきかえるのに、足を踏み鳴らして上階に戻ったし、ハリーも髪をなでつけようとはしたが、二人とも仏頂面だった。全員がきちんとした身じまいだと認められてから、ぞろぞろと陽の降り注ぐ裏庭に出て、客を待った。

ハリーは、こんなにきちんとした庭を見るのは初めてだった。いつもなら勝手口の階段のそばに散らばっているさびた大鍋や古いゴム長が消え、大きな鉢に植えられた真新しい「ブルブル震える蝶々灌木」が一対、裏口の両側に立っている。風もないのにゆっくりと葉が震え、気持ちのよいさざなみのような効果を上げていた。鶏は鶏小屋に閉じ込められ、裏庭は掃き清められている。庭木は剪定され雑草も抜かれ、全体にきりっとしていた。しかし伸び放題の庭が好きだったハリーは、いつものようにふざけ回る庭小人の群れもいない庭が、なんだかわびしげに見えた。

騎士団と魔法省が、「隠れ穴」に安全対策の呪文を幾重にも施していた。あまりに多くて、ハリーは覚えきれなくなっていたが、もはや魔法でここに直接入り込むことはできないということだけはわかっていた。そのためウィーズリーおじさんが、移動キー（ポートキー）で到着するはずのデラクール夫妻を、近くの丘の上まで迎えに出ていた。客が近づいたことは、まず異常にかん高い笑い声でわかった。その直後に門の外に現れた笑い声の主は、なんとウィーズリーおじさんだった。荷物をたくさん抱えたおじさんは、美しいブロンドの女性を案内していた。若葉色のすそ長のドレスを着た婦人は、フラーの母親にちがいない。

「ママン！」フラーが叫び声を上げて駆け寄り、母親を抱きしめた。「パパ！」

ムッシュー・デラクールは、魅力的な妻にはとてもおよばない容姿だ。妻より頭一つ背が低く、相当豊かな体型で、先端がピンととがった黒く短いあごひげを生やしている。しかし好人物らしい。ムッシュー・デラクールはかかとの高いブーツではずむようにウィーズリーおばさんに近づき、その両ほおに交互に二回ずつキスをしておばさんをあわてさせた。

「たいえーんなご苦労をおかけしまーして」深みのある声でムッシューが言った。「フラーが、あなたはとてもアードに準備しているとあなしてくれまーした」

「いいえ、なんでもありませんのよ、なんでも！」ウィーズリーおばさんが、声を上ずらせてコロコロと応えた。「ちっとも苦労なんかじゃありませんわ！」

ロンは、真新しい一対の鉢植えの一つの陰から顔をのぞかせた庭小人に蹴りを入れて、うっぷんを晴らした。

「奥さん！」ムッシュー・デラクールはまるまるとした両手でウィーズリーおばさんの手をはさんだまま、ニッコリ笑いかけた。「私たち、両家が結ばれるいが近づーいて、とても光栄でーすね。妻を紹介させてくーださい。アポリーヌです」

　マダム・デラクールがスイーッと進み出て身をかがめ、またウィーズリーおばさんのほおにキスをした。

「**アンシャンテ**」マダムが挨拶した。「あなたのアズバンドが、とてもおもしろーいあなしを聞かせてくれましたのよ！」

　ウィーズリーおじさんが普通とは思えない笑い声を上げたが、おばさんのひとにらみがそちらに向かって飛んだとたん、おじさんは静かになり、病気の友人の枕元を見舞うにふさわしい表情に変わった。

「それと、もちろんお会いになったことがありまーすね。私のおちーびちゃんのガブリエール！」ムッシューが紹介した。

　ガブリエルはフラーのミニチュア版だった。腰まで伸びた、まじり気のないシルバーブロンドの十一歳は、ウィーズリーおばさんに輝くような笑顔を見せて抱きつき、ハリーにはまつげをパチパチさせて燃えるようなまなざしを送った。ジニーが大きな咳払いをした。

「さあ、どうぞ、お入りください！」

　ウィーズリーおばさんがほがらかにデラクール一家を招じ入れた。「いえいえ、どうぞ！」「どうぞお先に！」「どうぞご遠慮なく！」がさんざん言い交わされた。

　デラクール一家は、とても気持ちのよい、協力的な客だということがまもなくわかった。なんでも喜んでくれたし、結婚式の準備を手伝いたがった。ムッシューは席次表から花嫁付き添い人用の靴まで、あらゆるものに「**シャルマン**」を連発したし、マダムは家事に関する呪文に熟達していて、あっという間にオーブンをきれいさっぱりと掃除した。ガブリエルはなんでもいいから手伝おうと姉について回り、早口のフランス語でしゃべり続けていた。

マイナス面は、「隠れ穴」がこれほど大所帯用には作られていなかったことだ。ウィーズリー夫妻は、抗議するデラクール夫妻を寄り切り、自分たちの寝室を提供して居間で寝ることになった。ガブリエルは、パーシーが使っていた部屋でフラーと一緒に、ビルは、花婿付き添い人のチャーリーがルーマニアから到着すれば、同じ部屋になる予定だった。三人で計画を練るチャンスは、事実上なくなった。やりきれない思いから、ハリー、ロン、ハーマイオニーは、混雑した家から逃れるためにでも、鶏に餌をやる仕事を買って出た。

「どっこい、ママったら、まだ僕たちのこと、ほっとかないつもりだぜ！」

ロンが歯がみした。三人が庭で話し合おうとしたのはこれで二度目だったが、両腕に大きな洗濯物のかごを抱えたおばさんの登場で、またしても挫折してしまった。

「あら、もう鶏に餌をやってくれたのね。よかった」おばさんは近づきながら声をかけた。「また鶏小屋に入れておいたほうがいいわ。明日、作業の人たちが到着する前に……結婚式用のテントを張りにくるのよ」

おばさんは鶏小屋に寄りかかって、ひと休みしながら説明した。つかれているようだった。

「ミラマンのマジック幕……とってもいいテントよ。ビルが作業の人手を連れてくるの……ハリー、その人たちがいる間は、家の中に入っていたほうがいいわね。家の周りにこれほど安全呪文が張りめぐらされていると、結婚式の準備がどうしても複雑になるわね」

「すみません」ハリーは申し訳なさそうに言った。

「あら、謝るなんて、そんな！」ウィーズリーおばさんが即座に言った。「そんなつもりで言ったんじゃないのよ――あのね、あなたの安全のほうがもっと大事なの！　実はね、ハリー、あなたに聞こうと思っていたんだけど、お誕生日はどんなふうにお祝いしてほしい？　十七歳は、なんと言っても、大切な日ですものね……」

「面倒なことはしないでください」この上みんなにストレスがかかることを恐れて、ハリーが急いで言った。「ウィーズリーおばさん、ほんとに、普通の夕食でいいんです……結婚式の前の日だし……」

「まあ、そう。あなたがそう言うならね。リーマスとトンクスを招待しようと思うけど、いい？　ハグリッドは？」

「そうしていただけたら、うれしいです」ハリーが言った。「でも、どうぞ、面倒なことはしないでください」

「大丈夫、大丈夫よ……面倒なんかじゃありませんよ……」

おばさんは探るような目でしばらくハリーをじっと見つめ、やがて少し悲しげにほほえむと、背筋を伸ばして歩いていった。おばさんが物干しロープのそばで杖を振ると、洗濯物がひとりでに宙に飛び上がってロープにぶら下がった。その様子を眺めながら、ハリーは突然、おばさんに迷惑をかけ、しかも苦しませていることに、深い自責の念が湧き起こるのを感じた。

第7章　アルバス・ダンブルドアの遺言

夜明けのひんやりとした青い光の中、彼は山道を歩いていた。ずっと下のほうに、霞(かすみ)に包まれた影絵のような小さな町が見える。求める男はあそこにいるのか？　どうしてもあの男が必要だ。ほかのことはほとんど何も考えられないくらい、彼はその男を強く求めていた。その男が答えを持っている。彼の抱える問題の答えを……。

「おい、起きろ」

ハリーは目を開けた。相変わらずむさくるしいロンの屋根裏部屋のキャンプベッドに横たわっていた。太陽が昇る前で、部屋はまだ薄暗かった。ピッグウィジョンが小さな翼に頭をうずめて眠っている。ハリーの額の傷痕がチクチク痛んだ。

「うわごと言ってたぞ」

「そうか？」

「ああ、『グレゴロビッチ』だったな。『グレゴロビッチ』ってくり返してた」

まだめがねをかけていないせいで、ロンの顔が少しぼやけて見えた。

「グレゴロビッチって誰だ？」

「僕が知るわけないだろ？　そう言ってたのは君だぜ」

ハリーは考えながら額をこすった。ぼんやりと、どこかでその名を聞いたことがあるような気がする。

しかし、どこだったかは思い出せない。

「ヴォルデモートがその人を探していると思う」

「そりゃ気の毒なやつだな」ロンがひどく同情した。

ハリーは傷痕をさすり続けながら、はっきり目を覚ましてベッドに座りなおした。夢で見たものを正確に思い出そうとしたが、頭に残っているのは山の稜線と、深い谷に抱かれた小さな村だけだった。

「外国にいるらしい」

「誰が？　グレゴロビッチか？」

「ヴォルデモートだよ。あいつはどこか外国にいて、グレゴロビッチを探している。イギリスのどこかみたいじゃなかった」

「また、あいつの心をのぞいてたっていうのか？」

ロンは心配そうな口調だった。

「頼むから、ハーマイオニーには言うなよ」ハリーが言った。「もっとも、ハーマイオニーに夢で何か見るなって言われても、できない相談だけど……」

ハリーは、ピッグウィジョンの小さな鳥かごを見つめながら考えた……グレゴロビッチという名前に聞き覚えがあるのは、なぜだろう？

「たぶん」ハリーは考えながら言った。「その人はクィディッチに関係がある。何かつながりがあるんだ。でもどうしても――それがなんなのかわからない」

「クィディッチ？」ロンが聞き返した。「ゴルゴビッチのことを考えてるんじゃないのか？」

「誰？」

「ドラゴミル・ゴルゴビッチ。チェイサーだ。二年前に記録的な移籍金でチャドリー・キャノンズに来た。一シーズンでのクアッフル・ファンブルの最多記録保持者さ」

「ちがう」ハリーが言った。「僕が考えているのは、絶対にゴルゴビッチじゃない」

「僕もなるべく考えないようにしてるけどな」ロンが言った。「まあ、とにかく、誕生日おめでとう」

「うわぁ――そうだ。忘れてた！　僕、十七歳だ！」

ハリーはキャンプベッドの脇に置いてあった杖をつかみ、散らかった机に向けた。そこにめがねが置いてある。

「アクシオ！　めがねよ、来い！」

たった三十センチしか離れていなかったが、めがねがブーンと飛んでくるのを見ると、なんだかとても満足だった。もっとも、めがねが目をつつきそうになるまでのつかの間の満足だったが。

「お見事」ロンが鼻先で笑った。

「におい」が消えたことに有頂天になって、ハリーはロンの持ち物を部屋中に飛び回らせた。ピッグウィジョンが目を覚まし、興奮してかごの中をパタパタと飛び回った。ハリーはスニーカーの靴ひもも魔法で結んでみたし（あとで結び目を手でほどくのに数分かかった）、おもしろ半分に、ロンのチャドリー・キャノンズのポスターの、ユニフォームのオレンジ色を鮮やかなブルーに変えてみた。

「僕なら、社会の窓を手で閉めるけどな」

ロンの忠告で、ハリーはあわててチャックを確かめた。ロンがニヤニヤ笑った。

「ほら、プレゼント。ここで開けろよ。ママには見られたくないからな」

「本か？」長方形の包みを受け取ったハリーが言った。「伝統を破ってくれるじゃないか」

「普通の本ではないのだ」ロンが言った。「こいつはお宝ものだぜ。『確実に魔女をひきつける十二の法則』。女の子について知るべきことが、すべて説明してある。去年これを持ってたら、ラベンダーを振り切るやり方がばっちりわかったのになぁ。それに、どうやったらうまく……まあ、いい。フレッドとジョージに一冊もらったんだ。ずいぶんいろいろ学んだぜ。君も目からうろこだと思うけど、何も杖先の技だけってわけじゃないんだよ」

二人が台所に下りていくと、テーブルにはプレゼントの山が待っていた。ビルとムッシュー・デラクールが朝食をすませるところで、ウィーズリーおばさんはフライパンを片手に、立ったまま二人とおしゃべりしていた。

「ハリー、アーサーから伝言よ、十七歳の誕生日おめでとうって」

おばさんがハリーにニッコリ笑いかけた。

「朝早く仕事に出かけなければならなくてね。でもディナーまでには戻るわ。一番上にあるのが私たちからのプレゼント」

ハリーは腰かけて、おばさんの言った四角い包みを取った。開けると中から、ウィーズリー夫妻がロンの十七歳の誕生日に贈ったのとそっくりの腕時計が出てきた。金時計で、文字盤には針のかわりに星が回っている。

「魔法使いが成人すると、時計を贈るのが昔からの習わしなの」

ウィーズリーおばさんは料理用レンジの脇で、心配そうにハリーを見ていた。

「ロンのとちがって新品じゃないんだけど、実は弟のフェービアンのものだったのよ。持ち物を大切に扱う人じゃなかったものだから、裏がちょっとへこんでいるんだけど、でも――」

あとの言葉は消えてしまった。ハリーが立ち上がっておばさんを抱きしめたからだ。ハリーは抱きしめることで、言葉にならないいろいろな思いを伝えたかった。そして、おばさんにはそれがわかったようだった。ハリーが離れたとき、おばさんは不器用にハリーのほおを軽くたたき、それから杖を振ったが、振り方が少し乱れて、パッケージ半分もの量のベーコンが、フライパンから飛び出して床に落ちた。

「ハリー、お誕生日おめでとう！」

ハーマイオニーが台所に駆け込んできて、プレゼントの山に自分のをのせた。

「たいしたものじゃないけど、気に入ってくれるとうれしいわ。あなたは何をあげたの？」

ロンは、聞こえないふりをした。

「さあ、それじゃ、ハーマイオニーのを開けろよ！」ロンが言った。

ハーマイオニーの贈り物は、新しい「かくれん防止器」だった。ハリーはほかの包みも開けた。ビルとフラーからの魔法のひげそり（「ああ、そうそう、これは最高につるつーるにそりまーすよ」ムッシュー・デラクールが保証した。「でも、どうそりたーいか、あっきーり言わないといけませーん……さもないと、残したい毛が残らないかもしれませーんよ……」）、デラクール一家からはチョコレート、それにフレッドとジョージからの巨大な箱には、「ウィーズリー・ウィザード・ウィーズ店」の新商品が入っていた。

マダム・デラクール、フラー、ガブリエルが入ってきて台所が狭苦しくなったので、ハリー、ロン、ハーマイオニーの三人はその場を離れた。

「全部荷造りしてあげる」階段を上りながら、ハーマイオニーがハリーの抱えているプレゼントを引き取って、明るく言った。「もうほとんど終わっているの。あとは、ロン、洗濯に出ているあなたのパンツが戻ってくるのを待つだけ――」

ロンはとたんに咳き込んだが、二階の踊り場のドアが開いて咳が止まった。

「ハリー、ちょっと来てくれる？」

ジニーだった。ロンは、はたとその場に立ち止まったが、ハーマイオニーがそのひじをつかんで上の階に引っ張っていった。ハリーは落ち着かない気持ちで、ジニーのあとから部屋に入った。

いままで、ジニーの部屋に入ったことはなかった。狭いが明るい部屋だった。魔法界のバンド、「妖女シスターズ」の大きなポスターが一方の壁に、魔女だけのクィディッチ・チーム「ホリヘッド・ハーピーズ」のキャプテン、グウェノグ・ジョーンズの写真がもう一方の壁に貼ってあった。開いた窓の前に机があり、窓からは果樹園が見えた。ジニーとハリーがロン、ハーマイオニーとそれぞれ組んで、この果樹園で二人制クィディッチをして遊んだことがあった。そこにはいま、乳白色の大きなテントが張られている。テントの上の金色の旗が、ジニーの窓と同じ高さだった。

ジニーはハリーの顔を見上げて、深く息を吸ってから言った。

「十七歳、おめでとう」

「うん……ありがとう」

ジニーは、ハリーをじっと見つめたままだった。しかしハリーは、見つめ返すのがつらかった。まぶしい光を見るようだった。

「いい眺めだね」窓のほうを指差して、ハリーはさえないセリフを言った。

ジニーは無視した。無視されて当然だとハリーは思った。

「あなたに何をあげたらいいか、考えつかなかったの」

「なんにもいらないよ」

ジニーは、これも無視した。

「何が役に立つのかわからないの。大きなものはだめだわ。だって持っていけないでしょうから」

ハリーはジニーを盗み見た。泣いていなかった。ジニーはすばらしいものをたくさん持っている。その一つが、めったにめそめそしないことだ。六人の兄たちにきたえられたにちがいないと、ハリーはときどきそう思ったものだ。

ジニーがハリーに一歩近づいた。

「それで、私、考えついたの。私を思い出す何かを、あなたに持っていてほしいって。あなたが何をしにいくにしても、出先で、ほら、ヴィーラなんかに出会ったときに」

「デートの機会は、正直言って、とても少ないと思う」

「私、そういう希望の光を求めていたわ」

ジニーがささやき、これまでのキスとはまるでちがうキスをした。ハリーもキスを返した。ファイア・ウィスキーよりよく効く、何もかも忘れさせてくれる幸せな瞬間だった。ジニー、彼女こそ、この世界で唯一の真実だった。片手をその背中に回し、片手で甘い香りのするその長い髪に触れ、ジニーを感じる——。

ドアがバーンと開いた。二人は飛び上がって離れた。

「おっと」ロンが当てつけがましく言った。「ごめんよ」

「ロン！」すぐ後ろに、ハーマイオニーが少し息を切らして立っていた。

ピリピリした沈黙が過ぎ、ジニーが感情のこもらない小さい声で言った。

「えーと、ハリー、とにかくお誕生日おめでとう」

ロンの耳は真っ赤だった。ハーマイオニーは心配そうな顔だ。ハリーは二人の鼻先でドアをピシャリと閉めてやりたかった。しかし、ドアが開いたときに冷たい風が吹き込んできたかのように、輝かしい瞬間は泡のごとくはじけてしまっていた。ジニーとの関係を終わりにし、近づかないようにしなければならない。そのすべての理由が、ロンと一緒に部屋にそっと忍び込んできたような気がした。すべてを忘れる、幸せな時間は去ってしまった。

ハリーは何か言いたくてジニーを見たが、何が言いたいのかわからなかった。しかしジニーはハリーに背を向けた。ハリーは、ジニーがこの時だけは涙に負けてしまったのではないかと思った。しかし、ロンの前では、ジニーをなぐさめる何ものもしてやれなかった。

「またあとでね」ハリーはそう言うと、二人について部屋を出た。

ロンはどんどん先に下り、混み合った台所を通り抜けて裏庭に出た。ハリーもずっと歩調を合わせてついていった。ハーマイオニーはおびえた顔で、小走りにそのあとに続いた。

刈ったばかりの芝生の片隅まで来ると、ロンが振り向いてハリーを見た。

「君はジニーを捨てたんだ。もてあそぶなんて、いまになってどういうつもりだ？」

「僕、ジニーをもてあそんでなんか、いない」ハリーが言った。

ハーマイオニーがやっと二人に追いついた。

「ロン――」

しかしロンは片手を上げて、ハーマイオニーをだまらせた。

「君のほうから終わりにしたとき、ジニーはずたずただったんだ――」

「僕だって。なぜ僕がそうしたか、君にはわかっているはずだ。そうしたかったわけじゃないんだ」

「ああ、だけど、いまあいつとキスしたりすれば、また希望を持ってしまうじゃないか――」

「ジニーはばかじゃない。そんなことが起こらないのはわかっている。ジニーは期待していないよ、僕たちが結局――結婚するとか、それとも――」

そう言ったとたん、ハリーの頭に鮮烈なイメージが浮かんだ。ジニーが白いドレスを着て、どこの誰とも知れない背の高い、顔のない不ゆかいな男と結婚する姿だ。思いが高まった瞬間、ハリーはハッと気づいた。ジニーの未来は自由でなんの束縛もない。一方、自分の前には……ヴォルデモートしか見えない。

「これからもなんだかんだとジニーに近づくっていうなら――」

「もう二度とあんなことは起こらないよ」ハリーは厳しい口調で言った。

雲一つない天気なのに、ハリーは突然太陽が消えてしまったような気がした。

「それでいいか？」

ロンは半ば憤慨しながらも半分弱気になったように、しばらくの間、その場で体を前後に揺すっていたが、やがて口を開いた。

「それならいい。まあ、それで……うん」

その日は一日中、ジニーはけっしてハリーと二人きりで会おうとはしなかった。それればかりか、自分の部屋で、二人が儀礼的な会話以上のものを交わしたことなど、そぶりも見せず、おくびにも出さなかった。そんな中、ハリーにはチャーリーの到着が救いになった。ウィーズリーおばさんがチャーリーを無理やり椅子に座らせ、脅すように杖を向けて、これから髪の毛をきちんとしてあげると宣言するのを見ていると、気が紛れた。

ハリーの誕生日のディナーには、台所は狭すぎた。チャーリー、ルーピン、トンクス、ハグリッドが来る前から、台所ははち切れそうになっていた。そこで庭にテーブルを一列に並べた。フレッドとジョージが、いくつもの紫色のランタンにすべて「17」の数字をデカデカと書き込み、魔法をかけて招待客の頭上に浮かべた。ウィーズリーおばさんの看護のおかげで、ジョージの傷はきれいになっていた。しかし、双子が耳のことでさんざん冗談を言っても、ハリーは、いまだにジョージの側頭部の黒い穴を平気で見ることはできなかった。

ハーマイオニーが杖の先から出した紫と金のリボンは、ひとりでに木や灌木（かんぼく）の茂みを芸術的に飾った。

「すてきだ」ハーマイオニーが最後の派手なひと振りで、野生リンゴの木の葉を金色に染めたとき、ロンが言った。「こういうことにかけては、君はすごくいい感覚してるよなあ」

「ありがとう、ロン！」

ハーマイオニーはうれしそうだったが、ちょっと面食らったようでもあった。ハリーは横を向いてひとり笑いをした。『確実に魔女をひきつける十二の法則』を流し読みする時間があれば、「お世辞の言い方」という章が見つかりそうな、なんとなくそんな気がしたのだ。ジニーとふと目が合い、ハリーはニヤッと笑ったが、ロンとの約束を思い出し、あわててムッシュー・デラクールに話しかけてその場を取りつくろった。

「どいてちょうだい、どいてちょうだい！」

ウィーズリーおばさんが歌うように言いながら、ビーチボールほどの巨大なスニッチを前に浮かべて裏庭から門を通って出てきた。それがバースデーケーキだと、ハリーはすぐに気づいた。庭の地面がデコボコして危ないので、杖で宙に浮かせて運んできたのだ。ケーキがやっとテーブルの真ん中に収まるのを見届けて、ハリーが言った。

「すごい大傑作だ、ウィーズリーおばさん」

「あら、たいしたことじゃないのよ」おばさんはいとおしげに言った。

おばさんの肩越しに、ロンがハリーに向かって両手の親指を立て、唇の動きで「**いまのはいいぞ**」と言った。

七時には招待客全員が到着し、外の小道の突き当たりに立って出迎えていたフレッドとジョージの案内で、家の境界内に入ってきた。ハグリッドはこの日のために正装し、一張羅のむさくるしい毛むくじゃらの茶色のスーツを着込んでいた。ルーピンはハリーと握手しながらほほえんだが、なんだか浮かぬ顔だった。横で晴れ晴れとうれしそうにしているトンクスとは、奇妙な組み合わせだった。

「お誕生日おめでとう、ハリー」トンクスは、ハリーを強く抱きしめた。

「十七歳か、ええ！」ハグリッドは、フレッドからバケツ大のグラスに入ったワインを受け取りながら言った。「俺たちが出会った日から六年だ、ハリー、覚えちょるか？」

「ぼんやりとね」ハリーはニヤッと笑いかけた。「入口のドアをぶち破って、ダドリーに豚のしっぽを生やして、僕が魔法使いだって言わなかった？」

「細けえことは忘れたな」ハグリッドがうれしそうに笑った。「ロン、ハーマイオニー、元気か？」

「私たちは元気よ」ハーマイオニーが応えた。「ハグリッドは？」

「ああ、まあまあだ。忙しくしとった。ユニコーンの赤ん坊が何頭か生まれてな。おまえさんたちが戻ったら、見せてやるからな――」

ハリーは、ロンとハーマイオニーの視線をさけた。ハグリッドは、ポケットの中をガサゴソ探りはじめた。

「あったぞ、ハリー――おまえさんに何をやったらええか思いつかんかったが、これを思い出してな」

ハグリッドは、ちょっと毛の生えた小さな巾着袋を取り出した。長いひもがついていて、どうやら首からかけるらしい。

「モークトカゲの革だ。中に何か隠すとええ。持ち主以外は取り出せねえからな。こいつぁめずらしいもんだぞ」

「ハグリッド、ありがとう！」

「なんでもねえ」ハグリッドは、ごみバケツのふたほどもある手を振った。

「おっ、チャーリーがいるじゃねえか！　俺は昔っからあいつが気に入っとってな――ヘイ！　チャーーリー！」

チャーリーはやや無念そうに、無残にも短くされたばかりの髪を手でかきながらやってきた。ロンより背が低くがっちりしていて、筋肉質の両腕は火傷や引っかき傷だらけだった。

「やあ、ハグリッド、どうしてる？」

「手紙を書こう書こうと思っちょったんだが。ノーバートはどうしちょる？」

「ノーバート？」チャーリーが笑った。「ノルウェー・リッジバックの？　いまはノーベルタって呼んでる」

「なんだって――ノーバートは女の子か？」

「ああ、そうだ」チャーリーが言った。

「どうしてわかるの？」ハーマイオニーが聞いた。

「ずっと獰猛だ」チャーリーが答えた。そして後ろを見て声を落とした。「親父が早く戻ってくるといいが。おふくろがピリピリしてる」

みんながいっせいにウィーズリー夫人を見た。マダム・デラクールと話をしてはいたが、しょっちゅう門を気にして、ちらちら見ている。

「アーサーを待たずに始めたほうがいいでしょう」

それからしばらくして、おばさんが庭全体に呼びかけた。

「あの人はきっと何か手が離せないことが――あっ！」

みんなも同時にそれを見た。庭を横切って一条の光が走り、テーブルの上で輝く銀色のイタチになった。イタチは後脚で立ち上がり、ウィーズリーおじさんの声で話した。

「魔法大臣が一緒に行く」

守護霊はふっと消え、そのあとにはフラーの家族が、驚いて消えたあたりを凝視していた。

「私たちはここにいられない」間髪を容れず、ルーピンが言った。「ハリー――すまない――別の機会に説明するよ――」

ルーピンはトンクスの手首を握って引っ張り、垣根まで歩いてそこを乗り越え、姿を消した。ウィーズリーおばさんは当惑した顔だった。

「大臣――でもなぜ――？　わからないわ――」

話し合う間はなかった。その直後に、門の所にウィーズリーおじさんが忽然と現れた。白髪まじりのたてがみのような髪で、すぐそれとわかるルーファス・スクリムジョールが同行している。

突然現れた二人は、裏庭を堂々と横切って、ランタンに照らされたテーブルにやってきた。テーブルには、その夜の会食者が、二人の近づくのをじっと見つめながらだまって座っていた。スクリムジョールがランタンの光の中に入ったとき、ハリーは、その姿が前回会ったときよりずっと老けて見えるのに気づいた。ほおはこけ、厳しい表情をしている。

「お邪魔してすまん」足を引きずりながらテーブルの前まで来て、スクリムジョールが言った。「その上、どうやら宴席への招かれざる客になったようだ」

大臣の目が一瞬、巨大なスニッチ・ケーキに注がれた。

「誕生日おめでとう」

「ありがとうございます」ハリーが言った。

「君と二人だけで話したい」スクリムジョールが言葉を続けた。「さらに、ロナルド・ウィーズリー君、それとハーマイオニー・グレンジャーさんとも、個別に」

「僕たち？」ロンが驚いて聞き返した。「どうして僕たちが？」

「どこか、もっと個別に話せる場所に行ってから、説明する」スクリムジョールが言った。「そういう場所があるかな？」大臣がウィーズリー氏に尋ねた。

「はい、もちろんです」ウィーズリーおじさんは落ち着かない様子だ。「あー、居間です。そこを使ってはいかがですか？」

「案内してくれたまえ」スクリムジョールがロンに向かって言った。「アーサー、君が一緒に来る必要はない」

ハリー、ロン、ハーマイオニーの三人が立ち上がったとき、ウィーズリーおじさんが心配そうにおばさんと顔を見合わせるのを、ハリーは見た。三人とも無言で、先に立って家の中に入りながら、ハリーはあとの二人も自分と同じことを考えているだろうと思った。スクリムジョールは、三人がホグワーツ校を退学するという計画をどこからか聞きつけたにちがいない。

散らかった台所を通り、「隠れ穴」の居間に入るまで、スクリムジョールは終始無言だった。庭には夕暮れのやわらかな金色の光が満ちていたが、居間はもう暗かった。部屋に入りながら、ハリーは石油ランプに向けて杖を振った。ランプの灯りが、質素ながらも居心地のよい居間を照らした。スクリムジョールは、いつもウィーズリーおじさんが座っているクッションのへこんだひじかけ椅子に腰を落とし、ハリー、ロン、ハーマイオニーは、ソファに並んできゅうくつに座るしかなかった。全員が腰かけるのを待って、スクリムジョールが口を開いた。

「三人にいくつか質問があるが、それぞれ個別に聞くのが一番よいと思う。君と君は」スクリムジョールは、ハリーとハーマイオニーを指差した。「上の階で待っていてくれ。ロナルドから始める」

「僕たち、どこにも行きません」ハリーが言った。ハーマイオニーもしっかりうなずいた。「三人一緒に話すのでなければ、何も話さないでください」

　スクリムジョールは、冷たく探るような目でハリーを見た。ハリーは、大臣が初手から対立する価値があるかどうか、判断に迷っている、という印象を受けた。

「いいだろう。では、一緒に」

　大臣は肩をすくめ、それから咳払いして話しはじめた。

「私がここに来たのは、君たちも知っているとおり、アルバス・ダンブルドアの遺言のためだ」

　ハリー、ロン、ハーマイオニーは、顔を見合わせた。

「どうやら寝耳に水らしい！　それでは、ダンブルドアが君たちに遺(のこ)したものがあることを知らなかったのか？」

「ぼ――僕たち全員に？」ロンが言った。「僕とハーマイオニーにも？」

「そうだ、君たち全――」

　ハリーがその言葉をさえぎった。

「ダンブルドアが亡くなったのは、一か月以上も前だ。僕たちへの遺品を渡すのに、どうしてこんなに長くかかったのですか？」

「見え透いたことだわ」

　スクリムジョールが答えるより早く、ハーマイオニーが言った。

「私たちに遺してくれたものがなんであれ、この人たちは調べたかったのよ。あなたにはそんな権利がなかったのに！」

　ハーマイオニーの声は、かすかに震えていた。

「私にはちゃんと権利がある」スクリムジョールがそっけなく言った。「『正当な押収に関する省令』により、魔法省には遺言書に記されたものを押収する権利がある――」

「それは、闇の物品が相続されるのを阻止するために作られた法律だわ」ハーマイオニーが言った。「差し押さえる前に、魔法省は、死者の持ち物が違法であるという確かな証拠を持っていなければならないはずです！　ダンブルドアが、呪いのかかったものを私たちに遺そうとしたとでもおっしゃりたいんですか？」

「魔法法関係の職に就こうと計画しているのかね、ミス・グレンジャー？」

スクリムジョールが聞いた。

「いいえ、ちがいます」ハーマイオニーが言い返した。「私は、世の中のために何かよいことをしたいと願っています！」

ロンが笑った。スクリムジョールの目がサッとロンに飛んだが、ハリーが口を開いたので、また視線を戻した。

「それじゃ、なぜ、いまになって僕たちに渡そうと決めたんですか？　保管しておく口実を考えつかないからですか？」

「ちがうわ。三十一日の期限が切れたからよ」ハーマイオニーが即座に言った。「危険だと証明できなければ、それ以上は物件を保持できないの。そうですね？」

「ロナルド、君はダンブルドアと親しかったと言えるかね？」スクリムジョールは、ハーマイオニーを無視して質問した。ロンはびっくりしたような顔をした。

「僕？　いや――そんなには……それを言うなら、ハリーがいつでも……」

ロンは、ハリーとハーマイオニーの顔を見た。するとハーマイオニーが、「**いますぐだまれ！**」という目つきでロンを見ていた。しかし、遅かった。スクリムジョールは、思うつぼの答えを得たという顔をしていた。そして、獲物をねらう猛禽類のように、ロンの答えに襲いかかった。

「君が、ダンブルドアとそれほど親しくなかったのなら、遺言で君に遺品を残したという事実をどう説明するかね？　個人的な遺贈品は非常に少なく、例外的だった。ほとんどの持ち物は――個人の蔵書、魔法の計器類、そのほかの私物などだが――ホグワーツ校に遺された。なぜ、君が選ばれたと思うかね？」

「僕……わからない」ロンが言った。「僕……そんなには親しくなかったと僕が言ったのは……つまり、ダンブルドアは、僕のことを好きだったと思う……」

「ロン、奥ゆかしいのね」ハーマイオニーが言った。「ダンブルドアはあなたのことを、とてもかわいがっていたわ」

これは、真実と言えるぎりぎりの線だった。ハリーの知るかぎり、ロンとダンブルドアは、一度も二人きりになったことはないし、直接の接触もなきに等しかった。しかし、スクリムジョールは聞かなかったかのように振る舞った。マントの内側に手を入れ、ハリーがハグリッドからもらったものよりずっと大きい巾着袋を取り出した。その中から羊皮紙の巻物を取り出し、大臣は広げて読み上げた。

「『**アルバス・パーシバル・ウルフリック・ブライアン・ダンブルドアの遺言書**』……そう、ここだ……『**ロナルド・ビリウス・ウィーズリーに、〝灯消しライター〟を遺贈する。使うたびに、わしを思い出してほしい**』」

スクリムジョールは、巾着からハリーに見覚えのあるものを取り出した。銀のライターのように見えるが、カチッと押すたびに、周囲の灯りを全部吸い取り、また元に戻す力を持っている。スクリムジョールは、前かがみになって「灯消しライター」をロンに渡した。受け取ったロンは、あぜんとした顔でそれを手の中でひっくり返した。

「それは価値のある品だ」スクリムジョールがロンをじっと見ながら言った。「たった一つしかないものかもしれない。まちがいなくダンブルドア自身が設計したものだ。それほどめずらしいものを、なぜ彼は君に遺したのかな？」

ロンは困惑したように、頭を振った。

「ダンブルドアは、何千人という生徒を教えたはずだ」スクリムジョールはなおも食い下がった。「にもかかわらず、遺言書で遺贈されたのは、君たち三人だけだ。なぜだ？　ミスター・ウィーズリー、ダンブルドアは、この『灯消しライター』を君がどのように使用すると考えたのかね？」

「灯を消すため、だと思うけど」ロンがつぶやいた。「ほかに何に使えるっていうわけ？」

スクリムジョールは当然、何も意見はないようだった。しばらくの間、探るような目でロンを見ていたが、やがてまたダンブルドアの遺言書に視線を戻した。

「『**ミス・ハーマイオニー・ジーン・グレンジャーに、わしの蔵書から〝吟遊詩人ビードルの物語〟を遺贈する。読んでおもしろく、役に立つものであることを望む**』」

スクリムジョールは、巾着から小さな本を取り出した。上の階に置いてある『深い闇の秘術』と同じぐらい古い本のように見えた。表紙は汚れ、あちこち革がめくれている。ハーマイオニーはだまって本を受け取り、ひざにのせてじっと見つめた。ハリーは、本の題がルーン文字で書かれているのを見た。ハリーが勉強したことのない記号文字だ。ハリーが見つめていると、表紙に型押しされた記号に、涙がひと粒落ちるのが見えた。

「ミス・グレンジャー、ダンブルドアは、なぜ君にこの本を遺したと思うかね？」

「せ……先生は、私が本好きなことをご存じでした」

ハーマイオニーはそでで目をぬぐいながら、声を詰まらせた。

「しかし、なぜこの本を？」

「わかりません。私が読んで楽しいだろうと思われたのでしょう」

「ダンブルドアと、暗号について、または秘密の伝言を渡す方法について、話し合ったことがあるかね？」

「ありません」ハーマイオニーは、そでで目をぬぐい続けていた。「それに、魔法省が三十一日かけても、この本に隠された暗号が解けなかったのなら、私に解けるとは思いません」

ハーマイオニーは、すすり泣きを押し殺した。身動きできないほどぎゅうぎゅう詰めで座っていたので、ロンは、片腕を抜き出してハーマイオニーの両肩に腕を回すのに苦労した。スクリムジョールは、また遺言書に目を落とした。

「**『ハリー・ジェームズ・ポッターに』**」スクリムジョールが読み上げると、ハリーは急に興奮を感じ、腸（はらわた）がギュッと縮まるような気がした。「**『スニッチを遺贈する。ホグワーツでの最初のクィディッチ試合で、本人が捕まえたものである。忍耐と技は報いられるものである。そのことを思い出すためのよすがとして、これを贈る』**」

スクリムジョールは、クルミ大の小さな金色のボールを取り出した。銀の羽がかなり弱々しく羽ばたいている。ハリーは、高揚していた気持ちががっくり落ち込むのをどうしようもなかった。

「ダンブルドアは、なぜ君にスニッチを遺したのかね？」スクリムジョールが聞いた。

「さっぱりわかりません」ハリーが言った。「いま、あなたが読み上げたとおりの理由だと思います……僕に思い出させるために……忍耐となんとかが報いられることを」

「それでは、単に象徴的な記念品だと思うのかね？」

「そうだと思います」ハリーが答えた。「ほかに何かありますか？」

「質問しているのは、私だ」

スクリムジョールは、ひじかけ椅子を少しソファのほうに引きながら言った。外は本格的に暗くなってきた。窓から見えるテントが、垣根の上にゴーストのような白さでそびえ立っている。

「君のバースデーケーキも、スニッチの形だった」スクリムジョールがハリーに向かって言った。「なぜかね？」

ハーマイオニーが、あざけるような笑い方をした。

「あら、ハリーが偉大なシーカーだからというのでは、あまりにもあたりまえすぎますから、そんなはずはないですね」ハーマイオニーが言った。「ケーキの砂糖衣に、ダンブルドアからの秘密の伝言が隠されているにちがいない！　とか」

「そこに、何かが隠されているとは考えていない」スクリムジョールが言った。「しかしスニッチは、小さなものを隠すには格好の場所だ。君は、もちろんそのわけを知っているだろうね？」

ハリーは肩をすくめたが、ハーマイオニーが答えた。身にしみついた習慣で、ハーマイオニーは、質問に正しく答えるという衝動を抑えることができないのだろう、とハリーは思った。

「スニッチは肉の記憶を持っているからです」ハーマイオニーが言った。

「えっ？」ハリーとロンが同時に声を上げた。二人とも、クィディッチに関するハーマイオニーの知識は、なきに等しいと思っていたのだ。

「正解だ」スクリムジョールが言った。「スニッチというものは、空に放たれるまで素手で触れられることがない。作り手でさえも手袋をはめている。最初に触れる者が誰か、を認識できるように呪文がかけられている。判定争いになったときのためだ。このスニッチは――」

スクリムジョールは、小さな金色のボールを掲げた。

「君の感触を記憶している。ポッター、ダンブルドアはいろいろ欠陥があったにせよ、並はずれた魔法力を持っていた。そこで思いついたのだが、ダンブルドアはこのスニッチに魔法をかけ、君だけのために開くようにしたのではないかな」

ハリーの心臓が激しく打ちはじめた。スクリムジョールの言うとおりだと思った。大臣の前で、どうやったら素手でスニッチに触れずに受け取れるだろう？

「何も言わんようだな」スクリムジョールが言った。「たぶんもう、スニッチの中身を知っているのではないかな？」

「いいえ」

ハリーは、スニッチに触れずに触れたように見せるには、どうしたらいいかを考え続けていた。「開心術」ができたら、ほんとうにできたら、そしてハーマイオニーの考えが読めたらいいのに。隣で、ハーマイオニーの脳が激しく唸りを上げているのが聞こえるようだった。

「受け取れ」スクリムジョールが低い声で言った。

ハリーは大臣の黄色い目を見た。そして、従うしかないと思った。ハリーは手を出し、スクリムジョールは再び前かがみになって、ゆっくりと慎重に、スニッチをハリーの手のひらにのせた。

何事も起こらなかった。ハリーは指を折り曲げてスニッチを握ったが、スニッチはつかれた羽をひらひらさせてじっとしていた。スクリムジョールも、ロンとハーマイオニーも、スニッチがなんらかの方法で変身することをまだ期待しているのか、半分手に隠れてしまった球を食い入るように見つめ続けていた。

「劇的瞬間だった」ハリーが冷静に言った。ロンとハーマイオニーが笑った。

「これでおしまいですね？」ハーマイオニーが、ソファのぎゅうぎゅう詰めから抜け出そうとしながら聞いた。

「いや、まだだ」いまや不機嫌な顔のスクリムジョールが言った。

「ポッター、ダンブルドアは、君にもう一つ形見を遺した」

「なんですか？」興奮にまた火がついた。

スクリムジョールは、もう遺言書を読もうともしなかった。

「ゴドリック・グリフィンドールの剣だ」

ハーマイオニーもロンも身を硬くした。ハリーは、ルビーをちりばめた柄の剣がどこかに見えはしないかと、あたりを見回した。しかし、スクリムジョールは革の巾着から剣を取り出しはしなかったし、巾着はいずれにしても剣を入れるには小さすぎた。

「それで、どこにあるんですか？」ハリーが疑わしげに聞いた。

「残念だが」スクリムジョールが言った。「あの剣は、ダンブルドアがゆずり渡せるものではない。ゴドリック・グリフィンドールの剣は、重要な歴史的財産であり、それ故その所属先は――」

「ハリーです！」ハーマイオニーが熱く叫んだ。「剣はハリーを選びました。ハリーが見つけ出した剣です。『組分け帽子』の中からハリーの前に現れたもので――」

「信頼できる歴史的文献によれば、剣は、それにふさわしいグリフィンドール生の前に現れると言う」スクリムジョールが言った。「とすれば、ダンブルドアがどう決めようと、ポッターだけの専有財産ではない」スクリムジョールは、そり残したひげがまばらに残るほおをかきながら、ハリーを詮索するように見た。「君はどう思うかね？　なぜ――？」

「なぜダンブルドアが、僕に剣を遺したかったかですか？」

ハリーは、やっとのことでかんしゃくを抑えつけながら言った。

「僕の部屋の壁にかけると、きれいだと思ったんじゃないですか？」

「冗談事ではないぞ、ポッター！」スクリムジョールがすごんだ。「ゴドリック・グリフィンドールの剣のみが、スリザリンの継承者を打ち負かすことができると、ダンブルドアが考えたからではないのか？　ポッター、君にあの剣を遺したかったのは、ダンブルドアが、そしてほかの多くの者もそうだが、君こそ『名前を言ってはいけないあの人』を滅ぼす運命にある者だと、信じたからではないのか？」

「おもしろい理論ですね」ハリーが言った。「誰か、ヴォルデモートに剣を刺してみたことがあるんですか？　魔法省で何人かを、その任務に就けるべきじゃないんですか？　『灯消しライター』をひねくり回したり、アズカバンからの集団脱走を隠蔽したりするひまがあるのなら。それじゃ大臣、あなたは、部屋にこもって何をしていたのかと思えば、スニッチを開けようとしていたのですか？　たくさんの人が死んでいるというのに。僕もその一人になりかけた。ヴォルデモートが州を三つもまたいで僕を追跡してきたことにも、マッド‐アイ・ムーディを殺したことにも、どれに関しても、魔法省からは一言もない。そうでしょう？　それなのにまだ、僕たちが協力すると思っているなんて！」

「言葉が過ぎるぞ！」

スクリムジョールが立ち上がって大声を出した。ハリーもサッと立ち上がった。スクリムジョールは足を引きずってハリーに近づき、杖の先で強くハリーの胸を突いた。火のついたたばこを押しつけられたように、ハリーのTシャツが焦げて、穴が開いた。

「おい！」ロンがパッと立ち上がって、杖を上げた。しかしハリーが制した。

「やめろ！　僕たちを逮捕する口実を与えたいのか？」

「ここは学校じゃない、ということを思い出したかね？」スクリムジョールは、ハリーの顔に荒い息を吹きかけた。「私が、君の傲慢さも不服従をも許してきたダンブルドアではないということを、思い出したかね？　ポッター。その傷痕を王冠のようにかぶっているのはいい。しかし、十七歳の青二才が、私の仕事に口出しするのはお門ちがいだ！　そろそろ敬意というものを学ぶべきだ！」

「そろそろあなたが、それを勝ち取るべきです」ハリーが言った。

床が振動した。誰かが走ってくる足音がして居間のドアが勢いよく開き、ウィーズリー夫妻が駆け込んできた。

「何か――何か聞こえたような気が――」ハリーと大臣がほとんど鼻突き合わせて立っているのを見て、すっかり仰天したウィーズリーおじさんが言った。

「――大声を上げているような」ウィーズリーおばさんが、息をはずませながら言った。

スクリムジョールは二、三歩ハリーから離れ、ハリーのTシャツに開けた穴をちらりと見た。かんしゃくを抑えきれなかったことを、悔いているようだった。

「別に――別になんでもない」スクリムジョールが唸るように言った。「私は……君の態度を残念に思う」もう一度ハリーの顔をまともに見ながら、スクリムジョールが言った。「どうやら君は、魔法省の望むところが、君とは――ダンブルドアとは――ちがうと思っているらしい。我々は、共に事に当たるべきなのだ」

「大臣、僕はあなたたちのやり方が気に入りません」ハリーが言った。「これを覚えていますか？」

ハリーは右手の拳を上げて、スクリムジョールに一度見せたことのある傷痕を突きつけた。手の甲にまだ白く残る傷痕は、「僕はうそをついてはいけない」と読めた。スクリムジョールは表情をこわばらせ、それ以上何も言わずにハリーに背を向けて足を引きずりながら部屋から出ていった。ウィーズリーおばさんが、急いでそのあとを追った。おばさんが勝手口で立ち止まる音がして、まもなくおばさんの知らせる声が聞こえてきた。

「行ってしまったわよ！」

「大臣は何しに来たのかね？」おばさんが急いで戻ってくると、おじさんは、ハリー、ロン、ハーマイオニーを見回しながら聞いた。

「ダンブルドアが僕たちに遺したものを渡しに」ハリーが答えた。「遺言書にあった品物を、魔法省が解禁したばかりなんです」

庭のディナーのテーブルで、スクリムジョールがハリーたちに渡した三つの品が、手から手へと渡された。みんなが灯消しライターと『吟遊詩人ビードルの物語』とに驚き、スクリムジョールが剣の引き渡しをこばんだことを嘆いたが、ダンブルドアがハリーに古いスニッチを遺した理由については、誰も思いつかなかった。ウィーズリーおじさんが、灯消しライターを念入りに調べること二回か四回目に、おばさんが遠慮がちに言った。

「ねえ、ハリー、みんなとてもお腹がすいているの。あなたがいないときに始めたくなかったものだから……もう夕食を出してもいいかしら？」

全員がかなり急いで食事をすませ、あわただしい「ハッピー・バースデー」の合唱。それからほとんど丸飲みのケーキのあと、パーティは解散した。ハグリッドは翌日の結婚式に招待されていたが、すでに満杯の「隠れ穴」にはとても泊まれない図体だったので、近くで野宿をするためのテントを張りに出ていった。

「あとで僕たちの部屋に上がってきて」ウィーズリーおばさんを手伝って、庭を元の状態に戻しながら、ハリーがハーマイオニーにささやいた。

「みんなが寝静まってから」

屋根裏部屋では、ロンが灯消しライターを入念に眺め、ハリーは、ハグリッドからのモークトカゲの巾着に、金貨ではなく、一見がらくたのようなものもふくめて、自分にとって一番大切なものを詰め込んでいた。忍びの地図、シリウスの両面鏡のかけら、R・A・Bのロケットなどだ。ハリーは巾着のひもを固くしめて首にかけ、それから古いスニッチを持って座り、弱々しい羽ばたきを見つめた。やがてハーマイオニーが、ドアをそっとたたいて忍び足で入ってきた。

「**マフリアート、耳ふさぎ**」ハーマイオニーは、階段に向けて杖を振りながら唱えた。

「君は、その呪文を許してないと思ったけど？」ロンが言った。

「時代が変わったの」ハーマイオニーが言った。「さあ、灯消しライター、使ってみせて」

ロンはすぐに要求を聞き入れ、ライターを高く掲げてカチッと鳴らした。一つしかないランプの灯がすぐに消えた。

「要するに」暗闇でハーマイオニーがささやいた。「同じことが『ペルー産インスタント煙幕』でも、できただろうってことね」

カチッと小さな音がして、ランプの光の球が飛んで天井へと戻り、再び三人を照らした。

「それでも、こいつはかっこいい」ロンは弁解がましく言った。「それに、さっきの話じゃ、ダンブルドア自身が発明したものだぜ！」

「わかってるわよ。でも、ダンブルドアが遺言であなたを選んだのは、単に灯りを消すのを手伝うためじゃないわ！」

「魔法省が遺言書を押収して、僕たちへの遺品を調べるだろうって、ダンブルドアは知っていたんだろうか？」ハリーが聞いた。

「まちがいないわ」ハーマイオニーが言った。「遺言書では、私たちにこういうものを遺す理由を教えることができなかったのよ。でも、まだ説明がつかないのは……」

「……生きているうちに、なぜヒントを教えてくれなかったのか、だな？」ロンが聞いた。

「ええ、そのとおり」

『吟遊詩人ビードルの物語』をぱらぱらめくりながら、ハーマイオニーが言った。

「魔法省の目が光っている、その鼻先で渡さなきゃならないほど重要なものなら、私たちにその理由を知らせておくはずだと思うでしょう？　……ダンブルドアが、言う必要もないほど明らかだと考えたのなら別だけど」

「それなら、まちがった考えだな、だろ？」ロンが言った。「ダンブルドアはどこかズレてるって、僕がいつも言ったじゃないか。ものすごい秀才だけど、ちょっとおかしいんだ。ハリーに古いスニッチを遺すなんて――いったいどういうつもりだ？」

「わからないわ」ハーマイオニーが言った。「スクリムジョールがあなたにそれを渡したとき、ハリー、私、てっきり何かが起きると思ったわ！」

「うん、まあね」ハリーが言った。

スニッチを握って差し上げながら、ハリーの鼓動がまた速くなった。

「スクリムジョールの前じゃ、僕、あんまり真剣に試すつもりがなかったんだ。わかる？」

「どういうこと？」ハーマイオニーが聞いた。

「生まれて初めてのクィディッチ試合で、僕が捕まえたスニッチとは？」ハリーが言った。「覚えてないか？」

ハーマイオニーはまったく困惑した様子だったが、ロンはハッと息をのみ、声も出ないほど興奮してハリーとスニッチを交互に指差し、しばらく声も出なかった。

「それ、君が危うく飲み込みかけたやつだ！」

「正解」

心臓をドキドキさせながら、ハリーはスニッチを口に押し込んだ。開かない。焦燥感と苦い失望感が込み上げてきた。ハリーは金色の球を取り出した。しかし、その時ハーマイオニーが叫んだ。

「文字よ！　何か書いてある。早く、見て！」

ハリーは驚きと興奮でスニッチを落とすところだった。ハーマイオニーの言うとおりだった。なめらかな金色の球面の、さっきまでは何もなかった所に、短い言葉が刻まれている。ハリーにはそれとわかる、ダンブルドアの細い斜めの文字だ。

私は　終わる　とき　に　開く

ハリーが読むか読まないうちに、文字は再び消えてなくなった。

「『**私は終わるときに開く**』……どういう意味だ？」

ハーマイオニーもロンも、ポカンとして頭を振った。

「私は終わるときに開く……**終わるとき**に……私は終わるときに開く……」

三人で何度その言葉をくり返しても、どんなにいろいろな抑揚をつけてみても、その言葉からなんの意味もひねり出すことはできなかった。

「それに、剣だ」

三人とも、スニッチの文字の意味を言い当てるのをあきらめてしまったあとで、ロンが言った。

「ダンブルドアは、どうしてハリーに剣を持たせたかったんだろう？」

「それに、どうして僕に、ちょっと話してくれなかったんだろう？」ハリーがつぶやくように言った。

「剣は**あそこ**にあったんだ。一年間、僕とダンブルドアが話している間、剣はあの校長室の壁にずっとかかっていたんだ！　剣を僕にくれるつもりだったのなら、どうしてその時にくれなかったんだろう？」

ハリーは、試験を受けているような気がした。答えられるはずの問題を前にしているのに、脳みそはにぶく、反応しない。ダンブルドアとの一年間、何度も長い話をした中で、何か聞き落としたことがあったのだろうか？　この謎のすべての意味を、ハリーはわかっているべきなのだろうか？　ダンブルドアは、ハリーが理解することを期待していたのだろうか？

「それに、この本だけど」ハーマイオニーが言った。『吟遊詩人ビードルの物語』……こんな本、私、聞いたことがないわ！」

「聞いたことがないって？『吟遊詩人ビードルの物語』を？」ロンが信じられないという調子で言った。「冗談のつもりか？」

「ちがうわ！」ハーマイオニーが驚いた。「それじゃ、ロン、あなたは知ってるの？」

「ああ、もちろんさ！」

ハリーは、急に興味を引かれて顔を上げた。ロンがハーマイオニーの読んでいない本を読んでいるなんて、前例がない。一方ロンは、二人が驚いていることに当惑した様子だった。

「なに驚いてるんだよ！　子供の昔話はみんなビードル物語のはずだろ？『豊かな幸運の泉』……『魔法使いとポンポン跳ぶポット』……『バビティうさちゃんとペチャクチャ切り株』……」

「なんですって？」ハーマイオニーがクスクス笑った。「最後のはなんですって？」

「いいかげんにしろよ！」ロンは信じられないという顔で、ハリーとハーマイオニーを見た。「聞いたことあるはずだぞ、バビティうさちゃんのこと——」

「ロン、ハリーも私もマグルに育てられたってこと、よく知ってるじゃない！」ハーマイオニーが言った。「私たちが小さいときは、そういうお話は聞かなかったわ。聞かされたのは『白雪姫と七人のこびと』だとか『シンデレラ』とか——」

「なんだ、そりゃ？　病気の名前か？」ロンが聞いた。

「それじゃ、これは童話なのね？」ハーマイオニーがもう一度本をのぞき込み、ルーン文字を見ながら聞いた。

「ああ」ロンは自信なさそうに答えた。「つまり、そう聞かされてきたのさ。そういう昔話は、全部ビードルから来てるって。元々の話がどんなものだったのかは、僕、知らない」

「でも、ダンブルドアは、どうして私にそういう話を読ませたかったのかしら？」

下の階で何かがきしむ音がした。

「たぶんチャーリーだ。ママが寝ちゃったから、髪の毛を伸ばしにこっそり出ていくとこだろ」ロンがピリピリしながら言った。

「いずれにしても、私たちも寝なくちゃ」ハーマイオニーがささやいた。「あしたは寝坊したら困るでしょ」

「まったくだ」ロンがあいづちを打った。「『花婿の母親による、残忍な三人連続殺人』じゃあ、結婚式にちょいとケチがつくかもしれないしな。僕が灯りを消すよ」

ハーマイオニーが部屋を出ていくのを待って、ロンは灯消しライターをもう一度カチッと鳴らした。

第8章　結婚式

翌日の午後三時、ハリー、ロン、フレッド、ジョージの四人は、果樹園の巨大な白いテントの外に立ち、結婚式に出席する客の到着を待っていた。ハリーはポリジュース薬をたっぷり飲んで、近くのオッタリー・セント・キャッチポール村に住む赤毛のマグルになりすましていた。フレッドが「呼び寄せ呪文」で、その少年の髪の毛を盗んでおいたのだ。ハリーを変装させて親戚の多いウィーズリー一族に紛れ込ませ、「いとこのバーニー」として紹介するという計画になっていた。

客の案内にまちがいがないよう、四人とも席次表を握りしめていた。一時間前に、白いローブを着たウェイターが大勢到着し、金色の上着を着たバンドマンたちも同時に着いていた。その魔法使いたち全員が、四人から少し離れた木の下に座っている。そこからパイプの青い煙が立ち昇っているのが、ハリーのいる場所から見えた。

ハリーの背後にあるテントの入口からは紫のじゅうたんが伸び、その両側には、金色の華奢(きゃしゃ)な椅子が何列も何列も並んでいた。テントの支柱には、白と金色の花が巻きつけられている。ビルとフラーがまもなく夫婦の誓いをする場所の真上には、フレッドとジョージがくくりつけた金色の風船の巨大な束が浮かび、テントの外の草むらや生け垣の上を、蝶(ちょう)や蜂がのんびりと飛び回っている。姿を借りたマグルの少年がハリーより少し太っていたので、照りつける真夏の陽射しの下ではドレスローブがきゅうくつで暑苦しく、ハリーはかなり難儀していた。

「俺が結婚するときは」フレッドが、着ているローブの襟を引っ張りながら言った。「こんなばかげたことは、いっさいやらないぞ。みんな好きなものを着てくれ。俺は、式が終わるまでおふくろに『全身金縛り術』をかけてやる」

「だけど、おふくろにしちゃ、今朝はなかなか上出来だったぜ」ジョージが言った。「パーシーが来ていないことでちょっと泣いたけど、あんなやつ、来てどうなる？　おっとどっこい、緊張しろ——見ろよ、おいでなすったぞ」

華やかな彩りの姿が、庭のかなたの境界線に、どこからともなく一つまた一つと現れた。まもなく行列ができ、庭を通ってテントのほうにくねくねとやってきた。魔女淑女の帽子はめずらしい花々で飾られ、魔法にかけられた鳥が羽ばたいている。魔法使い紳士のネクタイには、宝石が輝いているものが多い。客たちがテントに近づくにつれて、興奮したざわめきがしだいに大きくなり、飛び回る蜂の羽音を消してしまった。

「いいぞ、ヴィーラのいとこが何人かいるな」ジョージがよく見ようと首を伸ばしながら言った。「あいつら、イギリスの習慣を理解するのに助けがいるな。俺に任せろ……」

「焦るな、耳無し」言うが早いか、フレッドは、行列の先頭でガーガーしゃべっている中年の魔女たちをすばやく飛ばして、かわいいフランスの女性二人に、いいかげんなフランス語で話しかけた。「さあ——**ペルメテ・モア**（よろしければ）、あなたたちを**アシステ**（お手伝い）します」

二人はクスクス笑いながら、フレッドにエスコートさせて中に入った。ジョージには中年魔女たちが残された。ロンは魔法省の父親の同僚、年老いたパーキンズの係になり、ハリーの担当は、かなり耳の遠い年寄り夫婦だった。

「よっ」

ハリーがテントの入口に戻ってくると、聞き覚えのある声がして、列の一番前にトンクスとルーピンがいた。トンクスの髪は、この日のためにブロンドになっていた。

「アーサーが、髪がくるくるの男の子が君だって教えてくれたんだよ。昨夜はごめん」二人を案内するハリーに、トンクスが小声で謝った。「魔法省はいま、相当、反人狼的になっているから、私たちがいると君のためによくないと思ったの」

「気にしないで。わかっているから」ハリーはトンクスよりも、むしろルーピンに対して話しかけた。ルーピンはハリーにサッと笑顔を見せたが、互いに視線をはずしたときにルーピンの顔がまたかげり、顔のしわにみじめさが刻まれるのに、ハリーは気づいた。ハリーにはそのわけが理解できなかったが、しかしそのことを考えているひまはなかった。ハグリッドがちょっとした騒ぎを引き起こしていたからだ。フレッドの案内を誤解したハグリッドは、後方に魔法で用意されていた特別の強化拡大椅子に座らずに、普通の椅子を五席まとめて腰かけたため、いまやそのあたりは金色のマッチ棒が積み重なったようなありさまになっていた。

ウィーズリーおじさんが被害を修復し、ハグリッドが誰かれなく片っ端から謝っている間、ハリーは急いで入口に戻った。そこにはロンが、とびきり珍妙な姿の魔法使いと向き合って立っていた。片目がやや斜視で、綿菓子のような白髪を肩まで伸ばし、帽子の房は鼻の前にたれ下がっている。着ているローブは、卵の黄身のような目がチカチカする黄色だ。首にかけた金鎖のペンダントには、三角の目玉のような奇妙な印が光っている。

「ゼノフィリウス・ラブグッドです」男はハリーに手を差し出した。

「娘と二人であの丘のむこうに住んでいます。ウィーズリーご夫妻が、ご親切にも私たちを招いてくださいました。君は、娘のルーナを知っていますね？」ゼノフィリウスがロンに聞いた。

「ええ」ロンが答えた。「ご一緒じゃないんですか？」

「あの子はしばらく、お宅のチャーミングな庭で遊んでいますよ。庭小人に挨拶をしてましてね。すばらしい蔓延ぶりです！　あの賢い庭小人たちからどんなにいろいろ学べるかを、認識している魔法使いがいかに少ないことか！――学名で呼ぶなら**ゲルヌンブリ・ガーデンシ**ですがね」

「家の庭小人は、確かにすばらしい悪態のつき方をたくさん知ってます」ロンが言った。「だけど、フレッドとジョージがあいつらに教えたんだと思うけど」

ロンは、魔法戦士の一団を案内してテントに入った。そこへルーナが走ってきた。

「こんにちは、ハリー！」ルーナが言った。

「あー――僕の名前はバーニーだけど」ハリーは度肝を抜かれた。

「あら、名前も変えたの？」ルーナが明るく聞いた。

「どうしてわかったの――？」

「うん、あんたの表情」ルーナが言った。

ルーナは父親と同じ、真っ黄色のローブを着ていた。髪には大きなひまわりをつけて、アクセサリーにしている。まぶしい色彩に目が慣れてくれば、全体的にはなかなか好感が持てた。少なくとも、耳たぶから赤カブはぶら下がっていない。

知人との会話に夢中になっていたゼノフィリウスは、ルーナとハリーのやり取りを聞き逃していた。話し相手の魔法使いに「失礼」と挨拶をして、ゼノフィリウスは娘のほうを見た。娘は指を上げて見せながら言った。

「パパ、見て――庭小人がほんとにかんだよ！」

「すばらしい！　庭小人のだ液はとても有益なんだ！」

ラブグッド氏はルーナが差し出した指をつかんで、血の出ているかみ傷を調べながら言った。

「ルーナや、もし今日突然新しい才能が芽生えるのを感じたら――たとえば急にオペラを歌いたくなったり、マーミッシュ語で大演説したくなったら――抑えつけるんじゃないよ！　**ゲルヌンブリ**の才能を授かったかもしれない！」

ちょうどすれちがったロンが、プーッと噴き出した。

「ロンは笑ってるけど」ハリーがルーナとゼノフィリウスを席まで案内したとき、ルーナがのんびりと言った。「でもパパは、**ゲルヌンブリ**の魔法について、たくさん研究したんだもん」

「そう？」ハリーはもうとっくに、ルーナやその父親の独特な見方には逆らうまいと決めていた。「でもその傷、ほんとに何かつけなくてもいいの？」

「あら、大丈夫だもん」ルーナは夢見るように指をなめながら、ハリーを上から下まで眺めて言った。「あんたすてきだよ。あたしパパに、たいていの人はドレスローブとか着てくるだろうって言ったんだ。だけどパパは、結婚式には太陽の色を着るべきだって信じてるの。ほら、縁起がいいもん」

ルーナが父親のあとについてどこかに行ってしまったあとに、年老いた魔女に腕をがっちりつかまれたロンが再び現れた。鼻はくちばしの形で目の周りが赤く、羽根のついたピンクの帽子をかぶった魔女の姿は、機嫌の悪いフラミンゴのようだ。

「……それにおまえの髪は長すぎるぇ、ロナルド。わたしゃ、一瞬おまえを妹のジネブラと見まちがえたぇ。なんとまあ、ゼノフィリウス・ラブグッドの着てるものはなんだぇ？　まるでオムレツみたいじゃないか。それで、あんたは誰かぇ？」魔女がハリーに吠えたてた。

「ああ、そうだ、ミュリエルおばさん、いとこのバーニーだよ」

「またウィーズリーかね？　おまえたちゃ庭小人算で増えるじゃないか。ハリー・ポッターはここにいるのかぇ？　会えるかと思ったに。おまえの友達かと思ったが、ロナルド、自慢してただけかぇ？」

「ちがうよ――あいつは来られなかったんだ――」

「ふむむ。口実を作ったというわけかぇ？　それなら新聞の写真で見るほど愚かしい子でもなさそうだ。わたしゃね、花嫁にわたしのティアラの最高のかぶり方を教えてきたところだよ」魔女は、ハリーに向かって大声で言った。「小鬼製（ゴブリン）だよ、なんせ。そしてわが家に何百年も伝わってきたんだぇ。花嫁はきれいな子だ。しかしどうひねくってても――**フランス人**だぞぇ。やれやれ、ロナルド、よい席を見つけておくれ。わたしゃ百七歳だぇ。あんまり長いこと立っとるわけにはいかないぞぇ」

ロンは、ハリーに意味ありげな目配せをして通り過ぎ、しばらくの間、出てこなかった。次に入口でロンを見つけたときは、ハリーは十二人もの客を案内して出てきたところだった。テントはいまやほとんど満席になっていて、入口にはもう誰も並んでいなかった。

「悪夢だぜ、ミュリエルは」ロンが額の汗をそででぬぐいながら言った。「以前は毎年クリスマスに来てたんだけど、ありがたいことに、フレッドとジョージが祝宴のときにおばさんの椅子の下でクソ爆弾を破裂させたのに腹を立ててさ。親父（おやじ）は、おばさんの遺言書から二人の名前が消されてしまうだろうって言うけど――あいつら気にするもんか。最後はあの二人が、親戚の誰よりも金持ちになるぜ。そうなると思う……うわぉっ」

ハーマイオニーが急いで二人のほうにやってくるのを見て、ロンは目をパチパチさせながら言った。

「すっごくきれいだ！」

「意外で悪かったわね」そう言いながらも、ハーマイオニーはニッコリした。

ハーマイオニーはライラック色のふわっとした薄布のドレスに、同じ色のハイヒールをはいていた。髪はまっすぐでつややかだ。

「あなたのミュリエル大おばさんは、そう思っていらっしゃらないみたい。ついさっき二階で、フラーにティアラを渡していらっしゃるところをお目にかかったわ。そしたら、『おや、まあ、これがマグル生まれの子かぇ？』ですって。それからね、『姿勢が悪い。足首がガリガリだぞぇ』」

「君への個人攻撃だと思うなよ。おばさんは誰にでも無礼なんだから」ロンが言った。

「ミュリエルのことか？」フレッドと一緒にテントから現れたジョージが聞いた。「まったくだ。たったいま、俺の耳が一方に片寄ってるって言いやがった。あの老いぼれコウモリめ。だけど、ビリウスおじさんがまだ生きてたらよかったのになぁ。結婚式にはうってつけのおもしろい人だったのに」

「その人、死神犬のグリムを見て、二十四時間後に死んだ人じゃなかった？」

ハーマイオニーが聞いた。

「ああ、うん。最後は少しおかしくなってたな」ジョージが認めた。

「だけど、いかれっちまう前は、パーティを盛り上げる花形だった」フレッドが言った。「ファイア・ウィスキーを一本まるまる飲んで、それからダンスフロアに駆け上がり、ローブをまくり上げて花束をいくつも取り出すんだ。どっからって、ほら――」

「ええ、ええ、さぞかしパーティの花だったでしょうよ」

ハリーは大笑いしたが、ハーマイオニーはツンと言い放った。

「一度も結婚しなかったな。なぜだか」ロンが言った。

「それは不思議ね」ハーマイオニーが言った。

あまり笑いすぎて、遅れて到着した客がロンに招待状を差し出すまで、誰も気がつかなかった。黒い髪に大きな曲がった鼻、眉の濃い青年だ。青年はハーマイオニーを見ながら言った。

「君はすヴぁらしい」

「ビクトール！」

ハーマイオニーが金切り声を上げて、小さなビーズのバッグを落とした。バッグは、小さいくせに不釣り合いに大きな音を立てた。ハーマイオニーはほおを染め、あわててバッグを拾いながら言った。

「私、知らなかったわ。あなたが——まあ——またお会いできて——お元気？」

ロンの耳が、また真っ赤になった。招待状の中身など信じるものかと言わんばかりに、ロンはクラムの招待状をひと目見るなり、不必要に大きな声で聞いた。

「どうしてここに来たんだい？」

「フラーに招待された」クラムは眉を吊り上げた。

クラムになんの恨みもないハリーは、握手したあと、ロンのそばから引き離すほうが賢明だと感じて、クラムを席に案内した。

「君の友達は、ヴぉくに会ってうれしくない」いまや満員のテントに入りながら、クラムが言った。「友達でなく親戚か？」クラムは、ハリーのくるくる巻いた赤毛をちらりと見ながら聞いた。

「いとこだ」ハリーはボソボソと答えたが、クラムは別に答えを聞こうとしてはいなかった。クラムが現れたことで、客がざわめいた。特にヴィーラのいとこたちがそうだった。何しろ有名なクィディッチ選手が来たのだ。姿をよく見ようとみんなが首を伸ばしているところに、ロン、ハーマイオニー、フレッド、ジョージの四人が花道を急ぎ足でやってきた。

「着席する時間だ」フレッドがハリーに言った。「座らないと花嫁に轢かれるぞ」

ハリー、ロン、ハーマイオニーは二列目の、フレッドとジョージの後ろの席に座った。ハーマイオニーはかなり上気しているようだったし、ロンの耳はまだ真っ赤だった。しばらくして、ロンがハリーにブツブツ言った。「あいつ、まぬけなちょびあごひげ生やしてやがったの、見たか？」

ハリーは、どっちつかずに唸った。

ピリピリした期待感が暑いテントを満たし、ガヤガヤという話し声にときどき興奮した笑い声が混じった。ウィーズリー夫妻が親戚に向かって笑顔で手を振りながら、花道を歩いてきた。ウィーズリー夫人は真新しいアメジスト色のローブに、おそろいの帽子をかぶっている。

その直後に、ビルとチャーリーがテントの正面に、招待客に向き合って立った。二人ともドレスローブを着て、襟には大輪の白バラを挿している。フレッドがピーッと冷やかしの口笛を吹き、ヴィーラのいとこたちがクスクス笑った。金色の風船から聞こえてくるらしい音楽が高らかに響き、会場が静かになった。

「わぁぁぁっ！」ハーマイオニーが、腰かけたまま入口を振り返り、歓声を上げた。

ムッシュー・デラクールとフラーがバージンロードを歩きはじめると、会場の客がいっせいにため息をついた。フラーはすべるように、ムッシューは満面の笑みではずむように歩いてきた。すっきりした白いドレスを着たフラーは、銀色の強い光を放っているように見えた。いつもはその輝きで、ほかの者すべてが色あせてしまうのだが、今日はその光に当たった者すべてが美しく見えた。金色のドレスを着たジニーとガブリエルは、いつにも増してかわいらしく見え、ビルはフラーが隣に立ったとたん、フェンリール・グレイバックに遭遇したことさえそのように見えた。

「お集まりのみなさん」少し抑揚のある声が聞こえてきた。髪の毛のふさふさした小さな魔法使いが、ビルとフラーの前に立っていた。ダンブルドアの葬儀を取り仕切ったと同じ魔法使いなのに気づいて、ハリーは少しドキリとした。「本日ここにお集まりいただきましたのは、二つの誠実なる魂が結ばれんがためであります……」

「やっぱり、わたしのティアラのおかげで場が引き立つぞぇ」ミュリエルおばさんが、かなりよく聞こえるささやき声で言った。「しかし、どう見てもジネブラの胸開きは広すぎるぞぇ」

ジニーがちらりと振り向き、いたずらっぽく笑ってハリーにウィンクしたが、すぐにまた正面を向いた。ハリーの心はテントをはるか離れて、ジニーと二人きりで過ごした午後の、誰もいない校庭の片隅での思い出へと飛んでいった。あの日々が遠い昔のことのようだ。すばらしすぎて、現実とは思えなかったあの時間。ハリーにとっては、普通の人の人生から輝かしい時を盗み取ったかのような時間だった。額に稲妻形の傷のない誰か普通の人から……。

「汝（なんじ）、ウィリアム・アーサーは、フラー・イザベルを……？」

一番前の列で、ウィーズリー夫人とマダム・デラクールが二人とも小さなレースの布切れを顔に押し当てて、そっとすすり泣いていた。テントの後ろから鼻をかむトランペットのような音が聞こえ、ハグリッドがテーブルクロス大のハンカチを取り出したことを全員に知らせていた。ハーマイオニーはハリーを見てニッコリしたが、その目も涙でいっぱいだった。

「……されば、ここに二人を夫婦となす」

ふさふさした髪の魔法使いは、ビルとフラーの頭上に杖（つえ）を高く掲げた。すると二人の上に銀の星が降り注ぎ、抱き合っている二人を、螺旋（らせん）を描きながら取り巻いた。フレッドとジョージの音頭でみんながいっせいに拍手すると、頭上の金色の風船が割れ、中から極楽鳥や小さな金の鈴が飛び出して宙に浮かび、鳥の歌声や鈴の音が祝福のにぎわいをいっそう華やかにした。

「お集まりの紳士、淑女のみなさま！」ふさふさ髪の魔法使いが呼びかけた。「ではご起立願います！」

全員が起立した。ミュリエルおばさんは、聞こえよがしに不平を言いながら立った。ふさふさ髪の魔法使いが杖を振ると、いままで座っていた椅子が優雅に宙に舞い上がり、テントの壁の部分が消えて、一同は金色の支柱に支えられた天蓋の下にいた。太陽を浴びた果樹園と、その周囲のすばらしい田園が見えた。次にテントの中心から溶けた金が流れ出し、輝くダンスフロアができた。浮かんでいた椅子が、白いテーブルクロスをかけたいくつもの小さなテーブルを囲んで何脚かずつ集まり、みんな一緒に優雅に地上に戻ってきてダンスフロアの周りに収まった。すると金色の上着を着たバンドマンが、ぞろぞろと舞台に上がった。

「うまいもんだ」ロンが感心したように言った。ウェイターが銀の盆を掲げて四方八方から現れた。かぼちゃジュースやバタービール、ファイア・ウィスキーなどがのった盆もあれば、山盛りのタルトやサンドイッチがぐらぐら揺れているのもあった。

「お祝いを言いに行かなきゃ！」ビルとフラーが祝い客に取り囲まれて姿が見えなくなったあたりをつま先立ちして見ながら、ハーマイオニーが言った。

「あとで時間があるだろ」ロンは肩をすくめ、通り過ぎる盆からすばやくバタービールを三本かすめて、一本をハリーに渡しながら言った。「ハーマイオニー、取れよ。テーブルを確保しようぜ……そこじゃない！　ミュリエルに近づくな――」

ロンは先に立って、左右をちらちら見ながら誰もいないダンスフロアを横切った。ハリーは、クラムに目を光らせているにちがいないと思った。テントの反対側まで来てしまったが、大部分のテーブルは埋まっていた。ルーナが一人で座っているテーブルが、一番すいていた。

「ここ、座ってもいいか？」ロンが聞いた。

「うん、いいよ」ルーナがうれしそうに言った。「パパは、ビルとフラーにプレゼントを渡しに行ったんだもン」

「なんだい？　一生分のガーディルートか？」ロンが聞いた。

ハーマイオニーは、テーブルの下でロンを蹴ろうとして、ハリーを蹴ってしまった。痛くて涙がにじみ、ハリーはしばらく話の流れを忘れてしまった。

バンド演奏が始まった。ビルとフラーが、拍手に迎えられて最初にフロアに出た。しばらくしてウィーズリーおじさんがマダム・デラクールをリードし、次にウィーズリーおばさんとフラーの父親が踊った。

「この歌、好きだもｮ」

ルーナは、ワルツのような調べに合わせて体を揺らしていたが、やがて立ち上がってすうっとダンスフロアに出ていき、目をつむって両腕を振りながら、たった一人で回転しはじめた。

「あいつ、すごいやつだぜ」ロンが感心したように言った。「いつでも希少価値だ」

しかし、ロンの笑顔はたちまち消えた。ビクトール・クラムがルーナの空いた席にやってきたのだ。ハーマイオニーはうれしそうにあわてふためいた。しかしクラムは、今度はハーマイオニーをほめにきたのではなかった。

「あの黄色い服の男は誰だ?」としかめっ面で言った。

「ゼノフィリウス・ラブグッド。僕らの友達の父さんだ」ロンが言った。ゼノフィリウスは明らかに笑いを誘う姿ではあったが、ロンのけんか腰の口調は、そうはさせないぞと意思表示していた。

「来いよ。踊ろう」ロンが、唐突にハーマイオニーに言った。

ハーマイオニーは驚いたような顔をしたが、同時にうれしそうに立ち上がった。二人は、だんだん混み合ってきたダンスフロアの渦の中に消えた。

「ああ、あの二人は、いまつき合っているのか?」クラムは、一瞬気が散ったように聞いた。

「んー――そんなような」ハリーが言った。

「君は誰だ?」クラムが聞いた。

「バーニー・ウィーズリー」

二人は握手した。

「君、バーニー――あのラヴグッドって男を、よく知っているか？」

「いや、今日会ったばかり。なぜ？」

クラムは、ダンスフロアの反対側で数人の魔法戦士としゃべっているゼノフィリウスを、飲み物のグラスの上から怖い顔でにらみつけた。

「なぜならヴぁ」クラムが言った。「あいつがフラーの客でなかったら、ヴぉくはたったいまここで、あいつに決闘を申し込む。胸にあの汚らわしい印をヴら下げているからだ」

「印？」ハリーもゼノフィリウスのほうを見た。不思議な三角の目玉が、胸で光っている。

「なぜ？　あれがどうかしたの？」

「グリンデルヴァルド。あれはグリンデルヴァルドの印だ」

「グリンデルバルド……ダンブルドアが打ち負かした、闇の魔法使い？」

「そうだ」

あごの筋肉を、何かをかんでいるように動かしたあと、クラムはこう言った。

「グリンデルヴァルドはたくさんの人を殺した。ヴぉくの祖父もだ。もちろん、あいつはこの国では一度も力を振るわなかった。ダンブルドアを恐れているからだと言われてきた――そのとおりだ。あいつがどんなふうに滅びたかを見れヴぁわかる。しかし、あれは――」クラムはゼノフィリウスを指差した。「あれは、グリンデルヴァルドの印だ。ヴぉくはすぐわかった。グリンデルヴァルドは生徒だったときに、ダームストラング校のかヴぇにあの印を彫った。ヴぁかなやつらが、驚かすためとか、自分をえらく見せたくて、本や服にあの印をコピーした。ヴぉくらのように、グリンデルヴァルドのせいで家族を失った者たちが、そういう連中をこらしめるまでは、それが続いた」

クラムは脅すように拳の関節をポキポキ鳴らし、ゼノフィリウスをにらみつけた。ハリーはこんがらがった気持ちだった。ルーナの父親が闇の魔術の支持者など、どう考えてもありえないことのように思えた。その上、テント会場にいるほかの誰も、ルーン文字のような三角形を見とがめているようには見えない。

「君は――えーと――絶対にグリンデルバルドの印だと思うのか――？」

「まちがいない」クラムは冷たく言った。「ヴぉくは、何年もあの印のそヴぁを通り過ぎてきたんだ。ヴぉくにはわかる」

「でも、もしかしたら」ハリーが言った。「ゼノフィリウスは、印の意味を実は知らないかもしれない。ラブグッド家の人はかなり……変わってるし。充分ありうることだと思うけど、どこかでたまたまあれを見つけて、しわしわ角スノーカックの頭の断面図か何かだと思ったかもしれない」

「なんの断面図だって？」

「いや、僕もそれがどういうものか知らないけど、どうやらあの父娘（おやこ）は休暇中にそれを探しにいくらしい……」

ハリーは、ルーナとその父親のことを、どうもうまく説明できていないような気がした。

「あれが娘だよ」ハリーは、まだ一人で踊っているルーナを指差した。ルーナはユスリカを追い払うような手つきで、両腕を頭の周りで振り回していた。

「なぜ、あんなことをしている？」クラムが聞いた。

「ラックスパートを、追い払おうとしているんじゃないかな」

ラックスパートの症状がどういうものかを知っているハリーは、そう言った。

クラムはハリーにからかわれているのかどうか、判断しかねている顔だった。ローブから取り出した杖で、クラムは脅すように自分の太ももをトントンとたたいた。杖先から火花が飛び散った。

「グレゴロビッチ！」ハリーは大声を上げた。

クラムがビクッとしたが、興奮したハリーは気にしなかった。クラムの杖を見たとたん記憶が戻ってきた。三校対抗試合の前に、その杖を手に取って丹念に調べたオリバンダーの記憶だ。

「グレゴロヴィッチがどうかしたか？」クラムがいぶかしげに聞いた。

「杖作りだ！」

「そんなことは知っている」クラムが言った。

「グレゴロビッチが、君の杖を作った！　だから僕は連想したんだ――クィディッチって……」

クラムは、ますますいぶかしげな顔をした。

「グレゴロヴィッチがヴぉくの杖を作ったと、どうして知っている？」

「僕……僕、どこかで読んだ、と思う」ハリーが言った。「ファン――ファンの雑誌で」ハリーはとっさにでっち上げたが、クラムは納得したようだった。

「ファンと、杖のことを話したことがあるとは、ヴぉくは気がつかなかった」

「それで……あの……グレゴロビッチは、最近、どこにいるの？」

クラムはけげんな顔をした。

「何年か前に引退した。ヴぉくは、グレゴロヴィッチの最後の杖を買った一人だ。最高の杖だ――もちろんヴぉくは、君たちイギリス人がオリヴァンダーを信頼していることを知っている」

ハリーは何も言わずに、クラムと同様、ダンスをする人たちを見ているふりをしながら、必死で考えていた。するとヴォルデモートは、有名な杖作りを探しているのか。それほど深く考えなくとも、ハリーにはその理由がわかった。あの晩、ヴォルデモートがハリーを空中で追跡したときに、ハリーの杖がしたことに原因があるにちがいない。柊と不死鳥の尾羽根の杖が、借り物の杖を打ち負かしたのだ。そんなことは、オリバンダーには予測もできず、理解もできなかったことだ。グレゴロビッチならわかったのだろうか？　オリバンダーよりほんとうにすぐれているのだろうか？　オリバンダーの知らない杖の秘密を、グレゴロビッチは知っているのだろうか？

「あの娘はとてもきれいだ」

クラムの声で、ハリーは自分がどこにいるのかを思い出した。クラムが指差しているのは、たったいま、ルーナと踊りだしたジニーだった。

「あの娘も君の親戚か？」

「ああ、そうだ」ハリーは急にいらいらした。「それにもうつき合ってる人がいる。嫉妬深いタイプだ。でかいやつだ。対抗しないほうがいいよ」

クラムが唸った。

「ヴぉくは――」クラムはゴブレットをあおり、立ち上がりながら言った。「国際的なクィディッチ選手だ。しかし、かわいい娘がみんなもう誰かのものなら、そんなことになんの意味がある？」

そしてクラムは、鼻息も荒く立ち去った。残されたハリーは、通りがかったウェイターからサンドイッチを取り、混み合ったダンスフロアの縁を回って移動した。ロンを見つけてグレゴロビッチのことを話したかったのだが、ロンはフロアの真ん中で、ハーマイオニーと踊っていた。ハリーは金色の柱の一本に寄りかかって、ジニーを眺めた。いまはフレッドやジョージの親友のリー・ジョーダンと踊っている。ハリーは、ロンと約束を交わしたことを恨みに思うまいと努力した。

ハリーはこれまで結婚式に出席したことがなかったので、魔法界の祝い事がマグルの場合とどうちがうか判断できなかったが、ケーキのてっぺんに止まった二羽の作り物の不死鳥がケーキカットのときに飛び立つとか、シャンパンボトルが客の中をふわふわ浮いているとか、そういうことはマグルの祝いには絶対にないだろうと思った。夜になって、金色のランタンが浮かべられたテントの中に、蛾が飛び込んできはじめるころ、宴はますます盛り上がり、歯止めがきかなくなっていた。フレッドとジョージはフラーのいとこ二人と、とっくに闇の中に消えていたし、チャーリーとハグリッドは、紫の丸い中折れ帽をかぶったずんぐりした魔法使いと、隅のほうで「英雄オド」の歌を歌っていた。

自分のことを息子だと勘ちがいするほど酔っ払ったロンの親戚の一人から逃げようと、混雑の中をあちこち動き回っていたハリーは、ひとりぽつんと座っている老魔法使いに目をとめた。その魔法使いは、ふわふわと顔を縁取る白髪のせいで、年老いたタンポポの綿毛のような顔に見えた。その上に虫の食ったトルコ帽がのっている。なんだか見たことのある顔だ。さんざん頭をしぼったあげく、ハリーは突然思い出した。エルファイアス・ドージという騎士団のメンバーで、ダンブルドアの追悼文を書いた魔法使いだ。

ハリーはドージに近づいた。

「座ってもいいですか？」

「どうぞ、どうぞ」ドージは、かなり高いゼイゼイ声で言った。

ハリーは、顔を近づけて言った。

「ドージさん、僕はハリー・ポッターです」

ドージは息をのんだ。

「なんと！　アーサーが、君は変装して参加していると教えてくれたが……やれうれしや。光栄じゃ！」

喜びに胸を躍らせ、そわそわしながら、ドージはハリーにシャンパンを注いだ。

「君に手紙を書こうと思っておった」ドージがささやいた。「ダンブルドアのことのあとでな……あの衝撃……君にとっても、きっとそうだったじゃろう……」

　ドージの小さな目に、突然涙があふれそうになった。

「あなたが『日刊予言者』にお書きになった追悼文を、読みました」ハリーが言った。「あなたが、ダンブルドア教授をあんなによくご存じだとは知りませんでした」

「誰よりもよく知っておった」ドージはナプキンで目をぬぐいながら言った。「もちろん、誰よりも長いつき合いじゃった。アバーフォースを除けばじゃがな——ただ、なぜかアバーフォースは、一度として勘定に入れられたことがないのじゃよ」

「『日刊予言者』と言えば……ドージさん、あなたはもしや——」

「ああ、どうかエルファイアスと呼んでおくれ」

「エルファイアス、あなたはもしや、ダンブルドアに関するリータ・スキーターのインタビュー記事をお読みになりましたか？」

　ドージの顔に怒りで血が上った。

「ああ、読んだとも、ハリー。あの女は、あのハゲタカと呼ぶほうが正確かもしれんが、わしから話を聞き出そうと、それはもうしつこくわしにつきまといおった。わしは恥ずかしいことに、かなり無作法になって、あの女を出しゃばりばばぁ呼ばわりした。『鱒(ます)ばばぁ』とな。その結果は、君も読んだとおりで、わしが正気ではないと中傷しおった」

「ええ、そのインタビューで——」ハリーは言葉を続けた。「リータ・スキーターは、ダンブルドア校長が若いとき、闇の魔術に関わったとほのめかしました」

「一言も信じるではない！」ドージが即座に言った。「ハリー、一言もじゃ！　君のアルバス・ダンブルドアの思い出を、何ものにも汚させるでないぞ！」

ドージの、真剣で苦痛に満ちた顔を見て、ハリーは確信が持てないばかりか、かえってやりきれない思いにかられた。単にリータを信じないという**選択だけで**すむほど簡単なことだと、ドージは本気でそう思っているのだろうか？　確信を持ちたい、**何もかも**知りたいというハリーの気持ちが、ドージにはわからないのだろうか？

ドージはハリーの気持ちを察したのかもしれない。心配そうな顔で、急いで言葉を続けた。

「ハリー、リータ・スキーターは、なんとも恐ろしい――」

ところがかん高い笑い声が割り込んだ。

「リータ・スキーター？　ああ、わたしゃ好きだえ。いつも記事を読んどるえ！」

ハリーとドージが見上げると、シャンパンを手に、帽子の羽飾りをゆらゆらさせて、ミュリエルおばさんが立っていた。

「それ、ダンブルドアに関する本を書いたんだぞえ！」

「こんばんは、ミュリエル」ドージが挨拶した。「そう、その話をしていたところじゃ――」

「そこのおまえ！　椅子をよこさんかえ。わたしゃ、百七歳だぞえ！」

別の赤毛のウィーズリーのいとこが、ぎくりとして椅子から飛び上がった。ミュリエルおばさんは驚くほどの力でくるりと椅子の向きを変え、ドージとハリーの間にストンと座り込んだ。

「おや、また会ったね、バリー、とかなんとかいう名だったかえ」ミュリエルがハリーに言った。「さーて、エルファイアス。リータ・スキーターについて何を言っていたのかえ？　リータはダンブルドアの伝記を書いたぞえ。わたしゃ早く読みたいね。フローリシュ・アンド・ブロッツ書店に注文せにゃ！」

ドージは硬い厳しい表情をしたが、ミュリエルおばさんはゴブレットをぐいっと飲み干し、通りかかったウェイターを骨ばった指を鳴らして呼び止め、おかわりを要求した。シャンパンをもう一杯ガブリと飲み、ゲップをしてから、ミュリエルが話しだした。

「二人ともなんだぇ、ぬいぐるみのカエルみたいな顔をして！　あんなに尊敬され、ご立派とかへったくれとか言われるようになる前は、アルバスに関するどーんとおもしろいうわさがいろいろあったんだぞぇ！」

「まちがった情報にもとづく中傷じゃ」ドージは、またしても赤カブのような色になった。

「エルファイアス、あんたならそう言うだろうよ」ミュリエルおばさんは高笑いした。「あんたがあの追悼文で、都合の悪い所をすっ飛ばしているのに、あたしゃ気づいたぇ！」

「あなたがそんなふうに思うのは、残念じゃ」ドージは、めげずにますます冷たく言った。「わしは、心からあの一文を書いたのじゃ」

「ああ、あんたがダンブルドアを崇拝しとったのは、周知のことだぇ。アルバスがスクイブの妹を始末したのかもしれないとわかっても、きっとあんたはまだ、あの人が聖人君子だと考えることだろうぇ！」

「**ミュリエル！**」ドージが叫んだ。

冷えたシャンパンとは無関係の冷たいものが、ハリーの胸に忍び込んだ。

「どういう意味ですか？」ハリーはミュリエルに聞いた。「妹がスクイブだなんて、誰が言ったんです？　病気だったと思ったけど？」

「それなら見当ちがいだぞぇ、バリー！」ミュリエルおばさんは、自分の言葉の反響に大喜びの様子だった。「いずれにせよ、それについちゃ、おまえが知るわけはなかろう？　おまえが生まれることさえ誰も考えていなかった大昔に起きたことだぇ。その時に生きておったわたしらにしても、実は何が起こったのか、知らんかったというのがほんとうのところだぇ。だからわたしゃ、スキーターの掘り出しもんを早く読みたいというわけぞぇ！　ダンブルドアはあの妹のことについちゃ、長く沈黙してきたのだぇ！」

「虚偽じゃ！」ドージがゼイゼイ声を上げた。「まったくの虚偽じゃ！」

「先生は妹がスクイブだなんて、一度も僕に言わなかった」

ハリーは胸に冷たいものを抱えたまま、無意識に言った。

「そりゃまた、なんでおまえなんぞに言う必要があるのかぇ？」ミュリエルがかん高い声を上げ、ハリーに目の焦点を合わせようとして、椅子に座ったまま体を少し揺らした。

「アルバスがけっしてアリアナのことを語らなかった理由は」エルファイアスは感情がたかぶって声をこわばらせた。「わしの考えでは極めて明白じゃ。妹の死でアルバスはあまりにもひどく打ちのめされた――」

「誰も妹を見たことがないというのは、エルファイアス、なぜかぇ？」ミュリエルがかん高くわめきたてた。「棺（ひつぎ）が家から運び出されて葬式が行われるまで、わたしらの半数近くが、妹の存在さえ知らなかったというのは、なぜかぇ？　アリアナが地下室に閉じ込められていた間、気高いアルバスはどこにいたのかぇ？　ホグワーツの秀才殿だぇ。自分の家で何が起こっていようと、どうでもよかったのよ！」

「どういう意味？『地下室に閉じ込める』って？」ハリーが聞いた。「どういうこと？」

ドージはみじめな表情だった。ミュリエルおばさんがまた高笑いしてハリーに答えた。

「ダンブルドアの母親はひどい女だった。まったくもって恐ろしい。マグル生まれだぇ。もっとも、そうではないふりをしておったと聞いたがぇ――」

「そんなふりは、一度もしておらん！　ケンドラはきちんとした女性じゃった」

ドージが悲しそうに小声で言った。しかしミュリエルおばさんは無視した。

「――気位が高くて傲慢で、スクイブを生んだことを屈辱に感じておったろうと思われるような魔女だぇ――」

「アリアナはスクイブではなかった！」ドージがゼイゼイ声で言った。

「あんたはそう言いなさるが、エルファイアス、それなら説明してくれるかぇ。どうして一度もホグワーツに入学しなかったのかぇ！」ミュリエルおばさんは、ハリーとの話に戻った。

「わたしらの時代には、スクイブはよく隠されていたものぇ。もっとも、小さな女の子を実際に家の中に軟禁して、存在しないかのように装うのは極端だがぇ――」

「はっきり言うが、そんなことは起こってはおらん！」ドージが言ったが、ミュリエルおばさんはがむしゃらに押し切り、相変わらずハリーに向かってまくしたてた。

「スクイブは通常マグルの学校に送られて、マグルの社会に溶け込むようにすすめられたものだぇ……魔法界になんとかして場所を見つけてやるよりは、そのほうが親切というものだぇ。魔法界では常に二流市民じゃからぇ。しかし、ケンドラ・ダンブルドアは娘をマグルの学校にやるなど、当然、夢にも考えもせなんだのぇ――」

「アリアナは繊細だったのじゃ！」ドージは必死で言った。「あの子の健康状態では、どうしたって――」

「家を離れることさえできんほどかぇ？」ミュリエルがかん高く言った。「それなのに、一度も聖マンゴには連れていかれなんだぇ。癒者が往診に呼ばれたこともなかったぞぇ！」

「まったく、ミュリエル、そんなことはわかるはずもないのに――」

「知らぬなら教えてしんぜようかぇ。エルファイアス、わたしのいとこのランスロットは、あの当時、聖マンゴの癒者だったのぇ。そのランスロットが、うちの家族にだけ極秘で話したがぇ。アリアナは一度も病院で診てもらっておらん。ランスロットはどうも怪しいとにらんでおったぇ！」

ドージは、いまにも泣きだしそうな顔だった。ミュリエルおばさんは大いに楽しんでいる様子で、指を鳴らしてまたシャンパンを要求した。ぼうっとした頭で、ハリーはダーズリー一家のハリーに対する仕打ちを思った。かつてダーズリーは、魔法使いであるという罪でハリーを閉じ込め、鍵をかけ、人目に触れないようにした。ダンブルドアの妹は、逆の理由で、ハリーと同じ運命に苦しんだのだろうか？魔法が使えないために閉じ込められたのか？ そして、ダンブルドアはほんとうに、そんな妹を見殺しにして、自分の才能と優秀さを証明するためにホグワーツに行ったのだろうか？

「ところで、ケンドラのほうが先に死んだのでなけりゃ」ミュリエルがまた話しだした。「あたしゃ、アリアナを殺したのは母親だと言っただろうがぇ――」

「ミュリエル、なんということを！」ドージがうめいた。「母親が実の娘を殺す？ 自分の言っていることを、よく考えなされ！」

「自分の娘を何年も牢に入れておける母親なら、できないことはなかろうがぇ？」ミュリエルおばさんは肩をすくめた。「しかし、いまも言ったように、それではつじつまが合わぬ。なんせ、ケンドラがアリアナより先に死んだのぇ――死因がなんじゃやら、誰も定かには――」

「ああ、アリアナが母親を殺したにちがいない」ドージは、勇敢にも笑い飛ばそうとした。「そうじゃろう？」

「そうだぇ。アリアナは自由を求めて自暴自棄になり、争っているうちにケンドラを殺したかもしれんぇ」ミュリエルおばさんが、考え深げに言った。

「エルファイアス、否定したけりゃ、いくらでも好きなだけ首を振りゃあええがぇ！ あんたはアリアナの葬式に列席しとったろうがぇ？」

「ああ、したとも」ドージが唇を震わせながら言った。「そしてわしの知るかぎり、あれほどに悲しい出来事はほかにない。アルバスは胸が張り裂けるほど――」

「張り裂けたのは胸だけではないぇ。アバーフォースが葬式の最中にアルバスの鼻をへし折ったろうがぇ？」

ドージがおびえきった顔をした。それまでもおびえた顔をしてはいたが、今度とは比べ物にならない。ミュリエルが、ドージを刺したのではないかと思われるほどの顔だった。ミュリエルは高笑いしてまたシャンパンをぐい飲みし、あごからダラダラとこぼした。

「どうしてそれを――？」ドージの声がかすれた。

「母が、バチルダ・バグショットばあさんと親しかったのぇ」ミュリエルおばさんが、得々として言った。「バチルダが母に一部始終を物語っとるのを、わたしゃドアの陰で聞いてたぇ。棺の脇でのけんかよ！　バチルダが言うには、アバーフォースは、アリアナが死んだのはアルバスのせいだと叫んで、顔にパンチを食らわした。アルバスは防ごうともせんかったということだぇ。それだけで充分おかしいがぇ。アルバスなら両手を後ろ手に縛られとっても、決闘でアバーフォースを打ち負かすことができたろうに」

ミュリエルは、またシャンパンをぐいと飲んだ。古い醜聞を語ることがミュリエルを高揚させ、それと同じぐらいドージをおびえさせているようだった。ハリーは何をどう考えてよいやら、何を信じてよいやらわからなくなった。真実が欲しかった。なのにドージは、そこに座ったまま、アリアナが病気だったと弱々しく泣き言を言うばかりだった。自分の家でそんな残酷なことが行われていたのなら、ダンブルドアが干渉しなかったはずはない、とハリーは思った。にもかかわらず、この話には確かに何か奇妙なところがある。

「それに、まだ話すことがあるがぇ」ミュリエルはゴブレットを下に置き、しゃっくりまじりに言った。「わたしゃ、バチルダがリータ・スキーターに秘密をもらしたと思うがぇ。スキーターのインタビューでほのめかしていた、ダンブルドア一家に近い重要な情報源――バチルダがアリアナの一件をずっと見てきたことはまちがいないぇ。それでつじつまが合うが！」

「バチルダは、リータ・スキーターなんかに話しはせん！」ドージがささやくように言った。

「バチルダ・バグショット？」ハリーが言った。「『魔法史』の著者の？」

その名は、ハリーの教科書の表に印刷されていた。もっとも、ハリーが一番熱心に読んだ教科書とは言えない。

「そうじゃ」ドージはハリーの質問に、おぼれる者が藁をもつかむようにしがみついた。「魔法史家として最もすぐれた一人で、アルバスの古くからの友人じゃ」

「このごろじゃ、相当おとろえとると聞いたぇ」ミュリエルおばさんが楽しそうに言った。

「もしそうなら、スキーターがそれを利用したのは、恥の上塗りというものじゃ」ドージが言った。「そしてバチルダが語ったであろうことは、何一つ信頼できん！」

「ああ、記憶を呼び覚ます方法はあるし、リータ・スキーターはきっと、そういう方法をすべて心得ておると思うぇ」ミュリエルおばさんが言った。「しかし、たとえバチルダが完全に老いぼれとるとしても、まちがいなくまだ古い写真は持っとるぇ。おそらく手紙も。バチルダはダンブルドアたちと長年つき合いがあったのだぇ……まあ、ゴドリックの谷まで足を運ぶ価値があった、と、あたしゃそう思うぇ」

バタービールをちびちび飲んでいたハリーは、むせ返った。ドージがバンバンたたいた。涙目でミュリエルおばさんを見ながら咳き込むハリーの背中を、ドージがバンバンたたいた。なんとか声が出るようになったところで、ハリーはすぐさま聞いた。

「バチルダ・バグショットは、ゴドリックの谷に住んでるの？」

「ああ、そうさね。バチルダは永久にあそこに住んでいるがぇ！　ダンブルドア一家は、パーシバルが投獄されてから引っ越してきて、バチルダはその近所に住んでおったがぇ」

「ダンブルドアの家族は、ゴドリックの谷に住んでいたんですか？」

「そうさ、バリー、わたしゃ、たったいまそう言ったがぇ」

ミュリエルおばさんがじれったそうに言った。

ハリーはすっかり力が抜け、頭の中がからっぽになった。この六年間、ダンブルドアはただの一度も、ハリーにそのことを話さなかった。自分たちが二人ともゴドリックの谷に住んだことがあり、二人とも愛する人をそこで失ったことを。なぜだ？　リリーとジェームズは、ダンブルドアの母親と妹の近くに眠っているのだろうか？　ダンブルドアは身内の墓を訪ねたことがあるのだろうか？　その時に、リリーとジェームズの墓のそばを歩いたのではないだろうか？　それなのに、一度もハリーに話さなかった……話そうともしなかった……。

しかし、それがどうして大切なことなのか、ハリーは自分自身にも説明がつかなかった。にもかかわらず、ゴドリックの谷という同じ場所を、そしてそのような経験を共有していたということをハリーに話さなかったのは、ダンブルドアがうそをついていたにも等しいような気がした。ハリーは、いまどういう場所にいるのかもほとんど忘れて、前を見つめたきりだった。ハーマイオニーが混雑から抜け出してきたことも、ハリーの横に椅子を持ってきて座るまで気づかなかった。

「もうこれ以上は踊れないわ」靴を片方脱ぎ、足の裏をさすりながら、ハーマイオニーが息を切らして言った。「ロンはバタービールを探しにいったわ。ちょっと変なんだけど、私、ビクトールがすごい剣幕でルーナのお父さんから離れていくところを見たの。なんだか議論していたみたいだったけど――」

ハーマイオニーはハリーを見つめて声を落とした。「ハリー、あなた、大丈夫？」

ハリーは、どこから話を始めていいのかわからなかった。しかし、そんなことはどうでもよくなってしまった。その瞬間、何か大きくて銀色のものがダンスフロアの上の天蓋を突き破って落ちてきたのだ。優雅に光りながら、驚くダンス客の真ん中に、オオヤマネコがひらりと着地した。何人かがオオヤマネコに振り向いた。すぐ近くの客は、ダンスの格好のまま、滑稽な姿でその場に凍りついた。すると守護霊の口がくわっと開き、大きな深い声がゆっくりと話しだした。キングズリー・シャックルボルトの声だ。

「**魔法省は陥落した。スクリムジョールは死んだ。連中が、そっちに向かっている**」

第9章　隠れ家

　何もかもがぼやけて、ゆっくりと動くように見えた。ハリーとハーマイオニーは、サッと立ち上がって杖(つえ)を抜いた。ほとんどの客は事情をのみ込めずに、何かおかしなことが起きたと気づきはじめたばかりで、銀色のオオヤマネコが消えたあたりに顔を振り向けつつあるところだった。守護霊が着地した場所から周囲へと、沈黙が冷たい波になって広がっていった。やがて、誰かが悲鳴を上げた。

　ハリーとハーマイオニーは、恐怖にあわてふためく客の中に飛び込んだ。客はクモの子を散らすように走りだし、大勢が「姿くらまし」した。「隠れ穴」の周囲に施されていた保護の呪文は破れていた。

「ロン！」ハーマイオニーが叫んだ。「ロン、どこなの？」

　二人がダンスフロアを横切って突き進む間にも、ハリーは、仮面をかぶったマント姿が、混乱した客の中に現れるのを見た。ルーピンとトンクスが杖を上げて「**プロテゴ！　護(まも)れ！**」と叫ぶのが聞こえた。あちこちから同じ声が上がっている――。

「ロン！　ロン！」ハリーと二人でおびえる客の流れにもまれながら、ハーマイオニーは半泣きになってロンを呼んだ。ハリーはハーマイオニーと離れまいと、しっかり手を握っていた。その時、頭上に一条の閃光(せんこう)が飛んだ。盾の呪文なのか、それとも邪悪な呪文なのか、ハリーには見分けがつかなかった――。

　ロンがそこにいた。ロンがハーマイオニーの空いている腕をつかんだとたん、ハリーは、ハーマイオニーがその場で回転するのを感じた。周囲に暗闇が迫り、ハリーは何も見えず、何も聞こえなくなった。

時間と空間の狭間に押し込まれながら、ハリーはハーマイオニーの手だけを感じていた。「隠れ穴」から離れ、降ってきた「死喰い人」からも、そしてたぶん、ヴォルデモートからも離れ……。

「ここはどこだ？」ロンの声がした。

ハリーは目を開けた。一瞬、ハリーは、結局、まだ結婚式場から離れていないのではないかと思った。依然として、大勢の人に周りを囲まれているように見える。

「トテナム・コート通りよ」ハーマイオニーが息を切らせながら言った。「歩いて、とにかく歩いて。どこか着替える場所を探さなくちゃ」

ハリーは、言われたとおりにした。暗い広い通りを、三人は半分走りながら歩いた。通りには深夜の酔客があふれ、両側には閉店した店が並び、頭上には星が輝いている。二階建てバスがゴロゴロとそばを走り、パブで浮かれていたグループが、通りかかった三人をじろじろ見た。ハリーとロンは、まだドレスローブ姿だった。

「ハーマイオニー、着替える服がないぜ」ロンが言った。若い女性がロンを見て、さもおかしそうに噴き出し、耳ざわりなクスクス笑いをしたときだった。

「『透明マント』を肌身離さず持っているべきだったのに、どうしてそうしなかったんだろう？」ハリーはまぬけな自分を内心呪った。「一年間ずっと持ち歩いていたのに……」

「大丈夫、マントは持ってきたし、二人の服もあるわ」ハーマイオニーが言った。「ごく自然に振舞って。場所を見つけるまで――ここがいいわ」

ハーマイオニーは先に立って脇道に入り、そこから人目のない薄暗い横丁へ二人をいざなった。

「マントと服があるって言ったけど……」ハリーがハーマイオニーを見て顔をしかめた。ハーマイオニーはたった一つ手に持った、小さなビーズのバッグを引っかき回していた。

「ええ、ここにあるわ」その言葉とともにハーマイオニーは、あっけに取られているハリーとロンの目の前に、ジーンズ一着とTシャツ一枚、栗色のソックス、そして最後に銀色の透明マントを引っ張り出した。

「一体全体どうやって――？」

「『検知不可能拡大呪文』」ハーマイオニーが言った。「ちょっと難しいんだけど。でも私、うまくやったと思うわ。とにかく、必要なものはなんとか全部詰め込んだから」

ハーマイオニーは華奢（きゃしゃ）に見えるバッグをちょっと振った。すると中で重いものがたくさん転がる音がして、まるで貨物室の中のような音が響き渡った。

「ああ、しまった。きっと本だわ」ハーマイオニーはバッグをのぞき込みながら言った。「せっかく項目別に積んでおいたのに……しょうがないわね……ハリー、透明マントをかぶったほうがいいわ。ロン、急いで着替えて……」

「いつの間にこんなことをしたの？」ロンがローブを脱いでいる間、ハリーが聞いた。

「『隠れ穴』で言ったでしょう？　もうずいぶん前から、重要なものは荷造りをすませてあるって。急に逃げ出さなきゃいけないときのためにね。ハリー、あなたのリュックサックは今朝、あなたが着替えをすませたあとで荷造りして、この中に入れたの……なんだか予感がして……」

「君ってすごいよ、ほんと」ロンが、丸めたローブを渡しながら言った。

「ありがと」ハーマイオニーはローブをバッグに押し込みながら、ちょっぴり笑顔になった。「ハリー、さあ、透明マントを着てちょうだい！」

ハリーは肩にかけたマントを引っ張り上げて、頭からかぶって姿を消した。いまになってやっと、ハリーはさっきの出来事の意味を意識しはじめていた。

「ほかの人たちは――結婚式に来ていたみんなは――」

「いまはそれどころじゃないわ」ハーマイオニーが小声で言った。「ハリー、ねらわれているのはあなたなのよ。あそこに戻ったりしたら、みんなをもっと危険な目にあわせることになるわ」

「そのとおりだ」ロンが言った。「騎士団の大多数はあそこにいた。みんなのことは、騎士団が面倒見るよ」

ハリーはうなずいたが、ハリーの顔は見えないはずなのに、ハリーが反論しかけたのを見て取ったような言い方だった。

しかし、ジニーのことを考えると、胃にすっぱいものが込み上げるように、不安が湧き上がってきた。

「さあ、行きましょう。移動し続けなくちゃ」ハーマイオニーが言った。

三人は脇道に戻り、再び広い通りに出た。道の反対側の歩道を、塊になって歌いながら、千鳥足で歩いている男たちがいる。

「後学のために聞くけど、どうしてトテナム・コート通りなの？」

ロンがハーマイオニーに聞いた。

「わからないわ。ふと思いついただけ。でも、マグルの世界にいたほうが安全だと思うの。死喰い人は、私たちがこんな所にいるとは思わないでしょうから」

「そうだな」ロンはあたりを見回しながら言った。「だけど、ちょっと――むき出しすぎないか？」

「ほかにどこがあるって言うの？」道の反対側で自分に向かって冷やかしの口笛を吹きはじめた男たちに眉をひそめながら、ハーマイオニーが言った。「『漏れ鍋』の部屋の予約なんか、とてもできないでしょう？　それにグリモールド・プレイスは、スネイプが入れるからアウトだし……。私の家という手もありうるけど、連中がそこを調べにくる可能性もあると思うわ……ああ、あの人たちいやだわ、だまってくれないかしら！」

「よう、ねえちゃん？」道の反対側で、一番泥酔した男が大声で言った。「一杯飲まねえか？　赤毛なんか振っちまって、こっちで一緒に飲もうぜ！」

「どこかに座りましょう」ロンがどなり返そうと口を開いたので、ハーマイオニーがあわてて言った。「ほら、ここがいいわ。さあ！」

小さなみすぼらしい二十四時間営業のカフェだった。プラスチックのテーブルはどれも、うっすらと油汚れがついていたが、客がいないのがよかった。ハーマイオニーは、ボックス型のベンチ席に、ハリーが最初に入り込み、ロンがその隣に座った。向かいの席のハーマイオニーは、入口に背を向けて座るのが気になるらしく、しょっちゅう背後を振り返って、まるでけいれんを起こしているかのようだった。ハリーはじっとしていたくなかった。歩いている間は、錯覚でもゴールに向かっているような気がしていたのだ。透明マントの下で、ハリーは、ポリジュース薬の効き目が切れてきたのを感じた。両手が元の長さと形を取り戻しつつあった。ハリーは、ポケットからめがねを取り出してかけた。

「あのさ、ここから『漏れ鍋』まで、そう遠くはないぜ。あれはチャリング・クロスにあるから――」

まもなくしてロンが言った。

「ロン、できないわ！」ハーマイオニーが即座にはねつけた。

「泊まるんじゃやなくて、何が起こっているかを知るためだよ！」

「どうなっているかはわかっているわ！　ヴォルデモートが魔法省を乗っ取ったのよ。ほかに何を知る必要があるの？」

「オッケー、オッケー。ちょっとそう思っただけさ！」

三人ともピリピリしながらだまり込んだ。ガムをかみながら面倒くさそうにやってきたウェイトレスに、ハーマイオニーはカプチーノを二つだけ頼んだ。ハリーの姿が見えないのに、もう一つ注文するのは変だからだ。がっちりした労働者風の男が二人、カフェに入ってきて、隣のボックス席にきゅうくつそうに座った。ハーマイオニーは声を落としてささやいた。

「どこか静かな場所を見つけて『姿くらまし』しましょう。そして地方のほうに行くの。そこに着いたら、騎士団に伝言を送れるわ」

「じゃ、君、あのしゃべる守護霊とか、できるの?」ロンが聞いた。

「ずっと練習してきたわ。できると思う」ハーマイオニーが言った。

「まあね、騎士団のメンバーが困ったことにならないなら、それでいいけど。だけど、もう捕まっちまってるかもな。ウエッ、むかつくぜ」

ロンが、泡だった灰色のコーヒーをひと口すすり、吐き捨てるように言った。のろのろと隣の客の注文を取りにいくところだったウェイトレスが、聞きとがめてロンにしかめっ面を向けた。労働者風の二人のうち、ブロンドでかなり大柄なほうの男が、あっちへ行けとウェイトレスを手で追い払うのを、ハリーは見ていた。ウェイトレスはむっとした顔で男をにらんだ。

「それじゃ、もう行こうぜ。僕、こんな泥、飲みたくない」ロンが言った。「ハーマイオニー、支払いするのに、マグルのお金持ってるのか?」

「ええ、『隠れ穴』に行く前に、住宅金融組合の貯金を全部下ろしてきたから。でも小銭はきっと、バッグの一番底に沈んでるに決まってるわ」

ハーマイオニーはため息をついて、ビーズのバッグに手を伸ばした。

二人の労働者が同時に動いた。ハリーも無意識に同じ動きをし、三人が杖を抜いていた。ロンは一瞬遅れて事態に気づき、テーブルの反対側から飛びついて、ハーマイオニーをベンチ席に横倒しにした。

死喰い人たちの強力な呪文が、それまでロンの頭があった所の背後のタイル壁を粉々に砕いた。同時に、姿を隠したままのハリーが叫んだ。

「**ステューピファイ！　まひせよ！**」

大柄のブロンドの死喰い人は、赤い閃光をまともに顔に受けて気を失い、ドサリと横向きに倒れた。もう一人は誰が呪文をかけたのかわからず、またロンをねらって呪文を発射した。黒く光る縄が杖先から飛び出し、ロンの頭から足までを縛り上げた――ウェイトレスが悲鳴を上げて出口に向かって逃げた――ロンを縛ったひん曲がり顔の死喰い人に、ハリーはもう一発「失神の呪文」を撃ったがそれて、窓で跳ね返った呪文がウェイトレスに当たった。ウェイトレスは出口の前に倒れた。

「**エクスパルソ！　爆破！**」死喰い人が大声で唱えると、ハリーの前のテーブルが爆発し、その衝撃でハリーは壁に打ちつけられた。杖が手を離れ、「マント」がすべり落ちるのを感じた。

「**ペトリフィカス　トタルス！　石になれ！**」見えない所からハーマイオニーが叫んだ。

死喰い人は石像のように固まり、割れたカップやコーヒー、テーブルの破片などの上にバリバリと音を立てて前のめりに倒れた。ベンチの下から這い出したハーマイオニーは、ブルブル震えながら、髪の毛についた灰皿の破片を振り落とした。

「**ディ――ディフィンド、裂けよ**」ハーマイオニーは杖をロンに向けて唱えた。とたんにロンは、痛そうな叫び声を上げげた。呪文はロンのジーンズのひざを切り裂き、深い切り傷を残していた。

「ああぁっ、ロン、ごめんなさい。手が震えちゃって！　**ディフィンド！**」

縄が切れて落ちた。ロンは、感覚を取り戻そうと両腕を振りながら立ち上がった。ハリーは杖を拾い、破片を乗り越えてベンチに大の字になって倒れている大柄なブロンドの死喰い人に近づいた。

「こっちのやつは見破れたはずなのに。ダンブルドアが死んだ夜、その場にいたやつだ」そう言いながら、ハリーは床に倒れている色黒の死喰い人を、足でひっくり返した。男の目がすばやくハリー、ロン、ハーマイオニーを順に見た。

「そいつはドロホフだ」ロンが言った。「昔、お尋ね者のポスターにあったのを覚えてる。大きいほうは、確かソーフィン・ロウルだ」

「名前なんかどうでもいいわ！」ハーマイオニーが、ややヒステリー気味に言った。「どうして私たちを見つけたのかしら？　私たち、どうしたらいいの？」

ハーマイオニーがあわてふためいていることで、ハリーはかえって頭がはっきりした。

「入口に鍵をかけて」ハリーはハーマイオニーに言った。「それから、ロン、灯(あか)りを消してくれ」

カチリと鍵がかかり、ロンが「灯消しライター」でカフェを暗くした。その間にハリーは、金縛りになっているドロホフを見下ろしながら、すばやく考えをめぐらした。ついさっきハーマイオニーを冷やかした男たちの、別の女性に呼びかける声が、どこか遠くから聞こえてきた。

「こいつら、どうする？」暗がりでロンがハリーにささやいた。それから一段と低い声で言った。「殺すか？　こいつら、僕たちを殺すぜ。たったいま、殺(や)られるとこだったしな」

ハーマイオニーは身震いして、一歩下がった。ハリーは首を振った。

「こいつらの記憶を消すだけでいい」ハリーが言った。「そのほうがいいんだ。連中は、それで僕たちをかぎつけられなくなる。殺したら、僕たちがここにいたことがはっきりしてしまう」

「君がボスだ」ロンは、心からホッとしたように言った。「だけど、ぼく『忘却呪文』を使ったことがない」

「私もないわ」ハーマイオニーが言った。「でも、理論は知ってる」

ハーマイオニーは深呼吸して気を落ち着け、杖をドロホフの額に向けて唱えた。

「**オブリビエイト、忘れよ**」

たちまちドロホフの目がとろんとし、夢を見ているような感じになった。

「いいぞ！」ハリーは、ハーマイオニーの背中をたたきながら言った。「もう一人とウェイトレスもやってくれ。その間に僕とロンはここを片づけるから」

「片づける？」ロンが半壊したカフェを見回しながら言った。「どうして？」

「こいつらが正気づいて、自分たちのいる場所が爆破されたばかりの状態だったら、何があったのかと疑うだろう？」

「ああ、そうか、そうだな……」

ロンは、尻ポケットから杖を引っ張り出すのに一瞬苦労していた。

「なんで杖が抜けないのかと思ったら、わかったよ、ハーマイオニー、君、僕の古いジーンズを持ってきたんだ。これ、きついよ」

「あら、悪かったわね」ハーマイオニーがかんにさわったように小声で言い、ウェイトレスを窓から見えない位置まで引きずりながら、それならあそこにさせばいいのにと別な場所をブツブツ言うのが、ハリーの耳に聞こえてきた。

カフェが元どおりになると、三人は、死喰い人たちが座っていたボックスに二人を戻し、向かい合わせにして寄りかからせた。

「だけどこの人たち、どうして私たちを見つけたのかしら？」ハーマイオニーが、放心状態の死喰い人たちの顔を交互に見ながら疑問をくり返した。「どうして私たちの居場所がわかったのかしら？」

ハーマイオニーはハリーの顔を見た。

「あなた――まだ『におい』をつけたままなんじゃないでしょうね、ハリー？」

「そんなはずないよ」ロンが言った。「『におい』の呪文は十七歳で破れる。魔法界の法律だ。大人には『におい』をつけることができない」

「あなたの知るかぎりではね」ハーマイオニーが言った。「でも、もし死喰い人が、十七歳に『におい』をつける方法を見つけ出していたら？」

「だけどハリーは、この二十四時間、死喰い人に近寄っちゃいない。誰がハリーに『におい』をつけなおせたって言うんだ？」

ハーマイオニーは答えなかった。ハリーは自分が汚れてしみがついているような気になった。ほんとうに死喰い人は、そのせいで自分たちを見つけたのだろうか？

「もし僕に魔法が使えず、君たちも僕の近くでは魔法が使えないということなら、使うと僕たちの居場所がばれてしまうのなら……」ハリーが話しはじめた。

「別れないわ！」ハーマイオニーがきっぱりと言った。

「どこか安全な隠れ場所が必要だ」ロンが言った。「そうすれば、よく考える時間ができる」

「グリモールド・プレイス」ハリーが言った。

二人があんぐり口を開けた。

「ハリー、ばかなこと言わないで。あそこにはスネイプが入れるのよ！」

「ロンのパパが、あそこにはスネイプよけの呪詛をかけてあるって言ってた――それに、その呪文が効かないとしても」ハーマイオニーが反論しかけるのを、ハリーは押し切って話し続けた。「それがどうしたって言うんだ？　いいかい、僕はスネイプに会えたら、むしろそれが百年目さ！」

「でも――」

「ハーマイオニー、ほかにどこがある？　残されたチャンスはあそこだよ。スネイプは死喰い人だとしてもたった一人だ。もし僕にまだ『におい』があるのなら、僕らがどこへ行こうと、死喰い人が群れをなして追ってくる」

ハーマイオニーは、できることなら反論したそうな顔をした。しかし、できなかった。ハーマイオニーがカフェの鍵をはずす間、ロンは灯消しライターをカチッと鳴らして灯りを戻した。それからハリーの三つ数える合図で呪文を解き、ウェイトレスも二人の死喰い人もまだ眠そうにもぞもぞ動いている間に、ハリー、ロン、ハーマイオニーはその場で回転して、再びきゅうくつな暗闇の中へと姿を消した。

数秒後、ハリーの肺は心地よく広がり、目を開けると、三人は見覚えのある小さなさびれた広場の真ん中に立っていた。四方から、老朽化した丈の高い建物がハリーたちを見下ろしていた。「秘密の守人」だったダンブルドアから教えられていたので、ハリー、ロン、ハーマイオニーはグリモールド・プレイス十二番地の建物を見ることができた。あとをつけられていないか、見張られていないかを数歩ごとに確かめながら、三人は建物に向かって急いだ。入口の石段を大急ぎで駆け上がり、ハリーが杖で玄関の扉を一回だけたたいた。カチッカチッと金属音が何度か続き、カチャカチャと鎖の音が聞こえて、扉がギーッと開いた。三人は急いで敷居をまたいだ。

ハリーが扉を閉めると、旧式のガスランプがポッとともり、玄関ホール全体にチラチラと明かりを投げかけた。ハリーの記憶にあるとおりの場所だった。不気味で、クモの巣だらけで、壁にずらりと並んだしもべ妖精の首が、階段に奇妙な影を落としている。黒く長いカーテンは、その裏にシリウスの母親の肖像画を隠している。あるべき場所にないのは、トロールの足の傘立てだけだった。トンクスがまたしてもひっくり返したように、横倒しになっている。

「誰かがここに来たみたい」ハーマイオニーが、それを指差してささやいた。

「騎士団が出ていくときに、ひっくり返った可能性もあるぜ」ロンがささやき返した。

「それで、スネイプよけの呪詛って、どこにあるんだ？」ハリーが問いかけた。

「あいつが現れたときだけ、作動するんじゃないのか？」ロンが意見を言った。

それでも三人は、それ以上中に入るのを恐れて、扉に背をくっつけて身を寄せ合ったまま、玄関マットの上に立っていた。

「さあ、いつまでもここに立っているわけにはいかない」

そう言うと、ハリーは一歩踏み出した。

「**セブルス・スネイプか？**」

暗闇からマッド‐アイ・ムーディの声がささやきかけた。三人はギョッとして飛びすさった。「僕たちはスネイプじゃない！」ハリーがかすれ声で言った。その直後、冷たい風のように何かがシュッとハリーの頭上を飛び、ひとりでに舌が丸まって、ハリーはしゃべれなくなった。しかし、手を口の中に入れて調べる前に、舌がほどけて元どおりになった。

あとの二人も同じ不快な感覚を味わったらしい。ロンはゲェゲェ言い、ハーマイオニーは言葉がもつれた。

「こ、こ、これは――きっと――し、し――『舌もつれの呪い』で――マッド‐アイがスネイプに仕掛けたのよ！」

ハリーは、そっともう一歩踏み出した。ホールの奥の薄暗い所で何かが動き、三人が一言も言う間も与えず、じゅうたんからほこりっぽい色の恐ろしい姿がぬうっと立ち上がった。ハーマイオニーは悲鳴を上げたが、同時にカーテンがパッと開き、ブラック夫人も叫んだ。灰色の姿はするすると三人に近づいた。腰までの長い髪とあごひげを後ろになびかせ、だんだん速度を上げて近づいてくる。げっそりと肉の落ちた顔、目玉のない落ちくぼんだ目。見知った顔がぞっとするほど変わりはてている。その姿は、やせおとろえた腕を上げ、ハリーを指差した。

「ちがう！」ハリーが叫んだ。杖を上げたものの、ハリーにはなんの呪文も思いつかなかった。「ちがう！　僕たちじゃない！　僕たちがあなたを殺したんじゃない――」

「殺す」という言葉とともに、その姿は破裂し、もうもうとほこりが立った。むせ込んで涙目になりながら、ハリーはあたりを見回した。ハーマイオニーは両腕で頭を抱えて扉の脇の床にしゃがみ込み、ロンは頭のてっぺんからつま先まで震えながら、ハーマイオニーの肩をぎこちなくたたいていた。「もう、だ――大丈夫だ……もう、い――いなくなった……」

ほこりはガスランプの青い光を映して、ハリーの周りで霧のように渦巻いていた。ブラック夫人の叫びは、まだ続いている。

「穢れた血、クズども、不名誉な汚点、わが先祖の館を汚す輩――」

「**だまれ！**」ハリーは大声を出し、肖像画に杖を向けた。バーンという音、噴き出した赤い火花とともにカーテンが再び閉じて、夫人をだまらせた。

「あれ……あれは……」ロンに助け起こされながら、ハーマイオニーは弱々しい泣き声を出した。

「そうだ」ハリーが言った。「だけど、あれは本物のあの人じゃない。そうだろう？　単にスネイプを脅すための姿だよ」

そんなことでうまくいったのだろうか、とハリーは疑った。それともスネイプは、本物のダンブルドアを殺したと同じ気軽さで、あのぞっとするような姿を吹き飛ばしてしまったのだろうか？　神経を張りつめたまま、ほかにも恐ろしいものが姿を現すかもしれないと半ば身がまえながら、ハリーは先頭に立ってホールを歩いた。しかし、壁のすそに沿ってちょろちょろ走るネズミ一匹以外に、動くものは何もない。

「先に進む前に、調べたほうがいいと思うわ」ハーマイオニーは小声でそう言うと、杖を上げて唱えた。

「**ホメナム　レベリオ**」

何事も起こらない。

「まあ、君は、たったいま、すごいショックを受けたばかりだしな」ロンは思いやりのある言い方をした。「いまのはなんの呪文のつもりだったの？」

「呪文はちゃんと効いたわ！」ハーマイオニーはかなり気を悪くしたようだった。「人がいれば姿を現す呪文よ。だけどここには、私たち以外に人はいないの！」

「それと『ほこりじいさん』だけだな」

ロンは、死人の姿が立ち上がったじゅうたんのあたりをちらりと見た。

「行きましょう」ハーマイオニーも同じ場所をおびえたように見たあと、先に立ってきしむ階段を上り、二階の客間に入った。

ハーマイオニーは杖を振って古ぼけたガスランプをともし、すきま風の入る部屋で少し震えながら両腕で自分の体をしっかり抱くようにして、ソファに腰かけた。ロンは窓際まで行って、分厚いビロードのカーテンをちょっと開けた。

「外にはなんにも見えない」ロンが報告した。「もしハリーがまだ『におい』をつけているなら、やつらがここまで追ってきているはずだと思う。この家に連中が入れないことはわかってるけど――ハリー、どうした？」

ハリーは痛さで叫び声を上げていた。水に反射するまばゆい光のように、ハリーの心に何かがひらめき、傷痕がまた焼けるように痛んだ。大きな影が見え、自分のものではない激しい怒りが、電気ショックのように鋭く体を貫いた。

「何を見たんだ？」ロンがハリーに近寄って聞いた。「あいつが僕の家にいたのか？」

「ちがう。怒りを感じただけだ――あいつは心から怒っている――」

「だけど、その場所、『隠れ穴』じゃなかったか」ロンの声が大きくなった。「ほかには？　何か見なかったのか？　あいつが誰かに呪いをかけていなかったか？」

「ちがう。怒りを感じただけだ――あとはわからないんだ――」

ハリーはしつこいと感じ、頭が混乱した。その上ハーマイオニーのぎょっとした声にも追い討ちをかけられた。

「また傷痕なの？　いったいどうしたって言うの？　その結びつきはもう閉じられたと思ったのに！」

「そうだよ。しばらくはね」ハリーがつぶやいた。傷痕の痛みがまだ続いていて、意識が集中できなかった。「ぼ――僕の考えでは、あいつが自制できなくなるとまた開くようになったんだ。以前もそうだったし――」

「だけど、それならあなた、心を閉じなければ！」ハーマイオニーが金切り声になった。「ハリー、ダンブルドアは、あなたがその結びつきを使うことを望まなかったわ。あなたに、それを閉じてほしかったのよ。『閉心術』を使うのはそのためだったの！　でないと、ヴォルデモートは、あなたにうそのイメージを植えつけることができるのよ。覚えて――」

「ああ、覚えてるよ。わざわざどうも」ハリーは歯を食いしばった。ハーマイオニーに言われるまでもない。ヴォルデモートが、まさにこのとおりの二人の間の結びつきを利用して、かつてハリーを罠にかけたことも、その結果シリウスが死んだことも覚えている。ハリーは、自分が見たことや感じたことを、二人に言わなければよかったと思った。話題にすることで、まるでヴォルデモートがこの部屋の窓に張りついているかのように、その脅威がより身近なものに感じられた。しかし傷痕の痛みはますます激しくなり、ハリーは、吐きたい衝動をこらえるような思いで痛みと戦った。

ハリーは、壁にかかったブラック家の家系図の古いタペストリーを見るふりをして、ロンとハーマイオニーに背を向けた。その時、ハーマイオニーが鋭い悲鳴を上げた。ハリーは再び杖を抜いて振り返った。すると、ちょうど客間の窓を通り抜けて、銀色の守護霊が飛び込んでくるのが目に入った。三人の前で着地し、イタチの姿になった守護霊は、ロンの父親の声で話しだした。

「**家族は無事。返事をよこすな。我々は見張られている**」

守護霊は雲散霧消した。ロンは、悲鳴ともうめきともつかない音を出し、ソファに座り込んだ。ハーマイオニーも座ってロンの腕をしっかりつかんだ。

「みんな無事なのよ。みんな無事なのよ！」ハーマイオニーがささやくと、ロンは半分笑いながらハーマイオニーを抱きしめた。

「ハリー」ロンが、ハーマイオニーの肩越しに言った。「僕――」

「いいんだよ」ハリーは頭痛で吐きそうになりながら言った。「君の家族じゃないか。心配して当然だ。僕だってきっと君と同じ気持ちになると思う」ハリーはジニーを思った。「僕だって、**ほんとに**君と同じ気持ちだよ」

傷痕の痛みは最高に達し、「隠れ穴」の庭で感じたと同じ、焼けるような痛みだった。かすかにハーマイオニーの声が聞こえた。

「私、一人になりたくないわ。持ってきた寝袋で、今夜はここで一緒に寝てもいいかしら？」

ロンの承諾する声が聞こえた。ハリーはこれ以上痛みに耐えられなくなり、ついに降参した。

「トイレに行く」小声でそう言うなり、ハリーは走りたいのをこらえて足早に部屋を出た。

やっと間に合った。震える手でバスルームの内側からかんぬきをかけ、割れるように痛む頭を抱えて、ハリーは床に倒れた。すると、苦痛が爆発し、ハリーは、自分のものではない怒りが心に入り込むのを感じた。暖炉の明かりだけの、細長い部屋だ。大柄なブロンドの死喰い人が床で身もだえし、叫び声を上げている。それを見下ろして、杖を突き出したか細い姿が立っている。ハリーはかん高い、冷たく情け容赦のない声でしゃべった。

「まだまだだ、ロウル。それともこれでしまいにして、おまえをナギニの餌にしてくれようか？　ヴォルデモート卿(きょう)は、今回は許さぬかもしれぬぞ……ハリー・ポッターにまたしても逃げられたと言うために、俺様を呼び戻したのか？　ドラコ、ロウルに我々の不興をもう一度思い知らせてやれ……さあ、やるのだ。さもなければ俺様の怒りを、おまえに思い知らせてくれるわ！」

暖炉の薪(まき)が一本崩れ、炎が燃え上がった。その明かりが、あごのとがった、おびえて蒼白(そうはく)な顔をサッと横切った――深い水の底から浮かび上がるときのように、ハリーは大きく息を吸い、目を開けた。

ハリーは、冷たい黒い大理石の床に大の字に倒れていた。鼻先に、大きなバスタブを支える銀の脚の一本が見えた。蛇の尾の形をしている。ハリーは上体を起こした。やつれて硬直したマルフォイの顔が、目の中に焼きついていた。ドラコがヴォルデモートにどう使われているかを示す、いましがた見た光景に、ハリーは吐き気をもよおした。

扉を鋭くたたく音で、ハリーは飛び上がった。ハーマイオニーの声が響いた。

「ハリー、歯ブラシはいる？　ここにあるんだけど」

「ああ、助かるよ。ありがとう」なにげない声を出そうと奮闘しながら、ハーマイオニーを中に入れるために、ハリーは立ち上がった。

第10章　クリーチャー語る

翌朝早く、ハリーは、客間の床で寝袋にくるまって目を覚ました。分厚いカーテンのすきまから見える、夜と夜明けの間の光は、水に溶かしたインクのようなすっきりと澄んだブルーだった。ロンとハーマイオニーのゆっくりした深い寝息のほかに、聞こえるものはない。ハリーは横で寝ている二人の影をちらりと見た。昨晩、ロンが、突然騎士道精神の発作を起こして、ソファのクッションを床に敷き、ハーマイオニーにその上で寝るべきだと言い張ったため、ハーマイオニーのシルエットはロンより高い所にあった。ハーマイオニーの片腕が床まで曲線を描いて垂れ下がり、その指先がロンの指のすぐ近くにあった。ハリーは、二人が手を握ったまま眠り込んだのではないかと思った。そう思うと、不思議に孤独を感じた。

ハリーは暗い天井を見上げ、クモの巣の張ったシャンデリアを見た。陽(ひ)の照りつけるテントの入口に立ち、結婚式の招待客の案内のために待機していたときから、まだ二十四時間とたっていない。それがもう別の人生だったように遠く感じる。これから何が起きるのだろう？　床に横になったまま、ハリーは分霊箱のことを考え、ダンブルドアが自分に残した任務の、気が遠くなるような重さと複雑さを思った……ダンブルドア……。

ダンブルドアの死後、ずっとハリーの心を占めていた深い悲しみが、いまはちがったものに感じられた。結婚式でミュリエルから聞かされた非難、告発が頭に巣食い、その病巣が崇拝してきた魔法使いの記憶をむしばんでいくようだった。ダンブルドアは、そんなことを黙認できたのだろうか？　ダドリーと同じように、誰が遺棄されようと虐待されようと、自分の身に降りかからないかぎりは、平気で眺めていられたのだろうか。監禁され隠されていた妹に、背を向けることができたのだろうか？

ハリーはゴドリックの谷を思い、ダンブルドアが一度も口にしなかった墓のことを思った。なんの説明もなしに遺された謎の品々を思った。すると、薄暗がりの中で激しい恨みが突き上げてきた。ダンブルドアはなぜ話してくれなかったんだ？　なぜ説明してくれなかったんだ？　僕のことをほんとうに気にかけていてくれたのだろうか？　それとも僕は、磨いたり研ぎ上げたりするべき道具にすぎず、信用したり打ち明けたりする対象ではなかったのだろうか？

苦い思いだけをかみしめて横たわっているのは、耐えがたかった。何かしなければ居ても立ってもいられなくなり、気を紛らわせるためにハリーは寝袋を抜け出し、杖を持ってそっと部屋を出た。踊り場で「**ルーモス、光よ**」と小声で唱え、ハリーは杖灯りを頼りに階段を上りはじめた。

三階には、前回ロンと一緒だった寝室がある。踊り場から、ハリーはその部屋をのぞき込んだ。洋だんすの戸は開けっ放しで、ベッドの上掛けやシーツははがされている。ハリーは、階下のトロールの足が横倒しになっていたことを思い出した。騎士団が引き払ったあと、誰かがここを家探しした。スネイプか？　それとも、シリウスの生前も死後もこの家から多くのものをくすねたマンダンガスか？　ハリーの視線は、フィニアス・ナイジェラス・ブラックの肖像がときどき現れた額に移った。シリウスの高祖父だが、絵には泥色にべた塗りされた背景が見えるだけで、からっぽだった。フィニアス・ナイジェラスは、ホグワーツの校長室で夜を過ごしているにちがいない。

ハリーはさらに階段を上り、最上階の踊り場に出た。ドアは二つだけだ。ハリーが向き合っているドアの名札には「**シリウス**」と書いてある。ハリーは、名付け親の部屋に入ったことがなかった。ドアを押し開け、なるべく遠くまで灯りが届くように、ハリーは杖を高く掲げた。

部屋は広かった。かつてはしゃれた部屋だったにちがいない。木彫りのヘッドボードがついた大きなベッド、長いビロードのカーテンでほとんど覆われている縦長の大きな窓、分厚いほこりの積もったシャンデリア、そこにまだ残っているろうそくの燃えさしには、垂れて固まったろうが霜のようについている。壁にかかった絵やヘッドボードはうっすらとほこりで覆われ、シャンデリアと大きな木製の洋だんすとの間には、クモの巣が張っている。部屋の奥まで入っていくと、ネズミがあわてて走り回る音が聞こえた。

十代のシリウスがびっしりと貼りつけたポスターやら写真やらで、銀ねず色の絹の壁紙はほとんど見えない。おそらくシリウスの両親は、壁に貼りつけるのに使われた「永久粘着呪文」を解くことができなかったのだろう。そうとしか考えられない。なぜなら、両親は、長男の装飾の趣味が気に入らなかったにちがいないと思えるからだ。どうやらシリウスは、ひたすら両親をいらいらさせることに努力したようだ。全員がスリザリン出身である家族と自分とはちがう、ということを強調するためだけに貼られたグリフィンドールの大バナーが何枚か、紅も金色も色あせて残っている。マグルのオートバイの写真がたくさんあるし、その上（ハリーはシリウスの度胸に感心したが）ビキニ姿の若いマグルの女性のポスターも数枚ある。色あせた笑顔も生気のない目も紙に固定され、写真の中でじっと動かないことから、マグルの女性であることは明らかだ。それと対照的なのが、壁に貼られた唯一の魔法界の写真だ。ホグワーツの四人の学生が肩を組み、カメラに向かって笑っている。

ハリーは父親を見つけて胸が躍った。くしゃくしゃな黒い髪は、ハリーと同じに後ろがピンピン立っているし、ハリーと同じにめがねをかけている。隣はシリウスで、無頓着なのにハンサムだ。少し高慢ちきな顔は、シリウスが生前ハリーに見せたどの顔よりも若く、幸福そうだった。シリウスの右に立っているのはペティグリューで、頭一つ以上背が低く小太りで、色の薄い目をしている。みんなの憧れの反逆児であるジェームズとシリウスのいる、最高にかっこいいグループの仲間に入れてもらえたうれしさで、顔を輝かせている。ジェームズの左側にルーピンがいる。そのころにして、すでにややみすぼらしい。しかし、ペティグリューと同様、自分が好かれていることや仲間にしてもらえたことに驚き、喜んでいる……いや、そんなふうに見えるのは、ハリーがそのころの事情を知っているからにすぎないのだろうか？　ハリーは写真を壁からはがそうとした。これは結局、ハリーのものだ――シリウスはハリーにすべてを遺（のこ）したのだから――しかし写真はびくともしない。シリウスは、両親が自分の部屋の内装を変えるのを、あくまで阻止するつもりだったのだ。

ハリーは床を見回した。空が徐々に明るくなってきて、一条の光が、じゅうたんに散らばっている羊皮紙や本や小物を照らした。シリウスの部屋もあさられているのがひと目でわかる。もっとも部屋の中にあるものは、全部とは言わないまでも、大部分は価値がないと判断されたらしい。何冊かの本は、乱暴に振られたらしく表紙がはずれて、ページがバラバラになって散乱していた。

ハリーはしゃがんで紙を何枚か拾い、内容を確かめた。一枚はバチルダ・バグショットの旧版の『魔法史』だったし、もう一枚はオートバイの修理マニュアルの一部だとわかった。三枚目の手書きの紙は丸めてあったので、開いて伸ばした。

親愛なるパッドフット

ハリーの誕生祝いをほんとにほんとにありがとう！　もうハリーの一番のお気に入りになったのよ。一歳なのに、もうおもちゃの箒（ほうき）に乗って飛び回っていて、自分でもとても得意そうなの。写真を同封しましたから見てください。地上からたった六十センチぐらいしか浮かばないのに、ハリーったら危うく猫を殺してしまうところだったし、ペチュニアからクリスマスにもらった趣味の悪い花瓶を割ってしまったわ（これは文句じゃないんだけど）。ジェームズがとってもおもしろがって、こいつは偉大なクィディッチ選手になるなんて言ってるわ。でも飾り物は全部片づけてしまわないといけなくなったし、ハリーが飛んでいるときは目が離せないの。

誕生祝いは、バチルダおばあさんと一緒に、静かな夕食をしたの。あなたが来られなくてとても残念だったけど、バチルダはいつもやさしくしてくれるし、ハリーをとってもかわいがっているの。バチルダはいつもやさしくしてくれるし、

騎士団のことが第一だし、ハリーはまだ小さいから、どうせ自分の誕生日だなんてわからないわ！　ジェームズはここにじっとしていることで少し焦っているの。表には出さないようにしているけど、私にはわかるわ――それに、ダンブルドアがまだジェームズの透明マントを持っていったままだから、ちょっとお出かけというわけにはいかないの。あなたが来てくだされば、ジェームズはどんなに元気が出るか。ワーミーが先週末、ここに来たわ。落ち込んでいるように見えたけれど、マッキノンたちの訃報のせいかもしれないわね。それを聞いたときは、私、ひと晩中泣きました。

バチルダはほとんど毎日寄ってくれます。ダンブルドアについての驚くような話を知っている、おもしろいおばあさんです。

ダンブルドアがそのことを知ったら、喜ぶかどうか！　実はどこまで信じていいか、私にはわからないの。だって信じられないのよ、ダンブルドアが

ハリーは手足がしびれたような気がした。神経のまひした指に奇跡のような羊皮紙を持って、ハリーはじっと動かずに立っていた。体の中では、静かな噴火が起こり、喜びと悲しみが同じぐらいの強さで血管を駆けめぐっていた。ハリーはよろよろとベッドに近づき、座った。

ハリーはもう一度手紙を読んだ。しかし最初に読んだとき以上の意味は読み取れず、筆跡をじっと見るだけだった。母親の「が」の書き方は、ハリーと同じだ。手紙の中で、ハリーは全部の「が」を一つ一つ拾った。そのたびに、その字がベールの陰からのぞいて、小さくやさしく手を振ってくれているような気がした。この手紙は信じがたいほどの宝だ。リリー・ポッターが生きていたことの、ほんとうに生きていたことの証(あかし)だ。母親の温かな手が、一度はこの羊皮紙の上を動いて、インクでこういう文字を、こういう言葉をしたためたのだ。自分の息子、ハリーに関するこういう言葉を。

ぬれた目をぬぐうのももどかしく、今度は内容に集中して、ハリーはもう一度手紙を読んだ。かすかにしか覚えていない声を聞くような思いがする。

猫を飼っていたのだ……両親と同じように、ゴドリックの谷でたぶん非業の死をとげたのだろう……そうでなければ、誰も餌をやる人がいなくなったときに逃げたのかもしれない……。シリウスが、ハリーの最初の箒を買ってくれた人なんだ……。両親はバチルダ・バグショットと知り合いだった。ダンブルドアが紹介したのだろうか？　**ダンブルドアがジェームズの透明マントを持っていったまま……**なんだか変だ……。

ハリーは読むのを中断し、母親の言葉の意味を考えた。ダンブルドアはなぜジェームズの透明マントを持っていったのだろう？　ハリーは、校長先生が何年も前にハリーに言ったことを、はっきり覚えている——**わしはマントがなくても透明になれるのでな**——。誰か騎士団のメンバーで、それほどの能力がない魔法使いが、マントの助けを必要としたのかもしれない。それでダンブルドアが運び役になったのか？　ハリーはその先を読んだ……。

ワーミーがここに来たわ——あの裏切り者のペティグリューが、「落ち込んでいる」ように見えたって？　それが生きたジェームズとリリーに会う最後になると、やつにはわかっていたのだろうか？

最後はまたバチルダだ。ダンブルドアに関して、信じられないような話をしたという。**信じられないのよ、ダンブルドアが――**。

ダンブルドアがどうしたって？　だけど、ダンブルドアに関しては、信じられないと言えそうなことはいくらでもあった。たとえば、「変身術」の試験で最低の成績を取ったことがあるとか、アバーフォースと同じに「山羊使い」の術を学んだとか……。

ハリーは歩き回って、床全体をざっと見渡した。もしかしたら手紙の続きがどこかにあるかもしれない。ハリーは羊皮紙を探した。見つけたい一心で、最初にこの部屋を探し回った者と同じぐらい乱暴に部屋を引っかき回した。引き出しを開け、本を逆さに振り、椅子に乗って洋だんすの上に手を這わせたり、ベッドやひじかけ椅子の下を這い回ったりした。

最後に床に這いつくばって、整理だんすの下に羊皮紙の切れ端のようなものを見つけた。引っ張り出してみると、それは一部が欠けてはいたが、リリーの手紙に書いてあった写真だった。黒い髪の男の子が、小さな箒に乗って大声で笑いながら写真から出たり入ったりしている。追いかけている二本の足は、ジェームズのものにちがいない。ハリーは写真をリリーの手紙と一緒にポケットに入れ、また手紙の二枚目を探しにかかった。

しかし十五分も探すと、母親の手紙の続きはなくなってしまったと考えざるをえなくなった。書かれてから十六年もたっているので、その間になくなったのか、それともこの部屋を家探しした誰かに持ち去られてしまったのか？　ハリーは一枚目をもう一度読んだ。今度は、二枚目に重要なことが書かれていたのならそれは何か、そのヒントを探しながら読んだ。おもちゃの箒が死喰い人にとって関心があるとは、とうてい考えられない……唯一役に立つかもしれないと思われるのは、ダンブルドアに関する情報の可能性だ。――**信じられないのよ、ダンブルドアが――**なんだろう？

「ハリー？　ハリー！　**ハリー！**」

「ここだよ！」ハリーが声を張り上げた。「どうかしたの？」

ドアの外でバタバタと足音がして、ハーマイオニーが飛び込んできた。

「目が覚めたら、あなたがいなくなってたんですもの！」ハーマイオニーは息を切らしながら言った。

「ロン！　見つけたわ！」ハーマイオニーが振り返って叫んだ。

ロンのいらだった声が、数階下のどこか遠くから響いてきた。

「よかった！　バカヤロって言っといてくれ！」

「ハリー、だまって消えたりしないで、お願いよ。私たちどんなに心配したか！　でも、どうしてこんな所に来たの？」

さんざん引っかき回された部屋をぐるりと眺めて、ハーマイオニーが言った。

「ここで何してたの？」

「これ、見つけたんだ」

ハリーは、母親の手紙を差し出した。ハーマイオニーが手に取って読む間、ハリーはそれを見つめていた。読み終えると、ハーマイオニーはハリーを見上げた。

「ああ、ハリー……」

「それから、これもあった」

ハリーは破れた写真を渡した。ハーマイオニーは、おもちゃの箒に乗った赤ん坊が、写真から出たり入ったりしているのを見てほほえんだ。

「僕、手紙の続きを探してたんだ」ハリーが言った。「でも、ここにはない」

ハーマイオニーは、ざっと見回した。

「あなたがこんなに散らかしたの？　それともあなたがここに来たときはもう、ある程度こうなっていたの？」

「誰かが、僕より前に家探しした」ハリーが言った。

「そうだと思ったわ。ここに上がってくるまでにのぞいた部屋は、全部荒らされていたの。いったい何を探していたのかしら？」

「騎士団の情報。スネイプならね」

「でも、あの人ならもう、必要なものは全部持ってるんじゃないかしら。だって、ほら、騎士団の中にいたんですもの」

「それじゃあ」ハリーは自分の考えを検討してみたくて、うずうずしていた。「ダンブルドアに関する情報っていうのは？　たとえば、この手紙の二枚目とか。母さんの手紙に書いてあるこのバチルダのことだけど、誰だか知ってる？」

「誰なの？」

「バチルダ・バグショット。教科書の――」

「『魔法史』の著者ね」ハーマイオニーは、興味をそそられたようだった。「それじゃ、あなたのご両親は、バチルダを知っていたのね？　魔法史家としてすごい人だったわ」

「それに、彼女はまだ生きている」ハリーが言った。「その上、ゴドリックの谷に住んでる。ロンの大おばさんのミュリエルが、結婚式でバチルダのことを話したんだ。バチルダはダンブルドアの家族のこともよく知っていたんだよ。話をしたら、かなりおもしろい人じゃないかな？」

ハーマイオニーは、ハリーに向かって、すべてお見透し（みとお）というほほえみ方をした。ハリーは気に入らなかった。ハリーは手紙と写真を取り戻し、本心を見透かされまいと、ハーマイオニーの目をさけて、うつむいたまま首にかけた袋に入れた。

「あなたがなぜバチルダと話したいか、わかるわよ。ご両親のことや、ダンブルドアについてもね」ハーマイオニーが言った。「でも、それは私たちの分霊箱探しには、あまり役に立たないんじゃないかしら？」

ハリーは答えなかった。ハーマイオニーはたたみかけるように話し続けた。

「ハリー、あなたがゴドリックの谷に行きたがる気持ちはわかるわ。でも、私、怖いの……きのう、死喰い人たちにあんなに簡単に見つかったことが怖いの。それで私、あなたのご両親が眠っていらっしゃる所はさけるべきだっていう気持ちが、前よりも強くなっているの。あなたがお墓を訪ねるだろうと、連中は絶対にそう読んでいるわ」

「それだけじゃないんだ」

ハリーは、相変わらずハーマイオニーの目をさけながら言った。

「結婚式で、ミュリエルがダンブルドアについてあれこれ言った。僕はほんとうのことが知りたい……」

ハリーはミュリエルに聞いたことをすべて、ハーマイオニーに話した。ハリーが話し終えると、ハーマイオニーが言った。

「もちろん、なぜあなたがそんなに気にするかはわかるわ、ハリー――」

「――別に気にしちゃいない」ハリーはうそをついた。「ただ知りたいだけだ。ほんとうのことなのかどうか――」

「ハリー、意地悪な年寄りのミュリエルとかリータ・スキーターなんかから、ほんとうのことが聞けるなんて、本気でそう思っているの？　どうして、あんな人たちが信用できる？　あなたはダンブルドアを知っているでしょう！」

「知ってると思っていた」ハリーがつぶやいた。

「でも、リータがあなたについていろいろ書いた中に、どのくらいほんとうのことがあったか、あなたにはわかっているでしょう！　ドージの言うとおりよ。そんな連中に、ダンブルドアの思い出を汚されていいはずがないでしょう？」

ハリーは顔をそむけ、腹立たしい気持ちを悟られまいとした。またか。どちらを信じるか決めろ、ときた。ハリーは真実が欲しかった。どうして誰もかれもがかたくなに、ハリーは真実を知るべきではないと言うのだろう？

「厨房に下りましょうか？」しばらくだまったあとで、ハーマイオニーが言った。「何か朝食を探さない？」

ハリーは同意したが、しぶしぶだった。ハーマイオニーについて踊り場に出て、階段を下りる手前にある、もう一つの部屋の前を通り過ぎた。暗い中では気づかなかったが、ドアに小さな字で何か書いてあり、その下に、ペンキを深く引っかいたような跡がある。ハリーは、階段の上で立ち止まって文字を読んだ。パーシー・ウィーズリーが自分の部屋のドアに貼りつけそうな感じの、気取った手書き文字できちんと書かれた小さな掲示だった。

許可なき者の入室禁止
レギュラス・アークタルス・ブラック

ハリーの体にゆっくりと興奮が広がった。しかしなぜなのか、すぐにはわからなかった。ハリーはもう一度掲示を読んだ。ハーマイオニーはすでに一つ下の階にいた。

「ハーマイオニー」ハリーは自分の声が落ち着いているのに驚いた。「ここまで戻ってきて」

「どうしたの？」

「R・A・Bだ。僕、見つけたと思う」

驚いて息をのむ音が聞こえ、ハーマイオニーが階段を駆け戻ってきた。

「お母さまの手紙に？　でも私は見なかったけど――」

ハリーは首を振ってレギュラスの掲示を指差した。ハーマイオニーはそれを読むと、ハリーの腕をギュッと握った。あまりの強さに、ハリーはたじろいだ。

「シリウスの弟ね？」ハーマイオニーがささやくように言った。

「死喰い人だった」ハリーが言った。「シリウスが教えてくれた。弟はまだとても若いときに参加して、それから怖気(おじけ)づいて抜けようとした――それで連中に殺されたんだ」

「それでぴったり合うわ！」ハーマイオニーがもう一度息をのんだ。「この人が死喰い人だったのなら、ヴォルデモートに近づけたし、失望したのなら、ヴォルデモートを倒したいと思ったでしょう！」

ハーマイオニーはハリーの腕を放し、階段の手すりから身を乗り出して叫んだ。

「ロン！　**ロン！**　こっちに来て。早く！」

ロンはすぐさま息せき切って現れた。杖をかまえている。

「どうした？　またおっきなクモだって言うなら、その前に朝食を食べさせてもらうぞ。それから――」

ロンは、ハーマイオニーがだまって指差したレギュラスのドアの掲示を、しかめっ面で見た。

「何？　シリウスの弟だろ？　レギュラス・アークタルス……レギュラス……R・A・B！　ロケットだ――もしかしたら――？」

「探してみよう」ハリーが言った。

ドアを押したが、鍵がかかっている。ハーマイオニーが、杖をドアの取っ手に向けて唱えた。

「**アロホモラ**」

カチリと音がして、ドアがパッと開いた。

三人は一緒に敷居をまたぎ、目を凝らして中を見回した。レギュラスの部屋はシリウスのよりやや小さかったが、同じようにかつての豪華さを思わせた。シリウスはほかの家族とはちがうことを誇示しようとしたが、レギュラスはその逆を強調しようとしていた。スリザリンのエメラルドと銀色が、ベッドカバー、壁、窓と、いたる所に見られた。ベッドの上には、ブラック家の家紋が、「純血よ、永遠なれ」の家訓とともに念入りに描かれている。その下にはセピア色になった一連の新聞の切り抜きが、コラージュ風にギザギザに貼りつけてあった。ハーマイオニーは、そばまで行ってよく見た。

「全部ヴォルデモートに関するものだわ」ハーマイオニーが言った。「レギュラスは、死喰い人になる前の数年間、ファンだったみたいね……」

ハーマイオニーが切り抜きを読むのにベッドに腰かけると、ベッドカバーからほこりが小さく舞い上がった。一方ハリーは、別の写真に気がついた。ホグワーツのクィディッチ・チームが額の中から笑いかけ、手を振っている。近くに寄って見ると、胸に蛇の紋章が描かれている。スリザリンだ。レギュラスはすぐに見分けがついた。前列の真ん中に腰を下ろしている少年だ。シリウスと同じく黒い髪で少し高慢ちきな顔だが、背は兄より少し低くやや華奢(きゃしゃ)で、往時のシリウスほどハンサムではない。

「シーカーだったんだ」ハリーが言った。

「なあに?」ヴォルデモートの切り抜きをずっと読みふけっていたハーマイオニーは、あいまいな返事をした。

「前列の真ん中に座っている。ここはシーカーの場所だ……別にいいけど」

誰も聞いていないのに気づいて、ハリーが言った。ロンは這いつくばって、洋だんすの下を探していた。ハリーは部屋を見回して隠し場所になりそうな所を探し、机に近づいた。ここもまた、誰かがすでに探し回っていた。引き出しの中も、つい最近誰かに引っかき回され、ほこりさえもかき乱されていたが、目ぼしいものは何もなかった。古い羽根ペン、手荒に扱われた跡が見える古い教科書、最近割られたばかりのインクつぼなどで、引き出しの中身は、こぼれたインクでまだべとべとしている。

「簡単な方法があるわ」

ハリーがインクのついた指をジーンズにこすりつけていると、ハーマイオニーが言った。そして杖を上げて唱えた。

「**アクシオ！　ロケットよ、来い！**」

何事も起こらない。ロケットを探っていたロンは、がっかりした顔をした。

「それじゃ、これでおしまいか？　色あせたカーテンのひだを探っていたロンは、がっかりした顔をした。

「それじゃ、これでおしまいか？　ここにはないのか？」

「いいえ、まだここにあるかもしれないわ。でも、呪文よけをかけられて――」ハーマイオニーが言った。「ほら、魔法で呼び寄せられないようにする呪文よ」

「ヴォルデモートが、洞窟の石の水盆にかけた呪文のようなものだね」

ハリーは、偽のロケットに「呼び寄せ呪文」が効かなかったことを思い出した。

「それじゃ、どうやって探せばいいんだ？」ロンが聞いた。

「手作業で探すの」ハーマイオニーが言った。

「名案だ」ロンはあきれたように目をぐるぐるさせて、カーテン調べに戻った。

三人は一時間以上、隈なく部屋を探したが、結局、ロケットはここにはないと結論せざるをえなかった。

すでに太陽が昇り、すすけた踊り場の窓を通してでさえ、光がまぶしかった。

「でも、この家のどこかにあるかもしれないわ」

階段を下りながらハーマイオニーが、二人を奮い立たせるような調子で言った。ハリーとロンが気落ちすればするほど、ハーマイオニーは決意を固くするようだった。

「レギュラスが破壊できたかどうかは別にして、ヴォルデモートからは隠しておきたかったはずでしょう？　私たちが前にここにいたとき、いろいろ恐ろしいものを捨てなければならなかったこと、覚えてる？　誰にでもボルトを発射するかけ時計とか、ロンをしめ殺そうとした古いローブとか。レギュラスは、ロケットの隠し場所を守るために、そういうものを置いといたのかもしれないわ。ただ、私たち、そうとは気づかなかっただけで……あ……あ」

ハリーとロンはハーマイオニーを見た。ハーマイオニーは片足を上げたまま、「忘却術」にかかったような、ぼうっとした顔で立っていた。目の焦点が合っていない。

「……あの時は」ハーマイオニーはささやくように言い終えた。

「どうかしたのか？」ロンが聞いた。

「ロケットが、あったわ」

「えぇっ？」ハリーとロンの声が重なった。

「客間の飾り棚に。誰も開けられなかったロケット。それで私たち……私たち……」

ハリーは、れんがが一個、胸から胃にすべり落ちたような気がした。思い出した。みんなが順番にそれをこじ開けようとして手から手へ渡していたとき、ハリーも実際、それをいじっている。それは、ごみ袋に投げ入れられた。「かさぶた粉」の入ったかぎたばこ入れや、みんなを眠りにいざなったオルゴールなどと一緒に……。

「クリーチャーが、僕たちからずいぶんいろんなものをかすめ取った」ハリーが言った。最後の望みだ。残された唯一のかすかな望みだ。どうしてもあきらめざるをえなくなるまで、ハリーはその望みにしがみつこうとした。

「あいつは厨房脇の納戸に、ごっそり隠していた。行こう」

ハリーは二段跳びで階段を走り下りた。そのあとを、二人が足音をとどろかせて走った。あまりの騒音に、三人が玄関ホールを通り過ぎるとき、シリウスの母親の肖像画が目を覚ました。

「クズども！　穢れた血！　塵芥の輩！」地下の厨房に疾走する三人の後ろから、肖像画が叫んだ。三人は厨房の扉をバタンと閉めた。

ハリーは厨房を一気に横切り、クリーチャーの納戸の前で急停止し、ドアをぐいと開けた。そこには、しもべ妖精がかつてねぐらにしていた、汚らしい古い毛布の巣があった。しかしクリーチャーがあさってきたキラキラ光るがらくたはもう見当たらない。『生粋の貴族——魔法界家系図』の古本があるだけだった。そんなはずはないと、ハリーははぎ取った毛布を振った。死んだネズミが一匹落ちてきて、みじめに床に転がった。ロンはうめき声を上げて厨房の椅子に座り込み、ハーマイオニーは目をつむった。

「まだ終わっちゃいない」そう言うなり、ハリーは声高に呼んだ。「**クリーチャー！**」

バチンと大きな音がして、ハリーがシリウスからしぶしぶ相続したしもべ妖精が、火の気のない寒々とした暖炉の前にこつぜんと現れた。人間の半分ほどの小さな体に、青白い皮膚が折り重なって垂れ下がり、コウモリのような大耳から白い毛がぼうぼうと生えている。最初に見たときと同じ、汚らしいボロを着たままの姿だ。ハリーを見る軽蔑した目が、持ち主がハリーに変わっても、ハリーに対する態度は着ているものと同様、変わっていないことを示していた。

「ご主人様」

クリーチャーは食用ガエルのような声を出し、深々とおじぎをして、自分のひざに向かってブツブツ言った。

「奥様の古いお屋敷に戻ってきた。血を裏切るウィーズリーと穢れた血も一緒に――」

「誰に対しても『血を裏切る者』とか『穢れた血』と呼ぶことを禁じる」

ハリーが叱りつけた。豚のような鼻、血走った目――シリウスを裏切ってヴォルデモートの手に渡したことを別にしたとしても、どのみちハリーは、クリーチャーを好きになれなかっただろう。

「おまえに質問がある」

心臓が激しく鼓動するのを感じながら、ハリーはしもべ妖精を見下ろした。

「それから、正直に答えることを命じる。わかったか？」

「はい、ご主人様」

クリーチャーはまた深々と頭を下げた。ハリーはその唇が動くのを見た。禁じられてしまった侮辱の言葉を、声を出さずに言っているにちがいない。

「二年前に」ハリーの心臓は、いまや激しく肋骨(ろっこつ)をたたいていた。「二階の客間に大きな金のロケットがあった。僕たちはそれを捨てた。おまえはそれをこっそり取り戻したか？」

一瞬の沈黙の間に、クリーチャーは背筋を伸ばしてハリーをまともに見た。そして「はい」と答えた。

「それは、いまどこにある？」

ハリーは小躍りして聞いた。ロンとハーマイオニーは大喜びだ。

クリーチャーは、次の言葉に三人がどう反応するか見るにたえないというように、目をつむった。

「なくなりました」

「なくなった？」

ハリーがくり返した。高揚した気持ちが一気にしぼんだ。

「なくなったって、どういう意味だ？」

しもべ妖精は身震いし、体を揺らしはじめた。

「クリーチャー」ハリーは厳しい声で言った。「命令だ――」

「マンダンガス・フレッチャー」クリーチャーは固く目を閉じたまま、しわがれ声で言った。「マンダンガス・フレッチャーが全部盗みました。ミス・ベラやミス・シシーの写真も、奥様の手袋も、勲一等マーリン勲章も家紋入りのゴブレットも、それに、それに――」

クリーチャーは息を吸おうとあえいでいた。へこんだ胸が激しく上下している。やがて両眼をカッと開き、クリーチャーは血も凍るような叫び声を上げた。

「――それにロケットも。レギュラス様のロケットも。クリーチャーめは過ちを犯しました。クリーチャーはご主人様の命令をはたせませんでした！」

ハリーは本能的に動いた。火格子のそばの火かき棒に飛びつこうとするクリーチャーに飛びかかり、床に押さえつけた。ハーマイオニーとクリーチャーの悲鳴とが混じり合った。しかしハリーのどなり声のほうが大きかった。

「クリーチャー、命令だ。動くな！」

しもべ妖精をじっとさせてから、ハリーは手を離した。クリーチャーは冷たい石の床にべたっと倒れたまま、たるんだ両眼からぼろぼろ涙をこぼしていた。

「ハリー、立たせてあげて！」ハーマイオニーが小声で言った。

「こいつが火かき棒で、自分をなぐれるようにするのか？」ハリーは、フンと鼻を鳴らしてクリーチャーのそばにひざをついた。「そうはさせない。さあ、クリーチャー、ほんとうのことを言うんだ。

どうしておまえは、マンダンガス・フレッチャーがロケットを盗んだと思うんだ？」

「クリーチャーは見ました！」しもべ妖精はあえぎながら言った。

涙があふれ、豚のような鼻から汚らしい歯の生えた口へと流れた。

「あいつが、クリーチャーの宝物を腕いっぱいに抱えて、クリーチャーの納戸から出てくるところを見ました。クリーチャーはあのこそ泥に、やめろと言いました。マンダンガス・フレッチャーは笑って、そして逃――逃げました……」

「おまえはあれを、『レギュラス様のロケット』と呼んだ」ハリーが言った。「どうしてだ？　ロケットはどこから手に入れた？　レギュラスは、それとどういう関係があるんだ？　クリーチャー、起きて座れ。そして、あのロケットについて知っていることを全部僕に話すんだ。レギュラスが、どう関わっているのかを全部！」

しもべ妖精は体を起こして座り、ぬれた顔をひざの間に突っ込んで丸くなり、前後に体を揺すりはじめた。話しだすと、くぐもった声にもかかわらず、しんとした厨房にはっきりと響いた。

「シリウス様は、家出しました。やっかい払いができました。悪い子でしたし、無法者で奥様の心を破った人です。でもレギュラス坊ちゃまは、きちんとしたプライドをお持ちでした。ブラック家の家名と純血の尊厳のために、なすべきことをご存じでした。坊ちゃまは何年も闇の帝王の話をなさっていました。隠れた存在だった魔法使いを、陽の当たる所に出し、マグルやマグル生まれを支配する方だと……。そして十六歳におなりのとき、レギュラス坊ちゃまは闇の帝王のお仲間になりました。とてもご自慢でした。とても。あの方にお仕えすることをとても喜んで……」

「そして一年がたったある日、レギュラス坊ちゃまは、クリーチャーに会いに厨房に下りていらっしゃいました。坊ちゃまは、ずっとクリーチャーをかわいがってくださいました。そして坊ちゃまがおっしゃいました……おっしゃいました……」

年老いたしもべ妖精は、ますます激しく体を揺すった。

「……闇の帝王が、しもべ妖精を必要としていると」

「ヴォルデモートが、**しもべ妖精を**必要としている？」

ハリーはロンとハーマイオニーを振り返りながら、くり返した。二人ともハリーと同じく、けげんな顔をしていた。

「さようでございます」クリーチャーがうめいた。「そしてレギュラス様は、クリーチャーを差し出したのです。坊ちゃまはおっしゃいました。これは名誉なことだ。自分にとっても、クリーチャーにとっても名誉なことだから、クリーチャーは闇の帝王のお言いつけになることはなんでもしなければならないと……そのあとで帰――帰ってこいと」

クリーチャーの揺れがますます速くなり、すすり泣きながら切れ切れに息をしていた。

「そこでクリーチャーは、闇の帝王の所へ行きました。闇の帝王は、クリーチャーに何をするのかを教えてくれませんでしたが、一緒に海辺の洞穴に連れていきました。洞穴の奥に洞窟があって、洞窟には大きな黒い湖が……」

ハリーは首筋がゾクッとして、毛が逆立った。クリーチャーの声が、あの暗い湖を渡って聞こえてくるようだった。その時何が起こったのか、まるで自分がそこにいるかのようによくわかった。

「……小舟がありました……」

そのとおりだ、小舟があった。ハリーはその小舟を知っている。緑色の幽光を発する小さな舟には魔法がかけられ、一人の魔法使いと一人の犠牲者を乗せて中央の島へと運ぶようになっていた。そういうやり方で、ヴォルデモートは分霊箱の護(まも)りをテストしたのだ。使い捨ての生き物である屋敷しもべ妖精を借りて……。

「島に、す――水盆があって、薬で満たされていました。や――闇の帝王は、クリーチャーに飲めと言いました……」

しもべ妖精は全身を震わせていた。

「クリーチャーは飲みました。飲むと、クリーチャーは恐ろしいものを見ました……内臓が焼けました……クリーチャーは、レギュラス坊ちゃまに助けを求めて叫びました。ブラック奥様に、助けてと叫びました。でも、闇の帝王は笑うだけでした……クリーチャーに薬を全部飲み干させました……そしてからの水盆にロケットを落として……薬をまた満たしました」

「それから闇の帝王は、クリーチャーを島に残して舟で行ってしまいました……」

ハリーにはその場面が見えるようだった。まもなく死ぬであろうしもべ妖精が身もだえしているのを、非情な赤い目で見つめながら、ヴォルデモートの青白い蛇のような顔が暗闇に消えていく。まもなく薬の犠牲者は、焼けるようなのどのかわきに耐えかねて……しかし、ハリーの想像はそこまでだった。クリーチャーがどのようにして脱出したのかが、わからなかった。

「クリーチャーは水が欲しかった。クリーチャーは島の端まで這っていき、黒い湖の水を飲みました……すると手が、何本もの死人の手が水の中から現れて、クリーチャーを水の中に引っ張り込みました……」

「どうやって逃げたの？」ハリーは、知らず知らず自分がささやき声になっているのに気づいた。

クリーチャーは醜い顔を上げ、大きな血走った目でハリーを見た。

「レギュラス様が、クリーチャーに帰ってこいとおっしゃいました」

「わかってる――だけど、どうやって亡者から逃れたの？」

クリーチャーは、何を聞かれたのかわからない様子だった。

「レギュラス様が、クリーチャーに帰ってこいとおっしゃいました」

クリーチャーは、くり返した。

「わかってるよ、だけど――」

「そりゃ、ハリー、わかりきったことじゃないか？」ロンが言った。「『姿くらまし』したんだ！」

「でも……あの洞窟からは『姿くらまし』で出入りできない」ハリーが言った。「できるんだったらダンブルドアだって――」

「しもべ妖精の魔法は、魔法使いのとはちがう。だろ？」ロンが言った。「だって、僕たちにはできないのに、しもべ妖精はホグワーツに『姿あらわし』も『姿くらまし』もできるじゃないか」

しばらく誰もしゃべらなかった。ハリーは、すぐには事実をのみ込めずに考え込んだ。ヴォルデモートは、どうしてそんなミスを犯したのだろう？　しかし、考えがまとまらないうちに、ハーマイオニーが先に口を開いた。冷たい声だった。

「もちろんだわ。ヴォルデモートは、屋敷しもべ妖精がどんなものかなんて、気にとめる価値もないと思ったのよ。純血たちが、しもべ妖精を動物扱いするのと同じようにね……あの人は、しもべ妖精が自分の知らない魔力を持っているかもしれないなんて、思いつきもしなかったでしょうよ」

「屋敷しもべ妖精の最高法規は、ご主人様のご命令です」クリーチャーが唱えるように言った。「クリーチャーは家に帰るようにと言われました。ですから、クリーチャーは家に帰りました……」

「じゃあ、あなたは、言われたとおりのことをしたんじゃない？」ハーマイオニーがやさしく言った。

「命令にそむいたりしていないわ！」

クリーチャーは首を振って、ますます激しく体を揺らした。

「それで、帰ってきてからどうなったんだ？」ハリーが聞いた。「おまえから話を聞いたあとで、レギュラスはなんと言ったんだい？」

「レギュラス坊ちゃまは、とてもとても心配なさいました」クリーチャーがしわがれ声で答えた。「坊ちゃまは、クリーチャーに隠れているように、家から出ないようにとおっしゃいました。それから……しばらく日がたってからでした……レギュラス坊ちゃまが、ある晩、クリーチャーの納戸にいらっしゃいました。坊ちゃまは変でした。いつもの坊ちゃまではありませんでした。正気を失っていらっしゃると、クリーチャーにはわかりました……そして坊ちゃまは、その洞穴に自分を連れていけとクリーチャーに頼みました。クリーチャーが、闇の帝王と一緒に行った洞穴です……」

二人はそうして出発したのか。ハリーには、二人の姿が目に見えるようだった。年を取っておびえたしもべ妖精と、シリウスによく似た、やせて黒い髪のシーカー……クリーチャーは、地の底の洞窟への隠された入口の開け方を知っていたし、小舟の引き揚げ方も知っていた。今度は愛しいレギュラス坊ちゃまが、一緒の小舟で毒の入った水盆のある島に行く……。

「それで、レギュラスは、おまえに薬を飲ませたのか？」ハリーはむかつく思いで言った。

しかしクリーチャーは首を振り、さめざめと泣いた。ハーマイオニーの手がパッと口を覆った。何かを理解した様子だ。

「ご――ご主人様は、ポケットから闇の帝王の持っていたロケットと似たものを取り出しました」クリーチャーの豚鼻の両脇から、涙がぼろぼろこぼれ落ちた。「そしてクリーチャーに、こうおっしゃいました。それを持っていろ、水盆がからになったら、ロケットを取り替えろ……」

クリーチャーのすすり泣きは、ガラガラと耳ざわりな音になっていた。ハリーは聞き取るのに、神経を集中しなければならなかった。

「それから坊ちゃまはクリーチャーに――命令なさいました――一人で去れと。そしてクリーチャーに――家に帰れと。――奥様にはけっして――自分のしたことを言うな。――そして最初のロケットを――破壊せよと。そして坊ちゃまは、お飲みになりました――全部です。そしてクリーチャーは、ロケットを取り替えました。――そして見ていました……レギュラス坊ちゃまが……水の中に引き込まれて……そして……」

「ああ、クリーチャー！」

泣き続けていたハーマイオニーが、悲しげな声を上げた。そしてしもべ妖精のそばにひざをつき、クリーチャーを抱きしめようとした。クリーチャーはすぐさま立ち上がり、あからさまにいやそうな様子で身を引いた。

「穢れた血がクリーチャーにさわった。クリーチャーはそんなことをさせない。奥様がなんとおっしゃるか？」

「ハーマイオニーを『穢れた血』って呼ぶなと言ったはずだ！」

ハリーが唸るようにどなった。しかし、しもべ妖精は早くも床に倒れて額を床に打ちつけ、自分を罰していた。

「やめさせて――やめさせてちょうだい！」ハーマイオニーが泣き叫んだ。「ああ、ねえ、わからないの？　しもべ妖精を隷従させるのがどんなにひどいことかって」

「クリーチャー――やめろ、やめるんだ！」ハリーが叫んだ。

しもべ妖精は震え、あえぎながら床に倒れていた。豚鼻の周りには緑色のはなみずが光り、青ざめた額には、いま打ちつけた所にもうあざが広がっていた。そして、腫れ上がって血走った目には、涙があふれている。ハリーはこんなに哀れなものを、これまで見たことがなかった。

「それでおまえは、ロケットを家に持ち帰った」話の全貌を知ろうと固く心に決めていたハリーは、容赦なく聞いた。「そして破壊しようとしたわけか？」

「クリーチャーが何をしても、傷一つつけられませんでした」しもべ妖精がうめいた。

「クリーチャーは全部やってみました。知っていることは全部。でもどれも、どれもうまくいきませんでした……外側のケースには強力な呪文があまりにもたくさんかかっていて、クリーチャーは、破壊する方法は中に入ることにちがいないと思いましたが、どうしても開きません……クリーチャーは自分を罰しました。そして開けようとしてはまた罰し、罰してはまた開けようとしました。クリーチャーは、命令に従うことができませんでした。クリーチャーは、ロケットを破壊できませんでした！　そして、奥様はレギュラス坊ちゃまが消えてしまったので、狂わんばかりのお悲しみでした。それなのにクリーチャーは、何があったかを奥様にお話しできませんでした。レギュラス様に、き――禁じられたからです。か――家族の誰にも、ど――洞窟でのことは話すなと……」

すすり泣きが激しくなり、言葉が言葉としてつながらなくなっていた。クリーチャーを見ているハーマイオニーのほおにも、涙が流れ落ちていた。しかし、あえてまたクリーチャーに触れようとはしなかった。クリーチャーが好きでもないロンでさえ、いたたまれなさそうだった。ハリーは、しゃがみ込んだまま顔を上げ、頭を振ってすっきりさせようとした。

「クリーチャー、僕にはおまえがわからない」しばらくしてハリーが言った。「ヴォルデモートはおまえを殺そうとしたし、レギュラスはヴォルデモートを倒そうとして死んだ。それなのに、まだおまえは、シリウスをヴォルデモートに売るのがうれしかったのか？　おまえはナルシッサやベラトリックスの所へ行き、二人を通じてヴォルデモートに情報を渡すのがうれしかった……」

「ハリー、クリーチャーはそんなふうには考えないわ」

ハーマイオニーは手の甲で涙をぬぐいながら言った。

「クリーチャーは奴隷なのよ。屋敷しもべ妖精は、不当な扱いにも残酷な扱いにさえも慣れているの。ヴォルデモートがクリーチャーにしたことは、普通の扱いとたいしたちがいはないわ。魔法使いの争いなんて、クリーチャーのようなしもべ妖精にとって、なんの意味があると言うの？　クリーチャーは、親切にしてくれた人に忠実なのよ。ブラック夫人がそうだったのでしょうし、レギュラスはまちがいなくそうだった。だからクリーチャーは、そういう人たちには喜んで仕えたし、その人たちの信条を、そのまま、まねたんだわ。あなたがいま言おうとしていることはわかるわよ」

ハリーが抗議しかけるのを、ハーマイオニーがさえぎった。

「レギュラスは考えが変わった……でもね、それをクリーチャーに説明したとは思えない。そうでしょう？　私にはなぜだかわかるような気がする。クリーチャーもレギュラスの家族も、全員、昔からの純血のやり方を守っていたほうが安全だったのよ。レギュラスは全員を護ろうとしたんだわ」

「シリウスは――」

「シリウスはね、ハリー、クリーチャーに対してむごかったのよ。そんな顔をしてもだめよ、あなたにもそれがわかっているはずだわ。クリーチャーは、シリウスがここに来て住みはじめるまで、長いことひとりぼっちだった。おそらく、ちょっとした愛情にも飢えていたんでしょうね。『ミス・シシー』も『ミス・ベラ』も、クリーチャーが現れたときには完璧にやさしくしたにちがいないわ。だからクリーチャーは、二人のために役に立ちたいと思って、二人が知りたかったことをすべて話したんだわ。しもべ妖精にひどい扱いをすれば、魔法使いはその報いを受けるだろうって、私がずっと言い続けてきたことだけど。まあ、ヴォルデモートは報いを受けたわ……そしてシリウスも」

ハリーには言い返すことができなかった。クリーチャーが床ですすり泣く姿を見ていると、ダンブルドアが、シリウスの死後何時間とたたないうちに、ハリーに言った言葉が思い出された。

――シリウスは、クリーチャーが人間と同じように鋭い感情を持つ生き物だとみなしたことがなかったのじゃろう……。

「クリーチャー」しばらくして、ハリーが呼びかけた。「気がすんだら、えーと……座ってくれないかな」

数分たってやっと、クリーチャーはしゃっくりしながら泣きやんだ。そして起き上がって再び床に座り、小さな子供のように拳で目をこすった。

「クリーチャー、君に頼みたいことがあるんだ」

ハリーはハーマイオニーをちらりと見て助けを求めた。親切に命令したかったが、同時に、それが命令ではないような言い方はできなかった。しかし、口調が変わったことで、ハーマイオニーにも受け入れてもらえたらしく、ハーマイオニーはその調子よ、とほほえんだ。

「クリーチャー、お願いだから、マンダンガス・フレッチャーを探してきてくれないか。僕たち、ロケットがどこにあるか、見つけないといけない――レギュラス様のロケットのある場所だよ。とても大切なことなんだ――レギュラス様のやりかけた仕事を、僕たちがやり終えたいんだ。僕たちは――えーと――レギュラス様の死が無駄にならないようにしたいんだ」

クリーチャーは拳をパタッと下ろし、ハリーを見上げた。

「マンダンガス・フレッチャーを見つける？」しわがれ声が言った。

「そしてあいつをここへ、グリモールド・プレイスへ連れてきてくれ」ハリーが言った。「僕たちのために、やってくれるかい？」

クリーチャーは、うなずいて立ち上がった。ハリーは突然ひらめいた。ハグリッドにもらった巾着を引っ張り出し、偽の分霊箱を取り出した。レギュラスがヴォルデモートへのメモを入れた、すり替え用のロケットだ。

「クリーチャー、僕、あの、君にこれを受け取ってほしいんだ」ハリーはロケットをしもべ妖精の手に押しつけた。「これはレギュラスのものだった。あの人はきっと、これを君にあげたいと思うだろう。君がしたことへの感謝の証に――」

「おい、ちょっとやりすぎだぜ」ロンが言った。しもべ妖精はロケットをひと目見るなり、衝撃と悲しみで大声を上げ、またもや床に突っ伏した。

クリーチャーをなだめるのに、ゆうに三十分はかかった。ブラック家の家宝を自分のものとして贈られ、感激に打ちのめされたクリーチャーは、きちんと立ち上がれないほどひざが抜けてしまっていた。やっとのことで、二、三歩ふらふらと歩けるようになったとき、三人とも納戸まで付き添い、クリーチャーが汚らしい毛布にロケットを後生大事に包み込むのを見守った。それから、クリーチャーの留守中は、ロケットを守ることを三人の最優先事項にすると固く約束した。

そしてクリーチャーは、ハリーとロンにそれぞれ深々とおじぎし、なんとハーマイオニーに向かっても小さくおかしなけいれんをした。うやうやしく敬礼しようとしたのかもしれない。そのあとでクリーチャーは、いつものように**バチン**と大きな音を立てて「姿くらまし」した。

第11章　賄賂

亡者がうようよしている湖から逃げられたくらいだから、マンダンガスを捕まえることなど、クリーチャーには数時間もあれば充分だろうと確信していたハリーは、期待感をつのらせて、午前中いっぱい、家の中をうろうろしていた。しかしクリーチャーは、その日の午前中にも、午後になってからも戻らなかった。日も暮れるころになると、ハリーはがっかりするとともに、心配になってきた。夕食も、ほとんどかび臭いパンばかりで、ハーマイオニーがさまざまな変身術をかけてはみたものの、どれもうまくいかず、ハリーは落ち込むばかりだった。

クリーチャーは次の日も、その次の日も帰らなかった。その一方、マント姿の二人の男が十二番地の外の広場に現れ、見えないはずの屋敷の方向をじっと見たまま、夜になっても動かなかった。

「死喰い人だな、まちがいない」

ハリーやハーマイオニーと一緒に、客間の窓からのぞいていたロンが言った。

「僕たちがここにいるって、知ってるんじゃないか？」

「そうじゃないと思うわ」

ハーマイオニーは、そう言いながらもおびえた顔だった。

「もしそうなら、スネイプを差し向けて私たちを追わせたはずよ。そうでしょう？」

「あのさ、スネイプはここに来て、マッド-アイの呪いで舌縛りになったと思うか？」ロンが聞いた。

「ええ」ハーマイオニーが言った。「そうじゃなかったら、スネイプはここへの入り方を、連中に教えることができたはずでしょう？　でもたぶん、あの人たちは、私たちが現れやしないかと見張っているんだわ。だって、ハリーがこの屋敷の所有者だと知っているんですもの」

「どうしてそんなことを――？」ハリーが聞きかけた。

「魔法使いの遺言書は、魔法省が調べるということ。覚えてるでしょう？　シリウスがあなたにこの場所を遺（のこ）したことは、わかるはずよ」

死喰い人が外にいるという事実が、十二番地の中の雰囲気をますます陰気にしていた。ウィーズリーおじさんの守護霊のほかは、グリモールド・プレイスの外からなんの連絡も入ってきていないことも加わって、ストレスがだんだん表に顔を出してきた。落ち着かないいらいら感から、ロンはポケットの中で「灯消しライター」をもてあそぶという、困ったくせがついてしまった。これには、特にハーマイオニーが腹を立てた。クリーチャーを待つ間、ハーマイオニーは『吟遊詩人ビードルの物語』を調べていたので、明かりがついたり消えたりするのが気に入らなかったのだ。

「やめてちょうだい！」

クリーチャーがいなくなって三日目の夜、またしても客間の灯（あか）りが吸い取られてしまったときに、ハーマイオニーが叫んだ。

「ごめん、ごめん！」

ロンは灯消しライターをカチッといわせて灯りを戻した。

「自分でも知らないうちにやっちゃうんだ！」

「ねえ、何か役に立つことをして過ごせないの？」

「どんなことさ。おとぎ話を読んだりすることとか？」

「ダンブルドアが私にこの本を遺したのよ、ロン――」

「――そして僕には『灯消しライター』を遺した。たぶん、僕は使うべきなんだ！」

口げんかに耐えられず、ハリーは二人に気づかれないようにそっと部屋を出て、厨房に向かった。

クリーチャーが現れる可能性が一番高いと思われる厨房に、ハリーは何度も足を運んでいた。しかし、玄関ホールに続く階段を中ほどまで下りたところで、玄関のドアをそっとたたく音が聞こえ、カチカチという金属音やガラガラという鎖の音がした。

神経の一本一本がぴんと張りつめた。ハリーは杖を取り出し、しもべ妖精の首が並んでいる階段脇の暗がりに移動して、じっと待った。ドアが開き、すきまから、街灯に照らされた小さな広場がちらりと見えた。マントを着た人影が、わずかに開いたドアから半身になって玄関ホールに入り、ドアを閉めた。侵入者が一歩進むと、マッド-アイの声がした。

「**セブルス・スネイプか？**」

やがてホールの奥でほこりの姿が立ち上がり、だらりとした死人の手を上げて、するすると向かっていった。

「アルバス、あなたを殺したのは私ではない」静かな声が言った。

呪いは破れ、ほこりの姿はまたしても爆発した。そのあとに残った、もうもうたる灰色のほこりを通して、侵入者を見分けるのは不可能だった。

ハリーは、そのほこりの真ん中に杖を向けて叫んだ。

「動くな！」

ハリーは、ブラック夫人の肖像画のことを忘れていた。ハリーの大声で、肖像画を隠していたカーテンがパッと開き、叫び声が始まった。

「穢れた血、わが屋敷の名誉を汚すクズども――」

ロンとハーマイオニーが、ハリーと同じように正体不明の男に杖を向けて、背後の階段をバタバタと駆け下りてきた。男はいまや両手を挙げて、下の玄関ホールに立っていた。

「撃つな、私だ。リーマスだ！」

「ああ、よかった」

ハーマイオニーは弱々しくそう言うなり、杖のねらいをブラック夫人の肖像画に変えた。バーンという音とともに、カーテンがまたシュッと閉まって静けさが戻った。ロンも杖を下ろしたが、ハリーは下ろさなかった。

「姿を見せろ！」ハリーは大声で言い返した。

ルーピンが降伏の証に両手を高く上げたまま、明るみに進み出た。

「私はリーマス・ジョン・ルーピン、狼人間で、時にはムーニーと呼ばれる。『忍びの地図』を製作した四人の一人だ。通常トンクスと呼ばれる、ニンファドーラと結婚した。君に『守護霊』の術を教えたが、ハリー、それは牡鹿の形を取る」

「ああ、それでいいです」

ハリーが杖を下ろしながら言った。

「でも、確かめるべきだったでしょう？」

「『闇の魔術に対する防衛術』の元教師としては、確かめるべきだという君の意見に賛成だ。ロン、ハーマイオニー、君たちは、あんなに早く警戒を解いてはいけないよ」

三人は階段を駆け下りた。厚い黒の旅行用マントを着たルーピンは、つかれた様子だったが、三人を見てうれしそうな顔をした。

「それじゃ、セブルスの来る気配はないのかい？」ルーピンが聞いた。

「ないです」ハリーが答えた。「どうなっているの？　みんな大丈夫なの？」

「ああ」ルーピンが言った。「しかし、我々は全員見張られている。外の広場に、死喰い人が二人いるし――」

「――知ってます――」

「――私は連中に見られないように、玄関の外階段の一番上に正確に『姿あらわし』しなければならなかった。連中は、君たちがここにいるとは気づいていない。知っていたら、外にもっと人を置くはずだ。ハリー、やつらは、君と関係のあった所はすべて見張っている。さあ、下に行こう。君たちに話したいことがたくさんあるし、それに君たちが『隠れ穴』からいなくなったあとで何があったのかを知りたい」

四人は厨房に下り、ハーマイオニーが杖を火格子に向けた。たちまち燃え上がった火が、そっけない石の壁をいかにも心地よさそうに見せ、木製の長いテーブルを輝かせた。ルーピンが旅行用マントからバタービールを取り出し、みんなでテーブルを囲んだ。

「ここには三日前に来られるはずだったのだが、死喰い人の追跡を振り切らなければならなくてね」ルーピンが言った。

「それで、君たちは結婚式のあと、まっすぐにここに来たのかね？」

「いいえ」ハリーが言った。「トテナム・コート通りのカフェで、二人の死喰い人と出くわして、そのあとです」

「**なんだって？**」

ルーピンは、バタービールをほとんどこぼしてしまった。

三人から事のしだいを聞き終えたルーピンは、一大事だという顔をした。

「しかし、どうやってそんなに早く見つけたのだろう？　姿を消す瞬間に捕まえていなければ、『姿くらまし』した者を追跡するのは不可能だ！」

「それに、その時二人が偶然トテナム・コート通りを散歩していたなんて、ありえないでしょう？」ハリーが言った。

「私たち、疑ったの」ハーマイオニーが遠慮がちに言った。「ハリーがまだ『におい』をつけているんじゃないかって」

「それはないな」ルーピンが言った。

ロンはそれ見ろという顔をし、ハリーは大いに安心した。

「ほかのことはさておき、もしハリーにまだ『におい』がついているなら、あいつらはここにハリーがいることを必ずかぎつけるはずだろう？　しかし、どうやってトテナム・コート通りまで追ってこられたのかが、私にはわからない。気がかりだ。実に気になる」

ルーピンは動揺していた。しかし、ハリーにとってはその問題は後回しでよかった。

「僕たちがいなくなったあと、どうなったか話して。ロンのパパが、みんな無事だって教えてくれたけど、そのあとなんにも聞いていないんだ」

「そう、キングズリーのおかげで助かった」ルーピンが言った。「あの警告のおかげで、ほとんどの客は、あいつらが来る前に『姿くらまし』できた」

「死喰い人だったの？　それとも魔法省の人たち？」ハーマイオニーが口をはさんだ。

「両方だ。というより、いまや実質的に両者にはほとんどちがいがないと言える」

ルーピンが言った。

「十二人ほどいたが、ハリー、連中は君があそこにいたことを知らなかった。アーサーが聞いたうわさでは、あいつらは君の居場所を聞き出そうとして、スクリムジョールを拷問した上、殺したらしい。もしそれがほんとうなら、あの男は君を売らなかったわけだ」

ハリーはロンとハーマイオニーを見た。二人ともハリーと同じく、驚きと感謝が入りまじった顔をしていた。ハリーはスクリムジョールがあまり好きではなかったが、ルーピンの言うことが事実なら、スクリムジョールは最後にハリーを護ろうとしたのだ。

「死喰い人たちは、『隠れ穴』を上から下まで探した」

ルーピンが話を続けた。

「屋根裏お化けを発見したが、あまりそばまでは近づきたがらなかった——そして、残っていた者たちを、何時間もかけて尋問した。君に関する情報を得ようとしたんだよ、ハリー。しかし、もちろん、騎士団の者以外は、君が『隠れ穴』にいたことを知らなかったんだ」

「結婚式をめちゃめちゃにすると同時に、ほかの死喰い人たちは、国中の騎士団に関係する家すべてに侵入した。いや、誰も死んではいないよ」

質問される前にルーピンが急いで最後の言葉をつけ加えた。

「ただし連中は、手荒なまねをした。ディーダラス・ディグルの家を焼き払った。だが知ってのとおり、本人は家にいなかったがね。トンクスの家族は『磔の呪文』をかけられた。そこでもまた、君があそこに着いたあと、どこに行ったかを聞き出そうとしたわけだ。二人とも無事だ——もちろんショックを受けてはいるが、それ以外は大丈夫だ」

「死喰い人は、保護呪文を全部突破したの？」

トンクスの両親の家の庭に墜落した夜、呪文がどんなに効果的だったかを思い出して、ハリーが聞いた。

「ハリー、いまでは魔法省のすべての権力が、死喰い人の側にあることを認識すべきだね」

ルーピンが言った。

「あの連中は、どんな残酷な呪文を行使しても、身元を問われたり逮捕されたりする恐れがない。そういう力を持ったのだ。我々がかけたあらゆる死喰い人よけの呪文を、連中は破り去った。そして、いったんその内側に入ると、連中は侵入の目的をむき出しにしたんだ」

「拷問してまでハリーの居場所を聞き出そうとするのに、理由をこじつけようともしなかったわけ？」

ハーマイオニーは痛烈な言い方をした。

「それが」

ルーピンは、ちょっと躊躇してから、折りたたんだ「日刊予言者新聞」を取り出した。

「ほら」ルーピンは、テーブルのむかい側から、ハリーにそれを押しやった。「いずれ君にもわかることだ。君を追う口実は、それだよ」

ハリーは新聞を広げた。自分の顔の写真が、大きく一面を占めている。ハリーは大見出しを読んだ。

アルバス・ダンブルドアの死にまつわる疑惑
尋問のため指名手配中

ロンとハーマイオニーが唸り声を上げて怒ったが、ハリーは何も言わずに新聞を押しやった。それ以上読みたくもなかった。読まなくともわかる。ダンブルドアが死んだときに塔の屋上にいた者以外は、誰がほんとうにダンブルドアを殺したかを知らない。そして、リータ・スキーターがすでに魔法界に語ったように、ダンブルドアが墜落した直後に、ハリーはそこから走り去るのを目撃されている。

「ハリー、同情する」ルーピンが言った。

「それじゃ、死喰い人は『日刊予言者』も乗っ取ったの？」

ハーマイオニーはかんかんになった。

ルーピンがうなずいた。

「だけど、何事が起こっているか、みんなにわからないはずはないわよね？」

「クーデターは円滑に、事実上沈黙のうちに行われた」ルーピンが言った。「スクリムジョールの殺害は、公式には辞任とされている。後任はパイアス・シックネスで、『服従の呪文』にかけられている」

「ヴォルデモートはどうして、自分が魔法大臣だと宣言しなかったの？」ロンが聞いた。

ルーピンが笑った。

「ロン、宣言する必要はない。**事実上**やつが大臣なんだ。しかし、何も魔法省で執務する必要はないだろう？　傀儡（かいらい）のシックネスが日常の仕事をこなしていれば、ヴォルデモートは身軽に、魔法省を超えたところで勢力を拡大できる」

「もちろん、多くの者が、何が起きたのかを推測した。この数日の間に、魔法省の政策が百八十度転換したのだから、ヴォルデモートが糸を引いているにちがいないとささやく者は多い。しかし、ささやいている、という所が肝心なのだ。誰を信じてよいかわからないのに、互いに本心を語り合う勇気はない。もし自分の疑念が当たっていたら、自分の家族がねらわれるかもしれないと恐れて、おおっぴらには発言しない。そうなんだ。ヴォルデモートは非常にうまい手を使っている。大臣宣言をすれば、あからさまな反乱を誘発していたかもしれない。黒幕にとどまることで、混乱や不安や恐怖を引き起こしたのだ」

「それで、魔法省の政策の大転換というのは」ハリーが口をはさんだ。「魔法界に対して、ヴォルデモートではなく、僕を警戒するようにということなんですか？」

「もちろんそれもある」ルーピンが言った。「それに、それが政策の見事なところだ。ダンブルドアが死んだいま、君が――生き残った男の子が――ヴォルデモートへの抵抗勢力の象徴的存在となり、扇動の中心になることはまちがいない。しかし、君が昔の英雄の死に関わったと示唆することで、君の首に懸賞金をかけたばかりでなく、君を擁護する可能性のあったたくさんの魔法使いの間に、疑いと恐れの種をまいたことになる」

「一方、魔法省は、反『マグル生まれ』の動きを始めた」

ルーピンは「日刊予言者」を指差した。

「二面を見てごらん」

ハーマイオニーは『深い闇の秘術』に触れたときと同じ表情で、おぞましそうに新聞をめくった。

「『マグル生まれ登録』」ハーマイオニーは、声を出して読んだ。「『魔法省は、いわゆる「マグル生まれ」の調査を始めた。彼らがなぜ魔法の秘術を所有するようになったかの理解を深めるためだ』

『神秘部による最近の調査によれば、魔法は、魔法使いの子孫が生まれることによってのみ、人から人へと受け継がれる。それ故、いわゆるマグル生まれの者が魔法力を持つ場合、魔法使いの祖先を持つことが証明されないならば、窃盗または暴力によって得た可能性がある』

『魔法省は、かかる魔法力の不当な強奪者を根絶やしにすることを決意し、その目的のために、すべてのいわゆるマグル生まれの者に対して、新設の「マグル生まれ登録委員会」による面接に出頭するよう招請した』」

「そんなこと、みんなが許すもんか」ロンが言った。

「ロン、もう**始まっているんだ**」ルーピンが言った。「こうしている間にも、マグル生まれ狩が進んでいる」

「だけど、どうやって魔法を『盗んだ』って言うんだ？」ロンが言った。「まともじゃないよ。魔法が盗めるなら、スクイブはいなくなるはずだろ？」

「そのとおりだ」ルーピンが言った。「にもかかわらず、近親者に少なくとも一人魔法使いがいることを証明できなければ、不法に魔法力を取得したとみなされ、罰を受けなければならない」

ロンは、ハーマイオニーをちらりと見て言った。

「純血や半純血の誰かがマグル生まれの者を、家族の一員だと宣言したらどうかな？　僕、ハーマイオニーがいとこだって、みんなに言うよ――」

ハーマイオニーは、ロンの手に自分の手を重ねて、ギュッと握った。

「ロン、ありがとう。でも、あなたにそんなことさせられないわ――」

「君には選択の余地がないんだ」ロンがハーマイオニーの手を握り返して、強い口調で言った。「僕の家系図を教えるよ。君が質問に答えられるように」

ハーマイオニーは弱々しく笑った。

「ロン、私たちは、最重要指名手配中のハリー・ポッターと一緒に逃亡しているのよ。だから、そんなことは問題にならないわ。私が学校に戻るなら、事情はちがうでしょうけれど。ヴォルデモートは、ホグワーツにどんな計画を持っているの？」

ハーマイオニーがルーピンに聞いた。

「学齢児童は、魔女も魔法使いも学校に行かなければならなくなった」

ルーピンが答えた。

「告知されたのはきのうだ。これまでは義務ではなかったから、これは一つの変化だ。もちろん、イギリスの魔女、魔法使いはほとんどホグワーツで教育を受けているが、両親が望めば、家庭で教育することも、外国に留学させることもできる権利があった。入学の義務化で、ヴォルデモートは、この国の魔法界の全人口を学齢時から監視下に置くことになる。またそれが、マグル生まれを取りのぞく一つの方法にもなる。なぜなら、入学を許可されるには『血統書』――つまり、魔法省から、自分が魔法使いの子孫であることを証明するという証をもらわなければならないからだ」

ハリーは、怒りで吐き気をもよおした。いまこの時にも、十一歳の子供たちが胸を躍らせて、新しく買った何冊もの呪文集に見入っていることだろう。ホグワーツを見ずじまいになることも、おそらく家族にも二度と会えなくなるだろうことも知らずに。

「それは……それって……」

ハリーは言葉に詰まった。頭に浮かんだ恐ろしい考えを、充分に言い表す言葉を探してもがいた。しかし、ルーピンが静かに言った。

「わかっているよ」

それからルーピンは躊躇しながら言った。

「ハリー、これから言うことを、君にそうだと認められなくともかまわないが、騎士団は、ダンブルドアが君に、ある使命を遺したのではないかと考えている」

「そうです」ハリーが答えた。「それに、ロンとハーマイオニーも同じ使命を帯びて、僕と一緒に行きます」

「それがどういう使命か、私に打ち明けてはくれないか？」

ハリーは、ルーピンの顔をじっと見た。豊かな髪は白髪が増え、年より老けてしわの多い顔を縁取っている。ハリーは、別な答えができたらよいのにと思った。

「リーマス、ごめんなさい。僕にはできない。ダンブルドアがあなたに話していないのなら、僕からは話せないと思う」

要はない」

「しかし、それでも私は君の役に立つかもしれない。私が何者で、何ができるか、知っているね。君に同行して、護ってあげられるかもしれない。君が何をしようとしているかを、はっきり話してくれる必要はない」

ハリーは迷った。受け入れたくなる申し出だった。しかし、ルーピンがいつも一緒にいるとなると、どうやったら三人の任務を秘密にしておけるのか、考えが浮かばなかった。

ところが、ハーマイオニーはけげんそうな顔をした。

「でも、トンクスはどうなるの？」

「トンクスがどうなるって？」ルーピンが聞き返した。

「だって」ハーマイオニーが顔をしかめた。「あなたたちは結婚しているわ！　あなたが私たちと一緒に行ってしまうことを、トンクスはどう思うかしら？」

「トンクスは、完全に安全だ」ルーピンが言った。「実家に帰ることになるだろう」

ルーピンの言い方に、何か引っかかるものがあった。ほとんど冷たい言い方と言ってもよかった。トンクスが両親の家に隠れて過ごすという考えも、何か変だった。トンクスは、なんと言っても騎士団のメンバーだし、ハリーが知るかぎり、戦いの最中にいたがる性分だ。

「リーマス」ハーマイオニーが遠慮がちに聞いた。「うまくいっているのかしら……あの……あなたと——」

「すべてうまくいっている。どうも」ルーピンは、余計な心配だと言わんばかりだった。

ハーマイオニーは赤くなった。しばらく間が空いた。気詰まりでばつの悪い沈黙だったが、やがてルーピンが、意を決して不快なことを認めるという雰囲気で口を開いた。

「トンクスは妊娠している」

「まあ、すてき！」ハーマイオニーが歓声を上げた。

「いいぞ！」ロンが心から言った。

「おめでとう」ハリーが言った。

ルーピンは作り笑いをしたが、むしろしかめっ面に見えた。

「それで……私の申し出を受けてくれるのか？　三人が四人になるか？　ダンブルドアが承知しないとは考えられない。なんと言っても、あの人が私を『闇の魔術に対する防衛術』の教師に任命したんだからね。それに、言っておくが、我々は、ほとんど誰も出会ったことがなく、想像したこともないような魔法と対決することになるにちがいない」

ロンとハーマイオニーが、同時にハリーを見た。

「ちょっと――ちょっと確かめたいんだけど」ハリーが言った。「トンクスを実家に置いて、僕たちと一緒に来たいんですか？」

「あそこにいれば、トンクスは完璧に安全だ。両親が面倒を見てくれるだろう」

ルーピンが言った。ルーピンの言い方は、ほとんど冷淡と言ってよいほどきっぱりしていた。

「ハリー、ジェームズならまちがいなく、私に君と一緒にいてほしいと思ったにちがいない」

「さあ」

ハリーは、考えながらゆっくりと言った。

「僕はそうは思わない。はっきり言って、僕の父はきっと、あなたがなぜ自分自身の子供と一緒にいないのかと、わけを知りたがっただろうと思う」

ルーピンの顔から血の気が失せた。厨房の温度が十度も下がってしまったかのようだった。ロンは、まるで厨房を記憶せよと命令されたかのようにじっと見回したし、ハーマイオニーの目は、ハリーとルーピンの間を目まぐるしく往ったり来たりした。

「君にはわかっていない」しばらくして、やっとルーピンが口を開いた。

「それじゃ、わからせてください」ハリーが言った。

ルーピンは、ゴクリと生つばを飲んだ。

「私は――私はトンクスと結婚するという、重大な過ちを犯した。自分の良識に逆らう結婚だった。それ以来、ずっと後悔してきた」

「そうですか」ハリーが言った。「それじゃ、トンクスも子供も捨てて、僕たちと一緒に逃亡するというわけですね？」

ルーピンはパッと立ち上がり、椅子が後ろにひっくり返った。ハリーをにらみつける目のあまりの激しさに、ハリーはルーピンの顔に初めて狼の影を見た。

「わからないのか？　妻にも、まだ生まれていない子供にも、私が何をしてしまったか。トンクスと結婚すべきではなかった。私はあれを、世間ののけ者にしてしまった！」

ルーピンは、倒した椅子を蹴りつけた。

「君は、私が騎士団の中にいるか、ホグワーツでダンブルドアの庇護の下にあった姿しか見てはいない！　魔法界の大多数の者が、私のような生き物をどんな目で見るか、君は知らないんだ！　私が背負っている病がわかると、連中はほとんど口もきいてくれない！　私が何をしてしまったのか、わからないのか？　トンクスの家族でさえ、私たちの結婚には嫌悪感を持ったんだ。一人娘を狼人間に嫁がせたい親がどこにいる？　それに子供は――子供は――」

ルーピンは自分の髪を両手でわしづかみにし、発狂せんばかりだった。

「私の仲間は、普通は子供を作らない！　私と同じになる。そうにちがいない――それを知りながら、罪もない子供にこんな私の状態を受け継がせる危険をおかした自分が許せない！　もしも奇跡が起こって、子供が私のようにならないとしたら、その子には父親がいないほうがいい。自分が恥に思うような父親は、いないほうが百倍もいい！」

「リーマス！」

ハーマイオニーが目に涙を浮かべて、小声で言った。

「そんなことを言わないで――あなたのことを恥に思う子供なんて、いるはずがないでしょう？」

「へえ、ハーマイオニー、そうかな」ハリーが言った。「僕なら、とても恥ずかしいと思うだろうな」

ハリーは、自分の怒りがどこから来ているかわからなかったが、その怒りがハリーを立ち上がらせた。ルーピンは、ハリーになぐられたような顔をしていた。

「新しい体制が、マグル生まれを悪だと考えるなら」ハリーは話し続けた。「あの連中は、騎士団員の父親を持つ半狼人間をどうするでしょう？　僕の父は母と僕を護ろうとして死んだ。それなのに、その父があなたに、子供を捨てて僕たちと一緒に冒険に出かけろと、そう言うとでも思うんですか？」

「よくもそんなことが――そんなことが言えるな」ルーピンが言い返した。「何かを望んでのことじゃない――冒険とか個人的な栄光とか――どこをつついたらそんなものが出て――」

「あなたは、少し向こう見ずな気持ちになっている」ハリーが言った。「シリウスと同じことをしたいと思っている――」

「ハリー、やめて！」

ハーマイオニーがすがるように言ったが、ハリーは、青筋を立てたルーピンの顔をにらみつけたままだった。

「僕には信じられない」ハリーが言葉を続けた。「僕に吸魂鬼との戦い方を教えた人が——腰ぬけだったなんて」

ルーピンは杖を抜いた。あまりの速さに、ハリーは自分の杖に触れる間もなかった。バーンと大きな音とともに、ハリーは、なぐり倒されたように仰向けに吹っ飛ぶのを感じた。厨房の壁にぶつかり、ずるずると床にすべり落ちたとき、ハリーは、ルーピンのマントの端がドアのむこうに消えるのをちらりと目にした。

「リーマス、リーマス、戻ってきて！」

ハーマイオニーが叫んだが、ルーピンは応えなかった。まもなく玄関の扉がバタンと閉まる音が聞こえた。

「ハリー！」ハーマイオニーは泣き声だった。「あんまりだわ！」

「いくらでも言ってやる」

そう言うと、ハリーは立ち上がった。壁にぶつかった後頭部にこぶがふくれ上がるのを感じた。怒りが収まらず、ハリーはまだ体を震わせていた。

「そんな目で僕を見るな！」ハリーはハーマイオニーにかみついた。

「ハーマイオニーに八つ当たりするな！」ロンが唸るように言った。

「だめ——だめよ——けんかしちゃだめ！」

ハーマイオニーが二人の間に割って入った。

「あんなこと、ルーピンに言うべきじゃなかったぜ」ロンがハリーに言った。

「身から出たさびだ」

ハリーの心には、バラバラなイメージが目まぐるしく出入りしていた。ベールのむこうに倒れるシリウス、宙に浮くダンブルドアの折れ曲がった体、緑の閃光と母親の叫び声、哀れみを請う声……。

「親は」ハリーが言った。「子供から離れるべきじゃない。でも──でも、どうしてもというときだけは」

「ハリー──」

ハーマイオニーが、なぐさめるように手を伸ばした。しかしハリーはその手を振り払って、ハーマイオニーの作り出した火を見つめながら、暖炉のほうに歩いた。一度この暖炉の中からルーピンと話をしたことがある。父親のことで確信が持てなくなったときだ。ルーピンは、ハリーをなぐさめてくれた。いまは、ルーピンが苦しんでいる。蒼白な顔が、ハリーの目の前をぐるぐると回っているような気がした。後悔がどっと押し寄せてきて、ハリーは気分が悪くなった。ロンもハーマイオニーもだまっている。しかし、二人が背後で見つめ合い、無言の話し合いをしているにちがいないと感じた。

振り向くと、二人はあわてて顔をそむけ合った。

「わかってるよ。ルーピンを腰ぬけ呼ばわりすべきじゃなかった」

「ああ、そうだとも」ロンが即座に言った。

「だけどルーピンは、そういう行動を取った」

「それでもよ……」ハーマイオニーが言った。

「わかってる」ハリーが言った。「でも、それでルーピンがトンクスの所に戻るなら、言ったかいがあった。そうだろう?」

ハリーの声には、そうであってほしいという切実さがにじんでいた。ハーマイオニーはわかってくれたようだったが、ロンはあいまいな表情だ。ハリーは足元を見つめて父親のことを考えた。ジェームズは、ハリーがルーピンに言ったことを肯定してくれるだろうか、それとも息子が旧友にあのような仕打ちをしたことを怒るだろうか?

静かな厨房が、ついさっきの場面の衝撃と、ロンとハーマイオニーの無言の非難でジンジン鳴っているような気がした。ルーピンが持ってきた「日刊予言者新聞」がテーブルに広げられたままで、一面のハリーの写真が天井をにらんでいた。ハリーは新聞に近づいて腰をかけ、脈絡もなく紙面をめくって読んでいるふりをした。まだルーピンとのやり取りのことで頭がいっぱいで、文字は頭に入らなかった。「予言者新聞」のむこう側では、ロンとハーマイオニーが、また無言の話し合いを始めたにちがいない。ハリーは大きな音を立ててページをめくった。すると、ダンブルドアの名前が目に飛び込んできた。家族の写真がある。その意味が飲み込めるまで、ひと呼吸かふた呼吸かかった。写真の下に説明がある。

ダンブルドア一家。左からアルバス、生まれたばかりのアリアナを抱くパーシバル、ケンドラ、アバーフォース

目が吸い寄せられ、ハリーは写真をじっくり見た。ダンブルドアの父親のパーシバルは美男子で、セピア色の古い写真にもかかわらず、目がいたずらっぽく輝いている。赤ん坊のアリアナは、パン一本より少し長いくらいで、顔形もパンと同じようによくわからない。母親のケンドラは、漆黒の髪を髷にして頭の高い所でとめている。彫刻のような雰囲気の顔だ。ハイネックの絹のガウンを着ていたが、その黒い瞳、ほお骨の張った顔、まっすぐな鼻を見ていると、ハリーはアメリカ先住民の顔を思い起こした。アルバスとアバーフォースは、おそろいのレースの襟のついた上着を着て、肩で切りそろえたまったく同じ髪型をしていた。アルバスがいくつか年上には見えたが、それ以外は二人はとてもよく似ていた。これは、アルバスの鼻が折れる前で、めがねをかける前のことだからだ。

ごく普通の幸せな家族に見えた。写真は新聞から平和に笑いかけている。赤ん坊のアリアナが、おく

るみから出した腕をかすかに振っている。ハリーは写真の上の見出しを読んだ。

リータ・スキーター著

アルバス・ダンブルドアの伝記〔近日発売〕より抜粋《独占掲載》

落ち込んだ気持ちがこれ以上悪くなることはないだろうと、ハリーは読みはじめた。

夫のパーシバルが逮捕され、アズカバンに収監されたことが広く報じられたあと、誇り高く気位の高いケンドラ・ダンブルドアは、モールド-オン-ザ-ウォルドに住むことが耐えられなくなった。そこで、そこを引き払い、家族全員でゴドリックの谷に移ることを決めた。この村は、後日、ハリー・ポッターが「例のあの人」から不思議にも逃れた事件で有名になった。

モールド-オン-ザ-ウォルド同様、ゴドリックの谷にも多くの魔法使いが住んでいたが、ケンドラの顔見知りは一人もおらず、それまで住んでいた村のように、夫の犯罪のことで好奇の目を向けられることはないだろうと、ケンドラは考えた。新しい村では、近所の魔法使いたちの親切な申し出をくり返し断ることで、ケンドラはまもなく、ひっそりとした家族だけの暮らしを確保した。

「私が手作りの大鍋ケーキを持って、引っ越し祝いにいったときなんぞ、鼻先でドアを閉められたよ」バチルダ・バグショットはそう語った。「ここに越してきた最初の年は、二人の息子をときどき見かけるだけだった。その年の冬に、私が月明かりで鐘鳴り草をつんでいなかったら、娘がいることは知らずじまいだったろうね。その時に、ケンドラがアリアナを裏庭に連れ出しているのを見たんだよ。娘の手をしっかり握って芝生を一周させ、また家の中に連れ戻した。いったいどう考えていいやら、わからなかったよ」

ケンドラはゴドリックの谷への引っ越しが、アリアナを永久に隠してしまうにはもってこいの機会だと考えたようだ。彼女はたぶん何年も前から、そのことを計画していたのだろう。タイミングに重要な意味がある。アリアナが人前から消えたときは、やっと七つになるかならないかの年だった。七歳というのは、魔法力がある場合には、それがあらわれる年だということで多くの専門家の意見が一致する。現在生きている魔法使いの中で、ほんのわずかにでも魔法力を示したアリアナを記憶している者はいない。つまり、ケンドラが、スクイブを生んだ恥に耐えるより、娘の存在を隠してしまおうと決めたのは明らかだ。アリアナを知る友人や近所の人たちから遠ざかることで、アリアナを閉じ込めやすくなったのはもちろんのことだ。それまでアリアナの存在を知っていたごくわずかの者は、秘密を守ると信用できる人たちばかりで、たとえば二人の兄は、母親に教え込まれた答えで都合の悪い質問をかわした。「妹は体が弱くて学校には行けない」

次回掲載は来週「ホグワーツでのアルバス・ダンブルドア――語り草か騙り者か」

ハリーの考えは甘かった。読んだあと、ますます気持ちが落ち込んだ。ハリーは、一見幸せそうな家族の写真をもう一度見た。ほんとうだろうか？　どうやったら確認できるのだろう？　ハリーはゴドリックの谷に行きたかった。たとえバチルダがハリーに話せるような状態ではなくとも、行きたかった。ダンブルドアも自分も、ともに愛する人たちを失った場所に行ってみたい。ロンとハーマイオニーの意見を聞こうと、ハリーが新聞を下ろしかけたその時、**バチン**と厨房中に響く大きな音がした。

この三日間で初めて、ハリーはクリーチャーのことをすっかり忘れていた。とっさにハリーは、ルーピンがすさまじい勢いで厨房に戻ってきたのではないかと思ったので、自分の座っている椅子のすぐ脇に突如現れて手足をばたつかせている塊がなんなのか、一瞬わけがわからなかった。ハリーが急いで立ち上がると、塊から身をほどいたクリーチャーが深々とおじぎし、しわがれ声で言った。

「ご主人様、クリーチャーは盗っ人のマンダンガス・フレッチャーを連れて戻りました」

あたふたと立ち上がったマンダンガスが杖を抜いたが、ハーマイオニーの速さにはかなわなかった。

「**エクスペリアームス！　武器よ去れ！**」

マンダンガスの杖が宙に飛び、ハーマイオニーがそれをとらえた。マンダンガスは、狂ったように目をぎょろつかせて階段へとダッシュしていったが、ロンにタックルをかけられ、グシャッと鈍い音を立てて石の床に倒れた。

「なんだよぅ？」

がっちりつかんでいるロンの手から逃れようと、身をよじりながらマンダンガスが叫んだ。

「俺が何したって言うんだ？　屋敷しもべ野郎をけしかけやがってよぅ。いったい何ふざけてやがんだ。俺が何したって言うんだ。放せ、放しやがれ、さもねえと――」

「脅しをかけられるような立場じゃないだろう」

ハリーは新聞を投げ捨て、ほんの数歩で厨房を横切りマンダンガスのかたわらにひざをついた。マンダンガスはじたばたするのをやめ、おびえた顔になっていた。ロンは息をはずませながら立ち上がり、ハリーが慎重にマンダンガスの鼻に杖を突きつけるのを見ていた。マンダンガスは、すえた汗とタバコのにおいをプンプンさせて、髪はもつれ、ローブは薄汚れていた。

「ご主人様、クリーチャーは盗っ人を連れてくるのが遅れたことをおわびいたします」

しもべ妖精がしわがれ声で言った。

「フレッチャーは捕まらないようにする方法を知っていて、隠れ家や仲間をたくさん持っています。それでもクリーチャーは、とうとう盗っ人を追いつめました」

「クリーチャー、君はほんとによくやってくれたよ」

ハリーがそう言うと、しもべ妖精は深々と頭を下げた。

「さあ、おまえに少し聞きたいことがあるんだ」

ハリーが言うと、マンダンガスはすぐさまわめきだした。

「うろたえっちまったのよぅ、いいか？　俺はよぅ、一緒に行きてぇなんて、いっぺんも言ってねえ。へん、悪く思うなよ。けどなぁ、おめえさんのためにすすんで死ぬなんて、一度も言ってねえ。そんで、あの『例のあの人』野郎が、俺めがけて飛んできやがってよぅ。誰だって逃げらぁね。俺はよぅ、はじめっからやりたくねえって――」

「言っておきますけど、ほかには誰も『姿くらまし』した人はいないわ」ハーマイオニーが言った。

「へん、おめえさんたちは、そりゃご立派な英雄さんたちでござんしょうよ。だけどよぅ、俺はいっぺんだって、てめえが死んでもいいなんて、かっこつけたこたぁねえぜ――」

「おまえがなぜマッド-アイを見捨てて逃げたかなんて、僕たちには興味はない」

ハリーはマンダンガスの血走って垂れ下がった目に、さらに杖を近づけた。

「おまえが信頼できないクズだってことは、僕たちにはとっくにわかっていた」

「ふん、そんなら、なんで俺はしもべ妖精に狩り出されなきゃなんねえ？　それとも、また例のゴブレットのことか？　もう一っつも残ってねえよ。そんでなきゃ、おまえさんにやるけどよぅ――」

「ゴブレットのことでもない。もっとも、なかなかいい線いってるけどね」ハリーが言った。「だまって聞け」

何かすることがあるのはいい気分だった。ほんの少しでも、誰かに真実を話せと言えるのはいい気分だった。鼻柱にくっつくほど近くに突きつけられたハリーの杖から、目を離すまいとしてマンダンガスは寄り目になっていた。

「おまえがこの屋敷から貴重品をさらっていったとき」

ハリーは話しはじめたが、またしてもマンダンガスにさえぎられた。

「シリウスはよぅ、気にしてなかったぜ、がらくたのことなんぞ――」

パタパタという足音がして、銅製の何かがピカリと光ったかと思うと、グワーンと響く音と痛そうな悲鳴が聞こえた。クリーチャーがマンダンガスに駆け寄って、ソース鍋で頭をなぐったのだ。

「こいつをなんとかしろ、やめさせろ。檻に入れとけ！」

クリーチャーがもう一度分厚い鍋を振り上げたので、マンダンガスは頭を抱えて悲鳴を上げた。

「クリーチャー、よせ！」ハリーが叫んだ。

クリーチャーの細腕が、高々と持ち上げた鍋の重さでわなわな震えていた。

「ご主人様、もう一度だけよろしいでしょうか？　ついでですから」

ロンが声を上げて笑った。

「クリーチャー、気を失うとまずいんだよ。だけど、こいつを説得する必要が出てきたら、君にその仕切り役をはたしてもらうよ」

「ありがとうございます、ご主人様」

クリーチャーはおじぎをして、少し後ろに下がったが、大きな薄い色の目で、憎々しげにマンダンガスをにらみつけたままだった。

「おまえがこの屋敷から、手当たりしだいに貴重品を持ち出したとき」ハリーはもう一度話しはじめた。

かった。

「厨房の納戸からもひと抱え持ち去った。その中にロケットがあった」

ハリーは、突然口の中がからからになった。ロンとハーマイオニーも緊張し、興奮しているのがわかった。

「それをどうした？」

「なんでだ？」マンダンガスが聞いた。「値打ちもんか？」

「まだ持っているんだわ！」ハーマイオニーが叫んだ。

「いや、持ってないね」ロンが鋭く見抜いた。「もっと高く要求したほうがよかったんじゃないかって、そう思ってるんだ」

「もっと高く？」マンダンガスが言った。「そいつぁどえらく簡単にできたただろうぜ……いまいましいが、ただでくれてやったんでよぅ。どうしようもねえ」

「どういうことだ？」

「俺はダイアゴン横丁で売ってたのよ。そしたらあの女が来てよぅ、魔法製品を売買する許可を持ってるか、ときやがった。まったくよけいなお世話だぜ。罰金を取るとぬかしやがった。けどロケットに目をとめてよぅ、それをよこせば、今度だけは見逃してやるから幸運と思え、とおいでなすった」

「その魔女、誰だい？」ハリーが聞いた。

「知らねえよ。魔法省のばばぁだ」

マンダンガスは、眉間にしわを寄せて一瞬考えた。

「小せえ女だ。頭のてっぺんにリボンだ」

マンダンガスは、顔をしかめてもう一言言った。

「ガマガエルみてえな顔だったな」

ハリーは杖を取り落とした。それがマンダンガスの鼻に当たって赤い火花が眉に飛び、眉毛に火がついた。

「**アグアメンティ！　水よ！**」

ハーマイオニーの叫びとともに杖から水が噴き出し、アワアワ言いながらむせ込んでいるマンダンガスを包み込んだ。

顔を上げたハリーは、自分が受けたと同じ衝撃が、ロンとハーマイオニーの顔にも表れているのを見た。右手の甲の傷痕が、再びうずくような気がした。

第12章　魔法は力なり

八月も残り少なくなり、伸び放題だったグリモールド・プレイス広場の中央にある草は、暑さでしなび、こげ茶色に干からびていた。十二番地の住人は、周囲の家の誰とも顔を合わせず、十二番地そのものも誰にも見られていなかった。グリモールド・プレイスのマグルの住人は、十一番地と十三番地が隣り合わせになっているというまぬけなまちがいに、ずいぶん前から慣れっこになっていた。

にもかかわらず、不ぞろいの番地に興味を持ったらしい訪問者が、ぽつりぽつりとこの広場を訪れていた。ほとんど毎日のように、一人二人とグリモールド・プレイスにやってきては、それ以外にはなんの目的もないのに――少なくともはた目にはそう見えたが――十一番地と十三番地に面した柵に寄りかかり、二軒の家の境目を眺めていた。同じ人間が二日続けて来ることはなかった。ただし、あたりまえの服装を嫌うという点では、全員が共通しているように見えた。突拍子もない服装を見慣れている通りすがりのロンドンっ子たちは、たいがい、ほとんど気にもとめない様子だったが、たまに振り返る人は、この暑いのにどうして長いマントを着ているのだろうと、いぶかるような目で見ていた。

見張っている訪問者たちは、ほとんど満足な成果が得られない様子だった。ときどき、とうとう何かおもしろいものが見えたとでもいうように、興奮した様子で前に進み出ることがあったが、結局失望してまた元の位置に戻るのだった。

九月の最初の日には、これまでより多くの人数が広場を徘徊(はいかい)していた。長いマントを着た男が六人、押しだまって目を光らせ、いつものように十一番地と十三番地の家を見つめていた。しかし、待っているものがなんであれ、それをまだつかみきれてはいないようだった。夕方近くになって、にわかにここ何週間かなかったような冷たい雨が降りだした。その時、見張りたちは、何がそうさせるのかは不明だったが、またしても何かおもしろいものを見たようなそぶりを見せた。ひん曲がった顔の男が指差し、その一番近くにいた青白いずんぐりした男が前に進んだ。しかし次の瞬間、男たちはまた元のように動かない状態に戻り、いらいらしたり落胆したりしているようだった。

その時、十二番地では、ハリーがちょうど玄関ホールに入ってきたばかりだった。扉の外の石段の一番上に「姿あらわし」したときにバランスを崩しかけ、一瞬「マント」から突き出たひじを死喰い人に見られたかもしれないと思った。玄関の扉をしっかり閉め、ハリーは透明マントを脱いで腕にかけ、薄暗いホールを地下への入口へと急いだ。その手には、失敬してきた「日刊予言者新聞」がしっかり握られていた。

いつものように「**セブルス・スネイプか？**」と問う低いささやきがハリーを迎え、冷たい風がサッと吹き抜けたかと思うと、ハリーの舌が一瞬丸まった。

「あなたを殺したのは僕じゃない」

舌縛りが解けると同時にハリーはそう言い、人の姿をとる呪いのかかったほこりが爆発するのに備えて息を止めた。厨房への階段の途中まで下り、ブラック夫人には聞こえない、しかも舞い上がるほこりがもう届かない所まで来て初めて、ハリーは声を張り上げた。

「ニュースがあるよ。気に入らないやつだろうけど」

厨房は見ちがえるようになっていた。何もかもが磨き上げられ、鍋やフライパンは赤銅色に輝き、木のテーブルはピカピカだ。ゴブレットや皿はもう夕食用に並べられて、楽しげな暖炉の炎をチラチラと映していたし、暖炉にかけられた鍋はぐつぐつ煮えていた。しかし厨房のそんな変化も、しもべ妖精の変わりように比べればなんでもない。ハリーのほうにいそいそと駆け寄ったしもべ妖精は、真っ白なタオルを着て、耳の毛は清潔で綿のようにふわふわしている。レギュラスのロケットが、そのやせた胸でポンポン跳びはねていた。

「ハリー様、お靴をお脱ぎください。それから夕食の前に手を洗ってください」

クリーチャーはしわがれ声でそう言うと、透明マントを預かって前かがみに壁の洋服かけまで歩き、そこにかけた。壁には流行遅れのローブが何着か、きれいに洗ってかけてある。

「何が起こったんだ？」

ロンが心配そうに聞いた。ロンはハーマイオニーと二人で、走り書きのメモや手書きの地図の束を長テーブルの一角に散らかして、調べ物の最中だったが、二人とも、気をたかぶらせて近づいてくるハリーに目を向けた。ハリーは散らばった羊皮紙の上に、新聞をパッと広げた。

見知った鉤鼻(かぎ)と黒い髪の男が大写しになって三人を見上げ、にらんでいる。その上に大見出しがあった。

セブルス・スネイプ、ホグワーツ校長に確定

「まさか！」ロンもハーマイオニーも大声を出した。

ハーマイオニーの手が一番早かった。新聞をサッと取り上げ、その記事を読み上げはじめた。

「『歴史あるホグワーツ魔法魔術学校における一連の人事異動で、最重要職の一つである校長が本日任命された。新校長セブルス・スネイプ氏は、長年「魔法薬学」の教師として勤めた人物である。前任者の辞任に伴い「マグル学」は、アレクト・カロー女史がその後任となり、空席となっていた「闇の魔術

に対する防衛術』には、カロー女史の兄であるアミカス・カロー氏が就任する』」

「『わが校における最善の魔法の伝統と価値を維持していく機会を、我輩は歓迎する――』ええ、そうでしょうよ。殺人とか人の耳を切り落とすとかね！　スネイプが、校長！　スネイプがダンブルドアの書斎に入るなんて――マーリンの猿股！」

ハーマイオニーのかん高い声に、ハリーもロンも飛び上がった。ハーマイオニーはパッと立ち上がり、「すぐ戻るわ！」と叫びながら矢のように部屋から飛び出した。

「『マーリンの猿股』？」

ロンは、さもおもしろそうにニヤッとした。

「きっと頭にきたんだな」

ロンは新聞を引き寄せて、スネイプの記事を流し読みした。

「ほかの先生たちはこんなの、がまんできないぜ。マクゴナガル、フリットウィック、スプラウトなんか、ほんとのことを知ってるしな。ダンブルドアがどんなふうに死んだかって。スネイプ校長なんて、受け入れないぜ。それに、カロー兄妹って、誰だ？」

「死喰い人だよ」ハリーが言った。「中のほうに写真が出てる。スネイプがダンブルドアを殺したとき、塔の上にいた連中だ。つまり、全部お友達さ。それに――」

ハリーは椅子を引き寄せながら苦々しく言った。

「ほかの先生は学校に残るしかないと思う。スネイプの後ろに魔法省とヴォルデモートがいるとなれば、とどまって教えるか、アズカバンで数年ゆっくり過ごすかの選択だろうし――それさえも、運がよけりゃの話だ。きっととどまって生徒たちを護(まも)ろうとすると思うよ」

大きなスープ鍋を持ったクリーチャーが、まめまめしくテーブルにやってきて、口笛を吹きながら、清潔なスープ皿にお玉でスープを分け入れた。

「ありがとう、クリーチャー」

ハリーは礼を言いながら、スネイプの顔を見なくてすむように「予言者新聞」をひっくり返した。

「まあ、少なくとも、これでスネイプの正確な居場所がわかったわけだ」

ハリーはスープをすくって飲みはじめた。クリーチャーは、レギュラスのロケットを授与されて以来、驚異的に料理の腕が上がった。今日のフレンチオニオンスープなど、ハリーがいままでに味わった中でも最高だった。

「死喰い人がまだたくさん、ここを見張っている」

食事をしながらハリーがロンに言った。

「いつもより多いんだ。まるで、僕たちが学校のトランクを引っ張ってここから堂々と出かけ、ホグワーツ特急に向かうと思ってるみたいだ」

ロンは、ちらりと腕時計を見た。

「僕もそのことを一日中考えていたんだ。列車はもう六時間も前に出発した。乗ってないなんて、なんだか妙ちくりんな気持ちがしないか？」

かつてロンと一緒に空から追いかけた紅の蒸気機関車が、ハリーの目に浮かんだ。野原や丘陵地の間をかすかに光りながら、紅の蛇のようにくねくねと走っていた。いまごろきっとジニーやネビル、ルーナが一緒に座って、たぶんハリーやロン、ハーマイオニーはどこにいるのだろうと心配したり、そうでなければ、どうやったらスネイプ新体制を弱体化できるかを議論していることだろう。

「たったいま、ここに戻ってきたのを、連中に見られるところだった」ハリーが言った。「階段の一番上にうまく着地できなくて、それに透明マントがすべり落ちたんだ」

「僕なんかしょっちゅうさ。あ、戻ってきた」

ロンは椅子にかけたまま首を伸ばして、ハーマイオニーが厨房に戻ってくるのを見た。

「それにしても、マーリンの特大猿股！　そりゃなんだい？」

「これを思い出したの」

ハーマイオニーは息を切らしながら言った。

ハーマイオニーは持ってきた大きな額入りの絵を床に下ろして、厨房の食器棚から小さなビーズのバッグを取り、バッグの口から額を中に押し込みはじめた。どう見てもそんな小さなバッグに納まるはずがないのに、ほかのいろいろなものと同様、額はあっという間にバッグの広大な懐へと消えていった。

「フィニアス・ナイジェラスよ」

ハーマイオニーは、いつものようにガランゴロンという音を響かせながらバッグをテーブルに投げ出して、説明した。

「えっ？」

ロンは聞き返したが、ハリーにはわかった。フィニアス・ナイジェラス・ブラックは、グリモールド・プレイスと校長室とにかかっている二つの肖像画の間を往き来できる。いまごろスネイプは、あの塔の上階の円形の部屋に勝ち誇って座っているにちがいない。ダンブルドアの集めた繊細な銀の計器類や石の「憂いの篩」、「組分け帽子」、それに、どこかに移されていなければ「グリフィンドールの剣」などをわが物顔に所有して。

「スネイプは、フィニアス・ナイジェラスをこの屋敷に送り込んで、偵察させることができるわ」

ハーマイオニーは自分の椅子に戻りながらロンに解説した。

「でも、いまそんなことさせてごらんなさい。フィニアス・ナイジェラスには私のハンドバッグの中しか見えないわ」

「あったまいい！」ロンは感心した顔をした。

「ありがとう」

ハーマイオニーはスープ皿を引き寄せながらニッコリした。

「それで、ハリー、今日はほかにどんなことがあったの？」

「なんにも」ハリーが言った。「七時間も魔法省の入口を見張った。あの女は現れない。でも、ロン、君のパパを見たよ。元気そうだった」

ロンは、この報せがうれしいというようにうなずいた。三人とも、魔法省に出入りするウィーズリー氏に話しかけるのは危険すぎる、という意見で一致していた。必ず、魔法省のほかの職員に囲まれているからだ。しかし、ときどきこうして姿を見かけると、たとえウィーズリー氏が心配そうな、緊張した顔をしていても、やはりホッとさせられた。

「パパがいつも言ってたけど、魔法省の役人は、たいてい『煙突飛行ネットワーク』で出勤するらしい」ロンが言った。「だからきっと、アンブリッジを見かけないんだ。絶対歩いたりしないさ。自分が重要人物だと思ってるもんな」

「それじゃ、あのおかしな年寄りの魔女と、濃紺のローブを着た小さい魔法使いはどうだったの？」

ハーマイオニーが聞いた。

「ああ、うん、あの魔法ビル管理部のやつか」ロンが言った。

「魔法ビル管理部で働いているってことが、どうしてわかるの？」ハーマイオニーのスープスプーンが空中で停止した。

「パパが言ってた。魔法ビル管理部では、みんな濃紺のローブを着てるって」

「そんなこと、一度も教えてくれなかったじゃない！」

ハーマイオニーはスプーンを取り落とし、ハリーが帰ってきたときにロンと二人で調べていたメモや地図の束を引き寄せた。

「この中には濃紺のローブのことなんか、なんにもないわ。何一つも！」

ハーマイオニーは、大あわてであちこちのページをめくりながら言った。

「うーん、そんなこと重要か？」

「ロン、**どんなことだって**重要よ！　魔法省が**まちがいなく**目を光らせているっていうときに潜入して、しかもバレないようにするには、どんな細かいことでも重要なの！　もう何遍もくり返して確認し合ったはずよ。あなたが面倒くさがって話さないんだったら、何度も偵察に出かける意味がないじゃない――」

「あのさあ、ハーマイオニー、僕、小さなことを一つ忘れただけで――」

「でも、ロン、わかっているんでしょうね。現在私たちにとって、世界中で一番危険な場所はどこかといえば、それは魔法――」

ハーマイオニーは口をあんぐり開けたまま突然動かなくなり、ロンはスープでむせた。

「あした、決行すべきだと思うな」ハリーが言った。

「あした？」

ハーマイオニーがくり返した。

「本気じゃないでしょうね、ハリー？」

「本気だ」ハリーが言った。

「あと一か月、魔法省の入口あたりをうろうろしたところで、いま以上に準備が整うとは思えない。先延ばしにすればするだけ、ロケットは遠ざかるかもしれない。アンブリッジがもう捨ててしまった可能性だってある。何しろ開かないからね」

「ただし」ロンが言った。「開け方を見つけていたら別だ。それならあいつはいま、取っ憑かれている」

「あの女にとっては大した変化じゃないさ。はじめっから邪悪なんだから」ハリーは肩をすくめた。

ハーマイオニーは、唇をかんでじっと考え込んでいた。

「大事なことはもう全部わかった」

ハリーはハーマイオニーに向かって話し続けた。

「魔法省への出入りに、『姿あらわし』が使われていないことはわかっている。いまではトップの高官だけが自宅と『煙突飛行ネットワーク』を結ぶのを許されていることもわかっている。『無言者』の二人がそのことで不平を言い合っているのを、ロンが聞いてるから。それに、アンブリッジの執務室が、だいたいどのへんにあるかもわかっている。ひげの魔法使いが仲間に話しているのを君が聞いているからね――」

「**『ドローレスに呼ばれているから、私は一階に行くよ』**」ハーマイオニーは即座に引用した。

「そのとおりだ」ハリーが言った。「それに、中に入るには変なコインだかチップだかを使うということもわかっている。あの魔女が友達から一つ借りるのを、僕が見てるからだ」

「だけど、私たちは一つも持ってないわ！」

「計画どおりに行けば、手に入るよ」ハリーは落ち着いて話を続けた。

「わからないわ、ハリー、私にはわからない……一つまちがえば失敗しそうなことがありすぎるし、あんまりにも運に頼っているし……」

「あと三か月準備したって、それは変わらないよ」ハリーが言った。「行動を起こす時が来た」

ロンとハーマイオニーの表情から、ハリーは二人の恐れる気持ちを読み取った。ハリーにしても自信があるわけではない。しかし、計画を実行に移す時が来たという確信があった。

三人はこの四週間、かわるがわる透明マントを着て、魔法省の公式な入口を偵察してきた。ウィーズリー氏のおかげで、ロンはその入口のことを子供のころから知っていた。三人は、魔法省に向かう職員をつけたり、会話を盗み聞きしたり、またはじっくり観察したりして、まちがいなく毎日同じ時間に一人で現れるのは誰かを突き止めた。時には誰かのブリーフケースから「日刊予言者新聞」を失敬する機会もあった。徐々にざっとした地図やメモがたまり、いまそれが、ハーマイオニーの前に積み上げられていた。

「よーし」ロンがゆっくりと言った。「たとえばあした決行するとして……僕とハリーだけが行くべきだと思う」

「まあ、またそんなことを！」ハーマイオニーが、ため息をついた。「そのことは、もう話がついていると思ったのに」

「ハーマイオニー、透明マントに隠れて入口の周りをうろうろすることと、今回のこれとはちがうんだ」

ロンは十日前の古新聞に指を突きつけた。

「君は、尋問に出頭しなかったマグル生まれのリストに入っている！」

「だけどあなたは、黒斑病のせいで『隠れ穴』で死にかけているはずよ！　誰か行かないほうがいい人がいるとすれば、それはハリーだわ。一万ガリオンの懸賞金がハリーの首にかかっているのよ――」

「いいよ。僕はここに残る」ハリーが言った。「万が一、君たちがヴォルデモートをやっつけたら、知らせてくれる？」

ロンとハーマイオニーが笑いだしたとき、ハリーの額の傷痕に痛みが走った。ハリーの手がパッとそこに飛んだが、ハーマイオニーの目が疑わしげに細められるのに気づき、目にかかる髪の毛を払うしぐさをしてごまかそうとした。

「さてと、三人とも行くんだったら、別々に『姿くらまし』しないといけないだろうな」ロンが話していた。「もう三人一緒に透明マントに入るのは無理だ」

傷痕はますます痛くなってきた。ハリーは立ち上がった。クリーチャーがすぐさま走ってきた。

「ご主人様はスープを残されましたね。お食事においしいシチューなどはいかがでしょうか。それともデザートに、ご主人様の大好物の糖蜜タルトをお出しいたしましょうか？」

「ありがとう、クリーチャー、でも、すぐ戻るから――あの――トイレに」

ハーマイオニーが疑わしげに見ているのを感じながら、ハリーは急いで階段を上がり、玄関ホールから二階の踊り場を通って、前回と同じバスルームに駆け込んで中からかんぬきをかけた。痛みにうめきながら、ハリーは、洗面台をのぞき込むようにもたれかかった。黒い洗面台には、口を開けた蛇の形をした蛇口が二つついている。ハリーは目を閉じた……。


夕暮れの街を、彼はするすると進んでいた。両側の建物は、壁に木組みが入った高い切妻屋根で、ショウガクッキーで作った家のようだ。

その中の一軒に近づくと、青白く長い自分の指がドアに触れるのが見えた。彼はノックした。興奮が高まるのを感じる……。

ドアが開き、女性が声を上げて笑いながらそこに立っていた。ハリーを見て、女性の表情がサッと変わった。楽しげな顔が恐怖にこわばった……。

「グレゴロビッチは？」

かん高い冷たい声が言った。

女性は首を振ってドアを閉めようとした。それを青白い手が押さえ、しめ出されるのを防いだ……。

「グレゴロビッチに会いたい」

「**エア　ヴォーント　ヒア　ニヒト　メア！**」

女性は首を振って叫んだ。

「その人、住まない、ここに！　その人、住まない、ここに！　わたし、知らない、その人！」

ドアを閉めるのをあきらめ、女性は暗い玄関ホールをあとずさりしはじめた。ハリーはそれを追って、するすると女性に近づいた。長い指が杖（つえ）を引き抜いた。

「どこにいる？」

「**ダス　ヴァイス　イッヒ　ニヒト！**　その人、引っ越し！　わたし、知らない、わたし、知らない！」

彼は杖を上げた。女性が悲鳴を上げた。小さな子供が二人、玄関ホールに走ってきた。女性は両手を広げて二人をかばおうとする。緑の閃光（せんこう）が走った――。

「ハリー！　**ハリー！**」

ハリーは目を開けた。床に座り込んでいた。ハーマイオニーが、またドアを激しくたたいている。

「ハリー、開けて！」

ハリーにはわかっていた。叫んだにちがいない。立ち上がってかんぬきをはずしたとたん、ハーマイオニーがつんのめるように入ってきた。危うく踏みとどまったハーマイオニーは、探るように周りを見回した。ロンはそのすぐ後ろで、ピリピリしながら冷たいバスルームのあちこちに杖を向けていた。

「何をしていたの？」ハーマイオニーが厳しい声で聞いた。

「何をしていたと思う？」ハリーは虚勢を張ったが、見え透いていた。

「すっさまじい声でわめいてたんだぜ！」ロンが言った。

「ああ、そう……きっとうたた寝したかなんか――」

「ハリー、私たちはばかじゃないわ。ごまかさないで」

ハーマイオニーが深く息を吸い込んでから言った。

「厨房であなたの傷痕が痛んだことぐらい、わかってるわよ。それにあなた、真っ青よ」

ハリーは、バスタブの端に腰かけた。

「わかったよ。たったいま、ヴォルデモートが女性を殺した。いまごろはもう、家族全員を殺してしまっただろう。そんな必要はなかったのに。またしてもセドリックのくり返しだ。あの人たちはただ**その場にいた**だけなのに……」

「ハリー、もうこんなことが起こってはならないはずよ！」

ハーマイオニーの叫ぶ声がバスルームに響き渡った。

「ダンブルドアは、あなたに『閉心術』を使わせたかったのよ！　こういう絆（きずな）は危険だって考えたから――ハリー、ヴォルデモートはそのつながりを**利用する**ことができるわ！　あの人が殺したり苦しめたりするのを見て、何かいいことでもあるの？　いったいなんの役に立つと言うの？」

「それは、やつが何をしているかが、僕にはわかるということだ」ハリーが言った。

「それじゃ、あの人をしめ出す努力をする**つもりも**ないのね？」

「ハーマイオニー、できないんだ。僕は『閉心術』が下手なんだよ。どうしてもコツがつかめないんだ」

「真剣にやったことがないのよ！」ハーマイオニーが熱くなった。「ハリー、私には理解できない――あなたは何を**好きこのんで**、こんな特殊なつながりというか関係というか、なんというか――なんでもいいけど——」

　ハリーは立ち上がってハーマイオニーを見た。そのまなざしに、ハーマイオニーは気圧された。

「好きこのんでだって？」ハリーは静かに言った。「**君なら**、こんなことが好きだっていうのか？」

「私——いいえ——ハリー、ごめんなさい。そんなつもりじゃ——」

「僕はいやだよ。あいつが僕の中に入り込めるなんて、あいつが一番恐ろしい状態のときに、その姿を見なきゃならないなんて、まっぴらだ。だけど僕は、それを利用してやる」

「ダンブルドアは——」

「ダンブルドアのことは言うな。これは僕の選んだことだ。ほかの誰でもない。僕は、あいつがどうしてグレゴロビッチを追っているのか、知りたいんだ」

「その人、誰？」

「外国の杖作りだ」ハリーが言った。「クラムの杖を作ったし、クラムが最高だと認めている」

「でもさ、君が言ってたけど」ロンが言った。「ヴォルデモートは、オリバンダーをどこかに閉じ込めている。杖作りを一人捕まえているのに、なんのためにもう一人いるんだ？」

「クラムと同じ意見なのかもしれないな。グレゴロビッチのほうが、優秀だと思っているのかもしれない……それとも、あいつが僕を追跡したときに僕の杖がしたことを、グレゴロビッチなら説明できると思っているのかもしれない。オリバンダーにはわからなかったから」

　ほこりっぽいひびの入った鏡をちらりと見たハリーは、ロンとハーマイオニーが、背後で意味ありげな目つきで顔を見合わせる姿を見た。

「ハリー、杖が何かしたって、あなたは何度もそう言うけど」ハーマイオニーが言った。「でもそうさせたのは**あなた**よ！　自分の力に責任を持つことを、なぜそう頑固に拒むの？」

「なぜかって言うなら、僕がやったんじゃないことが、わかっているからだ！　ヴォルデモートにもそれがわかっているんだよ、ハーマイオニー！　やつも僕も、ほんとうは何が起こったのかを知っているんだ！」

二人はにらみ合った。ハーマイオニーを説得しきれなかったことも、ハーマイオニーがいま、反論をまとめている最中だということも、ハリーにはわかっていた。自分の杖に関するハリーの考え方と、ヴォルデモートの心をのぞくことをハリーが容認しているという事実、この二つに対する反論だ。しかし、ロンが口をはさんでくれて、ハリーはホッとした。

「やめろよ」ロンがハーマイオニーに言った。ハリーが決めることだ。それに、あした魔法省に乗り込むなら、計画を検討するべきだと思わないか？」

ハーマイオニーはしぶしぶ――と、あとの二人にはそれが読み取れた――議論するのをやめたが、折あらばすぐにまた攻撃を仕掛けてくるにちがいないと、ハリーは思った。地下の厨房に戻ると、クリーチャーは三人にシチューと糖蜜タルトを給仕してくれた。

その晩は、三人とも遅くまで起きていた。何時間もかけて計画を何度も復習し、互いに一言一句たがえずに空で言えるまでになった。シリウスの部屋で寝起きするようになっていたハリーは、ベッドに横になり、父親、シリウス、ルーピン、ペティグリューの写っている古い写真に杖灯り(つえあかり)を向けながら、さらに十分間、一人で計画をブツブツくり返した。しかし、杖灯りを消したあとに頭に浮かんだのは、ポリジュース薬でも、ゲーゲー・トローチでも魔法ビル管理部の濃紺のローブでもなく、グレゴロビッチのことだった。ヴォルデモートのこれほど執念深い追跡を受けて、この杖作りはあとどのくらい隠れおおせるのだろうか。

夜明けが、理不尽な速さで真夜中に追いついた。

「なんてひどい顔してるんだ」

ハリーを起こしに部屋に入ってきたロンの、朝の挨拶だった。

「もうすぐ変わるさ」

ハリーは、あくびまじりに言った。

ハーマイオニーはもう地下の厨房に来ていて、クリーチャーが給仕したコーヒーとほやほやのロールパンを前に、憑(つ)かれたような顔つきをしていた。ハリーは、試験勉強のときのハーマイオニーの顔を連想した。

「ローブ」

ハーマイオニーは声をひそめてそう言いながら、ビーズバッグの中をつつき回す手を止めず神経質にうなずいて、二人に気づいていることを示した。

「ポリジュース薬……透明マント……おとり爆弾……万一のために一人が二個ずつ持つこと……ゲーゲー・トローチ、鼻血ヌルヌル・ヌガー、伸び耳……」

朝食を一気に飲み込んだ三人は、一階への階段を上りはじめた。クリーチャーはおじぎをして三人を厨房から送り出し、お帰りまでにはステーキ・キドニー・パイを用意しておきますと約束した。

「いいやつだな」ロンが愛情を込めて言った。「それなのに僕は、あいつの首をちょん切って、壁の飾りにしてやりたいなんて思ったことがあるんだからなぁ」

三人は慎重が上にも慎重に、玄関前の階段に出た。腫れぼったい目の死喰い人が二人、朝靄(あさもや)のかかった広場のむこうから、屋敷を見張っていた。はじめにハーマイオニーがロンと一緒に「姿くらまし」して、それからハリーを迎えに戻ってきた。

いつものようにほんの一瞬、息が詰まりそうになりながら真っ暗闇を通り抜け、ハリーは小さな路地に現れた。計画の第一段階は、その場所で起こる予定だった。路地にはまだ人影はなく、大きなごみ容器が二つあるだけだ。魔法省に一番乗りで出勤する職員たちも、通常八時前にそこに現れることはない。

「さあ、それでは」ハーマイオニーが時計を見ながら言った。「予定の魔女は、あと五分ほどでここに来るはずだわ。私が『失神呪文』をかけたら――」

「ハーマイオニー、わかってるったら」ロンが厳しい声で言った。「それに、その魔女がここに来る前に、扉を開けておく手はずじゃなかったか？」

ハーマイオニーが金切り声を上げた。

「忘れるところだった！　下がって――」

ハーマイオニーは、すぐ脇にある、南京錠のかかった落書きだらけの防火扉に杖を向けた。扉は大きな音を立ててパッと開いた。その裏に現れた暗い廊下は、これまでの慎重な偵察から、空き家になった劇場に続いていることがわかっていた。ハーマイオニーは扉を手前に引き、元どおり閉まっているように見せかけた。

「さて、今度は」ハーマイオニーは、路地にいる二人に向きなおった。「再び透明マントをかぶって――」

「――そして待つ」

ロンは言葉を引き取り、セキセイインコに目隠し覆いをかけるように、ハーマイオニーの頭からマントをかぶせながら、あきれたように目をぐるぐるさせてハリーを見た。

それから一分ほどして、**ポン**という小さな音とともに、小柄な魔女職員がすぐ近くに「姿あらわし」した。太陽が雲間から顔を出したばかりで、ふわふわした白髪の魔女は突然の明るさに目をしばたたいたが、予期せぬ暖かさを満喫する間もなく、ハーマイオニーの無言「失神呪文」が胸に当たってひっくり返った。

「うまいぞ、ハーマイオニー」

ロンが、劇場の扉の横にあるごみ容器の陰から現れて言った。ハリーは透明マントを脱いだ。三人は小柄な魔女を、舞台裏に続く暗い廊下に運び込んだ。ハーマイオニーが魔女の髪の毛を数本引き抜き、ビーズバッグから取り出した泥状のポリジュース薬のフラスコに加えた。ロンは小柄な魔女のハンドバッグを引っかき回していた。

「マファルダ・ホップカークだよ」ロンが小さな身分証明書を読み上げた。

犠牲者は、魔法不適正使用取締局の局次長と判明した。

「ハーマイオニー、この証明書を持っていたほうがいい。それと、これが例のコインだ」

ロンは、魔女のバッグから取り出した小さな金色のコインを数枚、ハーマイオニーに渡した。全部に「M・O・M」と魔法省の刻印が打ってある。

ハーマイオニーが薄紫のきれいな色になったポリジュース薬を飲むと、数秒後にはマファルダ・ホップカークと瓜(うり)二つの姿が、二人の前に現れた。ハーマイオニーがマファルダからはずしためがねをかけているときに、ハリーが時計を見ながら言った。

「僕たち、予定より遅れているよ。魔法ビル管理部さんがもう到着する」

三人は本物のマファルダを閉じ込めて、急いで扉を閉めた。ハリーとロンは透明マントをかぶったが、ハーマイオニーはそのままの姿で待った。まもなく、また**ポン**と音がして、ケナガイタチのような顔の、背の低い魔法使いが現れた。

「おや、おはよう、マファルダ」

「おはよう！」ハーマイオニーは年寄りの震え声で挨拶した。「お元気？」

「いや、実はあんまり」小さい魔法使いがしょげきって応えた。

ハーマイオニーとその魔法使いとが表通りに向かって歩きだし、ハリーとロンはその後ろをこっそりついていった。

「気分がすぐれないのは、よくないわ」

ハーマイオニーは、その魔法使いが問題を説明しようとするのをさえぎって、きっぱりと言った。表通りに出るのを阻止することが大事なのだ。

「さあ、甘い物でもなめて」

「え？　ああ、遠慮するよ――」

「いいからなめなさい！」

ハーマイオニーは、その魔法使いの目の前でトローチの袋を振りながら、有無を言わさぬ口調で言った。小さい魔法使いは度肝を抜かれたような顔で、一つ口に入れた。

効果てきめん。トローチが舌に触れた瞬間、小さい魔法使いは激しくゲーゲーやりだし、ハーマイオニーが頭のてっぺんから髪の毛をひとつかみ引き抜いたのにも、気がつかないほどだった。

「あらまぁ！」

魔法使いが路地に吐くのを見ながら、ハーマイオニーが言った。

「今日はお休みしたほうがいいわ！」

「いや――いや！」

息も絶え絶えに吐きながら、まっすぐ歩くこともできないのに、その魔法使いはなおも先に進もうとした。

「どうしても――今日は――行かなくては――」

「バカなことを！」ハーマイオニーは驚いて言った。「そんな状態では仕事にならないでしょう――聖マンゴに行って、治してもらうべきよ！」

その魔法使いは、ひざを折り両手を地面について吐きながらも、なお表通りに行こうとした。

「そんな様子では、とても仕事にはいけないわ！」ハーマイオニーが叫んだ。

管理部の魔法使いも、とうとうハーマイオニーの言うことが正しいと受け止めたようだった。さわりたくないという感じのハーマイオニーにすがりついて、ようやく立ち上がった魔法使いは、その場で回転して姿を消した。あとに残ったのは、姿を消すときにその手からロンがすばやく奪った鞄（かばん）と、宙を飛ぶ反吐（へど）だけだった。

「ウェー」

ハーマイオニーは道にたまった反吐をよけて、ローブのすそを持ち上げた。

「この人にも『失神呪文』をかけたほうが、汚くなかったでしょうに」

「そうだな」

ロンは、管理部の魔法使いの鞄を持って、透明マントから姿を現した。

「だけどさ、気絶したやつらが山積みになってたりしたら、もっと人目を引いたと思うぜ。それにしても、あいつ、仕事熱心なやつだったな。それじゃ、やつの髪の毛とポリ薬をくれよ」

二分もすると、ロンはあの反吐魔法使いと同じ背の低いイタチ顔になって、二人の前に現れた。鞄に折りたたまれて入っていた、濃紺のローブを着ている。

「あんなに仕事に行きたかったやつが、このローブを着てなかったのは変じゃないか？　まあいいか。裏のラベルを見ると、僕はレッジ・カターモールだ」

戻ってきた。

「あなた用の髪の毛を持って戻るから」

ハーマイオニーが、透明マントに隠れたままのハリーに言った。

「じゃ、ここで待ってて」

待たされたのは十分だったが、「失神」したマファルダを隠してある扉の脇で、反吐の飛び散った路地に一人でコソコソ隠れているハリーには、もっと長く感じられた。ロンとハーマイオニーが、やっと戻ってきた。

「誰だかわからないの」

黒いカールした髪を数本ハリーに渡しながら、ハーマイオニーが言った。

「とにかくこの人は、ひどい鼻血で家に帰ったわ！　かなり背が高かったから、もっと大きなローブがいるわね……」

ハーマイオニーは、クリーチャーが洗ってくれた古いローブを一式取り出した。ハリーは薬を持って、着替えるために物陰に隠れた。

痛い変身が終わると、ハリーは一メートル八十センチ以上の背丈になっていた。筋骨隆々の両腕から判断すると、相当強そうな体つきだ。さらにひげ面だった。着替えたローブに透明マントとめがねを入れて、ハリーは二人の所に戻った。

「おったまげー、怖いぜ」ロンが言った。

ハリーはいまや、ずっと上からロンを見下ろしていた。

「マファルダのコインを一つ取ってちょうだい」ハーマイオニーがハリーに言った。「さあ、行きましょう。もう九時になるわ」

三人は一緒に路地を出た。混み合った歩道を五十メートルほど歩くと、先端が矢尻の形をした杭の建ち並ぶ、黒い手すりのついた階段が二つ並んでいて、片方の階段には男、もう片方には女と表示してあった。

「それじゃ、またあとで」

ハーマイオニーはピリピリしながらそう言うと、危なっかしい足取りで「女」のほうの階段を下りていった。ハリーとロンは、自分たちと同じく変な服装の男たちにまじって階段を下りた。下は薄汚れた白黒タイルの、ごく一般的な地下公衆トイレのようだった。

「やあ、レッジ！」

やはり濃紺のローブを着た魔法使いが呼びかけた。トイレの小部屋のドアのスロットに、金色のコインを差し込んで入ろうとしている。

「まったく、つき合いきれないね、え？　仕事に行くのにこんな方法を強制されるなんて！　お偉い連中は、いったい誰が現れるのを待ってるんだ？　ハリー・ポッターか？」

魔法使いは、自分のジョークで大笑いした。

「ああ、ばかばかしいな」ロンは、無理につき合い笑いをした。

それからロンとハリーは、隣り合わせの小部屋に入った。ハリーの小部屋の右からも左からもトイレを流す音が聞こえた。かがんで下のすきまから右隣の小部屋を見ると、ちょうどブーツをはいた両足が、トイレの便器に入り込むところだった。左をのぞくと、ロンの目がこっちを見てパチクリしていた。

「自分をトイレに流すのか？」ロンがささやいた。

「そうらしいな」ささやき返したハリーの声は、低音の重々しい声になっていた。

二人は立ち上がり、ハリーはひどく滑稽に感じながら便器の中に入った。

それが正しいやり方だと、すぐにわかった。一見水の中に立っているようだが、靴も足もローブも、まったくぬれていない。ハリーは手を伸ばして、上からぶら下がっているチェーンをぐいと引いた。次の瞬間、ハリーは短いトンネルをすべり下りて、魔法省の暖炉の中に出た。

ハリーは、もたもたと立ち上がった。扱い慣れた自分の体よりも、ずっと嵩が大きいせいだ。広大なアトリウムは、ハリーの記憶にあるものより暗かった。以前は、ホールの中央を占める金色の噴水が、磨き上げられた木の床や壁にチラチラと光を投げかけていたが、いまは、黒い石造りの巨大な像がその場を圧している。かなり威嚇的だ。見事な装飾を施した玉座に、魔法使いと魔女の像が座り、足元の暖炉に転がり出てくる魔法省の職員たちを見下ろしている。像の台座には、高さ三十センチほどの文字がいくつか刻み込まれていた。

魔法は力なり

ハリーは、両足に後ろから強烈な一撃を食らった。次の魔法使いが暖炉から飛び出してきてぶつかったのだ。

「どけよ、ぐずぐず――あ、すまん、ランコーン！」

はげた魔法使いは、明らかに恐れをなした様子であたふたと行ってしまった。ハリーが成りすましている魔法使いランコーンは、どうやら怖がられているらしい。

「シーッ！」

声のする方向を振り向くと、か細い魔女と魔法ビル管理部のイタチ顔の魔法使いが、像の横に立って合図しているのが見えた。ハリーは急いで二人のそばに行った。

「ハリー、うまく入れたのね？」ハーマイオニーが、小声でハリーに話しかけた。

「いーや、ハリーはまだ雪隠詰めだ」ロンが言った。

「冗談言ってる場合じゃないわ……これ、ひどいと思わない？」

ハーマイオニーが、像をにらんでいるハリーに言った。

「何に腰かけているか、見た？」

よくよく見ると、装飾的な彫刻を施した玉座と見えたのは、折り重なった人間の姿だった。何百何千という裸の男女や子供が、どれもこれもかなりまのぬけた醜い顔で、ねじ曲げられ押しつぶされながら、見事なローブを着た魔法使いと魔女の重みを支えていた。

「マグルたちよ」ハーマイオニーがささやいた。「身分相応の場所にいるというわけね。さあ、始めましょう」

三人は、ホールの奥にある黄金の門に向かう魔法使いたちの流れに加わり、できるだけ気づかれないように、あたりを見回した。しかし、ドローレス・アンブリッジのあの目立つ姿は、どこにも見当たらなかった。三人は門をくぐり、少し小さめのホールに入った。そこには二十基のエレベーターが並び、それぞれの金の格子の前に行列ができていた。一番近い列に並んだとたん、声をかける者がいた。

「カターモール！」

三人とも振り向いた。ハリーの胃袋がひっくり返った。ダンブルドアの死を目撃した死喰い人の一人が、大股で近づいてくる。脇にいた魔法省の職員たちは、みな目を伏せてだまり込んだ。恐怖が波のように伝わるのを、ハリーは感じた。獣がかった険悪な顔は、豪華な金糸の縫い取りのある、流れるようなローブといかにも不釣り合いだった。エレベーターの周りに並んでいる誰かが、「おはよう、ヤックスリー！」とへつらうような挨拶をしたが、ヤックスリーは無視した。

「魔法ビル管理部に、俺の部屋をなんとかしろと言ったのだが、カターモール、まだ雨が降ってるぞ」

ロンは、誰かが何か言ってくれないかとばかりにあたりを見回したが、誰もしゃべらない。

「雨が……あなたの部屋で？　それは――それはいけませんね」

ロンは、不安を隠すように笑い声を上げた。ヤックスリーは目をむいた。

「おかしいのか？　カターモール、え？」

並んでいた魔女が二人、列を離れてあたふたとどこかに行った。

「俺はおまえの女房の尋問に、下の階まで行くところだ。わかっているのか、カターモール？　まったく。下にいて、尋問を待つ女房の手を握っているかと思えば、ここにいるとは驚いた。失敗だったと、もう女房を見捨てることにしたわけか？　そのほうが賢明だろう。次は純血と結婚することだな」

「いいえ」ロンが言った。「もちろん、そんなことは――」

ハーマイオニーが小さく叫んだが、ヤックスリーにじろりと見られ、弱々しく咳をして顔をそむけた。

「私は――私は――」ロンが口ごもった。

「しかし、万が一、**俺の**女房が『穢れた血』だと告発されるようなことがあれば」ヤックスリーが言った。「――俺が結婚した女は、誰であれ、そういう汚物とまちがえられることがあるはずはないが――そういうときに魔法法執行部の部長に仕事を言いつけられたら、カターモール、俺ならその仕事を優先する。わかったか？」

「はい」ロンが小声で言った。

「それなら対処しろ、カターモール。一時間以内に俺の部屋が完全に乾いていなかったら、おまえの女房の『血統書』は、いまよりもっと深刻な疑いをかけられることになるぞ」

ハリーたちの前の格子が開いた。ヤックスリーはハリーに向かって軽くうなずき、一タリといやな笑いを見せて、サッと別なエレベーターのほうに行ってしまった。

ハリーが成りすましているランコーンという魔法使いは、カターモールがこういう仕打ちを受けるのを喜ぶべき立場にあることが明らかだった。ハリー、ロン、ハーマイオニーは目の前のエレベーターに乗り込んだが、誰も一緒に乗ろうとはしない。何かに感染すると思っているかのようだった。格子がガチャンと閉まり、エレベーターが昇りはじめた。

「僕、どうしよう？」

ロンがすぐさま二人に聞いた。衝撃を受けた顔だ。

「僕が行かなかったら、僕の妻は――つまりカターモールの妻は――」

「僕たちも一緒に行くよ。三人は一緒にいるべきだし――」

ハリーの言葉を、ロンが激しく首を振ってさえぎった。

「とんでもないよ。あんまり時間がないんだから、二人はアンブリッジを探してくれ。僕はヤックスリーの部屋に行って処理する――だけど、どうやって雨降りを止めりゃいいんだ？」

「『**フィニート　インカンターテム、呪文よ終われ**』を試してみて」ハーマイオニーが即座に答えた。「呪いとか呪詛(じゅそ)で降っているのだったら、それで雨はやむはずよ。やまなかったら、『大気呪文』がおかしくなっているわね。その場合は直すのがもっと難しいから、とりあえずの処置として、あの人の所有物を保護するために『**防水呪文**』を試して――」

「もう一回ゆっくり言って――」

ロンは、羽根ペンを取ろうと必死にポケットを探ったが、その時エレベーターがガタンと停止して、声だけの案内嬢が告げた。

「四階。魔法生物規制管理部でございます。動物課、存在課、霊魂課、小鬼(ゴブリン)連絡室、害虫相談室はこちらでお降りください」

格子が開き、魔法使いが二人と、薄紫の紙飛行機が数機一緒に入ってきて、エレベーターの天井のランプの周りをパタパタと飛びまわった。

「おはよう、アルバート」

ほおひげのもじゃもじゃした男が、ハリーに笑いかけた。エレベーターがきしみながらまた昇りはじめたとき、その男はロンとハーマイオニーをちらりと見た。ハーマイオニーは、今度は小声で、必死になってロンに教え込んでいた。ひげもじゃ男はハリーのほうに上体を傾け、ニヤリと笑ってこっそり言った。

「ダーク・クレスウェルか、え？　小鬼連絡室の？　やるじゃないか、アルバート。今度は、私がその地位に就くことまちがいなし！」

男はウィンクし、ハリーは、それだけで充分でありますようにと願いながら、笑顔を返した。エレベーターが止まり、格子がまた開いた。

「二階。魔法法執行部でございます。魔法不適正使用取締局、闇祓い本部、ウィゼンガモット最高裁事務局はこちらでお降りください」声だけの案内嬢が告げた。

ハーマイオニーが、ロンをちょっと押すのがハリーの目に入った。ロンは急いでエレベーターを降り、二人の魔法使いもそのあとから降りたので、中にはハリーとハーマイオニーだけになった。格子が閉まるや否や、ハーマイオニーが早口で言った。

「ねえ、ハリー、私やっぱり、ロンのあとを追ったほうがいいと思うわ。あの人、どうすればいいのかわかってないと思うし、もしロンが捕まったらすべて――」

「一階でございます。魔法大臣ならびに次官室がございます」

金の格子が開いたとたん、ハーマイオニーが息をのんだ。格子のむこうに、立っている四人の姿があった。そのうちの二人は、何やら話し込んでいる。一人は黒と金色の豪華なローブを着た髪の長い魔法使い、もう一人は、クリップボードを胸元にしっかり抱え、短い髪にビロードのリボンをつけた、ガマガエルのような顔のずんぐりした魔女だった。

第13章　マグル生まれ登録委員会

「ああ、マファルダ！」

ハーマイオニーに気づいたアンブリッジが言った。

「トラバースがあなたをよこしたのね？」

「は――はい」ハーマイオニーの声が上ずった。

「けっこう。あなたなら、充分役立ってくれるわ」

アンブリッジは、黒と金色のローブの魔法使いに話しかけた。

「大臣、これであの問題は解決ですわ。マファルダに記録係をやってもらえるなら、すぐにでも始められますわよ」

アンブリッジはクリップボードに目を通した。

「今日は十人ですわ。その中に魔法省の職員の妻が一人！　チッチッチッ……ここまでとは。魔法省のおひざ元で！」

アンブリッジはエレベーターに乗り込み、ハーマイオニーの隣に立った。アンブリッジと大臣の会話を聞いていた二人の魔法使いも同じ行動を取った。

「マファルダ、私たちはまっすぐ下に行きます。必要なものは法廷に全部ありますよ。おはよう、アルバート、降りるんじゃないの？」

「ああ、もちろんだ」ハリーは、ランコーンの低音で答えた。

ハリーが降りると、金の格子がガチャンと閉まった。ちらりと振り返ると、背の高い魔法使いにはさまれたハーマイオニーの不安そうな顔が、ハーマイオニーの肩の高さにあるアンブリッジの髪のビロードのリボンと一緒に沈んでいき、見えなくなるところだった。

「ランコーン、なんの用でここに来たんだ？」

新魔法大臣が尋ねた。黒い長髪とひげには白いものがまじり、ひさしのように突き出た額が小さく光る目に影を落としている。ハリーは、岩の下から外をのぞくカニを思い浮かべた。

「ちょっと話したい人がいるんでね」ハリーはほんの一瞬迷った。「アーサー・ウィーズリーだ。一階にいると聞いたんだが」

「ああ」パイアス・シックネスが言った。『問題分子』と接触しているところを捕まったか？」

「いや」ハリーはのどがからからになった。「いいや、そういうことではない」

「そうか。まあ時間の問題だがな」シックネスが言った。「私に言わせれば、『血を裏切る者』は、『穢（けが）れた血』と同罪だ。それじゃあ、ランコーン」

「ではまた、大臣」

ハリーは、ふかふかのじゅうたんを敷いた廊下を堂々と歩き去るシックネスを、じっと見ていた。その姿が見えなくなるのを待って、着ている重い黒マントから透明マントを引っ張り出し、それをかぶって反対方向に歩きだした。ランコーンの背丈では、大きな足を隠すために腰をかがめなければならない。得体の知れない恐怖で、ハリーはみずおちがずきずき痛んだ。廊下には磨き上げられた木製の扉が並び、それぞれに名前と肩書きが書いてある。魔法省の権力、その複雑さ、守りの堅固さがひしひしと感じられ、この四週間、ロンやハーマイオニーと一緒に慎重に練り上げた計画は、笑止千万の子供だましのように思えた。気づかれずに中に入り込むことだけに集中して、もし三人バラバラになったらどうするかなど、まったく考えていなかった。いまやハーマイオニーは、何時間続くかわからない裁判に関わってしまい、ロンは、ハリーの見るところロンには手に負えない魔法を使おうとあがいている。しかも、一人の魔女が解放されるかどうかが、ロンの仕事の結果にかかっている。そしてハリーは、獲物がいましがたエレベーターで下りていったことを知りながらも、一階をうろうろしている。

ハリーは歩くのをやめ、壁に寄りかかってどうするべきかを決めようとした。静けさが重かった。忙しく動き回る音も、話し声も、急ぐ足音も聞こえない。紫のじゅうたんを敷き詰めた廊下は、まるで「耳ふさぎ（マフリアート）」の呪文がかかったように、ひっそりとしている。

あいつの部屋は、この階にちがいない、とハリーは思った。

アンブリッジが、宝石類を事務所に置いているとは思えなかったが、探しもせず、確認もしないのは愚かしい。ハリーは、また廊下を歩きはじめた。途中で、目の前に浮かべた羽根ペンに、顔をしかめてブツブツ指示を与え、長い羊皮紙に書き取らせている魔法使いと行きちがっただけで、ほかには誰にも出会わなかった。

今度は扉の名前に注意しながら歩き、ハリーは角を曲がった。その廊下の中ほどには広々とした場所があり、十数人の魔法使いや魔女が、何列か横に並んだ机に座っていた。学校の机とあまり変わらない小さな机だが、ピカピカに磨かれ、落書きもない。ハリーは立ち止まって、催眠術にかかったようにその場の動きに見入った。みんながいっせいに杖を振ったり回したりすると、四角い色紙が小さなピンク色の凧（たこ）のように、あらゆる方向に飛んでいく。まもなくハリーは、この作業にリズムがあり、紙が一定のパターンで動いていることに気がついた。ここはパンフレットを製作している所だとすぐにわかった。四角い紙は一枚一枚のページで、それが集められて折りたたまれ、魔法で整えられてから、作業者の脇にきちんと積み上げられていた。

ハリーはこっそり近づいた。もっとも作業員は仕事に没頭していたので、じゅうたんに吸い込まれる足音に気づくとは思えなかった。ハリーは若い魔女の脇にある、完成したパンフレットの束から一部、すっと抜き取り、透明マントの下で読んだ。ピンクの表紙に、金文字で表題が鮮やかに書かれている。

穢れた血――平和な純血社会にもたらされる危険について

表題の下には、まぬけな笑顔の赤いバラが一輪、牙をむき出してにらみつける緑の雑草にしめ殺されようとしている絵があった。著者の名は書かれていない。しかし、パンフレットをじっと見ていると、ハリーの右手の甲の傷痕がチクチク痛むような気がした。その推測が当たっていることは、かたわらの若い魔女の言葉で確認された。杖を振ったり回したりしながら、その魔女が言った。

「あの鬼ばばぁ、一日中『穢れた血』を尋問しているのかしら？　誰か知ってる？」

「気をつけろよ」

隣の魔法使いが、こわごわあたりを見回しながら言った。紙が一枚、すべって床に落ちた。

「どうして？　魔法の目ばかりじゃなく、魔法の耳まで持ってるとでも言うの？」

若い魔女は、パンフレット作業員の並ぶ仕事場の正面にある、ピカピカのマホガニーの扉をちらりと見た。ハリーも見た。とたんに、蛇が鎌首をもたげるように、怒りが湧き上がってきた。木の扉の、マグルの家ならのぞき穴がある場所に、明るいブルーの、大きな丸い目玉が埋め込まれてあったのだ。アラスター・ムーディを知る者にとっては、ドキリとするほど見慣れた目玉だ。

一瞬ハリーは、自分がどこにいて何をしているのかも、自分の姿が見えないことさえも忘れていた。ハリーはまっすぐに扉に近づき、目玉をよく見た。動いていない。上をにらんだまま凍りついていた。

その下の名札にはこう書いてある。

ドローレス・アンブリッジ

魔法大臣付上級次官

その横に、より光沢のある新しい札がもう一つあった。

マグル生まれ登録委員会委員長

ハリーは、十数人のパンフレット作業員を振り返った。仕事に集中しているとはいえ、目の前の、誰もいないオフィスの扉が開けば気づかないわけはないだろう。そこでハリーは、内ポケットから、小さな肢(あし)をごにょごにょ動かしている変なものを取り出した。胴体はゴム製の球がついたラッパだ。透明マントをかぶったまま、ハリーはかがんでその「おとり爆弾」を床に置いた。

「おとり」はたちまち、目の前の作業員たちの足の間を、シャカシャカ走り抜けていった。ハリーが扉のノブに手をかけて待っていると、やがて大きな爆発音がして、隅のほうから刺激臭のある真っ黒な煙がもうもうと立ち上った。前列にいた、あの若い魔女が悲鳴を上げた。仲間の作業員も飛び上がって騒ぎの元はどこだとあたりを見回し、ピンクの紙があちこちに飛び散った。ハリーはノブを回してアンブリッジの部屋に入り、扉を閉めた。

ハリーは、タイムスリップしたかと思った。その部屋は、ホグワーツのアンブリッジの部屋と寸分のちがいもない。ひだのあるレースのカーテン、花瓶敷、ドライフラワーなどが、ありとあらゆる表面を覆っている。壁にも同じ飾り皿で、首にリボンを結んだ色鮮やかな子猫の絵が、吐き気をもよおすようなかわいさで、ふざけたりじゃれたりしている。机には、ひだ飾りで縁どった花柄の布がかけられている。マッド-アイの目玉の裏には、望遠鏡の筒のようなものが取りつけられていて、アンブリッジが外の作業員を監視できるようになっていた。ハリーがのぞいてみると、作業員たちは、まだ「おとり爆弾」の周りに集まっていた。ハリーは筒を引っこ抜いて扉に穴が開いたままにし、魔法の目玉を筒からはずしてポケットに入れた。それからもう一度部屋の中に向きなおり、杖を上げて小声で唱えた。

「**アクシオ、ロケットよ来い**」

何事も起こらない。もっとも起こるとも思っていなかった。アンブリッジだって当然、保護呪文や呪いを熟知している。そこでハリーは、急いで机のむこう側に回り、引き出しを開けはじめた。羽根ペンやノート、スペロテープなどが見える。呪文のかかったクリップが引き出しからとぐろを巻いて立ち上がり、ハリーはそれをたたき返さなければならなかった。ごてごて飾り立てた小さなレースの箱は、髪飾りのリボンや髪どめでいっぱいだ。しかし、ロケットはどこにも見当たらない。

机の後ろにファイル・キャビネットがある。次はそれを調べにかかった。ホグワーツにあるフィルチの書類棚と同じで、名前のラベルを貼ったホルダーがぎっしりと入っていた。一番下の引き出しまで調べたとき、気になるものが目にとまり、ハリーは捜索の手を止めた。ウィーズリー氏のファイルだ。ハリーはそれを引っ張り出して、開いた。

アーサー・ウィーズリー

血統　純血。しかしマグルびいきであるという許しがたい傾向がある。
「不死鳥の騎士団」のメンバーであることが知られている。

家族　妻（純血）子供七人。下の二人はホグワーツ在学中。
（注）末息子は重病で現在在宅。魔法省の検察官が確認済み。
警備　監視中。すべての行動が見張られている。「問題分子ナンバーワン」が接触する可能性大（以前にウィーズリー家に滞在していた）。

「『問題分子ナンバーワン』、か」

ウィーズリーおじさんのホルダーを元に戻して、引き出しを閉めながら、ハリーは息をひそめてつぶやいた。それが誰のことなのかわかる、と思った。ほかにロケットの隠し場所はないかと、体を起こして部屋を眺め回していると、思ったとおり、壁に自分のポスターが貼ってあるのが見えた。胸のところに鮮やかな文字で、「問題分子ナンバーワン」と書かれている。隅に、子猫のイラストが入った小さなピンクのメモがとめてある。近寄って読むと、アンブリッジの字で「処罰すべし」と書いてあった。

ますます腹が立って、ハリーは花瓶やドライフラワーのかごの下を探った。しかしロケットはない。当然、そんな所にあるはずがない。最後にもう一度部屋の中をざっと見回したその時、心臓の鼓動が一拍すっ飛んだ。机の脇の本棚に立てかけられている小さな長方形の鏡から、ダンブルドアがハリーを見つめていたのだ。

ハリーは走って部屋を横切り、それを取り上げたが、触れたとたんに鏡ではないことがわかった。ダンブルドアは、光沢のある本の表紙から、切なげに笑いかけていた。とっさには気づかなかったが、その帽子を横切って緑色の曲がりくねった飾り文字が書いてあった。

アルバス・ダンブルドアの真っ白な人生と真っ赤な嘘

胸の上にも、それより少し小さな字でこう書かれていた。

ベストセラー『アーマンド・ディペット　偉人か愚人か』の著者、リータ・スキーター著

ハリーは適当にページをめくった。すると、肩を組み合った十代の少年が、二人で不謹慎なほど大笑いしている全ページ写真が目に入った。ダンブルドアは、ひじのあたりまで髪を伸ばし、クラムを思い出させるような短いあごひげをうっすらと生やしている。ロンを、あれほどいらいらさせたひげだ。ダンブルドアと並んで、声を出さずに大笑いしている少年は、陽気で奔放な雰囲気を漂わせ、金髪の巻き毛を肩まで垂らしている。ハリーは若き日のドージかもしれないと思ったが、説明文を確かめる前に部屋の扉が開いた。

シックネスだ。後ろを振り返りながら部屋に入ってこなければ、ハリーは透明マントをかぶるひまがなかっただろう。シックネスがハリーの動きをちらりと目にしたのではないかという気がした。事実、シックネスは腑に落ちないという顔で、ハリーの姿がたったいま消えたあたりをしばらく見つめたまま、じっと動かなかった。やがて、ハリーがあわてて棚に戻した本の表紙のダンブルドアが、鼻の頭をかくしぐさが見えたのだろうと自分を納得させたらしく、シックネスは結局部屋に入って机に近づき、インクつぼに差してある羽根ペンに杖を向けた。羽根ペンは飛び上がって、アンブリッジへの伝言を書きはじめた。ハリーはゆっくりと、ほとんど息も止めて、部屋の外へと抜け出した。

パンフレットの作業者たちは、まだ弱々しくポッポッと煙を吐き続けている「おとり爆弾」の周りに集まっていた。ハリーは、あの若い魔女の声をあとに、急いで廊下を歩きだした。

『実験呪文委員会』から、ここまで逃げてきたにちがいないわ。あそこは、ほんとにだらしないんだから。ほら、あの毒アヒルのことを覚えてる？」

エレベーターまで急いで戻りながら、ハリーはどういう選択肢がありうるかを考えた。もともとロケットが魔法省に置いてある可能性は少なかったし、人目の多い法廷にアンブリッジが座っている間は、魔法をかけてロケットのありかを聞き出すことなど望むべくもない。いまは、見つかる前に魔法省から抜け出すことが第一だ。また出なおせばいい。まずはロンを探す。それから二人で、ハーマイオニーを法廷から引っ張り出す算段をする。

昇ってきたエレベーターはからだった。ハリーは飛び乗って、エレベーターが下りはじめると同時に透明マントを脱いだ。ガチャガチャと音を立てて二階で停止したエレベーターに、なんと魔のいいことに、ぐしょぬれのロンがお手上げだという目つきで乗り込んできた。

「お――おはよう」エレベーターが再び動きだすと、ロンがしどろもどろに言った。

「ロン、僕だよ、ハリーだ！」

「ハリー！　おっどろき、君の姿を忘れてた――ハーマイオニーは、どうして一緒じゃないんだ？」

「アンブリッジと一緒に法廷に行かなきゃならなくなって、断れなくて、それで――」

しかし、ハリーが言い終える前にエレベーターがまた停止し、ドアが開いて、ウィーズリー氏が、年配の魔女に話しかけながら入ってきた。金髪の魔女は、これでもかというほど逆毛を立てたアリ塚のような頭だった。

「……ワカンダ、君の言うことはよくわかるが、私は残念ながら加わるわけには――」

ウィーズリー氏はハリーに気づいて、突然口を閉じた。ウィーズリーおじさんに、これほど憎しみを込めた目で見つめられるのは、変な気持ちだった。ドアが閉まり、四人を乗せたエレベーターは、再び下りはじめた。

「おや、おはよう、レッジ」

ロンのローブから、絶え間なくしずくの垂れる音がしているのに気づき、ウィーズリー氏が振り返った。

「奥さんが、今日尋問されるはずじゃなかったかね？　あー――いったいどうした？　どうしてそんなに、びしょぬれで？」

「ヤックスリーの部屋に、雨が降っている」

ロンはウィーズリー氏の肩に向かって話しかけていた。まっすぐ目を合わせれば、父親に見抜かれることを恐れたにちがいないと、ハリーは思った。

「止められなくて。それでバーニー――ピルズワース、とか言ったと思うけど、その人を呼んでこいと言われて――」

「そう、最近は雨降りになる部屋が多い」ウィーズリー氏が言った。「『**メテオロジンクス　レカント、気象呪い崩し**』を試したかね？　ブレッチリーには効いたが」

「**メテオロジンクス　レカント？**」ロンが小声で言った。「いや、試していない。ありがとう、パ――じゃない、ありがとう、アーサー」

エレベーターが開き、年配のアリ塚頭の魔女が降り、ロンはそのあとから矢のように魔女を追い越して姿が見えなくなった。ハリーもあとを追うつもりで降りかけたが、乗り込んできた人物に行く手をはばまれた。パーシー・ウィーズリーが、顔も上げずに書類を読みながら、ずんずん乗り込んできたのだ。

ドアがガチャンと閉まるまで、パーシーは、父親と同じエレベーターに乗り合わせたことに気づかなかった。目を上げてウィーズリー氏に気づいたとたん、パーシーの顔は赤カブ色になり、ドアが次の階で開くと同時に降りていった。ハリーは再び降りようとしたが、今度はウィーズリーおじさんの腕にはばまれた。

「ちょっと待て、ランコーン」

エレベーターのドアが閉まり、二人はガチャガチャともう一階下に下りていった。ウィーズリー氏が言った。

「君が、ダーク・クレスウェルの情報を提供したと聞いた」

ハリーには、ウィーズリーおじさんの怒りが、パーシーの態度でよけいにあおられたように思えた。ここは、知らんふりをするのが一番無難だと判断した。

「え？」ハリーが言った。

「知らぬふりはやめろ、ランコーン」ウィーズリー氏が、激しい口調で言った。「君は、家系図を捏造した魔法使いとして彼を追いつめたのだろう。ちがうかね？」

「私は——もしそうだとしたら？」ハリーが言った。

「そうだとしたら、ダーク・クレスウェルは、君より十倍も魔法使いらしい人物だ」

エレベーターがどんどん下りていく中、ウィーズリー氏が静かに言った。

「もし、クレスウェルがアズカバンから生きて戻ってきたら、君は彼に申し開きをしなければならないぞ。もちろん、奥さんや息子たちや友達にも——」

「アーサー」ハリーが口をはさんだ。「君は監視されている。知っているのか？」

「脅迫のつもりか、ランコーン？」ウィーズリー氏が声を荒らげた。

「いや」ハリーが言った。「事実だ！　君の動きはすべて見張られているんだ――」

エレベーターのドアが開いた。アトリウムに到着していた。ウィーズリー氏は痛烈な目でハリーをにらみ、サッと降りていった。ハリーは、衝撃を受けてその場に立ちすくんだ。ランコーンでなく、ほかの人間に変身していればよかったのに……ドアが再びガチャンと閉まった。

ハリーは透明マントを取り出して、またかぶった。ロンが雨降り部屋を処理している間に、独力でハーマイオニーを救出するつもりだった。ドアが開くと、板壁にじゅうたん敷きの一階とはまったくちがう、松明（たいまつ）に照らされた石の廊下に出た。エレベーターだけが再びガチャガチャと昇っていき、ハリーは廊下の奥にある「神秘部」の真っ黒な扉のほうを見て、少し身震いした。

ハリーは歩きはじめた。目標は黒い扉ではなく、確か左手にあったはずの入口だ。その開口部から法廷に下りる階段がある。忍び足で階段を下りながら、ハリーは、どういう可能性があるかと、あれこれ考えをめぐらした。「おとり爆弾」はあと一個残っている。しかし、法廷の扉をノックしてランコーンとして入室し、マファルダとちょっと話したいと願い出るほうがよいのではないか？　もちろん、ランコーンがそんな頼みを通せるほど重要人物かどうかを、ハリーは知らない。しかも、もしそれができたとしても、ハーマイオニーが法廷に戻らなければ、三人が魔法省を脱出する前に、捜索が始まってしまうかもしれない……。

考えるのに夢中で、ハリーは不自然な冷気にじわじわと包まれていることに、すぐには気づかなかった。階段を下りて、冷たい霧の中に入っていくような感じだ。一段下りるごとに冷気が増し、それはのどからまっすぐに入り込んで、肺を引き裂くようだった。それからあの忍び寄る絶望感、無気力感が体中を侵し、広がっていった……。

吸魂鬼だ、とハリーは思った。

階段を下りきって右に曲がると、恐ろしい光景が目に入った。法廷の外の暗い廊下は、黒いフードをかぶった背の高い姿でいっぱいだ。吸魂鬼の顔は完全に隠れ、ガラガラという息だけが聞こえる。尋問に連れてこられたマグル生まれたちは、石のように身をこわばらせ、堅い木のベンチに体を寄せ合って震えている。ほとんどの者が顔を両手で覆っているが、たぶん、吸魂鬼の意地汚い口から、本能的に自らを護っているのだ。家族に付き添われている者も、ひとりで座っている者もいる。吸魂鬼は、その前をすべるように往ったり来たりしている。その場の冷たい絶望感、無気力感が、呪いのようにハリーにのしかかってきた……。

戦え、ハリーは自分に言い聞かせた。しかしここで守護霊を出せば、たちまち自分の存在を知られてしまう。そこでハリーは、できるだけ静かに進んだ。一歩進むごとに、頭がしびれていくようだ。ハリーは、自分を必要としているハーマイオニーとロンのことを思い浮かべて、力を振りしぼった。

そびえ立つような黒い姿の中を歩くのは、恐ろしかった。フードに隠された目のない顔が、ハリーの動きを追った。ハリーの存在を感じ取ったにちがいない。おそらく、まだ望みを捨てず、反発力を残した者の存在を感じ取っているのだ……。

その時突然、凍りつくような沈黙に衝撃が走り、左側に並ぶ地下室の扉の一つが開いて、中から叫び声が響いてきた。

「ちがう、ちがう、私は半純血だ。半純血なんだ。聞いてくれ！　父は魔法使いだった。**ほんとうだ。**調べてくれ。アーキー・アルダートンだ。有名な箒設計士だった。調べてくれ。お願いだ――手を放せ、手を放せ――」

「これが最後の警告よ」

魔法で拡大されたアンブリッジの猫なで声が、男の絶望の叫びをかき消して響いた。

「抵抗すると、吸魂鬼に接吻(キス)させますよ」

男の叫びは静かになったが、乾いたすすり泣きが廊下に響いてきた。

「連れていきなさい」アンブリッジが言った。

法廷の入口に、二人の吸魂鬼が現れた。くさりかけたかさぶただらけの手が、気絶した様子の魔法使いの両腕をつかんでいる。吸魂鬼は男を連れてするすると廊下を去っていき、そのあとに残された暗闇が、男の姿を飲み込んだ。

「次――メアリー・カターモール」アンブリッジが呼んだ。

小柄な女性が立ち上がった。頭のてっぺんから足の先まで震えている。黒い髪をとかしつけて髷(まげ)に結い、長いシンプルなローブを着ている。顔からは、すっかり血の気が失(う)せていた。吸魂鬼のそばを通り過ぎるとき、女性が身震いするのが見えた。

ハリーは本能的に動いた。何も計画していたわけではない。女性が一人で地下牢(ろう)に入っていくのを、見るにたえなかったからだ。扉が閉まりかけたとき、ハリーは女性の後ろについて法廷にすべり込んでいた。

そこは、かつてハリーが魔法不正使用の廉(かど)で尋問された法廷とは、ちがう部屋だった。天井は同じぐらいの高さだったが、もっと小さな部屋だ。深井戸の底に閉じ込められたようで、閉所恐怖症に襲われそうだった。

ここには、さらに多くの吸魂鬼がいた。その場に、凍りつくような霊気を発している。顔のない歩哨(ほしょう)のように、高くなった裁判官席からは一番遠い法廷の隅に立っていた。高欄の囲いのむこうにアンブリッジが座り、片側にはヤックスリー、もう片側には、カターモール夫人と同じぐらい青白い顔をしたハーマイオニーが座っていた。裁判官席の下には、毛足の長い銀色の猫が往ったり来たりしている。吸魂鬼の発する絶望感から検察側を護っているのはそれだ、とハリーは気づいた。絶望を感じるべきなのは被告であり、原告ではないのだ。

「座りなさい」アンブリッジの甘い、なめらかな声が言った。

カターモール夫人は、高い席から見下ろす床の真ん中に、一つだけ置かれた椅子によろよろと近寄った。座ったとたんに、椅子のひじかけ部分からガチャガチャと鎖が出てきて、夫人を椅子に縛りつけた。

「メアリー・エリザベス・カターモールですね？」アンブリッジが聞いた。

カターモール夫人は弱々しくこくりとうなずいた。

「魔法ビル管理部の、レジナルド・カターモールの妻ですね？」

カターモール夫人はワッと泣きだした。

「夫がどこにいるのかわからないわ。ここで会うはずでしたのに！」

アンブリッジは無視した。

「メイジー、エリー、アルフレッド・カターモールの母親ですね？」

カターモール夫人は、いっそう激しくしゃくり上げた。

「子供たちはおびえています。私が家に戻らないのじゃないかと思って――」

「いいかげんにしろ」ヤックスリーが吐き出すように言った。「『穢れた血』のガキなど、我々の同情を誘うものではない」

カターモール夫人のすすり泣きが、壇に上る階段にそっと近づこうとしていたハリーの足音を隠してくれた。猫の守護霊がパトロールしている場所を過ぎたとたん、ハリーは温度が変わるのを感じた。ここは暖かく快適だ。この守護霊は、アンブリッジのものにちがいないとハリーは思った。自分が作成に関与したいびつな法律を振りかざし、本領を発揮できるこの上ない幸せを反映して、アンブリッジの分身は光り輝いていた。ハリーはゆっくりと慎重に、アンブリッジ、ヤックスリー、ハーマイオニーの座っている裁判官席の後ろの列に回り込んでじりじりと進み、ハーマイオニーの後ろに座った。ハーマイオニーが驚いて、飛び上がりはしないかと心配だった。アンブリッジとヤックスリーに「**耳ふさぎ**」の呪文をかけようとも思ったが、呪文を小声でつぶやいてもハーマイオニーを驚かせてしまうかもしれない。その時、アンブリッジが声を張り上げてカターモール夫人に呼びかけたので、ハリーはその機会をとらえた。

「僕、君の後ろにいるよ」ハリーは、ハーマイオニーの耳にささやいた。

思ったとおり、ハーマイオニーは飛び上がり、そのはずみで尋問の記録に使うはずのインクつぼをひっくり返すところだった。しかしアンブリッジもヤックスリーも、カターモール夫人に気を取られていて、それに気づかなかった。

「カターモールさん、あなたが今日魔法省に到着した際に、あなたから杖を取り上げました」アンブリッジが話していた。「二十二センチ、桜材、芯は一角獣(ユニコーン)のたてがみ。この説明がなんのことかわかりますか？」

カターモール夫人は、そでで目をぬぐってうなずいた。

「この杖を、魔女または魔法使いの、誰から奪ったのか、教えてくれますか？」

「私が――奪った？」カターモール夫人はしゃくり上げた。「いいえ、だ――誰からも奪ったりしませんわ。私は、か――買ったのです。十一歳のときに。そ――その――その杖が――私を**選んだ**のです」

夫人の泣き声が、いっそう激しくなった。

女の子のように小さな笑い声を上げたアンブリッジを、ハリーはなぐりつけてやりたくなった。アンブリッジが自分の餌食をよく見ようと高欄から身を乗り出すと同時に、何か金色のものがぶらりと前に揺れて、宙にぶら下がった。ロケットだ。

それを見たハーマイオニーが小さな叫び声を上げたが、アンブリッジもヤックスリーも相変わらず獲物に夢中で、いっさい耳に入っていなかった。

「いいえ」アンブリッジが言った。「いいえ、そうは思わないことよ、カターモールさん。杖は、魔女とか魔法使いしか選びません。あなたは魔女ではないのよ。あなたに送った調査票へのお答えがここにあります——マファルダ、よこしてちょうだい」

アンブリッジが小さい手を差し出した。その瞬間、あまりにもガマガエルそっくりだったので、ずんぐりした指の間に水かきが見えないことに、ハリーは相当驚いた。ハーマイオニーは衝撃で手が震えていた。脇の椅子に崩れんばかりに積まれている文書の山を、もたつく手で探り、ハーマイオニーはやっとのことで、カターモール夫人の名前が書いてある羊皮紙の束を引っ張り出した。

「それ——それ、きれいだわ、ドローレス」

ハーマイオニーは、アンブリッジのブラウスのひだ飾りの中で光っているペンダントを指差した。

「何？」

アンブリッジは、ぶっきらぼうに言いながら下を見た。

「ああ、これ——家に先祖代々伝わる古い品よ」

アンブリッジは、でっぷりした胸にのっているロケットをポンポンとたたいた。

「『S』の字はセルウィンのS……私はセルウィンの血筋なの……実のところ、純血の家系で私の親戚筋でない家族は、ほとんどないわ。……残念ながら」アンブリッジは、カターモール夫人の調査票にざっと目を通しながら、声を大にして言葉を続けた。「あなたの場合はそうはいかないようね。両親の職業、青物商」

ヤックスリーはあざ笑った。下のほうではふわふわした銀色の猫が往ったり来たりの見張りを続け、吸魂鬼は部屋の隅で待ちかまえていた。

アンブリッジのうそでハリーは頭に血が上り、警戒心を忘れてしまった。こそ泥から賄賂として奪ったロケットが、自分の純血の証明を補強するのに使われている。ハリーは透明マントの下に隠すことさえせず、杖を上げて唱えた。

「**ステューピファイ！　まひせよ！**」

赤い閃光（せんこう）が走った。アンブリッジはクシャッと倒れて額が高欄の端にぶつかり、カターモール夫人の調査票はひざから床にすべり落ちた。同時に、壇の下では、歩き回っていた銀色の猫が消えた。氷のような冷たさが、下から上へ風のように襲ってきた。混乱したヤックスリーは、原因を突き止めようとあたりを見回し、ハリーの体のない手と杖だけが自分をねらっているのを見つけて杖を抜こうとした。しかし、遅すぎた。

「**ステューピファイ！　まひせよ！**」

ヤックスリーはズルッと床に倒れ、身を丸めて横たわった。

「ハリー！」

「ハーマイオニー、だまって座ってなんかいられるか？　あいつがうそをついて――」

「ハリー、カターモールさんが！」

ハリーは透明マントをかなぐり捨てて、すばやく振り向いた。下では、吸魂鬼が部屋の隅から動きだし、椅子に鎖で縛られている女性にするすると近づいていた。守護霊が消えたからなのか、それとも飼い主の牽制（けんせい）が効かない状態になったのを感じ取ったからなのか、抑制をかなぐり捨てたようだ。ぬるぬるしたかさぶただらけの手であごを押し上げられ、上を向かされたカターモール夫人は、すさまじい恐怖の悲鳴を上げた。

「**エクスペクト　パトローナム！　守護霊よ来たれ！**」

銀色の牡鹿がハリーの杖先から飛び出し、吸魂鬼に向かって突進した。吸魂鬼は退却し、再び暗い影となって消えた。牡鹿は地下牢を何度もゆっくりと駆け回って、猫の護りよりずっと力強く暖かい光で部屋全体を満たした。

「分霊箱を取るんだ」ハリーがハーマイオニーに言った。

ハリーは階段を駆け下りながら、透明マントをローブにしまい、カターモール夫人に近づいた。

「あなたが？」夫人はハリーの顔を見つめて、小声で言った。「でも――でも、レッジが言ってたわ。私の名前を提出して尋問させたのは、あなただって！」

「そうなの？」ハリーは、夫人の腕を縛っている鎖を引っ張りながらもぞもぞと言った。「そう、気が変わったんだ。**ディフィンド！　裂けよ！**」何事も起こらない。「ハーマイオニー、どうやって鎖をはずせばいい？」

「ちょっと待って。こっちでもやっていることがあるの――」

「ハーマイオニー、吸魂鬼に囲まれてるんだぞ！」

「わかってるわよ、ハリー。でもアンブリッジが目を覚ましたときロケットがなくなっていたら――コピーを作らなくちゃ……**ジェミニオ！　そっくり！**　ほーら……これでだませるわ……」

ハーマイオニーも階段を駆け下りてきた。

「そうね……**レラシオ！　放せ！**」

鎖はガチャガチャと音を立てて、椅子のひじかけに戻った。カターモール夫人は、なおもおびえているようだった。

「わけがわからないわ」夫人が小声で言った。

「ここから一緒に出るんだ」

ハリーは夫人を引っ張って立たせた。

「家に帰って、急いで子供たちを連れて逃げろ。いざとなったら国外に脱出するんだ。変装して逃げろ。事情はその目で見たとおり、ここでは公正に聞いてもらうことなんてできない」

「ハリー」ハーマイオニーが言った。「扉のむこうは、吸魂鬼がいっぱいよ。どうやってここから出るつもり？」

「守護霊たちを――」

ハリーは杖を自分の守護霊に向けながら言った。牡鹿は速度をゆるめ、まばゆい光を放ったまま並足で扉のほうに移動した。

「できるだけたくさん呼び出すんだ。ハーマイオニー、君のも」

「**エクスペク――エクスペクト　パトローナム**」ハーマイオニーが唱えたが、何事も起こらない。

「この人は、この呪文だけが苦手なんだ」

ハリーは、ぼうぜんとしているカターモール夫人に話しかけた。

「ちょっと残念だよ、ほんとに……がんばれ、ハーマイオニー……」

「**エクスペクト　パトローナム！　守護霊よ来たれ！**」

銀色のカワウソがハーマイオニーの杖先から飛び出し、空中を優雅に泳いで牡鹿のそばに行った。

「行こう」ハリーは、ハーマイオニーとカターモール夫人を連れて扉に向かった。

二体の守護霊が地下牢からスーッと飛び出すと、外で待っていた人々が驚いて叫び声を上げた。ハリーは周囲を見回した。吸魂鬼はハリーたちの両側で退却して闇に溶け、銀色の霊たちの前に散り散りになって消えた。

「みんな家に戻り、家族とともに隠れるようにと決定された」

ハリーは、外で待っていた「マグル生まれ」たちに告げた。守護霊の光をまぶしげに見ながら、みんなまだ縮こまっている。

「できればこの国から出るんだ。とにかく魔法省からできるだけ離れること。それが――えーと――省の新しい立場だ。さあ、守護霊たちについて行けば、アトリウムから外に出られる」

石段を上がるまでは、なんとか邪魔されることもなく移動したが、エレベーターに近づくと、ハリーは心配になりはじめた。銀の牡鹿とカワウソを脇に従え、二十人もの人を連れていて、そのうちの半数は「マグル生まれ」として訴えられているとなれば、いやでも人目につくと考えないわけにはいかない。ハリーがそういうありがたくない結論に達したとき、エレベーターが目の前にガチャガチャと停止した。

「レッジ！」

カターモール夫人が叫び声を上げて、ロンの腕の中に飛び込んだ。

「ランコーンが逃がしてくれたの。アンブリッジとヤックスリーを襲って。そして、私たち全員が国外に出るべきだって、そう言うの。レッジ、そうしたほうがいいわ。ほんとにそう思うの。急いで家に帰りましょう。そして子供たちを連れて、そして――あなた、どうしてこんなにぬれているの？」

「水」

ロンは抱きついている夫人を離しながら、つぶやいた。

「ハリー、連中は、魔法省に侵入者がいるって気づいたぜ。アンブリッジの部屋の扉の穴がどうとか。たぶん、あと五分しかない。それもないかも――」

カワウソの守護霊が**ポン**と消え、ハーマイオニーは恐怖に引きつった顔をハリーに向けた。

「ハリー、ここに閉じ込められてしまったら――!」

「すばやく行動すれば、そうはならない」ハリーが言った。

ハリーは、黙々と後ろについてきていた人々に話しかけた。みんなぼうぜんとハリーを見つめていた。

「杖を持っている者は?」

約半数が手を挙げた。

「よし。杖を持っていない者は、誰か持っている者についていること。迅速に行動するんだ――連中に止められる前に。さあ、行こう」

全員がなんとか二台に分乗できた。エレベーターの金の格子が閉まり、昇りはじめるまで、ハリーの守護霊がその前で歩哨に立った。

「八階」落ち着いた魔女の声が流れた。「アトリウムでございます」

困ったことになったと、ハリーはすぐに気づいた。アトリウムでは大勢の人が、暖炉を次々と閉鎖する作業に動き回っていた。

「ハリー!」ハーマイオニーが金切り声を上げた。「どうしましょう――?」

「**やめろ!**」

ハリーはランコーンの太い声をとどろかせた。声はアトリウム中に響き、暖炉閉鎖をしていた魔法使いたちはその場に凍りついた。

「ついてくるんだ」

ハリーはおびえきったマグル生まれの集団に向かってささやいた。ロンとハーマイオニーに導かれ、みんなが固まって移動した。

「どうしたんだ、アルバート?」

ハリーが暖炉からアトリウムに出てきたときに、すぐあとから出てきた、あの頭のはげかかった魔法使いだった。神経をとがらせているようだ。

「この連中は、出口が閉鎖される前に出ていかねばならんのだ」

ハリーはできるかぎり重々しく言った。ハリーの目の前にいる魔法使いたちは、顔を見合わせた。

「命令では、すべての出口を閉鎖して、誰も出さないようにと――」

「俺の言うことがきけんのか？」ハリーはこけおどしにどなりつけた。「おまえの家系図を調べさせてやろうか？　俺がダーク・クレスウェルにしてやったように」

「すまん！」

はげかけの魔法使いは息をのんであとずさりした。

「そんなつもりじゃない、アルバート、ただ、私はこの連中が……この連中が尋問のために来たと思ったんで、それで……」

「この者たちは純血だ」

ハリーの低音はホール中に重々しく響いた。

「あえて言うが、おまえたちの多くより純血だぞ。さあ、行け」ハリーは大声で言った。

マグル生まれたちはあわてて暖炉の前に進み、二人ずつ組んで姿を消した。魔法省の職員たちは、困惑した顔やらおびえた顔、恨めしげな顔をして、遠巻きに見ていた。その時――。

「メアリー！」

カターモール夫人が振り返った。本物のレッジ・カターモールが、もう吐いてはいなかったがげっそりした青い顔で、エレベーターから降りて走ってくるところだった。

「レ――レッジ？」

夫人は、夫とロンを交互に見た。ロンは大声で事態をののしった。

はげかけの魔法使いは口をあんぐり開け、夫人は二人のレッジ・カターモールの間で、滑稽な首振り人形になっていた。

「おいおい――どうしたっていうんだ？　こりゃなんだ？」

「出口を閉鎖しろ！　**閉鎖しろ！**」

ヤックスリーがもう一台のエレベーターから飛び出し、暖炉の脇にいる職員たちに向かって走ってくるところだった。マグル生まれは、カターモール夫人をのぞいて全員、すでに暖炉に消えていた。はげかけの魔法使いが杖を上げたが、ハリーが巨大な拳を振り上げてパンチを食らわせ、その魔法使いをぶっ飛ばした。

「ヤックスリー、こいつはマグル生まれの逃亡に手を貸していたんだ！」ハリーが叫んだ。

はげかけの魔法使いの同僚たちが騒ぎだした。そのどさくさに紛れて、ロンがカターモール夫人をつかみ、まだ開いている暖炉の中へと姿を消した。ヤックスリーは混乱した顔でハリーとパンチを食らった魔法使いを交互に見ていたが、その時、本物のレッジ・カターモールが叫んだ。

「私の妻だ！　私の妻と一緒に行ったのは誰だ？　いったい、どうしたというんだ？」

ハリーは、ヤックスリーが声のしたほうを振り向き、その野蛮な顔に、真相がわかったぞ、というかすかなしるしが表れるのを見た。

「来るんだ！」

ハリーはハーマイオニーに向かって叫び、手をつかんで一緒に暖炉に飛び込んだ。ヤックスリーの呪いが、その時ハリーの頭上をかすめて飛んだ。二人は数秒間くるくる回転し、トイレの小部屋に吐き出された。ハリーがパッと戸を開けると、ロンは洗面台の脇に立って、まだカターモール夫人ともみ合っていた。

「レッジ、私にはわからないわ――」

「いいからもうやめて。僕は君の夫じゃない。君は家に帰らないといけないんだ！」

ハリーたちの後ろの小部屋で音がした。ハリーが振り返ると、ヤックスリーが現れたところだった。

「**行こう！**」

叫ぶや否や、ハリーはハーマイオニーの手を握り、ロンの腕をつかんでその場で回転した。

暗闇が三人をのみ込み、ハリーはゴムバンドでしめつけられるような感覚を覚えた。しかし何かがおかしい……握っているハーマイオニーの手が徐々に離れていく……。

ハリーは窒息するのではないかと思った。息をすることもできず、何も見えない。ただロンの腕とハーマイオニーの指だけが実体のあるものだった。しかもその指がゆっくりと離れていく……。

その時ハリーの目に、グリモールド・プレイス十二番地の扉と蛇の形のドア・ノッカーが見えた。しかしハリーが息を吸い込む前に、悲鳴が聞こえ、紫の閃光が走った。ハーマイオニーの手が、突然万力でしめつけるようにハリーの手を握り、すべてがまた暗闇に戻った。

第14章　盗っ人

目を開けると、金色と緑が目にまぶしかった。ハリーは何が起こったのかさっぱりわからず、ただ、木の葉や小枝らしいものの上に横たわっていることだけはわかった。ぺちゃんこにつぶれたような感じのする肺に、息を吸い込もうともがきながら、ハリーは目をしばたたいた。すると、まぶしい輝きは、ずっと高い所にある木の葉の天蓋から射し込む太陽の光だと気がついた。何やら、顔の近くでピクピク動いているものがある。ハリーは、何か小さくて獰猛な生き物と顔を合わせることを覚悟しながら、両手両ひざで身を起こした。しかし、それはロンの片足だった。見回すと、ロンもハーマイオニーも森の中に横たわっている。どうやら、ほかには誰もいないようだ。

ハリーは、最初に「禁じられた森」を思い浮かべた。そして、ホグワーツの構内に三人が姿を現すのは愚かで危険だとわかってはいても、森をこっそり抜けてハグリッドの小屋に行くことを考えると、ほんの一瞬心が躍った。しかしその直後、低いうめき声を上げたロンのほうに這っていく間に、ハリーはそこが禁じられた森ではないことに気づいた。樹木はずっと若く、木の間隔も広がっていて、地面の下草が少ない。

ロンの頭の所で、やはり這ってきたハーマイオニーと顔を合わせた。ロンを見たとたん、ハリーの頭から、ほかのいっさいの心配事が吹っ飛んでしまった。ロンの左半身は血まみれで、その顔は、落ち葉の散り敷かれた地面の上で際立って白く見えた。ポリジュース薬の効き目が切れかかっていて、ロンはカターモールとロンがまじった姿をしていた。ますます血の気が失せていく顔とは反対に、髪はだんだん赤くなってきた。

「どうしたんだろう?」

「『ばらけ』たんだわ」

ハーマイオニーの指は、すでに血の色が一番濃く、一番ぬれているそでの所を、てきぱきと探っていた。

ハーマイオニーがロンのシャツを破るのを、ハリーは恐ろしい思いで見つめた。「ばらけ」を、何か滑稽なものだとずっとそう思っていたが、しかしこれは……ハーマイオニーがむき出しにしたロンの二の腕を見て、ハリーは腸がザワッとした。肉がごっそりそがれている。ナイフでそっくりえぐり取ったかのようだ。

「ハリー、急いで、私のバッグ。『**ハナハッカのエキス**』というラベルが貼ってある小瓶よ――」

「バッグ――わかった――」

ハリーは急いでハーマイオニーが着地した所に行き、小さなビーズのバッグをつかんで手を突っ込んだ。たちまち、次々といろいろなものが手に触れた。革製本の背表紙、毛糸のセーターのそで、靴のかかと――。

「**早く!**」

ハリーは地面に落ちていた自分の杖をつかんで、杖先を魔法のバッグに入れ、深い奥底をねらった。

「**アクシオ! ハナハッカよ、来い!**」

小さい茶色の瓶が、バッグから飛び出してきた。ハリーはそれをつかまえて、ハーマイオニーとロンの所に急いで戻った。ロンの目は、もはやほとんど閉じられ、白目の一部が細く見えるだけだった。

「気絶してるわ」

ハーマイオニーも青ざめていた。もうマファルダの顔には見えなかったが、髪にはまだところどころ白髪が見える。

「ハリー、栓を開けて。私、手が震えて」

ハリーは小さな瓶の栓をひねり、ハーマイオニーがそれを受け取って血の出ている傷口に三滴垂らした。緑がかった煙が上がり、それが消えたときには、ハリーの目に血が止まっているのが見えた。傷口は数日前の傷のようになり、肉がむき出しになっていた部分に新しい皮が張っている。

「わあ」ハリーは感心した。

「安全なやり方は、これだけなの」

ハーマイオニーはまだ震えていた。

「完全に元どおりにする呪文もあるけれど、試す勇気がなかったわ。やり方をまちがえば、もっとひどくなるのが怖くて……ロンは、もうずいぶん出血してしまったんですもの……」

「ロンはどうしてけがしたんだろう？　つまり――」

頭をすっきりさせ、たったいま起こったことに筋道をつけようと、ハリーは頭を振った。

「僕たち、どうしてここにいるんだろう？　グリモールド・プレイスに戻るところだと思ったのに？」

ハーマイオニーは深く息を吸った。泣きだしそうな顔だ。

「ハリー、私たち、もうあそこへは戻れないと思うわ」

「どうしてそんな――？」

「『姿くらまし』したとき、ヤックスリーが私をつかんだの。あんまり強いものだから、私、振りきれなくて、グリモールド・プレイスに着いたとき、あの人はまだくっついていた。だけどその時――そうね、ヤックスリーは扉を見たにちがいないわ。それで、私たちがそこで停止すると思って、手をゆるめたのよ。だからやっと振りきって、それで、私があなたたちをここに連れてきたの！」

「だけど、そしたら、あいつはどこに？　待てよ……まさか、グリモールド・プレイスにいるんじゃないだろうな？　あそこには、入れないだろう？」

ハーマイオニーは、涙がこぼれそうな目でうなずいた。

「ハリー、入れると思うわ。私――私は『引き離しの呪い』でヤックスリーを振り離したの。でもその時にはすでに、私があの人を『忠誠の術』の保護圏内に入れてしまっていたのよ。ダンブルドアが亡くなってから、私たちも『秘密の守人』だったわ。だから私が、その秘密をヤックスリーに渡してしまったことになるでしょう？」

　ハリーは、ハーマイオニーの言うとおりだと思った。事実をあざむいてもしかたがない。大きな痛手だった。ヤックスリーがあの屋敷に入れるなら、三人はもう戻ることはできない。いまのいまでさえ、ヤックスリーはほかの死喰い人たちを「姿あらわし」させて、あそこに連れてきているかもしれない。あの屋敷は、確かに暗くて圧迫感はあったが、三人にとっては唯一の安全な避難場所になっていた。それに、クリーチャーがあれほど幸せそうで親しくなったいまは、我が家のようなものだった。いまごろあの屋敷しもべ妖精が、ハリーやロンやハーマイオニーに食べてはもらえないステーキ・キドニー・パイを、いそいそと作っているだろうと思うと、ハリーは胸が痛んだ。それは食べられない無念さとは、まったく別の痛みだった。

「ハリー、ごめんなさい。ほんとうにごめんなさい！」

「バカ言うなよ。君のせいじゃない！　誰かのせいだとしたら、僕のせいだ……」

ハリーはポケットに手を入れて、マッド‐アイの目玉を取り出した。ハーマイオニーは、おびえたようにあとずさりした。

「アンブリッジのやつが、これを自分の部屋の扉にはめ込んで、職員を監視していた。僕、このままにしてておけなかったんだ……でも、やつらが侵入者に気づいたのは、これのせいだ」

ハーマイオニーが応える前に、ロンがうめいて目を開けた。顔色はまだ青く、顔は脂汗で光っていた。

「気分はどう？」ハーマイオニーがささやいた。

「めちゃワル」ロンがかすれ声で応え、けがをした腕の痛みで顔をしかめた。「ここはどこ？」

「クィディッチ・ワールドカップがあった森よ」ハーマイオニーが言った。「どこか囲まれた所で、保護されている所が欲しかったの。それでここが――」

「――最初に思いついた所だった」

ハリーが、あたりを見回しながら言葉を引き取った。林の中の空き地には、見たところ人の気配はない。しかし、ハリーは、ハーマイオニーが最初に思いついた場所に「姿あらわし」した前回の出来事を、思い出さずにはいられなかった。あの時、死喰い人は、たった数分で三人を見つけた。あれは「開心術」だったのだろうか？　ヴォルデモートか腹心の部下が、いまこの瞬間にも、ハーマイオニーが二人を連れてきたこの場所を読み取っているだろうか？

「移動したほうがいいと思うか？」

ロンがハリーに問いかけた。ロンの表情から、ハリーはロンが自分と同じことを考えていると思った。

「わからないけど――」

ロンはまだ青ざめて、じっとりと汗ばんでいた。上半身を起こそうともせず、それだけの力がないように見えた。ロンを動かすとなると、相当やっかいだ。

「しばらく、ここにいよう」ハリーが言った。

ハーマイオニーはホッとしたような顔で、すぐに立ち上がった。

「どこに行くの？」ロンが聞いた。

「ここにいるなら、周りに保護呪文をかけないといけないわ」

ハーマイオニーは杖を上げて、ブツブツ呪文を唱えながら、ハリーとロンの周りに大きく円を描くように歩きはじめた。ハリーの目には、周囲の空気に小さな乱れが生じたように見えた。ハーマイオニーが、この空き地を陽炎で覆ったような感じだった。

「**サルビオヘクシア……プロテゴトタラム……レペロマグルタム……マフリアート……**ハリー、テントを出してちょうだい……」

「テントって？」

「バッグの中よ！」

「バッ……あ、そうか」

今度はわざわざ中を手探りしたりせず、最初から「呼び寄せ呪文」を使った。テント布や張り綱、ポールなどがひと包みとなった大きな塊が出てきた。猫のにおいがすることから、ハリーはこのテントが、クィディッチ・ワールドカップの夜に使ったものだと思った。

「これ、魔法省の、あのパーキンズって人のものじゃないのかな？」

テントのペグのからまりを解きほぐしながら、ハリーが聞いた。

「返してほしいと、思わなかったみたい。腰痛があんまりひどくて」

ハーマイオニーは、次には杖で8の字を描く複雑な動きをしながら言った。

「だから、ロンのお父さまが、私に使ってもいいっておっしゃったの。**エレクト！　立て！**」

最後にハーマイオニーは、ぐしゃぐしゃのテント布に杖を向けて唱えた。すると、流れるような動きでテントが宙に昇り、ハリーの前に降りて、完全なテントが一気に建ち上がった。そして、ハリーの持っているテントのペグが一本、あっという間に手を離れて、張り綱の先端にドスンと落ちた。

「**カーベ　イニミカム、敵を警戒せよ**」

ハーマイオニーは、仕上げに天に向かって華やかに杖を打ち振った。

「私にできるのはここまでよ。少なくとも連中がやってきたらわかるけど、保証できないのは、はたしてヴォル――」

「その名前を言うなよ！」ロンが厳しい声でさえぎった。

ハリーとハーマイオニーは顔を見合わせた。

「ごめん」ロンは、小さくうめきながら体を起こし、二人を見て謝った。「でも、その名前はなんだか、えーと――縁起が悪いと言うか、そんな感じがするんだ。頼むから『例のあの人』って呼べないかな――だめ？」

「ダンブルドアは、名前を恐れれば――」ハリーが言いかけた。

「でもさ、いいか、念のため言うけど、『例のあの人』を名前で呼んだって、最終的にはダンブルドアの役には立たなかったぜ」ロンがかみつき返した。「とにかく――とにかく『例のあの人』に敬意のかけらぐらい示してくれないか？」

「**敬意？**」

ハリーが言い返そうとした。しかし、ハーマイオニーがだめよという目つきでハリーを見た。ロンが弱っているときに、議論すべきではないと言っているらしい。

ハリーとハーマイオニーで、ロンをテントの入口から中へと半分引きずるようにして運んだ。中は、ハリーの記憶とぴったり一致した。狭いアパートで、バスルームと小さいキッチンがついている。ハリーは古いひじかけ椅子を押しのけて、ロンを二段ベッドの下段にそっと下ろした。ロンは、こんな短い距離の移動でも、ますます血の気を失った。ベッドにいったん落ち着くと、ロンは再び目を閉じて、しばらくは口もきけなかった。

「お茶をいれるわ」

ハーマイオニーが息を切らしながらそう言い、バッグの底のほうからやかんと、マグを取り出して、キッチンに向かった。

マッド‐アイが死んだ夜にはファイア・ウィスキーが効いたが、いまのハリーには、温かい飲み物がそれと同じくらいありがたかった。胸の中でうごめいている恐怖を、熱い紅茶が少しは溶かしてくれるような気がした。やがて、ロンが沈黙を破った。

「カターモール一家は、どうなったかなぁ？」

「運がよければ、逃げおおせたと思うわ」

ハーマイオニーが、なぐさめを求めるように熱いマグを握りしめた。

「カターモールが機転を利かせれば、奥さんを『付き添い姿くらまし』で運んで、いまごろは子供たちと一緒に国外へ脱出しているはずよ。ハリーが奥さんにそうするように言ったわ」

「まったくさぁ、僕、あの家族に逃げてほしいよ」

上半身を起こしていたロンが、枕に寄りかかりながら言った。紅茶が効いたのか、ロンの顔に少し赤みがさしてきた。

「だけど、あのレッジ・カターモールってやつ、あんまり機転がきくとは思えなかったな。カターモールだった僕に、みんながどんなふうに話しかけてきたかを考えるとさ。あぁ、あいつらうまくいくといいのに……僕たちのせいで、あの二人がアズカバン行きなんかになったら……」

ハリーはハーマイオニーに質問しようとした――カターモール夫人に杖がなかったことが、夫に「付き添い姿くらまし」してもらう障害になったかどうか――しかし、のどまで出かかったその質問は、ハーマイオニーを見て引っ込んでしまった。カターモール一家の運命をさかんに心配するロンを見つめるその表情が、まさにやさしさそのものという感じで、ハリーは、まるでハーマイオニーがロンにキスしているところを見てしまったみたいに、どぎまぎしてしまったからだ。

「それで、手に入れたの？」

ハリーは、自分もその場にいるのだということを思い出させる意味も込めて、尋ねた。

「手に入れる――何を？」

ハーマイオニーは、ちょっとドキッとしたように言った。

「なんのためにこれだけのことをしたと思う？　ロケットだよ！　ロケットはどこ？」

「**手に入れたのか？**」

ロンは、枕にもたせかけていた体を少し浮かせて叫んだ。

「誰も教えてくれなかったじゃないか！　なんだよ、ちょっと言ってくれたってよかったのに！」

「あのね、私たち、死喰い人から逃れるのに必死だったんじゃなかったかしら？」ハーマイオニーが言った。

「はい、これ」

ハーマイオニーは、ローブのポケットからロケットを引っ張り出して、ロンに渡した。

鶏の卵ほどの大きさだ。キャンバス地の天井を通して入り込む散光の下で、小さな緑の石をたくさんはめ込んだ「S」の装飾文字が、鈍い光を放った。

「クリーチャーの手を離れてからあと、誰かが破壊したって可能性はないか？」

ロンが期待顔で言った。

「つまりさ、これはまだ、確かに分霊箱か？」

「そう思うわ」

ハーマイオニーが、ロンから引き取ったロケットをよく見ながら言った。

「もし魔法で破壊されていたら、なんらかのしるしが残っているはずよ」

ハーマイオニーから渡されたロケットを、ハリーは手の中で裏返した。どこもそこなわれていない、まったく手つかずの状態に見えた。ハリーは、日記帳がどんなにずたずたの残骸になったか、ダンブルドアに破壊された分霊箱の指輪の石が、どんなにパックリ割れていたかを思い出した。

「クリーチャーが言ったとおりだと思う」ハリーが言った。「破壊する前に、まずこれを開ける方法を考えないといけないんだ」

そう言いながらハリーは、自分がいま、手にしているものがなんなのか、この小さい金のふたの後ろに何が息づいているのかを、突然強く意識した。探し出すのにこれほど苦労したのに、ハリーはロケットを投げ捨てたいという激しい衝動にかられた。気を取りなおして、ハリーは指でふたをこじ開けようとした。それから、ハーマイオニーがレギュラスの部屋を開けるときに使った呪文も試してみた。どちらもだめだった。ハリーはロケットを、ロンとハーマイオニーに戻した。二人ともそれぞれ試してみたが、ハリーと変わりのない結果で、開けられなかった。

「だけど、感じないか？」

ロンがロケットを握りしめ、声をひそめて言った。

「何を？」

ロンは分霊箱をハリーに渡した。しばらくして、ハリーはロンの言っていることがわかるような気がした。自分の血が、血管を通って脈打つのを感じているのか、それともロケットの中の、何か小さい金属の心臓のようなものの脈打ちを感じているのか？

「これ、どうしましょう？」

ハーマイオニーが問いかけた。

「破壊する方法がわかるまで、安全にしまっておこう」

ハリーはそう応え、気が進まなかったが鎖を自分の首にかけ、ロケットをローブの中に入れて外から見えないようにした。ロケットは、ハグリッドがくれた巾着と並んで、ハリーの胸の上に収まった。

「テントの外で、交互に見張りをしたほうがいいと思うよ」

ハリーは、ハーマイオニーにそう言いながら立ち上がって、伸びをした。

「それに、食べ物のことも考える必要があるな。君はじっとしているんだ」

起き上がろうとしてまた真っ青になったロンを、ハリーは厳しく制した。

ハーマイオニーがハリーの誕生日プレゼントにくれた「かくれん防止器」を慎重にテント内のテーブルに置き、ハリーとハーマイオニーはその日一日中交代で見張りに立った。しかし、「かくれん防止器」は置かれたまま日がな一日音も立てず、動きもしなかった。ハーマイオニーが周囲にかけた保護呪文やマグルよけ呪文が効いているせいか、それともこのあたりにわざわざ来る人がめったにいないせいか、時折やってくる小鳥やリス以外には、三人のいる空き地を訪れる者はなかった。夕方になっても変わりはなかった。

十時にハーマイオニーと交代するとき、ハリーは杖灯りをつけて、閑散としたあたりの光景に目を凝らした。保護された空き地の上に切り取ったように見える星空を、コウモリたちが高々と横切って飛ぶのが見えた。

ハリーは空腹を感じ、頭が少しぼうっとした。夜にはグリモールド・プレイスに戻っているはずだったので、ハーマイオニーは魔法のバッグに何も食べ物を入れてこなかった。今夜の食事は、ハーマイオニーが近くの木々の間から集めてきたキノコを、キャンプ用のブリキ鍋で煮込んだものだけだった。ロンはふた口食べて、吐きそうな顔で皿を押しやった。ハリーは、ハーマイオニーの気持ちを傷つけないように、という思いだけでこらえた。

時として周囲の静けさを破るのは、ガサガサという得体の知れない音や小枝の折れるような音だけだ。ハリーは人間ではなくむしろ動物の立てる音だろうと思った。しかし杖は、いつでも使えるようにしっかり握り続けていた。すきっ腹にゴムのようなキノコを少しばかり食べたあとの気持ちの悪さも手伝って、ハリーの胃は不安でチクチク痛んだ。

分霊箱をなんとか奪い返せば、きっと意気揚々とした気持ちになるだろうと思っていたが、なぜかそんな気分ではなかった。杖灯りは暗闇のほんの一部しか照らさず、じっと座って闇を見つめながら、ハリーには、これからどうなるのだろう、という不安しか感じられなかった。ここまで来るのに、何週間も、何か月も、いやもしかしたら何年も走り続けてきたような気がした。ところがいま、急に道がとぎれて、立ち往生してしまったようだった。

どこかに残りの分霊箱がある。しかしいったいどこにあるのか、ハリーには皆目見当がつかない。残りの分霊箱がなんなのか、その全部を把握しているわけでもない。一方、たった一つ見つけ出した分霊箱、そしていまハリーの裸の胸に直接触れている分霊箱は、どうやったら破壊できるのか、ハリーはとほうに暮れるばかりだ。

奇妙なことに、ロケットはハリーの体温で温まることもなく、まるで氷水から出たばかりのような冷たさで肌に触れていた。気のせいかもしれないが、ときどきハリー自身の鼓動と並んで、別の小さく不規則な脈が感じられた。

暗闇にじっとしていると、言い知れぬ不吉な予感が忍び寄ってきた。ハリーは不安と戦い、押しのけようとしたが、暗い想いはなお容赦なくハリーをさいなんだ。**一方が生きるかぎり、他方は生きられぬ。**いまハリーの背後のテントで低い声で話しているロンとハーマイオニーは、そうしたければ去ることができる。ハリーにはできない。その場にじっと座って、自分自身の恐れや疲労を克服しようと戦っているハリーには、胸に触れる分霊箱が、ハリーに残された時を刻んでいるかのように思われた。……**ばかばかしい考えだ、**とハリーは自分に言い聞かせた。**そんなふうに考えるな……。**

傷痕がまた痛みだした。そんなふうに考えることが、この痛みを自ら招く結果になっているのではないかと不安になり、ハリーは別なことを考えようとした。哀れなクリーチャー。三人の帰りを待っていたのに、かわりにヤックスリーを迎えなければならなくなった。しもべ妖精は沈黙を守るだろうか、それとも死喰い人に知っていることを全部話してしまうだろうか。ハリーは、この一か月の間に、クリーチャーの自分に対する態度は変わったと信じたかった。いまは、ハリーに忠誠を尽くすだろうと信じたかった。しかし何が起こるかわからない。死喰い人がしもべ妖精を拷問したら？　いやなイメージが頭に浮かび、ハリーはこれも押しのけようとした。

クリーチャーのために、自分は何もしてやれない。ハーマイオニーもハリーも、クリーチャーを呼び寄せないことに決めていた。魔法省から誰か一緒についてきたらどうなる？　ハーマイオニーのそで口をつかんだヤックスリーを、グリモールド・プレイスに連れてきてしまったと同じような欠陥が、しもべ妖精の「姿あらわし」には絶対にないとは言いきれまい。

傷痕は、いまや焼けるようだった。自分たちの知らないことがなんと多いことか、とハリーは思った。ルーピンが言ったことは正しかった。いままで出会ったことも、想像したこともない魔法がある。ダンブルドアは、どうしてもっと教えてくれなかったのか？　まだまだ時間があると思ったのだろうか。この先何年も、もしかしたら友人のニコラス・フラメルのように、何百年も生きると思っていたのだろうか？　そうだとしたら、ダンブルドアはまちがっていた……スネイプのせいで……スネイプのやつ、眠れる蛇め、あいつがあの塔の上で撃ったんだ……。

そしてダンブルドアは落ちていった……落ちて……。


「**俺様にそれを渡せ、グレゴロビッチ**」

ハリーの声はかん高く、冷たく、はっきりしていた。青白い手、長い指で杖を掲げている。杖を向けられた男は、ロープもないのに逆さ吊りになって浮かんでいる。見えない、薄気味の悪い縛りを受け、手足を体に巻きつけられて揺れている。おびえた顔が、ハリーの顔の高さにあった。頭に血が下がって、赤い顔をしている。

男の髪は真っ白で、豊かなあごひげを生やしている。手足を縛られたサンタクロースだ。

「わしはない、持って。もはやない、持って！　それは、何年も前に、わしから盗まれた！」

「ヴォルデモート卿にうそをつくな、グレゴロビッチ。帝王は知っている……常に知っているのだ」

吊るされた男の瞳孔は、恐怖で大きく広がっていた。それが、だんだん大きくふくれ上がるように見えたかと思うと、ハリーは丸ごとその瞳の黒さの中にのみ込まれた——。

ハリーはいま、手提げランプを掲げて走る、小柄ででっぷりしたグレゴロビッチのあとを追って、暗い廊下を急いでいた。グレゴロビッチは、廊下の突き当たりにある部屋に、勢いよく飛び込んだ。ランプが、工房と思われる場所を照らし出した。鉋くずや金が、揺れる光だまりの中で輝いた。出窓の縁に、ブロンドの若い男が大きな鳥のような格好で止まっている。一瞬、ランプの光が男を照らした。ハンサムな顔が、大喜びしているのが見えた。そして、その侵入者は自分の杖から「失神呪文」を発射し、高笑いしながら、後ろ向きのまま鮮やかに窓から飛び降りた。

ハリーは、広いトンネルのような瞳孔から、矢のように戻ってきた。グレゴロビッチは、恐怖で引きつった顔をしていた。

「**グレゴロビッチ、あの盗人は誰だ？**」

かん高い、冷たい声が言った。

「**知らない。ずっとわからなかった。若い男だ――助けてくれ――お願いだ――お願いだ！**」

叫び声が長々と続き、そして緑の閃光(せんこう)が――。

「**ハリー！**」

ハリーはあえぎながら目を開けた。額がずきずきする。ハリーはテントに寄りかかったまま眠りに落ち、ずるずると横に倒れて地面に大の字になっていた。見上げるとハーマイオニーの豊かな髪が、黒い木々の枝からわずかに見える夜空を覆っていた。

「夢だ」

ハリーは急いで体を起こし、にらみつけているハーマイオニーに、なんでもないという顔をしてみせようとした。

「うたた寝したみたいだ。ごめんよ」

「傷痕だってことはわかってるわ！　顔を見ればわかるわよ！　あなた、またヴォル――」

「その名前を言うな！」

テントの奥から、ロンの怒った声が聞こえた。

「**いいわよ**」ハーマイオニーが言い返した。「それじゃ、『**例のあの人**』の心をのぞいていたでしょう！」

「わざとやってるわけじゃない！」ハリーが言った。「夢だったんだ！　ハーマイオニー、君なら、夢の中身を変えられるのか？」

「あなたが『閉心術』を学んでさえいたら――」

しかしハリーは、説教されることには興味がなかった。いま見たことを話し合いたかった。

「あいつは、グレゴロビッチを見つけたよ、ハーマイオニー。それに、たぶん殺したと思う。だけど殺す前に、グレゴロビッチの心を読んだんだ。それで、僕、見たんだ――」

「あなたが居眠りするほどつかれているなら、見張りを変わったほうがよさそうね」

ハーマイオニーが冷たく言った。

「交代時間が来るまで見張るよ！」

「ダメよ。あなたはまちがいなくつかれているわ。中に入って横になりなさい」

ハーマイオニーは、意地でも動かないという顔でテントの入口に座り込んだ。ハリーは腹が立ったが、けんかはしたくなかったので入口をくぐって中に入った。

ロンは、まだ青い顔で二段ベッドの下から顔を突き出していた。ハリーはその上のベッドに登り、横になって天井の暗いキャンバス地を見上げた。しばらくするとロンが、入口にうずくまっているハーマイオニーに届かないくらいの低い声で、話しかけてきた。

「『例のあの人』は、何をしてた？」

ハリーは細かい所まで思い出そうと、眉根を寄せて考えてから、暗闇に向かってヒソヒソと言った。

「あいつは、グレゴロビッチを見つけた。縛り上げて拷問していた」

「縛られてたら、グレゴロビッチは、どうやってあいつの新しい杖を作るって言うんだ？」

「さあね……変だよな？」

ハリーは目を閉じて、見たことと聞いたことを全部反芻(はんすう)した。思い出せば出すほど、意味をなさなくなる……ヴォルデモートは、ハリーの杖のことを一言も言わなかったし、杖の芯が双子であることにも触れなかった。ハリーの杖を打ち負かすような新しい、より強力な杖を作れとも言わなかった……。

「グレゴロビッチの、何かが欲しかったんだ」ハリーは、目をしっかりと閉じたまま言った。「あいつはそれを渡せと言ったけど、グレゴロビッチは、もう盗まれてしまったと言っていた……それから……それから……」

ハリーは、自分がヴォルデモートになってグレゴロビッチの目の中を走り抜け、その記憶に入り込んだ様子を思い出した……。

「あいつはグレゴロビッチの心を読んだ。そして僕は、誰だか若い男が出窓の縁に乗って、グレゴロビッチに呪いを浴びせてから、飛び降りて姿を消すところを見た。あの男が盗んだんだ。『例のあの人』が欲しがっていた、何かを盗んだ。それに僕……あの男をどこかで見たことがあると思う……」

ハリーは、高笑いしていた若者の顔を、もう一度よく見たいと思った。盗まれたのは何年も前だと、グレゴロビッチは言った。それなのに、どうしてあの若い盗っ人の顔に見覚えがあるのだろう？

周囲の森のざわめきは、テントの中ではくぐもって聞こえる。ハリーの耳には、ロンの息づかいしか聞こえなかった。しばらくして、ロンが小声で言った。

「その盗っ人の持っていたもの、見えなかったのか？」

「うん……きっと、小さなものだったんだ」

「ハリー？」

ロンが体の向きを変え、ベッドの下段の板がきしんだ。

「ハリー、『例のあの人』は、分霊箱にする何かを探しているんだとは思わないか？」

「わからないよ」ハリーは考え込んだ。「そうかもしれない。だけどもう一つ作るのは、あいつにとって危険じゃないか？　ハーマイオニーが、あいつはもう、自分の魂を限界まで追いつめたって言っただろう？」

「ああ、だけど、あいつはそれを知らないかも」

「うん……そうかもな」ハリーが言った。

ヴォルデモートは、双子の芯の問題を回避する方法を探していた。ハリーは、そう確信していた。あの年老いた杖作りに、その解決策を求めたにちがいない、と思っていた……しかしやつは、どう見ても、杖の秘術など一つも質すことなく、その杖作りを殺してしまった。

いったい、ヴォルデモートは何を探していたのだろう？　魔法省や魔法界を従えておきながら、いったいなぜ遠出までして、見知らぬ盗っ人に盗られてしまったグレゴロビッチのかつての所有物を、必死で求めようとしたのだろう？

ハリーの目には、あのブロンドの若者の顔が、まだ焼きついていた。陽気で奔放な顔だった。どこかフレッドやジョージ的な、策略の成功を勝ち誇る雰囲気があった。まるで鳥のように、窓際から身を躍らせた。どこかで見たことがある。しかしハリーには、どこだったか思い出せない……。

グレゴロビッチが死んだいま、次はあの陽気な顔の盗っ人が危険だ。ロンのいびきが下のベッドから聞こえてきて、ハリー自身も、その若者のことに思いをめぐらしながら、ゆっくりと二度目の眠りに落ちていった。

第15章　小鬼（ゴブリン）の復讐

次の朝早く、ハリーは二人が目を覚ます前にテントを抜け出し、森を歩いて、一番古く、節くれだって反発力のありそうな木を探した。そしてその木陰に、マッド-アイ・ムーディの目玉を埋め、杖（つえ）でその木の樹皮に小さく「＋」と刻んで目印にした。たいした設えではなかったが、マッド-アイにとっては、ドローレス・アンブリッジの扉にはめ込まれているよりはうれしいだろうと、ハリーは思った。それからテントに戻り、次の行動を話し合おうと、二人が目を覚ますのを待った。

ハリーもハーマイオニーも、ひと所にあまり長くとどまらないほうがよいだろうと考えたし、ロンもそれに同意していた。ただ一つ、次に移動する場所は、ベーコン・サンドイッチが容易に手に入る所、という条件つきだった。ハーマイオニーは、空き地の周りにかけた呪文を解き、ハリーとロンは、キャンプしたことがわかるような跡を地上から消した。それから三人は、「姿くらまし」で小さな市場町の郊外に移動した。

低木の小さな林で隠された場所にテントを張り終え、新たに防衛のための呪文を張りめぐらせたあと、ハリーは透明マントをかぶり、思いきって食べ物を探しに出かけた。しかし、計画どおりにはいかなかった。町に入るか入らないうちに、時ならぬ冷気があたりを襲い、霧が立ち込めて空が急に暗くなり、ハリーはその場に凍りついたように立ち尽くしてしまった。

「だけど君、すばらしい守護霊が創り出せるじゃないか！」

ハリーが手ぶらで息せき切って戻り、声も出せずに「吸魂鬼だ」と、ただ一言を唇の動きで伝えると、ロンが抗議した。

「創り出せ……なかった」

ハリーはみずおちを押さえて、あえぎながら言った。

「出て……こなかった」

あぜんとして失望する二人の顔を見て、ハリーはすまないと思った。霧の中からするすると現れる吸魂鬼を遠くに見た瞬間、ハリーは身を縛るような冷気に肺をふさがれ、遠い日の悲鳴が耳の奥に響いてきて、自らの身を護ることができないと感じた。それはハリーにとって悪夢のような経験だった。マグルは、吸魂鬼の姿を見ることはできなくともその存在が周囲に広げる絶望感は、まちがいなく感じていたはずだ。目のない吸魂鬼がマグルの間をすべるように動き回るのも放置し、ハリーは、ありったけの意思の力を振りしぼってその場から逃げ出すのがやっとだった。

「それじゃ、おだまりなさい」

「ロン、また食い物なしだ」

ハーマイオニーが厳しく言った。

「ハリー、どうしたっていうの？　なぜ守護霊を呼び出せなかったと思う？　きのうは完璧にできたのに！」

「わからないよ」

ハリーは、パーキンズの古いひじかけ椅子に座り込んで、小さくなった。だんだん屈辱感がつのってきた。自分の何かがおかしくなったのではないか、と心配だった。きのうという日が、ずいぶん昔に思えた。今日は、ホグワーツ特急の中で、ただ一人だけ気絶した十三歳のときの自分に戻ってしまったような気がした。

ロンは、椅子の脚を蹴飛ばした。

「どうするんだよ？」

ロンがハーマイオニーに食ってかかった。

「僕は飢え死にしそうだ！　出血多量で半分死にかけたときから、食ったものといえば、毒キノコ二本だけだぜ！」

「それなら君が行って吸魂鬼と戦えばいい」ハリーは、かんにさわってそう言った。

「そうしたいさ。だけど、気づいてないかもしれないけど、僕は片腕を吊っているんだ！」

「そりゃあ好都合だな」

「どういう意味だ――？」

「わかった！」

ハーマイオニーが額をピシャッとたたいて叫んだのに驚いて、二人とも口をつぐんだ。

「ハリー、ロケットを私にちょうだい！　さあ、早く」

ハリーがぐずぐずしていると、ハーマイオニーはハリーに向かって指を鳴らしながら、もどかしそうに言った。

「分霊箱よ、ハリー。あなたがまだ下げているでしょう！」

ハーマイオニーは両手を差し出し、ハリーは金の鎖を持ち上げて頭からはずした。それがハリーの肌を離れるが早いか、ハリーは解放されたように感じ、不思議に身軽になった。それまでじっとりと冷や汗をかいていたことにも、胃を圧迫する重さを感じていたことにも、そういう感覚が消えたいまのいままで気づきもしなかった。

「楽になった？」ハーマイオニーが聞いた。

「ああ、ずっと楽だ！」

「ハリー」

ハーマイオニーはハリーの前に身をかがめて、重病人を見舞うときの声とはまさにこうだろう、と思うような声で話しかけた。

「取り憑かれていた、そう思わない？」

「えっ？　ちがうよ！」

ハリーはむきになった。

「それを身につけているときに、僕たちが何をしたか全部覚えているもの。もし取り憑かれていたら、自分が何をしたかわからないはずだろう？　ジニーが、ときどきなんにも覚えていないことがあったって話してくれた」

「ふーん」

ハーマイオニーは、ずっしりしたロケットを見下ろしながら言った。

「そうね、身につけないほうがいいかもしれない。テントの中に保管しておけばいいわ」

「分霊箱を、そのへんに置いておくわけにはいかないよ」ハリーがきっぱりと言った。「なくしたり、盗まれでもしたら――」

「わかったわ、わかったわよ」

ハーマイオニーは自分の首にかけ、ブラウスの下に入れて見えないようにした。

「だけど、一人で長く身につけないように、交代でつけることにしましょう」

「けっこうだ」ロンがいらいら声で言った。「そっちは解決したんだから、何か食べるものをもらえないかな？」

「いいわよ。だけど、どこか別の所に行って見つけるわ」

ハーマイオニーが、横目でちらっとハリーを見ながら言った。

「吸魂鬼が飛びまわっている所にとどまるのは無意味よ」

結局三人は、人里離れてぽつんと建つ農家の畑で、一夜を明かすことになった。そしてやっと、農家から卵とパンを手に入れた。

「これって、盗みじゃないわよね？」

三人でスクランブルエッグをのせたトーストを貪るようにほおばりながら、ハーマイオニーが気づかわしげに言った。

「鶏小屋に、少しお金を置いてきたんだもの」

ロンは目をぐるぐるさせ、両ほおをふくらませて言った。

事実、心地よく腹がふくれると、リラックスしやすくなった。その夜は、吸魂鬼についての言い争いが、笑いのうちに忘れ去られた。三交代の夜警の、最初の見張りに立ったハリーは、陽気なばかりか希望に満ちた気分にさえなっていた。

「アー――ミーニー、くみ、しんぱい、しすぎ。イラックス！」

満たされた胃は意気を高め、からっぽの胃は言い争いと憂鬱をもたらす。三人は、この事実に初めて出会った。ハリーにとって、これは、あまり驚くべき発見ではなかった。ダーズリー家で、餓死寸前の時期を経験していたからだ。ハーマイオニーも、ベリーやかび臭いビスケットしかなかった何日かを、かなりよく耐えていた。いつもより少し短気になったり、気難しい顔でだまりこくることが多くなっただけだった。ところが、これまで母親やホグワーツの屋敷しもべ妖精のおかげで、三度三度おいしい食事をしていたロンは、空腹だとわがままになり、怒りっぽくなった。食べ物のないときと分霊箱を持つ順番とが重なると、ロンは思いっきりいやなやつになった。

「それで、次はどこ？」

ロンは口ぐせのようにくり返して聞いた。自分自身にはなんの考えもなく、そのくせ自分が食料の少なさをくよくよ悩んでいる間に、ハリーとハーマイオニーが計画を立ててくれると期待していた。結局、ハリーとハーマイオニーの二人だけが、どこに行けばほかの分霊箱が見つかるのか、どうしたらすでに手に入れた分霊箱を破壊できるのかと、結論の出ない話し合いに、何時間も費やすことになった。新しい情報がまったく入らない状況では、二人の会話はしだいに堂々めぐりになっていた。

ダンブルドアがハリーに、分霊箱の隠し所は、ヴォルデモートにとって重要な場所にちがいないと教えていたこともあって、話し合いでは、ヴォルデモートが住んでいたか訪れたことがわかっている場所の名前が、うんざりするほど単調にくり返された。生まれ育った孤児院、教育を受けたホグワーツ、卒業後に勤めたボージン・アンド・バークスの店、何年も亡命していたアルバニア、こうした場所が推測の基本線だった。

「そうだ、アルバニアに行こうぜ。国中を探し回るのに、午後半日あれば充分さ」

ロンは皮肉を込めて言った。

「そこにはなんにもあるはずがないの。国外に逃れる前に、すでに五つも分霊箱を作っていたんですもの。それにダンブルドアは、六つ目はあの蛇にちがいないと考えていたのよ」

ハーマイオニーが言った。

「あの蛇が、アルバニアにいないことはわかってるわ。だいたいいつもヴォル――」

「**それを言うのは、やめてくれって言っただろ？**」

「わかったわ！　蛇はだいたいいつも『**例のあの人**』と一緒にいる――これで満足？」

「別に」

「ボージン・アンド・バークスの店に、何か隠しているとは思えない」

ハリーはもう何度もこのことを指摘していたが、いやな沈黙を破るためだけに、もう一度言った。

「ボージンもバークも、闇の魔術の品にかけては専門家だから、分霊箱があればすぐに気づいたはずだ」

ロンは、わざとらしくあくびした。何か投げつけてやりたい衝動を抑えて、ハリーは先を続けた。

「僕は、やっぱり、あいつはホグワーツに何か隠したんじゃないかと思う」

ハーマイオニーはため息をついた。

「でも、ハリー、ダンブルドアが見つけているはずじゃない！」

ハリーは、自分の説を裏づける議論をくり返した。

「ダンブルドアが、僕の前で言ったんだ。ホグワーツの秘密を全部知っているなどと思ったことはないって。はっきり言うけど、もし、どこか一か所、ヴォル――」

「おっと！」

「『**例のあの人**』だよ！」

がまんも限界で、ハリーは大声を出した。

「もしどこか一か所、『例のあの人』にとって、ほんとうに大切な場所があるとすれば、それはホグワーツだ！」

「おい、いいかげんにしろよ」

ロンが混ぜっ返した。

「**学校**がか？」

「ああ、学校がだ！　あいつにとって、学校は初めてのほんとうの家庭だった。自分が特別だってことを意味する場所だったし、あいつにとってのすべてだった。学校を卒業してからだって――」

「僕たちが話してるのは、『例のあの人』のことだよな？　君のことじゃないだろう？」ロンが尋ねた。首にかけた分霊箱の鎖を引っ張っている。ハリーはその鎖をつかんでロンの首をしめ上げたい衝動にかられた。

「『例のあの人』が卒業後に、ダンブルドアに就職を頼みにきたって話してくれたわね」ハーマイオニーが言った。

「そうだよ」ハリーが言った。

「それで、あの人が戻ってきたいと思ったのは、ただ何かを見つけるためだったたし、たぶん創設者ゆかりの品をもう一つ見つけて分霊箱にするためだったと、ダンブルドアはそう考えたのね？」

「そう」ハリーが言った。

「でも、就職はできなかった。そうね？」

ハーマイオニーが言った。

「だからあの人は、そこで創設者ゆかりの品を見つけたり、それを学校に隠したりする機会はなかった！」

「オッケー、それなら」ハリーは降参した。「ホグワーツはなしにしよう」

ほかにはなんの糸口もなく、ハリーたちはロンドンに行き、透明マントに隠れてヴォルデモートが育った孤児院を探した。ハーマイオニーは図書室に忍び込み、そこの記録から、問題の場所が何年も前に取り壊されてしまったことを知った。その場所を訪れると、高層のオフィスビルが建っているのが見えた。

「土台を掘ってみる？」

ハーマイオニーが捨て鉢に言った。

「あいつはここに分霊箱を隠したりしないよ」

ハリーには、とうにそれがわかっていた。孤児院は、ヴォルデモートが絶対に逃げ出してやろうと考えていた場所だ。そんな所に、自分の魂のかけらを置いておくはずがない。ダンブルドアは、ヴォルデモートが隠し場所に栄光と神秘を求めたことを、ハリーに示してくれた。こんな気のめいるような薄暗いロンドンの片隅は、ホグワーツや魔法省、または金色の扉と大理石の床を持つ魔法界の銀行、グリンゴッツとは正反対だ。

ほかに新しいことも思いつかないまま、三人は安全のために毎晩場所を変えてテントを張りながら、地方をめぐり続けた。毎朝、野宿の跡を残さないように消し去ってから、また別の人里離れたさびしい場所を求めて旅立った。またある日は森へ、崖の薄暗い割れ目へ、ヒースの咲く荒れ地へ、ハリエニシダの茂る山の斜面へ、そしてある日は風をよけた入り江の小石だらけの場所へと「姿あらわし」で移動した。約十二時間ごとに、分霊箱を次の人に渡した。音楽が止まるたびに皿を持っている人がほうびをもらえる「皿回し」ゲームを、ひねくれてスローモーションで遊んでいるかのようだった。ただ、ほうびのかわりに十二時間のつのる恐れと不安がもらえるだけなので、ゲームの参加者は音楽が止まるのを恐れた。

ハリーの傷痕は、ひっきりなしにうずいていた。分霊箱を身につけている間が一番ひんぱんに痛むことに、ハリーは気づいた。ときには痛みに耐えかねて、体が反応してしまうこともあった。

「どうした？　何を見たんだ？」

ハリーが顔をしかめるたびに、ロンが問いつめた。

「顔だ」

そのたびにハリーはつぶやいた。

「いつも同じ顔だ。グレゴロビッチから何かを盗んだやつの」

するとロンは顔をそむけ、失望を隠そうともしなかった。ロンが家族や不死鳥の騎士団のメンバーの安否を知りたがっていることは、ハリーにもわかっていた。しかし、ハリーはテレビのアンテナではない。ある時点でヴォルデモートが考えていることを見ることはできても、好きなものにチャンネルを合わせることはできないのだ。どうやらヴォルデモートは、あのうれしそうな顔の若者のことを、四六時中考えているようだ。ヴォルデモートもハリー同様、あの男が誰なのか、どこにいるのかも知らないらしい。傷痕は焼けるように痛み続け、陽気なブロンドの若者の顔が、じらすように脳裏に浮かんだが、その盗っ人のことを口に出せば二人をいらいらさせるばかりだったので、ハリーは痛みや不快感を抑えて表に出さない術を身につけた。二人とも必死になって、分霊箱の糸口を見つけようとしているのだから、ハリーは、一概に二人だけを責めることができなかった。

何日間かが何週間にもなった。ハリーは、ロンとハーマイオニーが、自分のいない所で、自分のことを話しているような気がしはじめた。ハリーがテントに入っていくと、突然二人がだまり込む、ということが数回あった。テントの外でも、偶然に二度ほど、二人が一緒にいるのに出くわしたことがあった。ハリーから少し離れた所で、額をつき合わせて早口で話していたが、ハリーが近づくのに気づいたとたん、話をやめて、水とか薪を集めるのに忙しいというふりをした。

ロンとハーマイオニーは、ハリーと一緒に旅に出ると言った。しかし、二人は、ハリーには秘密の計画があって、そのうちきっと二人にも話してくれるだろうと思ったからこそ、ついてきたのではないだろうか。この旅が、目的もなく漫然と歩き回るだけのものになってしまったように感じられるいま、ハリーはそう考えざるをえなかった。ロンは機嫌の悪さを隠そうともせず、ハーマイオニーも、ハリーのリーダーとしての能力に失望しているのではないかと、ハリーはだんだん心配になってきた。なんとかしなければと、ハリーは分霊箱のありかを考えてみたが、何度考えても、ただ一か所、ホグワーツが頭に浮かぶだけだった。しかしあとの二人が、そこはありえないと考えていたので、ハリーには言いだせなかった。

地方をめぐるうちに、しだいに秋の色が濃くなってきた。テントを張る場所にも、落葉がぎっしり敷き詰められていた。吸魂鬼の作り出す霧に自然の霧が加わり、風も雨も、三人の苦労を増すばかりだった。ハーマイオニーは食用キノコを見分けるのがうまくなっていたが、それだけではあまりなぐさめにならないほど三人は孤立し、ほかの人間から切り離され、ヴォルデモートとの戦いがどうなっているかも、まったくわからないままだった。

「ママは――」

ある晩、ウェールズのとある川岸に野宿しているとき、テントの中でロンが言った。

「なんにもないところから、おいしいものを作り出せるんだ」

ロンは、皿にのった黒焦げの灰色っぽい魚を、憂鬱そうにつついていた。ハリーは反射的にロンの首を見たが、思ったとおり、分霊箱の金鎖がそこに光っていた。ロンに向かって悪態をつきたい衝動を、ハリーはやっとのことで抑えつけた。ロケットをはずす時が来ると、ロンの態度が少しよくなるのを知っていたからだ。

「あなたのママでも、何もないところから食べ物を作り出すことはできないのよ」

ハーマイオニーが言った。

「誰にもできないの。食べ物というのはね、『ガンプの元素変容の法則』の五つの主たる例外のその第一で――」

「あーあ、普通の言葉でしゃべってくれる？」

ロンが、歯の間から魚の骨を引っ張り出しながら言った。

「何もないところからおいしい食べ物を作り出すのは、不可能です！　食べ物がどこにあるかを知っていれば『呼び寄せ』できるし、少しでも食べ物があれば、変身させることも量を増やすこともできるけど――」

「――ならさ、これなんか増やさなくていいよ。ひどい味だ」ロンが言った。

「ハリーが魚を釣って、私ができるだけのことをしたのよ！　結局いつも私が食べ物をやりくりすることになるみたいね。たぶん私が**女**だからだわ！」

「違うさ。君の魔法が、一番うまいはずだからだ！」ロンが切り返した。

ハーマイオニーは突然立ち上がり、焼いたカマスの身がブリキの皿から下にすべり落ちた。

「ロン、あしたは**あなたが**料理するといいわ！　**あなたが**食料を見つけて、呪文で何か食べられるものに変えるといいわ。それで、私はここに座って、顔をしかめて文句を言うのよ。そしたらあなたは、少しは――」

「だまって！」

ハリーが突然立ち上がって、両手を挙げながら言った。

「**シーッ**！　だまって！」

ハーマイオニーが憤慨した顔で言った。

「ロンの味方をするなんて。この人、ほとんど一度だって料理なんか――」

「ハーマイオニー、静かにして。声が聞こえるんだ！」

両手でしゃべるなと二人を制しながら、ハリーは聞き耳を立てた。すると、かたわらの暗い川の流れの音に混じって、また話し声が聞こえてきた。ハリーは「かくれん防止器」を見たが、動いていない。

「**『耳ふさぎ』**の呪文はかけてあるね？」ハリーは小声でハーマイオニーに聞いた。

「全部やったわ」ハーマイオニーがささやき返した。

「**『耳ふさぎ』**だけじゃなくて、『マグルよけ』、『目くらまし術』、全部よ。誰が来ても私たちの声は聞こえないし、姿も見えないはずよ」

何か大きなものがガサゴソ動き回る音や、物がこすれ合う音に混じって、石や小枝が押しのけられる音が聞こえ、相手は複数だとわかった。木の生い茂った急な坂を、ハリーたちのテントのある狭い川岸へと、這い下りてくる。三人は杖を抜いて待機した。この真っ暗闇の中なら、周囲にめぐらした呪文だけで、マグルや普通の魔法使いたちに気づかれないようにするには充分だった。もし相手が死喰い人だったら、保護呪文の護りが闇の魔術に耐えうるかどうかが、初めて試されることになるだろう。

話し声はだんだん大きくなってきたが、川岸に到着したときも、話の内容は相変わらず聞き取れなかった。ハリーの勘では、相手は五、六メートルも離れていないようだった。しかし川の流れの音で、正確なところはわからない。ハーマイオニーはビーズバッグをすばやくつかみ、中をかき回しはじめたが、やがて「伸び耳」を三個取り出して、ハリーとロンに、それぞれ一個ずつ投げ渡した。二人は急いで薄オレンジ色のひもの端を耳に差し込み、もう一方の端をテントの入口に這わせた。

数秒後、ハリーはつかれたような男の声をキャッチした。

「ここなら鮭の二、三匹もいるはずだ。それとも、まだその季節には早いかな？　**アクシオ！　鮭よ、来い！**」

川の流れとははっきりちがう水音が数回して、捕まった魚がじたばたと肌をたたく音が聞こえた。誰かがうれしそうに何かつぶやいた。ハリーは「伸び耳」をギュッと耳に押し込んだ。川の流れに混じってほかの声も聞こえてきたが、英語でもなく、いままで聞いたことのない言葉で、人間のものではない。

耳ざわりなガサガサした言葉で、のどに引っかかるような雑音のつながりだ。どうやら二人いる。一人はより低くゆっくりした話し方をする。

テントの外で火がゆらめいた。炎とテントの間を、大きな影がいくつか横切った。鮭の焼けるうまそうなにおいが、じらすようにテントに流れてきた。やがてナイフやフォークが皿に触れる音がして、最初の男の声がまた聞こえた。

「さあ、グリップフック、ゴルヌック」

小鬼（ゴブリン）だわ！　ハーマイオニーが、口の形でハリーに言った。ハリーはうなずいた。

「ありがとう」小鬼たちが、同時に英語で言った。

「じゃあ、君たち三人は、逃亡中なのか。長いのかい？」

別の男の声が聞いた。感じのいい、心地よい声だ。ハリーにはどことなく聞き覚えがあった。腹の突き出た、陽気な顔が思い浮かんだ。

「六週間か……いや七週間……忘れてしまった」つかれた男の声が言った。「すぐにグリップフックと出会って、それからまもなくゴルヌックと合流した。仲間がいるのはいいものだ」

声がとぎれ、しばらくはナイフが皿をこする音や、ブリキのマグを地面から取り上げたり置いたりする音が聞こえた。

「君はなぜ家を出たのかね、テッド？」男の声が続いた。

「連中が私を捕まえにくるのはわかっていたのでね」心地よい声のテッドが言った。

ハリーはとっさに声の主を思い出した。トンクスの父親だ。

「先週、死喰い人たちが近所をかぎ回っていると聞いて、逃げたほうがいいと思ったのだよ。マグル生まれの登録を、私は主義として拒否したのでね。あとは時間の問題だとわかっていた。最終的には家を離れざるをえなくなることがわかっていたんだ。妻は大丈夫なはずだ。純血だから。それで、このディーンに出会ったというわけだ。二、三日前だったかね？」

「ええ」別の声が答えた。

ハリーもロンもハーマイオニーも顔を見合わせた。声は出さなかったが、興奮で我を忘れるほどだった。確かにディーン・トーマスの声だ。グリフィンドールの仲間だ。

「マグル生まれか、え？」最初の男が聞いた。

「わかりません」ディーンが言った。「父は僕が小さいときに母を捨てました。でも魔法使いだったかどうか、僕はなんの証拠も持っていません」

しばらく沈黙が続き、ムシャムシャ食べる音だけが聞こえたが、やがてテッドが口を開いた。

「ダーク、君に出会って実は驚いたよ。うれしかったが、やはり驚いた。捕まったと聞いていたのでね」

「そのとおりだ」

ダークが言った。

「アズカバンに護送される途中で、脱走した。ドーリッシュを『失神』させて、やつの箒を奪った。思ったより簡単だったよ。やつは、どうもまともじゃないように思う。『錯乱』させられているのかもしれない。だとすれば、そうしてくれた魔法使いだか魔女だかと握手したいよ。たぶんそのおかげで命拾いした」

またみんなだまり込み、たき火のはぜる音や川のせせらぎが聞こえた。やがてテッドの声がした。

「それで、君たち二人はどういう事情かね？　つまり、えー、小鬼たちはどちらかといえば、『例のあの人』寄りだという印象を持っていたのだがね」

「そういう印象はまちがいです」高い声の小鬼が答えた。

「我々はどちら寄りでもありません。これは、魔法使いの戦争です」

「それじゃ、君たちはなぜ隠れているのかね？」

「慎重を期するためです」低い声の小鬼が答えた。「私にしてみれば無礼極まりないと思われる要求を拒絶しましたので、身の危険を察知しました」

「連中は何を要求したのかね？」テッドが聞いた。

「わが種族の尊厳を傷つける任務です」

小鬼の答える声は、より荒くなり、人間味が薄れていた。

「私は、『屋敷しもべ妖精』ではない」

「グリップフック、君は？」

「同じような理由です」声の高い小鬼が答えた。

「グリンゴッツは、もはや我々の種族だけの支配ではなくなりました。私は、魔法使いの主人など認知いたしません」

グリップフックは小声で何かつけ加えたが、小鬼のゴブリディグック語だ。ゴルヌックが笑った。

「何がおかしいの？」ディーンが聞いた。

「グリップフックが言うには」ダークが答えた。「魔法使いが認知していないこともいろいろある」

少し間が空いた。

「よくわからないなぁ」ディーンが言った。

「逃げる前に、ちょっとした仕返しをしました」グリップフックが英語で言った。

「それでこそ男だ――あ、いや、それでこそ小鬼だ」テッドは急いで訂正した。「死喰い人を誰か一人、特別に機密性の高い古い金庫に閉じ込めたりしたんじゃなかろうね？」

「そうだとしても、あの剣では金庫を破る役には立ちません」グリップフックが答えた。

ゴルヌックがまた笑い、ダークまでがクスクス笑った。

「ディーンも私も、何か聞き逃していることがありそうだね」テッドが言った。

「セブルス・スネイプにも逃したものがあります。もっとも、スネイプはそれさえも知らないのですが」グリップフックが言った。

そして二人の小鬼は、大声で意地悪く笑った。

テントの中で、ハリーは興奮に息をはずませていた。ハリーとハーマイオニーは、顔を見合わせ、これ以上は無理だというほど聞き耳を立てた。

「テッド、あのことを聞いていないのか？」ダークが問いかけた。「ホグワーツのスネイプの部屋から、グリフィンドールの剣を盗み出そうとした子供たちのことだが」

ハリーの体を電流が走り、神経の一本一本をかき鳴らした。ハリーはその場に根が生えたように立ちすくんだ。

「一言も聞いていない」テッドが言った。「『予言者新聞』にはのってなかっただろうね？」

「ないだろうな」ダークがカラカラと笑った。「このグリップフックが話してくれたのだが、銀行に勤めているビル・ウィーズリーから、それを聞いたそうだ。剣を奪おうとした子供の一人はビルの妹だった」

ハリーがちらりと目をやると、ハーマイオニーもロンも、命綱にしがみつくようにしっかりと「伸び耳」を握りしめていた。

「その子とほかの二人とで、スネイプの部屋に忍び込み、剣が収められていたガラスのケースを破ったらしい。スネイプは、盗み出したあとで階段を下りる途中の三人を捕まえた」

「ああ、なんと大胆な」テッドが言った。「何を考えていたのだろう？『例のあの人』に対して、その剣を使えると思ったのだろうか？　それとも、スネイプに対して使おうとでも？」

「まあ、剣をどう使おうと考えていたかは別として、スネイプは、剣をその場所に置いておくのは安全でないと考えた」ダークが言った。「それから数日後、『例のあの人』から許可をもらったからだと思うが、スネイプは、剣をグリンゴッツに預けるために、ロンドンに送った」

小鬼たちがまた笑いだした。

「何がおもしろいのか、私にはまだわからない」テッドが言った。

「偽物だ」グリップフックが、ガサガサ声で言った。

「グリフィンドールの剣が！」

「ええ、そうですとも。贋作です——よくできていますが、まちがいない——魔法使いの作品です。本物は、何世紀も前に小鬼がきたえたもので、小鬼製の刀剣類のみが持つある種の特徴を備えています。本物のグリフィンドールの剣がどこにあるやら、とにかくグリンゴッツ銀行の金庫ではありませんな」

「なるほど」テッドが言った。「それで、君たちは、死喰い人にわざわざそれを教えるつもりはない、と言うわけだね？」

「それを教えてあの人たちをおわずらわせする理由は、まったくありませんな」

グリップフックがすましてそう言うと、今度はテッドとディーンも、ゴルヌックとダークと一緒になって笑った。

テントの中で、ハリーは目をつむり、誰かが自分の聞きたいことを聞いてくれますようにと祈っていた。まるで十分に思えるほどの長い一分がたって、ディーンが聞いてくれた。そういえば（ハリーはそのことを思い出して、胸がざわついたが）、ディーンもジニーの元ボーイフレンドだった。

「ジニーやほかの二人はどうなったの？　盗み出そうとした生徒たちのことだけど？」

「ああ、罰せられましたよ。しかも厳しくね」グリップフックは、無関心に答えた。

「でも、無事なんだろうね？」テッドが急いで聞いた。「つまり、ウィーズリー家の子供たちが、これ以上傷つけられるのはごめんだよ。どうなんだね？」

「私の知るかぎりでは、ひどい傷害は受けなかったらしいですよ」グリップフックが言った。

「それは運がいい」テッドが言った。「スネイプの経歴を見れば、その子供たちがまだ生きているだけでもありがたいと思うべきだ」

「それじゃ、テッド、君はあの話を信じているのか？」ダークが聞いた。「スネイプがダンブルドアを殺したと思うのか？」

「もちろんだ」テッドが言った。「君はまさか、ポッターがそれに関わっていると思うなんて、そんなたわ言を言うつもりはないだろうね？」

「近ごろは、何を信じていいやらわからない」ダークがつぶやいた。

「僕はハリー・ポッターを知っている」ディーンが言った。「そして、僕は彼こそ本物だと思う――『選ばれし者』なんだ。どういう呼び方をしてもいいけど」

「君、そりゃあ、ポッターがそうであることを信じたい者はたくさんいる」ダークが言った。「私もその一人だ。しかし、彼はどこにいる？　どうやら逃げてしまったじゃないか。ポッターが我々の知らないことを何か知っていると言うなら、それともポッターには何か特別な才能があると言うなら、隠れていないで、いまこそ正々堂々と戦い、レジスタンスを集結しているはずだろう。それに、それ、『予言者新聞』がポッターに不利な証拠を挙げているし――」

「『予言者』？」

テッドが鼻先で笑った。

「ダーク、まだあんなくだらんものを読んでいるなら、だまされても文句は言えまい。ほんとうのことが知りたいなら、『ザ・クィブラー』を読むことだ」

突然、のどを詰まらせてゲーゲー吐く大きな音が聞こえた。背中をドンドンたたく音も加わった。どうやらダークが魚の骨を引っかけたらしい。やっと吐き出したダークが言った。

「『ザ・クィブラー』？　ゼノ・ラブグッドの、あの能天気な紙くずのことか？」

「近ごろはそう能天気でもない」テッドが言った。「試しに読んでみるといい。ゼノは『予言者』が無視している事柄をすべて活字にしている。最新号では『しわしわ角スノーカック』に一言も触れていない。ただし、このままだと、いったいいつまで無事でいられるか、そのあたりは私にはわからない。しかしゼノは、毎号の巻頭ページで、『例のあの人』に反対する魔法使いは、ハリー・ポッターを助けることを第一の優先課題にするべきだと書いている」

「地球上から姿を消してしまった男の子を助けるのは、難しい」ダークが言った。

「いいかね、ポッターがまだ連中に捕まっていないということだけでも、たいしたものだ」テッドが言った。「私は喜んでハリーの助言を受け入れるね。我々がやっていることもハリーと同じだ。自由であり続けること。そうじゃないかね？」

「ああ、まあ、君の言うことも一理ある」ダークが重々しく言った。「魔法省や密告者がこぞってポッターを探しているからには、もういまごろは捕まっているだろうと思ったんだが。もっとも、もうとうに捕まえて、こっそり消してしまったと言えなくもないじゃないか？」

「ああ、ダーク、そんなことを言ってくれるな」テッドが声を落とした。

それからは、ナイフとフォークの音だけで、長い沈黙が続いた。次に話しだしたときは、川岸でこのまま寝るか、それとも木の茂った斜面に戻るかの話し合いだった。木があるほうが身を隠しやすいと決めた一行は、たき火を消し、再び斜面を登っていった。話し声はしだいに消えていった。

ハリー、ロン、ハーマイオニーは、「伸び耳」を巻き取った。盗み聞きを続ければ続けるほど、だまっているのが難しくなってきていたハリーだったが、いま口をついて出てくる言葉は、「ジニー――剣――」だけだった。

「わかってるわ！」ハーマイオニーが言った。

ハーマイオニーは、またしてもビーズバッグをまさぐったが、今回は片腕をまるまる奥まで突っ込んでいた。

「さあ……ここに……あるわ……」

ハーマイオニーは歯を食いしばって、バッグの奥にあるらしい何かを引っ張り出しながら言った。ゆっくりと、装飾的な額縁の端が現れた。ハリーは急いで手を貸した。ハーマイオニーのバッグから、二人がかりで、額縁だけのフィニアス・ナイジェラスの肖像画を取り出すと、ハーマイオニーは杖を向けて、いつでも呪文をかけられる態勢を取った。

「もしも、剣がまだダンブルドアの校長室にあったときに、誰かが偽物とすり替えていたのなら」ハーマイオニーは、額縁をテントの脇に立てかけながら、息をはずませた。「その現場を、フィニアス・ナイジェラスが見ていたはずよ。彼の肖像画はガラスケースのすぐ脇にかかっているもの！」

「眠っていなけりゃね」

そうは言ったものの、ハリーは、ハーマイオニーがからの肖像画の前にひざまずいて杖を絵の中心に向けるのを、息を殺して見守った。ハーマイオニーは、咳払いをしてから呼びかけた。

「えー――フィニアス？　フィニアス・ナイジェラス？」

何事も起こらない。

「フィニアス・ナイジェラス？」

ハーマイオニーが、再び呼びかけた。

「ブラック教授？　お願いですから、お話しできませんか？　どうぞお願いします」

「『どうぞ』は常に役に立つ」

皮肉な冷たい声がして、フィニアス・ナイジェラスがするりと額の中に現れた。すかさずハーマイオニーが叫んだ。

「**オブスクーロ！　目隠し！**」

フィニアス・ナイジェラスの賢しい黒い目を、黒の目隠しが覆い、フィニアスは額縁にぶつかって、ギャッと痛そうな悲鳴を上げた。

「なんだ――よくも――いったいどういう――？」

「ブラック教授、すみません」ハーマイオニーが言った。「でも、用心する必要があるんです！」

「この汚らしい描き足しを、すぐに取り去りたまえ！　取れといったら取れ！　偉大なる芸術を損傷しているぞ！　ここはどこだ？　何が起こっているのだ？」

「ここがどこかは、気にしなくていい」ハリーが言った。

フィニアス・ナイジェラスは、描き足された目隠しをはがそうとあがくのをやめて、その場に凍りついた。

「その声は、もしや逃げを打ったミスター・ポッターか？」

「そうかもしれない」

こう言えば、フィニアス・ナイジェラスの関心を引き止めておけると意識して、ハリーが応えた。

「二つ質問があります――グリフィンドールの剣のことで」

「ああ」

フィニアス・ナイジェラスは、ハリーの姿をなんとか見ようとして、今度は頭をいろいろな角度に動かしながら言った。

「そうだ。あのばかな女の子は、まったくもって愚かしい行動を取った――」

「妹のことをごちゃごちゃ言うな」

ロンは乱暴な言い方をした。フィニアス・ナイジェラスは、人を食ったような眉をピクリと上げた。

「ほかにも誰かいるのか？」

フィニアスはあちこちと首を回した。

「君の口調は気に入らん！　あの女の子も仲間も、向こう見ずにもほどがある。校長の部屋で盗みを働くとは！」

「盗んだことにはならない」ハリーが言った。「あの剣はスネイプのものじゃない」

「スネイプ教授の学校に属するものだ」

フィニアス・ナイジェラスが言った。

「ウィーズリー家の女の子に、いったいどんな権利があると言うのだ？　あの子は罰を受けるに値する。それに抜け作のロングボトムも、変人のラブグッドもだ！」

「ネビルは抜け作じゃないし、ルーナは変人じゃないわ！」ハーマイオニーが言った。

「ここはどこかね？」

フィニアス・ナイジェラスはまたしても目隠しと格闘しながら、同じことを聞いた。

「私をどこに連れてきたのだ？　なぜ私を、先祖の屋敷から取りはずした？」

「それはどうでもいい！　スネイプは、ジニーやネビルやルーナにどんな罰を与えたんだ？」

ハリーは急き込んで聞いた。

「スネイプ**教授**は、三人を『禁じられた森』に送って、ウスノロのハグリッドの仕事を手伝わせた」

「ハグリッドは、ウスノロじゃないわ！」ハーマイオニーがかん高い声を出した。

「それに、スネイプはそれが罰だと思ったろうけど」ハリーが言った。「でも、ジニーもネビルもルーナも、ハグリッドと一緒に大笑いしただろう。『禁じられた森』なんて……それがどうした！ 三人とももっと大変な目にあっている！」

ハリーはホッとした。最低でも、「磔の呪文」のような恐ろしい罰を想像していたのだ。

「ブラック教授。私たちがほんとうに知りたいのは、誰か別の人が、えーと、剣を取り出したことがあるかどうかです。たとえば磨くためとか――そんなことで？」

目隠しを取ろうとじたばたしていたフィニアス・ナイジェラスは、また一瞬動きを止め、ニヤリと笑った。

「フン、**マグル生まれ**めが。小鬼製の刀剣・甲冑は、磨く必要などない。単細胞め。小鬼の銀は世俗の汚れを寄せつけず、自らを強化するもののみを吸収するのだ」

「ハーマイオニーを単細胞なんて呼ぶな」ハリーが言った。

「反駁されるのは、もううんざりですな」フィニアス・ナイジェラスが言った。「そろそろホグワーツの校長室に戻る潮時ですかな？」

目隠しされたまま、フィニアスは絵の縁を探りはじめ、手探りで絵から抜け出し、ホグワーツの肖像画に戻ろうとした。ハリーは突然、ある考えがひらめいた。

「ダンブルドアだ！ ダンブルドアを連れてこられる？」

「なんだって？」フィニアス・ナイジェラスが聞き返した。

「ダンブルドア先生の肖像画です――ダンブルドア先生をここに、あなたの肖像画の中に連れてこられませんか？」

フィニアス・ナイジェラスは、ハリーの声のほうに顔を向けた。

「どうやら無知なのは、マグル生まれだけではなさそうだな、ポッター。ホグワーツの肖像画は、お互いに往き来できるが、城の外に移動することはできない。どこかほかにかかっている自分自身の肖像画だけは別だ。ダンブルドアは、私と一緒にここに来ることはできない。それに、君たちの手でこのような待遇を受けたからには、私がここを訪問することも二度とないと思うがよい！」

ハリーは少しがっかりして、絵から出ようとますます躍起になっているフィニアスを見つめた。

「ブラック教授」

ハーマイオニーが呼びかけた。

「お願いですから、**どうぞ**教えていただけませんか。剣が最後にケースから取り出されたのは、いつでしょう？　つまり、ジニーが取り出す前ですけど？」

フィニアスはいらいらした様子で、鼻息も荒く言った。

「グリフィンドールの剣が最後にケースから出るのを見たのは、確か、ダンブルドア校長が指輪を開くために使用したときだ」

ハーマイオニーが、くるりとハリーを振り向いた。フィニアス・ナイジェラスの前で、二人ともそれ以上、何も言えはしなかった。フィニアスは、ようやく出口を見つけた。

「では、さらばだ」

フィニアスはやや皮肉な捨てゼリフを残して、まさに姿を消そうとした。まだ見えている帽子のつばの端に向かって、ハリーが突然叫んだ。

「待って！　スネイプにそのことを話したんですか？」

フィニアス・ナイジェラスは、目隠しされたままの顔を絵の中に突き出した。

「スネイプ校長は、アルバス・ダンブルドアの数々の奇行なんぞより、もっと大切な仕事で頭がいっぱいだ。**ではさらば、**ポッター！」

それを最後に、フィニアスの姿は完全に消え、あとにはくすんだ背景だけが残された。

「ハリー！」ハーマイオニーが叫んだ。

「わかってる！」ハリーも叫んだ。

興奮を抑えきれず、ハリーは拳で天を突いた。これほどの収穫があるとは思わなかった。テントの中を歩き回りながら、ハリーはいまならどこまででも走れるような気がした。空腹さえ感じていなかった。ハーマイオニーは、フィニアス・ナイジェラスの肖像画をビーズバッグの中に再び押し込み、留め金をとめてバッグを脇に投げ出し、顔を輝かせてハリーを見上げた。

「剣が、分霊箱を破壊できるんだわ！　小鬼製の刃は、自らを強化するものだけを吸収する――ハリー、あの剣は、バジリスクの毒をふくんでいるわ！」

「そして、ダンブルドアが僕に剣を渡してくれなかったのは、まだ必要だったからだ。ロケットに使うつもりで――」

「――そして、もし遺言に書いたら、連中があなたに剣を引き渡さないだろうって、ダンブルドアは知っていたにちがいないわ――」

「――だから偽物を作った――」

「――そして、ガラスケースに贋作を入れたのね――」

「――それから本物を……どこだろう？」

二人はじっと見つめ合った。ハリーは、見えない答えがそのへんにぶら下がっているような気がした。身近に、じらすように。ダンブルドアはどうして教えてくれなかったのだろう？　それとも、実は、ハリーが気がつかなかっただけで、すでに話してくれていたのだろうか？

「考えて！」ハーマイオニーがささやいた。「考えるのよ！　ダンブルドアが剣をどこに置いたのか」

「ホグワーツじゃない」ハリーは、また歩きはじめた。

「ホグズミードのどこかは？」ハーマイオニーがヒントを出した。

『叫びの屋敷』は？」ハリーが言った。「あそこには誰も行かないし」

「でも、スネイプが入り方を知っているわ。ちょっと危ないんじゃないかしら？」

「ダンブルドアは、スネイプを信用していた」ハリーが、ハーマイオニーに思い出させた。

「でも、剣のすり替えを教えるほどには、信用してはいなかった」ハーマイオニーが言った。

「うん、それはそうだ！」

そう言いながら、ハリーは、どんなにかすかな疑いであれ、ダンブルドアにはスネイプを信用しきっていないところがあったのだと思うと、ますます元気が出てきた。

「じゃあ、ダンブルドアは、ホグズミードから遠く離れた所に剣を隠したんだろうか？　ロン、どう思う？　ロン？」

ハリーはあたりを見回した。一瞬、ロンがテントから出ていってしまったのではないかと思い、ハリーはとまどった。しかしロンは、二段ベッドの下段の薄暗がりに、石のように硬い表情で横たわっていた。

「おや、僕のことを思い出したってわけか？」ロンが言った。

「え？」

ロンは上段のベッドの底を見つめながら、フンと鼻を鳴らした。

「お二人さんでよろしくやってくれ。せっかくのお楽しみを、邪魔したくないんでね」

あっけに取られて、ハリーはハーマイオニーに目で助けを求めたが、ハーマイオニーもハリーと同じぐらいとほうに暮れているらしく、首を振った。

「何が気に入らないんだ？」ハリーが聞いた。

「何が気に入らないって？　別になんにも」

ロンはまだ、ハリーから顔をそむけたままだった。

「もっとも、君に言わせれば、の話だけどね」

テントの天井に**パラパラ**と水音がした。雨が降りだしていた。

「いや、君はまちがいなく何かが気に入らない」ハリーが言った。

「はっきり言えよ」

ロンは長い足をベッドから投げ出して、上体を起こした。ロンらしくない、ひねくれた顔だ。

「ああ、言ってやる。僕が小躍りしてテントの中を歩き回るなんて、期待しないでくれ。なんだい、ろくでもない探し物が、また一つ増えただけじゃないか。君の知らないもののリストに加えときゃいいんだ」

「僕が知らない？」ハリーがくり返した。「**僕が**知らないって？」

バラ、**バラ**、**バラ**。雨足が強くなった。テントの周りでは、川岸に敷き詰められた落ち葉を雨が打つ音や、闇を流れる川の瀬音がしていた。たかぶっていたハリーの心に冷水を浴びせるように、恐怖が広がった。ロンは、ハリーの想像していたとおりのことを、そして恐れていたとおりのことを考えていたのだ。

「ここでの生活は最高に楽しいものじゃない、なんて言ってないぜ」ロンが言った。「腕はめちゃめちゃ、食い物はなし、毎晩尻を冷やして見張り、てな具合のお楽しみだしな。ただ僕は、数週間駆けずり回った末には、まあ、少しは何か達成できてるんじゃないかって、そう思ってたんだ」

「ロン」

ハーマイオニーが蚊の鳴くような声で言ったが、ロンは、いまやテントにたたきつけるような大きな雨の音にかこつけて、聞こえないふりをした。

「僕は、君が何に志願したのかわかっている、と思っていた」ハリーが言った。

「ああ、僕もそう思ってた」

「それじゃ、どこが君の期待どおりじゃないって言うんだ？」

怒りのせいで、ハリーは反撃に出た。

「五つ星の高級ホテルに泊まれるとでも思ったのか？　一日おきに分霊箱が見つかるとでも？　クリスマスまでにはママの所に戻れると思っていたのか？」

「僕たちは、君が何もかも納得ずくで事に当たっていると思ってた！」

ロンは立ち上がってどなった。その言葉は焼けたナイフのようにハリーを貫いた。

「僕たちは、ダンブルドアが君のやるべきことを教えてると思っていた！　君には、ちゃんとした計画があると思ったよ！」

「ロン！」

今度のハーマイオニーの声は、テントの天井に激しく打ちつける雨の音よりもはっきりと聞こえたが、ロンはそれも無視した。

「そうか。失望させてすまなかったな」

心はうつろで自信もなかったが、ハリーは落ち着いた声で言った。

「僕は、はじめからはっきり言ったはずだ。ダンブルドアが話してくれたことは、全部君たちに話したし、忘れてるなら言うけど、分霊箱を一つ探し出した――」

「ああ、しかも、それを破壊する可能性は、ほかの分霊箱を見つける可能性と同じぐらいさ――つまり、まーったく可能性なし！」

「ロン、ロケットをはずしてちょうだい」

ハーマイオニーの声は、いつになく上ずっていた。

「お願いだから、はずして。一日中それを身につけていなかったら、そんな言い方はしないはずよ」

「いや、そんな言い方をしただろうな」

ハリーは、ロンのために言い訳などしてほしくなかった。

「僕のいない所で二人でヒソヒソ話をしていたことに、僕が気づかないと思っていたのか？　君たちがそんなふうに考えていることに、僕が気づかないとでも思ったのか？」

「ハリー、私たちそんなこと――」

「うそつけ！」ロンがハーマイオニーをどなりつけた。「君だってそう言ったじゃないか。失望したって。ハリーはもう少しわけがわかってると思ったって――」

「そんな言い方はしなかったわ――ハリー、ちがうわ！」ハーマイオニーが叫んだ。

雨は激しくテントを打ち、涙がハーマイオニーのほおを流れ落ちた。ほんの数分前の興奮は、一瞬燃え上がっては消えるはかない花火のように跡形もなく消え去り、残された暗闇が冷たくぬれそぼっていた。グリフィンドールの剣は、どことも知れず隠されている。そして、テントの中の、まだ十代の三人がこれまでにやりとげたことと言えば、まだ、死んでいないということだけだった。

「それじゃ、どうしてまだここにいるんだ？」ハリーがロンに言った。

「さっぱりわからないよ」ロンが言った。

「なら、家に帰れよ」ハリーが言った。

「ああ、そうするかもな！」

大声でそう言うなり、ロンは二、三歩ハリーに近寄った。ハリーは動かなかった。

「妹のことをあの人たちがどう話していたか、聞いたか？　ところが、君ときたら、洟も引っかけなかった。たかが『禁じられた森』じゃないかだって？　『**僕はもっと大変な目にあっている**』とおっしゃるハリー・ポッター様は、森で妹に何が起ころうと気にしないんだ。ああ、僕なら気にするね。巨大蜘蛛だとか、まともじゃないものだとか――」

「僕はただ――ジニーはほかの二人と一緒だったし、ハグリッドも一緒で――」

「――ああ、わかったよ。君は心配してない！　それにジニー以外の家族はどうなんだ？　『ウィーズリー家の子供たちが、これ以上傷つけられるのはごめんだよ』って、聞いたか？」

「ああ、僕――」

「でも、それがどういう意味かなんて、気にしないんだろ？」

「ロン！」

ハーマイオニーは二人の間に割って入った。

「何も新しい事件があったという意味じゃないと思うわ。私たちの知らないことが起こったわけじゃないのよ。ロン、よく考えて。ビルはとうに傷ついているし、ジョージが片耳を失ったことは、いろいろな人に知れ渡っているわ。それにあなたは、黒斑病で死にそうだということになっているし。あの人が言ってたのは、きっとそれだけのことなのよ――」

「へえ、たいした自信があるんだな？　いいさ、じゃあ、僕は家族のことなんか気にしないよ。君たち二人はいいよな。両親が安全な所にいてさ——」

「僕の両親は、**死んでるんだ！**」ハリーは大声を出した。

「僕の両親も、同じ道をたどっているかもしれないんだ！」ロンも叫んだ。

「なら、**行けよ！**」ハリーがどなった。

「みんなの所に帰れ。黒斑病が治ったふりをしろよ。そしたらママがお腹いっぱい食べさせてくれて、そして——」

ロンが突然動いた。ハリーも反応した。しかし二人の杖がポケットから出る前に、ハーマイオニーが杖を上げていた。

「**プロテゴ！　護れ！**」

見えない盾が広がり、片側にハリーとハーマイオニー、反対側にロン、と二分した。呪文の力で、双方が数歩ずつあとずさりした。ハリーとロンは、透明な障壁の両側で、初めて互いをはっきり見るかのようににらみ合った。ロンに対する憎しみが、ハリーの心をじわじわとむしばんだ。二人の間で何かが切れた。

「分霊箱を、置いていけよ」ハリーが言った。

ロンは鎖を首からぐいとはずし、そばにあった椅子にロケットを投げ捨てた。

「君はどうする？」

ロンがハーマイオニーに向かって言った。

「どうするって？」

「残るのか、どうなんだ？」

「私……」

ハーマイオニーは苦しんでいた。

「ええ――私、ええ、残るわ。ロン、私たち、ハリーと一緒に行くと言ったわ。助けるんだって、そう言ったわ――」

「そうか。君はハリーを選んだんだ」

「ロン、ちがうわ――お願い――戻ってちょうだい。戻って！」

ハーマイオニーは、自分の「盾の呪文」にはばまれた。障壁を取りはずしたときには、ロンはもう、夜の闇に荒々しく飛び出していったあとだった。ハリーはだまったまま、身動きもせず立ち尽くし、ハーマイオニーが泣きじゃくりながら木立の中からロンの名前を呼び続ける声を聞いていた。

しばらくして、ハーマイオニーが戻ってきた。ぐっしょりぬれた髪が、顔に張りついている。

「い――行って――行ってしまったわ！『姿くらまし』して！」

ハーマイオニーは椅子に身を投げ出し、身を縮めて泣きだした。

ハリーは何も考えられなかった。かがんで分霊箱を拾い上げ、首にかけると、ロンのベッドから毛布を引っ張り出して、ハーマイオニーに着せかけた。それから自分のベッドに登り、テントの暗い天井を見つめながら、激しく打ちつける雨の音を聞いた。

第16章 ゴドリックの谷

次の朝目覚めたハリーは、一瞬何が起きたのか思い出せなかった。そのあとで、子供じみた考えではあったが、すべてが夢ならいいのにと思った。ロンはまだそこにいる、いなくなったわけではない、と思いたかった。しかし、枕の上で首をひねると、からっぽのロンのベッドが目に入った。からのベッドはまるで屍のように目を引きつけた。ハリーはロンのベッドを見ないようにしながら、上段のベッドから飛び下りた。ハーマイオニーはもう台所で忙しく働いていたが、「おはよう」の挨拶もなく、ハリーがそばを通ると急いで顔をそむけた。

ロンは行ってしまった。ハリーは自分に言い聞かせた。**行ってしまったんだ。**顔を洗い、服を着る間も、反芻すればショックがやわらぐかのように、ハリーはそのことばかりを考えていた。**ロンは行ってしまった。もう戻ってはこない。**保護呪文を周りにかけるのだから、この場所をいったん引き払ってしまえば、ロンは二度と二人を見つけることはできないということだ。その単純な事実を、ハリーは知っている。

ハリーとハーマイオニーは、だまって朝食をとった。ハーマイオニーは泣き腫らした赤い目をしていた。眠れなかったようだ。二人は荷造りをしたが、ハーマイオニーはのろのろとしていた。ハーマイオニーがこの川岸にいる時間を引き延ばしたい理由が、ハリーにはわかっていた。何度か期待を込めて目を上げるハーマイオニーを見て、ハリーは、この激しい雨の中でロンの足音を聞いたような気がしたのだろうと思った。しかし、木立の間から赤毛の姿が現れる様子はなかった。ハリーもハーマイオニーに釣られてあたりを見回したが——ハリー自身も、かすかな希望を捨てられなかった——雨にぬれそぼつ木立以外には何も見えなかった。そしてそのたびに、ハリーの胸の中で、小さな怒りの塊が爆発するのだった。

君が、何もかも納得ずくで事に当たっていると思ってた！——そう言うロンの声が聞こえた。みずおちがしぼられるような思いで、ハリーは再び荷造りを始めた。

そばを流れるにごった川は急速に水嵩を増し、いまにも川岸にあふれ出しそうだった。二人は、いつもなら野宿を引き払っていたであろう時間より、ゆうに一時間はぐずぐずしていた。ビーズバッグを三度も完全に詰めなおしたあとで、ハーマイオニーはとうとうそれ以上長居をする理由が見つからなくなったようだった。二人はしっかり手を握り合って「姿くらまし」し、ヒースの茂る荒涼とした丘の斜面に現れた。

到着するなり、ハーマイオニーは手をほどいてハリーから離れ、大きな岩に腰を下ろしてしまった。ひざに顔をうずめて身を震わせているハーマイオニーを見れば、泣いているのがわかる。そばに行ってなぐさめるべきだと思いながらも、何かがハリーをその場に釘づけにしていた。体の中の何もかもが、冷たく、張りつめていた。ロンの軽蔑したような表情が、またしてもハリーの脳裏に浮かんだ。ハリーはヒースの中を大股で歩きながら、打ちひしがれているハーマイオニーを中心に大きな円を描き、いつもハーマイオニーが安全のためにかけている保護呪文を施した。

それから数日の間、二人はロンのことをまったく話題にしなかった。ハリーは、ロンの名前を二度と口にすまいと心に誓っていたし、ハーマイオニーは、この問題を追及してもむだだとわかっているようだった。しかし、夜になると、ときどきハリーが寝ているはずの時間に、ハーマイオニーが泣いているのが聞こえた。一方ハリーは、「忍びの地図」を取り出して杖灯りで調べるようになった。ロンの名前が記された点が、ホグワーツの廊下に戻ってくる瞬間を待っていたのだ。現れれば、純血という身分に守られて、ぬくぬくとした城に戻ったという証拠だ。しかし、ロンは地図に現れなかった。しばらくすると、ハリーは、女子寮のジニーの名前を見つめるためだけに、地図を取り出している自分に気がついた。これだけ強烈に見つめれば、もしかしたらジニーの夢に入り込むことができるのではないか、自分がジニーのことを思い、無事を祈っていることが、なんとかジニーに通じるのではないだろうか、と思った。

昼の間は、グリフィンドールの剣のありそうな場所はどこかと、二人で必死に考えた。しかし、ダンブルドアが隠しそうな場所を話し合えば話し合うほど、二人の推理はますます絶望的になり、ありそうもない方向に流れた。ハリーがどんなに脳みそをしぼっても、ダンブルドアが何か隠す場所を口にしたという記憶はなかった。ときどき、ハリーは、ダンブルドアとロンのどちらに、より腹を立てているのかわからなくなるときがあった。

──僕たちは、君が何もかも納得ずくで事に当たっていると思ってた……僕たちは、ダンブルドアが君のやるべきことを教えてると思っていた……君には、ちゃんとした計画があると思ったよ！

ロンの言ったことは正しい。ハリーは、その事実から目をそむけることができなかった。ダンブルドアは事実上、ハリーに何も遺していかなかった。分霊箱の一つは探し出したが、破壊する方法はなかった。ほかの分霊箱が手に入らないという状況は、はじめからまったく変わっていない。ハリーは絶望に飲み込まれてしまいそうだった。こんなあてどない無意味な旅に同行するという友人の申し出を受け入れた自分は、身のほど知らずだった。ハリーは、いまさらながらに動揺した。自分は何も知らない。なんの考えも持っていないのだ。ハーマイオニーもまた、いや気がさしてハリーから離れると言いだすのではないかと、ハリーはそんな気配を見落とさないよう、いつも痛いほど張りつめていた。

いく晩も、二人はほとんど無言で過ごした。ハーマイオニーは、ロンが去ったあとの大きな穴を埋めようとするかのように、フィニアス・ナイジェラスの肖像画を取り出して椅子に立てかけた。二度と来ないとの宣言にもかかわらず、フィニアスはハリーの目的をうかがい知る機会の誘惑に負けたようで、数日おきに目隠しつきで現れることに同意した。ハリーは、フィニアスでさえ会えてうれしかった。傲慢で人をあざけるタイプではあっても、話し相手にはちがいない。ホグワーツで起こっていることなら、どんなニュースでも二人にとっては歓迎だった。もっともフィニアス・ナイジェラスは、理想的な情報屋とは言えなかった。フィニアスは、自分が学校を牛耳って以来のスリザリン出身の校長を崇めていたので、スネイプを批判したり、校長に関する生意気な質問をしたりしないように気をつけないと、たちまち肖像画から姿を消してしまうのだった。

とはいえ、ある程度の断片的なニュースはもらしてくれた。スネイプは、強硬派の学生による小規模の反乱に、絶えず悩まされているようだった。ジニーはホグズミード行きを禁じられていた。また、スネイプは、アンブリッジ時代の古い教育令である学生集会禁止令を復活させ、三人以上の集会や非公式の生徒の組織を禁じていた。

こうしたことから、ハリーは、ジニーがたぶんネビルとルーナと一緒になって、ダンブルドア軍団を継続する努力をしているのだろうと推測した。こんなわずかなニュースでも、ハリーは、胃が痛くなるほどジニーに会いたくてたまらなくなった。

しかし同時に、ロンやダンブルドアのことも考えてしまったし、ホグワーツそのものを、ガールフレンドだったジニーと同じくらい恋しく思った。フィニアス・ナイジェラスがスネイプによる弾圧の話をしたときなど、一瞬我を忘れ、学校に戻ってスネイプ体制揺さぶりの運動に加わろうと、本気でそう思ったほどだった。食べ物ややわらかなベッドがあり、自分以外の誰かが指揮をとっている状況は、この時のハリーにとって、この上なくすばらしいものに思われた。しかし、自分が「問題分子ナンバーワン」であることや、首に一万ガリオンの懸賞金が懸かっていることを思い出し、ホグワーツにいまのこのこ戻るのは、魔法省に乗り込むのと同じくらい危険だと思いなおした。

実際にフィニアス・ナイジェラスが、なにげなくハリーとハーマイオニーの居場所に関する誘導尋問を会話にはさむことで、計らずもその危険性を浮き彫りにしてくれた。そのたびに、ハーマイオニーは肖像画を乱暴にビーズバッグに押し込んだし、フィニアスはと言えば、無礼な別れの挨拶への応酬にその後数日は現れないのが常だった。

季節はだんだん寒さを増してきた。イギリス南部だけにとどまれるなら、せいぜい霜くらいが最大の問題だったが、一か所にあまり長く滞在することはとうていできず、あちらこちらをジグザグに渡り歩いたため、二人は大変な目にあった。あるときはみぞれが山腹に張ったテントを打ち、ある時は広大な湿原で冷たい水がテントを水浸しにした。また、スコットランドの湖の真ん中にある小島では、一夜にしてテントの半分が雪に埋もれた。

居間の窓にきらめくクリスマスツリーをちらほら見かけるようになったある晩、ハリーは、まだ探っていない唯一の残された途だと思われる場所を、もう一度提案しようと決心した。透明マントに隠れてスーパーに行ったハーマイオニーのおかげで（出るときに、開いていたレジの現金入れに几帳面にお金を置いてきたのだが）いつになく豊かな食事をしたあとのことだった。スパゲッティミートソースと缶詰の梨で満腹のハーマイオニーは、いつもより説得しやすそうに思われた。その上、用意周到にも、分霊箱を身につけるのを数時間休もうと提案しておいたので、分霊箱はハリーの脇の二段ベッドの端にぶら下がっていた。

「ハーマイオニー？」

「ん？」

　ハーマイオニーは、『吟遊詩人ビードルの物語』を手に、クッションのへこんだひじかけ椅子の一つに丸くなって座り込んでいた。ハリーは、その本からこれ以上何か得るものがあるのかどうか疑問だった。もともとがたいして厚い本ではない。しかしハーマイオニーはまちがいなく、まだ何かの謎解きをしていた。椅子のひじに、『スペルマンのすっきり音節』が開いて置いてある。

　ハリーは咳払いした。数年前に、まったく同じ気持ちになったことを思い出した。ダーズリー夫婦を説得できずに、ホグズミード行きの許可証にサインしてもらえなかったにもかかわらず、マクゴナガル先生に許可を求めたときのことだ。

「ハーマイオニー、僕、ずっと考えていたんだけど――」

「ハリー、ちょっと手伝ってもらえる？」

　どうやらハリーの言ったことを聞いていなかったらしいハーマイオニーが、身を乗り出して、『吟遊詩人ビードルの物語』をハリーに差し出した。

「この印を見て」

　ハーマイオニーは、開いたページの一番上を指差して言った。物語の題だと思われる文字の上に（ハリーはルーン文字が読めなかったので、題かどうか自信がなかったが）、三角の目のような絵があった。瞳の真ん中に縦線が入っている。

「ハーマイオニー、僕、古代ルーン文字の授業を取ってないよ」

「それはわかってるわ。でも、これ、ルーン文字じゃないし、スペルマンの音節表にものっていないの。私はずっと、目だと思っていたんだけど、ちがうみたい！　これ、書き加えられているわ。ほら、誰かがそこに描いたのよ。もともとの本にはなかったの。よく考えてね。どこかで見たことがない？」

「ううん……ない。あっ、待って」

ハリーは目を近づけた。

「ルーナのパパが、首から下げていたのと同じ印じゃないかな？」

「ええ、私もそう思ったの！」

「それじゃ、グリンデルバルドの印だ」

ハーマイオニーは、口をあんぐり開けてハリーを見つめた。

「**なんですって？**」

「クラムが教えてくれたんだけど……」

ハリーは、結婚式でビクトール・クラムが物語ったことを話して聞かせた。ハーマイオニーは目を丸くした。

「**グリンデルバルド**の印ですって？」

ハーマイオニーはハリーから奇妙な印へと目を移し、再びハリーを見た。

「グリンデルバルドが印を持っていたなんて、私、初耳だわ。彼に関するものはいろいろ読んだけど、どこにもそんなことは書いてなかった」

「でも、いまも言ったけど、あの印はダームストラングの壁に刻まれているもので、グリンデルバルドが刻んだって、クラムが言ったんだ」

ハーマイオニーは眉根にしわを寄せて、また古いひじかけ椅子に身を沈めた。

「変だわ。この印が闇の魔術のものなら、子供の本と、どういう関係があるの？」

「うん、変だな」

ハリーが言った。

「それに、闇の印なら、スクリムジョールがそうと気づいたはずだ。大臣だったんだから、闇のことなんかにくわしいはずだもの」

「そうね……私とおんなじに、これが目だと思ったのかもしれないわ。ほかの物語にも全部、題の上に小さな絵が描いてあるの」

ハーマイオニーは、だまって不思議な印をじっと眺め続けていた。ハリーはもう一度挑戦した。

「ハーマイオニー？」

「ん？」

「僕、ずっと考えていたんだけど、僕――僕、ゴドリックの谷に行ってみたい」

ハーマイオニーは顔を上げたが、目の焦点が合っていなかった。本の不思議な印のことを、まだ考えているにちがいない、とハリーは思った。

「ええ」ハーマイオニーが言った。

「ええ、私もずっとそのことを考えていたの。私たち、そうしなくちゃならないと思うわ」

「僕の言ったこと、ちゃんと聞いてた？」ハリーが聞いた。

「もちろんよ。あなたはゴドリックの谷に行きたい。賛成よ。行かなくちゃならないと思うわ。つまり、可能性があるなら、あそこ以外にありえないと思うの。危険だと思うわ。でも、考えれば考えるほど、あそこにありそうな気がするの」

「あー――あそこに**何が**あるって？」ハリーが聞いた。

この質問に、ハーマイオニーは、ハリーの当惑した気持ちを映したような顔をした。

「何って、ハリー、剣よ！　ダンブルドアは、あなたがあそこに帰りたくなるとわかっていたにちがいないわ。それに、ゴドリックの谷は、ゴドリック・グリフィンドールの生まれ故郷だし――」

「えっ？　グリフィンドールって、ゴドリックの谷出身だったの？」

「ハリー、あなた、『魔法史』の教科書を開いたことがあるの？」

「んー」ハリーは笑顔になった。ここ数か月で初めて笑ったような気がした。顔の筋肉が奇妙にこわばっていた。「開いたかもしれない。つまりさ、買ったときに……一回だけ……」

「あのね、あの村は、彼の名前を取って命名されたの。そういう結びつきだっていうことに、あなたが気づいたのかと思ったのに」ハーマイオニーが言った。

最近のハーマイオニーではなく、昔のハーマイオニーに戻ったような言い方だった。「図書館に行かなくちゃ」と宣言するのではないかと、ハリーは半分身がまえた。

「あの村のことが、『魔法史』に少しのっているわ……ちょっと待って……」

ハーマイオニーはビーズバッグを開いて、しばらくガサゴソ探していたが、やがて古い教科書を引っ張り出した。バチルダ・バグショット著の『魔法史』だ。ページをめくっていたハーマイオニーは、お目当ての箇所を探し出した。


一六八九年、国際機密保持法に署名した後、魔法族は永久に姿を隠した。彼らが集団の中に自らの小さな集団を形成したのは、おそらく自然なことであった。魔法使いの家族は、相互に支え守り合うために、多くは小さな村落や集落に引き寄せられ、集団となって住んだ。コーンウォール州のティンワース、ヨークシャー州のアッパー・フラグリー、南部海岸沿いのオッタリー・セント・キャッチポールなどが、魔法使いの住む集落としてよく知られている。彼らは、寛容な、または『錯乱の呪文』にかけられたマグルたちとともに暮らしてきた。このような魔法使い混合居住地として最も名高いのは、おそらくゴドリックの谷であろう。英国西部地方にあるこの村は、偉大な魔法使い、ゴドリック・グリフィンドールが生まれた所であり、魔法界の金属細工師、ボーマン・ライトが最初の金のスニッチを鋳た場所でもある。墓地は古からの魔法使いの家族の墓碑銘で埋められており、村の小さな教会にゴーストの話が絶えないのも、これでまちがいなく説明がつく。

「あなたのことも、ご両親のことも書いてないわ」

本を閉じながら、ハーマイオニーが言った。

「バグショット教授は十九世紀の終わりまでしか書いていないからだわ。でも、わかった？　ゴドリックの谷、ゴドリック・グリフィンドール、グリフィンドールの剣。ダンブルドアは、あなたがこのつながりに気づくと期待したとは思わない？」

「ああ、うん……」

ハリーは、ゴドリックの谷に行く提案をしたときには、剣のことをまったく考えていなかった。しかし、それを打ち明けたくはなかった。ハリーにとっての村へのいざないは、両親の墓であり、自分がからくも死をまぬかれた家や、バチルダ・バグショット自身にひかれてのことだった。

「ミュリエルの言ってたこと、覚えてる？」

ハリーはやっと切り出した。

「誰の？」

「ほら」

ハリーは言いよどんだ。ロンの名前を口にしたくなかったからだ。

「ジニーの大おばさん。結婚式で。君の足首がガリガリだって言った人だよ」

「ああ」ハーマイオニーが言った。

きわどかった。ハーマイオニーは、ロンの名前が見え隠れするのに気づいていた。ハリーは先を急いだ。

「その人が、バチルダ・バグショットは、まだゴドリックの谷に住んでいるって言ったんだ」

「バチルダ・バグショットが――」

ハーマイオニーは、『魔法史』の表紙に型押しされている名前を人差し指でなぞっていた。

「そうね、たぶん――」

ハーマイオニーが突然息をのんだ。あまりの大げさな驚きように、ハリーは腸（はらわた）が飛び出しそうになった。ハリーは杖を抜くなりテントの入口を振り返った。入口の布を押し開けている手が見えるのではないかと思ったのだが、そこには何もなかった。

「なんだよ？」

ハリーは半ば怒り、半ばホッとしながら言った。

「いったいどうしたっていうんだ？　入口のジッパーを開けている死喰（しく）い人でも見えたのかと思ったよ。少なくとも――」

「ハリー、**バチルダが剣を持っていたら？**　ダンブルドアが彼女に預けたとしたら？」

ハリーはその可能性をよく考えてみた。バチルダはもう相当の年のはずだ。ミュリエルによれば、「老いぼれ」ている。ダンブルドアがバチルダに託して、グリフィンドールの剣を隠したという可能性はあるだろうか？　もしそうだとすれば、ダンブルドアはかなり偶然に賭けたとしか思えない。剣を偽物とすり替えたことを、ダンブルドアは一度も明かさなかったし、バチルダと親交があったことすら一言も言わなかったのだから。しかし、ハリーの一番の願いに、ハーマイオニーが驚くほど積極的に賛成しているいまは、ハーマイオニー説に疑義を差しはさむべき時ではない。

「うん、そうかもしれない！　それじゃ、ゴドリックの谷に行くね？」

「ええ、でも、ハリー、このことは充分に考えないといけないわ」

ハーマイオニーはいまや背筋を正していた。再び計画的に行動できる見通しが立ったことで、ハーマイオニーの気持ちがハリーと同じぐらいに奮い立ったことが、ハリーにははっきりわかった。

「まずは、『透明マント』をかぶったままで、一緒に『姿くらまし』する練習がもっと必要ね。それから『目くらまし術』をかけるほうが安全でしょうね。それとも、万全を期して、『ポリジュース薬』を使うべきだと思う？　それなら誰かの髪の毛を取ってこなくちゃ。ハリー、やっぱりそうしたほうがいいと思うわ。変装は念入りにするに越したことはないし……」

ハリーはハーマイオニーのしゃべるに任せて、間が空くとうなずいたり同意したりしたが、心は会話とは別な所に飛んでいた。こんなに心が躍るのは、グリンゴッツにある剣が偽物だとわかったとき以来だった。

まもなく故郷に帰るのだ。かつて家族がいた場所に戻るのだ。ヴォルデモートさえいなければ、ゴドリックの谷こそ、ハリーが育ち、学校の休暇を過ごす場所になるはずだった。友達を家に招いたかもしれない……弟や妹もいたかもしれない……十七歳の誕生日に、ケーキを作ってくれるのは母親だったかもしれない。そういう人生が奪われてしまった場所を訪れようとしているこのときほど、失われてしまった人生が真に迫って感じられたことはなかった。

その夜、ハーマイオニーがベッドに入ってしまったあとで、ハリーはビーズバッグからそっと自分のリュックサックを引っ張り出し、ずいぶん前にハグリッドからもらったアルバムを取り出した。この数か月で初めて、ハリーは両親の古い写真をじっくりと眺めた。ハリーにはもうこれしか遺されていない両親の姿が、写真の中からハリーに笑いかけ、手を振っていた。

ハリーは翌日にもゴドリックの谷に出発したいくらいだったが、ハーマイオニーの考えはちがっていた。両親の死んだ場所にハリーが戻ることを、ヴォルデモートは予想しているにちがいないと確信していたハーマイオニーは、二人とも最高の変装ができたという自信が持てるまでは出発はしないと、固く決めていた。そんなわけで、丸一週間たってから――クリスマスの買い物をしていた何も知らないマグルの髪の毛をこっそりいただき、透明マントをかぶったままで一緒に「姿あらわし」と「姿くらまし」が完璧にできるように練習してから――ハーマイオニーはやっと旅に出ることを承知した。

夜の闇に紛れて村に「姿あらわし」する計画だったので、二人は午後も遅い時間になってから、やっとポリジュース薬を飲んだ。ハリーははげかかった中年男のマグルに、そしてハーマイオニーは小柄で目立たないその妻に変身した。所持品のすべてが入ったビーズバッグは（分霊箱だけはハリーが首からかけたが）、ハーマイオニーがコートの内ポケットにしまい込んで、きっちりコートのボタンをかけた。ハリーが透明マントを二人にかぶせ、それから一緒に回転して、またもや息が詰まるような暗闇に入り込んだ。

心臓がのど元で激しく打つのを感じながら、ハリーは目を開けた。二人は、雪深い小道に手をつないで立っていた。夕暮れのダークブルーの空には、宵の星がちらほらと弱い光を放ちはじめていた。狭い小道の両側に、クリスマス飾りを窓辺にキラキラさせた小さな家が立ち並んでいる。少し先に金色に輝く街灯が並び、そこが村の中心であることを示していた。

「こんなに雪が！」

透明マントの下で、ハーマイオニーが小声で言った。

「どうして雪のことを考えなかったのかしら？　あれだけ念入りに準備したのに、雪に足跡が残るわ！　消すしかないわね――前を歩いてちょうだい。私が消すわ――」

姿を隠したまま足跡を魔法で消して歩くなど、ハリーはそんなパントマイムの馬のような格好で村に入りたくなかった。

「マントを脱ごうよ」

ハリーがそう言うと、ハーマイオニーはおびえた顔をした。

「大丈夫だから。僕たちだとはわからない姿をしているし、それに周りに誰もいないよ」

ハリーがマントを上着の下にしまい、二人はマントにわずらわされずに歩いた。何軒もの小さな家の前を通り過ぎる二人の顔を、氷のように冷たい空気が刺した。ジェームズとリリーがかつて暮らした家や、バチルダがいまも住む家は、こうした家の中のどれかかもしれない。ハリーは一軒一軒の入口の扉や、雪の積もった屋根、ひさしつきの玄関先をじっと眺め、見覚えのある家はないかと探した。しかし心の奥では、思い出すことなどありえないとわかっていた。この村を永久に離れたとき、ハリーはまだ一歳になったばかりだった。その上、その家が見えるかどうかも定かではなかった。「忠誠の術」をかけた者が死んだ場合はどうなるのか、ハリーは知らなかった。二人の歩いている小道が左に曲がり、村の中心の小さな広場が目の前に現れた。

豆電球の灯りでぐるりと囲まれた広場の真ん中に、戦争記念碑のようなものが見えた。くたびれた感じのクリスマスツリーが、その一部を覆っている。店が数軒、郵便局、パブが一軒、それに小さな教会がある。教会のステンドグラスが、広場のむこう側で宝石のようにまばゆく光っていた。

広場の雪は踏み固められ、人々が一日中歩いた所は固くつるつるしていた。目の前を行き交う村人の姿が、街灯の明かりでときどき照らし出された。パブの扉が一度開いて、また閉まり、笑い声やポップスが一瞬だけ流れ出した。やがて小さな教会からクリスマス・キャロルが聞こえてきた。

「ハリー、今日はクリスマスイブだわ！」ハーマイオニーが言った。

「そうだっけ？」

ハリーは日にちの感覚を失っていた。二人とも、何週間も新聞を読んでいなかった。

「まちがいないわ」

ハーマイオニーが教会を見つめながら言った。

「お二人は……お二人ともあそこにいらっしゃるんでしょう？　あなたのお父さまとお母さま。あの後ろに、墓地が見えるわ」

ハリーはぞくりとした。興奮を通り越して、恐怖に近かった。これほど近づいたいま、ほんとうに見たいのかどうか、ハリーにはわからなくなっていた。ハーマイオニーはおそらく、そんなハリーの気持ちを察したのだろう。ハリーの手を取って、初めて先に立ち、ハリーを引っ張った。しかし、ハーマイオニーは、広場の中ほどで突然立ち止まった。

「ハリー、見て！」

ハーマイオニーの指先に、戦争記念碑があった。二人がそばを通り過ぎると同時に、記念碑が様変わりしていた。数多くの名前が刻まれたオベリスクではなく、三人の像が建っている。めがねをかけたくしゃくしゃな髪の男性、髪の長いやさしく美しい顔の女性、母親の両腕に抱かれた男の子。それぞれの頭に、やわらかな白い帽子のように雪が積もっている。

ハリーは近寄って、両親の顔をじっと見た。像があるとは思ってもみなかった……石に刻まれた自分の姿を見るのは、不思議な気持ちだった。額に傷痕のない、幸福な赤ん坊……。

「さあ」

思う存分眺めたあと、ハリーがうながした。二人は再び教会に向かった。道を渡ってから、ハリーは振り返った。像は再び戦争記念碑に戻っていた。

教会に近づくにつれ、歌声はだんだん大きくなった。ホグワーツのことが痛いほどに思い出されて、ハリーは胸がしめつけられた。甲冑（かっちゅう）に入り込んで、クリスマス・キャロルの卑猥（ひわい）な替え歌を大声でわめくピーブズ、大広間の十二本のクリスマスツリー、クラッカーから出てきた婦人用の帽子をかぶるダンブルドア、そして手編みのセーターを着たロン……。

墓地の入口には、一人ずつ入る狭い小開き門があった。ハーマイオニーがその門をできるだけそっと開け、二人はすり抜けるようにして中に入った。教会の扉まで続くつるつるすべりそうな小道の両側は、降り積もったままの深い雪だ。二人は教会の建物を回り込むようにして、明るい窓の下の影を選び、雪の中に深い溝を刻んで進んだ。

教会の裏は雪の毛布に覆われ、綿帽子をかぶった墓石が何列も突き出ていた。青白く光る雪のところどころに、ステンドグラスの灯りが映り、点々と赤や金色や緑にまばゆく光っている。上着のポケットにある杖をしっかりと握りしめたまま、ハリーは一番手前の墓に近づいた。

「これ見て、アボット家だ。ハンナの遠い先祖かもしれない！」

「声を低くしてちょうだい」ハーマイオニーが哀願した。

雪に黒い溝をうがち、かがみ込んでは古い墓石に刻まれた文字を判読しながら、二人はしだいに墓地の奥へと入り込んだ。ときどき闇を透かして、誰にもつけられていないことを確かめるのも忘れなかった。

「ハリー、ここ！」

ハーマイオニーは二列後ろの墓石の所にいた。ハリーは自分の鼓動をはっきり感じながら、雪をかき分けて戻った。

「僕の――？」

「ううん。でも見て！」

ハーマイオニーは黒い墓石を指していた。あちこち苔むして凍りついた御影石を、ハリーはかがんでのぞき込んだ。「ケンドラ・ダンブルドア」と読める。生年と没年の少し下に、「そして娘のアリアナ」とある。引用文も刻まれている。

汝の財宝のある所には、汝の心もあるべし

リータ・スキーターもミュリエルも、事実の一部はとらえていたわけだ。ダンブルドアの家族は紛れもなくここに住み、何人かはここで死んだ。

墓は、話に聞くことよりも、目の当たりにするほうがつらかった。ダンブルドアも自分もこの墓地に深い絆を持っていたのに、そのことをハリーに話してくれるべきだったのに、二人の絆を、ダンブルドアは一度たりとも分かち合おうとはしなかった。ハリーはどうしてもそう考えてしまうのだった。二人でここを訪れることもできたのだ。一瞬ハリーは、ダンブルドアと一緒にここに来る場面を想像した。どんなに強い絆を感じられたことか。ハリーにとって、それがどんなに大きな意味を持ったことか。しかしダンブルドアにとっては、両方の家族が同じ墓地に並んで眠っているという事実など、取るに足らない偶然であり、ダンブルドアがハリーにやらせようとした仕事とは、おそらく無関係だったのだろう。

ハーマイオニーは、ハリーを見つめていた。顔が暗がりに隠れていてよかったと、ハリーは思った。ハリーは、墓石に刻まれた言葉をもう一度読んだ。

汝の財宝のある所には、汝の心もあるべし

ハリーにはなんのことか、理解できなかった。母親亡きあとは家長となった、ダンブルドアの選んだ言葉にちがいない。

「先生はほんとうに一度もこのことを――?」

ハーマイオニーが口を開いた。

「話してない」ハリーはぶっきらぼうに答えた。「もっと探そう」

そしてハリーは、見なければよかったと思いながらその場を離れた。興奮と戦慄が入りまじった気持ちに、恨みをまじえたくなかった。

「ここ!」

しばらくして、ハーマイオニーが再び暗がりの中で叫んだ。

「あ、ごめんなさい! ポッターと書いてあると思ったの」

ハーマイオニーは、苔むして崩れかけた墓石をこすっていたが、のぞき込んで少し眉根を寄せた。

「ハリー、ちょっと戻ってきて」

ハリーはもう寄り道したくはなかったが、しぶしぶ雪の中を引き返した。

「何?」

「これを見て!」

非常に古い墓だ。風雨にさらされて、ハリーには名前もはっきり読み取れない。ハーマイオニーは名前の下の印を指差した。

「ハリー、あの本の印よ!」

ハーマイオニーの示す先を、ハリーはよくよく見た。石がすり減っていて、何が刻まれているのかよくわからない。しかし、ほとんど判読できない名前の下に、三角の印らしいものがあった。

「うん……そうかもしれない……」

ハーマイオニーは、杖灯りをつけて、墓石の名前の所に向けた。

「イグ――イグノタス、だと思うけど……」

「僕は両親の墓を探し続ける。いいね？」

ハリーは少しとげとげしくそう言うと、古い墓の前にかがみ込んでいるハーマイオニーを置いて、歩きはじめた。

さっき見たアボットのように、ハリーはときどき、ホグワーツで出会った名前を見つけた。数世代にわたる同じ家系の墓もいくつか見つけた。年号から考えて、もうその家系は死に絶えたか、または現在の世代がゴドリックの谷から引っ越してしまったと思われる。どんどん奥に入り込み、まだ新しい墓石を見つけるたびに、不安と期待でハリーはドキッとした。

突然、暗闇と静寂が一段と深くなったような気がした。ハリーは、吸魂鬼ではないかと不安にかられてあたりを見回したが、そうではなかった。クリスマス・キャロルを歌い終わった参列者が、次々と街の広場に出ていき、話し声や騒音が徐々に消えていったからだった。教会の中の誰かが、明かりを消したところだった。

その時、ハーマイオニーの三度目の声が、二、三メートル離れた暗闇の中から、鋭く、はっきりと聞こえた。

「ハリー、ここだわ……ここよ」

声の調子から、ハリーは、今度こそ父親と母親だとわかった。重苦しいもので胸をふさがれるように感じながら、ハリーはハーマイオニーのほうへと歩いた。ダンブルドアが死んだ直後と同じ気持ちだった。ほんとうに心臓と肺を押しつぶすような、重い悲しみだ。

墓石は、ケンドラとアリアナの墓からほんの二列後ろにあった。ダンブルドアの墓と同じく白い大理石だ。暗闇に輝くような白さのおかげで、墓石に刻まれた文字が読みやすかった。文字を読み取るのに、ひざまずく必要も間近まで行く必要もなかった。

ジェームズ・ポッター　一九六〇年三月二十七日生、一九八一年十月三十一日没
リリー・ポッター　一九六〇年一月三十日生、一九八一年十月三十一日没

最後（いやはて）の敵なる死もまた亡ぼされん

ハリーは、たった一度しかその意味を理解するチャンスがないかのように、ゆっくりと墓碑銘を読み、最後の碑文は声に出して読んだ。

「**『最後の敵なる死もまた亡ぼされん』**……」

ハリーは恐ろしい考えが浮かび、恐怖にかられた。

「これ、死喰い人の考えじゃないのか？　それがどうしてここに？」

「ハリー、死喰い人が死を打ち負かすというときの意味と、これとはちがうわ」

ハーマイオニーの声はやさしかった。

「この意味は……そうね……死を超えて生きる。死後に生きること」

しかし、両親は生きていない、とハリーは思った。死んでしまった。空虚な言葉で事実をごまかすことはできない。両親の遺体は、何も感じず、何も知らずに、雪と石の下に横たわって朽ちはてている。

知らず知らずに涙が流れ、熱い涙はほおを伝ってたちまち凍った。涙をぬぐってどうなろう？　隠してどうなろう？　ハリーは涙の流れるに任せ、唇を固く結んで、足元の深い雪を見つめた。この下に、ハリーの目には見えない所に、リリーとジェームズの最後の姿が横たわっている。もう骨になっているにちがいない。塵（ちり）に帰ったかもしれない。生き残った息子がこんなに近くに立っているというのに――二人の犠牲のおかげで心臓はまだ脈打ち、生きているというのに――この瞬間、その息子が、雪の下で二人と一緒に眠っていたいとまで願っているというのに――何も知らず、無関心に横たわっている。

ハーマイオニーは、またハリーの手を取ってギュッと握った。ハリーは顔を上げられなかったが、その手を握り返し、刺すように冷たい夜気を深く吸い込んで気持ちを落ち着かせ、立ち直ろうとした。何か手向けるものを持ってくるべきだった。いままで考えつかなかった。墓地の草木はすべて葉を落とし、凍っている。しかしハーマイオニーは杖を上げ、空中に円を描いて、目の前にクリスマス・ローズの花輪を咲かせた。ハリーはそれを取り、両親の墓に供えた。

立ち上がるとすぐ、ハリーはその場を去りたいと思った。もうこれ以上、ここにいるのは耐えられない。ハリーは片腕をハーマイオニーの肩に回し、ハーマイオニーはハリーの腰に片腕を回した。そして二人はだまって雪の中を歩き、ダンブルドアの母親と妹の墓の前を通り過ぎ、明かりの消えた教会へ、そしてまだ視界には入っていない出口の小開き門へと向かった。

第17章　バチルダの秘密

「ハリー、止まって」

「どうかした？」

二人は、まだアボット某の墓の所までしか戻っていなかった。

「あそこに誰かいるわ。私たちを見ている。私にはわかるのよ。ほら、あそこ、植え込みのそば」

二人は身を寄せ合ってじっと立ち止まったまま、墓地と外とを仕切る黒々とした茂みを見つめた。ハリーには何も見えない。

「ほんとに？」

「何かが動くのが見えたの。ほんとよ、見えたわ……」

ハーマイオニーはハリーから離れて、自分の杖腕を自由にした。

「僕たち、マグルの姿なんだよ」ハリーが指摘した。

「あなたのご両親の墓に、花を手向けていたマグルよ！　ハリー、まちがいないわ。誰かあそこにいる！」

ハリーは『魔法史』を思い出した。墓地にはゴーストが取り憑いているとか。もしかしたら――？

しかし、その時、サラサラと音がして、ハーマイオニーの指差す植え込みから落ちた雪が、小さな雪煙を上げるのが見えた。ゴーストは、雪を動かすことはできない。

「猫だよ」

一瞬間を置いて、ハリーが言った。

「小鳥かもしれない。死喰い人だったら、僕たち、もう死んでるさ。でも、ここを出よう。また透明マントをかぶればいい」

墓地から出る途中、二人は何度も後ろを振り返った。ハーマイオニーに大丈夫だと請け合った時には強気を装ってはいたが、ハリーは内心それほど元気ではなかった。だから、小開き門からつるつるすべる歩道に出たときには、ホッとした。二人は再び透明マントをかぶった。パブは前よりも混み、中からは、さっき教会に近づいたときに聞こえていたクリスマス・キャロルを歌う大勢の声が響いてきた。一瞬ハリーは、パブに避難しようと言おうかと思った。しかし、それより早く、ハーマイオニーが「こっちへ行きましょう」と小声で言いながら、ハリーを暗い小道に引っ張り込んだ。村に入ってきたときとは、反対方向の村はずれに向かう道だ。家並みが切れる先で、小道が再び田園へと広がっているのが見えた。色とりどりの豆電球が輝き、カーテンにクリスマスツリーの影が映る窓辺をいくつも通り過ぎて、二人は不自然でない程度に急いで歩いた。

「バチルダの家を、どうやって探せばいいのかしら？」

小刻みに震えながら、ハーマイオニーは何度も後ろを振り返っていた。

「ハリー、どう思う？　ねえ、ハリー？」

ハーマイオニーはハリーの腕を引っ張ったが、ハリーは上の空で、家並みの一番端に建っている黒い塊のほうをじっと見つめていた。次の瞬間、ハリーは急に足を速めた。引っ張られたハーマイオニーは、その拍子に、氷に足を取られた。

「ハリー――」

「見て……ハーマイオニー、あれを見て……」

「あれって……あっ！」

あの家が、見えたのだ。「忠誠の術」は、ジェームズとリリーの死とともに消えたにちがいない。ハグリッドが瓦礫の中からハリーを連れ出して以来十六年間、その家の生け垣は伸び放題になっていた。腰の高さまで伸びた雑草の中に、瓦礫が散らばっている。家の大部分はまだ残っていたが、黒ずんだ蔦と雪とに覆いつくされている。一番上の階の右側だけが吹き飛ばされている。ハリーは、きっとそこが、呪いの跳ね返った場所だろうと思った。ハリーとハーマイオニーは門の前にたたずみ、壊れた家を見つめた。かつては、同じ並びに建つ家と同じような家だったにちがいない。

「どうして誰も建て直さなかったのかしら？」ハーマイオニーがつぶやいた。

「建て直せないんじゃないかな？」ハリーが答えた。「闇の魔術の傷と同じで、元どおりにはできないんじゃないか？」

ハリーは透明マントの下からそっと手を出して、雪まみれのさびついた門を握りしめた。開けようと思ったわけではなく、ただ、その家のどこかに触れたかっただけだった。

「中には入らないでしょうね？　安全そうには見えないわ。もしかしたら――まあ、ハリー、見て！」

ハリーが門に触れたことが引き金になったのだろう。目の前のイラクサや雑草の中から、けたはずれに成長の早い花のように、木の掲示板がぐんぐんせり上がってきた。金色の文字で何か書いてある。

一九八一年十月三十一日、この場所で、

リリーとジェームズ・ポッターが命を落とした。

息子のハリーは「死の呪い」を受けて生き残った唯一の魔法使いである。

マグルの目には見えないこの家は、ポッター家の記念碑として、

さらに、家族を引き裂いた暴力を忘れないために、廃墟のまま保存されている。

整然と書かれた文字の周りに、「生き残った男の子」の逃れた場所を見ようとやってきた魔女、魔法使いたちが書き加えた落書きが残っていた。「万年インク」で自分の名前を書いただけの落書きもあれば、板にイニシャルを刻んだもの、言葉を書き残したものもある。十六年分の魔法落書きの上に一段と輝いている真新しい落書きは、みな同じような内容だった。

「ハリー、いまどこにいるかは知らないけれど、幸運を祈る」「ハリー、これを読んだら、私たち、みんな応援しているからね！」「ハリー・ポッターよ、永遠なれ」

「掲示の上に書いちゃいけないのに！」ハーマイオニーが憤慨した。

しかしハリーは、ハーマイオニーにニッコリ笑いかけた。

「すごい。書いてくれて、僕、うれしいよ。僕……」

ハリーは急にだまった。遠くの広場のまぶしい明かりを背に、防寒着を分厚く着込んだ影絵のような姿が、こちらに向かってよろめくように歩いてくる。見分けるのは難しかったが、ハリーは女性だろうと思った。雪道ですべるのを恐れてのことだろう、ゆっくりと歩いてくる。でっぷりした体で、腰を曲げて小刻みに歩く姿から考えても、相当な年だという印象を受けた。二人は、近づいてくる影をだまって見つめた。ハリーは、その姿が途中のどこかの家に入るかもしれないと見守りつつも、直感的にそうではないことを感じていた。その姿は、ハリーたちから二、三メートルの所でようやく止まり、二人のほうを向いて、凍りついた道の真ん中にじっとたたずんだ。

この女性がマグルである可能性は、ほとんどない。ハーマイオニーに腕をつねられるまでもなかった。魔女でなければまったく見えるはずのないこの家を、じっと見つめて立っているのだから。しかし、**ほんとうに**魔女だとしても、こんな寒い夜に、古い廃墟を見るためだけに出かけてくるとは奇妙な行動だ。

しかも、通常の魔法の法則からすれば、ハーマイオニーとハリーの姿はまったく見えないはずだ。にもかかわらず、この魔女には二人がここにいることがわかっているし、二人が誰なのかもわかっているという不気味さを、ハリーは感じていた。ハリーがこういう不安な結論に達したその時、魔女は手袋をはめた手を上げて、手招きした。

透明マントの下で、ハーマイオニーは、腕と腕がぴったりくっつくほどハリーに近づいた。

「あの魔女、どうしてわかるのかしら?」

ハリーは首を横に振った。魔女はもう一度、今度はもっと強く手招きした。呼ばれても従わない理由はいくらでも思いついたが、人気のない通りで向かい合って立っている間に、ハリーの頭の中で、この魔女があの人ではないかという思いが、しだいに強くなっていた。

この魔女が、何か月もの間、二人を待っていたということはありうるだろうか? ダンブルドアが、ハリーは必ず来るから待つようにと言ったのだろうか? 墓地の暗がりで動いたのはこの魔女で、ここまでつけてきたという可能性はないだろうか? この魔女が二人の存在を感じることができるという能力も、ハリーがこれまで遭遇したことのない、ダンブルドア的な力をにおわせている。

ハリーはついに口を開いた。ハーマイオニーは息をのんで飛び上がった。

「あなたはバチルダですか?」

着ぶくれしたその姿は、うなずいて再び手招きした。

マントの下で、ハリーとハーマイオニーは顔を見合わせた。ハリーがちょっと眉を上げると、ハーマイオニーは小さくおどおどとうなずいた。

二人が魔女のほうに歩きだすと、魔女はすぐさま背を向けて、いましがた歩いてきた道をよぼよぼと引き返した。二人の先に立って、魔女は何軒かの家の前を通り過ぎ、とある門の中に入っていった。二人はあとについて玄関まで歩いたが、その庭はさっきの庭と同じぐらい草ぼうぼうだ。魔女は玄関でしばらく鍵をガチャつかせていたが、やがて扉を開け、身を引いて二人を先に通した。

魔女からはひどいにおいがした。それともその家のにおいだったかもしれない。二人で魔女の横をすり抜け、透明マントを脱ぎながら、ハリーは鼻にしわを寄せた。横に立ってみると、その魔女がどんなに小さいかがよくわかった。年のせいで腰が曲がり、やっとハリーの胸に届くぐらいの高さだった。魔女は玄関扉を閉めた。はげかかったペンキを背景に、魔女のしみの浮き出た青い指の関節が見えた。それから魔女は、振り向いてハリーの顔をのぞき込んだ。その目は白内障でにごり、薄っぺらな皮膚のしわの中に沈み込んでいる。顔全体に切れ切れの静脈や茶色の斑点が浮き出ている。ハリーは、自分の顔がまったく見えていないのではないかと思った。見えたとしても、目に映るのは、ハリーが姿を借りているはげかけのマグルのはずだ。

魔女が虫食いだらけの黒いショールをはずし、頭皮がはっきり見えるほど薄くなった白髪頭を現すと、老臭やほこりの悪臭、汚れっぱなしの衣服とすえた食べ物のにおいが一段と強くなった。

「バチルダ？」ハリーが、くり返して聞いた。

魔女はもう一度うなずいた。ハリーは胸元の皮膚に当たるロケットに気づいた。その中の、ときどき脈を打つ何かが、目覚めていた。冷たい金のケースを通して、ハリーはその鼓動を感じた。それはわかっているのだろうか？　感じているのだろうか？　自分を破壊する何かが近づいているということを？

バチルダはぎこちない足取りで二人の前を通り過ぎながら、ハーマイオニーなど目に入らないかのように押しのけた。そして、居間と思しき部屋に姿を消した。

「ハリー、なんだかおかしいわ」

ハーマイオニーが息を殺して言った。

「あんなに小さいじゃないか。いざとなれば、ねじ伏せられるよ」

ハリーが言った。

「あのね、君に言っておくべきだったけど、バチルダがまともじゃないって、僕は知っていたんだ。ミュリエルは『老いぼれ』って呼んでいた」

「おいで！」居間からバチルダが呼んだ。

ハーマイオニーは飛び上がって、ハリーの腕にすがった。

「大丈夫だよ」

ハリーは元気づけるようにそう言うと、先に居間に入った。

バチルダはよろよろと歩き回って、ろうそくに灯をともしていた。それでも部屋は暗く、言うまでもなくひどく汚かった。分厚く積もったほこりが足元でギシギシ音を立て、じめじめした白かびのにおいの奥に、ハリーの鼻はもっとひどい悪臭、たとえば肉のくさったようなにおいをかぎ分けていた。バチルダがまだなんとか暮らしているかどうかを確かめるために、最後に誰かがこの家に入ったのはいつのことだろうと、ハリーはいぶかった。バチルダは魔法を使えるということさえ忘れはててしまったようだ。手で不器用にろうそくをともしていたし、垂れ下がったそで口のレースにいまにも火が移りそうで危険だった。

「僕がやります」

ハリーはそう申し出て、バチルダからマッチを引き取った。部屋のあちこちに置かれた燃えさしのろうそくに火をつけて回るハリーを、バチルダは突っ立ったまま見ていた。ろうそくの置かれた皿は、積み上げた本の上の危なっかしい場所や、ひび割れてかびの生えたカップが所狭しと置かれたサイドテーブルの上にのっていた。

最後の燭台（しょくだい）は、前面が丸みを帯びた整理ダンスの上で、そこには写真がたくさん置かれていた。ろうそくがともされ炎が踊りだすと、写真立てのほこりっぽいガラスや銀の枠に火影がゆらめいた。写真の中の小さな動きがいくつかハリーの目に入った。バチルダが暖炉に薪をくべようとよたよたしている間、ハリーは小声で「**テルジオ、ぬぐえ**」と唱えた。写真のほこりが消えるとすぐに、ハリーは、とりわけ大きく華やかな写真立てのいくつかから、写真が五、六枚なくなっているのに気づいた。バチルダが取り出したのか、それともほかの誰かなのかと、ハリーは考えた。その時、写真のコレクションの中の、一番後ろの一枚がハリーの目を引いた。ハリーはその写真をサッと手に取った。

ブロンドの髪の、陽気な顔の盗っ人だ。グレゴロビッチの出窓に鳥のように止まっていた若い男が、銀の写真立ての中から、たいくつそうにハリーに笑いかけている。とたんにハリーは、以前にどこでこの若者を見たのかを思い出した。『アルバス・ダンブルドアの真っ白な人生と真っ赤な嘘（うそ）』で、十代のダンブルドアと腕を組んでいた。そしてそのリータの本に、ここからなくなった写真がのっているにちがいない。

「ミセス——ミス——バグショット？」

ハリーの声はかすかに震えていた。

「この人は誰ですか？」

バチルダは部屋の真ん中に立って、ハーマイオニーがかわりに暖炉の火をつけるのを見ていた。

「ミス・バグショット？」

ハリーはくり返して呼びかけた。そして写真を手にして近づいていった。暖炉の火がパッと燃え上がると、バチルダはハリーの声のほうを見上げた。分霊箱の鼓動がますます速まるのが、ハリーの胸に伝わってきた。

「この人は誰ですか？」ハリーは写真を突き出して聞いた。

バチルダはまじめくさって写真をじっと眺め、それからハリーを見上げた。

「この人が誰か、知っていますか？」

ハリーはいつもよりずっとゆっくりと、ずっと大きな声で、同じことをくり返した。

「この男ですよ。この人を知っていますか？　なんという名前ですか？」

バチルダは、ただぼんやりした表情だった。ハリーはひどく焦った。リータ・スキーターは、どうやってバチルダの記憶をこじ開けたのだろう？

「この男は誰ですか？」ハリーは大声でくり返した。

「ハリー、あなた、何をしているの？」ハーマイオニーが聞いた。

「この写真だよ、ハーマイオニー、あの盗っ人だ。グレゴロビッチから盗んだやつなんだ！　お願いです！」

最後の言葉はバチルダに対してだった。

「これは誰なんですか？」

しかしバチルダは、ハリーを見つめるばかりだった。

「どうして私たちに、一緒に来るようにと言ったのですか？　ミセス――ミス――バグショット？」

ハーマイオニーの声も大きくなった。

「何か、私たちに話したいことがあったのですか？」

バチルダは、ハーマイオニーの声が聞こえた様子もなく、ハリーに二、三歩近寄った。そして頭をくいっとひねり、玄関ホールを振り返った。

「帰れということですか？」ハリーが聞いた。

バチルダは同じ動きをくり返したが、今度は最初にハリーを指し、次に自分を指して、それから天井を指した。

「ああ、そうか……ハーマイオニー、この人は僕に、一緒に二階に来いと言ってるらしい」

「いいわ」ハーマイオニーが言った。「行きましょう」

しかし、ハーマイオニーが動くと、バチルダは驚くほど強く首を横に振って、もう一度最初にハリーを指し、次に自分自身を指した。

「この人は、僕一人で来てほしいんだ」

「どうして？」

ハーマイオニーの声は、ろうそくに照らされた部屋にはっきりと鋭く響いた。大きな音が聞こえたのか、老魔女はかすかに首を振った。

「ダンブルドアが、剣を僕に、僕だけに渡すようにって、そう言ったんじゃないかな？」

「この人は、あなたが誰なのか、ほんとうにわかっていると思う？」

「ああ」ハリーは、自分の目を見つめている白濁した目を見下ろしながら言った。「わかっていると思うよ」

「まあ、それならいいけど。でもハリー、早くしてね」

「案内してください」ハリーがバチルダに言った。

バチルダは理解したらしく、ぎこちない足取りでハリーのそばを通り過ぎ、ドアに向かった。ハリーはハーマイオニーをちらりと振り返って、大丈夫だからとほほえんだが、ろうそくに照らされた不潔な部屋の真ん中で、寒そうに両腕を体に巻きつけて本棚のほうを見ているハーマイオニーに見えたかどうかは定かではなかった。部屋から出るとき、ハリーは、ハーマイオニーにもバチルダにも気づかれないように、正体不明の盗っ人の写真が入った銀の写真立てを、上着の内側にすべり込ませた。

階段は狭く、急で、バチルダがいまにも落ちてきそうだった。ハリーは、自分の上に仰向けに落ちてこないように、太った尻を両手で支えてやろうかと半ば本気でそう思った。バチルダは少しあえぎながら、ゆっくりと二階の踊り場まで上がり、そこから急に右に折れて、天井の低い寝室へとハリーを導いた。

真っ暗で、ひどい悪臭がした。バチルダがドアを閉める前に、ベッドの下から突き出ているおまるがちらっと見えたが、それさえもすぐに闇に飲まれてしまった。

「**ルーモス、光よ**」

ハリーの杖に灯り(あか)がともった。とたんにハリーはどきりとした。真っ暗になってからほんの数秒だったのに、バチルダがすぐそばに来ていた。しかもハリーには、近づく気配さえ感じ取れなかった。

「ポッターか？」

バチルダがささやいた。

「そうです」

バチルダは、ゆっくりと重々しくうなずいた。ハリーは、分霊箱が自分の心臓より速く拍動するのを感じた。心をかき乱す、気持ちの悪い感覚だ。

「僕に、何か渡すものがあるのですか？」

ハリーが聞いたが、バチルダはハリーの杖灯りが気になるようだった。

「僕に、何か渡すものがあるのですか？」ハリーはもう一度聞いた。

するとバチルダは目を閉じた。そして、その瞬間にいくつものことが同時に起こった。ハリーの傷痕がチクチク痛み、分霊箱が、ハリーのセーターの前がはっきり飛び出るほどピクリと動いて、悪臭のする暗い部屋が一瞬消え去った。ハリーは喜びに心が躍り、冷たいかん高い声でしゃべった。

「こいつを捕まえろ！」

ハリーはその場に立ったまま、体をふらつかせていた。部屋の悪臭と暗さが、再びハリーの周りに戻ってきた。たったいま何が起こったのか、ハリーにはわからなかった。

「僕に、何か渡すものがあるのですか？」

ハリーは、前よりも大きい声で、三度目の質問をした。

「あそこ」

バチルダは、部屋の隅を指差してささやいた。ハリーが杖をかまえて見ると、カーテンのかかった窓の下に、雑然とした化粧台が見えた。

バチルダは、今度は先に立って歩こうとはしなかった。ハリーは杖をかまえながら、バチルダと乱れたままのベッドの間のわずかな空間を、横になって歩いた。バチルダから目を離したくなかった。

「なんですか？」

化粧台にたどり着いたとき、ハリーが聞いた。そこには、形からしてもにおいからしても、汚い洗濯物の山のようなものが積み上げられていた。

「そこだ」

バチルダは、形のわからない塊を指差した。

ごたごたした塊の中に剣の柄やルビーが見えはしないかと、ハリーが一瞬目を移して探ったとたんに、バチルダが不気味な動き方をした。目の端で動きをとらえたハリーは、得体の知れない恐怖にかられて振り向き、ぞっとして体がこわばった。老魔女の体が倒れ、首のあった場所から大蛇がぬっと現れるのが見えたのだ。
ハリーが杖を上げるのと、大蛇が襲いかかってくるのが同時だった。前腕をねらった強烈なひとかみで、杖は回転しながら天井まで吹っ飛び、杖灯りが部屋中をぐるぐる回って消えた。蛇の尾がハリーの腹を強打し、ハリーは「ウッ」と唸って息が止まった。そのまま化粧台に背中を打ちつけ、ハリーは汚れ物の山に仰向けに倒れた――。

化粧台が尾の一撃を受けた。ハリーは横に転がってからくも身をかわしたが、いまのいま倒れていた場所が打たれ、粉々になった化粧台のガラスが床に転がるハリーに降りかかった。階下からハーマイオニーの呼ぶ声が聞こえた。

「ハリー？」

ハリーは息がつけず、呼びかけに応える息さえなかった。すると、重いぬめぬめした塊がハリーを床にたたきつけた。その塊が自分の上をすべっていくのを、ハリーは感じた。強力で筋肉質の塊が――。

「どけ！」床に釘づけにされ、ハリーはあえいだ。

「そぉぉうだ」ささやくような声が言った。

「そぉぉうだ……こいつを捕まえろ……こいつを捕らえろ……」

「**アクシオ……杖よ、来い……**」

だめだった。しかも両手を突っ張り、胴体に巻きつく蛇を押しのけなければならなかった。大蛇はハリーをしめつけて、息の根を止めようとしている。胸に押しつけられた分霊箱は、必死に脈打つハリー自身の心臓のすぐそばで、ドクドクと命を脈動させる丸い氷のようだった。頭の中は、冷たい白い光でいっぱいになり、すべての思いが消えていった。息が苦しい。遠くで足音がする。何もかもが遠のく……。

金属の心臓がハリーの胸の外でバンバン音を立てている。ハリーは飛んでいた。勝ち誇って飛んでいた。箒もセストラルもなしで……。

すえたにおいのする暗闇で、ハリーは突然我に返った。ナギニはハリーを放していた。ようやく立ち上がったハリーが目にしたものは、踊り場からの明かりを背にした大蛇の輪郭だった。大蛇が襲いかかり、ハーマイオニーが悲鳴を上げて横に飛びのくのが見えた。ハーマイオニーの放った呪文がそれて、カーテンのかかった窓を打ち、ガラスが割れて凍った空気が部屋に流れ込んだ。降りかかるガラスの破片をまた浴びないよう、ハリーが身をかわしたとたん、えんぴつのようなものに足を取られてすべった

――ハリーの杖だ――。

ハリーはかがんで杖を拾い上げた。しかし部屋の中には、尾をくねらせる大蛇しか見えず、ハーマイオニーの姿はどこにもなかった。ハリーは刹那に、最悪の事態を考えたが、その時、バーンという音とともに赤い光線がひらめき、大蛇が宙を飛んだ。太い胴体をいく重にも巻きながら天井まで吹っ飛んでいく大蛇が、ハリーの顔をいやというほどこすった。ハリーは杖を上げたが、その時傷痕が、ここ何年もなかったほど激しく、焼けるように痛んだ。

「あいつが来る！　**ハーマイオニー、あいつが来るんだ！**」

ハリーが叫ぶのと同時に大蛇が落下してきて、シューシューと荒々しい息を吐いた。何もかもめちゃめちゃだった。大蛇は壁の棚を打ち壊し、陶器のかけらが四方八方に飛び散った。ハリーはベッドを飛び越し、ハーマイオニーだとわかる黒い影をつかんだ――。

ベッドの反対側にハーマイオニーを引っ張っていこうとしたが、ハーマイオニーは痛みで叫び声を上げた。大蛇が再び鎌首を持ち上げた。しかし、大蛇よりもっと恐ろしいものがやってくることを、ハリーは知っていた。もう門まで来ているかもしれない。傷痕の痛みで、頭が真っ二つに割れそうだ――。

ハーマイオニーを引きずり、部屋から逃げ出そうと走りだしたハリーに、大蛇が襲いかかってきた。その時、ハーマイオニーが叫んだ。

「**コンフリンゴ！　爆発せよ！**」

呪文は部屋中を飛びまわり、洋だんすの鏡を爆発させ、床と天井の間を跳ねながら二人に向かって跳ね返ってきた。ハリーは、手の甲が呪文の熱で焼けるのを感じた。ハーマイオニーを引っ張って、ベッドから壊れた化粧台に飛び移り、ハリーは破れた窓から一直線に無の世界に飛び込んだ。窓ガラスの破片がハリーのほおを切った。ハーマイオニーの叫び声を闇に響かせ、二人は空中で回転していた……。

そしてその時、傷痕がざくりと開いた。ハリーはヴォルデモートだった。悪臭のする寝室を走って横切り、長いろうのような両手が窓枠を握った。その目にはげた男と小さな女が回転して消えるのがわずかに見えた。ヴォルデモートは怒りの叫びを上げ、その叫びはハーマイオニーの悲鳴と混じり、教会のクリスマスの鐘の音を縫って暗い庭々に響き渡った……。

ヴォルデモートの叫びはハリーの叫びだった。彼の痛みはハリーの痛みだった……前回取り逃したこの場所で、またしても同じことが起ころうとは……死とはどんなものかを知る一歩手前まで行った、あの家が見えるこの場所で……。死ぬこと……激しい痛みだった……。肉体から引き裂かれて……しかし肉体がないなら、なぜこんなにも頭が痛いのか、死んだのなら、なぜこんなに耐えがたい痛みを感じるのか。痛みは死とともに終わるのではないのか。やむのではないのか……。

その夜は雨で、風が強かった。かぼちゃの姿をした子供が二人、広場をよたよたと横切っていく。店の窓は紙製のクモで覆われている。信じてもいない世界の扮装でごてごてと飾り立てるマグルたち……。

「あの人」はすべるように進んでいく。自分には目的があり、力があり、正しいのだと、「あの人」がこういう場合には必ず感じる、あの感覚……怒り、ではない……そんなものは自分より弱い魂にふさわしい……そうではない。そうだ、勝利感なのだ……この時を待っていた。このことを望んでいたのだ……。

「おじさん、すごい変装だね！」

そばまで駆け寄ってきた小さな男の子の笑顔が、マントのフードの中をのぞき込んだとたんに消えるのを、「あの人」は見た。絵の具で変装した顔が恐怖でかげるのを、「あの人」は見た。子供はくるりと向きを変えて走り去った……ローブの下で、「あの人」は杖の柄をいじった……たった一度簡単な動きをしさえすれば、子供は母親の所まで帰れない……しかし、無用なことだ。まったく無用だ……。

そして「あの人」は、別の、より暗い道を歩いていた。目的地がついに目に入った。「忠誠の術」は破れた。あいつらはまだそれを知らないが……。黒い生け垣まで来ると、「あの人」は歩道をすべる落ち葉ほどの物音さえ立てずに、生け垣のむこうをじっとうかがった……。

カーテンが開いていた。小さな居間にいるあいつらがはっきり見える。めがねをかけた背の高い黒髪の男が、杖先から色とりどりの煙の輪を出して、ブルーのパジャマを着た黒い髪の小さな男の子をあやしている。赤ん坊は笑い声を上げ、小さな手で煙をつかもうとしている……。

ドアが開いて、母親が入ってきた。何か言っているが声は聞こえない。母親の顔に、深みのある赤い長い髪がかかっている。今度は父親が息子を抱き上げ、母親に渡した。それから杖をソファに投げ出し、あくびをしながら伸びをした……。

門を押し開けると、かすかにきしんだ。しかしジェームズ・ポッターには聞こえない。ろうのような青白い手で、マントの下から杖を取り出しドアに向けると、ドアがパッと開いた。

「あの人」は敷居をまたいだ。ジェームズが、走って玄関ホールに出てきた。たやすいことよ。あまりにもたやすいことよ。やつは杖さえ持ってこなかった……。

「リリー、ハリーを連れて逃げろ！　あいつだ！　行くんだ！　早く！　僕が食い止める――」

食い止めるだと？　杖も持たずにか！　……呪いをかける前に「あの人」は高笑いした……。

「**アバダ　ケダブラ！**」

緑の閃光が、狭い玄関ホールを埋め尽くした。壁際に置かれた乳母車を照らし出し、階段の手すりが避雷針のように光を放った。そしてジェームズ・ポッターは、糸の切れた操り人形のように倒れた……。

二階から、逃げ場を失った彼女の悲鳴が聞こえた。しかし、おとなしくさえしていれば、彼女は恐れる必要はないのだ……。バリケードを築こうとする音を、かすかに楽しんで聞きながら、「あの人」は階段を上った……。彼女も杖を持っていない……愚かなやつらめ。友人を信じて安全だと思い込むとは。一瞬たりとも武器を手放してはならぬものを……。

ドアの陰に大急ぎで積み上げられた椅子や箱を、杖の軽いひと振りで難なく押しのけ、「あの人」はドアを開けた……そこに、赤ん坊を抱きしめた母親が立っていた。「あの人」を見るなり、母親は息子を後ろのベビーベッドに置き、両手を広げて立ちふさがった。それが助けになるとでもいうように、赤ん坊を見えないように護れば、かわりに自分が選ばれるとでもいうように……。

「ハリーだけは、ハリーだけは、どうぞハリーだけは！」

「どけ、バカな女め……さあ、どくんだ……」

「ハリーだけは、どうかお願い。私を、私をかわりに殺して――」

「これが、最後の忠告だぞ――」

「ハリーだけは！　お願い……助けて……許して……ハリーだけは！　ハリーだけは！　お願い――私

はどうなってもかまわないわ――」

「どけ――女、どくんだ――」

母親をベッドから引き離すこともできる。しかし、一気に殺ってしまうほうが賢明だろう……。

部屋に緑の閃光が走った。母親は夫と同じように倒れた。赤ん坊ははじめから一度も泣かなかった。ベッドの柵につかまり立ちして、侵入者の顔を無邪気な好奇心で見上げていた。マントに隠れて、きれいな光をもっと出してくれる父親だと思ったのかもしれない。そして母親は、いまにも笑いながらひょいと立ち上がると――。

「あの人」は、慎重に杖を赤ん坊の顔に向けた。こいつが、この説明のつかない危険が滅びるところを見たいと願った。赤ん坊が泣きだした。こいつは、俺様がジェームズでないのがわかったのだ。こいつが泣くのはまっぴらだ。孤児院で小さいやつらがピーピー泣くと、いつも腹が立った――。

「**アバダ　ケダブラ！**」

そして「あの人」は壊れた。無だった。痛みと恐怖だけしかない無だった。しかも、身を隠さねばならない。取り残された赤子が泣きわめいている、この破壊された家の瓦礫の中ではなく、どこか遠くに……ずっと遠くに……。

「だめだ」

「あの人」はうめいた。

汚らしい雑然とした床を、大蛇が這う音がする。「あの人」はその男の子を殺した。それなのに、「あの人」がその男の子だった……。

「だめだ……」

そしていま「あの人」はバチルダの家の破れた窓のそばに立ち、自分にとって最大の敗北の思い出にふけっていた。足元に大蛇がうごめき、割れた陶器やガラスの上を這っている……「あの人」は床を見て、何かに目をとめた……何か信じがたいものに……。

「だめだ……」

「ハリー、大丈夫よ、あなたは無事なのよ！」

「あの人」はかがんで、壊れた写真立てを拾い上げた。あの正体不明の盗っ人がいる。探していた男だ……。

「だめだ……僕が落としたんだ……落としたんだ……」

「ハリー、大丈夫だから、目を覚まして、目を開けて！」

ハリーは我に返った……自分は、ハリーだった。ヴォルデモートではなく……床を這うような音は、大蛇ではなかった……。

ハリーは目を開けた。

「ハリー」ハーマイオニーがささやきかけた。

「気分は、だ――大丈夫？」

「うん」

ハリーはうそをついた。

ハリーはテントの中の、二段ベッドの下段に、何枚も毛布をかけられて横たわっていた。静けさと、テントの天井を通して見える寒々とした薄明かりからして、夜明けが近いらしい。ハリーは汗びっしょりだった。シーツや毛布にそれを感じた。

「僕たち、逃げおおせたんだ」

「そうよ」ハーマイオニーが言った。

「あなたをベッドに寝かせるのに、『浮遊術』を使わないといけなかったわ。あなたを持ち上げられなかったから……あなたは、ずっと……あの、あんまり具合が……」

ハーマイオニーの鳶色の目の下にはくまができていて、手には小さなスポンジを持っているのが見えた。それでハリーの顔をぬぐっていたのだ。

「具合が悪かったの」ハーマイオニーが言い終えた。「とっても悪かったわ」

「逃げたのは、どのくらい前？」

「何時間も前よ。いまはもう夜明けだわ」

「それで、僕は……どうだったの？　意識不明？」

「というわけでもないの」ハーマイオニーは言いにくそうだった。「叫んだり、うめいたり……いろいろ」

ハーマイオニーの言い方は、ハリーを不安にさせた。いったい自分は何をしたんだろう？　ヴォルデモートのように呪いを叫んだのか、ベビーベッドの赤ん坊のように泣きわめいたのか？

「分霊箱をあなたからはずせなかったわ」

ハーマイオニーの言葉で、ハリーは、話題を変えたがっているのがわかった。

「貼りついていたの。あなたの胸に。ごめんなさい。あざが残ったわ。はずすのに『切断の呪文』を使わなければならなかったの。それに蛇があなたをかんだけど、傷をきれいにしてハナハッカを塗っておいたわ……」

ハリーは着ていた汗まみれのTシャツを引っ張って、中をのぞいてみた。心臓の上に、ロケットが焼きつけた楕円形の赤あざがあった。腕には、半分治りかけのかみ傷が見えた。

「分霊箱はどこに置いたの？」

「バッグの中よ。しばらくは離しておくべきだと思うの」

ハリーは、枕に頭を押しつけ、ハーマイオニーのやつれた土気色の顔を見た。

「ゴドリックの谷に行くべきじゃなかった。僕が悪かった。みんな僕のせいだ。ごめんね、ハーマイオニー」

「あなたのせいじゃないわ。私も行きたかったんですもの。ダンブルドアがあなたに渡そうと、剣をあそこに置いたって、本気でそう思ったの」

「うん、まあね……二人ともまちがっていた。そういうことだろ？」

「ハリー、何があったの？　バチルダがあなたを二階に連れていったあと、何があったの？　蛇がどこかに隠れていたの？　急に現れてバチルダを殺して、あなたを襲ったの？」

「ちがう」ハリーが言った。

「**バチルダが**蛇だった……というか、蛇がバチルダだった……はじめからずっと」

「な――なんですって？」

ハリーは目をつむった。バチルダの家の悪臭がまだ体にしみついているようで、何もかもが生々しく感じられた。

「バチルダは、だいぶ前に死んだにちがいない。蛇は……蛇はバチルダの体の中にいた。『例のあの人』が、蛇をゴドリックの谷に置いて待ち伏せさせたんだ。君が正しかったよ。あいつは、僕が戻ると読んでいたんだ」

「蛇がバチルダの**中に**いた、ですって？」

ハリーは目を開けた。ハーマイオニーは、いまにも吐きそうな顔をしていた。

「僕たちの予想もつかない魔法に出会うだろうって、ルーピンが言ったね」

ハリーが言った。

「あいつは、君の前では話をしたくなかったんだ。蛇語だったから。全部蛇語だった。僕は気づかなかった。でも、僕にはあいつの言うことがわかったんだ。僕たちが二階の部屋に入ったとき、あいつは『例のあの人』と交信した。僕は、頭の中でそれがわかったんだ。『あの人』が興奮して、僕を捕まえておけって言ったのを感じたんだ……それから……」

ハリーは、バチルダの首から大蛇が現れる様子を思い出した。ハーマイオニーに、すべてをくわしく話す必要はない。

「……それからバチルダの姿が変わって、蛇になって襲ってきた」

ハリーはかみ傷を見た。

「あいつは僕を殺す予定ではなかった。『例のあの人』が来るまで、僕をあそこに足止めするだけだった」

あの大蛇を、しとめていたなら――それなら、あれほどの犠牲を払っても行ったかいがあったのに……自分がいやになり、ハリーはベッドに起き上がって毛布を跳ねのけた。

「ハリー、だめよ。寝てなくちゃだめ！」

「君こそ眠る必要があるよ。気を悪くしないでほしいけど、ひどい顔だ。僕は大丈夫。しばらく見張りをするよ。僕の杖は？」

ハーマイオニーは答えずに、ただハリーの顔を見た。

「ハーマイオニー、僕の杖はどこなの？」

ハーマイオニーは唇をかんで、目に涙を浮かべた。

「ハリー……」

「**僕の杖は、どこなんだ？**」

ハーマイオニーはベッドの脇に手を伸ばして、杖を取り出して見せた。

柊と不死鳥の杖は、ほとんど二つに折れていた。不死鳥の羽根のひと筋が、細々と二つをつないでいた。柊の木は完全に割れていた。ハリーは、深傷を負った生き物を扱うような手つきで、杖を受け取った。何をどうしていいかわからなかった。言い知れない恐怖で、すべてがぼやけていた。それからハリーは、杖をハーマイオニーに差し出した。

「お願いだ。直して」

「ハリー、できないと思うわ。こんなふうに折れてしまって――」

「お願いだよ、ハーマイオニー、やってみて！」

「**レ――レパロ、直れ**」

ぶら下がっていた半分が、くっついた。ハリーは杖をかまえた。

「**ルーモス！　光よ！**」

杖は弱々しい光を放ったが、やがて消えた。ハリーは杖を、ハーマイオニーに向けた。

「**エクスペリアームス！　武器よ去れ！**」

ハーマイオニーの杖はぴくりと動いたが、手を離れはしなかった。弱々しく魔法をかけようとした杖は、負担に耐えきれずにまた二つに折れた。

ハリーは愕然として杖を見つめた。目の前で起こったことが信じられなかった……あれほどさまざまな場面を生き抜いた杖が……。

「ハリー」ハーマイオニーがささやいた。

ハリーにはほとんど聞き取れないほど小さな声だった。

「ごめんなさい。ほんとにごめんなさい。私が壊したと思うの。逃げるとき、ほら、蛇が私たちを襲ってきたので、『爆発呪文』をかけたの。それが、あちこち跳ね返って、それできっと――きっとそれが当たって――」

「事故だった」

ハリーは無意識に応えた。頭が真っ白で、何も考えられなかった。

「なんとか――なんとか修理する方法を見つけるよ」

「ハリー、それはできないと思うわ」

ハーマイオニーのほおを涙がこぼれ落ちていた。

「覚えているかしら……ロンのこと？　自動車の衝突で、あの人の杖が折れたときのこと？　どうしても元どおりにならなくて、新しいのを買わなければならなかったわ」

ハリーは、誘拐されてヴォルデモートの人質になっているオリバンダーのことや、死んでしまったグレゴロビッチのことを思った。どうやったら新しい杖が手に入るというのだろう？

「まあね」

ハリーは平気な声を装った。

「それじゃ、いまは君のを借りるよ。見張りをする間」

涙で顔を光らせ、ハーマイオニーは自分の杖を渡した。ハリーはベッド脇に座っているハーマイオニーをそのままにして、そこから離れた。とにかくハーマイオニーから離れたかった。

第18章　アルバス・ダンブルドアの人生とうそ

太陽が顔を出した。ハリーのことなどおかまいなしに、ハリーの苦しみなど知らぬげに、澄みきった透明な空が頭上いっぱいに広がっている。ハリーはテントの入口に座って、澄んだ空気を胸いっぱい吸い込んだ。雪に輝く山間から昇る太陽を、生きて眺められるということだけでも、この世の至宝を得ていると考えるべきなのだろう。しかし、ハリーには、それをありがたいと思う余裕がなかった。杖を失ったみじめさで、意識のどこかが傷ついていた。ハリーは一面の雪に覆われた谷間を眺め、輝く静けさの中を響いてくる、遠くの教会の鐘の音を聞いた。

肉体的な痛みに耐えようとしているかのように、ハリーは無意識に指を両腕に食い込ませていた。ハリーはこれまでも数えきれないほど何度も血を流してきた。右腕の骨を全部失ったこともある。この旅が始まってからも、手と額の傷痕に、胸と腕の新しい傷が加わった。しかし、いまほど致命的に弱ったと感じたことはなかった。まるで魔法力の一番大切な部分をもぎ取られたみたいで、ハリーは無防備でもろくなったように感じた。

こんなことを少しでも打ち明けたらハーマイオニーがなんと言うか、ハリーにははっきりわかっていた。杖は、持ち主の魔法使いしだいだと言うに決まっている。しかし、ハーマイオニーはまちがっている。ハリーの場合はちがうのだ。杖が羅針盤の針のように回って方向を示したり、敵に向かって金色の炎を噴射したりする感触を、ハーマイオニーは感じたことがないのだ。ハリーは双子の尾羽根の護りを失った。失って初めて、ハリーは、自分がどんなに杖に頼っていたかを思い知った。

ハリーは、二つに折れた杖をポケットから引っ張り出し、目をそむけたまま首にかけたハグリッドの巾着袋にしまい込んだ。袋はもうこれ以上入らないほど、壊れたものや役に立たないものでいっぱいになっていた。モーク革の袋の外から、ハリーの手があの古いスニッチに触れた。一瞬ハリーは、スニッチを引っ張り出して投げ捨ててしまいたい、という衝動と戦わなければならなかった。こんなもの、不可解でなんの助けにもならず、役にも立たない。ダンブルドアが遺(のこ)してくれたものは、ほかのものも全部同じだ――。

ダンブルドアに対する怒りが、いまや溶岩のように噴き出して内側からハリーを焼き、ほかのいっさいの感情を消し去った。ハリーとハーマイオニーは、追いつめられた気持ちから、ゴドリックの谷にこそ答えがあり、自分たちはそこに戻るべき運命にあるのだと思い込もうとした。せっぱ詰まった気持ちから、それこそがダンブルドアの敷いた秘密の道の一部なのだと、自らに信じ込ませたのだ。

しかし、地図もなければ計画も用意されていなかった。ダンブルドアは、ハリーたちに暗闇を手探りさせ、想像を絶する未知の恐怖と、孤立無援で戦うことを強いた。なんの説明もなく、ただでは何も与えてもらえず、その上剣もなく、いまやハリーには杖もない。そしてハリーは、あの盗っ人の写真を落としてしまった。ヴォルデモートにとっては、あの男が誰かを知るのは容易いことにちがいない……ヴォルデモートはもう、すべての情報を握った……。

「ハリー？」

ハーマイオニーは、自分が貸した杖でハリーに呪いをかけられるのではないかというような、おびえた顔をしていた。涙の跡が残る顔で、ハーマイオニーはハリーの脇にうずくまった。震える両手に紅茶のカップを二つ持ち、わきの下に何か大きなものを抱えている。

「ありがとう」ハリーは紅茶を受け取りながら言った。

「話してもいいかしら？」

「ああ」ハリーはハーマイオニーの気持ちを傷つけたくなかったので、そう言った。

「ハリー、あなたは、あの写真の男が誰なのか、知りたがっていたわね。あの……私、あの本を持っているわ」

ハーマイオニーは、おずおずとハリーのひざに本を押しつけた。真新しい『アルバス・ダンブルドアの真っ白な人生と真っ赤な嘘』だ。

「どこで――どうやって――？」

「バチルダの居間に置いてあったの……本の端からこのメモがのぞいていたわ」

黄緑色のとげとげしい文字で書かれた二、三行のメモを、ハーマイオニーが読み上げた。

「『バティさん、お手伝いいただいてありがとざんした。ここに一冊献本させていただくざんす。気に入っていただけるといいざんすけど。覚えてないざんしょうが、あなたは何もかも言ってくれたざんすよ。リータ』。この本は、本物のバチルダがまだ生きていたときに、届いたのだと思うわ。でも、たぶん読める状態ではなかったのじゃないかしら？」

「たぶん、そうだろうな」

ハリーは表紙のダンブルドアの顔を見下ろし、残忍な喜びが一度に湧き上がるのを感じた。ダンブルドアがハリーに知られることを望んだかどうかは別として、ハリーに話そうとしなかったことのすべてが、いまやハリーの手の中にある。

「まだ、私のことをとても怒っているのね？」ハーマイオニーが言った。

ハリーが顔を上げると、ハーマイオニーの目からまた新しい涙が流れ落ちるのが見えた。ハリーは、怒りが自分の顔に表れていたにちがいないと思った。

「ちがうよ」ハリーは静かに言った。

「ハーマイオニー、ちがうんだ。あれは事故だったってわかっている。君は、僕たちがあそこから生きて帰れるようにがんばったんだ。君はすごかった。君があの場に助けにきてくれなかったら、僕はきっと死んでいたよ」

涙にぬれたハーマイオニーの笑顔に、ハリーは笑顔で応えようと努め、それから本に注意を向けた。背表紙はまだ硬く、本が一度も開かれていないのは明らかだった。ハリーは写真を探してパラパラとページをめくった。探していた一枚は、すぐに見つかった。若き日のダンブルドアが、ハンサムな友人と一緒に大笑いしている。どんな冗談で笑ったのかは追憶のかなただ。ハリーは写真の説明に目を向けた。

アルバス・ダンブルドア——母親の死後まもなく、
友人のゲラート・グリンデルバルドと

ハリーはしばらくの間、最後の文字をまじまじと眺めた。グリンデルバルド。友人のグリンデルバルド。横を見ると、ハーマイオニーも自分の目を疑うように、まだその名前を見つめていた。ゆっくりとハリーを見上げて、ハーマイオニーが言った。

「**グリンデルバルド?**」

ほかの写真は無視して、ハリーはその写真の前後のページをめくって、その決定的な名前がどこかほかにも書かれていないかどうか探した。名前はすぐに見つかり、ハリーはそこを貪り読んだが、なんのことだかわからなかった。もっと前に戻って読まないと、まったく意味がわからない。そして結局ハリーは、「より大きな善のために」という題がついているその章の冒頭に戻っていた。ハーマイオニーと一緒に、ハリーは読みはじめた。

十八歳の誕生日が近づき、ダンブルドアは数々の栄誉に輝いてホグワーツを卒業した――首席、監督生、秀でた呪文術へのバーナバス・フィンクリー賞受賞、ウィゼンガモット最高裁への英国青年代表、カイロにおける国際錬金術会議での革新的な論文による金賞受賞などである。次にダンブルドアは、在学中に彼の腰巾着になった、のろまながらも献身的な「ドジの」エルファイアス・ドージとともに、伝統の卒業世界旅行に出る計画だった。

ロンドンの「漏れ鍋」に泊まった二人の若者が、翌朝のギリシャへの出発に向けて準備していたとき、一羽のふくろうが、ダンブルドアの母親ケンドラの訃報を運んできた。「ドジの」ドージは本書へのインタビューを拒んだが、彼自身、その訃報のあとに起こったことについての感傷的な一文を公にしている。ドージは、ケンドラの死を悲劇的な痛手と表現し、ダンブルドアが遠征を断念したのは気高い自己犠牲の行為であったと主張している。

確かにダンブルドアは、すぐさまゴドリックの谷に帰った。弟と妹の「面倒を見る」というのがその理由であるはずだった。しかし、実際にはどれだけ世話を焼いたのであろうか?

「あの子はいかれた変人でしたよ、あのアバーフォースって子は」当時、ゴドリックの谷の郊外に住んでいた、イーニッド・スミークはそう言う。「手に負えない子でね。もちろん、父親も母親もいない子ですから、普通なら不憫(ふびん)に思ったでしょうが、アバーフォースは私の頭にしょっちゅう山羊(やぎ)のフンを投げつけるような子でしたからね。アルバスは、弟のことをあまり気にしているふうではなかったですね。とにかく、二人が一緒にいるところを一度も見たことはありませんでしたよ」

暴れ者の弟をなだめていたのでないなら、アルバスは何をしていたのだろうか？　どうやらその答えは、引き続き妹をしっかり監禁していた、ということのようだ。最初の見張り役は死んだが、妹、アリアナ・ダンブルドアの哀れな状態は変わらなかった。この妹の存在さえ、アリアナが「蒲柳の質」だという話をまちがいなくうのみにする、「ドジの」ドージのような少数の者をのぞいては、外部に知られていなかった。

もう一人、家族ぐるみのつき合いがあり、これも簡単に丸め込まれる友人に、長年ゴドリックの谷に住む、名高い魔法史家のバチルダ・バグショットがいる。村に移った家族を歓迎しようとしたバチルダを、ケンドラは、言うまでもなく最初は拒絶した。しかし、数年後、『変身現代』に掲載された「異種間変身」の論文に感心したバチルダが、ホグワーツのアルバスにふくろう便を送ったのがきっかけで、ダンブルドアの家族全員とのつき合いが始まったのだ。ケンドラが死ぬ前に、ゴドリックの谷でダンブルドアの母親と言葉を交わせる間柄だったのは、バチルダただ一人だった。

不幸にして、かつてのバチルダの輝ける才能は、いまや薄ぼけてしまっている。アイバー・ディロンスビィはそれを「から鍋のからだき」という言い方で筆者に語り、イーニッド・スミークはもっと俗な言葉で、「カバの逆立ち」と表現した。にもかかわらず、筆者は百戦錬磨の取材の技を駆使することで、確たる事実の数々を引き出し、それらをつなぎ合わせた結果、醜聞の全貌を浮かび上がらせた。

ケンドラの早すぎる死が「呪文の逆噴射」のためだというバチルダの見方は、魔法界全体の見解と同じであり、アルバスとアバーフォースが後年くり返し語った話でもある。バチルダはさらに、アリアナが「腺病質」であり、「傷つきやすい」という家族の言いぐさを、受け売りしている。しかしながら、ある問題に関しては、筆者が苦労して「真実薬」を入手したかいがあった。何しろ、バチルダこそ、そしてバチルダのみが、アルバス・ダンブルドアの人生における秘中の秘の全容を知る者だからである。初めて明かされるこの話は、崇拝者が信奉するダンブルドア像のすべてに、疑問を投げかける。闇の魔術を憎み、マグルの弾圧に反対したというイメージや、自らの家族に献身的であったことさえ虚像ではないかと思われる。

孤児となり、家長となったダンブルドアが、ゴドリックの谷に戻ったその同じ夏のこと、バチルダ・バグショットは、遠縁の甥（おい）を家に住まわせることにした。ゲラート・グリンデルバルドである。

グリンデルバルドの名は、当然ながら有名である。「歴史上最も危険な闇の魔法使い」のリストでは、一世代後に出現した「例のあの人」に王座を奪われなければ、トップの座に君臨していたと言えよう。しかし、グリンデルバルドの恐怖の手は、イギリスにまでおよんだことがなかったため、その勢力台頭の過程については、わが国では広く知られてはいない。

闇の魔術を容認するという、かんばしくない理由で当時から有名だったダームストラング校で教育を受けたグリンデルバルドは、ダンブルドア同様、早熟な才能を開花させていた。しかし、ゲラート・グリンデルバルドの場合は、その能力を賞や栄誉を得ることに向けず、別の目的の追求に没頭していた。十六歳にして、もはやダームストラング校でさえ、そのゆがんだ試みを見捨ててはおけなくなり、ゲラート・グリンデルバルドは放校処分になった。

従来、グリンデルバルドの退学後の行動については、「海外を数か月旅行した」ことしか知られていなかったが、いま初めて事実が明るみに出る。グリンデルバルドはゴドリックの谷の大おばを訪ねる道を選び、その地で、多くの読者には衝撃的であろうが、誰あろう、アルバス・ダンブルドアその人と親交を結んだのである。

「私には魅力的な少年に思えたがねぇ」とバチルダはブツブツしゃべった。「後年、あの子がどういうふうになったかは別として。当然、私はあの子を、同じ年ごろの男の友人がいない、かわいそうなアルバスに紹介したのだよ。二人はたちまち意気投合してねぇ」

確かにそのとおりだった。バチルダが、保管していた一通の手紙を見せてくれたが、それはアルバス・ダンブルドアが、夜中にゲラート・グリンデルバルドに書き送ったものだった。

「そう、一日中議論したあとにだよ――才気あふれる若い二人は、まるで火にかけた大鍋のように相性がよくてねぇ――ときどき、アルバスからの手紙を届けるふくろうが、ゲラートの寝室の窓をコツコツつつく音が聞こえたものだ！　アルバスに何か考えがひらめいたのだろうね。そうすると、すぐにゲラートに知らせずにはいられなかったのだろう！」

考えが聞いてあきれる。アルバス・ダンブルドアのファンには深い衝撃であろうが、彼らのヒーローが十七歳のとき、新しい親友に語った思想は以下のとおりだ（手紙の実物のコピーは四六三ページに掲載）。

ゲラート――

魔法使いが支配することは、マグル自身のためだという君の論点だが――僕は、これこそ肝心な点だと思う。確かに我々には力が与えられている。そして、確かに、その力は我々に支配する権利を与えている。しかし、同時にそのことは、被支配者に対する責任をも我々に与えているという点を、我々は強調しなければならない。この点こそが、我々の打ち立てるものの土台となるだろう。我々の行動が反対にあった場合、そして必ずや抵抗はあるだろうが、反論の基礎はここになければならない。我々は、より大きな善のために支配権を掌握するのだ。このことからくる当然の帰結だが、抵抗にあった場合は、力の行使は必要なだけにとどめ、それ以上であってはならない（これが君のダームストラングにおけるまちがいだった！　しかし、僕には文句が言えない。なぜなら、君が退学にならなければ、二人が出会うことはなかっただろうから）。

アルバス

多くのダンブルドア崇拝者にとっては愕然とさせられる驚きの手紙であろうが、これこそが、かつてアルバス・ダンブルドアが「秘密保持法」を打ち壊し、魔法使いによるマグルの支配を打ち立てようと夢見た証なのである。ダンブルドアこそマグル生まれの最も偉大な闘士であると、常にそのイメージを描いてきた人々にとっては、なんたる打撃！　マグルの権利を振興する数々の演説が、この決定的な新証拠の前で、なんとむなしく響くことか！　母親の死を嘆き、妹の世話をしているべき時期に、自らが権力の座に上る画策に励んでいたアルバス・ダンブルドアが、いかに見下げはてた存在に見えることか！

是が非でもダンブルドアを崩れかけた台座にのせておきたい人々は、結局ダンブルドアがこの計画を実行に移さなかったと、女々しい泣き言を言うにちがいない。しかし、どうやら真実はこれよりもっと衝撃的なのだ。

すばらしい新しい友情から二か月もたたないうちに、ダンブルドアとグリンデルバルドは別れ、正気に戻ったとたわ言を言うにちがいない。ダンブルドアの考えが変わって、あの伝説の決闘までは互いに二度と会うことはなかったのだ（決闘については二十二章を参照）。突然の決裂はいったい何故だったのか？　ダンブルドアが正気に戻ったのか？　グリンデルバルドに対して、もはや彼の計画に加わりたくないと言ったのか？　嗚呼、そうではなかった。

「それは、かわいそうなアリアナちゃんが死んだせいだったろうねぇ」バチルダはそう言う。「恐ろしいショックだった。ゲラートはその時、ダンブルドアの家にいたのだが、それこそうろたえて家に戻ってきよってな、私に、翌日家に帰りたいと言った。そりゃあ、ひどく落ち込んでいてねぇ。そこで私は移動キー（ポートキー）を手配したのだが、それっきりあの子には会ってないのだよ」

「アリアナの死で、アルバスは取り乱していたよ。二人の兄弟にとって、あまりにも恐ろしい出来事だった。二人を残して、家族全員を失ったのだからねぇ。当然、かんしゃくも起ころうというものだよ。こういう恐ろしい状況ではよくあることだが、アバーフォースがアルバスを責めてねぇ。ただし、気の毒に、アバーフォースは、普段から少し正気ではない話し方をする子だったが。いずれにせよ、葬式でアルバスの鼻をへし折るというのは、穏当じゃなかったねぇ。息子たちが娘のなきがらをはさんであんなふうにけんかをするのを見たら、母親のケンドラは胸がつぶれたことだろう。ゲラートが、残って葬儀に参列しなかったのは残念だった……少なくともアルバスのなぐさめにはなったことだろうに……」

アリアナ・ダンブルドアの葬儀に参列した数少ない者しか知らないことだが、棺（ひつぎ）を前にしてのこの恐ろしい争いは、いくつかの疑問を呈している。アバーフォース・ダンブルドアはいったいなぜ、妹の死に関してアルバスを責めたのか？「バティ」が言い張るように、単なる悲しみの表れだったのだろうか？それともその怒りには、もっと具体的な理由があったのだろうか？同窓生たちを攻撃して殺しかけた事件でダームストラングを放校になっているグリンデルバルドは、アリアナの死から数時間後にイギリスから逃げ去った。そしてアルバスは（恥からか、それとも恐れからか？）、魔法界の懇願に応えてやむなく顔を合わせることになるまでは、二度とグリンデルバルドに会うことはなかった。

ダンブルドアもグリンデルバルドも、少年時代の短い友情に関して、後年一度たりとも触れることはなかったと思われる。しかしながら、死傷者や行方不明者が続出した大混乱の五年ほどの間、ダンブルドアが、ゲラート・グリンデルバルドへの攻撃を先延ばしにしていたことは疑いがない。ダンブルドアを躊躇（ちゅうちょ）させていたのは、グリンデルバルドに対する友情の名残だったのか、それとも、かつては親友だったことが明るみに出るのを恐れたからだったのか？　一度は出会えたことをあれほど喜んだ相手だ。その男を取り押さえに出向くのは、ダンブルドアにとって気の進まないことだったのか？

　そして、謎のアリアナはどのようにして死んだのか？　闇の儀式の予期せぬ犠牲者だったのか？　二人の若者が栄光と支配を目指しての試みの練習中に、アリアナは偶然に不都合な何かを見てしまったのか？　アリアナ・ダンブルドアが「より大きな善のため」の最初の犠牲者だったということはありうるだろうか？

　この章は、ここで終わっていた。ハリーは目を上げた。ハーマイオニーは先にページの下まで読み終えていた。ハリーの表情に少しドキリとしたように、ハーマイオニーは本をハリーの手からぐいと引っ張り、不潔なものでも隠すように、本を見もせずに閉じた。

「ハリー――」

　しかし、ハリーは首を振った。ハリーの胸の中で、確固とした何かが崩れ落ちた。ロンが去ったときに感じた気持ちと、まったく同じだった。ハリーはダンブルドアを信じていた。ダンブルドアこそ、善と知恵そのものであると信じていた。すべては灰燼（かいじん）に帰した。これ以上失うものがあるのだろうか？　ロン、ダンブルドア、不死鳥の尾羽根の杖……。

「ハリー」

ハーマイオニーはハリーの心の声が聞こえたかのように言った。

「聞いてちょうだい。これ――この本は、読んで楽しい本じゃないわ――」

「――ああ、そうみたいだね――」

「――でも忘れないで、ハリー、これはリータ・スキーターの書いたものよ」

「君も、グリンデルバルドへの手紙を読んだろう？」

「ええ、私――読んだわ」

ハーマイオニーは冷えた両手で紅茶のカップを包み、動揺した表情で口ごもった。

「あれが最悪の部分だと思うわ。バチルダはあれが机上の空論にすぎないと思ったにちがいないわ。でも『より大きな善のために』はグリンデルバルドのスローガンになって、後年の残虐な行為を正当化するために使われた。それに……あれによると……ダンブルドアがグリンデルバルドにその考えを植えつけたみたいね。『より大きな善のために』は、ヌルメンガードの入口にも刻まれていると言われているけれど」

「ヌルメンガードって何？」

「グリンデルバルドが、敵対する者を収容するために建てた監獄よ。ダンブルドアに捕まってからは、自分が入るはめになったけれど。とにかく、ダンブルドアの考えがグリンデルバルドの権力掌握を助けたなんて、考えるだけで恐ろしいことよ。でも、もう一方では、さすがのリータでさえ、二人が知り合ったのは、ひと夏のほんの二か月ほどだったということを否定できないし、二人とも、とても若いときだったし、それに――」

「君はそう言うだろうと思った」

ハリーが言った。ハーマイオニーに自分の怒りのとばっちりを食わせたくはなかったが、静かな声で話すのは難しかった。

「『二人は若かった』って、そう言うと思ったよ。でも、いまの僕たちと同じ年だった。それに、僕たちはこうして闇の魔術と戦うために命を賭けているのに、ダンブルドアは新しい親友と組んで、マグルの支配者になるたくらみをめぐらしていたんだ」

ハリーは、もはや怒りを抑えておけなかった。少しでも発散させようとして、ハリーは立ち上がって歩き回った。

「ダンブルドアの書いたことを擁護しようとは思わないわ」ハーマイオニーが言った。「『支配する権利』なんてばかげたこと、『魔法は力なり』とおんなじだわ。でもハリー、母親が死んだばかりで、ダンブルドアは一人で家に縛りつけられて──」

「一人で？　一人なもんか！　弟と妹が一緒だった。監禁し続けたスクイブの妹と──」

「私は信じないわ」ハーマイオニーも立ち上がった。

「その子のどこかが悪かったにせよ、スクイブじゃなかったと思うわ。私たちの知っているダンブルドアは、絶対そんなことを許すはずが──」

「僕たちが知っていると思っていたダンブルドアは、力ずくでマグルを征服しようなんて考えなかった！」ハリーは大声を出した。

その声は何もない山頂を越えて響き、驚いたクロウタドリが数羽、鳴きながら真珠色の空にくるくると舞い上がった。

「ダンブルドアは変わったのよ、ハリー、変わったんだわ！　それだけのことなのよ！　十七歳のときにはこういうことを信じていたかもしれないけれど、それ以後の人生は、闇の魔術と戦うことに捧げたわ！　ダンブルドアこそグリンデルバルドをくじいた人、マグルの保護とマグル生まれの権利を常に支持した人、最初から『例のあの人』と戦い、打倒しようとして命を落とした人なのよ！」

二人の間に落ちているリータの著書から、アルバス・ダンブルドアの顔が二人に向かって悲しげにほほえんでいた。

「ハリー、言わせてもらうわ。あなたがそんなに怒っているほんとうの理由は、ここに書かれていることを、ダンブルドア自身が、いっさいあなたに話さなかったからだと思うわ」

「そうかもしれないさ！」ハリーは叫んだ。

そして、両腕で頭を抱え込んだ。怒りを抑えようとしているのか、それとも失望の重さから自らを護ろうとしているのか、自分にもわからなかった。

「ハーマイオニー、ダンブルドアが僕に何を要求したか言ってやる！　命を賭けるんだ、ハリー！　何度も！　何度でも！　わしが何もかも君に説明するなんて期待するな！　ひたすら信用しろ、わしは何もかも納得ずくでやっているのだと信じろ！　わしが君を信用しなくとも、わしのことは信用しろ！　真実のすべてなんて一度も！　一度も！」

神経がたかぶって、ハリーはかすれ声になった。真っ白な何もない空間で、二人は立ったまま見つめ合っていた。この広い空の下で、ハリーは自分たちが虫けらのように取るに足らない存在だと感じた。

「ダンブルドアはあなたのことを愛していたわ」ハーマイオニーがささやくように言った。

「私にはそれがわかるの」

ハリーは両腕を頭から離した。

「ハーマイオニー、ダンブルドアが誰のことを愛していたのか、僕にはわからない。でも、僕のことじゃない。愛なんかじゃない。こんなめちゃくちゃな状態に僕を置き去りにして。ダンブルドアは、僕なんかよりゲラート・グリンデルバルドに、よっぽど多く、ほんとうの考えを話していたんだ」

ハリーは、さっき雪の上に落としたハーマイオニーの杖を拾い上げ、再びテントの入口に座り込んだ。

「紅茶をありがとう。僕、見張りを続けるよ。君は中に入って暖かくしていてくれ」

ハーマイオニーはためらったが、一人にしてくれと言われたのだと悟り、本を拾い上げてハリーの横を通り、テントに入ろうとした。その時ハーマイオニーは、ハリーの頭のてっぺんを軽くなでた。ハリーはその手の感触を感じて目を閉じた。ハーマイオニーの言うことが真実であってほしい――ダンブルドアはほんとうにハリーのことを大切に思っていてくれたのだ――ハリーはそう願う自分を憎んだ。

第19章　銀色の牝鹿

真夜中にハーマイオニーと見張りを交代したときには、もう雪が降りだしていた。ハリーは、心がかき乱されるような混乱した夢を見た。ナギニが、最初は巨大な割れた指輪から、次はクリスマス・ローズの花輪から出入りする夢だった。遠くで誰かがハリーを呼んだような気がしたり、あるいはテントをはためかせる風を足音か人声と勘ちがいして、ハリーはそのたびにドキッとして目を覚ました。

とうとう暗いうちに起き出したハリーは、ハーマイオニーの所に行った。ハーマイオニーは、テントの入口にうずくまって、杖灯り(つえあかり)で『魔法史』を読んでいた。雪はまだしんしんと降っていて、ハリーが早めに荷造りをして移動しようと言うと、ハーマイオニーはホッとしたように受け入れた。

「どこかもっと、雨露をしのげる所に行きましょう」

ハーマイオニーはパジャマの上にトレーナーを着込み、震えながら賛成した。

「誰かが、外を動き回っている音が聞こえたような気がしてしょうがなかったの。一度か二度、人影を見たような気もしたわ」

ハリーはセーターを着込む途中で動きを止め、ちらっとテーブルの上の「かくれん防止器」を見た。しかし、動きもなく、静かだった。

「きっと気のせいだとは思うけど――」

ハーマイオニーは不安そうな顔で言った。

「闇の中の雪って、見えないものを見せるから……でも、念のために、透明マントをかぶったまま『姿くらまし』したほうがいいわね？」

三十分後、テントを片づけて、ハリーは分霊箱を首にかけ、ハーマイオニーはビーズバッグを握りしめて、二人は「姿くらまし」した。いつものしめつけられるような感覚にのみ込まれ、ハリーの両足は雪面を離れたかと思ううちに固い地面を打った。木の葉に覆われた凍結した地面のようだった。

「ここはどこ？」

ハリーは、いままでとはちがう木々の生い茂った場所を、目を凝らして見回しながら、ビーズバッグを開いてテントの柱を引っ張り出しているハーマイオニーに問いかけた。

「グロスター州のディーンの森よ。一度パパやママと一緒に、キャンプに来たことがあるの」

ここでも、あたり一面の木々に雪が積もり、刺すような寒さだったが、少なくとも風からは護られていた。二人はほとんど一日中テントの中で、ハーマイオニーお得意の明るいリンドウ色の炎の前にうずくまって、暖を取りながら過ごした。この炎は、広口瓶にすくい取って運べる便利なものだった。

ハリーは、つかの間患っていた重い病気から立ち直ろうとしているような気分だった。ハーマイオニーが細かい気づかいを見せてくれることで、ますますそんな気持ちになった。午後にはまた雪が舞い、ハリーたちのいる木々に囲まれた空き地も、粉をまいたように新雪で覆われた。

ふた晩、ほとんど寝ていなかったせいか、ハリーの感覚はいつもより研ぎ澄まされていた。ゴドリックの谷から逃れはしたが、あまりにも際どいところだったために、ヴォルデモートの存在が前より身近に、より恐ろしいものに感じられた。その日も暮れかかったとき、見張りを交代するというハーマイオニーの申し出を断り、ハリーはハーマイオニーに寝るようにうながした。

ハリーは、テントの入口に古いクッションを持ち出して座り込んだが、ありったけのセーターを着込んだにもかかわらず、まだ震えていた。刻一刻と闇が濃くなり、とうとう何も見えないほど暗くなった。

ハリーは、しばらくジニーの動きを眺めたくて、忍びの地図を取り出そうとしたが、ジニーはクリスマス休暇で「隠れ穴」に戻っていることに気づいた。

広大な森では、どんな小さな動きも拡大されるように思えた。森は、生き物でいっぱいだということはわかっている。でも、全部動かずに静かにしていてくれればいいのに、とハリーは思った。そうすれば、動物が走ったり徘徊したりする無害な音と、ほかの不気味な動きを示す物音とを区別できる。ハリーは何年も前に、落ち葉の上を引きずるマントの音を聞いたことを思い出した。そのとたん、またその音を聞いたような気がしたが、頭の中から振り払った。自分たちのかけた保護呪文は、ここ何週間もずっと有効だった。いまさら破られるはずはないじゃないか？　しかし、今夜は何かがちがうという感じをぬぐいきれなかった。

ハリーはテントにもたれて、おかしな角度に体を曲げたまま寝込んでしまい、首が痛くなって何度かぐいと体を起こした。ビロードのような深い夜の帳の中で、ハリーは、「姿くらまし」と「姿あらわし」の中間にぶら下がっているような気がした。そんなことになっていれば指は見えないはずだと思い、目の前に手をかざして見えるかどうかを確かめてみた、ちょうどその時だ。

目の前に明るい銀色の光が現れ、木立の間を動いた。光の正体はわからないが、音もなく動いている。光は、ただハリーに向かって漂ってくるように見えた。

ハリーはパッと立ち上がって、ハーマイオニーの杖をかまえた。声がのど元で凍りついている。真っ黒な木立の輪郭の陰で、光はまばゆいばかりに輝きはじめ、ハリーは目を細めた。その何物かは、ますます近づいてきた……。

そして、一本のナラの木の木陰から、光の正体が歩み出た。明るい月のように眩しく輝く、白銀の牝鹿だった。音もなく、新雪の粉雪にひづめの跡も残さず、牝鹿は一歩一歩進んできた。まつげの長い大きな目をした美しい頭をすっと上げ、ハリーに近づいてくる。

ハリーはぼうぜんとして牝鹿を見つめた。見知らぬ生き物だからではない。なぜかこの牝鹿を知っているような気がしたからだ。この牝鹿と会う約束をして、ずっと来るのを待っていたのに、いままでそのことを忘れていたような気がした。ついさっきまで、ハーマイオニーを呼ぼうとしていた強い衝動は消えてしまった。まちがいない。誰がなんと言おうと、この牝鹿はハリーの所に、そしてハリーだけの所に来たのだ。

牝鹿とハリーは、しばらく互いにじっと見つめ合った。それから、牝鹿は向きを変え、去りはじめた。

「行かないで」

ずっとだまっていたせいで、ハリーの声はかすれていた。

「戻ってきて！」

牝鹿は、おもむろに木立の間を歩み続けた。やがてその輝きに、黒く太い木の幹が縞(しま)模様を描きはじめた。ハリーはほんの一瞬ためらった。罠(わな)かもしれない。危ない誘いかもしれない。慎重さがささやきかけた。しかし、直感が、圧倒的な直感が、これは闇の魔術ではないとハリーに教えていた。ハリーはあとを追いはじめた。

ハリーの足元で雪が軽い音を立てたが、木立を縫う牝鹿はあくまでも光であり、物音一つ立てない。牝鹿は、ハリーをどんどん森の奥へといざなった。ハリーは足を速めた。牝鹿が立ち止まったときこそ、ハリーが近づいてよいという合図にちがいない。そして、牝鹿が口を開いたとき、その声が、ハリーの知るべきことを教えてくれるにちがいない。

ついに、牝鹿が立ち止まった。そして美しい頭を、もう一度ハリーに向けた。知りたさに胸を熱くし、ハリーは走りだした。しかし、ハリーが口を開いたとたん、牝鹿は消えた。

牝鹿の姿はすっぽりと闇に飲まれてしまったが、輝く残像はハリーの網膜に焼きついていた。目がチカチカして視界がぼやけ、まぶたを閉じたハリーは、方向感覚を失った。それまでは牝鹿が安心感を与えてくれていたが、いまや恐怖が襲ってきた。

「**ルーモス！　光よ！**」

小声で唱えると、杖先に灯りがともった。

瞬きをするたびに、牝鹿の残像は薄れていった。ハリーはその場にたたずみ、森の音を、遠くの小枝の折れる音や、サラサラというやわらかな雪の音を聞いた。いまにも誰かが襲ってくるのではないか？牝鹿は、待ち伏せにハリーをおびき出したのだろうか？　杖灯りの届かない所に立っている誰かが、ハリーを見つめているように感じるのは、気のせいだろうか？

ハリーは杖を高く掲げた。誰も襲ってくる気配はない。木陰から飛び出してくる緑色の閃光もない。ではなぜ、牝鹿はハリーをここに連れてきたのだろう？

杖灯りで何かが光った。ハリーはパッと後ろを向いたが、小さな凍った池があるだけだった。よく見ようと杖を持ち上げると、暗い池の表面が割れて光っていた。

ハリーは用心深く近づき、池を見下ろした。氷がハリーのゆがんだ姿を映し、杖灯りを反射して光ったが、灰色に曇った厚い氷のずっと下で、何か別のものがキラリと光った。大きな銀色の十字だ……。

ハリーの心臓がのど元まで飛び出した。池の縁にひざまずいて、池の底にできるだけ光が当たるように杖を傾けた。深紅の輝き……柄に輝くルビーをはめ込んだ剣……グリフィンドールの剣が、森の池の底に横たわっていた。

ハリーは、ほとんど息を止めて剣をのぞき込んだ。どうしてこんなことが？　自分たちが野宿している場所の、こんな近くの池に横たわっているなんて、どうして？　未知の魔法が、ハーマイオニーをこの地点に連れてきたのだろうか？　それとも、ハリーが守護霊だと思った牝鹿は、この池の守人なのだろうか？　もしかして、ハリーたちがここにいると知って、二人が到着したあとに、この池に剣が入れられたのだろうか？　だとしたら、剣をハリーに渡そうとした人物はどこにいるのだ？　ハリーはもう一度杖を周りの木々や灌木に向け、人影はないか、目が光ってはいないか、と探したが、誰の姿も見えなかった。それでもやはりハリーは、凍った池の底に横たわる剣にもう一度目を向けながら、高揚した気持ちの中に一抹の恐怖がふくれ上がってくるのを感じた。

ハリーは杖を銀色の十字に向けて、つぶやくように唱えた。

「**アクシオ、剣よ来い**」

剣は微動だにしない。ハリーも動くとは期待していなかった。そんなに簡単に動くくらいなら、剣は凍った池の底ではなく、ハリーが拾い上げられるような地面に置かれていただろう。ハリーは、以前、剣のほうからハリーの所に現れたときのことを必死に思い出しながら、氷の周囲を歩きはじめた。あの時のハリーは、恐ろしく危険な状況に置かれ、救いを求めた。

「助けて」

ハリーはつぶやいた。しかし剣は、無関心に、じっと池の底に横たわったままだった。

ハリーが剣を手に入れたあの時、ダンブルドアはなんと言ったっけ？　ハリーは（再び歩きながら）、思い出そうとした。――**真のグリフィンドール生だけが、帽子から剣を取り出してみせることができるのじゃ**――。そして、グリフィンドール生を決める特質とは、なんだっただろう？　ハリーの頭の中で、小さい声が答えた。――**勇猛果敢な騎士道で、ほかとはちがうグリフィンドール**。

ハリーは立ち止まって、長いため息をついた。白い息が、凍りついた空気の中にたちまち散っていった。何をすべきか、ハリーにはわかっていた。いつわらずに言えば、ハリーは、最初に氷を通して剣を見つけたときから、こうなるのではないかと考えていたのだ。

ハリーはもう一度周りの木々をぐるりと眺め、今度こそ、ハリーを襲うものは誰もいないと確信した。そのつもりなら、ハリーが一人で森を歩いていたときにも、襲うチャンスはあったし、池を調べていたときにも充分にその機会はあった。いまハリーがぐずぐずしているのは、これから取るべき行動が、あまりにも気の進まないことだったからだ。

思うように動かない指で、ハリーは一枚一枚服を脱ぎはじめた。こんなことをして、どこが「騎士道」なのだろう――ハリーは恨みがましく考えた――ハリーには確信が持てなかった。もっとも、ハーマイオニーを呼び出して、自分のかわりにこんなことをさせないというのが、せめてもの騎士道なのかもしれない。

ハリーが服を脱いでいると、ふくろうがどこかで鳴いた。ハリーはヘドウィグを思い出して、胸が痛んだ。いまやハリーは、歯の根も合わないほどに震えていたが、最後の一枚を残して裸足で雪に立つところまで脱ぎ続けた。杖と母親の手紙、シリウスの鏡のかけら、そして古いスニッチの入った巾着袋を服の上に置き、ハリーはハーマイオニーの杖を氷に向けた。

「**ディフィンド、裂けよ**」

氷の砕ける音が、静寂の中で弾丸のように響いた。池の表面が割れ、黒っぽい氷の塊が、波立った池の面に揺れた。ハリーの判断では、池はそれほど深くはないが、それでも剣を取り出すためには、完全にもぐらなければならないだろう。

これからすることをいくら考えてみたところで、やりやすくなるわけでもなく、水が温むわけでもない。ハリーは池の縁に進み出て、ハーマイオニーの杖を、杖灯りをつけたままそこに置いた。これ以上どこまで凍えるのだろう、どこまで激しく震えることになるのだろう、そんなことは想像しないようにしながら、ハリーは飛び込んだ。

体中の毛穴という毛穴が、抗議の叫びを上げた。氷のような水に肩までつかると、肺の中の空気が凍りついて固まるような気がした。ほとんど息ができない。激しい震えで波立った水が、池の縁を洗った。かじかんだ両足で、ハリーは剣を探った。もぐるのは一回だけにしたかった。

あえぎ、震えながら、ハリーはもぐる瞬間を刻一刻と先延ばしにしていた。ついにやるしかないと自分に言い聞かせ、ハリーはあらんかぎりの勇気を振りしぼってもぐった。

冷たさがハリーを責めさいなみ、火のようにハリーを襲った。暗い水を押し分けて底にたどり着き、手を伸ばして剣を探りながら、ハリーは脳みそまで凍りつくような気がした。指が剣の柄を握った。ハリーは剣を引っ張り上げた。

その時、何かが首をしめた。もぐったときには何も体に触れるものはなかった。たぶん水草だろうと思い、ハリーは空いている手でそれを払いのけようとした。水草ではなかった。分霊箱の鎖がきつくからみつき、ゆっくりとハリーののど笛をしめ上げていた。

ハリーは水面に戻ろうと、がむしゃらに水を蹴ったが、池の岩場のほうへと進むばかりだった。もがき、息を詰まらせながら、ハリーは巻きついている鎖をかきむしった。しかし、凍りついた指は鎖をゆるめることもできず、いまやハリーの頭の中には、パチパチと小さな光がはじけはじめた。おぼれるんだ。もう残された手段はない。ハリーには何もできない。胸の周りをしめつけているのは、「死」の腕にちがいない……。

ぐしょぬれで咳き込み、ゲーゲー吐きながら、こんなに冷えたのは生まれて初めてだというほど凍え、ハリーは雪の上に腹ばいになって我に返った。どこか近くで、もう一人の誰かがあえぎ、咳き込みながらよろめいている。ハーマイオニーがまた来てくれたんだ。蛇に襲われたときに来てくれたように……

でもこの音はハーマイオニーのようではない。低い咳、足音の重さからしても、ちがう……。

ハリーには、助けてくれたのが誰かを見るために、頭を持ち上げる力さえなかった。震える片手をのどまで上げ、ロケットが肉に食い込んだあたりに触れるのがせいぜいだった。ロケットはそこになかった。誰かがハリーを解き放したのだ。その時、ハリーの頭上で、あえぎながら話す声がした。

「おい──**気は──確かか？**」

その声を聞いたショックがなかったら、ハリーは起き上がる力が出なかっただろう。歯の根も合わないほど震えながら、ハリーはよろよろと立ち上がった。目の前にロンが立っていた。服を着たままだが、びしょぬれで、髪が顔に張りついている。片手にグリフィンドールの剣を持ち、もう片方に鎖の切れた分霊箱をぶら下げている。

「**まったく**、どうして──」

ロンが分霊箱を持ち上げて、あえぎながら言った。ロケットが、下手な催眠術のまね事のように、短い鎖の先で前後に揺れていた。

「もぐる前に、こいつをはずさなかったんだ？」

ハリーは答えられなかった。銀色の牡鹿など、ロンの出現に比べればなんでもない。ハリーは信じられなかった。寒さに震えながら、ハリーは池の縁に重ねて置いてあった服をつかんで、着はじめた。一枚、また一枚と、セーターを頭からかぶるたびにロンの姿が見えなくなり、そのたびにロンが消えてしまうのではないかと半信半疑で、ハリーはロンを見つめていた。しかし、ロンは本物にちがいない。池に飛び込んで、ハリーの命を救ったのだ。

「き──君だったの？」

歯をガチガチ言わせながら、ハリーはやっと口を開いた。しめ殺されそうになったために、いつもより弱々しい声だった。

「まあ、そうだ」ロンは、ちょっとまごつきながら言った。

「き――君が、あの牝鹿を出したのか？」

「え？　もちろんちがうさ！　僕は、君がやったと思った！」

「僕の守護霊は牡鹿だ」

「ああ、そうか。どっかちがうと思った。角なしだ」

ハリーはハグリッドの巾着を首にかけなおし、最後の一枚のセーターを着て、かがんでハーマイオニーの杖を拾い、もう一度ロンと向き合った。

「どうして君がここに？」

どうやらロンは、この話題が出るのなら、もっとあとに出てほしかったらしい。

「あのさ、僕――ほら――僕、戻ってきた。もしも――」

ロンは咳払いした。

「あの、君がまだ、僕にいてほしければ、なんだけど」

一瞬、沈黙があった。その間に、ロンの去っていったことが、二人の間に壁のように立ちはだかるように思われた。しかし、ロンはここにいる。帰ってきた。たったいま、ハリーの命を救ったのだ。

ロンは自分の両手を見下ろし、自分が持っているものを見て、一瞬驚いたようだった。

「ああ、そうだ。僕、これを取ってきた」

ロンは言わなくともわかることを言いながら、ハリーによく見えるように剣を持ち上げた。

「君はこのために飛び込んだ。そうだろ？」

「うん」ハリーが言った。「だけど、わからないな。君はどうやってここに来たんだ？　どうやって僕たちを見つけたんだ？」

「話せば長いよ」ロンが言った。

「僕、何時間も君たちを探してたんだ。何しろ広い森だろう？　それで、木の下で寝て、朝になるのを待とうって考えたのさ。そうしたら牝鹿がやってきて、君がつけてくるのが見えたんだ」

「ほかには誰も見なかったか？」

「見てない」ロンが言った。「僕――」

ロンは、数メートル離れた所に二本くっついて立っている木をちらりと見ながら、言いよどんだ。

「――あそこで何かが動くのを、見たような気がしたことはしたんだけど、でもその時は僕、池に向かって走っていたんだ。君が池に入ったきり出てこなかったから、それで、回り道なんかしていられないと思って――おい！」

ハリーはもう、ロンが示した場所に向かって走っていた。二本のナラの木が並んで立ち、幹と幹の間のちょうど目の高さにほんの十センチほどのすきまがあって、相手から見られずにのぞくのには理想的な場所だ。しかし根元の周りには雪がなく、足跡一つ見つけることはできなかった。ハリーは、剣と分霊箱を持ったまま突っ立って待っているロンの所に戻った。

「何かあったか？」ロンが聞いた。

「いや」ハリーが答えた。

「それじゃ、剣はどうやってあの池に入ったんだ？」

「誰だかわからないけど、守護霊を出した人があそこに置いたにちがいない」

二人は、見事な装飾のある銀の剣を見た。ハーマイオニーの杖の灯りで、ルビーのはまった柄がわずかにきらめいている。

「こいつ、本物だと思うか?」ロンが聞いた。

「一つだけ試す方法がある。だろう?」ハリーが言った。

分霊箱はロンの手からぶら下がり、まだ揺れていた。ロケットがかすかにピクッとした。ハリーには、ロケットの中のものが、再び動揺したのがわかっていた。剣の存在を感じたロケットは、ハリーにそれを持たせるくらいなら、ハリーを殺してしまおうとしたのだ。いまは長々と話し込んでいる時ではない。いまこそ、ロケットを完全に破壊するときだ。ハリーは、ハーマイオニーの杖を高く掲げて周りを見回し、これという場所を見つけた。シカモアの木陰の平たい岩だ。

「来いよ」

ハリーは先に立ってそこに行き、岩の表面から雪を払いのけ、手を差し出して分霊箱を受け取った。しかし、ロンが剣を差し出すと、ハリーは首を振った。

「いや、君がやるべきだ」

「僕が?」

ロンは驚いた顔をした。

「どうして?」

「君が、池から剣を取り出したからだ。君がやることになっているのだと思う」

ハリーは、親切心や気前のよさからそう言ったわけではなかった。牝鹿がまちがいなく危険なものではないと思ったと同様、ロンがこの剣を振うべきだという確信があった。ダンブルドアは少なくともハリーに、ある種の魔法について教えてくれた。ある種の行為が持つ、計り知れない力という魔法だ。

「僕がこれを開く」

ハリーが言った。

「そして君が刺すんだ。一気にだよ、いいね？　中にいるものがなんであれ、歯向かってくるから。日記の中のリドルのかけらも、僕を殺そうとしたんだ」

「どうやって開くつもりだ？」おびえた顔のロンが聞いた。

「開けって頼むんだ。蛇語で」

ハリーが言った。答えはあまりにもすらすらと口をついて出てきた。きっと心のどこかで、自分にははじめからそのことがわかっていたのだ、と思った。たぶん、ナギニと数日前に出会ったことで、それに気づいたのだ。ハリーは、緑色に光る石で象嵌された、蛇のようにくねった「S」の字を見た。岩の上にとぐろを巻く小さな蛇の姿を想像するのは容易なことだった。

「だめだ！」ロンが言った。「開けるな！　だめだ！　ほんとにだめ！」

「どうして？」ハリーが聞いた。「こんなやつ、片づけてしまおう。もう何か月も――」

「できないよ、ハリー、僕、ほんとに――君がやってくれ――」

「でも、どうして？」

「どうしてかって、僕、そいつが苦手なんだ！」

ロンは岩に置かれたロケットからあとずさりしながら言った。

「僕には手に負えない！　ハリー、僕があんなふうな態度を取ったことに言い訳するつもりはないんだけど、でもそいつは、君やハーマイオニーより、僕にもっと悪い影響を与えるんだ。そいつは僕につまらないことを考えさせた。どっちにせよ僕が考えていたことではあるんだけど、でも、何もかもどんどん悪い方向に持っていったんだ。うまく説明できないよ。それで、そいつをはずすとまともに考えることができるんだけど、またそのクソッタレをかけると――僕にはできないよ、ハリー！」

ロンは剣を脇に引きずり、首を振りながらあとずさりした。

「君にはできる」ハリーが言った。「できるんだ！　君はたったいま剣を手に入れた。それを使うのは君なんだってことが、僕にはわかるんだ。頼むから、そいつをやっつけてくれ、ロン」

名前を呼ばれたことが、刺激剤の役目をはたしたらしい。ロンはゴクリとつばを飲み込み、高い鼻からはまだ激しい息づかいが聞こえたが、岩のほうに近づいていった。

「合図してくれ」ロンがかすれ声で言った。

「三つ数えたらだ」

ハリーはロケットを見下ろし、目を細めて「Ｓ」の字に集中して蛇を思い浮かべた。ロケットの中身は、捕らわれたゴキブリのようにガタガタ動いている。ハリーの首の切り傷がまだ焼けるように痛んでいなかったら、哀れみをかけてしまったかもしれない。

「一……二……三……開け」

最後の一言は、シューッと息がもれるような唸り声だった。そして、カチッと小さな音とともに、ロケットの金色のふたが二つ、パッと開いた。

二つに分かれたガラスケースの裏側で、生きた目が一つずつ瞬いていた。細い瞳孔が縦に刻まれた、真っ赤な目になる前のトム・リドルの目のように、ハンサムな黒い両目だ。

「刺せ」

ハリーはロケットが動かないように、岩の上で押さえながら言った。

ロンは震える両手で剣を持ち上げ、切っ先を、激しく動き回っている両目に向けた。ハリーはロケットをしっかりと押さえつけ、からっぽになった二つの窓から流れ出す血を早くも想像して、身がまえた。

その時、分霊箱から押し殺したような声が聞こえた。

「おまえの心を見たぞ。おまえの心は俺様のものだ」

「聞くな！」ハリーは厳しく言った。「刺すんだ！」

「おまえの夢を俺様は見たぞ、ロナルド・ウィーズリー。そして俺様はおまえの恐れも見たのだ。おまえの夢見た望みは、すべて可能だ。しかし、おまえの恐れもまたすべて起こりうるぞ……」

「刺せ！」ハリーが叫んだ。

その声は周りの木々に響き渡った。剣の先が小刻みに震え、ロンはリドルの両目をじっと見つめた。

「母親の愛情がいつも一番少なかった。母親は娘が欲しかったのだ……いまも愛されていない。あの娘は、おまえの友人のほうを好んだ……おまえはいつも二番目だ。永遠に誰かの陰だ……」

「ロン、刺せ、いますぐ！」ハリーが叫んだ。

押さえつけているロケットがブルブル震えているのがわかり、ハリーはこれから起こるであろうことを恐れた。ロンは剣を一段と高く掲げた。その時、リドルの両目が真っ赤に光った。

ロケットの二つの窓、二つの目から、グロテスクな泡のように、ハリーとハーマイオニーの奇妙にゆがんだ顔が噴き出した。

驚いたロンは、ギャッと叫んであとずさりした。見る見るうちにロケットから二つの姿が現れた。最初は胸が、そして腰が、両足が、最後には、ハリーとハーマイオニーの姿が、一つの根から生える二本の木のように並んで、ロケットから立ち上がり、ロンと本物のハリーの上でゆらゆら揺れた。本物のハリーは、突然焼けるように白熱したロケットから、急いで指を引っ込めていた。

「ロン！」

ハリーは大声で呼びかけたが、いまやリドル－ハリーがヴォルデモートの声で話しはじめ、ロンは催眠術にかかったようにその顔をじっと見つめていた。

「なぜ戻った？　僕たちは君がいないほうがよかったのに、幸せだったのに、いなくなって喜んでいたのに……二人で笑ったさ、君の愚かさを、臆病さを、思い上がりを――」

「思い上がりだわ！」リドル－ハーマイオニーの声が響いた。

本物のハーマイオニーよりもっと美しく、しかももっとすごみがあった。ロンの目の前で、そのハーマイオニーはゆらゆら揺れながら高笑いした。ロンは、剣をだらんと脇にぶら下げ、おびえた顔で、しかし目が離せずに金縛りになって立ちすくんでいた。

「あなたなんかに誰も目もくれないわ。ハリー・ポッターと並んだら、誰があなたに注目するというの？『選ばれし者』に比べたら、あなたは何をしたというの？『生き残った男の子』に比べたら、あなたはいったいなんなの？」

「ロン、刺せ、**刺すんだ！**」

ハリーは声を張り上げた。しかしロンは動かない。大きく見開いた両目に、リドル－ハリーとリドル－ハーマイオニーが映っている。二人の髪は炎のごとくメラメラと立ち上り、目は赤く光り、二人の声は毒々しい二重唱を奏でていた。

「君のママが打ち明けたぞ」

リドル－ハリーがせせら笑い、リドル－ハーマイオニーはあざけり笑った。

「息子にするなら、僕のほうがよかったのにって。喜んで取り替えるのにって……」

「誰だって彼を選ぶわ。女なら、誰があなたなんかを選ぶ？ あなたはクズよ、クズ。彼に比べればクズよ」

リドル－ハーマイオニーは口ずさむようにそう言うと、蛇のように体を伸ばして、リドル－ハリーに巻きつき、強く抱きしめた。二人の唇が重なった。

宙に揺れる二人の前で、地上のロンの顔は苦悶（くもん）にゆがんでいた。震える両腕で、ロンは剣を高く振りかざした。

「やるんだ、ロン！」ハリーが叫んだ。

ロンがハリーに顔を向けた。ハリーは、その両目に赤い色が走るのを見たように思った。

「ロン――？」

剣が光り、振り下ろされた。ハリーは飛びのいて剣をよけた。鋭い金属音と長々しい叫び声がした。ハリーは雪に足を取られながらくるりと振り向き、杖をかまえて身を護ろうとした。しかし戦う相手はいなかった。

自分自身とハーマイオニーの怪物版は、消えていた。剣をだらりと提げたロンだけが、平らな岩の上に置かれたロケットの残骸を見下ろして立っていた。

ゆっくりと、ハリーはロンのほうに歩み寄った。何を言うべきか、何をすべきか、わからなかった。ロンは荒い息をしていた。両目はもう赤くはない。いつものブルーの目だったが、涙にぬれていた。

ハリーは見なかったふりをしてかがみ込み、破壊された分霊箱を拾い上げた。ロンは二つの窓のガラスを貫いていた。リドルの両目は消え、しみのついた絹の裏地がかすかに煙を上げていた。分霊箱の中に息づいていたものは、最後にロンを責めさいなんで、消え去った。

ロンの落とした剣が、ガチャンと音を立てた。ロンはがっくりとひざを折り、両腕で頭を抱えた。震えていたが、寒さのせいではないことが、ハリーにはわかった。ハリーは壊れたロケットをポケットに押し込み、ロンの脇にひざをついて、片手をそっとロンの肩に置いた。ロンがその手を振り払わなかったのは、よいしるしだと思った。

「君がいなくなってから」

ハリーは、ロンの顔が隠れているのをありがたく思いながら、そっと話しかけた。

「ハーマイオニーは一週間泣いていた。僕に見られないようにしていただけで、もっと長かったかもしれない。互いに口もきかない夜がずいぶんあった。君が、いなくなってしまったら……」

ハリーは最後まで言えなかった。ロンが戻ってきたいまになって、ハリーは初めて、ロンの不在がハーマイオニーとハリーの二人にとってどんなに大きな痛手だったかが、はっきりわかった。

「ハーマイオニーは、妹みたいな人なんだ」ハリーは続けた。「僕の妹のような気持ちで愛しているし、ハーマイオニーの僕に対する気持ちも同じだと思う。ずっとそうだった。君には、それがわかっていると思っていた」

ロンは答えなかったが、ハリーから顔をそむけ、大きな音を立ててそでで鼻をかんだ。ハリーはまた立ち上がり、数メートル先に置かれていたロンの大きなリュックサックまで歩いていった。おぼれるハリーを救おうと、ロンが走りながら放り投げたのだろう。ハリーはそれを背負い、ロンのそばに戻った。ロンはよろめきながら立ち上がって、ハリーが近づくのを待っていた。泣いた目は真っ赤だったが、落ち着いていた。

「すまなかった」ロンは声を詰まらせて言った。「いなくなって、すまなかった。ほんとに僕は、僕は——ん——」

ロンは暗闇を見回した。どこかから自分を罵倒する言葉が襲ってくれないか、その言葉が自分の口をついて出てきてくれないか、と願っているようだった。

「君は今晩、その埋め合わせをしたよ」ハリーが言った。「剣を手に入れて。分霊箱をやっつけて。僕の命を救って」

「実際の僕よりも、ずっとかっこよく聞こえるな」ロンが口ごもった。

「こういうことって、実際よりもかっこよく聞こえるものさ」ハリーが言った。「そういうものなんだって、もう何年も前から君に教えようとしてたんだけどな」

二人は、同時に歩み寄って抱き合った。ハリーは、まだぐしょぐしょのロンの上着の背を、しっかり抱きしめた。

「さあ、それじゃ」

互いに相手を放しながら、ハリーが言った。

「あとはテントを再発見するだけだな」

難しいことではなかった。牝鹿と暗い森を歩いたときは遠いように思ったが、ロンがそばにいると、帰り道は驚くほど近く感じられた。ハリーは、ハーマイオニーを起こすのが待ちきれない思いだった。興奮で小躍りしながら、ハリーはテントに入った。ロンはその後ろから遠慮がちに入ってきた。

唯一の明かりは、床に置かれたボウルでかすかにゆらめいているリンドウ色の炎だけだったが、池と森のあとでは、ここはすばらしく暖かかった。ハーマイオニーは毛布にくるまり、丸くなってぐっすり眠っていた。ハリーが何回か呼んでも、身動きもしなかった。

「**ハーマイオニー！**」

もぞもぞっと動いたあと、ハーマイオニーはすばやく身を起こし、顔にかかる髪の手を払いのけた。

「何かあったの？　ハリー？　あなた、大丈夫？」

「大丈夫だ。すべて大丈夫。大丈夫以上だよ。僕、最高だ。誰かさんがいるよ」

「何を言ってるの？　誰かさんて――？」

ハーマイオニーはロンを見た。剣を持って、すり切れたじゅうたんに水を滴らせながら立っている。ハリーは薄暗い隅のほうに引っ込み、ロンのリュックサックを下ろして、テント生地の背景に溶け込もうとした。

ハーマイオニーは簡易ベッドからすべり下り、ロンの青ざめた顔をしっかり見すえて、夢遊病者のようにロンのほうに歩いていった。唇を少し開け、目を見開いて、ロンのすぐ前で止まった。ロンは弱々しく、期待を込めてほほえみかけ、両腕を半分上げた。

ハーマイオニーはその腕に飛び込んだ。そして、手の届く所をむやみやたらと打った。

「イテッ――アッ――やめろ！　何するんだ――？　ハーマイオニー――**アーッ！**」

「この――底抜けの――**大バカの**――ロナルド――ウィーズリー！」

言葉と言葉の間に、ハーマイオニーは打った。ロンは頭をかばいながら後退し、ハーマイオニーは前進した。

「あなたは――何週間も――何週間も――いなくなって――のこのこ――ここに――帰って――来るなんて――あ、**私の杖はどこ？**」

ハーマイオニーは、腕ずくでもハリーの手から杖を奪いそうな形相だった。ハリーは本能的に動いた。

「**プロテゴ！　護れ！**」

見えない盾が、ロンとハーマイオニーの間に立ちはだかった。その力で、ハーマイオニーは後ろに吹っ飛び、床に倒れた。口に入った髪の毛をペッと吐き出しながら、ハーマイオニーは跳ね起きた。

「ハーマイオニー！」ハリーが叫んだ。「落ち着い――」

「私、落ち着いたりしない！」

ハーマイオニーは金切り声を上げた。こんなに取り乱したハーマイオニーは、見たことがなかった。気が変になってしまったような顔だった。

「私の杖を返して！　**返してよ！**」

「ハーマイオニー、お願いだから――」

「指図しないでちょうだい、ハリー・ポッター！」

ハーマイオニーがかん高く叫んだ。

「指図なんか！　さあ、すぐ返して！　それに、**君！**」

ハーマイオニーは世にも恐ろしい非難の形相で、ロンを指差した。まるで呪詛（じゅそ）しているようだった。

ロンがたじたじと数歩下がったのも無理はないと、ハリーは思った。

「私はあとを追った！　あなたを呼んだ！　戻ってと、あなたにすがった！」

「わかってるよ」ロンが言った。「ハーマイオニー、ごめん。ほんとうに僕――」

「あら、**ごめんが**聞いてあきれるわ！」

ハーマイオニーは、声の制御もできなくなったようにかん高い声で笑った。ロンは、ハリーに目で助けを求めたが、ハリーは、どうしようもないと顔をしかめるばかりだった。

「あなたは戻ってきた。何週間もたってから――**何週間もよ**――それなのに、**ごめん**の一言ですむと思ってるの？」

「でも、ほかになんて言えばいいんだ？」

ロンが叫んだ。ハリーはロンが反撃したのがうれしかった。

「あーら、知らないわ！」ハーマイオニーが皮肉たっぷりに叫び返した。「あなたが脳みそをしぼって考えれば、ロン、数秒もかからないはずだわ――」

「ハーマイオニー――」

ハリーが口をはさんだ。いまのは反則だと思った。

「ロンはさっき、僕を救って――」

「そんなこと、どうでもいいわ！」ハーマイオニーはキーキー声で言った。「ロンが何をしようと、どうでもいいわ！　何週間も何週間も、私たち二人とも、とっくに**死んでいた**かもしれないのに――」

「死んでないのは、わかってたさ！」

ロンのどなり声が、初めてハーマイオニーの声を上回った。盾の呪文が許すかぎりハーマイオニーに近づき、ロンは大声で言った。

「ハリーの名前は『予言者』にもラジオにもべたべただった。やつらはあらゆる所を探してたし、うわさだとか、まともじゃない記事だとかがいっぱいだ。君たちが死んだら、僕にはすぐに伝わってくるって、わかってたさ。君には、どんな事情だったかがわかってないんだ――」

「**あなたの**事情が、どうだったって言うの？」

ハーマイオニーの声は、まもなくコウモリしか聞こえなくなるだろうと思われるほどかん高くなっていた。しかし、怒りの極致に達したらしく、ハーマイオニーは一時的に言葉が出なくなった。その機会をロンがとらえた。

「僕、『姿くらまし』した瞬間から、戻りたかったんだ。でも、ハーマイオニー、すぐに『人さらい』の一味に捕まっちゃって、どこにも行けなかったんだ！」

「なんの一味だって？」

ハリーが聞いた。一方ハーマイオニーは、ドサリと椅子に座り込んで腕組みし、足を組んだが、その組み方の固さときたら、あと数年間は解くつもりがないのではないかと思われた。

「人さらい」ロンが言った。

「そいつら、どこにでもいるんだ。『マグル生まれ』とか『血を裏切る者』を捕まえて、賞金かせぎをする一味さ。一人捕まえるごとに、魔法省から賞金が出るんだ。僕はひとりぼっちだったし、学生みたいに見えるから、あいつらは僕が逃亡中の『マグル生まれ』だと思って、ほんとに興奮したんだ。僕は早く話をつけて、魔法省に引っ張っていかれないようにしなくちゃならなかった」

「どうやって話をつけたんだ？」

「僕は、スタン・シャンパイクだって言った。最初に思い浮かんだんだ」

「それで、そいつらは信じたのか？」

「最高にさえてるっていう連中じゃなかったしね。一人なんか、絶対にトロールが混じってたな。臭いの臭くないのって……」

ロンはちらりとハーマイオニーを見た。ちょっとしたユーモアで、ハーマイオニーがやわらいでくれることを期待したのは明らかだった。しかし、固結びの手足の上で、ハーマイオニーの表情は、相変わらず石のように硬かった。

「とにかく、やつらは、僕がスタンかどうかで口論を始めた。正直言って、お粗末な話だったな。だけど相手は五人、こっちは一人だ。それに僕は杖を取り上げられていたし。その時二人が取っ組み合いのけんかを始めて、ほかの連中がそっちに気を取られているすきに、僕を押さえつけていたやつの腹にパンチをかまして、そいつの杖を奪って、僕の杖を持ってるやつに『武装解除』をかけて、それから『姿くらまし』したんだ。それがあんまりうまくいかなくて、また『ばらけ』てさ――」

ロンは右手を挙げて見せた。右手の爪が二枚なくなっていた。ハーマイオニーは冷たく眉を吊り上げた。

「――それで僕、君たちがいた場所から数キロも離れた場所に現れた。僕たちがキャンプしていたあの川岸まで戻ってきたときには……君たちはもういなかった」

「うわー、なんてわくわくするお話かしら」

ハーマイオニーは、ぐさりとやりたいときに使う高飛車な声で言った。

「あなたは、そりゃ怖かったでしょうね。ところで私たちはゴドリックの谷に行ったわ。えーと、ハリー、あそこで何があったかしら？　ああ、そうだわ、『例のあの人』の蛇が現れて、危うく二人とも殺されるところだったわね。それから『例のあの人』自身が到着して、間一髪のところで私たちを取り逃がしたわ」

「えーっ？」

ロンはポカンと口を開けて、ハーマイオニーからハリーへと視線を移したが、ハーマイオニーはロンを無視した。

「指の爪がなくなるなんて、ハリー、考えてもみて！　それに比べれば、私たちの苦労なんてたいしたことないわよね？」

「ハーマイオニー」ハリーが静かに言った。「ロンはさっき、僕の命を救ったんだ」

ハーマイオニーは聞こえなかったようだった。

「でも、一つだけ知りたいことがあるわ」

ハーマイオニーは、ロンの頭上三十センチも上のほうをじっと見つめたままで言った。

「今夜、どうやって私たちを見つけたの？　これは大事なことよ。それがわかれば、これ以上会いたくもない人の訪問を受けないようにできるわ」

ロンはハーマイオニーをにらみつけ、それからジーンズのポケットから、何か小さな銀色のものを引っ張り出した。

「これさ」

ハーマイオニーは、ロンの差し出したものを見るために、ロンに目を向けざるをえなかった。

「『灯消しライター』？」

驚きのあまり、ハーマイオニーは冷たく厳しい表情を見せるのを忘れてしまった。

「これは、灯をつけたり消したりするだけのものじゃない」ロンが言った。「どんな仕組みなのかわからないし、なぜそのときだけそうなって、ほかのときにはならなかったのかもわからないけど。だって、僕は、二人と離れてから、ずっと戻りたかったんだからね。でも、クリスマスの朝、とっても朝早くラジオを聞いていたんだ。そしたら、君の声が……君の声が聞こえた……」

ロンは、ハーマイオニーを見ていた。

「私の声がラジオから聞こえたの？」

ハーマイオニーは信じられないという口調だった。

「ちがう。ポケットから君の声が聞こえた。君の声は――」

ロンはもう一度灯消しライターを見せた。

「ここから聞こえたんだ」

「それで、私はいったいなんと言ったの？」

半ば疑うような、半ば聞きたくてたまらないような言い方だった。

「僕の名前。『ロン』。それから君は……杖がどうとか……」

ハーマイオニーは、顔を真っ赤にほてらせた。ハリーは思い出した。ロンがいなくなって以来、二人の間でロンの名前が声に出たのは、その時が初めてだった。ハーマイオニーが、ハリーの杖を直す話をしたときに、ロンの名前を言ったのだ。

「それで僕は、これを取り出した」

ロンは灯消しライターを見ながら話を進めた。

「だけど、変わった所とか、別に何もなかった。でも、絶対に君の声を聞いたと思ったんだ。だからカチッとつけてみた。そしたら僕の部屋の灯りが消えて、別の灯りが窓のすぐ外に現れたんだ」

ロンは空いているほうの手を上げて、前方を指差し、ハリーにもハーマイオニーにも見えない何かを見つめる目をした。

「丸い光の球だった。青っぽい光で、強くなったり弱くなったり脈を打ってるみたいで、移動キー（ポートキー）の周りの光みたいなもの。わかる？」

「うん」

ハリーとハーマイオニーが、思わず同時に答えた。

「これだって思ったんだ」ロンが言った。「急いでいろんなものをつかんで、詰めて、リュックサックを背負って、僕は庭に出た」

「小さな丸い光は、そこに浮かんで僕を待っていた。僕が出ていくと、光はしばらくふわふわ一緒に飛んで、僕がそれについて納屋の裏まで行って、そしたら……光が僕の中に入ってきた」

「いまなんて言った？」ハリーは、聞きちがいだと思った。

「光が、僕のほうにふわふわやってくるみたいで」

ロンは空いている手の人差し指で、その動きを描いて見せた。

「まっすぐ僕の胸のほうに。それから――まっすぐ胸に入ってきた。ここさ」

ロンは心臓に近い場所に触れた。

「僕、それを感じたよ。熱かった。それで、僕の中に入ったとたん、僕は、何をすればいいかがわかったんだ。光が、僕の行くべき所に連れていってくれるんだって、わかったんだ。それで、僕は『姿くらまし』して、山間（やまあい）の斜面に現れた。あたり一面雪だった……」

「僕たち、そこにいたよ」ハリーが言った。「そこでふた晩過ごしたんだ。二日目の夜、誰かが暗闇の中を動いていて、呼んでいる声が聞こえるような気がしてしかたがなかった！」

「ああ、うん、僕だったかもしれない」ロンが言った。「とにかく、君たちのかけた保護呪文は、効いてるよ。だって、僕には君たちが見えなかったし、声も聞こえなかった。でも、絶対近くにいると思ったから、結局寝袋に入って、君たちのどちらかが出てくるのを待ったんだ。テントを荷造りしたときには、どうしても姿を現さなきゃならないだろうと思ったから」

「それが、実は」ハーマイオニーが言った。「念には念を入れて、透明マントをかぶったままで『姿くらまし』したの。それに、とっても朝早く出発したわ。だって、ハリーが言ったように、二人とも、誰かがうろうろしているような物音を聞いたんですもの」

「うん、僕は一日中あの丘にいた」ロンが言った。「君たちが姿を見せることを願っていたんだ。だけど暗くなってきて、きっと君たちに会いそこなったにちがいないってわかった。だから、もう一度灯消しライターをカチッとやって、ブルーの光が出てきて、僕の中に入った。そこで『姿くらまし』したら、ここに、この森に着いたんだ。それでも君たちの姿は見えなかった。だから、そのうちきっと姿を見せるだろうって、そう願うしかなかったんだ――そしたら、ハリーが出てきた。まあ、当然、最初は牝鹿を見たんだけど」

「何を見たんですって？」ハーマイオニーが鋭く聞いた。

二人は何があったかを話した。銀色の牝鹿と、池の剣の話が展開するにつれて、ハーマイオニーは、二人を交互ににらむようにして、聞き入った。集中するあまり、手足をしっかり組むのも忘れていた。

「でも、それは守護霊にちがいないわ！」ハーマイオニーが言った。「誰がそれを創り出していたか、見なかったの？　誰か見えなかったの？　それが剣の場所まであなたを導いたなんて！　信じられないわ！　それからどうしたの？」

ロンは、ハリーが池に飛び込むところを見ていたこと、出てくるのを待っていたこと、何かがおかしいと気づいて、もぐってハリーを救い出したこと、それからまた剣を取りにもぐったことを話した。ロケットを開くところまで話し、そこでロンが躊躇したので、ハリーが割り込んだ。

「――それで、ロンが剣でロケットを刺したんだ」

「それで……それでおしまい？　そんなに簡単に？」ハーマイオニーが小声で言った。

「まあね、ロケットは――悲鳴を上げた」

ハリーは、横目でロンを見ながら言った。

「ほら」

ハリーは、ハーマイオニーのひざにロケットを投げた。ハーマイオニーは恐る恐るそれを拾い上げ、穴の開いた窓をよく見た。

これでもう安全だと判断して、ハリーはハーマイオニーの杖をひと振りし、「盾の呪文」を解いてロンを見た。

「『人さらい』から、杖を一本取り上げたって？」

「えっ？」

ロケットを調べているハーマイオニーを見つめていたロンは、不意をつかれたようだった。

「あ――ああ、そうだ」

ロンは、リュックサックの留め金を引いて開け、リュックのポケットから短い黒っぽい杖を取り出した。

「ほら、予備が一本あると便利だろうと思ってさ」

「そのとおりだよ」ハリーは手を差し出した。「僕のは、折れた」

「冗談だろ？」

ロンがそう言ったとき、ハーマイオニーが立ち上がった。ロンはまた不安そうな顔をした。ハーマイオニーは破壊された分霊箱をビーズバッグに入れ、またベッドに這い上がって、それ以上一言も言わずにそこでじっとしていた。

ロンは、新しい杖をハリーに渡した。

「この程度ですんでよかったじゃないか」ハリーがこっそり言った。

「ああ」ロンが言った。「もっとひどいこともありえたからな。あいつが僕にけしかけた小鳥のこと、覚えてるか？」

「その可能性も、まだなくなってはいないわ」

ハーマイオニーのくぐもった声が、毛布の下から聞こえてきた。しかしハリーは、ロンが、リュックサックから栗色のパジャマを引っ張り出しながら、ニヤッと笑うのを見た。

第20章　ゼノフィリウス・ラブグッド

ハーマイオニーの怒りが一夜にして収まるとは、ハリーは期待していなかった。だから、翌日の朝、ハーマイオニーが怖い目つきをしたり、当てつけがましくだまり込んだりすることで意思表示をしても、別に驚きはしなかった。それに応えてロンも、ハーマイオニーのいる所では後悔し続けていることを形に表すために、ロンらしくもない生真面目な態度を守っていた。事実、三人でいると、ハリーは、会葬者の少ない葬式で、ただ一人、哀悼の意を表していない人間のような気がした。しかしロンは、ハリーと二人だけになる数少ない機会が来ると（水をくみに行くとか、下生えの間にキノコを探すとか）、破廉恥なほどに陽気になった。

「誰かが僕たちを助けてくれたんだ」ロンは何度もそう言った。「その人が、あの牝鹿をよこしたんだよ。誰か味方がいるんだ。分霊箱、一丁上がりだぜ、おい！」

ロケットを破壊したことで意を強くした三人は、ほかの分霊箱のありかを話し合いはじめた。これまで何度も話し合ったことではあったが、楽観的になったハリーは、最初の突破口に続いて次々と進展があるにちがいないと感じていた。ハーマイオニーがすねていても、ハリーの高揚した気持ちをそこなうことはできなかった。突然運が向いてきたこと、不思議な牝鹿が現れたこと、グリフィンドールの剣を手に入れたこと、そして何よりロンが帰ってきた大きな幸福感で、ハリーは、笑顔を見せずにいるのがかなり難しかった。

午後遅く、ハリーはロンと一緒に、不機嫌なハーマイオニーの御前からまた退出させていただき、生け垣の中に、ありもしないキイチゴの実を探すふりをしながら、引き続き互いのニュースを交換し合った。ハリーはやっと、ゴドリックの谷で起こった詳細をふくめて、ハーマイオニーと二人の放浪の旅についてのすべてを話し終え、今度はロンが、二人と離れていた何週間かに知った魔法界全体のことをハリーに話していた。

「……それで、君たちは、どうやって『禁句』のことがわかったんだ？」

マグル生まれたちが魔法省から逃れるために、必死に手を尽くしているという話をしたあとで、ロンがハリーに聞いた。

「なんのこと？」

「君もハーマイオニーも、『例のあの人』の名前を言うのをやめたじゃないか！」

「ああ、それか。まあね、悪いくせがついてしまっただけさ」ハリーが言った。「でも、僕は、名前を呼ぶのに問題はないよ。ヴォ――」

「**ダメだ！**」

ロンの大声で、ハリーは思わず生け垣に飛び込んだ。

テントの入口で、本に没頭していたハーマイオニーは、怖い顔で二人をにらんだ。

「ごめん」ロンは、ハリーをキイチゴの茂みから引っ張り出しながら謝った。

「でもさ、ハリー、その名前には呪いがかかっているんだ。それで追跡するんだよ。その名前を呼ぶと、保護呪文が破れる。ある種の魔法の乱れを引き起こすんだ――連中はその手で、僕たちをトテナム・コート通りで見つけたんだ！」

「僕たちが、その**名前を**使ったから？」

「そのとおり！　なかなかやるよな。論理的だ。『あの人』に対して真剣に抵抗しようという者だけが、たとえばダンブルドアだけど、名前で呼ぶ勇気があるんだ。だけど連中がそれを『禁句』にしたから、その名を言えば追跡可能なんだ――騎士団のメンバーを見つけるには早くて簡単な方法さ！　キングズリーも危うく捕まるとこだった――」

「うそだろ？」

「ほんとさ。死喰い人の一団がキングズリーを追いつめたって、ビルが言ってた。でも、キングズリーは戦って逃げたんだ。いまでは僕たちと同じように、逃亡中だよ」

ロンは杖の先で、考え深げにあごをかいた。

「キングズリーが、あの牡鹿を送ったとは思わないか？」

「彼の守護霊はオオヤマネコだ。結婚式で見たこと、覚えてるだろ？」

「ああ、そうか……」

二人はなおも生け垣に沿って、テントから、そしてハーマイオニーから離れるように移動した。

「ハリー……ダンブルドアの可能性があるとは思わないか？」

「ダンブルドアがどうしたって？」

ロンは少しきまりが悪そうだったが、小声で言った。

「ダンブルドアが……牡鹿とか？　だってさ」ロンは、ハリーを横目でじっと見ていた。「本物の剣を最後に持っていたのはダンブルドアだ。そうだろ？」

ハリーはロンを笑えなかった。質問の裏にあるロンの願いが、痛いほどわかったからだ。ダンブルドアが実はどうにかして三人の所に戻ってきて、三人を見守っている。そう考えると、なんとも表現しがたい安心感が湧く。しかし、ハリーは首を横に振った。

「ダンブルドアは死んだ」ハリーが言った。「僕はその場面を目撃したし、なきがらも見た。まちがいなく逝ってしまったんだ。いずれにせよダンブルドアの守護霊は、不死鳥だ。牝鹿じゃない」

「だけど、守護霊は変わる、ちがうか？」ロンが言った。「トンクスのは変わった、だろ？」

「ああ。だけど、もしダンブルドアが生きてるなら、どうして姿を現さないんだ？　どうして僕たちに剣を手渡さないんだ？」

「わかるわけないよ」ロンが言った。「生きているうちに君に剣を渡さなかったのと、同じ理由じゃないかな？　君に古いスニッチを遺して、ハーマイオニーには子供の本を遺したのと同じ理由じゃないか？」

「その理由ってなんだ？」ハリーは答え欲しさに、ロンを真正面から見た。

「さあね」ロンが言った。「僕さ、ときどきいらいらしてたまんないときなんかに、ダンブルドアが陰で笑ってるんじゃないかって思うことがあったんだ。それとも──もしかしたら、わざわざ事を難しくしたがってるだけなんじゃないかって。でもいまは、そうは思わない。『灯消しライター』を僕にくれたとき、ダンブルドアにはすべてお見透しだったんだ。そうだろ？　ダンブルドアは──えーと」

ロンの耳が真っ赤になり、急に足元の草に気を取られたように、つま先でほじりだした。

「ダンブルドアは、僕が君を見捨てて逃げ出すことを知ってたにちがいないよ」

「ちがうね」ハリーが訂正した。「ダンブルドアは、君がはじめからずっと戻りたいと思い続けるだろうって、わかっていたにちがいないよ」

ロンは救われたような顔をしたが、それでもまだきまりが悪そうだった。話題を変える意味もあって、ハリーが言った。

「ダンブルドアと言えば、スキーターがダンブルドアについて書いたこと、何か耳にしたか？」

「ああ、聞いた」ロンが即座に答えた。「みんな、ずいぶんその話をしてるよ。もち、状況がちがえば、すっごいニュースだったろうな。ダンブルドアがグリンデルバルドと友達だったなんてさ。だけどいまは、ダンブルドアを嫌ってた連中が物笑いの種にしてるだけだよ。それと、ダンブルドアをすごくいいやつだと思ってた人にとっちゃ、ちょっと横面を張られたみたいな。だけど、そんなにたいした問題じゃないと思うな。だって、二人は、ダンブルドアがほんとに若いときに――」

「僕たちの年齢だ」

ハリーは、ハーマイオニーに言い返したと同じように言った。そして、ハリーの表情には、ロンに、この話題を続けないほうがいいと思わせる何かがあった。

キイチゴの茂みに凍ったクモの巣があり、その真ん中に大きなクモがいた。ハリーは、前の晩にロンからもらった杖でクモにねらいを定めた。畏れ多くもハーマイオニーが、あれから調べてくれた結果、リンボクの木でできていると判断してくれた杖だ。

「**エンゴージオ、肥大せよ**」

クモはちょっと震え、巣の上で少し跳ねた。ハリーは、もう一度やってみた。今度はクモが少し大きくなった。

「やめてくれ」ロンが鋭い声を出した。「ダンブルドアが若かったって言って、悪かったよ。もういいだろう？」

ハリーは、ロンがクモ嫌いなのを忘れていた。

「ごめん――**レデュシオ、縮め**」

クモは縮まない。ハリーは、あらためてリンボクの杖を見た。その日に試してみた簡単な呪文のどれもが、不死鳥の杖に比べて効きが弱いような気がした。新しい杖は、出しゃばりで違和感があった。自分の腕に、誰かほかの人の手を縫いつけたようだった。

「練習が必要なだけよ」

ハーマイオニーが、音もなく二人の背後から近づいて、ハリーがクモを大きくしたり縮めようとしたりするのを心配そうに見つめていた。

「ハリー、要するに自信の問題なのよ」

ハリーは、ハーマイオニーがなぜ杖に問題がないことを願うのか、その理由がわかっていた。ハリーの杖を折ったことを、まだ苦にしているのだ。口まで出かかった反論の言葉を、ハリーはのみ込んだ。何もちがわないと思うなら、ハーマイオニーがリンボクの杖を持てばいい、かわりにハリーが彼女の杖を持つから、と言いたかった。しかし、三人の仲が早く元どおりになることを願う気持ちが強かったので、ハリーは逆らわなかった。ところが、ロンが遠慮がちにハーマイオニーに笑いかけると、ハーマイオニーはつんけんしながら行ってしまい、再び本の陰に顔を隠してしまった。

暗くなってきたので、三人はテントに戻り、ハリーが最初に見張りに立った。入口に座り、ハリーはリンボクの杖で足元の小石を浮上させようとした。しかしハリーの魔法は、相変わらず以前よりぎこちなく、効き目が弱いように思えた。ハーマイオニーはベッドに横たわって本を読んでいた。ロンはおどおどしながら、何度もちらちらとハーマイオニーのベッドを見上げていたが、やがてリュックサックから小さな木製のラジオを取り出し、周波数を合わせはじめた。

「一局だけあるんだ」ロンは声を落としてハリーに言った。

「ほんとのニュースを伝えてるところが。ほかの局は全部『例のあの人』側で、魔法省の受け売りさ。でもこの局だけは……聞いたらわかるよ。すごいんだから。ただ、毎晩は放送できないし、手入れがあるかもしれないから、しょっちゅう場所を変えないといけないんだ。それに、選局するにはパスワードが必要で……問題は、僕、最後の放送を聞き逃したから……」

ロンは小声で行き当たりばったりの言葉をブツブツ言いながら、ラジオのてっぺんを杖で軽くトントンたたいた。何度もハーマイオニーを盗み見るのは、明らかに、ハーマイオニーが突然怒りだすことを恐れてのことだ。しかしハーマイオニーは、まるでロンなどそこにいないかのように、完全無視だった。十分ほど、ロンはトントンブツブツ、ハーマイオニーは本のページをめくり、ハリーはリンボクの杖の練習を続けていた。

やがてハーマイオニーが、ベッドから下りてきた。ロンは、すぐさまトントンをやめた。

「君が気になるなら、僕、すぐやめる！」ロンが、ピリピリしながら言った。

ハーマイオニーは、ロンにはお応え召されず、ハリーに近づいた。

「お話があるの」ハーマイオニーが言った。ハリーは、ハーマイオニーがまだ手にしたままの本を見た。『アルバス・ダンブルドアの真っ白な人生と真っ赤な嘘（うそ）』だった。

「何？」ハリーは心配そうに聞いた。

その本にハリーに関する章があるらしいことが、ちらりと脳裏をよぎった。リータ版の自分とダンブルドアとの関係を、聞く気になれるかどうかハリーには自信がなかった。しかし、ハーマイオニーの答えは、まったく予想外のものだった。

「ゼノフィリウス・ラブグッドに、会いにいきたいの」

ハリーは目を丸くして、ハーマイオニーを見つめた。

「なんて言った？」

「ゼノフィリウス・ラブグッド。ルーナのお父さんよ。会って話がしたいの！」

「あー――どうして？」

ハーマイオニーは意を決したように、深呼吸してから答えた。

「あの印なの。『吟遊詩人ビードル』にある印。これを見て！」

ハーマイオニーは、見たくもないと思っているハリーの目の前に、『アルバス・ダンブルドアの真っ白な人生と真っ赤な嘘』を突き出した。そこには、ダンブルドアがグリンデルバルドに宛てた手紙の写真がのっていた。あの見慣れた細長い斜めの文字だった。まちがいなくダンブルドアが書いたものであり、リータのでっち上げではないという証拠を見せつけられるのは、いやだった。

「署名よ」ハーマイオニーが言った。「ハリー、署名を見て！」

ハリーは言われるとおりにした。一瞬、ハーマイオニーが何を言っているのか、さっぱりわからなかったが、杖灯り(つえあか)りをかざしてよく見ると、ダンブルドアは、アルバスの頭文字の「A」のかわりに、『吟遊詩人ビードルの物語』に描かれているのと同じ、三角印のミニチュア版を書いていた。

「えー──君たちなんの話を──？」ロンが恐る恐る聞きかけたが、ハーマイオニーはひとにらみでそれを押さえ込み、またハリーに話しかけた。

「あちこちに、これが出てくると思わない？」ハーマイオニーが言った。「これはグリンデルバルドの印だと、ビクトールが言ったのはわかっているけど、でも、ゴドリックの谷の古い墓にもまちがいなくこの印があったし、あの墓石は、グリンデルバルドの時代よりずっと前のものだわ！　それに、今度はこれ！　でもね、これがどういう意味なのか、ダンブルドアにもグリンデルバルドにも聞けないし──グリンデルバルドがまだ生きているかどうかさえ、私は知らないわ──でも、ラブグッドさんなら聞ける。結婚式で、このシンボルを身につけていたんですもの。これは絶対に大事なことなのよ、ハリー！」

ハリーはすぐには答えなかった。やる気充分の、決然としたハーマイオニーの顔を見つめ、それから外の暗闇を見ながら考えた。しばらくして、ハリーが言った。

「ハーマイオニー、もうゴドリックの谷の二の舞はごめんだ。自分たちを説得してあそこに行ったけど、その結果――」

「でもハリー、この印は何度も出てくるわ！　ダンブルドアが私に『吟遊詩人ビードルの物語』を遺したのは、私たちに、この印のことを調べるようにっていう意味なのよ。ちがう？」

「またか！」ハリーは少し腹が立った。「僕たち、何かと言うと、ダンブルドアが秘密の印とかヒントを遺してくれたにちがいないって、思い込もうとしている――」

「『灯消しライター』は、とっても役に立ったぜ」ロンが急に口をはさんだ。「僕は、ハーマイオニーが正しいと思うな。僕たち、ラブグッドに会いにいくべきだと思うよ」

ハリーは、ロンをにらんだ。ロンがハーマイオニーの味方をするのは、三角のルーン文字の意味を知りたいという気持ちとは無関係だと、はっきりわかるからだ。

「ゴドリックの谷みたいには、ならないよ」ロンがまた言った。「ラブグッドは、ハリー、君の味方だ。『ザ・クィブラー』は、ずっと君に味方していて、君を助けるべきだって書き続けてる！」

「これは、絶対に大事なことなのよ！」ハーマイオニーが熱を込めた。

「でも、もしそうなら、ダンブルドアが、死ぬ前に僕に教えてくれていたと思わないか？」

「もしかしたら……もしかしたら、それは、自分で見つけなければいけないことなんじゃないかしら」

ハーマイオニーの言葉の端に、藁にもすがる思いがにじんでいた。

「なるほど」ロンがへつらうように言った。「それでつじつまが合う」

「合わないわ」ハーマイオニーがピシャリと言った。「でも、やっぱりラブグッドさんと話すべきだと思うの。ダンブルドアとグリンデルバルドとゴドリックの谷を結ぶ、シンボルでしょう？　ハリー、まちがいないわ。私たち、これについて知るべきなのよ！」

「多数決で決めるべきだな」ロンが言った。「ラブグッドに会うことに賛成の人――」

ロンの手のほうが、ハーマイオニーより早く挙がった。ハーマイオニーは手を挙げながら、疑わしげに唇をヒクヒクさせた。

「ハリー、多数決だ。悪いな」ロンはハリーの背中をパンとたたいた。

「わかったよ」ハリーはおかしさ半分、いらいら半分だった。「ただし、ラブグッドに会ったら、そのあとは、ほかの分霊箱を見つける努力をしよう。いいね？　ところでラブグッドたちは、どこに住んでるんだ？　君たち、知ってるのか？」

「ああ、僕のうちから、そう遠くない所だ」ロンが言った。「正確にはどこだか知らないけど、パパやママが、あの二人のことを話すときは、いつも丘のほうを指差していた。そんなに苦労しなくても見つかるだろ」

ハーマイオニーがベッドに戻ってから、ハリーは声を低くして言った。

「ハーマイオニーの機嫌を取りたいから、賛成しただけなんだろう？」

「恋愛と戦争では、すべてが許される」ロンがほがらかに言った。「それに、この場合は両方少しずつだ。元気出せ。クリスマス休暇だから、ルーナは家にいるぜ！」

翌朝、風の強い丘陵地に「姿あらわし」した三人は、オッタリー・セント・キャッチポール村が一望できる場所にいた。見晴らしのよい地点から眺めると、雲間から地上に斜めにかかった大きな光のかけ橋の下で、村は、おもちゃの家が集まっているように見えた。三人は手をかざして「隠れ穴」のほうを見ながら、一分か二分、じっとたたずんだが、見えるのは高い生け垣と果樹園の木だけだった。そういうもののおかげで、曲がりくねった小さな家は、マグルの目から安全に隠されていた。

「こんなに近くまで来て、家に帰らないのは変な感じだな」ロンが言った。

「あら、ついこの間、みんなに会ったばかりとは思えない言い方ね。クリスマスに家にいたくせに」

ハーマイオニーが冷たく言った。

「『隠れ穴』なんかに、いやしないよ！」ロンはまさか、という笑い方をした。「家に戻って、僕は君たちを見捨てて帰ってきました、なんて言えるか？　それこそ、フレッドやジョージは大喜びしただろうさ。それにジニーなんか、心底理解してくれたろうな」

「だって、それじゃ、どこにいたの？」ハーマイオニーが驚いて聞いた。

「ビルとフラーの新居。『貝殻の家』だ。ビルは、いままでどんなときも僕をきちんと扱ってくれた。ビルは――ビルは僕のしたことを聞いて、感心はしなかったけど、くだくだ言わなかった。僕がほんとうに後悔してるってこと、ビルにはわかっていたんだ。ほかの家族は、僕がビルの所にいるなんて、誰も知らなかった。ビルがママに、クリスマスにはフラーと二人っきりで過ごしたいから、家には帰らないって言ったんだ。ほら、結婚してから初めての休暇だし。フラーも別に、それでかまわなかったと思うよ。だって、セレスティナ・ワーベック、嫌いだしね」

ロンは「隠れ穴」に背を向けた。

「ここを行ってみよう」ロンは丘の頂上を越える道を、先に立って歩いた。

三人は二、三時間歩いた。ハリーはハーマイオニーの強い意見で、透明マントに隠れていた。低い丘が続く丘陵地には、一軒の小さなコテージ以外人家はなく、そのコテージにも人影がなかった。

「これが二人の家かしら。クリスマス休暇で出かけたんだと思う？」ハーマイオニーが言った。

窓からのぞき込みながらハーマイオニーが言った。中はこざっぱりとしたキッチンで、窓辺にはゼラニウムが置いてある。ロンはフンと鼻を鳴らした。

「いいか、僕の直感では、ラブグッドの家なら、窓からのぞけば、ひと目でそれだとわかるはずだ。別の丘陵地を探そうぜ」

そこで三人は、そこから数キロ北へ「姿くらまし」した。

「ハハーン！」ロンが叫んだ。

風が三人の髪も服もはためかせていた。ロンは、三人が現れた丘の一番上を指差していた。そこに、世にも不思議な縦に長い家が、くっきりと空にそびえていた。巨大な黒い塔のような家の背後には、午後の薄明かりの空に、ぼんやりとした幽霊のような月がかかっていた。

「あれがルーナの家にちがいない。ほかにあんな家に住むやつがいるか？　巨大な城だぜ！」

「何言ってるの？　お城には見えないけど」ハーマイオニーが塔を見て顔をしかめた。

「城は城でもチェスの城さ」ロンが言った。「どっちかって言うと塔だけどね」

一番足の長いロンが、最初に丘のてっぺんに着いた。ハリーとハーマイオニーが息を切らし、みぞおちを押さえて追いついたときには、ロンは得意げに笑っていた。

「ずばりあいつらの家だ」ロンが言った。「見てみろよ」

手描きの看板が三枚、壊れた門にとめつけてあった。最初の一枚は「ザ・クィブラー編集長　X・ラブグッド」。二枚目は「宿木（やどりぎ）は勝手につんでください」。三枚目は「飛行船スモモに近寄らないでください」と書いてある。

門を開けると、キーキーきしんだ。玄関までのジグザグの道には、さまざまな変わった植物が伸び放題だ。ルーナがときどきイヤリングにしていた、オレンジ色のカブのような実がたわわに実る灌木（かんぼく）もあった。ハリーはスナーガラフらしきものを見つけ、そのしなびた切り株から充分に距離を取った。玄関の両脇に見張りに立つのは、風に吹きさらされて傾いた豆リンゴの古木が二本。葉は全部落ちているが、小さな赤い実がびっしりと実り、白いビーズ玉をつけたもじゃもじゃの宿木をいくつも冠のように戴いて重そうだ。鷹（たか）のように頭のてっぺんが少しひしゃげた小さなふくろうが一羽、枝に止まって三人をじっと見下ろしていた。

「ハリー、透明マントを取ったほうがいいわ」ハーマイオニーが言った。「ラブグッドさんが助けたいのは、私たちじゃなくて、あなたなんだから」

ハリーは言われたとおりにして、ハーマイオニーにマントを渡し、ビーズバッグにしまってもらった。それからハーマイオニーは、厚い黒い扉を三度ノックした。扉には鉄釘（てつくぎ）が打ちつけてあり、ドア・ノッカーは鷲（わし）の形をしている。

ものの十秒もたたないうちに、扉がパッと開き、そこにゼノフィリウス・ラブグッドが立っていた。はだしで、汚れたシャツ型の寝巻きのようなものを着ている。綿がしのような長くて白い髪は、汚れてくしゃくしゃだ。ビルとフラーの結婚式のゼノフィリウスは、これに比べれば確実にめかし込んでいた。

「なんだ？　何事だ？　君たちは誰だ？　何しに来た？」

ゼノフィリウスはかん高いいらだった声で叫び、最初にハーマイオニーを、次にロンを見て、最後にハリーを見た。とたんに口がぱっくり開き、完璧で滑稽な「O」の形になった。

「こんにちは、ラブグッドさん」ハリーは手を差し出した。「僕、ハリーです。ハリー・ポッターです」

ゼノフィリウスは、握手をしなかった。しかし、斜視でないほうの目が、ハリーの額の傷痕へと走った。

「中に入ってもよろしいでしょうか？」ハリーが尋ねた。「お聞きしたいことがあるのですが」

「そ……それはどうかな」ゼノフィリウスは、ささやくような声で言った。そしてゴクリとつばを飲み、サッと庭を見回した。「衝撃と言おうか……なんということだ……私は……私は、残念ながらそうするべきではないと――」

「お時間は取らせません」ハリーは、この温かいとは言えない対応に、少し失望した。

「私は――まあ、いいでしょう。入りなさい。急いで。**急いで!**」

敷居をまたぎきらないうちに、ゼノフィリウスは扉をバタンと閉めた。そこは、ハリーがこれまで見たこともない、へんてこなキッチンだった。完全な円形の部屋で、まるで巨大なこしょう入れの中にいるような気がする。何もかもが、壁にぴったりはまるような曲線になっている。ガスレンジも流し台も、食器棚も、全部がだ。それに、すべてに鮮やかな原色で花や虫や鳥の絵が描いてある。ハリーはルーナらしい絵だと思ったが、こういう狭い空間では、やや極端すぎる効果が出ていた。

床の真ん中から上階に向かって、錬鉄の螺旋階段が伸びている。上からはガチャガチャ、バンバンとにぎやかな音が聞こえていた。ハリーは、いったいルーナは何をしているのだろうと思った。

「上に行ったほうがいい」ゼノフィリウスは、相変わらずひどく落ち着かない様子で、先に立って案内した。

二階は居間と作業場を兼ねたような所で、そのためキッチン以上にごちゃごちゃしていて、かつて見た「必要の部屋」の様子を彷彿とさせた。部屋が、何世紀にもわたって隠された品々で埋まった巨大な迷路に変わったときの、あの忘れられない光景だ。もっとも、ここはあの部屋よりは小さく、完全な円筒形ではあったが、本や書類がありとあらゆる平面に積み上げられているし、天井からは、ハリーにはなんだかわからない生き物の精巧な模型が、羽ばたいたりあごをバクバク動かしたりしながらぶら下がっていた。

ルーナはそこにいなかった。さっきのやかましい音を出していたものは、歯車や回転盤が魔法で回っている木製の物体だった。作業台と古い棚をひと組くっつけた奇想天外な作品に見えたが、しばらくしてハリーは、それが旧式の印刷機だと判断した。『ザ・クィブラー』がどんどん刷り出されていたからだ。

「失礼」ゼノフィリウスはその機械につかつかと近づき、膨大な数の本や書類ののったテーブルから汚らしいテーブルクロスを抜き取って——本も書類も全部床に転がり落ちたが——印刷機にかぶせた。ガチャガチャ、バンバンの騒音はそれで少し抑えられた。ゼノフィリウスは、あらためてハリーを見た。

「どうしてここに来たのかね?」

ところが、ハリーが口を開くより前に、ハーマイオニーが驚いて小さな叫び声を上げた。

「ラブグッドさん——あれはなんですか?」

指差していたのは、壁に取りつけられた螺旋状の巨大な灰色の角で、ユニコーンのものと言えなくもなかったが、壁から一メートルほども突き出している。

「しわしわ角スノーカックの角だが」ゼノフィリウスが言った。

「いいえ、ちがいます!」ハーマイオニーが言った。

「ハーマイオニー」ハリーは、ばつが悪そうに小声で言った。「いまはそんなことを——」

「でも、ハリー、あれはエルンペントの角よ! 取引可能品目Bクラス、危険物扱いで、家の中に置くには危険すぎる品だわ!」

「どうしてエルンペントの角だって、わかるんだ?」

ロンは、身動きもままならないほど雑然とした部屋の中を、急げるだけ急いで角から離れた。

「『幻の動物とその生息地』に説明があるわ! ラブグッドさん、すぐにそれを捨てないと。ちょっとでも触れたら爆発するかもしれないって、ご存じではないんですか?」

「しわしわ角スノーカックは」ゼノフィリウスは、てこでも動かない顔ではっきり言った。「恥ずかしがり屋で、高度な魔法生物だ。その角は――」

「ラブグッドさん、角のつけ根に溝が見えます。あれはエルンペントの角で、信じられないくらい危険なものです――どこで手に入れられたかは知りませんが――」

「買いましたよ」ゼノフィリウスは、誰がなんと言おうと、という調子だった。

「二週間前、私がスノーカックというすばらしい生物に興味があることを知った、気持ちのよい若い魔法使いからだ。クリスマスにルーナをびっくりさせてやりたくてね。さて」ゼノフィリウスはハリーに向きなおった。「ミスター・ポッター、いったい、どういう用件で来られたのかな？」

「助けていただきたいんです」ハーマイオニーがまた何か言いだす前に、ハリーは答えた。

「ああ、助けね。ふむ」ゼノフィリウスが言った。斜視でないほうの目が、またハリーの傷痕へと動いた。おびえながら、同時に魅入られているようにも見えた。

「そう。問題は……ハリー・ポッターを助けること……かなり危険だ……」

「ハリーを助けることが第一の義務だって、みんなに言っていたのはあなたじゃないですか？」ロンが言った。「あなたのあの雑誌で？」

ゼノフィリウスは、テーブルクロスに覆われてもまだやかましく動いている印刷機を、ちらりと振り返った。

「あー――そうだ。そういう意見を表明してきた。しかし――」

「――ほかの人がすることで、あなた自身ではないってことですか？」ロンが言った。

ゼノフィリウスは何も答えなかった。つばを何度も飲み込み、目が三人の間をすばやく往ったり来たりした。ハリーは、ゼノフィリウスが心の中で何かもがいているような感じを受けた。

「ルーナはどこかしら？」ハーマイオニーが聞いた。「ルーナがどう思うか聞きましょう」

ゼノフィリウスは、ゴクリと大きくつばを飲んだ。覚悟を固めているように見えた。しばらくしてやっと、印刷機の音にかき消されて聞き取りにくいほどの震え声で、答えが返ってきた。

「ルーナは川に行っている。川プリンピーを釣りに。ルーナは……君たちに会いたいだろう。呼びに行ってこよう。それから――そう、よろしい。君を助けることにしよう」

ゼノフィリウスは螺旋階段を下りて、姿が見えなくなった。玄関の扉が開いて、閉まる音が聞こえた。

三人は顔を見合わせた。

「臆病者のクソチビめ」ロンが言った。「ルーナのほうが十倍も肝が太いぜ」

「僕がここに来たことが死喰い人に知れたら、自分たちはどうなるかって、たぶんそれを心配してるんだろう」ハリーが言った。

「そうねぇ、私はロンと同じ意見よ」ハーマイオニーが言った。「偽善者もいいとこだわ。ほかの人にはあなたを助けるように言っておきながら、自分自身はコソコソ逃げ出そうとするなんて。それに、お願いだから、その角から離れてちょうだい」

ハリーは、部屋の反対側にある窓に近寄った。ずっと下のほうに川が見える。丘のふもとを、光るリボンのように細く流れている。この家は、ずっと高い所にある。ハリーは「隠れ穴」の方角をじっと見つめた。すると、窓の外を鳥が羽ばたいて通り過ぎた。「隠れ穴」は、別の丘の稜線(りょうせん)のむこうで、ここからは見えない。ジニーは、どこかあのあたりにいる。こんなにジニーの近くにいるのは、ビルとフラーの結婚式以来なのに、自分がいまジニーのことを考えながら、その方向を眺めていることをジニーは知る由もない。そのほうがいいと思うべきなのだ。自分が接触した人は、みんな危険にさらされるのだから。ゼノフィリウスの態度がいい証拠だ。

窓から目を離すと、ハリーの目に、別の奇妙なものが飛び込んできた。壁に沿って曲線を描く、ごたごたした戸棚の上に置かれている石像だ。美しいが厳しい顔つきの魔女の像が、世にも不思議な髪飾りをつけている。髪飾りの両脇から、金のラッパ型補聴器のようなものが飛び出ている。小さなキラキラ光る青い翼が一対、頭のてっぺんを通る革ひもに差し込まれ、オレンジ色のカブが一つ、額に巻かれたもう一本のひもに差し込まれていた。

「これを見てよ」ハリーが言った。

「ぐっと来るぜ」ロンが言った。「結婚式になんでこれを着けてこなかったのか、謎だ」

玄関の扉が閉まる音がして、まもなくゼノフィリウスが、螺旋階段を上って部屋に戻ってきた。細い両足をゴム長に包み、バラバラなティーカップをいくつかと、湯気を上げたティーポットののった盆を持っている。

「ああ、私のお気に入りの発明を見つけたようだね」

盆をハーマイオニーの腕に押しつけたゼノフィリウスは、石像のそばに立っているハリーの所に行った。

「まさに打ってつけの、麗しのロウェナ・レイブンクローの頭をモデルに制作した。『**計り知れぬ英知こそ、われらが最大の宝なり！**』」

ゼノフィリウスは、ラッパ型補聴器のようなものを指差した。

「これはラックスパート吸い上げ管だ――思考する者の身近にあるすべての雑念の源を取り除く。これは」今度は小さな翼を指差した。「ビリーウィグのプロペラで、考え方や気分を高揚させる。極めつきは」オレンジのカブを指していた。「スモモ飛行船だ。異常なことを受け入れる能力を高めてくれる」

ゼノフィリウスは、大股で盆のほうに戻った。ハーマイオニーは盆をごちゃごちゃしたサイドテーブルの一つにのせて、なんとかバランスを保っていた。

「ガーディルートのハーブティーはいかがかな？」ゼノフィリウスが勧めた。「自家製でね」

赤カブのような赤紫色の飲み物を注ぎながら、ゼノフィリウスが言葉を続けた。

「ルーナは『端の橋』のむこうにいる。君たちがいると聞いて興奮しているよ。おっつけ来るだろう。我々全員分のスープを作るぐらいのプリンピーを釣っていたからね。さあ、かけて、砂糖は自分で入れてくれ」

「さてと」ゼノフィリウスは、ひじかけ椅子の上でぐらぐらしていた書類の山を下ろして腰かけ、ゴム長ばきの足を組んだ。「ミスター・ポッター、何をすればよいのかな？」

「えーと」ハリーはちらりとハーマイオニーを見た。ハーマイオニーは、がんばれと言うようにうなずいた。「ラブグッドさん、ビルとフラーの結婚式に、あなたが首から下げていた印のことですけど。あれに、どういう意味があるのかと思って」

ゼノフィリウスは、両方の眉を吊り上げた。

「『死の秘宝』の印のことかね？」

第21章　三人兄弟の物語

ハリーは、ロンとハーマイオニーを見たが、どちらも、ゼノフィリウスの言ったことが理解できなかったようだった。

「死の秘宝？」

「そのとおり」ゼノフィリウスが言った。

「聞いたことがないのかね？　まあそうだろうね。信じている魔法使いはほとんどいない。君の兄さんの結婚式にいた、あのたわけた若者がいい証拠だ」ゼノフィリウスは、ロンに向かってうなずいた。

「悪名高い闇の魔法使いの印を見せびらかしていると言って、私を攻撃した！　無知もはなはだしい。秘宝には闇の『や』の字もない――少なくとも、一般的に使われている単純な闇の意味合いはない。あのシンボルは、ほかの信奉者が『探求』を助けてくれることを望んで、自分が仲間であることを示すために使われるだけのことだ」

ゼノフィリウスは、ガーディルートのハーブティーに角砂糖を数個入れてかき回し、ひと口飲んだ。

「すみませんが」ハリーが言った。「僕には、まだよくわかりません」

ハリーも失礼にならないようにとひと口飲んだが、ほとんど吐き出すところだった。鼻くそ味の「百味ビーンズ」を液体にしたような、むかむかするひどい味だ。

「そう、いいかね、信奉者たちは、『死の秘宝』を求めているのだ」

ゼノフィリウスは、ガーディルート・ティーがいかにもうまいとばかりに、舌つづみを打った。

「でも、『死の秘宝』って、**いったい**なんですか？」ハーマイオニーが聞いた。

ゼノフィリウスは、からになったカップを横に置いた。

「君たちは、『三人兄弟の物語』をよく知っているのだろうね？」

ハリーは「いいえ」と言ったが、ロンとハーマイオニーは同時に「はい」と言った。

ゼノフィリウスは重々しくうなずいた。

「さてさて、ミスター・ポッター、すべては『三人兄弟の物語』から始まる……どこかにその本があるはずだが……」

ゼノフィリウスは漠然と部屋を見回し、羊皮紙や本の山に目をやったが、ハーマイオニーが「ラブグッドさん、私がここに持っています」と言った。

そしてハーマイオニーは、小さなビーズバッグから『吟遊詩人ビードルの物語』を引っ張り出した。

「原書かね？」ゼノフィリウスが鋭く聞いた。ハーマイオニーがうなずくと、「さあ、それじゃ、声に出して読んでみてくれないか？　みんなが理解するためには、それが一番よい」とゼノフィリウスが言った。

「あっ……わかりました」

ハーマイオニーは、緊張したように応えて本を開いた。ハーマイオニーが小さく咳払いして読みはじめたとき、ハリーはそのページの一番上に、自分たちが調べている印がついているのに気づいた。

「昔むかし、三人の兄弟がさびしい曲がりくねった道を、夕暮れ時に旅していました――」

「真夜中だよ。ママが僕たちに話して聞かせるときは、いつもそうだった」

両腕を頭の後ろに回し、体を伸ばして聞いていたロンが言った。ハーマイオニーは、邪魔しないで、という目つきでちらりとロンを見た。

「ごめん、真夜中のほうが、もうちょっと不気味だろうと思っただけさ！」

「うん、そりゃあ、僕たちの人生には、もうちょっと恐怖が必要だしな」ハリーは思わず口走った。ゼノフィリウスはあまり注意して聞いていない様子で、窓の外の空を見つめていた。

「ハーマイオニー、続けてよ」

「やがて兄弟は、歩いては渡れないほど深く、泳いで渡るには危険すぎる川に着きました。でも三人は魔法を学んでいたので、杖をひと振りしただけでその危なげな川に橋をかけました。半分ほど渡ったところで三人は、フードをかぶった何者かが行く手をふさいでいるのに気がつきました』

「そして、『死』が三人に語りかけました――」

「ちょっと待って」

ハリーが口をはさんだ。

「『死』が語りかけたって？」

「おとぎ話なのよ、ハリー！」

「そうか、ごめん。続けてよ」

「そして、『死』が三人に語りかけました。三人の新しい獲物にまんまとしてやられてしまったので、『死』は怒っていました。というのも、旅人はたいてい、その川でおぼれ死んでいたからです。でも『死』は狡猾でした。三人の兄弟が魔法を使ったことをほめるふりをしました。そして、『死』をまぬかれるほど賢い三人に、それぞれほうびをあげると言いました」

「一番上の兄は戦闘好きでしたから、存在するどの杖よりも強い杖をくださいと言いました。決闘すれば必ず持ち主が勝つという、『死』を克服した魔法使いにふさわしい杖を要求したのです！　そこで『死』は、川岸のニワトコの木まで歩いていき、下がっていた枝から一本の杖を作り、それを一番上の兄に与えました」

「二番目の兄は、傲慢な男でしたから、『死』をもっと恥ずかしめてやりたいと思いました。そこで、人々を『死』から呼び戻す力を要求しました。すると『死』は、川岸から一個の石を拾って二番目の兄に与え、こう言いました。『この石は死者を呼び戻す力を持つであろう』」

「さて次に、『死』は一番下の弟に何が欲しいかとたずねました。三番目の弟は、兄弟の中で一番謙虚で、しかも一番賢い人でした。そして、『死』を信用していませんでした。そこでその弟は、『死』にあとをつけられずに、その場から先に進むことができるようなものが欲しいと言いました。そこで『死』はしぶしぶ、自分の持ち物の『透明マント』を与えました」

「『死』が『透明マント』を持っていたの？」ハリーはまた口をはさんだ。

「こっそり人間に忍び寄るためさ」ロンが言った。「両腕をひらひら振って、叫びながら走って襲いかかるのに飽きちゃうことがあってさ……ごめん、ハーマイオニー」

「それから『死』は、道を空けて三人の兄弟が旅を続けられるようにしました。三人はいましがたの冒険の不思議さを話し合い、『死』の贈り物に感嘆しながら旅を続けました」

「やがて三人は別れて、それぞれの目的地に向かいました」

「一番上の兄は、一週間ほど旅をして、遠い村に着き、争っていた魔法使いを探し出しました。『ニワトコの杖』が武器ですから、当然、その後に起こった決闘に勝たないわけはありません。死んで床に倒れている敵を置き去りにして、一番上の兄は旅籠（はたご）に行き、そこで『死』そのものから奪った強力な杖について大声で話し、自分は無敵になったと自慢しました」

「その晩のことです。ひとりの魔法使いが、ワインに酔いつぶれて眠っている一番上の兄に忍び寄りました。その盗人は杖を奪い、ついでに一番上の兄ののどをかき切りました」

「そうして『死』は、一番上の兄を自分のものにしました」

「一方、二番目の兄は、ひとり暮らしをしていた自分の家に戻りました。そこですぐに死人を呼び戻す力のある石を取り出し、手の中で三度回しました。驚いたことに、そしてうれしいことに、若くして死んだ、その昔結婚を夢見た女性の姿が現れました」

「しかし、彼女は無口で冷たく、二番目の兄とはベールで仕切られているかのようでした。この世にもどってきたものの、その女性は完全にはこの世にはなじめずに苦しみました。二番目の兄は、望みのない思慕で気も狂わんばかりになり、彼女とほんとうに一緒になるために、とうとう自らの命を絶ちました」

「そうして『死』は、二番目の兄を自分のものにしました」

「しかし三番目の弟は、『死』が何年探しても、けっして見つけることができませんでした。三番目の弟は、とても高齢になったときに、ついに『透明マント』を脱ぎ、息子にそれを与えました。そして三番目の弟は、『死』を古い友人として迎え、喜んで『死』とともに行き、同じ仲間として、一緒にこの世を去ったのでした」

ハーマイオニーは本を閉じた。ゼノフィリウスは、ハーマイオニーが読み終えたことにすぐには気づかず、一瞬、間を置いてから、窓を見つめていた視線をはずして言った。

「まあ、そういうことだ」

「え？」ハーマイオニーは混乱したような声を出した。

「それらが、『死の秘宝』だよ」ゼノフィリウスが言った。

ゼノフィリウスは、ひじの所にある散らかったテーブルから羽根ペンを取り、積み重ねられた本の山の中から破れた羊皮紙を引っ張り出した。

「ニワトコの杖」ゼノフィリウスは、羊皮紙に縦線をまっすぐ一本引いた。「蘇りの石」と言いながら縦線の上に円を描き足し、「透明マント」と言いながら、縦線と円とを三角で囲んで、ハーマイオニーの関心を引いていたシンボルを描き終えた。

「三つを一緒にして」ゼノフィリウスが言った。「死の秘宝」

「でも、『死の秘宝』という言葉は、物語のどこにも出てきません」ハーマイオニーが言った。

「それは、もちろんそうだ」

ゼノフィリウスは、腹立たしいほど取り澄ました顔だった。

「それは子供のおとぎ話だから、知識を与えるというより楽しませるように語られている。しかし、こういうことを理解している我々の仲間には、この昔話が、三つの品、つまり『秘宝』に言及していることがわかるのだ。もし三つを集められれば、持ち主は『死』を制する者となるだろう」

一瞬の沈黙が訪れ、その間にゼノフィリウスは窓の外をちらりと見た。太陽はもう西に傾いていた。

「ルーナはまもなく、充分な数のプリンピーを捕まえるはずだ」ゼノフィリウスが低い声で言った。

「『死を制する者』っていうのは――」ロンが口を開いた。

「制する者」ゼノフィリウスは、どうでもよいというふうに手を振った。「征服者。勝者。言葉はなんでもよい」

「でも、それじゃ……つまり……」

ハーマイオニーがゆっくりと言った。ハリーには、疑っていることが少しでも声に表れないように努力しているのだとわかった。

「あなたは、それらの品――『秘宝』――が実在すると信じているのですか？」

ゼノフィリウスは、また眉を吊り上げた。

「そりゃあ、もちろんだ」

「でも、ラブグッドさん、どうして信じ**られる**のかしら――？」その声で、ハリーは、ハーマイオニーの抑制が効かなくなりはじめているのを感じた。

「お嬢さん、ルーナが君のことをいろいろ話してくれたよ」ゼノフィリウスが言った。「君は知性がないわけではないとお見受けするが、気の毒なほど想像力がかぎられている。偏狭で頑迷だ」

「ハーマイオニー、あの帽子を試してみるべきじゃないかな」

ロンがばかばかしい髪飾りをあごでしゃくった。笑いださないようにこらえるつらさで、声が震えている。

「ラブグッドさん」ハーマイオニーがもう一度聞いた。「『透明マント』の類が存在することは、私たち三人とも知っています。めずらしい品ですが、存在します。でも――」

「ああ、しかし、ミス・グレンジャー、三番目の秘宝は**本物の**『透明マント』なのだ！　つまり、旅行用のマントに『目くらまし術』をしっかり染み込ませたり、『眩惑の呪い』をかけたりした品じゃないし、『デミガイズ（葉隠れ獣）』の毛で織ったものでもない。この織物は、はじめのうちこそ隠してくれるが、何年かたつと色あせて半透明になってしまう。本物のマントは、着るとまちがいなく完全に透明にしてくれるし、永久に長持ちする。どんな呪文をかけても見透せないし、いつもまちがいなく隠してくれる。ミス・グレンジャー、**そういう**マントをこれまで何枚見たかね？」

ハーマイオニーは答えようとして口を開いたが、ますます混乱したような顔でそのまま閉じた。ハリーたち三人は顔を見合わせた。ハリーは、みなが同じことを考えていると思った。この瞬間、ゼノフィリウスがたったいま説明してくれたマントと寸分たがわぬ品が、この部屋に、しかも自分たちの手にある。

「そのとおり」ゼノフィリウスは、論理的に三人を言い負かしたというような調子だった。

「君たちはそんなものを見たことがない。持ち主はそれだけで、計り知れないほどの富を持つと言えるだろう。ちがうかね？」

　ゼノフィリウスは、また窓の外をちらりと見た。空はうっすらとピンクに色づいていた。

「それじゃ」ハーマイオニーは落ち着きを失っていた。「その『マント』は実在するとしましょう……ラブグッドさん、石のことはどうなるのですか？　あなたが『蘇りの石』と呼ばれた、その石は？」

「どうなるとは、どういうことかね？」

「あの、どうしてそれが現実のものだと言えますか？」

「そうじゃないと証明してごらん」ゼノフィリウスが言った。

　ハーマイオニーは憤慨した顔をした。

「そんな――失礼ですが、そんなこと愚の骨頂だわ！　実在しないことをいったいどうやって証明**できる**んですか？　たとえば、私が石を――世界中の石を集めてテストすればいいとでも？　つまり、実在を信ずる唯一の根拠が、その実在を**否定できない**ということなら、**なんだって**実在すると言えるじゃないですか！」

「そう言えるだろうね」ゼノフィリウスが言った。「君の心が少し開いてきたようで、喜ばしい」

「それじゃ、『ニワトコの杖』は」ハーマイオニーが反論する前に、ハリーが急いで聞いた。「それも実在すると思われますか？」

「ああ、まあ、この場合は、数えきれないほどの証拠がある」ゼノフィリウスが言った。「秘宝の中でも『ニワトコの杖』は最も容易に跡を追える。杖が手から手へと渡る方法のせいだがね」

「その方法って？」ハリーが聞いた。

「その方法とは、真に杖の所持者となるためには、その前の持ち主から杖を奪わなければならないということだ。『極悪人エグバート』が『悪人エメリック』を虐殺して杖を手に入れた話は、もちろん聞いたことがあるだろうね？　ゴデロットが、息子のヘレワードに杖を奪われて、自宅の地下室で死んだ話も？　あの恐ろしいロクシアスが、バーナバス・デベリルを殺して、杖を手に入れたことも？　『ニワトコの杖』の血の軌跡は、魔法史のページに点々と残っている」

ハリーはハーマイオニーをちらりと見た。顔をしかめてゼノフィリウスを見てはいたが、ハーマイオニーは反対を唱えなかった。

「それじゃ、『ニワトコの杖』は、いまどこにあるのかなぁ？」ロンが聞いた。

「嗚呼、誰ぞ知るや？」ゼノフィリウスは窓の外を眺めながら言った。「『ニワトコの杖』がどこに隠されているか、誰が知ろう？　アーカスとリビウスのところで、あとがとだえているのだ。ロクシアスを打ち負かして杖を手に入れたのがどちらなのか、誰が知ろう？　そのどちらかを、また別の誰が負かしたかもしれぬと、誰が知ろう？　歴史は、嗚呼、語ってくれぬ」

一瞬の沈黙の後、ハーマイオニーが切り口上に質問した。

「ラブグッドさん、ペベレル家と『死の秘宝』は、何か関係がありますか？」

ゼノフィリウスは度肝を抜かれた顔をし、ハリーは記憶の片隅が揺すぶられた。しかし、ハリーにはそれがなんなのか、はっきりとは思い出せなかった。ペベレル……どこかで聞いた名前だ……。

「なんと、お嬢さん、私はいままで勘ちがいをしていたようだ！」

ゼノフィリウスは椅子にしゃんと座りなおし、驚いたように目玉をぎょろぎょろさせてハーマイオニーを見ていた。

「君を『秘宝の探求』の初心者とばかり思っていた！　探求者たちの多くは、ペベレルこそ『秘宝』のすべてを――**すべてを！**――握っていると考えている！」

「ペベレルって誰？」ロンが聞いた。

「ゴドリックの谷に、その印がついた墓石があったの。その墓の名前よ」ゼノフィリウスをじっと見たまま、ハーマイオニーが答えた。「イグノタス・ペベレル」

「いかにもそのとおり！」ゼノフィリウスは、ひとくさり論じたそうに人差し指を立てた。「イグノタスの墓の『死の秘宝』の印こそ、決定的な証拠だ！」

「なんの？」ロンが聞いた。

「これはしたり！　物語の三兄弟とは、実在するペベレル家の兄弟、アンチオク、カドマス、イグノタスであるという証拠だ！　三人が秘宝の最初の持ち主たちだという証拠なのだ！」

またしても窓の外に目を走らせると、ゼノフィリウスは立ち上がって盆を取り上げ、螺旋階段に向かった。

「夕食を食べていってくれるだろうね？」再び階下に姿を消したゼノフィリウスの声が聞こえた。「誰でも必ず、川プリンピー・スープのレシピを聞くんだよ」

「たぶん、聖マンゴの中毒治療科に見せるつもりだぜ」ロンがこっそり言った。

ハリーは、下のキッチンでゼノフィリウスが動き回る音が聞こえてくるのを待って、口を開いた。

「どう思う？」ハリーはハーマイオニーに聞いた。

「ああ、ハリー」ハーマイオニーはうんざりしたように言った。

「ばかばかしいの一言よ。あの印のほんとうの意味が、こんな話のはずはないわ。ラブグッド独特のへんてこな解釈にすぎないのよ。時間のむだだったわ」

「『しわしわ角スノーカック』を世に出したやつの、**いかにも**言いそうなことだぜ」ロンが言った。

「君も信用していないんだね？」ハリーが聞いた。

「ああ、あれは、子供たちの教訓になるようなおとぎ話の一つだろ？　『君子危うきに近寄らず、けんかはするな、寝た子を起こすな！　目立つな、よけいなおせっかいをやくな、それで万事オッケー』。そう言えば」ロンが言葉を続けた。「ニワトコの杖が不幸を招くって、あの話から来てるのかもな」

「なんの話だ？」

「迷信の一つだよ。『真夏生まれの魔女は、マグルと結婚する』、『朝に呪えば、暮れには解ける』、『ニワトコの杖、永久に不幸』。聞いたことがあるはずだ。僕のママなんか、迷信どっさりさ」

「ハリーも私も、マグルに育てられたのよ」ハーマイオニーがロンの勘ちがいを正した。「私たちの教えられた迷信はちがうわ」

その時、キッチンからかなりの刺激臭が漂ってきて、ハーマイオニーは深いため息をついた。ゼノフィリウスにいらいらさせられたおかげで、ハーマイオニーがロンへのいらだちを忘れてしまったのは、幸いだった。

「あなたの言うとおりだと思うわ」ハーマイオニーがロンに話しかけた。「単なる道徳話なのよ。どの贈り物が一番よいかは明白だわ。どれを選ぶべきかと言えば――」

三人が同時に声を出した。ハーマイオニーは「マント」、ロンは「杖」、そしてハリーは「石」と言った。

三人は、驚きとおかしさが半々で顔を見合わせた。

「『マント』と答えるのが**正解だろう**とは思うけど」ロンがハーマイオニーに言った。「でも、杖があれば、透明になる必要はないんだ。『**無敵の杖**』だよ、ハーマイオニー、しっかりしろ！」

「僕たちにはもう、『透明マント』があるんだ」ハリーが言った。

「それに、私たち、それにずいぶん助けられたわ。お忘れじゃないでしょうね！」ハーマイオニーが言った。「ところが杖は、まちがいなく面倒を引き起こす運命――」

「――大声で宣伝すれば、だよ」ロンが反論した。「まぬけならってことさ。杖を高々と掲げて振り回しながら踊り回って、歌うんだ。『無敵の杖を持ってるぞ、勝てると思うならかかってこい』なんてさ。口にチャックしておけば――」

「ええ、でも口にチャックしておくなんて、**できる**かしら?」ハーマイオニーは疑わしげに言った。「あのね、ゼノフィリウスの話の中で、真実はたった一つ、何百年にもわたって、強力な杖に関するいろいろの話があったということよ」

「あったの?」ハリーが聞いた。

ハーマイオニーはひどくいらいらした顔をしたが、それがいかにもハーマイオニーらしくて憎めない顔だったので、ハリーとロンは顔を見合わせてニヤリとした。

「『死の杖』、『宿命の杖』、そういうふうに名前のちがう杖が、何世紀にもわたってときどき現れるわ。たいがい闇の魔法使いの持つ杖で、持ち主が杖の自慢をしているの。ビンズ先生が何度かお話しされたわ――でも――ええ、すべてナンセンス。杖の力は、それを使う魔法使いの力しだいですもの。魔法使いの中には、自分の杖がほかのより大きくて強いなんて、自慢したがる人がいるというだけよ」

「でも、こうは考えられないか?」ハリーが言った。「そういう杖は――『死の杖』とか『宿命の杖』だけど――同じ杖が、何世紀にもわたって、名前を変えて登場するって」

「おい、そいつらは全部、『死』が作った本物の『ニワトコの杖』だってことか?」ロンが言った。

ハリーは笑った。ふと思いついた考えだったが、結局、ありえないと思ったからだ。ヴォルデモートに空中追跡されたあの晩、ハリーの杖が何をしたにしても、あの杖は柊(ひいらぎ)でニワトコではなかったし、オリバンダーが作った杖だ。ハリーはそう自分に言い聞かせた。それに、もしハリーの杖が無敵だったのなら、折れてしまうわけがない。

「それじゃ、君はどうして石を選ぶんだ？」ロンがハリーに聞いた。

「うーん、もしそれで呼び戻せるなら、シリウスも……マッド‐アイも……ダンブルドアも……僕の両親も……」

ロンもハーマイオニーも笑わなかった。

「でも、『吟遊詩人ビードルの物語』では、死者は戻りたがらないということだったよね？」

いま聞いたばかりの話を思い出しながら、ハリーが言った。

「ほかにも、石が死者をよみがえらせる話がたくさんあるってわけじゃないだろう？」

ハリーはハーマイオニーに聞いた。

「ないわ」ハーマイオニーが悲しそうに答えた。「ラブグッドさん以外に、そんなことが可能だと思い込める人はいないでしょうよ。ビードルはたぶん、『賢者の石』から思いついたんだと思うわ。つまり、不老不死の石のかわりに、死を逆戻しする石にして」

キッチンからの悪臭は、ますます強くなってきた。下着を焼くようなにおいだ。せっかくの気持ちを傷つけないようにしたくとも、どれだけゼノフィリウスの料理が食べられるか、ハリーには自信がなかった。

「でもさ、『マント』はどうだ？」ロンはゆっくりと言った。「あいつの言うことが正しいと思わないか？　僕なんか、ハリーの『マント』に慣れっこになっちゃって、どんなにすばらしいかなんて、考えたこともないけど、ハリーの持っているようなマントの話は、ほかに聞いたことないぜ。絶対確実だものな。僕たち、あれを着てて見つかったことないし――」

「あたりまえでしょ――あれを着ていれば見えないのよ、ロン！」

「だけど、あいつが言ってたほかのマントのこと――それに、そういうやつだって、二束三クヌートってわけじゃないぜ――全部ほんとうだ！　いままで考えてもみなかったけど、古くなって呪文の効果が切れたマントの話を聞いたことがあるし、呪文で破られて、穴が開いた話も聞いた。ハリーのマントはお父さんが持っていたやつだから、厳密には新品じゃないのにさ、それでもなんて言うか……完璧！」

「ええ、そうね、でもロン、『**石**』は……」

二人が小声で議論している間、ハリーはそれを聞くともなく聞きながら、部屋を歩き回っていた。螺旋階段に近づき、なにげなく上を見たとたん、ハリーはどきりとした。自分の顔が上の部屋の天井から見下ろしている。一瞬うろたえたが、ハリーはそれが鏡でなく、絵であることに気づいた。好奇心にかられて、ハリーは階段を上りはじめた。

「ハリー、何してるの？　ラブグッドさんがいないのに、勝手にあちこち見ちゃいけないと思うわ！」

しかしハリーはもう、上の階にいた。

ルーナは部屋の天井を、すばらしい絵で飾っていた。ハリー、ロン、ハーマイオニー、ジニー、ネビルの五人の顔の絵だ。ホグワーツの絵のように動いたりはしなかったが、それにもかかわらず、絵には魔法のような魅力があった。ハリーには、五人が息をしているように思えた。絵の周りに細かい金の鎖が織り込んであり、五人をつないでいる。しばらく絵を眺めていたハリーは、鎖が実は、金色のインクで同じ言葉を何度もくり返し描いたものだと気づいた。

ともだち……ともだち……ともだち……。

ハリーはルーナに対して、熱いものが一気にあふれ出すのを感じた。ハリーは部屋を見回した。ベッドの脇に大きな写真があり、小さいころのルーナと、ルーナそっくりの顔をした女性が抱き合っている。この写真のルーナは、ハリーがこれまで見てきたどのルーナよりも、きちんとした身なりをしていた。

写真はほこりをかぶっていた。なんだか変だ。ハリーは周りをよく見た。

何かがおかしい。淡い水色のじゅうたんにはほこりが厚く積もっている。洋服だんすには一着も服がないし、ドアが半開きのままだ。ベッドは冷えてよそよそしく、何週間も人の寝た気配がない。一番手近の窓には、真っ赤に染まった空を背景に、クモの巣が一つ張っている。

「どうかしたの？」

ハリーが下りていくと、ハーマイオニーが聞いた。しかし、ハリーが答える前に、ゼノフィリウスがキッチンから上がってきた。今度はスープ皿をのせた盆を運んできた。

「ラブグッドさん。ルーナはどこですか？」ハリーが聞いた。

「何かね？」

「ルーナはどこですか？」

ゼノフィリウスは、階段の一番上で、はたと止まった。

「さ――さっきから言ってるとおりだ。端の橋でプリンピー釣りをしている」

「それじゃ、なぜお盆に四人分しかないんですか？」

ゼノフィリウスは口を開いたが、声が出てこなかった。相変わらず聞こえてくる印刷機のバタバタという騒音と、ゼノフィリウスの手の震えでカタカタ鳴る盆の音だけが聞こえた。

「ルーナは、もう何週間もここにはいない」ハリーが言った。「洋服はないし、ベッドには寝た跡がない。ルーナはどこですか？　それに、どうしてしょっちゅう窓の外を見るんですか？」

ゼノフィリウスは盆を取り落とし、スープ皿が跳ねて砕けた。ハリー、ロン、ハーマイオニーは杖を抜いた。ゼノフィリウスは、手をポケットに突っ込もうとして、その場に凍りついた。そのとたん、印刷機が大きくバーンと音を立て、『ザ・クィブラー』誌がテーブルクロスの下から床に流れ出てきた。

印刷機はやっと静かになった。

ハーマイオニーが、杖をラブグッド氏に向けたまま、かがんで一冊拾い上げた。

「ハリー、これを見て」

ハリーはごたごたの山の中をできるだけ急いで、ハーマイオニーのそばに行った。『ザ・クィブラー』には、ハリーの写真とともに「問題分子ナンバーワン」の文字が鮮やかに書かれ、見出しには賞金額が書いてあった。

『ザ・クィブラー』は、それじゃ、論調が変わったということですか？」

ハリーはめまぐるしく頭を働かせながら、冷たい声で聞いた。

「ラブグッドさん、庭に出ていったとき、あなたはそういうことをしていたわけですか？　魔法省にふくろうを送ったのですね？」

ゼノフィリウスは唇をなめた。

「私のルーナが連れ去られた」ゼノフィリウスがささやくように言った。「私が書いていた記事のせいで。あいつらは私のルーナを連れていった。どこにいるのか、連中がルーナに何をしたのか、私にはわからない。しかし、私のルーナを返してもらうのには、もしかしたら――もしかしたら――」

「ハリーを引き渡せば？」ハーマイオニーが言葉を引き取った。

「そうはいかない」ロンがきっぱり言った。「邪魔するな。僕たちは出ていくんだから」

ゼノフィリウスは死人のように青ざめ、老けて百歳にも見えた。唇が引きつり、すさまじい形相を浮かべている。

「連中はいまにもやってくる。私はルーナを救わなければならない。ルーナを失うわけにはいかない。君たちは、ここを出てはならないのだ」

ゼノフィリウスは、階段で両手を広げた。ハリーの目に、突然、自分のベビーベッドの前で同じことをした母親の姿が浮かんだ。

「僕たちに、手荒なことをさせないでください」ハリーが言った。「どいてください、ラブグッドさん」

「**ハリー！**」ハーマイオニーが悲鳴を上げた。

箒に乗った人影が窓のむこうを飛び過ぎた。三人が目を離したすきに、ゼノフィリウスが杖を抜いた。ハリーは危ういところで油断に気づき、横っ飛びに跳んで、ロンとハーマイオニーを呪文の通り道から押しのけた。ゼノフィリウスの「失神呪文」は、部屋を横切ってエルンペントの角に当たった。

ものすごい爆発だった。部屋が吹っ飛んだかと思うような音だった。木や紙の破片、瓦礫が四方八方に飛び散り、前が見えないほどのもうもうたるほこりで、あたりが真っ白になった。ハリーは宙に飛ばされ、そのあと床に激突し、両腕でかばった頭の上に降り注ぐ破片で何も見えなくなった。ハーマイオニーの悲鳴、ロンの叫び声、そして吐き気をもよおすようなドサッという金属音がくり返し聞こえた。吹き飛ばされたゼノフィリウスが、仰向けに螺旋階段を落ちていく音だと、ハリーには察しがついた。

瓦礫に半分埋もれながら、ハリーは立ち上がろうとした。舞い上がるほこりで、ほとんど息もできず、目も見えない。天井は半分吹き飛び、ルーナのベッドの端が天井の穴からぶら下がっていた。顔が半分なくなったロウェナ・レイブンクローの胸像がハリーの脇に倒れ、切れ切れになった羊皮紙は宙を舞い、印刷機の大部分は横倒しになって、キッチンへ下りる階段の一番上をふさいでいた。その時、白い人影がハリーのそばで動き、ほこりに覆われてまるで二個目の石像になったようなハーマイオニーが、唇に人差し指を当てていた。

一階の扉がすさまじい音を立てて開いた。

「トラバース、だから急ぐ必要はないと言ったろう？」荒々しい声が言った。「このイカレポンチが、またたわ言を言っているだけだと言ったろう？」

バーンという音と、ゼノフィリウスが痛みで悲鳴を上げるのが聞こえた。

「ちがう……ちがう……二階に……ポッターが！」

「先週言ったはずだぞ、ラブグッド、もっと確実な情報でなければ我々は来ないとな！　先週のことを覚えているだろうな？　あのばかばかしい髪飾りと娘を交換したいと言ったな？　その一週間前は――」またバーンという音と叫び声。「――おまえは何を考えていた？　なんとかいう変な動物が実在する証拠を提供すれば、我々が娘を返すと思ったと？　しわしわ――」**バーン**。「――アタマの――」**バーン**。「――スノーカックだと？」

「ちがうちがうお願いだ！」ゼノフィリウスはすすり泣いた。「本物のポッターだ！　ほんとうだ！」

「それなのに今度は、我々をここに呼んでおいて、吹っ飛ばそうとしたとは！」

死喰い人が吠えわめき、バーンという音の連発の合間に、ゼノフィリウスの苦しむ悲鳴が聞こえた。

「セルウィン、この家はいまにも崩れ落ちそうだぞ」もう一人の冷静な声が、めちゃめちゃになった階段を伝って響いてきた。「階段は完全に遮断されている。取りはずしてみたらどうかな？　ここ全体が崩れるかもしれんな」

「この小汚いうそつきめ」セルウィンと呼ばれた魔法使いが叫んだ。「ポッターなど、いままで見たこともないのだろう？　我々をここにおびき寄せて、殺そうと思ったのだろうが？　こんなことで娘が戻るとでも思うのか？」

「うそじゃない……うそじゃない……ポッターが二階にいる！」

「**ホメナム　レベリオ、人、現れよ**」階段下で声がした。

ハリーはハーマイオニーが息をのむのを聞いた。それから、何かが自分の上にスーッと低く飛んできて、その影の中にハリーの体を取り込むような奇妙な感じがした。

「上に確かに誰かいるぞ、セルウィン」二番目の声が鋭く言った。

「ポッターだ。ほんとうに、ポッターなんだ！」ゼノフィリウスがすすり泣いた。「お願いだ……私のルーナを返してくれ。ルーナを私の所に返して……」

「おまえの小娘を返してやろう、ラブグッド」セルウィンが言った。「この階段を上がって、ハリー・ポッターをここに連れてきたならばな。しかしこれが策略だったら、罠を仕掛けて上にいる仲間に我々を待ち伏せさせているんだったら、おまえの娘は、埋葬のために一部だけを返してやるかどうか考えよう」

ゼノフィリウスは、恐怖と絶望でむせび泣いた。あたふたと、あちこち引っかき回すような音がした。ゼノフィリウスが、階段を覆う瓦礫をかき分けて、上がってこようとしている。

「さあ」ハリーがささやいた。「ここから出なくては」

ゼノフィリウスが階段を上がろうとするやかましい音に紛れて、ハリーは瓦礫の中から自分の体を掘り出しはじめた。ゼノフィリウスが一番深く埋まっていた。ハリーとハーマイオニーは、ロンが埋まっている所まで、なるべく音を立てないように瓦礫の山を歩いていった。ロンは、両足に乗った重いたんすを、なんとかして取り除こうとしていた。ゼノフィリウスがたたいたり掘ったりする音が、しだいに近づいてくる。ハーマイオニーは「浮遊術」でやっとロンを動けるようにした。

「これでいいわ」

ハーマイオニーが小声で言った。階段の一番上をふさいでいる印刷機が、ガタガタ揺れはじめた。ゼノフィリウスはすぐそこまで来ているようだ。

「ハリー、私を信じてくれる？」ほこりで真っ白な姿のハーマイオニーが聞いた。

ハリーはうなずいた。

「オッケー、それじゃ」ハーマイオニーが小声で言った。「透明マントを使うわ。ロン、あなたが着るのよ」

「僕？　でもハリーが──」

「**お願い、ロン！**　ハリー、私の手をしっかり握って。ロン、私の肩をつかんで」

ハリーは左手を出してハーマイオニーの手を握った。ロンはマントの下に消えた。階段をふさいでいる壊れた印刷機は、まだ揺れていた。ゼノフィリウスは、「浮遊術」で印刷機を動かそうとしている。

ハリーには、ハーマイオニーが何を待っているのかわからなかった。

「しっかりつかまって」ハーマイオニーがささやいた。

「しっかりつかまって……まもなくよ……」

ゼノフィリウスの真っ青な顔が、倒れたサイドボードの上から現れた。

「**オブリビエイト！　忘れよ！**」ハーマイオニーはまずゼノフィリウスの顔に杖を向けて叫び、それから床に向けて叫んだ。「**デプリモ！　沈め！**」

ハーマイオニーは居間の床に穴を開けていた。三人は石が落ちるように落ちていった。ハリーは、ハーマイオニーの手をしっかり握ったままだ。下で悲鳴が上がり、破れた天井から降ってくる大量の瓦礫や壊れた家具の雨をよけて逃げる、二人の男の姿がちらりとハリーの目に入った。

ハーマイオニーが空中で身をよじり、ハリーは、家が崩れる轟音（ごうおん）を耳にしながら、ハーマイオニーに引きずられて再び暗闇の中に入っていた。

第22章　死の秘宝

ハリーはあえぎながら草の上に落ち、ようやく立ち上がった。三人は、夕暮れのどこか野原の一角に着地したようだった。ハーマイオニーはもう杖（つえ）を振り、周りに円を描いて走っていた。

「**プロテゴ　トタラム**（万全の守り）……**サルビオ　ヘクシア**（呪いを避けよ）……」

「あの裏切り者！　老いぼれの悪党！」ロンはゼイゼイ言いながら透明マントを脱いで現れ、マントをハリーに放り投げた。「ハーマイオニー、君って天才だ。大天才だ。あそこから逃げおおせたなんて、信じられないよ！」

「**カーベ　イニミカム**（敵を警戒せよ）……だから、エルンペントの角だって**言った**でしょう？　あの人にちゃんと教えてあげたのに。結局、あの人の家は吹き飛んでしまったじゃない！」

「罰が当たったんだ」

ロンは、破れたジーンズと両足の切り傷を調べながら言った。

「連中は、あいつをどうすると思う？」

「あぁ、殺したりしなければいいんだけど！」ハーマイオニーがうめいた。「だから、あそこを離れる前に、死喰（しく）い人たちにハリーの姿をちらっとでも見せたかったの。そしたら、ゼノフィリウスがうそをついていたんじゃないってわかるから！」

「だけど、どうして僕を隠したんだ？」ロンが聞いた。

「ロン、あなたは黒斑病で寝ていることになってるの！　死喰い人は、父親がハリーを支持しているからってルーナをさらったのよ！　あなたがハリーと一緒にいるのを見たら、あの人たちが、あなたの家族に何をするかわからないでしょう？」

「だけど、**君の**パパやママは？」

「オーストラリアだもの」ハーマイオニーが言った。「大丈夫なはずよ。二人は何も知らないわ」

「君って天才だ」ロンは感服しきった顔でくり返した。

「うん、ハーマイオニー、天才だよ」ハリーも心から同意した。「君がいなかったら、僕たちどうなっていたかわからない」

ハーマイオニーはニッコリしたが、すぐに真顔になった。

「ルーナはどうなるのかしら？」

「うーん、あいつらの言ってることがほんとうで、ルーナがまだ生きてるとすれば――」ロンが言いかけた。

「やめて、そんなこと言わないで！」ハーマイオニーが金切り声を上げた。「ルーナは生きてるはずよ。生きていなくちゃ！」

「それならアズカバンにいる、と思うな」ロンが言った。「だけど、あそこで生き延びられるかどうか……大勢がだめになって……」

「ルーナは生き延びる」

ハリーが言った。そうではない場合を考えることさえ耐えられなかった。

「ルーナはタフだ。僕たちが考えるよりずっと強い。たぶん、監獄にとらわれている人たちに、ラックスパートとかナーグルのことを教えているよ」

「そうだといいけど」ハーマイオニーは手で目をぬぐった。「ゼノフィリウスがかわいそうだわ。もし

「――」

「――もし、あいつが、僕たちを死喰い人に売ろうとしていなかったらな。うん」ロンが言った。

三人はテントを張って中に入り、ロンが紅茶をいれた。九死に一生を得たあとは、こんな寒々としたかび臭い古い場所でも、安全でくつろげる居心地のよい家庭のようだった。

「あぁ、私たち、どうしてあんな所へ行ったのかしら？」しばらく沈黙が続いたあと、ハーマイオニーがうめくように言った。

「ハリー、あなたが正しかったわ。ゴドリックの谷の二の舞だった。まったく時間のむだ！『死の秘宝』なんて……くだらない……でも、ほんとは」ハーマイオニーは何か急にひらめいたらしい。「全部あの人の作り話なんじゃないかしら？ゼノフィリウスは、たぶん『死の秘宝』なんてまったく信じていないんだわ。死喰い人たちが来るまで、私たちに話をさせておきたかっただけよ！」

「それはちがうと思うな」ロンが言った。「緊張しているときにでっち上げ話をするなんて、意外と難しいんだ。『人さらい』に捕まったとき、僕にはそれがわかったよ。スタンのふりをするほうが、まったく知らない誰かをでっち上げるよりずっと簡単だった。だって、少しはスタンのことを知っているからね。ラブグッドじいさんも、僕たちを足止めしようとして、ものすごくプレッシャーがかかってたはずだ。僕たちをしゃべらせておくために、あいつはほんとうのことを言ったと思うな。でなきゃ、ほんとうだと思っていることをね」

「まあね、それはどっちでもいいわ」ハーマイオニーはため息をついた。「ゼノフィリウスが正直な話をしていたにしても、あんなでたらめだらけの話は聞いたことがないわ」

「でも、待てよ」ロンが言った。「『秘密の部屋』だって、伝説上のものだと思われてたんじゃないか？」

「でも、ロン、『死の秘宝』なんて、**ありえないわ！**」

「君はそればっかり言ってるけど、そのうちの一つはありうるぜ」ロンが言った。「ハリーの透明マント――」

「『三人兄弟の物語』はおとぎ話よ」ハーマイオニーがきっぱりと言った。「人間がいかに死を恐れるかのお話だわ。生き残ることが『透明マント』に隠れると同じぐらい簡単なことだったら、いまごろ私たち、必要なものは全部手にしているはずよ！」

「それはどうかな。無敵の杖が手に入ればいいんだけど」ハリーは、大嫌いなリンボクの杖を、指でひっくり返しながら言った。

「ハリー、そんなものはないのよ！」

「たくさんあったって、君が言ったじゃないか――『死の杖』とかなんとか、名前はいろいろだけど――」

「いいわよ、それじゃ、仮に『ニワトコの杖』は実在するって思い込んだとしましょう。でも、『蘇り(よみがえ)の石』のほうはどうなるの？」

ハーマイオニーは、「蘇りの石」と言うときに、指で「かぎかっこ」を書き、皮肉たっぷりな言い方をした。

「どんな魔法でも、死者をよみがえらせることはできないわよ。これは決定的だわ！」

「僕の杖が『例のあの人』の杖とつながったとき、僕の父さんも母さんも現れた……それにセドリックも……」

「でも、ほんとうに死からよみがえったわけじゃないでしょう？」ハーマイオニーが言った。「ある種の――ぼんやりした影みたいな姿は、誰かをほんとうにこの世によみがえらせるのとはちがうわ」

「でも、あの話に出てくる女性は、ほんとうに戻ってきたんじゃなかったよ。そうだろう？　あの話では、人はいったん死ぬと、死者の仲間入りをする。でも、二番目の兄は、その女性を見たし、話もしただろう？　しかも、しばらくは一緒に住んだ……」

ハリーはハーマイオニーが心配そうな、なんとも形容しがたい表情を浮かべるのを見た。そのあとでハーマイオニーがロンをちらりと見たときに、ハリーはそれが恐怖の表情だと気がついた。死んだ人たちと一緒に住むという話が、ハーマイオニーを怖がらせてしまったのだ。

「それで、ゴドリックの谷に墓のある、あのペベレル家の人のことだけど」

ハリーは、自分が正気だと思わせるように、きっぱりした声で、急いで話題を変えた。

「その人のこと、何もわからないの？」

「ええ」

ハーマイオニーは、話題が変わってホッとしたような顔をした。

「墓石にあの印があるのを見たあとで、私、その人のことを調べたの。有名な人か、何か重要なことをした人なら、持ってきた本のどれかに絶対にのっているはずだと思って。やっと見つけたけど、『ペベレル』っていう名前は、たった一か所しかなかったわ。『生粋の貴族——魔法界家系図』。クリーチャーから借りた本よ」

ロンが眉を吊り上げたのを見て、ハーマイオニーが説明した。

「男子の血筋が現在では絶えてしまっている、純血の家系のリストなの。ペベレル家は、早くに絶えてしまった血筋の一つらしいわ」

「『男子の血筋が絶える』？」ロンがくり返した。

「つまり、氏が絶えてしまった、という意味よ」ハーマイオニーが言った。「ペベレル家の場合は、何世紀も前にね。子孫はまだいるかもしれないけど、ちがう姓を名乗っているわ」

とたんにハリーの頭に、パッとひらめくものがあった。ペベレルの姓を聞いたときに揺すぶられた記憶だ。魔法省の役人の鼻先で、醜い指輪を見せびらかしていた汚らしい老人――。

「マールヴォロ・ゴーント！」ハリーは叫んだ。

「えっ？」ロンとハーマイオニーが同時に聞き返した。

「**マールヴォロ・ゴーントだ！**『例のあの人』の祖父だ！『憂いの篩（ふるい）』の中で！ダンブルドアと一緒に！マールヴォロ・ゴーントが、自分はペベレルの子孫だと言ってた！」

ロンもハーマイオニーも、当惑した顔だった。

「あの指輪。分霊箱になったあの指輪だ。マールヴォロ・ゴーントが、ペベレルの紋章がついていると言ってた！魔法省の役人の前で、ゴーントがそれを振って見せていた。ほとんど鼻の穴に突っ込みそうだった！」

「ペベレルの紋章ですって？」ハーマイオニーが鋭く聞いた。「どんなものだったか見えたの？」

「いや、はっきりとは」

ハリーは思い出そうとした。

「僕の見たかぎりでは、なんにも派手なものはなかった。引っかいたような線が二、三本だったかもしれない。ほんとによく見たのは、指輪が割れたあとだったから」

ハーマイオニーが突然目を見開いたのを見て、ハリーは、ハーマイオニーが何を理解したかを悟った。ロンはびっくりして二人を交互に見た。

「おっどろきー……それがまたしても例の印だって言うのか？秘宝の印だって？」

「そうさ！」ハリーは興奮した。「マールヴォロ・ゴーントは、豚みたいな暮らしをしていた無知な老人で、唯一、自分の家系だけが大切だった。あの指輪が、何世紀にもわたって受け継がれてきたものだとしたら、ゴーントは、それがほんとうはなんなのかを知らなかったかもしれない。あの家には本なんかなかったし。それに、いいかい、あいつはまちがっても、子供におとぎ話を聞かせるようなタイプじゃなかった。石の引っかき傷を紋章だと思いたかったんだろう。だって、ゴーントにしてみれば、純血だということは貴族であるのも同然だったんだ」

「ええ……それはそれでとてもおもしろい話だわ」ハーマイオニーは慎重に言った。「でも、ハリー、あなたの考えていることが、私の想像どおりなら――」

「そう、そうだよ！　**そうなんだ！**」ハリーは慎重さを投げ捨てて言った。「あれが石だったんだ。そうだろう？」ハリーは応援を求めるようにロンを見た。「もしもあれが『蘇りの石』だったら？」

ロンは口をあんぐり開けた。

「おっどろきー……だけど、ダンブルドアが壊したのなら、まだ効き目があるかなぁ――」

「効き目？　**効き目ですって？**　ロン、一度も効いたことなんかないのよ！　**『蘇りの石』なんていうものはないの！**」

ハーマイオニーは、いらだちと怒りを顔に出して、勢いよく立ち上がった。

「ハリー、あなたは何もかも『秘宝』の話に当てはめようとしているわ――」

「**何もかも当てはめる？**」ハリーがくり返した。「ハーマイオニー、自然に当てはまるんだ！　あの石に『死の秘宝』の印があったに決まってる！　ゴーントはペベレルの子孫だって言ったんだ！」

「ついさっき、石の紋章をちゃんと見なかったって、言ったじゃない！」

「その指輪、いまどこにあると思う？」ロンがハリーに聞いた。「ダンブルドアは、指輪を割ったあと、どうしたのかなぁ？」

しかしハリーの頭の中は、ロンやハーマイオニーよりずっと先を走っていた……。

三つの品、つまり「秘宝」は、もし三つを集められれば、持ち主は死を制する者となるだろう……制する者……征服者……勝者……最後（いやはて）の敵なる死もまた亡ぼされん……。

そしてハリーは、「秘宝」を所有する者として、ヴォルデモートに対決する自分の姿を思い浮かべた。分霊箱は秘宝にはかなわない……**一方が生きるかぎり、他方は生きられぬ**……これがその答えだろうか？　秘宝対分霊箱？　ハリーが最後に勝利者になる確実な方法があった、ということなのだろうか？「死の秘宝」の持ち主になれば、ハリーは安全なのだろうか？

「ハリー？」

しかしハリーは、ハーマイオニーの声をほとんど聞いていなかった。「透明マント」を引っ張り出し、指の間をすべらせた。水のように柔軟で、空気のように軽い布だ。魔法界に入ってほぼ七年の間、これと同じものは見たことがない。このマントはゼノフィリウスが説明したとおりの品だ。――**本物のマントは、着るとまちがいなく完全に透明にしてくれるし、永久に長持ちする。どんな呪文をかけても見透（みとお）せないし、いつもまちがいなく隠してくれる**……。

その時、ハリーは思わず息をのんだ。思い出したことがある――。

「ダンブルドアが僕の『マント』を持っていた、僕の両親が死んだ夜に！」

ハリーは声が震え、顔に血が上るのを感じたが、かまうものかと思った。

「母さんが、シリウスにそう教えてた。ダンブルドアが『マント』を借りてるって！　なぜ借りたのかがわかった！　ダンブルドアは調べたかったんだ。三番目の秘宝じゃないか、と思ったからなんだ！イグノタス・ペベレルは、ゴドリックの谷に埋葬されている……」

ハリーはテントの中を無意識に歩き回っていた。真実の広大な展望が、新しく目の前に開けてきたような感じがした。

「イグノタスは僕の先祖だ！　僕は三番目の弟の子孫なんだ！　それで全部つじつまが合う！」

ハリーは、「秘宝」を信じることで、確実に武装されたように感じた。「秘宝」を所有すると考えただけで、護られるかのように感じた。ハリーはうれしくなって、二人を振り返った。

「ハリー」

ハーマイオニーがまた呼びかけたが、ハリーは、激しく震える指で、首の巾着を開けることに没頭していた。

「読んで」

ハリーは、母親の手紙をハーマイオニーの手に押しつけて言った。

「それを読んで！　ハーマイオニー、ダンブルドアがマントを持っていたんだ！　どうしてそれが欲しかったのか、ほかには理由がないだろ？　ダンブルドアにはマントなんか必要なかった。強力な『目くらまし術』を使って、マントなんかなくとも完全に透明になれたんだから！」

何かが床に落ちて、光りながら椅子の下を転がった。手紙を引っ張り出したときにスニッチを落としてしまったのだ。ハリーはかがんで拾い上げた。すると、たったいま見つけたばかりのすばらしい発見の泉が、ハリーにまた別の贈り物をくれた。衝撃と驚きが体の中から噴き出し、ハリーは叫んでいた。

「**ここにあるんだ！**　ダンブルドアは僕に指輪を遺した——このスニッチの中にある！」

「そ——その中だって？」

ロンがなぜ不意をつかれたような顔をするのか、ハリーには理解できなかった。わかりきったことじゃないか、はっきりしてるじゃないか、何もかも当てはまる、何もかもだ……ハリーの「マント」は三番目の秘宝であり、スニッチの開け方がわかったときには二番目の秘宝も手に入る。あとは第一の秘宝である「ニワトコの杖」を見つければよいだけだ。そうすれば――。

しかし、きらびやかな舞台の幕が、そこで突然下りたかのようだった。ハリーの興奮も、希望も幸福感も、一挙に消えた。輝かしい呪文は破れ、ハリーは一人暗闇にたたずんでいた。

「やつがねらっているのは、それだ」

ハリーの声の調子が変わったことで、ロンもハーマイオニーもますますおびえた顔になった。

「『例のあの人』が、『ニワトコの杖』を追っている」

張りつめた、疑わしげな顔の二人に、ハリーは背を向けた。これが真実だ。ハリーには確信があった。すべてのつじつまが合う。ヴォルデモートは新しい杖を求めていたのではなく、古い杖を、しかもとても古い杖を探していたのだ。ハリーはテントの入口まで歩き、夜の闇に目を向けて、ロンやハーマイオニーがいることも忘れて考えた……。

ヴォルデモートは、マグルの孤児院で育てられた。ハリー同様、子供のときに誰からも『吟遊詩人ビードルの物語』を聞かされてはいないはずだ。「死の秘宝」を信ずる魔法使いはほとんどいない。すると、ヴォルデモートが秘宝のことを知っているという可能性はあるだろうか？

ハリーはじっと闇を見つめた……もしヴォルデモートが「死の秘宝」のことを知っていたなら、まちがいなくそれを求め、手に入れるためにはなんでもしたのではないだろうか？　所有者を、死を制する者にする三つの品なのだ。「死の秘宝」のことを知っていたなら、ヴォルデモートははじめから「分霊箱」など必要としなかっただろう。秘宝の一つを手に入れながら、それを分霊箱にしてしまったという単純な事実を見ても、魔法界のこの究極の秘密を、ヴォルデモートが知らなかったことが明らかなのではないだろうか？

そうだとすれば、ヴォルデモートは「ニワトコの杖」の持つ力を、完全には知らずに探していることになる。三つの品の一つだということを知らずに……杖は隠すことができない秘宝だから、その存在は最もよく知られている……**「ニワトコの杖」の血の軌跡は、魔法史のページに点々と残っている……**。

ハリーは曇った夜空を見上げた。くすんだ灰色と銀色の雲の曲線が、白い月の面をなでていた。ハリーは自分の発見したことに驚き、頭がぼうっとなっていた。

ハリーはテントの中に戻った。ロンとハーマイオニーが、さっきとまったく同じ場所に立っているのを見て、ハリーはひどく驚いた。ハーマイオニーはまだリリーの手紙を持ち、ロンはその横で、少し心配そうな顔をしていた。この数分間に、自分たちがどれほど遠くまでやってきたかに、二人は気づいていないのだろうか？

「こういうことなんだ」ハリーは、自分でも驚くほどの確信の光の中に、二人を引き入れようとした。「これですべて説明がつく。『死の秘宝』は実在する。そして僕はその一つを持っている――二つかもしれない――」

ハリーはスニッチを掲げた。

「――そして『例のあの人』は三番目を追っている。ただし、あいつはそれを知らない……強力な杖だと思っているだけだ――」

「ハリー」ハーマイオニーはハリーに近づき、リリーの手紙を返しながら言った。「気の毒だけど、あなたは勘ちがいしているわ。何もかも勘ちがい」

「でも、どうして？　これで全部つじつまが――」

「いいえ、合わないわ」ハーマイオニーが言った。「**合わないのよ**、ハリー。あなたはただ夢中になっているだけ。お願いだから」

ハーマイオニーは、口を開きかけたハリーを止めた。

「お願いだから、答えて。もしも『死の秘宝』が実在するのなら、そしてダンブルドアがそれを知っていたのなら、三つの品を所持するものが死を制すると知っていたのなら――ハリー、どうしてそれをあなたに話さなかったの？　どうして？」

ハリーは、答える準備ができていた。

「だって、ハーマイオニー、君が言ったじゃないか。自分で見つけなければいけないことだって！　これは『探求』なんだ！」

「でも私は、ラブグッドの所に行くようにあなたを説得したくて、そう言ったにすぎないのよ！」ハーマイオニーは、極度にいらいらして叫んだ。「そう信じていたわけじゃないわ！」

ハリーはあとに引かなかった。

「ダンブルドアはいつも、僕自身に何かを見つけ出させた。自分の力を試し、危険をおかすようにし向けた。今度のことも、ダンブルドアらしいやり方だという感じがするんだ」

「ハリー、これはゲームじゃないのよ。練習じゃないわ！　本番なのよ。ダンブルドアはあなたにはっきりした指示を遺したわ。分霊箱を見つけ出して壊せと！　あの印はなんの意味もないわ。『死の秘宝』のことは忘れてちょうだい。寄り道しているひまはないの――」

ハリーはほとんど聞いていなかった。スニッチが開いて、「蘇りの石」が現れ、ハーマイオニーに自分が正しいことを、そして「死の秘宝」が実在することを証明してくれないかと、半ば期待しながら、ハリーはスニッチを手の中で何度もひっくり返していた。

ハーマイオニーはロンに訴えた。

「あなたは信じないでしょう？」

ハリーは顔を上げた。ロンはためらっていた。

「わかんないよ……だって……ある程度、合ってる所もあるし」ロンは答えにくそうだった。「だけど全体として見ると……」ロンは深く息を吸った。「ハリー、僕たちは分霊箱をやっつけることになっていると思う。ダンブルドアが僕たちに言ったのは、それだ。たぶん……たぶん、この秘宝のことは忘れるべきだろう」

「ありがとう、ロン」ハーマイオニーが言った。「私が最初に見張りに立つわ」

そしてハーマイオニーは、ハリーの前を意気揚々と通り過ぎ、テントの入口に座り込んで、この件にピシャリと終止符を打った。

しかしハリーは、その晩、ほとんど眠れなかった。「死の秘宝」にすっかり取り憑かれ、その考えが心を揺り動かし、頭の中で渦巻いているうちは、気が休まらなかった。杖、石、そしてマント。そのすべてを所有できさえすれば……。

私は終わるときに開く……でも終わるときって、なんだ？　どうしていますぐ石が手に入らないんだ？　石さえあれば、ダンブルドアに直接、こういう質問ができるのに……そしてハリーは、暗い中でスニッチに向かってブツブツと呪文を唱えてみた。できることは全部やってみた。蛇語も試したが、金色の球は開こうとしない……。

それに、杖だ。「ニワトコの杖」は、どこに隠されているのだろう？　ヴォルデモートはいま、どこを探しているのだろう？　ハリーは、額の傷がうずいて、ヴォルデモートの考えを見せてくれればよいのにと思った。ハリーとヴォルデモートが、初めてまったく同じものを望む、ということで結ばれたからだ……。ハーマイオニーは、もちろん、こういう考えを嫌うだろう……。しかし、ハーマイオニーははじめから信じていない……ゼノフィリウスは、ある意味で正しいことを言った……**想像力がかぎられている。偏狭で頑迷だ**。ほんとうのところは、ハーマイオニーは「死の秘宝」という考えが怖いのだ。

特に「蘇りの石」が……。ハリーは再びスニッチに口を押しつけ、キスして、ほとんど飲み込んでみたが、冷たい金属は頑として屈服しなかった……。

明け方近くになって、ハリーはルーナのことを思い出した。アズカバンの独房で、たった一人、吸魂鬼に囲まれている姿だ。ハリーは急に自分が恥ずかしくなった。秘宝のことを考えるのに夢中で、ルーナのほうはすっかり忘れていた。なんとか助け出したい。しかしあれだけの数の吸魂鬼では、事実上攻撃することなどできない。考えてみると、ハリーは、まだこのリンボクの杖で守護霊の呪文を試したことがない……朝になったら試してみなければ……。

もっとよい杖を得る手段があればいいのに……。

すると、「ニワトコの杖」、不敗で無敵の「死の杖」への渇望が、またしてもハリーをのみ込んでしまった……。

翌朝、三人はテントをたたみ、憂鬱な雨の中を移動した。土砂降りの雨は、その晩テントを張った海岸地方まで追ってきて、ハリーにとっては気のめいるような荒涼たる風景を水浸しにしながら、その週いっぱい降り続いた。ハリーは、「死の秘宝」のことしか考えられなかった。まるで胸に炎がともされたようで、ハーマイオニーのにべもない否定も、ロンの頑固な疑いも、その火を消すことはできなかった。しかし、秘宝への思いが燃えれば燃えるほど、ハリーの喜びは薄れるばかりだった。ハリーは、ロンとハーマイオニーを恨んだ。二人の断固たる無関心ぶりが、容赦ない雨と同じくらいにハリーの意気をくじいた。しかしそのどちらも、ハリーの確信を弱めることはできず、ハリーの信念は絶対的なものだった。「秘宝」に対する信念と憧れがハリーの心を奪い、そのため、分霊箱への執念を持つ二人から孤立しているように感じた。

「執念ですって？」

ある晩、ハリーが不用意にその言葉を口にすると、ハーマイオニーが低く、激しい声で言った。ほかの分霊箱を探すことに関心がないと、ハーマイオニーがハリーを叱りつけたあとのことだった。

「執念に取り憑かれているのは私たち二人のほうじゃないわ、ハリー！　私たちは、ダンブルドアが私たち三人にやらせたかったことを、やりとげようとしているだけよ！」

しかし遠回しな批判など、ハリーは受けつけなかった。ダンブルドアは、「秘宝」の印をハーマイオニーに遺して解読させるようにし、また、ハリーには「蘇りの石」を金のスニッチに隠して遺したのだ、という確信は、揺るぎないものだった。**一方が生きるかぎり、他方は生きられぬ……死を制する者……。**ロンもハーマイオニーも、どうしてそれがわからないのだろう？

「**『最後の敵なる死もまた亡ぼされん』**」ハリーは静かに引用した。

「私たちの戦うはずの敵は『例のあの人』だと思ったけど？」ハーマイオニーが切り返した。

ハリーはハーマイオニーを説得するのをあきらめた。

ロンとハーマイオニーが議論したがった銀色の牝鹿（めじか）の不思議でさえ、いまのハリーにはあまり重要とは思えず、そこそこおもしろいつけ足しの余興にすぎないような気がした。ハリーにとってもう一つだけ重要なのは、額の傷痕がまたチクチク痛みだしたことだった。ただし、二人には気づかれないよう、ハリーは全力を尽くした。痛みだすたびにハリーは一人になろうとしたが、そこで見たイメージには失望した。ハリーとヴォルデモートが共有する映像は、質が変わってしまった。焦点が合ったり合わなかったりするように、ぼやけて揺れ動いた。どくろのようなものや、実体のない影のような山などが、おぼろげに見分けられるだけだった。現実のような鮮明なイメージに慣れていたハリーは、この変化に不安を感じた。自分とヴォルデモートとの間の絆（きずな）が壊れてしまったのではないかと心配だった。絆はハリーにとって恐ろしいものであると同時に、ハーマイオニーに対してなんと言ったかは別として、大切なものだった。こんなぼんやりした不満足なイメージしか得られないことを、ハリーはなぜか自分の杖が折れたことに関係づけ、ヴォルデモートの心を以前のようにはっきり見ることができないのは、リンボクの杖のせいだと思った。

何週間かがじわじわと過ぎ、ハリーが自分の考えに夢中になっているうちに、どうやらロンが指揮をとっていることに気づかされるはめになった。二人を置き去りにしたことへの埋め合わせをしようという決意からか、ハリーの熱意のなさが、眠っていたロンの指揮能力に活を入れたからか、いまやロンが、ほかの二人を励ましたり説き伏せたりして行動させていた。

「分霊箱はあと三個だ」ロンは何度もそう言った。「行動計画が必要だ。さあ、さあ！　まだ探してない所はどこだ？　もう一度復習しようぜ。孤児院……」

ダイアゴン横丁、ホグワーツ、リドルの館、ボージン・アンド・バークスの店、アルバニアなどなど、トム・リドルのかつての住み処、職場、訪れた所、殺人の場所だとわかっている所を、ロンとハーマイオニーは拾い上げなおした。ハリーは、ハーマイオニーにしつこく言われるので、しかたなく参加した。ハリーは一人だまって、ヴォルデモートの考えを読んだり、「ニワトコの杖」についてさらに調べたりしていれば満足だったのに、ロンは、ますます可能性のなさそうな場所に旅を続けようと言い張った。ハリーには、ロンが単に三人を動かし続けるためにそうしているのだとわかっていた。

「なんだってありだぜ」がロンの口ぐせになっていた。「アッパー・フラグリーは魔法使いの村だ。あいつがそこに住みたいと思ったかもしれない。ちょっとほじくりに行こうよ」

こうして魔法使いの領域をひんぱんにつつき回っているうちに、三人はときどき「人さらい」を見かけることがあった。

「死喰い人と同じぐらいワルもいるんだぜ」ロンが言った。「僕を捕まえた一味は、ちょっとお粗末なやつらだったけど、ビルは、すごく危険な連中もいるって言ってる。『ポッターウオッチ』って言ってたけど――」

「なんて言った？」ハリーが聞き返した。

「『ポッターウオッチ』。言わなかったかな、そう呼ばれてるって？　僕がずっと探しているラジオ番組だよ。何が起こっているかについて、ほんとうのことを教えてくれる唯一の番組だ！『例のあの人』路線に従っている番組がほとんどだけど、『ポッターウオッチ』だけはちがう。君たちに、ぜひ聞かせてやりたいんだけど、周波数を合わせるのが難しくて……」

ロンは毎晩のように、さまざまなリズムでラジオのてっぺんをたたいて、ダイヤルを回していた。ときどき、龍痘の治療のヒントなどがちらりと聞こえた。一度は「大鍋は灼熱の恋にあふれ」が数小節流れてきた。トントンと軽くたたきながら、ロンはブツブツとでまかせの言葉を羅列し、正しいパスワードを当てようと努力し続けていた。

「普通は、騎士団に関係する言葉なんだ」ロンが言った。「ビルなんか、ほんとに当てるのがうまかったな。僕も、数撃ちゃそのうち当たるだろ……」

しかし、ようやくロンに幸運がめぐってきたときには、もう三月になっていた。ハリーは見張りの当番で、テントの入口に座り、凍てついた地面を破って顔を出したムスカリの花の群生を、見るともなく見ていた。その時、テントの中から、興奮したロンの叫び声が聞こえてきた。

「やった、やったぞ！　パスワードは『アルバス』だった！　ハリー、入ってこい！」

「死の秘宝」の思索から何日かぶりに目覚め、ハリーが急いでテントの中に戻ってみると、ロンとハーマイオニーが、小さなラジオのそばにひざまずいていた。手持ちぶさたにグリフィンドールの剣を磨いていたハーマイオニーは、口をポカンと開けて、小さなスピーカーを見つめていた。そこからはっきりと、聞き覚えのある声が流れていた。

「……しばらく放送を中断していたことをおわびします。おせっかいな死喰い人たちが、我々のいる地域で何軒も戸別訪問してくれたせいなのです」

「ねえ、これ、リー・ジョーダンだわ！」

「そうなんだよ！」ロンがニッコリした。「かっこいいだろ？　ねっ？」

「……現在、安全な別の場所が見つかりました」リーが話していた。「そして、今晩は、うれしいことに、レギュラーのレポーターのお二人を番組にお迎えしています。レポーターのみなさん、こんばんは！」

「やあ」

「こんばんは、リバー」

「『リバー』、それ、リーのことだよ」ロンが説明した。「みんな暗号名を持ってるんだけど、たいがいは誰だかわかる――」

「シーッ！」ハーマイオニーがだまらせた。

「ロイヤルとロムルスのお二人の話を聞く前に」リーが話し続けた。「ここで悲しいお知らせがあります。『WWN・魔法ラジオネットワークニュース』や『日刊予言者』が、報道する価値もないとしたお知らせです。ラジオをお聞きのみなさんに、つつしんでお知らせいたします。残念ながら、テッド・トンクスとダーク・クレスウェルが殺害されました」

ハリーは胃がザワッとした。三人はぞっとして顔を見合わせた。

「ゴルヌックという名の小鬼（ゴブリン）も殺されました。トンクス、クレスウェル、ゴルヌックと一緒に旅をしていたと思われる、マグル生まれのディーン・トーマスともう一人の小鬼は、難を逃れた模様です。

ディーンがこの放送を聞いているなら、またはディーンの所在に関して何かご存じの方、ご両親と姉妹の方々が必死で消息を求めています」

「一方、ガッドリーでは、マグルの五人家族が、自宅で死亡しているのが発見されました。マグルの政府は、ガスもれによる事故死と見ていますが、騎士団からの情報によりますと、『死の呪文』によるものだとのことです――マグル殺しが新政権のレクリエーション並みになっているという実態については、いまさら証拠は無用ですが、さらなる証拠が上がったということでしょう」

「最後に、大変残念なお知らせです。バチルダ・バグショットのなきがらがゴドリックの谷で見つかりました。数か月前にすでに死亡していたと見られます。騎士団の情報によりますと、遺体には、『闇の魔術』によって傷害を受けた、紛れもない跡があるとのことです」

「ラジオをお聞きのみなさん、テッド・トンクス、ダーク・クレスウェル、バチルダ・バグショット、ゴルヌック、そして死喰い人に殺された名前のわからないマグルのご一家に対しても、同じく哀悼の意を表して、お亡くなりになったみなさまのために、一分間の黙祷を捧げたいと思います。黙祷……」

沈黙の時間だった。ハリー、ロン、ハーマイオニーは言葉もなかった。ハリーは、もっと聞きたい気持ちと、これ以上聞くのが恐ろしいという気持ちが半々だった。外部の世界と完全につながっていると感じたのは、久しぶりのことだった。

「ありがとうございました」リーの声が言った。「さて今度は、レギュラーのお一人に、新しい魔法界の秩序がマグルの世界に与えている影響について、最新の情報をうかがいましょう。ロイヤル、どうぞ」

「ありがとう、リバー」

すぐそれとわかる、深い低音の、抑制のあるゆったりした安心感を与える声だ。

「キングズリー！」ロンが思わず口走った。

「わかってるわ！」ハーマイオニーがロンをだまらせた。

「マグルたちは、死傷者が増え続ける中で、被害の原因をまったく知らないままです」キングズリーが言った。「しかし、魔法使いも魔女も、身の危険をおかしてまで、マグルの友人や隣人を護ろうとしているという、まことに心動かされる話が次々と耳に入ってきます。往々にしてマグルはそれに気づかないことが多いのですが。ラジオをお聞きのみなさんには、たとえば近所に住むマグルの住居に保護呪文をかけるなどして、こうした模範的な行為にならうことを強く呼びかけたいと思います。そのような簡単な措置で、多くの命が救われることでしょう」

「しかし、ロイヤル、このように危険な時期には『魔法使い優先』と答えるラジオ聴取者のみなさんに対しては、どのようにおっしゃるつもりですか？」リーが聞いた。

『魔法使い優先』は、たちまち『純血優先』に結びつき、さらに『死喰い人』につながるものだと申し上げましょう」キングズリーが答えた。「我々はすべてヒトです。そうではありませんか？　すべての人の命は同じ重さを持ちます。そして、救う価値があるのです」

「すばらしいお答えです、ロイヤル。現在のごたごたから抜け出したあかつきには、私はあなたが魔法大臣になるよう一票を投じますよ」リーが言った。「さて、次はロムルスにお願いしましょう。人気特別番組の『ポッター通信』です」

「ありがとう、リバー」

これもよく知っている声だった。ロンは口を開きかけたが、ハーマイオニーがささやき声で封じた。

「**ルーピンだってすぐわかるわよ！**」

「ロムルス、あなたは、この番組に出ていただくたびにそうおっしゃいますが、ハリー・ポッターはまだ生きているというご意見ですね？」

「そのとおりです」ルーピンがきっぱりと言った。「もしハリーが死んでいれば、死喰い人たちが大々的にその死を宣言するであろうと、確信しています。なぜならば、それが新体制に抵抗する人々の士気に、致命的な打撃を与えるからです。『生き残った男の子』は、いまでも、我々がそのために戦っているあらゆるもの、つまり、善の勝利、無垢の力、抵抗し続ける必要性などの象徴なのです」

ハリーの胸に、感謝と恥ずかしさが湧き上がってきた。最後にルーピンに会ったとき、ハリーはひどいことを言った。ルーピンは、それを許してくれたのだろうか？

「では、ロムルス、もしハリーがこの放送を聞いていたら、なんと言いたいですか？」

「我々は全員、心はハリーとともにある、そう言いたいですね」

ルーピンはそのあとに、少し躊躇しながらつけ加えた。

「それから、こうも言いたい。自分の直感に従え。それはよいことだし、ほとんど常に正しい」

ハリーはハーマイオニーを見た。ハーマイオニーの目に涙がたまっていた。

「ほとんど常に正しい」ハーマイオニーがくり返した。

「あっ、僕言わなかったっけ？」ロンがすっとんきょうな声を上げた。「ビルに聞いたけど、ルーピンは、またトンクスと一緒に暮らしているって！　それにトンクスは、かなりお腹が大きくなってきたらしいよ」

「……ではいつものように、ハリー・ポッターに忠実であるがために被害を受けている、友人たちの近況はどうですか？」リーが話を続けていた。

「そうですね、この番組をいつもお聞きの方にはもうおわかりのことでしょうが、ハリー・ポッターを最も大胆に支持してきた人々が数人、投獄されました。たとえばゼノフィリウス・ラブグッド、かつて

「『ザ・クィブラー』編集長などですが――」ルーピンが言った。

「少なくとも生きてる！」ロンがつぶやいた。

「さらに、つい数時間前に聞いたことですが、ルビウス・ハグリッド――」

三人はそろってハッと息をのみ、そのためにそのあとの言葉を聞き逃すところだった。

「――ホグワーツ校の名物森番ですが、構内で逮捕されかけました。自分の小屋で『ハリー・ポッター応援』パーティを開いたとのうわさです。しかし、ハグリッドは拘束されませんでした。逃亡中だと思われます」

「死喰い人から逃れるときに、五メートルもある巨人の弟と一緒なら、役に立つでしょうね？」

「確かに有利になると言えるでしょうね」ルーピンがまじめに同意した。「さらにつけ加えますが、『ポッターウオッチ』としてはハグリッドの心意気に喝采しますが、どんなに熱心なハリーの支持者であっても、ハグリッドのまねはしないようにと強く忠告します。いまのご時世では、『ハリー・ポッター応援』パーティは賢明とは言えない」

「まったくそのとおりですね、ロムルス」リーが言った。「そこで我々は、稲妻形の傷痕を持つ青年への変わらぬ献身を示すために、『ポッターウオッチ』を聞き続けてはいかがでしょう！　さて、それではハリー・ポッターと同じくらい見つかりにくいとされている、あの魔法使いについてのニュースに移りましょう。ここでは『親玉死喰い人』と呼称したいと思います。彼を取り巻く異常なうわさのいくつかについて、ご意見をうかがうのは、新しい特派員のローデントです。ご紹介しましょう」

「『**ローデント**』？」

また聞き覚えのある声だ。ハリー、ロン、ハーマイオニーはいっせいに叫んだ。

「フレッド！」

「いや――ジョージかな？」

「フレッド、だと思う」ロンが耳をそばだてて言った。双子のどちらかが話した。

「俺は『ローデント』じゃないぜ、冗談じゃない。『レイピア、諸刃の剣』にしたいって言ったじゃないか！」

「ああ、わかりました。ではレイピア、『親玉死喰い人』についていろいろ耳に入ってくる話に関する、あなたのご見解をいただけますか？」

「承知しました、リバー」フレッドが言った。「ラジオをお聞きのみなさんはもうご存じでしょうが、もっとも、庭の池の底とかその類の場所に避難していれば別ですが、表に姿を出さないという、『例の人』の影の人物戦術は、相変わらずちょっとした恐慌状態を作り出しています。いいですか、『あの人』を見たという情報がすべてほんとうなら、ゆうに十九人もの『例のあの人』がそのへんを走り回っていることになりますね」

「それが彼の思うつぼなのだ」キングズリーが言った。「謎に包まれているほうが、実際に姿を現すよりも大きな恐怖を引き起こす」

「そうです」フレッドが言った。「ですから、みなさん、少し落ち着こうではないですか。状況はすでに充分悪いんですから、これ以上妄想をふくらませなくてもいい。たとえば、『例のあの人』はひとにらみで人を殺すという新しいご意見ですが、みなさん、それは**バジリスク**のことですよ。簡単なテストが一つ。こっちをにらんでいるものに足があるかどうか見てみましょう。もしあれば、その目を見ても安全です。もっとも、相手が本物の『例のあの人』だったら、どっちにしろ、それがこの世の見納めになるでしょう」

ハリーは声を上げて笑った。ここ何週間もなかったことだ。ハリーは、重苦しい緊張が解けていくのを感じた。

「ところで、『あの人』を海外で見かけたといううわさはどうでしょう？」リーが聞いた。

「そうですね。『あの人』ほどハードな仕事ぶりなら、そのあとで、ちょっとした休暇が欲しくなるんじゃないでしょうか？」フレッドが答えた。「要はですね、『あの人』が国内にいないからといって、まちがった安心感にまどわされないこと。海外かもしれないし、そうじゃないかもしれない。どっちにしろ、『あの人』がその気になれば、その動きのすばやさときたら、シャンプーを目の前に突きつけられたセブルス・スネイプでさえかなわないでしょうね。だから、危険をおかして何かしようと計画している方は、『あの人』が遠くにいることを当てにしないように。まさかこんな言葉が自分の口から出るのを聞くことになるとは思わなかったけど、『安全第一』！」

「レイピア、賢明なお言葉をありがとうございました」リーが言った。

「ラジオをお聞きのみなさん、今日の『ポッターウオッチ』は、これでお別れの時間となりました。次はいつ放送できるかわかりませんが、必ず戻ります。ダイヤルを回し続けてください。次のパスワードは『マッドｰアイ』です。お互いに安全でいましょう。信頼を持ち続けましょう。では、おやすみなさい」

ラジオのダイヤルがくるくる回り、周波数を合わせるパネルの明かりが消えた。ハリー、ロン、ハーマイオニーは、まだニッコリ笑っていた。聞き覚えのある親しい声を聞くのは、この上ないカンフル剤効果があった。孤立に慣れきってしまい、ハリーは、自分たちのほかにもヴォルデモートに抵抗している人々がいることを、ほとんど忘れていた。長い眠りから覚めたような気分だった。

「いいだろう、ねっ？」ロンがうれしそうに言った。

「すばらしいよ」ハリーが言った。

「なんて勇敢なんでしょう」ハーマイオニーが敬服しながらため息をついた。「見つかりでもしたら……」

「でも、常に移動してるんだろ？」ロンが言った。「僕たちみたいに」

「それにしても、フレッドの言ったことを聞いたか？」ハリーが興奮した声で言った。放送が終わってみれば、ハリーの思いは、また同じ所に戻っていた。何もかも焼き尽くすような執着だ。「あいつは海外だ！　まだ杖を探しているんだよ。僕にはわかる！」

「ハリーったら――」

「いいかげんにしろよ、ハーマイオニー。どうしてそう頑固に否定するんだ？　ヴォル――」

「**ハリー、やめろ！**」

「――デモートはニワトコの杖を追っているんだ！」

「その名前は『禁句』だ！」

ロンが大声を上げて立ち上がった。テントの外で**バチッ**という音がした。

「忠告したのに。ハリー、そう言ったのに。もうその言葉は使っちゃだめなんだ――保護をかけなおさないと――早く――やつらはこれで見つけるんだから――」

しかし、ロンは口を閉じた。ハリーにはその理由がわかった。テーブルの上の「かくれん防止器」が明るくなり、回りだしていた。外の声がだんだん近づいてくる。荒っぽい、興奮した声だ。ロンは「灯消しライター」をポケットから取り出してカチッと鳴らした。ランプの灯が消えた。

「両手を挙げて出てこい！」

暗闇のむこうからしわがれた声がした。

「中にいることはわかっているんだ！　六本の杖がお前たちをねらっているぞ。呪いが誰に当たろうが、俺たちの知ったことじゃない！」

第23章　マルフォイの館

ハリーは二人を振り返った。しかし、暗闇の中では輪郭しか見えない。ハーマイオニーが杖を上げ、外ではなくハリーの顔に向けているのが見えた。バーンという音とともに白い光が炸裂したかと思うと、ハリーは激痛でがっくりひざを折った。何も見えない。両手で覆った顔があっという間にふくれ上がっていくのがわかった。同時に、重い足音がハリーを取り囲んでいた。

「立て、虫けらめ」

誰のものともわからない手がハリーを荒々しく引っ張り上げた。抵抗する間もなく、誰かがハリーのポケットを探り、リンボクの杖を取り上げた。ハリーはあまりの痛さに顔を強く押さえていたが、その指の下の顔は目鼻も見分けがつかないほどふくれ上がり、ひどいアレルギーでも起こしたようにパンパンに腫れている。目は押しつぶされて細い筋のようになり、ほとんど見えない。手荒にテントから押し出された拍子にめがねが落ちてしまい、四、五人のぼやけた姿がロンとハーマイオニーを無理やり外に連れ出すのが、やっと見えただけだった。

「放せ――その女を――放せ！」

ロンが叫んだ。紛れもなく握り拳でなぐりつける音が聞こえ、ロンは痛みにうめき、ハーマイオニーが悲鳴を上げた。

「やめて！　その人を放して。放して！」

「おまえのボーイフレンドが俺のリストにのっていたら、もっとひどい目にあうぞ」

聞き覚えのある、身の毛のよだつかすれ声だ。

「うまそうな女だ……なんというごちそうだ……俺はやわらかい肌が楽しみでねぇ……」

声の主が誰だかわかり、ハリーの胃袋が宙返った。フェンリール・グレイバック、残忍さを買われて、死喰い人のローブを着ることを許された狼人間だ。

「テントを探せ！」別の声が言った。

ハリーは放り投げられ、地べたにうつ伏せに倒れた。ドスンと音がして、ロンが自分の横に投げ出されたことがわかった。足音や物がぶつかり合う音、椅子を押しのけてテントの中を探す音がした。

「さて、獲物を見ようか」頭上でグレイバックの満足げな声がしたかと思うと、ハリーは仰向けに転がされた。杖灯りがハリーの顔を照らし、グレイバックが笑った。

「こいつを飲み込むにはバタービールが必要だな。どうしたんだ、醜男？」

ハリーはすぐには答えなかった。

「**聞いてるのか**」

ハリーはみずおちをなぐられ、痛さに体をくの字に曲げた。

「どうしたんだ？」グレイバックがくり返した。

「刺された」ハリーがつぶやいた。「刺されたんだ」

「ああ、そう見えらぁな」二番目の声が言った。

「名前は？」グレイバックが唸るように言った。

「ダドリー」ハリーが言った。

「苗字じゃなくて名前は？」

「僕――バーノン。バーノン・ダドリー」

「リストをチェックしろ、スカビオール」

　グレイバックが言った。そのあと、グレイバックが横に移動して、今度はロンを見下ろす気配がした。

「赤毛、おまえはどうだ？」

「スタン・シャンパイク」ロンが言った。

「でまかせ言いやがって」スカビオールと呼ばれた男が言った。「スタン・シャンパイクならよぅ、俺たち、知ってるんだぜ。こっちの仕事を、ちいとばっかしやらせてんだ」

　またドスッという音がした。

「ブ、バーネーだ」ロンの口の中が血だらけなのがハリーにはわかった。「バーネー・ウィードリー」

「ウィーズリー一族か」

　グレイバックがざらざらした声で言った。

「それなら、『穢(けが)れた血』でなくとも、おまえは『血を裏切る者』の親戚だ。さーて、最後、おまえのかわいいお友達……」

　舌なめずりするような声に、ハリーは鳥肌が立った。

「急(せ)くなよ、グレイバック」周りのあざけり笑いを縫って、スカビオールの声がした。

「ああ、まだいただきはしない。バーニーよりは少し早く名前を思い出すかどうか、聞いてみるか。お嬢さん、お名前は？」

「ペネロピー・クリアウォーター」

　ハーマイオニーはおびえていたが、説得力のある声で答えた。

「おまえの血統は？」

「半純血」ハーマイオニーが答えた。

「チェックするのは簡単だ」スカビオールが言った。「だが、こいつらみんな、まだホグワーツ年齢みてえに見えらぁ――」

「やべたんだ」ロンが言った。

「赤毛、やめたってぇのか？」スカビオールが言った。「そいで、キャンプでもしてみようって決めたのか？　そいで、おもしれえから、闇の帝王のなめえでも呼んでみようと思ったてぇのか？」

「おぼしろいからじゃのい」ロンが言った。「じご」

「事故？」あざけり笑いの声がいっそう大きくなった。

「ウィーズリー、闇の帝王を名前で呼ぶのが好きだったやつらを知っているか？」

グレイバックが唸った。

「不死鳥の騎士団だ。何か思い当たるか？」

「べづに」

「いいか、やつらは闇の帝王にきちんと敬意を払わない。そこで名前を『禁句』にしたんだ。騎士団員の何人かは、そうやって追跡した。まあ、いい。さっきの二人の捕虜と一緒に縛り上げろ！」

誰かがハリーの髪の毛をぐいとつかんで立たせ、すぐ近くまで歩かせて地べたに座らせ、ほかの囚われ人と背中合わせに縛りはじめた。ハリーはめがねもない上に、腫れ上がったまぶたのすきまからはほとんど何も見えなかった。縛り上げた男が行ってしまってから、ハリーはほかの捕虜に小声で話しかけた。

「誰かまだ杖を持っている？」

「ううん」ロンとハーマイオニーがハリーの両脇で答えた。

「僕のせいだ。僕が名前を言ったばっかりに。ごめん――」

から聞こえた。

「ハリーか？」

別な声、しかも聞き覚えのある声が、ハリーの真後ろの、ハーマイオニーの左側に縛られている誰か

「ディーン？」

「**やっぱり**君か！　君を捕らえたことにあいつらが気づいたら——！　連中は『人さらい』なんだ。賞金かせぎに、学校に登校していない学生を探しているだけのやつらだ——」

「ひと晩にしては悪くない上がりだ」

グレイバックが、靴底にびょうを打ったブーツでハリーの近くをカツカツと歩きながら言った。テントの中から、家探しする音がますます激しく聞こえてきた。

「『穢れた血』が一人、逃亡中の小鬼(ゴブリン)が一人、学校をなまけているやつが三人。スカビオール、まだ、こいつらの名前をリストと照合していないのか？」グレイバックが吠(ほ)えた。

「ああ、バーノン・ダドリーなんてぇのは、見当たらねえぜ、グレイバック」

「おもしろい」グレイバックが言った。「そりゃあ、おもしろい」

グレイバックはハリーのそばにかがみ込んだ。ハリーは、腫れ上がったまぶたの間のわずかなすきまから、グレイバックの顔を見た。もつれた灰色の髪とほおひげに覆われた顔、茶色く汚れてとがった歯、両端の裂けた口が見えた。ダンブルドアが死んだ、あの塔の屋上でかいだのと同じにおいがした。泥と汗と血のにおいだ。

「それじゃ、バーノン、おまえはお尋ね者じゃないと言うわけか？　それともちがう名前でリストにのっているのかな？　ホグワーツではどの寮だった？」

「スリザリン」ハリーは反射的に答えた。

「おかしいじゃねえか。捕まったやつぁみんな、そう言やぁいいと思ってる」スカビオールのあざけり笑いが、薄暗い所から聞こえた。「なのに、談話室がどこにあるか知ってるやつぁ、一人もいねえ」

「地下室にある」ハリーがはっきり言った。「壁を通って入るんだ。どくろとかそんなものがたくさんあって、湖の下にあるから明かりは全部緑色だ」

一瞬、間が空いた。

「ほう、ほう、どうやら本物のスリザリンのガキを捕めえたみてぇだ」スカビオールが言った。「よかったじゃねえか、バーノン。スリザリンには『穢れた血』はあんまりいねえからな。親父（おやじ）は誰だ？」

「魔法省に勤めている」

ハリーはでまかせを言った。ちょっと調べれば、うそは全部ばれることがわかっていたが、どうせ時間かせぎだ。顔が元どおりになれば、いずれにせよ万事休すだ。

「魔法事故惨事部だ」

「そう言えばよう、グレイバック」スカビオールが言った。「あそこにダドリーってやつがいると思うぜ」

ハリーは息が止まりそうだった。運がよければ、運しかないが、ここから無事逃れられるかもしれない？

「なんと、なんと」

ハリーは、グレイバックの冷酷な声に、かすかな動揺を感じ取った。グレイバックは、ほんとうに魔法省の役人の息子を襲って縛り上げてしまったのかもしれないと、疑問を感じているのだ。ハリーの心臓が、肋骨（ろっこつ）を縛っているロープを激しく打っていた。ハリーは、グレイバックにその動きが見えても不思議はないと思った。

「もしほんとうのことを言っているなら、醜男さんよ、魔法省に連れていかれても何も恐れることはない。おまえの親父が、息子を連れ帰った俺たちに、ほうびをくれるだろうよ」

「でも」ハリーは口がからからだった。「もし、僕たちを放して——」

「ヘイ！」テントの中で叫ぶ声がした。「これを見ろよ、グレイバック！」

黒い影が急いでこっちへやってきた。杖灯りで、銀色に輝くものが見えた。連中はグリフィンドールの剣を見つけたのだ。

「すーっげえもんだ」

グレイバックは仲間からそれを受け取って、感心したように言った。

「いやあ、立派なもんだ。小鬼製らしいな、これは。こんなものをどこで手に入れた？」

「僕のパパのだ」ハリーはうそをついた。だめもとだったが、暗いので、グレイバックには柄（つか）のすぐ下に彫ってある文字が見えないことを願った。「薪（まき）を切るのに借りてきた——」

「グレイバック、ちょっと待った！　これを見てみねぇ、『予言者』をよ」

スカビオールがそう言ったそのとき、ハリーのふくれ上がった額の引き伸ばされた傷痕に激痛が走った。現実に周囲にあるものよりもっとはっきりと、ハリーはそびえ立つ建物を見た。人を寄せつけない、真っ黒で不気味な要塞だ。ヴォルデモートの想念が、急にまた鮮明になった。巨大な建物に向かってすべるように進んでいくヴォルデモートは、陶酔感を感じながら冷静に目的をはたそうとしている……。


近いぞ……近いぞ……。

意志の力を振りしぼり、ハリーはヴォルデモートの想念に対して心を閉じ、いまいる現実の場所に自分を引き戻した。ハリーは、暗闇の中でロン、ハーマイオニー、ディーン、グリップフックたちと一緒に縛りつけられ、グレイバックとスカビオールの声を聞いていた。

「『アーマイオニー・グレンジャー』」とスカビオールが読み上げていた。「『アリー・ポッターと一緒に**旅をしていることがわかっている、「穢れた血」**』」

沈黙の中で、ハリーの傷痕が焼けるように痛んだが、ハリーは現実のその場にとどまるように、ヴォルデモートの心の中にすべり込まないようにと、極限まで力を振りしぼって踏ん張った。グレイバックがブーツをきしませて、ハーマイオニーの前にかがみ込む音が聞こえた。

「嬢ちゃんよ、驚くじゃないか。この写真は、なんともはや、あんたにそっくりだぜ」

「ちがうわ！　私じゃない！」

ハーマイオニーのおびえた金切り声は、告白しているも同じだった。

「『……**ハリー・ポッターと一緒に旅をしていることがわかっている**』」

グレイバックが低い声でくり返した。

その場が静まり返った。傷痕が激しく痛んだが、ハリーはヴォルデモートの想念に引き込まれないよう、全力で抵抗した。自分の心を保つのが、いまほど大切だったことはない。

「すると、話はすべてちがってくるな」グレイバックがささやいた。

誰も口をきかなかった。ハリーは、「人さらい」の一味が、身動きもせずに自分を見つめているのを感じ取った。そして、ハーマイオニーの腕の震えが自分の腕に伝わってくるのを感じた。グレイバックが立ち上がって、一、二歩歩き、ハリーの前にまたかがみ込んで、ふくれ上がったハリーの顔をじっと見つめた。

「額にあるこれはなんだ、バーノン？」

引き伸ばされた傷痕に汚らしい指を押しつけ、グレイバックが低い声で聞いた。腐臭のする息がハリーの鼻を突いた。

「さわるな！」

ハリーはがまんできずに思わず叫んだ。痛みで吐きそうだった。

「ポッター、めがねをかけていたはずだが？」グレイバックがささやくように言った。

「めがねがあったぞ！」

後ろのほうをこそこそ歩き回っていた、一味の一人が言った。

「テントの中にめがねがあった。グレイバック、ちょっと待ってくれ――」

数秒後、ハリーの顔にめがねが押しつけられた。「人さらい」の一味は、いまやハリーを取り囲み、のぞき込んでいた。

「まちがいない！」グレイバックがガサガサ声で言った。「俺たちはポッターを捕まえたぞ！」

一味は、自分たちのしたことにぼうぜんとして、全員が数歩退いた。二つに引き裂かれる頭の中で、現実の世界にとどまろうと奮闘し続けていたハリーは、何も言うべき言葉を思いつかなかった。バラバラな映像が、心の表面に入り込んできた――。

……黒い要塞の高い壁の周りを、自分はすべるように動き回っていた――。

ちがう。自分はハリーだ。縛り上げられ、杖もなく、深刻な危機に瀕(ひん)している――。

……目を上げて見ている。一番上の窓まで行くのだ。一番高い塔だ――。

自分はハリーだ。一味は低い声で自分の運命を話し合っている――。

……飛ぶ時が来た――。

「……魔法省へ行くか？」

「魔法省なんぞくそくらえだ」グレイバックが唸った。「あいつらは自分の手柄にしちまうぞ。俺たちはなんの分け前にもあずかれない。俺たちが『例のあの人』に直接渡すんだ」

「『あのいと』を呼び出すのか？　ここに？」スカビオールの声は恐れおののいていた。

「ちがう」グレイバックが歯がみした。「俺にはまだ――『あの人』は、マルフォイの所を基地にしていると聞いた。こいつをそこに連れていくんだ」

ハリーは、グレイバックがなぜヴォルデモートを呼び出せないか、わかった。狼人間は、死喰い人が利用したいときだけそのローブを着ることを許されはするが、闇の印を刻印されるのはヴォルデモートの内輪の者だけで、グレイバックはその最高の名誉までは受けていないのだ。

ハリーの傷痕がまたしてもうずいた――。

……そして自分は、夜の空を、塔の一番上の窓まで、まっすぐに飛んでいった――。

「……こいつが本人だってぇのはほんとうに確かか？　もしまちげえでもしたら、グレイバック、俺たちゃ死ぬ」

「指揮をとってるのは誰だ？」

グレイバックは、一瞬の弱腰を挽回すべく、吠え声を上げた。

「こいつはポッターだと、俺がそう言ってるんだ。ポッターとその杖、それで即座に二十万ガリオンだ！　しかしおまえら、どいつもこいつも一緒に来る根性がなけりゃあ、賞金は全部俺のもんだ。うまくいけば、小娘のおまけもいただく！」

……窓は黒い石に切れ目が入っているだけで、人一人通れる大きさではない……骸骨のような姿が、すきまからかろうじて見える。毛布をかぶって丸まっている……死んでいるのか、それとも眠っているのか……？

「よし！」スカビオールが言った。「よーし、乗った！　どっこい、ほかのやつらは、グレイバック、ほかのやつらをどうする？」

「いっそまとめて連れていこう。『穢れた血』が二人、それで十ガリオン追加だ。その剣も俺によこせ。そいつらがルビーなら、それでまたひともうけだ」

捕虜たちは、引っ張られて立ち上がった。ハリーの耳に、ハーマイオニーのおびえた荒い息づかいが聞こえた。

「つかめ。しっかりつかんでろよ。俺がポッターをやる！」

グレイバックはハリーの髪の毛を片手でむんずとつかんだ。ハリーは、長い黄色い爪が頭皮を引っかくのを感じた。

「三つ数えたらだ！　一――二――三――」

一味は、捕虜を引き連れて「姿くらまし」した。ハリーはグレイバックの手を振り離そうともがいたが、どうにもならなかった。ロンとハーマイオニーが両脇にきつく押しつけられていて、自分一人だけ離れることはできなかった。息ができないほど肺がしぼられ、傷痕はいっそうひどく痛んだ――。

……自分は窓の切れ目から蛇のごとく入り込み、霞のように軽々と独房らしい部屋の中に降り立った――。

捕虜たちは、どこか郊外の小道に着地し、よろめいてぶつかり合った。ハリーの両目はまだ腫れていて、周囲に目が慣れるまで少し時間がかかったが、やがて長い馬車道のような道と、その入口に両開きの鉄の門が見えた。ハリーは少しホッとした。まだ最悪の事態は起こっていない。ヴォルデモートは、ここにはいない。頭に浮かぶ映像と戦っていたハリーには、それがわかっていた。ヴォルデモートは、どこか見知らぬ要塞のような場所の、塔のてっぺんにいる。しかし、ハリーがここにいると知って、ヴォルデモートがやってくるまでに、はたしてどのくらいの時間がかかるのか、それはまた別な問題だ……。

「人さらい」の一人が、大股で門に近づき揺さぶった。

「どうやって入るんだ？　鍵がかかってる。グレイバック、俺は入れ――うぉっと！」

その男は、仰天してパッと手を引っ込めた。鉄がゆがんで抽象的な曲線や渦模様が恐ろしい顔に変わり、ガンガン響く声でしゃべりだしたのだ。

「目的を述べよ！」

「俺たちは、ポッターを連れてきた！」グレイバックが勝ち誇ったように吠えた。「ハリー・ポッターを捕まえた！」

門がパッと開いた。

「来い！」グレイバックが一味に言った。捕虜たちは門から中へ、そして馬車道へと歩かされ、両側の高い生け垣がその足音をくぐもらせた。ハリーは、頭上に幽霊のような白い姿を見たが、それはアルビノの白孔雀（くじゃく）だった。ハリーはつまずいて、グレイバックに引きずり起こされた。ほかの四人の捕虜と背中合わせに縛られたまま、ハリーはよろめきながら横歩きしていた。腫れぼったい目を閉じ、ハリーは、しばらく傷痕の痛みに屈服することにした。ヴォルデモートが何をしているのか、ハリーが捕まったことをもう知っているのかどうかを知りたかった——。

……やつれはてた姿が薄い毛布の下で身動きし、こちらに寝返りを打った。そして骸骨のような顔の両目が見開かれた……弱りきった男は、落ちくぼんだ大きな目でこちらを、ヴォルデモートを見すえ、上半身を起こした。そして笑った。歯がほとんどなくなっている……。

「やってきたか。来るだろうと思っていた……そのうちにな。しかし、おまえの旅は無意味だった。私がそれを持っていたことはない」

「うそをつくな！」

ヴォルデモートの怒りが、ハリーの中でドクドクと脈打った。ハリーの傷痕は、痛みで張り裂けそうだった。ハリーは、心をもぎ取るようにして自分の体に戻し、捕虜の一人として砂利道を歩かされているという現実から心が離れないように戦った。

明かりがこぼれ、捕虜全員を照らし出した。

「何事ですか？」冷たい女の声だ。

「我々は、『名前を言ってはいけないあの人』にお目にかかりに参りました」グレイバックのガサガサした声が言った。

「おまえは誰？」

「あなたは私をご存じでしょう！」

狼人間の声には憤りがこもっていた。

「フェンリール・グレイバックだ！　我々はハリー・ポッターを捕らえた！」

グレイバックはハリーをぐいとつかんで半回りさせ、正面の明かりに顔を向けさせた。ほかの捕虜も一緒にずるずると半回りさせられるはめになった。

「この顔がむくんでいるのはわかっていやすがね、マダム、しかし、こいつはアリーだ！」スカビオールが口をはさんだ。「ちょいとよく見てくださりゃあ、こいつの傷痕が見えまさぁ。それに、ほれ、娘っこが見えますかい？『穢れた血』で、アリーと一緒に旅しているやつでさぁ、マダム。こいつがアリーなのはまちげえねえ。それに、こいつの杖も取り上げたんで。ほれ、マダム――」

ハリーは、ナルシッサ・マルフォイが自分の腫れ上がった顔を確かめるように眺めているのを見た。スカビオールが、リンボクの杖をナルシッサに押しつけた。ナルシッサは眉を吊り上げた。

「その者たちを中に入れなさい」ナルシッサが言った。

ハリーたちは広い石の階段を追い立てられ、蹴り上げられながら、肖像画の並ぶ玄関ホールに入った。

「ついてきなさい」

ナルシッサは、先に立ってホールを横切った。

「息子のドラコが、イースターの休暇で家にいます。これがハリー・ポッターなら、息子にはわかるでしょう」

外の暗闇のあとでは、客間の明かりがまぶしかった。ほとんど目の開いていないハリーでさえ、その部屋の広さが理解できた。クリスタルのシャンデリアが一基、天井から下がり、この部屋にも、深紫色の壁に何枚もの肖像画がかかっていた。「人さらい」たちが捕虜を部屋に押し込むと、見事な装飾の大理石の暖炉の前に置かれた椅子から、二つの姿が立ち上がった。

「何事だ？」

いやというほど聞き覚えのあるルシウス・マルフォイの気取った声が、ハリーの耳に入ってきた。ハリーはいまになって急に恐ろしくなった。逃げ道がない。しかし恐れがつのることでヴォルデモートの想念を遮断しやすくなった。傷痕の焼けるようなうずきだけはまだ続いている。

「この者たちは、ポッターを捕まえたと言っています」ナルシッサの冷たい声が言った。「ドラコ、ここへ来なさい」

ハリーはドラコを真正面から見る気になれず、顔をそむけて横目で見た。ひじかけ椅子から立ち上がったドラコは、ハリーより少し背が高く、プラチナブロンドの髪の下に、あごのとがった青白い顔がぼやけて見えた。

グレイバックは、捕虜たちを再び回して、ハリーがシャンデリアの真下に来るようにした。

「さあ、坊ちゃん？」狼人間がかすれ声で言った。

ハリーは、暖炉の上にある、繊細な渦巻き模様の見事な金縁の鏡に顔を向けていた。細い線のような目で、ハリーは、グリモールド・プレイスを離れて以来、初めて鏡に映る自分の姿を見た。

ハーマイオニーの呪いで、顔はふくれ上がり、ピンク色にテカテカ光って、顔の特徴がすべてゆがめられていた。黒い髪は肩まで伸び、あごの周りにはうっすらとひげが生えている。そこに立っているのが自分だと知らなければ、自分のめがねをかけているのは誰かといぶかったことだろう。ハリーは絶対にしゃべるまいと決心した。声を出せば、きっと正体がばれてしまう。それでもハリーは、近づいてくるドラコと目を合わせるのをさけた。

「さあ、ドラコ？」

ルシウス・マルフォイが聞いた。声が上ずっていた。

「そうなのか？　ハリー・ポッターか？」

「わからない――自信がない」ドラコが言った。

ドラコはグレイバックから距離を取り、ハリーがドラコを見るのを恐れると同じくらい、ハリーを見るのが恐ろしい様子だった。

「しかし、よく見るんだ、さあ！　もっと近くに寄って！」

ハリーは、こんなに興奮したルシウス・マルフォイの声を、初めて聞いた。

「ドラコ、もし我々が闇の帝王にポッターを差し出したとなれば、何もかも許され――」

「いいや、マルフォイ様、こいつを実際に捕まえたのが誰かを、お忘れではないでしょうな？」グレイバックが脅すように言った。

「もちろんだ。もちろんだとも！」

ルシウスはもどかしげに言い、自分自身でハリーに近づいた。あまりに近寄ってきたので、ハリーの腫れ上がった目でさえ、いつもの物憂げな青白い顔が、はっきりと細かい所まで見えた。ハリーのふくれ上がった顔は仮面のようで、まるで檻の格子の間から外をのぞいているような感じがした。

「いったいこいつに何をしたのだ？」ルシウスがグレイバックに聞いた。「どうしてこんな顔になったのだ？」

「我々がやったのではない」

「むしろ『蜂刺しの呪い』のように見えるが」ルシウスが言った。

灰色の目が、ハリーの額をなめるように見た。

「ここに何かある」ルシウスが小声で言った。「傷痕かもしれない。ずいぶん引き伸ばされている……ドラコ、ここに来てよく見るのだ！　どう思うか？」

ハリーは、今度は父親の顔のすぐ横に、ドラコの顔を近々と見た。瓜二つだ。しかし、興奮で我を忘れている父親に比べて、ドラコの表情はまるで気の進まない様子で、おびえているようにさえ見えた。

「わからないよ」ドラコはそう言うと、母親が立って見ている暖炉のほうに歩き去った。

「確実なほうがいいわ、ルシウス」

ナルシッサが、いつもの冷たい、はっきりした声でルシウスに話しかけた。

「闇の帝王を呼び出す前に、これがポッターであることを完全に確かめたほうがいいわ……この者たちは、この杖がこの子のものだと言うけれど」

ナルシッサはリンボクの杖を念入りに眺めていた。

「でも、これはオリバンダーの話とはちがいます……もしも私たちがまちがいを犯せば、もしも闇の帝王を呼び戻してもむだ足だったら……ロウルとドロホフがどうなったか、覚えていらっしゃるでしょう？」

「それじゃ、この『穢れた血』はどうだ？」

グレイバックが唸るように言った。「人さらい」たちが再び捕虜たちをぐいと回し、ハーマイオニーに明かりが当たるようにした。その拍子に、ハリーは足をすくわれて倒れそうになった。

「お待ち」ナルシッサが鋭く言った。「そう――そうだわ。この娘は、ポッターと一緒にマダム・マルキンの店にいたわ！　この子の写真を『予言者』で見ましたわ！　ごらん、ドラコ、この娘はグレンジャーでしょう？」

「僕……そうかもしれない……ええ」

「それなら、こいつはウィーズリーの息子だ！」

ルシウスは、縛り上げられた捕虜たちの周りを大股で歩き、ロンの前に来て叫んだ。

「やつらだ。ポッターの仲間たちだ――ドラコ、こいつを見るんだ。アーサー・ウィーズリーの息子で、名前はなんだったかな――?」

「ああ」ドラコは、捕虜たちに背を向けたまま言った。「そうかもしれない」

ハリーの背後で客間のドアが開き、女性の声がした。その声がハリーの恐怖をさらに強めた。

「どういうことだ? シシー、何が起こったのだ?」

ベラトリックス・レストレンジが、捕虜の周りをゆっくりと回った。そしてハリーの右側で立ち止まり、厚ぼったいまぶたの下からハーマイオニーをじっと見た。

「なんと」ベラトリックスが静かに言った。「これがあの『穢れた血』の? これがグレンジャーか?」

「そう、そうだ。それがグレンジャーだ!」ルシウスが叫んだ。「そしてその横が、たぶんポッターだ! ポッターと仲間が、ついに捕まった!」

「ポッター?」

ベラトリックスがかん高く叫んであとずさりし、ハリーをよく見ようとした。

「確かなのか? さあ、それでは、闇の帝王に、すぐさまお知らせしなくては!」

ベラトリックスは左のそでをまくり上げた。ハリーはその腕に、闇の印が焼きつけられているのを見た。ベラトリックスが、愛するご主人様を呼び戻すため、いまにもそれに触れようとしている――。

「私が呼ぼうと思っていたのだ!」

そう言うなり、ルシウスの手がベラトリックスの手首を握って、印に触れさせなかった。

「ベラ、**私が**お呼びする。ポッターは私の館に連れてこられたのだから、私の権限で――」

「おまえの権限!」

ベラトリックスは、握られた手を振り離そうとしながら、冷笑した。

「杖を失ったとき、おまえは権限も失ったんだ、ルシウス! よくもそんな口がきけたものだな! その手を離せ！」

「これはおまえには関係がない。おまえがこいつを捕まえたわけではない――」

「失礼ながら、マルフォイの**旦那**」グレイバックが割り込んできた。「ポッターを捕まえたのは我々ですぞ。そして、我々こそ金貨を要求すべきで――」

「金貨！」

義弟の手を振り払おうとしながら、もう一方の手でポケットの杖を探り、ベラトリックスが笑った。

「おまえは金貨を受け取るがいい、汚らしいハイエナめ。金貨など私が欲しがると思うか？　私が求めるのは名誉のみ。あの方の――あの方の――」

ベラトリックスは抗うのをやめ、暗い目でハリーには見えない何かをじっと見た。ベラトリックスを降伏させたと思ったルシウスは、有頂天でベラトリックスの手を放り出し、自分のローブのそでをまくり上げた――。

「**待て！**」

ベラトリックスがかん高い声を上げた。

「触れるな。いま闇の帝王がいらっしゃれば、我々は全員死ぬ！」

ルシウスは、腕の印の上に人差し指を浮かせたまま硬直した。ベラトリックスがつかつかと、ハリーの視線の届く範囲から出ていった。

「これは、なんだ？」ベラトリックスの声が聞こえた。

「剣だ」見えない所にいる男の一人が、ブツブツ言った。

「私によこすのだ」

「あんたのじゃねえよ、奥さん、俺んだ。俺が見つけたんだぜ」

バーンという音がして、赤い閃光が走った。ハリーには、その男が「失神呪文」で気絶させられたのだとわかった。仲間が怒ってわめき、スカビオールが杖を抜いた。

「この女、なんのまねだ？」

「**ステューピファイ、まひせよ**」ベラトリックスが叫んだ。「**まひせよ！**」

一対四でも、「人さらい」ごときのかなう相手ではなかった。ハリーの知るベラトリックスは、並はずれた技を持ち、良心を持たない魔女だ。「人さらい」たちは、全員その場に倒れた。グレイバックだけは、両腕を差し出した格好で、無理やりひざまずかせられた。手にグリフィンドールの剣をしっかり握った蒼白な顔のベラトリックスが、すばやく狼人間に迫るのを、ハリーは目の端でとらえた。

「この剣をどこで手に入れた？」

グレイバックの杖をやすやすともぎ取りながら、ベラトリックスが押し殺した声で聞いた。

「よくもこんなことを！」

グレイバックが唸りを上げた。無理やりベラトリックスを見上げる姿勢を取らされ、口しか動かせない状態だった。グレイバックは鋭い牙をむき出した。

「術を解け、女！」

「どこでこの剣を見つけた？」

ベラトリックスは、剣をグレイバックの目の前で振り立てながら、くり返して聞いた。

「これは、スネイプがグリンゴッツの私の金庫に送ったものだ！」

「あいつらのテントにあった」グレイバックがかすれ声で言った。「解けと言ったら解け！」

ベラトリックスが杖を振り、グレイバックは跳ねるように立ち上がった。しかし、用心してベラトリックスには近づかず、油断なくひじかけ椅子の後ろに回って、汚らしいねじれた爪で椅子の背をつかんだ。

「ドラコ、このクズどもを外に出すんだ」

ベラトリックスは、気絶している男たちを指して言った。

「そいつらを殺ってしまう度胸がないなら、私が片づけるから中庭に打っちゃっておきな」

「ドラコに対して、そんな口のききかたを――」

ナルシッサが激怒したが、ベラトリックスのかん高い声に押さえ込まれた。

「おだまり！　シシー、おまえなんかが想像する以上に、事は重大だ！　深刻な問題が起きてしまったのだ！」

ベラトリックスは、立ったまま少しあえぎながら、剣を見下ろしてその柄を調べた。それからだまりこくっている捕虜たちに目を向けた。

「もしもほんとうにポッターなら、傷つけてはいけない」

ベラトリックスは、誰に言うともなくつぶやいた。

「闇の帝王は、ご自身でポッターを始末することをお望みなのだ……しかし、このことをあのお方がお知りになったら……私はどうしても……どうしても確かめなければ……」

ベラトリックスは、再び妹を振り向いた。

「私がどうするか考える間、捕虜たちを地下牢にぶち込んでおくんだ！」

「ベラ、ここは私の家です。そんなふうに命令することは――」

「言われたとおりにするんだ！　どんなに危険な状態なのか、おまえにはわかっていない！」

ベラトリックスは金切り声を上げた。恐ろしい狂気の形相だった。杖からひと筋の炎が噴き出し、じゅうたんに焦げ穴を開けた。

ナルシッサは一瞬とまどったが、やがて狼人間に向かって言った。

「捕虜を地下牢に連れていきなさい、グレイバック」

「待て」ベラトリックスが鋭く言った。「一人だけ……『穢れた血』を残していけ」

グレイバックは、満足げに鼻を鳴らした。

「やめろ！」ロンが叫んだ。「かわりに僕を残せ。僕を！」

ベラトリックスがロンの顔をなぐった。その音が部屋中に響いた。

「この子が尋問中に死んだら、次はおまえにしてやろう」ベラトリックスが言った。『血を裏切る者』は、『穢れた血』の次に気に入らないね。グレイバック、捕虜を地下へ連れていって、逃げられないようにするんだ。ただし、それ以上は何もするな――いまのところは」

ベラトリックスはグレイバックの杖を投げ返し、ローブの下から銀の小刀を取り出した。ベラトリックスがハーマイオニーをほかの捕虜から切り離し、髪の毛をつかんで部屋の真ん中に引きずり出す間、グレイバックは、前に突き出した杖から抵抗しがたい見えない力を発して、捕虜たちを別のドアまで無理やり歩かせ、暗い通路に押し込んだ。

「用済みになったら、あの女は、俺に娘を味見させてくれると思うか？」

捕虜に通路を歩かせながら、グレイバックが歌うように言った。

「ひと口かふた口というところかな、どうだ、赤毛？」

ハリーはロンの震えを感じた。捕虜たちは、急な階段を無理やり歩かされ、背中合わせに縛られたままなので、いまにも足を踏みはずして転落し、首を折ってしまいそうだった。階段下に、頑丈な扉があった。グレイバックは杖でたたいて開錠し、じめじめしたかび臭い部屋に全員を押し込んで、真っ暗闇の中に取り残した。地下牢の扉がバタンと閉まり、その響きがまだ消えないうちに、真上から恐ろしい悲鳴が長々と聞こえてきた。

「**ハーマイオニー！**」

ロンが大声を上げ、縛られているロープを振りほどこうと身もだえしはじめた。同じロープに縛られているハリーはよろめいた。

「**ハーマイオニー！**」

「静かにして！」ハリーが言った。「ロン、だまって。方法を考えなくては――」

「**ハーマイオニー！　ハーマイオニー！**」

「計画が必要なんだ。叫ぶのはやめてくれ――このロープをほどかなくちゃ――」

「ハリー？」暗闇からささやく声がした。「ロン？　あんたたちなの？」

ロンは叫ぶのをやめた。近くで何かが動く音がして、ハリーは、近づいてくる影を見た。

「ハリー？　ロン？」

「**ルーナ？**」

「そうよ、あたし！　ああ、あんたたちだけは捕まってほしくなかったのに！」

「ルーナ、ロープをほどくのを手伝ってくれる？」ハリーが言った。

「あ、うん、できると思う……何か壊すときのために古い釘（くぎ）を一本持ってるもン……ちょっと待って……」

頭上からまたハーマイオニーの叫び声が聞こえた。ベラトリックスの叫ぶ声も聞こえたが、何を言っているのかは聞き取れなかった。ロンがまた叫んだからだ。

「**ハーマイオニー！　ハーマイオニー！**」

「オリバンダーさん？」

ハリーは、ルーナがそう呼ぶ声を聞いた。

「オリバンダーさん、釘を持ってる？　ちょっと移動してくだされば……確か水差しの横にあったと……」

ルーナはすぐに戻ってきた。

「じっとしてないとだめよ」ルーナが言った。

ハリーは、ルーナが結び目をほどこうとして、ロープの頑丈な繊維に穴をうがっているのを感じた。上の階から、ベラトリックスの声が聞こえてきた。

「もう一度聞くよ！　剣をどこで手に入れた？　**どこだ？**」

「見つけたの——見つけたのよ——**やめて！**」

ハーマイオニーがまた悲鳴を上げた。ロンはますます激しく身をよじり、さびた釘がすべって、ハリーの手首に当たった。

「ロン、お願いだからじっとしてて！」ルーナが小声で言った。

「あたし、手元が見えないんだもン——」

「僕のポケット！」ロンが言った。「僕のポケットの中。『灯消しライター』がある。灯りがいっぱい詰まってるよ！」

数秒後、カチッと音がして、テントのランプから吸い取った光の玉がいくつも地下牢に飛び出した。もともとの出所に戻ることができない光は、小さな太陽のようにあちこちに浮かび、地下牢には光があふれた。ハリーはルーナを見た。白い顔に目ばかりが大きかった。杖作りのオリバンダーが、部屋の隅で身動きもせずに身を丸めているのが見えた。首を回して後ろを見ると、一緒に縛られている仲間が見えた。ディーンとグリップフックだ。小鬼は、ヒトと一緒に縛られているロープに支えられてやっと立ってはいたが、ほとんど意識がないように見えた。

「ああ、ずっとよくなったわ。ありがとう、ロン。あら、こんにちは、ディーン！」

ルーナは、そう言うと、また縄目をたたき切りにかかった。

上から、ベラトリックスの声が聞こえてきた。

「おまえはうそをついている、『穢れた血』め、私にはわかるんだ！　おまえたちはグリンゴッツの私の金庫に入ったんだろう！　ほんとうのことを言え、**ほんとうのことを！**」

またしても恐ろしい叫び声――。

「**ハーマイオニー！**」

「ほかには何を盗んだ？　ほかに何を手に入れたんだ？　ほんとうのことを言え。さもないと、いいか、この小刀で切り刻んでやるよ！」

「ほーら！」

ハリーはロープが落ちるのを感じて、手首をさすりながら振り向いた。ロンが低い天井を見上げて、跳ね戸はないかと探しながら、地下牢を走り回っているのが目に入った。ディーンは傷を負い、血だらけの顔でルーナに「ありがとう」と言い、震えながらその場に立っていた。しかしグリップフックは、ふらふらと右も左もわからないありさまで床に座り込んだ。色黒の顔に、いく筋もミミズ腫れが見えた。

ロンは、今度は杖なしのまま「姿くらまし」しようとしていた。

「出ることはできないんだもゝ、ロン」

ロンのむだなあがきを見ていたルーナが言った。

「地下牢は完全に逃亡不可能になってるもゝ。あたしも最初はやってみたし、オリバンダーさんは長くいるから、もう、何もかも試してみたもゝ」

ハーマイオニーがまた悲鳴を上げ、その声は、肉体的な痛みとなってハリーの体を突き抜けた。自分の傷痕の激しい痛みはほとんど意識せずに、ハリーも地下牢を駆け回りはじめた。何を探しているのか自分でもわからないまま、ハリーは壁という壁を手探りしたが、心の奥では、むだなことだとわかっていた。

「ほかには何を盗んだ？　**答えろ！　クルーシオ！　苦しめ！**」

ハーマイオニーの悲鳴が、上の階から壁を伝って響き渡った。ロンは壁を拳でたたきながら半分泣いていた。居ても立ってもいられず、ハリーは、首にかけたハグリッドの巾着をつかみ、中をかき回した。ダンブルドアのスニッチを引っ張り出し、何を期待しているのかもわからずに振ってみた――何事も起こらない。二つに折れた不死鳥の尾羽根の杖を振ってみたが、まったく反応がない――鏡の破片がキラキラと床に落ちた。そして、ハリーは明るいブルーの輝きを見た――。

ダンブルドアの目が、鏡の中からハリーを見つめていた。

「助けて！」ハリーは、鏡に向かって必死に叫んだ。「僕たちはマルフォイの館の地下牢にいます。助けて！」

その目がしばたたいて、消えた。

ハリーには、ほんとうにそこに目があったかどうかの確信もなかった。破片をあちこちに傾けてみたが、映るものと言えば牢獄の壁や天井ばかりだった。上から聞こえるハーマイオニーの叫び声が、ますますひどくなってきた。そしてハリーの横では、ロンが大声で叫んでいた。

「**ハーマイオニー！　ハーマイオニー！**」

「どうやって私の金庫に入った？」ベラトリックスの叫ぶ声が聞こえた。「地下牢に入っている薄汚い小鬼が手助けしたのか？」

「小鬼には、今夜会ったばかりだわ！」ハーマイオニーがすすり泣いた。「あなたの金庫になんか、入ったことはないわ……それは本物の剣じゃない！　ただの模造品よ、模造品なの！」

「偽物？」ベラトリックスがかん高い声を上げた。「ああ、うまい言い訳だ！」

「いや、簡単にわかるぞ！」ルシウスの声がした。「ドラコ、小鬼を連れてこい。剣が本物かどうか、あいつならわかる！」

ハリーは、グリップフックがうずくまっている所に飛んでいった。

「グリップフック」

ハリーは小鬼のとがった耳にささやいた。

「あの剣が偽物だって言ってくれ。やつらに、あれが本物だと知られてはならないんだ。グリップフック、お願いだ――」

誰かが地下牢への階段を急いで下りてくる音が聞こえ、次の瞬間、扉のむこうで、ドラコの震える声がした。

「みんな下がれ。後ろの壁に並んで立つんだ。おかしなまねをするな。さもないと殺すぞ！」

みんな、命令に従った。鍵が回ったとたん、ロンが灯消しライターをカチッと鳴らした。光はロンのポケットに吸い取られて、地下牢は暗闇に戻った。扉がパッと開き、杖をかまえたドラコ・マルフォイが、青白い決然とした顔でつかつかと入ってきた。ドラコは小さいグリップフックの腕をつかみ、小鬼を引きずりながらあとずさりした。扉が閉まると同時に、**バチン**という大きな音が、地下牢内に響いた。

ロンが灯消しライターをもう一度カチッと鳴らした。光の玉が三つ、ポケットから空中に飛び出し、たったいまそこに「姿あらわし」した、屋敷しもべ妖精のドビーを照らし出した。

「**ド**――！」

ハリーはロンの腕をたたいて、ロンの叫びを止めた。ロンは、うっかり叫びそうになったことでぞっとしているようだった。頭上の床を歩く足音がした。ドラコがグリップフックを、ベラトリックスの所まで歩かせていた。

ドビーは、テニスボールのような巨大な眼を見開いて、足の先から耳の先まで震えていた。昔のご主人様の館に戻ったドビーは、明らかに恐怖ですくみ上がっている。

「ハリー・ポッター」蚊の鳴くようなキーキー声が震えていた。「ドビーはお助けに参りました」

「でもどうやって――？」

恐ろしい叫び声が、ハリーの言葉をかき消した。ハーマイオニーがまた拷問を受けている。ハリーは大事な話だけにしぼることにした。

「君は、この地下牢から『姿くらまし』できるんだね？」

ハリーが聞くと、ドビーは耳をパタパタさせてうなずいた。

「そして、ヒトを一緒に連れていくこともできるんだね？」

ドビーはまたうなずいた。

「よーし、ドビー、ルーナとディーンとオリバンダーさんをつかんで、それで三人を――三人を――」

「ビルとフラーの所へ」ロンが言った。「ティンワース郊外の『貝殻の家』へ！」

「それから、ここに戻ってきてくれ」ハリーが言った。「ドビー、できるかい？」

しもべ妖精は、三度うなずいた。

「もちろんです、ハリー・ポッター」小さなしもべ妖精は小声で答えた。

ドビーは、ほとんど意識がないように見えるオリバンダーの所に、急いで近づいた。そして、杖作りの片方の手を握り、もう一方の手をルーナとディーンのほうに差し出した。二人とも動かなかった。

「ハリー、あたしたちもあんたを助けたいわ！」ルーナがささやいた。

「君をここに置いていくことはできないよ！」ディーンが言った。

「二人とも、行ってくれ！　ビルとフラーの所で会おう」

ハリーがそう言ったとたん、傷痕がこれまでにないほど激しく痛んだ。その瞬間ハリーは、誰かの姿を見下ろしていた。杖作りのオリバンダーではなく、同じくらい年老いてやせこけた男だ。しかも、あざけるように笑っている。


「殺すがよい、ヴォルデモート。私は死を歓迎する！　しかし私の死が、おまえの求めるものをもたらすわけではない……おまえの理解していないことが、なんと多いことか……」


ハリーはヴォルデモートの怒りを感じた。しかし、また響いてきたハーマイオニーの叫び声が、ハリーを呼び戻した。ハリーは怒りをしめ出して、地下牢に、そして自分自身の現実の恐怖に戻ってきた。

「行ってくれ！」ハリーはルーナとディーンに懇願した。「行くんだ！　僕たちはあとで行く。とにかく行ってくれ！」

二人は、しもべ妖精が伸ばしている指をつかんだ。再び**バチン**と大きな音がして、ドビー、ルーナ、ディーン、オリバンダーは消えた。

「あの音はなんだ？」

ルシウス・マルフォイの叫ぶ声が、頭上から聞こえてきた。

「聞こえたか？　地下牢のあの物音はなんだ？」

ハリーとロンは顔を見合わせた。

「ドラコ――いや、ワームテールを呼べ！　やつに、行って調べさせるのだ！」

頭上で、部屋を横切る足音がした。そして静かになった。ハリーは、地下牢からまだ物音が聞こえるかどうかと、客間のみんなが耳を澄ましているのだと思った。

「二人で、やつを組み伏せるしかないな」

ハリーがロンにささやいた。ほかに手はない。誰かがこの部屋に入って、三人の囚人がいないのを見つけたが最後、こっちの負けだ。

「明かりをつけたままにしておけ」ハリーがつけ加えた。

扉のむこう側で、誰かが下りてくる足音がした。二人は扉の左右の壁に張りついた。

「下がれ」ワームテールの声がした。「扉から離れろ。いま入っていく」

扉がパッと開いた。ワームテールは、ほんの一瞬、地下牢の中を見つめた。三個のミニ太陽が宙に浮かび、その明かりに照らし出された地下牢は、一見してからっぽだ。だが次の瞬間、ハリーとロンが、ワームテールに飛びかかった。ロンはワームテールの杖腕を押さえてねじり上げ、ハリーはワームテールの口をふさいで、声を封じた。三人は無言で取っ組み合った。ワームテールの杖から火花が飛び、銀の手がハリーののどをしめた。

「ワームテール、どうかしたか？」

上からルシウス・マルフォイが呼びかけた。

「なんでもありません！」ロンが、ワームテールのゼイゼイ声をなんとかまねて答えた。「異常ありません！」

ハリーは、ほとんど息ができなかった。

「僕を殺すつもりか？」

ハリーは息を詰まらせながら、金属の指を引きはがそうとした。

「僕はおまえの命を救ったのに？　ワームテール、君は僕に借りがある！」

銀の指がゆるんだ。予想外だった。ハリーは驚きながら、ワームテールの口を手でふさいだまま、銀の手をのど元から振りほどいた。ネズミ顔の、色の薄い小さな目が、恐怖と驚きで見開かれていた。わずかに衝動的な憐れみを感じたことを、自分の手が告白してしまったことに、ワームテールもハリーと同じくらい衝撃を受けているようだった。ワームテールは弱みを見せた一瞬を埋め合わせるかのように、ますます力を奮って争った。

「さあ、それはいただこう」

ロンが小声でそう言いながら、ワームテールの左手から杖を奪った。

杖も持たずたった一人で、ペティグリューの瞳孔は恐怖で広がっていた。その視線が、ハリーの顔から何か別なものへと移った。ペティグリューの銀の指が、情け容赦なく持ち主ののど元へと動いていた。

「そんな――」

ハリーは何も考えずに、とっさに銀の手を引き戻そうとした。しかし止められない。ヴォルデモートが一番臆病な召使いに与えた銀の道具は、武装解除されて役立たずになった持ち主に矛先を向けたのだ。ペティグリューは、一瞬の躊躇、一瞬の憐憫の報いを受けた。二人の目の前で、ペティグリューはしめ殺されていった。

「やめろ！」

ロンもワームテールを放し、ハリーと二人で、ワームテールののどをぐいぐいしめつけている金属の指を引っ張ろうとした。しかしむだだった。ペティグリューの顔から血の気が引いていった。

「**レラシオ！　放せ！**」

ロンが銀の手に杖を向けて唱えたが、何事も起こらなかった。ワームテールはがっくりとひざをついた。その時、ハーマイオニーの恐ろしい悲鳴が頭上から聞こえてきた。ワームテールは、顔がどす黒くなり、目がひっくり返って、最後に一度けいれんしたきり動かなくなった。

ハリーとロンは、顔を見合わせた。そして、床に転がったワームテールの死体を残して階段を駆け上がり、客間に続く薄暗い通路に戻った。二人は半開きになっている客間のドアに慎重に忍び寄った。ベラトリックスが、グリップフックを見下ろしているのがよく見えた。グリップフックは、グリフィンドールの剣を指の長い両手で持ち上げている。ハーマイオニーは、ベラトリックスの足元に身動きもせずに倒れていた。

「どうだ？」ベラトリックスがグリップフックに聞いた。「本物の剣か？」

ハリーは息を殺し、傷痕の痛みと戦いながら待った。

「いいえ」グリップフックが言った。「贋作（がんさく）です」

「確かか？」ベラトリックスがあえいだ。「ほんとうに、確かか？」

「確かです」小鬼が答えた。

ベラトリックスの顔に安堵（あんど）の色が浮かび、緊張が解けていった。

「よし」

ベラトリックスは軽く杖を振って、小鬼の顔にもう一つ深い切り傷を負わせた。悲鳴を上げて足元に倒れた小鬼を、ベラトリックスは脇に蹴り飛ばした。

「それでは」ベラトリックスが、勝ち誇った声で言った。「闇の帝王を呼ぶのだ！」

ベラトリックスはそでをまくり上げて、闇の印に人差し指で触れた。

とたんにハリーの傷痕に、またしてもぱっくり口を開いたかと思われるほどの激痛が走った。現実が消え去り、ハリーはヴォルデモートになっていた。

目の前の骸骨のような魔法使いが、歯のない口をこちらに向けて笑っている。呼び出しを感じてヴォルデモートは激怒した――警告しておいたはずだ。ポッター以外のことでは俺様を呼び出すなと、あいつらに言ったはずだ。もしあいつらがまちがっていたなら……。

「さあ、殺せ！」老人が迫った。「おまえは勝たない。おまえは勝てない！　あの杖は金輪際、おまえのものにはならない――」

そして、ヴォルデモートの怒りが爆発した。牢獄を緑の閃光が満たし、弱りきった老体は硬いベッドから浮き上がって、魂の抜け殻が床に落ちた。ヴォルデモートは窓辺に戻った。激しい怒りは抑えようもない……自分を呼び戻す理由がなかったら、あいつらに俺様の報いを受けさせてやる……。

「それでは」ベラトリックスの声が言った。「この『穢れた血』を処分してもいいだろう。グレイバック、欲しいなら娘を連れていけ」

「やめろおおおおおおおおお！」

ロンが客間に飛び込んだ。驚いたベラトリックスは、振り向いて杖をロンに向けなおした――。

「エクスペリアームス！　武器よ去れ！」

ロンがワームテールの杖をベラトリックスに向けて叫んだ。ベラトリックスの杖が宙を飛び、ロンに続いて部屋に駆け込んだハリーがそれをとらえた。ルシウス、ナルシッサ、ドラコ、グレイバックが振り向いた。

「**ステューピファイ！　まひせよ！**」ハリーが叫んだ。

ルシウス・マルフォイが、暖炉の前に倒れた。ドラコ、ナルシッサ、グレイバックの杖から閃光が飛んだが、ハリーはパッと床に伏せ、ソファの後ろに転がって閃光をよけた。

「やめろ。さもないとこの娘の命はないぞ！」

ハリーはあえぎながらソファの端からのぞき見た。ベラトリックスが、意識を失っているハーマイオニーを抱え、銀の小刀をそののど元に突きつけていた。

「杖を捨てろ」ベラトリックスが押し殺した声で言った。「捨てるんだ。さもないと、『穢れた血』が、どんなものかを見ることになるぞ！」

ロンは、ワームテールの杖を握りしめたまま固まっていた。ハリーは、ベラトリックスの杖を持ったまま立ち上がった。

「捨てろと言ったはずだ！」

ベラトリックスはハーマイオニーののど元に小刀を押しつけて、かん高く叫んだ。ハリーはそこに血がにじむのを見た。

「わかった！」

ハリーはそう叫んで、ベラトリックスの杖を足元の床に落とした。ロンも同じく、ワームテールの杖を、床に落とした。二人は両手を肩の高さに挙げた。

「いい子だ！」

ベラトリックスがニヤリと笑った。

「ドラコ、杖を拾うんだ！　闇の帝王がおいでになる。ハリー・ポッター、おまえの死が迫っているぞ！」

ハリーにもそれがわかっていた。傷痕は痛みで破裂しそうだ。ヴォルデモートが暗い荒れた海の上を、遠くから飛んでくるのを感じた。まもなく、ここに「姿あらわし」できる距離まで近づくだろう。ハリーは逃れる道はないと思った。

「さぁて」

ドラコが杖を集めて急いで戻る間、ベラトリックスが静かに言った。

「シシー、この英雄気取りさんたちを、我々の手でもう一度縛らないといけないようだ。グレイバックが、ミス『穢れた血』の面倒を見ているうちにね。グレイバックよ、闇の帝王は、今夜のおまえの働きに対して、その娘をお与えになるのをしぶりはなさらないだろう」

その言葉が終わらないうちに、奇妙なガリガリという音が上から聞こえてきた。全員が見上げると、クリスタルのシャンデリアが小刻みに震えていた。そして、きしむ音やチリンチリンという不吉な音とともに、シャンデリアが落ちはじめた。その真下にいたベラトリックスは、ハーマイオニーを放り出し、悲鳴を上げて飛びのいた。シャンデリアは床に激突し、大破したクリスタルや鎖がハーマイオニーと小鬼の上に落ちた。小鬼はそれでも、しっかりとグリフィンドールの剣を握ったままだった。キラキラ光るクリスタルのかけらが、あたり一面に飛び散った。ドラコは血だらけの顔を両手で覆い、体をくの字に曲げた。

ロンがハーマイオニーに駆け寄り、瓦礫(がれき)の下から引っ張り出そうとした。ハリーは、チャンスを逃さなかった。ひじかけ椅子を飛び越え、ドラコが握っていた三本の杖をもぎ取り、三本ともグレイバックに向けて叫んだ。

「**ステューピファイ！　まひせよ！**」

三倍もの呪文を浴びた狼人間は、跳ね飛ばされて天井まで吹っ飛び、床にたたきつけられた。

ナルシッサが、ドラコを傷つかないようにかばって引き寄せる一方、勢いよく立ち上がったベラトリックスは、髪を振り乱し、銀の小刀を振り回した。しかしナルシッサは、杖をドアに向けていた。

「ドビー！」

ナルシッサの叫び声に、ベラトリックスでさえ凍りついた。

「おまえ！　**おまえが**シャンデリアを落としたのか――？」

小さなしもべ妖精は、震える指で昔の女主人を指差しながら、小走りで部屋の中に入ってきた。

「あなたは、ハリー・ポッターを傷つけてはならない」ドビーはキーキー声を上げた。

「殺してしまえ、シシー！」

ベラトリックスが金切り声を上げたが、またしても**バチン**と大きな音がして、ナルシッサの杖もまた宙を飛び、部屋の反対側に落ちた。

「この汚らわしいチビ猿！」ベラトリックスがわめいた。「魔女の杖を取り上げるとは！　よくもご主人様に歯向かったな！」

「ドビーにご主人様はいない！」

しもべ妖精がキーキー声で言った。

「ドビーは自由な妖精だ。そしてドビーは、ハリー・ポッターとその友達を助けにきた！」

ハリーは、傷痕の激痛で目がくらみそうだった。薄れる意識の中で、ハリーは、ヴォルデモートが来るまで、あと数秒しかないことを感じ取った。

「ロン、受け取れ――そして**逃げろ！**」

ハリーは杖を一本放り投げて叫んだ。それから身をかがめて、グリップフックをシャンデリアの下から引っ張り出した。剣をしっかり抱えたままうめいているグリップフックを肩に背負い、ドビーの手をとらえて、ハリーはその場で回転し、「姿くらまし」した。

暗闇の中に入り込む直前、もう一度客間の様子が見えた。ナルシッサとドラコの姿がその場に凍りつき、ロンの髪の赤い色が流れ、部屋のむこうからベラトリックスの投げた小刀が、ハリーの姿が消えつつあるあたりでぼやけた銀色の光になり――。

ビルとフラーの所……貝殻の家……ビルとフラーの所……。

ハリーは、知らない所に「姿くらまし」した。目的地の名前をくり返し、それだけで行けることを願うしかなかった。額の傷は突き刺すように痛み、小鬼の重みが肩にのしかかっていた。ハリーは、背中にグリフィンドールの剣がぶつかるのを感じた。その時、ドビーが、ハリーに握られている手をぐいっと引いた。もしかしたら、妖精が、正しい方向へ導こうとしているのではないかと思い、ハリーは、それでよいと伝えようとして、ドビーの指をギュッと握った……。

その時、ハリーたちは固い地面を感じ、潮の香をかいだ。ハリーはひざをつき、ドビーの手を放して、グリップフックをそっと地面に下ろそうとした。

「大丈夫かい？」

小鬼が身動きしたのでハリーは声をかけたが、グリップフックは、ただヒンヒン鼻を鳴らすばかりだった。

ハリーは、暗闇を透かしてあたりを見回した。一面に星空が広がり、少し離れた所に小さな家が建っている。その外で何か動くものが見えたような気がした。

「ドビー、これが『貝殻の家』なの？」

ハリーは、必要があれば戦えるようにと、マルフォイの館から持ってきた二本の杖をしっかり握りながら、小声で聞いた。

「僕たち、正しい場所に着いたの？　ドビー？」

ハリーはあたりを見回した。小さな妖精はすぐそばに立っていた。

「**ドビー！**」

妖精がぐらりと傾いた。大きなキラキラした眼に、星が映っている。ドビーとハリーは同時に、妖精の激しく波打つ胸から突き出ている、銀の小刀の柄を見下ろした。

「ドビー――ああっ――**誰か！**」

ハリーは小屋に向かって、そこで動いている人影に向かって大声を上げた。

「**助けて！**」

人影が魔法使いかマグルか、敵か味方か、ハリーにはわからなかったし、そんなことはどうでもよかった。ドビーの胸に広がっていくどす黒いしみのことしか考えられず、ハリーに向かってすがりつくように伸ばされた細い両腕しか見えなかった。ハリーはドビーを抱き止めて、ひんやりした草に横たえた。

「ドビー、だめだ。死んじゃだめだ。死なないで――」

妖精の目がハリーをとらえ、何か物言いたげに唇を震わせた。

「ハリー……ポッター……」

そして、小さく身を震わせ、妖精はそれきり動かなくなった。大きなガラス玉のような両眼が、もはや見ることのできない星の光をちりばめて、キラキラと光っていた。

第24章　杖作り

同じ悪夢に、二度引き込まれる思いだった。一瞬ハリーは、ホグワーツで一番高いあの塔の下で、ダンブルドアのなきがらのかたわらにひざまずいているような気がした。しかし現実には、ベラトリックスの銀の小刀に貫かれて、草むらに丸くなっている小さな体を見つめていた。しもべ妖精は、もはやハリーの呼び戻せない所に行ってしまったとわかっていても、ハリーは「ドビー……**ドビー……**」と呼び続けていた。

やがてハリーは、結局は正しい場所に着いていたことを知った。ひざまずいて妖精をのぞき込んでいるハリーの周りに、ビル、フラー、ディーン、ルーナが集まってきたからだ。

「ハーマイオニーは？」ハリーが、突然思い出したように聞いた。「ハーマイオニーはどこ？」

「ロンが家の中に連れていったよ」ビルが言った。「ハーマイオニーは大丈夫だ」

ハリーは、再びドビーを見つめ、手を伸ばして妖精の体から鋭い小刀を抜き取った。それから自分の上着をゆっくりと脱いで、毛布をかけるようにドビーを覆った。

どこか近くで、波が岩に打ちつけている。ビルたちが話し合っている間、ハリーは話し声だけを聞いていた。何を話し合い、何を決めているかにも、まったく興味が湧かなかった。けがをしたグリップフックを家の中に運び込むディーンに、フラーが急いでついていった。ビルは、妖精の埋葬についての提案をしていた。ハリーは、自分が何を言っているかもわからずに同意した。同意しながら、小さななきがらをじっと見下ろしたそのとき、傷痕がうずき、焼けるように痛みだした。どこかハリーの心の一部で、長い望遠鏡を逆にのぞいたようにヴォルデモートの姿が遠くに見えた。ハリーたちが去ったあと、マルフォイの館に残った人々を罰している姿だ。ヴォルデモートの怒りは恐ろしいものだったが、ドビーへの哀悼の念がその怒りを弱め、ハリーにとっては、広大で静かな海のどこか遠い彼方で起こっている嵐のように感じた。

「僕、きちんとやりたい」

ハリーが意識して口に出した、最初の言葉だった。

「魔法でなく。スコップはある?」

それからしばらくして、ハリーは作業を始めた。たった一人で、ビルに示された庭の隅の、茂みと茂みの間に墓穴を掘りはじめた。ハリーは、憤りのようなものをぶつけながら掘った。魔法ではなく、汗を流して自分の力で掘り進めることに意味があった。汗の一滴一滴、手のマメの一つ一つが、自分たちの命を救ってくれた妖精への供養に思えた。

傷痕が痛んだが、ハリーは痛みを制した。痛みを感じはしても、それは自分とはかけ離れたものだった。ついにハリーは、心を制御し、ヴォルデモートに対して心を閉じる方法を身につけた。ダンブルドアが、スネイプからハリーに学び取らせたいと願った、まさにその技だ。シリウスの死の悲しみに胸ふさがれ、ほかのことが考えられなかったハリーの心をヴォルデモートが乗っ取ることができなかったと同様、こうしてドビーを悼んでいる心にも、ヴォルデモートの想念は侵入することができなかった。深い悲しみが、ヴォルデモートをしめ出したようだ……もっとも、ダンブルドアならもちろん、それを愛だと言ったことだろう……。

汗に悲しみを包み込み、傷痕の痛みをはねのけて、ハリーは固く冷たい土を掘り続けた。暗闇の中で、自分の息と砕ける波の音だけを感じながら、ハリーはマルフォイの館で起こったことを考え、耳にしたことを思い出していた。すると、闇に花が開くように、徐々にいろいろなことがわかってきた……。

穴を掘る腕の、規則的なリズムが頭の中にも刻まれた。秘宝……分霊箱……秘宝……分霊箱……。しかし、もうあのおかしな執念に身を焦がすことはなかった。喪失感と恐れが、妄執を吹き消していた。横面を張られて目が覚めたような気がした。

ハリーは深く、さらに深く墓穴を掘った。ハリーにはもうわかっていた。ヴォルデモートが今夜どこに行っていたのか、ヌルメンガードの一番高い独房で、誰を、なぜ殺したのかも……。

そしてハリーは、ワームテールのことを思った。たった一度の、些細(ささい)な、無意識で衝動的な慈悲の心のせいで死んだのだ……。ダンブルドアはそれを予測していた……ダンブルドアという人は、そのほか、どれほど多くのことを知っていたのだろう？

ハリーは時を忘れていた。ロンとディーンが戻ってきたときにも、闇がほんの少し白んでいることに気づいただけだった。

「ハーマイオニーはどう？」

「だいぶよくなった」ロンが言った。「フラーが世話してくれてる」

二人がもし、杖(つえ)を使って完璧な墓を掘らないのはなぜかと聞いたら、ハリーはその答えを用意していた。しかし答える必要はなかった。二人はスコップを手に、ハリーの掘った穴に飛び降りて、充分な深さになるまでだまって一緒に掘った。

ハリーは、妖精が心地よくなるように、上着で、すっぽりと包みなおした。ロンは墓穴の縁に腰かけて靴を脱ぎ、ソックスを妖精の素足にはかせた。ディーンは毛糸の帽子を取り出し、ハリーがそれをドビーの頭にていねいにかぶせて、こうもりのような耳を覆った。

「目を閉じさせたほうが、いいもん」

ほかの人たちが闇の中を近づいてくる音に、ハリーはその時まで気づかなかった。ビルは旅行用のマントを着て、フラーは大きな白いエプロンをかけていた。そのポケットから、ハリーには「骨生え薬」だと見分けがつく瓶がのぞいていた。借り物の部屋着を着たハーマイオニーは、青ざめた顔をして足元がまだふらついていた。そばに来たハーマイオニーに、ロンは片腕を回した。フラーのコートにくるまったルーナが、かがんでそっと妖精のまぶたに指を触れ、見開いたままのガラス玉のような眼をつむらせた。

「ほーら」ルーナがやさしく言った。「ドビーは眠っているみたい」

ハリーは妖精を墓穴に横たえ、小さな手足を眠っているかのように整えた。そして穴から出て、最後にもう一度小さななきがらを見つめた。ダンブルドアの葬儀を思い出し、ハリーは泣くまいとこらえた。何列も続く金色の椅子、前列には魔法大臣、ダンブルドアの功績をたたえる弔辞、堂々とした白い大理石の墓。ハリーは、ドビーもそれと同じ壮大な葬儀に値すると思った。しかし妖精は、粗っぽく掘った穴で、茂みの間に横たわっている。

「あたし、何か言うべきだと思う」突然、ルーナが言った。「あたしから始めてもいい？」

そして、みんなが見守る中、ルーナは墓穴の底の妖精のなきがらに語りかけた。

「あたしを地下牢から救い出してくれて、ドビー、ほんとうにありがとう。そんなにいい人で勇敢なあなたが死んでしまうなんて、とっても不公平だわ。あなたがあたしたちにしてくれたことを、あたし、けっして忘れないもん。あなたがいま、幸せだといいな」

ルーナは、うながすようにロンを振り返った。ロンは咳払いをして、くぐもった声で言った。

「うん……ドビー、ありがとう」

「ありがとう」ディーンがつぶやいた。

ハリーはゴクリとつばを飲んだ。

「さようなら、ドビー」ハリーが言った。やっと、それだけしか言えなかった。しかし、ルーナがハリーの言いたいことを全部言ってくれていた。ビルが杖を上げると、墓穴の横の土が宙に浮き上がり、きれいに穴に落ちてきて、小さな赤みがかった塚ができた。

「僕もう少しここにいるけど、いいかな?」ハリーがみんなに聞いた。

口々に返事をするつぶやき声が聞こえたが、言葉は聞き取れなかった。誰かが背中をやさしくたたくのを感じた。そしてハリーを一人、妖精のそばに残して、みんなは家に向かってぞろぞろと戻っていった。

ハリーはあたりを見回した。海が丸くした大きな白い石が、いくつも花壇を縁取っていた。ハリーは一番大きそうな石を一つ取り、ドビーの眠っている塚の頭のあたりに、枕のように置いた。それから、杖を取り出そうとポケットを探った。

杖は二本あった。何がどうだったのか記憶がとぎれ、いまとなっては、誰の杖だったか思い出すことができなかった。ただ、誰かの手からか、杖をもぎ取ったことは覚えていた。ハリーは短いほうの杖を選んだ。それのほうが手になじむような気がしたからだ。そして杖を石に向けた。

ハリーのつぶやく呪文に従って、ゆっくりと、石の表面に何かが深く刻まれた。ハーマイオニーならもっときれいに、しかも、おそらくもっと早くできただろう。しかし、墓を自分で掘りたかったように、その場所を自分で記しておきたかった。ハリーが再び立ち上がったとき、石にはこう刻まれていた。

自由なしもべ妖精　ドビー　ここに眠る

ハリーは、しばらく自分の手作りの墓を見下ろしたあと、その場を離れた。傷痕はまだ少しうずいていたが、頭の中は、墓穴の中で浮かんだ考えでいっぱいだった。闇の中ではっきりしてきた考えは、心を奪うものでもあり、恐ろしくもあった。

ハリーが小さな玄関ホールに入ったとき、みんなは居間にいた。話をしているビルに、みんなが注目していた。やわらかい色調のかわいい居間で、暖炉には、流木を薪にした小さな炎が明るく燃えている。ハリーは、じゅうたんに泥を落としたくなかったので、入口に立って話を聞いた。

「……ジニーが休暇中で幸いだった。ホグワーツにいたら、我々が連絡する前にジニーは捕まっていたかもしれない。ジニーもいまは安全だ」

ビルが振り返って、そこに立っているハリーに気づいた。

「僕は、みんなを『隠れ穴』から連れ出しているんだ」ビルが説明した。

「ミュリエルの所に移した。死喰い人はもう、ロンが君と一緒だということを知っているから、必ずその家族をねらう――謝らないでくれよ」

ハリーの表情を読んだビルが、一言つけ加えた。

「どのみち、時間の問題だったんだ。父さんが、何か月も前からそう言っていた。僕たち家族は、最大の『血を裏切る者』なんだから」

「どうやってみんなを護っているの？」ハリーが聞いた。

「『忠誠の呪文』だ。父さんが『秘密の守人』。この家にも同じことをした。僕が『秘密の守人』なんだ。誰も仕事に行くことはできないけれど、いまは、そんなことは枝葉末節だ。オリバンダーとグリップフックがある程度回復したら、二人ともミュリエルの所に移そう。ここじゃあまり場所がないけれど、ミュリエルの所は充分だ。グリップフックの脚は治りつつある。フラーが『骨生え薬』を飲ませたから。

たぶん、二人を移動させられるのは、一時間後ぐらいで――」

「だめだ」

ハリーの言葉に、ビルは驚いたような顔をした。

「二人ともここにいてほしい。話をする必要があるんだ。大切なことで」

ハリーは自分の声に力があり、確信に満ちた目的意識がこもっているのを感じた。ドビーの墓を掘っているときに意識した目的だ。みんながいっせいに、どうしたのだろう、という顔をハリーに向けた。

「手を洗ってくるよ」

まだ泥とドビーの血がついている両手を見ながら、ハリーがビルに言った。

「そのあとすぐに、僕は二人に会う必要がある」

ハリーは小さなキッチンまで歩いていき、海を見下ろす窓の下にある流しに向かった。暗い庭で浮かんだ考えの糸を、再びたどりながら手を洗っていると、水平線から明け初める空が、桜貝色と淡い金色に染まった……。

ドビーはもう、誰に言われて地下牢に来たのかを話してくれることはない。しかしハリーは、自分の見たものが何か、わかっていた。鏡の破片から、心を見透すような青い目がのぞいていた。そして救いがやってきた。

――ホグワーツでは、助けを求める者には、必ずそれが与えられる。

ハリーは手をふいた。窓から見える美しい景色にも、居間から聞こえる低い話し声にも、ハリーは心を動かされることがなかった。海の彼方を眺めながら、夜明けのこの瞬間、ハリーはいままでになく強く、自分がすべての核心に迫っていると感じた。

しかし、額の傷痕はまだうずいていた。ハリーには、ヴォルデモートもその核心に近づいていることがわかっていた。しかし、頭ではわかっていたが、納得していたわけではなかった。本能と頭脳が、別々のことをハリーにうながしていた。頭の中のダンブルドアが、祈りのときのように組み合わせた指の上からハリーを観察しながら、ほほえんでいる。

あなたはロンに「灯消しライター」を与えた。あなたはロンを理解していた……あなたがロンに、戻るための手段を与えたのだ……。

そしてあなたはワームテールをも理解していた……わずかに、どこかに後悔の念があることを……。

もしあなたが彼らを理解していたとすれば……ダンブルドア、僕のことは、何を理解していたのですか？

僕は知るべきだった。でも、求めるべきではなかったのですね？　僕にとって、それがどんなにつらいことか、あなたにはわかっていたのですね？

だからあなたは、何もかも、これほどまでに難しくしたのですね？　自分で悟る時間をかけさせるために、そうなさったのですね？

ハリーは、水平線に昇りはじめたまぶしい太陽の金色に輝く縁を、ぼんやりと見つめながらじっとたたずんでいた。それからきれいになった両手を見下ろし、その手にタオルが握られているのにふと気づいて、驚いた。タオルをそこに置き、ハリーは居間に戻った。その時、傷痕が怒りにうずくのを感じた。そして、ほんの一瞬、水面（みなも）に映るトンボの影のようにハリーがよく知っているあの建物の輪郭が心をよぎった。

ビルとフラーが、階段の下に立っていた。

「グリップフックとオリバンダーに話がしたいんだけど」ハリーが言った。

「いけませーん」フラーが言った。「アリー、もう少し待たないとだめでーす。ふーたりとも病気で、つかれーていて――」

「すみません」ハリーは冷静だった。「でも、待てない。いますぐ話す必要があるんです。秘密に――二人別々に。急を要することです」

「ハリー、いったい何が起こったんだ？」ビルが聞いた。「君は、死んだしもべ妖精と半分気絶した小鬼（ゴブリン）を連れて現れたし、ハーマイオニーは拷問を受けたみたいに見える。それに、ロンも、何も話せないと言い張るばかりだ――」

「僕たちが何をしているかは、話せません」ハリーはきっぱりと言った。「ビル、あなたは騎士団のメンバーだから、ダンブルドアが僕たちに、ある任務を残したことは知っているはずですね。でも、僕たち、その任務のことは、誰にも話さないことになっているんです」

　フラーがいらだったような声をもらしたが、ビルはフラーのほうを見ずに、ハリーをじっと見ていた。深い傷痕に覆われたビルの顔から、その表情を読むことは難しかった。しばらくして、ビルがようやく言った。

「わかった。どちらと先に話したい？」

　ハリーは迷った。自分の決定に何がかかっているかを、ハリーは知っていた。残された時間はほとんどない。いまこそ決心すべきときだ。分霊箱か、秘宝か？

「グリップフック」ハリーが言った。「グリップフックと先に話をします」

　全速力で走ってきて、いましがた大きな障害物を越えたかのように、ハリーの心臓は早鐘を打っていた。

「それじゃ、こっちだ」ビルが案内した。

　階段を二、三段上がったところで、ハリーは立ち止まって振り返った。

「君たち二人にも来てほしいんだ！」

居間の入口で、半分隠れてこそこそしていたロンとハーマイオニーに、ハリーが呼びかけた。

二人は奇妙にホッとしたような顔で、明るみに出てきた。

「具合はどう？」ハリーがハーマイオニーに問いかけた。「君ってすごいよ──あの女がさんざん君を痛めつけていたときに、あんな話を思いつくなんて──」

ハーマイオニーは弱々しくほほえみ、ロンは片腕でハーマイオニーをギュッと抱き寄せた。

「ハリー、今度は何をするんだ？」ロンが聞いた。

「いまにわかるよ。さあ」

ハリー、ロン、ハーマイオニーは、ビルについて急な階段を上がり、小さな踊り場に出た。そこは三つの扉へと続いていた。

「ここで」ビルは自分たちの寝室のドアを開いた。

そこからも海が見えた。昇る朝日が、海を点々と金色に染めている。ハリーは窓に近寄り、壮大な風景に背を向けて、傷痕のうずきを意識しながら腕組みをして待った。ハーマイオニーは化粧テーブル脇の椅子に腰かけ、ロンはその椅子のひじかけに腰を下ろした。

ビルが、小さな小鬼を抱えて再び現れ、そっとベッドに下ろした。グリップフックはうめき声で礼を言い、ビルはドアを閉めて立ち去った。

「ベッドから動かして、すまなかったね」ハリーが言った。「脚の具合はどう？」

「痛い」小鬼が答えた。「でも治りつつある」

グリップフックは、まだグリフィンドールの剣（つるぎ）を抱えたままだった。そして、半ば反抗的で、半ば好奇心にかられた不可思議な表情をしていた。ハリーは小鬼の土気色の肌や、長くて細い指、黒い瞳に目をとめた。フラーが靴を脱がせていたので、小鬼の大きな足が汚れているのが見えた。屋敷しもべ妖精より体は大きかったが、それほどの差はない。半球状の頭は、人間の頭より大きい。

「君はたぶん覚えていないだろうけど――」ハリーが切り出した。

「――あなたがグリンゴッツを初めて訪れたときに、金庫にご案内した小鬼が私だということをですか？」グリップフックが言った。「覚えていますよ、ハリー・ポッター。小鬼の間でも、あなたは有名です」

ハリーと小鬼は、見つめ合って互いの腹の中を探った。ハリーの傷痕は、まだうずいていた。ハリーは、グリップフックとの話し合いを早く終えてしまいたかったが、同時に、誤った動きをしてしまうことを恐れた。自分の要求をどう伝えるのが最善かを決めかねていると、小鬼が先に口を開いた。

「あなたは妖精を埋葬した」小鬼は、意外にも恨みがましい口調だった。「隣の寝室の窓から、あなたを見ていました」

「そうだよ」ハリーが言った。

グリップフックは吊り上がった暗い目で、ハリーを盗み見た。

「あなたは変わった魔法使いです、ハリー・ポッター」

「どこが？」

ハリーは、無意識に額の傷をさすりながら聞いた。

「墓を掘りました」

「それで？」

グリップフックは答えなかった。ハリーは、マグルのような行動を取ったことを、軽蔑されているような気がしたが、グリップフックがドビーの墓を受け入れようが受け入れまいが、ハリーにとってはあまり重要なことではなかった。攻撃に出るために、ハリーは意識を集中させた。

「グリップフック、僕、聞きたいことが——」

「あなたは、小鬼も救った」

「えっ？」

「あなたは、私をここに連れてきた。私を救った」

「でも、別に困らないだろう？」ハリーは少しいらいらしながら言った。

「ええ、別に、ハリー・ポッター」

そう言ったあと、グリップフックは指一本をからませて、細く黒いあごひげをひねった。

「でも、とても変な魔法使いです」

「そうかな」ハリーが言った。「ところでグリップフック、助けが必要なんだ。君にはそれができる」

小鬼は先をうながすような様子は見せず、しかめっ面のまま、こんなものを見るのは初めてだという目つきで、ハリーを見ていた。

「僕は、グリンゴッツの金庫破りをする必要があるんだ」

こんな荒っぽい言い方をするつもりではなかったのに、稲妻形の傷痕に痛みが走って、またしてもホグワーツの輪郭が見えたとたん、言葉が口をついて出てきてしまったのだ。ハリーはしっかりと心を閉じた。グリップフックのほうを、先に終えてしまわなければならない。ロンとハーマイオニーは、ハリーがおかしくなったのではないかという表情で見つめた。

「ハリー——」

ハーマイオニーの言葉は、グリップフックによってさえぎられた。

「グリンゴッツの金庫破り？」

小鬼はベッドで体の位置を変えながら、ビクッとしてくり返した。

「不可能です」

「そんなことはないよ」ロンが否定した。「前例がある」

「うん」ハリーが言った。「君に初めて会った日だよ、グリップフック。七年前の僕の誕生日」

「問題の金庫は、その時、からでした。最低限の防衛しかありませんでした」

小鬼はピシャリと言った。グリンゴッツを去ったとは言え、銀行の防御が破られるという考えは腹にすえかねるのだと、ハリーには理解できた。

「うん、僕たちが入りたい金庫はからじゃない。相当強力に守られていると思うよ」

ハリーが言った。

「レストレンジ家の金庫なんだ」

ハーマイオニーとロンが、度肝を抜かれて顔を見合わせるのが目に入った。しかし、グリップフックが答えてくれれば、そのあとで、二人に説明する時間は充分あるだろう。

「可能性はありません」

グリップフックはにべもなく答えた。

「まったくありません。『**おのれのものに　あらざる宝、わが床下に　求める者よ**」

「『**盗人よ　気をつけよ**――』うん、わかっている。覚えているよ」ハリーが言った。「でも、僕は、宝を自分のものにしようとしているんじゃない。自分の利益のために、何かを盗ろうとしているわけじゃないんだ。信じてくれるかな？」

小鬼は、横目でハリーを見た。その時、額の稲妻形の傷痕がうずいたが、ハリーは痛みを無視し、引き込もうとする誘いも拒絶した。

「個人的な利益を求めない人だと、私が認める魔法使いがいるとすれば――」

グリップフックがようやく答えた。

「それは、ハリー・ポッター、あなたです。小鬼やしもべ妖精は、今夜あなたが示してくれたような保護や敬意には慣れていません。杖を持つ者がそんなことをするなんて」

「杖を持つ者」

ハリーがくり返した。傷痕が刺すように痛み、ヴォルデモートが意識を北に向けているこの時に、そしてハリーが隣の部屋のオリバンダーに質問したくてたまらないというこの時に、その言葉はハリーの耳に奇妙に響いた。

「杖を持つ権利は」小鬼は静かに言った。「魔法使いと小鬼の間で、長い間論争されてきました」

「でも、小鬼は杖なしで魔法が使える」ロンが言った。

「それは関係のないことです！　魔法使いは、杖の術の秘密をほかの魔法生物と共有することを拒みました。我々の力が拡大する可能性を否定したのです！」

「だって、小鬼も、自分たちの魔法を共有しないじゃないか」ロンが言った。「剣や甲冑を、君たちがどんなふうにして作るかを、僕たちに教えてくれないぜ。金属加工については、小鬼は魔法使いが知らないやり方を――」

「そんなことはどうでもいいんだ」

グリップフックの顔に血が上ってきたのに気づいて、ハリーが言った。

「魔法使いと小鬼の対立じゃないし、そのほかの魔法生物との対立でもないんだ――」

グリップフックは、意地悪な笑い声を上げた。

「ところがそうなのですよ。まったくその対立なのです！　闇の帝王がいよいよ力を得るにつれて、あなたたち魔法使いは、ますますしっかりと我々の上位に立っている！　グリンゴッツは魔法使いの支配下に置かれ、屋敷しもべ妖精は惨殺されている。それなのに、杖を持つ者の中で、誰が抗議をしていますか？」

「私たちがしているわ！」

ハーマイオニーは背筋を正し、目をキラキラさせていた。

「私たちが抗議しているわ！　それに、グリップフック、私は小鬼やしもべ妖精と同じぐらい厳しく狩り立てられているのよ！　私は『穢れた血』なの！」

「自分のことをそんなふうに――」ロンがボソボソつぶやいた。

「どうしていけないの？」ハーマイオニーが言った。「『穢れた血』、それが誇りよ！　新しい秩序のもとでの私の地位は、グリップフック、あなたとちがいはないわ！　マルフォイの館で、あの人たちが拷問にかけるために選んだのは、私だったのよ！」

話しながら、ハーマイオニーは部屋着の襟を横に引いて、ベラトリックスにつけられた切り傷を見せた。のどに赤々と、細い傷があった。

「ドビーを解放したのがハリーだということを、あなたは知っていた？」ハーマイオニーが聞いた。

「私たちが、何年も前から屋敷しもべ妖精を解放したいと望んでいたことを知っていた？」（ロンは、ハーマイオニーの椅子のひじで、気まずそうにそわそわした）「グリップフック、『例のあの人』を打ち負かしたいという気持ちが、私たち以上に強い人なんかいないわ！」

グリップフックは、ハリーを見たときと同じような好奇の目で、ハーマイオニーを見つめた。

「レストレンジ家の金庫で、何を求めたいのですか？」

グリップフックが唐突に聞いた。

「中にある剣は贋作（がんさく）です。こちらが本物です」

グリップフックは三人の顔を順ぐりに見た。

「あなたたちは、もうそのことを知っているのですね。あそこにいた時、私にうそをつくように頼みました」

「でも、その金庫にあるのは、偽の剣だけじゃないだろう？」ハリーが聞いた。「君はたぶん、ほかのものも見ているね？」

ハリーの心臓は、これまでにないほど激しく打っていた。ハリーは、傷痕のうずきを無視しようと、さらにがんばった。

小鬼は、また指にあごひげをからませた。

「グリンゴッツの秘密を話すことは、我々の綱領に反します。小鬼はすばらしい宝物の番人なのです。我々に託された品々は、往々にして小鬼の手によって鍛錬されたものなのですが、それらの品に対しての責任があります」

小鬼は剣をなで、黒い目がハリー、ハーマイオニー、ロンを順に眺め、また逆の順で視線を戻した。

「こんなに若いのに」しばらくしてグリップフックが言った。「あれだけ多くの敵と戦うなんて」

「僕たちを助けてくれる？」ハリーが言った。「小鬼の助けなしに押し入るなんて、とても望みがない。君だけが頼りなんだ」

「私は……考えてみましょう」グリップフックは、腹立たしい答え方をした。

「だけど――」ロンが怒ったように口を開いたが、ハーマイオニーはロンの肋骨（ろっこつ）をこづいた。

「ありがとう」ハリーが言った。

小鬼は大きなドーム型の頭を下げて礼に応え、それから短い脚を曲げた。

「どうやら」ビルとフラーのベッドに、これ見よがしに横になり、グリップフックが言った。「『骨生え薬』の効果が出たようです。やっと眠れるかもしれません。失礼して……」

「ああ、もちろんだよ」ハリーが言った。部屋を出るとき、ハリーはかがんで小鬼の横からグリフィンドールの剣を取った。グリップフックは逆らわなかったが、ドアを閉めるときに、小鬼の目に恨みがましい色が浮かぶのを、ハリーは見たような気がした。

「いやなチビ」ロンがささやいた。「僕たちがやきもきするのを、楽しんでやがる」

「ハリー」ハーマイオニーが二人をドアから離し、まだ暗い踊り場の真ん中まで引っ張っていった。「あなたの言っていることは、つまりこういうことかしら？ レストレンジ家の金庫に、分霊箱が一つある。そういうことなの？」

「そうだ」ハリーが言った。「ベラトリックスは、僕たちがそこに入ったと思って、逆上するほどおびえていた。どうしてだ？ 僕たちが何を見たと思ったんだろう？ 僕たちが、ほかに何を取ったと思ったんだろう？ 『例のあの人』に知れるのではないかと思って、ベラトリックスが正気を失うほど恐れたものなんだよ」

「でも、僕たち、『例のあの人』がいままで行ったことのある場所を探してるんじゃなかったか？ あの人が、何か重要なことをした場所じゃないのか？」ロンは困惑した顔だった。「あいつがレストレンジ家の金庫に、入ったことがあるって言うのか？」

「グリンゴッツに入ったことがあるかどうかは、わからない」ハリーが言った。「あいつは、若いとき、あそこに金貨なんか預けていなかったはずだ。誰も何も遺してくれなかったんだから。でも、銀行を外から見たことはあっただろう。ダイアゴン横丁に最初に行ったときに」

傷痕がずきずき痛んだが、ハリーは無視した。オリバンダーと話をする前に、ロンとハーマイオニーに、グリンゴッツのことを理解しておいてほしかった。

「あいつは、グリンゴッツの金庫の鍵を持つ者を、うらやましく思ったんじゃないかな。あの銀行が、魔法界に属していることの真の象徴に見えたんだと思う。それに、忘れてならないのは、あいつが、ベラトリックスとその夫を信用していたということだ。二人とも、あいつが力を失うまで、最も献身的な信奉者だったし、あいつが消えてからも探し求め続けた。あいつがよみがえった夜にそう言うのを、僕は聞いた」

ハリーは傷痕をこすった。

「だけど、ベラトリックスに、分霊箱を預けるとは言わなかったと思う。ルシウス・マルフォイにも、日記に関するほんとうのことは一度も話していなかった。ベラトリックスには、たぶん、大切な所持品だから、金庫に入れておくようにと頼んだんだろう。ハグリッドが僕に教えてくれたよ。何かを安全に隠しておくには、グリンゴッツが一番だって……ホグワーツ以外にはね」

ハリーが話し終えると、ロンがうなずきながら言った。

「君って、ほんとに『あの人』のことがわかってるんだな」

「あいつの一部だ」ハリーが言った。「一部だけなんだ……僕、ダンブルドアのことも、それくらい理解できていたらよかったのに。でも、そのうちに――。さあ――今度はオリバンダーだ」

ロンとハーマイオニーは当惑顔だったが、感心したようにハリーのあとについて、小さな踊り場を横切った。ハリーがビルとフラーの寝室のむかい側のドアをノックすると、「どうぞ！」という弱々しい声が答えた。

杖作りのオリバンダーは、窓から一番離れたツインベッドに横たわっていた。一年以上地下牢に閉じ込められ、ハリーの知るかぎり、少なくとも一度は拷問を受けたはずだ。やせおとろえ、黄ばんだ肌から顔の骨格がくっきりと突き出ている。大きな銀色の目は、眼窩が落ちくぼんで巨大に見えた。毛布の上に置かれた両手は、骸骨の手と言ってもよかった。ハリーは、空いているベッドに、ロンとハーマイオニーと並んで腰かけた。ここからは、昇る朝日は見えなかった。部屋は、崖の上に作られた庭と、掘られたばかりの墓とに面していた。

「オリバンダーさん、お邪魔してすみません」ハリーが言った。

「いやいや」オリバンダーはか細い声で言った。「あなたは、わしらを救い出してくれた。あそこで死ぬものと思っていたのに。感謝しておるよ……**いくら**感謝しても……しきれないぐらいに」

「お助けできてよかった」

　ハリーの傷痕がうずいた。ヴォルデモートよりも先に目的地に行くにしても、ヴォルデモートの試みをくじくにしても、もはやほとんど時間がないことをハリーは知っていた。いや、確信していた。ハリーは突然恐怖を感じた……しかし、グリップフックに先に話をするという選択をしたときに、ハリーの心は決まっていたのだ。無理に平静を装い、ハリーは首からかけた巾着の中を探って、二つに折れた杖を取り出した。

「オリバンダーさん、助けてほしいんです」

「なんなりと、なんなりと」杖作りは弱々しく答えた。

「これを直せますか？　可能ですか？」

　オリバンダーは震える手を差し出し、ハリーはその手のひらに、かろうじて一つにつながっている杖を置いた。

「柊と不死鳥の尾羽根」オリバンダーは、緊張気味に震える声で言った。「二十八センチ、良質でしなやか」

「そうです」ハリーが言った。「できますか――?」

「いや」オリバンダーがささやくように言った。「すまない。ほんとうにすまない。しかし、ここまで破壊された杖は、わしの知っておるどんな方法をもってしても、直すことはできない」

ハリーは、そうだろうと心の準備をしていたものの、やはり痛手だった。二つに折れた杖を引き取り、ハリーは首にかけた巾着の中に戻した。オリバンダーは、破壊された杖が消えたあたりをじっと見つめ続け、ハリーがマルフォイの館から持ち帰った二本の杖をポケットから取り出すまで、目をそらさなかった。

「どういう杖か、見ていただけますか?」ハリーが頼んだ。

杖作りは、その中の一本を取って、弱った目の近くにかざし、関節の浮き出た指の間で転がしてからちょっと曲げた。

「鬼胡桃(おにぐるみ)とドラゴンの琴線」オリバンダーが言った。「三十二センチ。頑固。この杖はベラトリックス・レストレンジのものだ」

「それじゃ、こっちは?」

オリバンダーは同じようにして調べた。

「サンザシと一角獣(ユニコーン)のたてがみ。きっちり二十五センチ。ある程度弾力性がある。これはドラコ・マルフォイの杖だった」

「だった?」ハリーがくり返した。「いまでも、まだドラコのものでしょう?」

「たぶんちがう。あなたが奪ったのであれば――」

「――ええ、そうです――」

「――それなら、この杖はあなたのものであるかもしれない。もちろん、どんなふうに手に入れたかが関係してくる。杖そのものに負うところもまた大きい。しかし、一般的に言うなら、杖を勝ち取ったのであれば、杖の忠誠心は変わるじゃろう」

部屋は静かだった。遠い波の音だけが聞こえていた。

「まるで、杖が感情を持っているような話し方をなさるんですね」ハリーが言った。「まるで、杖が自分で考えることができるみたいに」

「杖が魔法使いを選ぶのじゃ」オリバンダーが言った。「そこまでは、杖の術を学んだ者にとって、常に明白なことじゃった」

「でも、杖に選ばれていなくとも、その杖を使うことはできるのですか?」ハリーが言った。

「ああ、できますとも。いやしくも魔法使いなら、ほとんどどんな道具を通してでも、魔法の力を伝えることができる。しかし、最高の結果は必ず、魔法使いと杖との相性が一番強いときに得られるはずじゃ。こうしたつながりは、複雑なものがある。最初にひかれ合い、それからお互いに経験を通して探求する。杖は魔法使いから、魔法使いは杖から学ぶのじゃ」

寄せては返す波の音は、哀調を帯びていた。

「僕はこの杖を、ドラコ・マルフォイから力ずくで奪いました」ハリーが言った。「僕が使っても安全でしょうか?」

「そう思いますよ。杖の所有権を司る法則には微妙なものがあるが、征服された杖は、通常、新しい持ち主に屈服するものじゃ」

「それじゃ、僕はこの杖を使うべきかなぁ?」

ロンが、ワームテールの杖をポケットから出して、オリバンダーに渡した。

「栗とドラゴンの琴線。二十三・五センチ。もろい。誘拐されてからまもなく、わしはピーター・ペティグリューのために無理やりこの杖を作らされた。そうじゃとも、君が勝ち取った杖じゃから、ほかの杖よりもよく君の命令を聞き、よい仕事をするじゃろう」

「そして、そのことは、すべての杖に通用するのですね？」ハリーが聞いた。

「そうじゃろうと思う」

くぼんだ眼窩から飛び出した目でハリーの顔をじっと見ながら、オリバンダーが答えた。

「ポッターさん、あなたは深遠なる質問をする。杖の術は、魔法の中でも複雑で神秘的な分野なのじゃ」

「それでは、杖の真の所有者になるためには、前の持ち主を殺す必要はないのですね？」ハリーが聞いた。

オリバンダーはゴクリとつばを飲んだ。

「必要？　いいや、殺す必要がある、とは言いますまい」

「でも、伝説があります」

ハリーの動悸はさらに高まり、傷痕の痛みはますます激しくなっていた。ヴォルデモートが考えを実行に移す決心をしたのだと、ハリーは確信した。

「一本の杖の伝説です――数本の杖かもしれません――殺人によって手から手へと渡されてきた杖です」

オリバンダーは青ざめた。雪のように白い枕の上で、オリバンダーの顔色は薄い灰色に変わり、巨大な目は、恐怖からか血走って飛び出していた。

「それは、ただ一本の杖じゃと思う」オリバンダーがささやくように言った。

「そして、『例のあの人』は、その杖に興味があるのですね？」ハリーが聞いた。

「わしは――どうして？」

オリバンダーの声がかすれ、ロンとハーマイオニーに助けを求めるように目を向けた。

「どうしてあなたはそのことを？」

『あの人』はあなたに、どうすれば僕と『あの人』の杖の結びつきを克服できるのかを、言わせようとした」ハリーが言った。

オリバンダーは、おびえた目をした。

「わしは拷問されたのじゃ。わかってくれ！『磔（はりつけ）の呪文』で、わしは――わしは知っていることを、そうだと推定することを、あの人に話すしかなかった！」

「わかります」ハリーが言った。「『あの人』に、双子の杖芯のことを話しましたね？ 誰かほかの人の杖を借りればよいと言いましたね？」

オリバンダーは、ハリーがあまりにもよく知っていることにぞっとして、金縛りにあったように見えた。ゆっくりと、オリバンダーがうなずいた。

「でも、それがうまくいかなかった」ハリーは話し続けた。「それでも僕の杖は、借りた杖を打ち負かした。なぜなのか、おわかりになりますか？」

オリバンダーは、うなずいたときと同じくらいゆっくりと、首を横に振った。

「わしは……そんな話を聞いたことがなかった。あなたの杖は、あの晩、何か独特なことをしたのじゃ。双子の芯が結びつくのも信じられないくらい稀（まれ）なことじゃが、あなたの杖がなぜ借り物の杖を折ったのか、わしにはわからぬ……」

「さっき、別の杖のことを話しましたね。殺人によって持ち主が変わる杖のことです。『例のあの人』が、僕の杖が何か不可解なことをしたと気づいたとき、あなたの所に戻って、その別の杖のことを聞きましたね？」

「どうして、それを知っているのかね？」

ハリーは答えなかった。

「確かに、それを聞かれた」オリバンダーはささやくように言った。『死の杖』、『宿命の杖』、『ニワトコの杖』など、いろいろな名前で知られるその杖について、わしが知っておることを。『あの人』はすべて知りたがった」

ハリーは、ハーマイオニーをちらりと横目で見た。仰天した顔をしていた。

「闇の帝王は」オリバンダーは押し殺した声で、おびえたように話した。「わしが作った杖にずっと満足していた――イチイと不死鳥の尾羽根。三十四センチ――双子の芯の結びつきを知るまではじゃが。いまは別の、もっと強力な杖を探しておる。あなたの杖を征服するただ一つの手段として」

「けれど、いまはまだ知らなくとも、あの人にはもうすぐわかることです。僕の杖が折れて、直しようがないということを」ハリーは静かに言った。

「やめて！」ハーマイオニーはおびえきったように言った。「わかるはずがないわ、ハリー、あの人に、どうしてわかるって――？」

「直前呪文だ」ハリーが言った。「ハーマイオニー、君の杖とリンボクの杖を、マルフォイの館に残してきた。連中がきちんと調べて、最近どんな呪文を使ったかを再現すれば、君の杖が僕のを折ったことがわかるだろうし、君が、僕の杖を直そうとして直せなかったことも知るだろう。そして、僕がそれからずっとリンボクの杖を使っていたことも」

この家に到着して、少しは赤みがさしていたハーマイオニーの顔から、サッと血の気が引いた。ロンはハリーを非難するような目で見て、「いまは、そんなこと心配するのはよそう――」と言った。

しかしオリバンダーが口をはさんだ。

「闇の帝王は、ポッターさん、もはやあなたを滅ぼすためにのみ『ニワトコの杖』を求めておるのではないのじゃ。絶対に所有すると決めておる。そうすれば、自分が真に無敵になると信じておるからじゃ」

「そうなのですか？」

「『ニワトコの杖』の持ち主は、常に攻撃されることを恐れねばならぬ」オリバンダーが言った。「しかしながら、『死の杖』を所有した『闇の帝王』は、やはり……恐るべき強大さじゃ」

ハリーは、最初にオリバンダーに会ったとき、あまり好きになれない気がしたことを突然思い出した。ヴォルデモートに拷問され牢に入れられたいまになっても、あの闇の魔法使いが「死の杖」を所有すると考えることは、このオリバンダーにとって、嫌悪感をもよおす以上にゾクゾクするほど強く心を奪われるものであるらしい。

「あなたは――それじゃ、オリバンダーさん、その杖が存在すると、ほんとうにそう思っていらっしゃるのですか？」ハーマイオニーが聞いた。

「ああ、そうじゃ」オリバンダーが言った。「その杖がたどった跡を、歴史上追うことは完全に可能じゃ。もちろん歴史の空白はある。しかも長い空白によって、一時的に失われたとか隠されたとかで、杖が姿を消したことはあった。しかし、必ずまた現れる。この杖は、杖の術に熟達した者なら、必ず見分けることができる特徴を備えておる。不明瞭な記述もふくめてじゃが、文献も残っており、わしら杖作り仲間は、それを研究することを本分としておる。そうした文献には、確実な信憑性がある」

「それじゃ、あなたは――おとぎ話や神話だとは思わないのですね？」

ハーマイオニーは未練がましく聞いた。

「そうは思わない」オリバンダーが言った。「殺人によって受け渡される**必要がある**かどうかは、わしは知らない。その杖の歴史は血塗られておるが、それは単に、それほどに求められる品であり、それほどに魔法使いの血を駆り立てるものだからかもしれぬ。計り知れぬ力を持ち、まちがった者の手に渡れば危険ともなり、我々、杖の力を学ぶ者すべてにとっては、信じがたいほどの魅力を持った品じゃ」

「オリバンダーさん」ハリーが言った。「あなたは『例のあの人』に、グレゴロビッチが『ニワトコの杖』を持っていると教えましたね？」

これ以上青ざめようのないオリバンダーの顔が、いっそう青ざめた。ゴクリと生つばを飲んだ顔はゴーストのようだった。

「どうして——どうしてあなたがそんなことを——？」

「僕がどうして知ったかは、気にしないでください」

傷痕が焼けるように痛み、ハリーは一瞬目を閉じた。ほんの数秒間、ホグズミードの大通りが見えた。ずっと北に位置する村なので、まだ暗い。

「『例のあの人』に、グレゴロビッチが杖を持っていると教えたのですか？」

「うわさじゃった」オリバンダーがささやいた。「何年も前のうわさじゃ。あなたが生まれるよりずっと前の！　わしはグレゴロビッチ自身がうわさの出所じゃと思っておる。『ニワトコの杖』を調べ、その性質を複製するということが、杖の商売にはどんなに有利かわかるじゃろう！」

「ええ、わかります」ハリーはそう言って立ち上がった。

「オリバンダーさん、最後にもう一つだけ。そのあとは、どうぞ少し休んでください。『死の秘宝』についで何かご存じですか？」

「え？——なんと言ったのかね？」杖作りはキョトンとした顔をした。

「『死の秘宝』です」

「なんのことを言っているのか、すまないがわしにはわからん。それも、杖に関係のあることなのかね？」

ハリーはオリバンダーの落ちくぼんだ顔を見つめ、知らぬふりをしているわけではないと思った。「秘宝」については知らないのだ。

「ありがとう」ハリーが言った。「ほんとうにありがとうございました。僕たちは出ていきますから、どうぞ少し休んでください」

オリバンダーは、打ちのめされたような顔をした。

「『あの人』はわしを拷問した！」オリバンダーはあえいだ。「『磔の呪い』……どんなにひどいかわからんじゃろう……」

「わかります」ハリーが言った。「ほんとにわかるんです。どうぞ少し休んでください。いろいろ教えていただいて、ありがとうございました」

ハリーは、ロンとハーマイオニーの先に立って階段を下りた。ビル、フラー、ルーナ、ディーンが紅茶のカップを前に、キッチンのテーブルに着いているのがちらりと見えた。入口にハリーの姿が見えると、みんないっせいにハリーを見た。しかし、ハリーはみんなに向かってうなずいただけで、そのまま庭に出ていった。ロンとハーマイオニーがあとからついていった。少し先にあるドビーを葬った赤味がかった土の塚まで、ハリーは歩いた。頭痛がますますひどくなっていた。無理やり入ってこようとする映像をしめ出すのは、いまや生やさしい努力ではなかった。しかし、もう少しだけ耐えればいいことを、ハリーは知っていた。まもなくハリーは屈服するだろう。なぜなら、自分の理論が正しいことを知る必要があるからだ。ロンとハーマイオニーに説明できるように、あと少しだけ、もうひとがんばりしなければならない。

「グレゴロビッチは、ずいぶん昔、『ニワトコの杖』を持っていた」ハリーが言った。「『例のあの人』

がグレゴロビッチを探そうとしているところを、僕は見たんだ。見つけ出したときには、グレゴロビッチがもう杖を持っていないことを、『あの人』は知った。グリンデルバルドに盗まれたということを知ったんだ。グリンデルバルドがどうやって、グレゴロビッチが杖を持っていることを知ったかはわからない——でも、グレゴロビッチが自分からうわさを流すようなばかなまねをしたというなら、知るのはそれほど難しくはなかっただろう」

ヴォルデモートはホグワーツの校門にいた。ハリーは、そこに立つヴォルデモートを見た。同時に、夜明け前の校庭から、ランプが揺れながら校門に近づいてくるのも見えた。

「それで、グリンデルバルドは『ニワトコの杖』を使って、強大になった。その力が最高潮に達したとき、ダンブルドアは、それを止めることができるのは自分一人だと知り、グリンデルバルドと決闘して打ち負かした。そして『ニワトコの杖』を手に入れたんだ」

「**ダンブルドアが**『ニワトコの杖』を？」ロンが言った。「でも、それなら——杖はいまどこにあるんだ？」

「ホグワーツだ」ハリーが答えた。

二人と一緒にいるこの崖上の庭に踏みとどまろうと、ハリーは、自分自身と必死に戦っていた。

「それなら、行こうよ！」ロンが焦った。「ハリー、行って杖を取ろう。あいつがそうする前に！」

「もう遅すぎる」

ハリーが言った。意識を引き込まれまいと抵抗する自分自身の頭を助けようとして、ハリーは思わずしっかり頭をつかんでいた。

「あいつは杖のある場所を知っている。いま、あいつはそこにいる」

「ハリー！」ロンがかんかんに怒った。「どのくらい前からそれを知ってたんだ？——僕たち、どうして時間をむだにしたんだ？　なんでグリップフックに先に話をしたんだ？　もっと早く行けたのに——いまからでもまだ——」

「いや」

ハリーは草にひざをついてしゃがみ込んだ。

「ハーマイオニーが正しかった。ダンブルドアは僕にその杖を持たせたくなかった。その杖を取らせたくなかったんだ。僕に分霊箱を見つけ出させたかったんだ」

「無敵の杖だぜ、ハリー！」ロンがうめいた。

「僕はそうしちゃいけないはずなんだ……僕は分霊箱を探すはずなんだ……」


そして突然、何もかもがすずしく、暗くなった。太陽は地平線からまだほとんど顔を出しておらず、ハリーは、スネイプと並んで、湖へと校庭をすべるように歩いていた。

「まもなく、城でおまえに会うことにする」彼は高い冷たい声で言った。「さあ、俺様を一人にするのだ」

スネイプは頭を下げ、黒いマントを後ろになびかせて、いま来た道を戻っていった。ハリーはスネイプの姿が消えるのを待ちながら、ゆっくりと歩いた。これから自分が行く所を、スネイプは見てはならない、いや、実は何人も見てはならないのだ。幸い、城の窓には明かりもなく、しかも彼は自分を隠すことができる……一瞬にして彼は自分に「目くらまし術」をかけ、自分の目からさえ姿を隠した。

そして彼は、湖の縁を歩き続けた。愛おしい城、自分の最初の王国、自分が受け継ぐ権利のある城の輪郭をじっくり味わいながら……。

そして、ここだ。湖のほとりに建ち、その影を暗い水に映している白い大理石の墓。見知った光景には不必要な汚点だ。彼は再び、抑制された高揚感が押し寄せてくるのを感じた。破壊の際に感じる、あの陶然とした目的意識だ。彼は古いイチイの杖を上げた。この杖の最後の術としては、なんとふさわしい。

墓は、上から下まで真っ二つに割れて開いた。帷子（かたびら）に包まれた姿は、生前と同じように細く長い。彼はもう一度杖を上げた。

覆いが落ちた。死に顔は青く透きとおり、落ちくぼんではいたが、ほとんど元のまま保たれていた。曲がった鼻に、めがねがのせられたままだ。彼は、ばかばかしさをあざ笑いたかった。ダンブルドアの両手は胸の上に組まれ、それはそこに、両手の下にしっかり抱かれて、ダンブルドアとともに葬られていた。

この老いぼれは、大理石か死が、杖を護るとでも思ったのか？　闇の帝王が墓を冒涜（ぼうとく）することを恐れるとでも思ったのか？

クモのような指が襲いかかり、ダンブルドアが固く抱いた杖を引っ張った。彼がそれを奪ったとき、杖の先から火花が噴き出し、最後の持ち主のなきがらに降りかかった。杖はついに、新しい主人に仕える準備ができたのだ。

第25章　貝殻の家

　ビルとフラーの家は、海を見下ろす崖の上に建つ、白壁に貝殻を埋め込んだ一軒家だった。さびしくも、美しい場所だ。潮の満ち干の音が、小さな家の中にいても庭でも、大きな生き物がまどろむ息のように、ハリーには絶え間なく聞こえていた。家に着いてから二、三日の間、混み合った家から逃れる口実を見つけては、ハリーは外に出た。崖の上に広がる空と広大で何もない海の景色を眺め、冷たい潮風を顔に感じたかったのだ。

　ヴォルデモートと競って杖(つえ)を追うのはやめようと決めた、その決定の重大さが、いまだにハリーをおびえさせた。ハリーには、これまで一度も、何かをしないという選択をした記憶がない。ハリーは迷いだらけだった。ロンと顔を合わせるたびに、ロンのほうががまんできずにその迷いを口に出した。

「もしかしてダンブルドアは、僕たちがあの印の意味を解読して、杖を手に入れるのに間に合ってほしいと思ったんじゃないのか？」「あの印を解読したら、君が『秘宝』を手に入れるに『ふさわしい者』になったという意味じゃないのか？」「ハリー、それがほんとに『ニワトコの杖』だったら、僕たちいったいどうやって『例のあの人』をやっつけられるって言うんだ？」

　ハリーには答えられなかった。ヴォルデモートが墓を暴くのをはばもうともしなかったのは、まったく頭がどうかしていたのではないかと、ハリー自身がそう思うときもあった。どうしてそうしないと決めたのか、満足のいく説明さえできなかった。その結論を出すまでの理論づけを再現しようとしても、そのたびに根拠が希薄になっていくような気がした。

おかしなことにハーマイオニーが支持してくれることが、ロンの疑念と同じくらい、ハリーを混乱させた。「ニワトコの杖」が実在すると認めざるをえなくなったハーマイオニーは、その杖が邪悪な品だと主張した。そして、ヴォルデモートは考えるだに汚らわしい手段で杖を手に入れたのだと言った。

「あなたには、あんなこと絶対できなかったわ、ハリー」ハーマイオニーは何度もくり返しそう言った。「ダンブルドアの墓を暴くなんて、あなたにはできなかったわ」

しかし、ハリーにとっては、ダンブルドアのなきがら自体が恐ろしいというよりも、生前のダンブルドアの意図を誤解したのではないかという可能性のほうが恐ろしかった。ハリーはいまだに暗闇を手探りしているような気がしていた。行くべき道は選んだ。しかし、何度も振り返り、標識を読みちがえたのではないか、ほかの道を行くべきではなかったのかと迷った。時には、ダンブルドアに対する怒りが、家の建つ崖下に砕ける波のような強さで押し寄せ、ハリーはまたしても押しつぶされそうになった。ダンブルドアが死ぬ前に説明してくれなかったことへの憤りだった。

「だけど、**ほんとに**死んだのかな？」

貝殻の家に着いてから三日目に、ロンが言った。ハリーはその時、庭と崖を仕切る壁の上から遠くを眺めていたが、ロンとハーマイオニーがやってきて話しはじめたのだ。ハリーは、一人にしておいてほしかった。二人の議論に加わる気にはなれなかった。

「そうよ、死んだのよ、ロン。**お願いだから、**蒸し返さないで！」

「事実を見ろよ、ハーマイオニー」ロンが、ハリーのむこう側にいるハーマイオニーに言った。ハリーは地平線を見つめたままだった。

「銀色の牝鹿（めじか）。剣（つるぎ）。ハリーが鏡の中に見た目――」

「ハリーは、目を見たと錯覚したのかもしれないって認めているわ！　ハリー、そうでしょう？」

「そうかもしれない」ハリーはハーマイオニーを見ずに言った。

「だけど錯覚だとは思ってない。だろ？」ロンが聞いた。

「ああ、思ってない」ハリーが言った。

「それ見ろ！」ロンは、ハーマイオニーが割り込む前に急いで言葉を続けた。「もしあれがダンブルドアじゃなかったのなら、ドビーはどうやって、僕たちが地下牢にいるってわかったのか、ハーマイオニー、説明できるか？」

「できないわ――でも、ダンブルドアがホグワーツの墓に眠っているなら、どうやってドビーを差し向けたのか、説明できるの？」

「さあな。ダンブルドアのゴーストだったんじゃないか？」

「ダンブルドアは、ゴーストになって戻ってきたりはしない」ハリーが言った。ダンブルドアについて、ハリーが、いま、確実に言えることなどほとんどなかったが、それだけはわかっていた。「ダンブルドアは逝ってしまっただろう」

「『逝ってしまった』って、どういう意味だ？」ロンが聞いたが、ハリーが言葉を続ける前に、背後で声がした。

「アリー？」フラーが長い銀色の髪を潮風になびかせて、家から出てきていた。

「アリー、グリップウックが、あなたにあなしたいって。一番小さい寝室にいまーすね。誰にも盗み聞きされたくない、と言っていまーす」

小鬼の伝言に使われたことを快く思っていないのは明らかで、フラーはプリプリしながら家に戻っていった。

グリップフックは、フラーが言ったように、三つある寝室の一番小さい部屋で、三人を待っていた。

そこは、ハーマイオニーとルーナが寝ている部屋だった。グリップフックが赤いコットンのカーテンを閉めきっていたので、雲の浮かぶ明るい空の光が透けて、部屋が燃えるように赤く輝き、優雅で軽やかな感じのこの家には似合わなかった。

「結論が出ました。ハリー・ポッター」

小鬼は脚を組んで低い椅子に腰かけ、細い指で椅子のひじかけをトントンとたたいていた。

「グリンゴッツの小鬼たちは、これを卑しい裏切りと考えるでしょうが、私はあなたを助けることにしました——」

「よかった！」ハリーは、体中に安堵感が走るのを感じた。「グリップフック、ありがとう。僕たちほんとうに——」

「——見返りに」小鬼ははっきりと言った。「代償をいただきます」

ハリーは少し驚いて、まごついた。

「どのくらいかな？　僕はお金を持っているけど」

「お金ではありません」グリップフックが言った。「お金は持っています」

小鬼の黒い目がキラキラ輝いた。小鬼の目には白目がなかった。

「剣が欲しいのです。ゴドリック・グリフィンドールの剣です」

たかぶっていたハリーの気持ちが、がくんと落ち込んだ。

「それはできない」ハリーが言った。「すまないけど」

「それは」小鬼が静かに言った。「問題ですね」

「ほかのものをあげるよ」ロンが熱心に言った。「レストレンジたちはきっと、ごっそりいろんなものを持ってる。僕たちが金庫に入ったら、君は好きなものを取ればいい」

これは失言だった。グリップフックは怒りで真っ赤になった。

「私は泥棒ではないぞ！　自分に権利のない宝を手に入れようとしているわけではない！」

「剣は僕たちの――」

「ちがう」小鬼が言った。

「僕たちはグリフィンドール生だし、それはゴドリック・グリフィンドールの――」

「そして、グリフィンドールの前は、誰のものでしたか？」小鬼は姿勢を正して問いつめた。

「誰のものでもないさ」ロンが言った。「剣はグリフィンドールのために作られたものだろ？」

「ちがう！」小鬼はいらだって、長い指をロンに向けながら叫んだ。「またしても魔法使いの傲慢さよ！　あの剣はラグヌック一世のものだったのを、ゴドリック・グリフィンドールが奪ったのだ。これこそ失われた宝、小鬼の技の傑作だ！　小鬼族に帰属する品なのだ！　この剣は私をやとうことの対価だ。いやならこの話はなかったことにする！」

グリップフックは三人をにらみつけた。ハリーはほかの二人をちらりと見て、こう言った。

「グリップフック、僕たち三人で相談する必要があるんだけど、いいかな。少し時間をくれないか？」

小鬼は、むっつりとうなずいた。

一階の誰もいない居間で、ハリーは眉根を寄せ、どうしたものかと考えながら、暖炉まで歩いた。その後ろでロンが言った。

「あいつ、腹の中で笑ってるんだぜ。あの剣をあいつにやることなんて、できないさ」

「ほんとなの？」ハリーはハーマイオニーに聞いた。「あの剣は、グリフィンドールが盗んだものなの？」

「わからないわ」ハーマイオニーがどうしようもないという調子で言った。「魔法史は、魔法使いたちがほかの魔法生物に何かしたことについては、よく省いてしまうの。でも、私が知るかぎり、グリフィンドールが剣を盗んだとは、どこにも書いてないわ」

「また、小鬼お得意の話なんだよ」ロンが言った。「魔法使いはいつでも小鬼をうまくだまそうとしているってね。あいつが、僕たちの杖のどれかを欲しいと言わなかっただけ、まだ運がよかったと考えるべきだろうな」

「ロン、小鬼が魔法使いを嫌うのには、ちゃんとした理由があるのよ」ハーマイオニーが言った。「過去において、残忍な扱いを受けてきたの」

「だけど、小鬼だって、ふわふわのちっちゃなうさちゃん、というわけじゃないだろ？」ロンが言った。「あいつら、魔法使いをずいぶん殺したんだぜ。あいつらだって汚い戦い方をしてきたんだ」

「でも、どっちの仲間のほうがより卑怯で暴力的だったかなんて議論したところで、グリップフックが私たちに協力する気になってくれるわけでもないでしょう？」

どうしたら問題が解決できるかを考えようと、三人ともしばらくだまり込んだ。ハリーは、窓からドビーの墓を見た。ルーナが、墓石の脇にジャムの瓶を置いてイソマツを活けているところだった。

「オッケー」ロンが言った。ハリーは振り返って、ロンの顔を見た。「こういうのはどうだ？　グリップフックに、剣は金庫に入るまで僕たちが必要だと言う。そのあとであいつにやる、と言う。金庫の中に、贋作があるんだろう？　それと入れ替えて、あいつに贋作をやる」

「ロン、グリップフックは、私たちよりも見分ける力を持っているのよ！」ハーマイオニーが言った。「どこかで交換されていると気づいたのは、グリップフックだけだったのよ！」

「うーん、だけど、やつが気づく前に、僕たちがずらかれば――」

ハーマイオニーにひとにらみされて、ロンはひるんだ。

「そんなこと」ハーマイオニーが静かに言った。「卑劣だわ。助けを頼んでおいて、裏切るの？　ロン、小鬼は魔法使いがなぜ嫌いなのかって、それでもあなたは不思議に思うわけ？」

ロンは耳を真っ赤にした。

「わかった、わかった！　僕はそれしか思いつかなかったんだ！　それじゃ、君の解決策はなんだ？」

「小鬼に、何かかわりのものをあげる必要があるわ。何か同じくらい価値のあるものを」

「すばらしい。手持ちの小鬼製の古い剣の中から、僕が一本持ってくるから、君がプレゼント用に包んでくれ」

三人はまただまり込んだ。ハリーは、何か同じくらい価値のあるものを提案してみたところで、グリップフックは、剣以外のものは絶対に受け入れないだろうと思った。とはいえ、剣は、自分たちにとって一つしかない、分霊箱に対するかけがえのない武器だ。

ハリーは目を閉じて、わずかの間、海の音を聞いた。グリフィンドールが剣を盗んだかもしれないと思うと、いやな気分だった。ハリーはグリフィンドール生であることを、いつも誇りにしてきた。グリフィンドールは、マグル生まれのために戦った英雄であり、純血好きのスリザリンと衝突した魔法使いだった……。

「グリップフックが、うそをついているのかもしれない」ハリーは再び目を開けた。「グリフィンドールは、剣を盗んでいないかもしれない。小鬼側の歴史が正しいかどうかも、誰にもわからないだろう？」

「それで何か変わるとでも言うの？」ハーマイオニーが聞いた。

「僕の感じ方が変わるよ」ハリーが言った。

ハリーは深呼吸した。

「グリップフックが金庫に入る手助けをしてくれたら、そのあとで剣をやると言おう――でも、**いつ**渡すかは、正確には言わないように注意するんだ」

ロンの顔にゆっくりと笑いが広がった。しかし、ハーマイオニーは、とんでもないという顔だった。

「ハリー、そんなことできない――」

「グリップフックにあげるんだ」ハリーは言葉を続けた。「全部の分霊箱に剣を使い終わってからだ。その時に必ず彼の手に渡す。約束は守るよ」

「でも、何年もかかるかもしれないわ！」ハーマイオニーが言った。

「わかっているよ。でも**グリップフック**はそれを知る必要はない。僕はうそを言うわけじゃない……と思う」

ハリーは、抗議と恥とが入りまじった気持ちでハーマイオニーの目を見た。ヌルメンガードの入口に彫られた言葉を、ハリーは思い出した。「**より大きな善のために**」ハリーはその考えを払いのけた。ほかにどんな選択があると言うのか？

「気に入らないわ」ハーマイオニーが言った。

「僕だって、あんまり」ハリーも認めた。

「いや、僕は天才的だと思う」ロンは再び立ち上がりながら言った。「さあ、行って、やつにそう言おう」

一番小さい寝室に戻り、ハリーは、剣を渡す具体的な時を言わないように慎重に言葉を選んで提案した。ハリーが話している間、ハーマイオニーは、床をにらみつけていた。ハリーは、ハーマイオニーのせいで計画を読まれてしまうのではないかと恐れ、いらいらした。しかしグリップフックは、ハリー以外の誰も見ていなかった。

「約束するのですね、ハリー・ポッター？　私があなたを助けたら、グリフィンドールの剣を私にくれるのですね？」

「そうだ」ハリーが言った。

「では成立です」小鬼は、手を差し出した。

ハリーはその手を取って握手した。黒い目が、ハリーの目に危惧の念を読み取りはしないかと心配だった。グリップフックは手を離し、ポンと両手を打ち合わせて「それでは、始めましょう！」と言った。

まるで、魔法省に潜入する計画を立てたときのくり返しだった。一番狭い寝室で、四人は作業を始めた。グリップフックの好みで、部屋は薄暗いままに保たれた。

「私がレストレンジ家の金庫に行ったのは、一度だけです」グリップフックが三人に話した。「贋作の剣を、中に入れるように言われたときでした。そこは一番古い部屋の一つです。魔法使いの旧家の宝は、一番深い所に隠され、金庫は一番大きく、守りも一番堅い……」

四人は、納戸のような部屋に、何度も何時間もこもった。のろのろと数日が過ぎ、それが何週間にもおよんだ。次から次と難題が出てきた。一つの大きな問題は、手持ちの「ポリジュース薬」が相当少なくなっていたことだ。

「ほんとに一人分しか残っていないわ」ハーマイオニーが、泥のような濃い液体を傾けて、ランプの明かりにかざしながら言った。

「それで充分だよ」グリップフックが手描きした一番深い場所の通路の地図を確かめながら、ハリーが言った。

ハリーとロンとハーマイオニーの三人が、食事のときにしか姿を現さなくなったので、「貝殻の家」のほかの住人も、何事かが起こっていることに気づかないわけはなかったが、誰も何も聞かなかった。

しかしハリーは、食事のテーブルで、考え深げな目で心配そうに三人を見ているビルの視線を、しょっちゅう感じていた。

グリップフックをふくめた四人で、長い時間を過ごせば過ごすほど、ハリーは小鬼が好きになれない自分に気づいた。グリップフックは思ってもみなかったほど血に飢え、下等な生き物でも痛みを感じるという考え方を笑い、レストレンジ家の金庫にたどり着くまでに、ほかの魔法使いを傷つけるかもしれないという可能性を大いに喜んだ。ロンとハーマイオニーもやはり嫌悪感を持っていることがハリーにはわかったが、三人ともその話はしなかった。グリップフックが必要だったからだ。

小鬼は、みんなと一緒に食事をするのを、いやいや承知した。脚が治ってからもまだ、体が弱っているオリバンダーと同じように自分の部屋に食事を運ぶ待遇を要求し続けていたが、ある時ビルが(フラーの怒りがついに爆発したあと)二階に行って、特別扱いは続けられないとグリップフックに言い渡したのだ。それからは、グリップフックは混み合ったテーブルに着いたが、同じ食べ物は拒み、かわりに生肉の塊、根菜類、キノコ類を要求した。

ハリーは責任を感じた。質問するために、小鬼を「貝殻の家」に残せと言い張ったのは、結局、ハリーだった。ウィーズリー一家が全員隠れなければならなくなったのも、ビル、フレッド、ジョージ、ウィーズリー氏が全員仕事に行けなくなったのも、ハリーのせいだ。

「ごめんね」

ある風の強い四月の夕暮れ、夕食の支度を手伝いながら、ハリーがフラーに謝った。

「僕、君に、こんな大変な思いをさせるつもりはなかったんだけど」

フラーは、グリップフックとビルのステーキを切るために、包丁に準備させているところだった。グリップフックに襲われて以来、ビルは生肉を好むようになっていた。包丁がかたわらで肉をそぎ切りしている間、少しいらいらしていたフラーの表情がやわらいだ。

「アリー、あなたはわたしの妹の命を救いまーした。忘れませーん」

厳密に言えば、それは事実ではなかった。しかし、ハリーは、ガブリエルの命がほんとうに危なかったわけではないということを、フラーには言わないでおこうと思った。

「いーずれにしても」

フラーはかまどの上のソース鍋に杖を向けた。鍋はたちまちぐつぐつ煮えだした。

「オリバンダーさんは今夜、ミュリエールの所へ行きまーす。そうしたら、少し楽になりまーすね。あの小鬼は」フラーはそう口にするだけで、ちょっと顔をしかめた。「一階に移動できまーす。そして、あなたと、ロンとディーンが小鬼の寝室に移ることができまーす」

「僕たちは居間で寝てもかまわないんだ」ハリーが言った。

小鬼はソファで寝るのがお気に召さないだろうと、ハリーにはわかっていたし、グリップフックを上機嫌にしておくことが、計画にとっては大事だった。

「僕たちのことは気にしないで」

フラーがなおも言い返そうとしたので、ハリーが言葉を続けた。

「僕たちも、もうすぐ、君に面倒をかけなくてすむようになるよ。僕もロンも、ハーマイオニーも。もうあまり長くここにいる必要がないんだ」

「それは、どういう意味でーすか？」

宙に浮かべたキャセロール皿に杖を向けたまま、フラーは眉根を寄せてハリーを見た。

「あなたはもーちろん、ここから出てはいけませーん。あなたはここなら安全でーす！」

そう言うフラーの様子は、ウィーズリーおばさんにとても似ていた。その時、勝手口が開いたので、ハリーはホッとした。雨に髪をぬらしたルーナとディーンが、両腕いっぱいに流木を抱えて入ってきた。

「……それから耳がちっちゃいの」ルーナがしゃべっていた。「カバの耳みたいだって、パパが言ったけど、ただ、紫色で毛がもじゃもじゃだって。それで、呼ぶときには、ハミングしなきゃなんないんだもン。ワルツが好きなんだ。あんまり速い曲はだめ……」

なんだか居心地が悪そうに、ディーンはハリーのそばを通るときに肩をすくめ、ルーナのあとから食堂兼居間に入っていった。そこではロンとハーマイオニーが、夕食のテーブルの準備をしていた。フラーの質問から逃げるチャンスをとらえたハリーは、かぼちゃジュースの入った水差しを二つつかんで、ルーナたちのあとに続いた。

「……それから、あたしの家に来たら、角を見せてあげられるよ。パパがそのことで手紙をくれたんだもン。あたしはまだ見てないんだ。だって、あたし、ホグワーツ特急から死喰い人にさらわれて、それで、クリスマスには家に帰れなかったんだもン」

ディーンと二人で暖炉の火をおこしなおしながら、ルーナが話していた。

「ルーナ、教えてあげたじゃない」ハーマイオニーがむこうのほうから声をかけた。「あの角は爆発したのよ。エルンペントの角だったの。しわしわ角スノーカックのじゃなくて――」

「ううん、絶対にスノーカックの角だったわ」ルーナがのどかに言った。「パパがあたしにそう言ったもン。たぶんいまごろは元どおりになってるわ。ひとりでに治るものなんだもン」

ハーマイオニーはやれやれと首を振り、フォークを並べ続けた。その時、ビルがオリバンダー氏を連れて階段を下りてきた。杖作りは、まだとても弱っている様子で、ビルの腕にすがっていた。ビルは老人を支え、大きなスーツケースをさげていた。

「オリバンダーさん、お別れするのはさびしいわ」ルーナが老人に近づいてそう言った。

「わしもじゃよ、お嬢さん」オリバンダーが、ルーナの肩を軽くたたきながら言った。「あの恐ろしい場所で、君は、言葉には言い表せないほど私のなぐさめになってくれた」

「それじゃ、**オールヴォア**、オリバンダーさん」フラーはオリバンダーの両ほおにキスした。「それから、もしできれば、ビルの大おばさんのミュリエールに、包みを届けてくださればうれしいのでーすが？　あのいとに、ティアラを返すことができなかったのでーす」

「喜んでお引き受けします」オリバンダーが軽くおじぎしながら言った。「こんなにお世話になったお礼として、そんなことはお安いご用です」

フラーはすり切れたビロードのケースを取り出し、それを開けて中のものを杖作りに見せた。低く吊られたランプの明かりで、ティアラが燦然と輝いていた。

「ムーンストーンとダイヤモンド」ハリーの知らない間に部屋にすべり込んでいたグリップフックが言った。「小鬼製と見ましたが？」

「そして魔法使いが買い取ったものだ」

ビルが静かに言った。小鬼は陰険で、同時に挑戦的な目つきでビルを見た。

ビルとオリバンダーが闇に消え去ったその夜は、「貝殻の家」に強い風が吹きつけていた。残った全員がテーブルの周りにぎゅう詰めになり、ひじとひじがぶつかって動くすきまもなく食事を始めた。かたわらでは、暖炉の火がパチパチと火格子にはぜていた。フラーが、ただ料理をつつき回してばかりなのに、ハリーは気づいた。フラーは、数分ごとに窓の外をちらちらと見ていた。幸いビルは、長い髪を風にもつれさせて、夕食の最初の料理が終わる前に戻ってきた。

「みんな無事だよ」ビルがフラーに言った。「オリバンダーは落ち着いた。母さんと父さんからよろしくって。ジニーが、みんなに会いたがっていた。フレッドとジョージはミュリエルをかんかんに怒らせてるよ。おばさんの家の奥の部屋から『ふくろう通信販売』をまだ続けていてね。ティアラを返したらおばさんは少し元気になったけどね。僕たちが盗んだと思ったって言ってたよ」

「ああ、あのいと、あなたのおばさーん、シャーマント」

フラーは不機嫌にそう言いながら、杖を振って汚れた食器を舞い上がらせ、空中で重ねた。それを手で受け、フラーはカツカツと部屋を出ていった。

「パパもティアラを作ったもン」ルーナが急に言った。「うーん、どっちかって言うと冠だけどね」

ロンがハリーと目を合わせ、ニヤリと笑った。ハリーは、ロンが、ゼノフィリウスを訪ねたときに見た、あのばかばかしい髪飾りを思い出しているのだとわかった。

「そうよ、レイブンクローの『失われた髪飾り』を再現しようとしたんだもン。パパは、主な特徴はもうほとんどわかったって思ってるんだもン。ビリーウィグの羽根をつけたら、とってもよくなって――」

正面玄関でバーンと音がした。全員がいっせいに音のほうを振り向いた。フラーがおびえた顔でキッチンから駆け込んできた。ビルは勢いよく立ち上がり、杖をドアに向けた。ハリー、ロン、ハーマイオニーも同じことをした。グリップフックは、テーブルの下にすべり込んで姿を隠した。

「誰だ？」ビルが叫んだ。

「私だ、リーマス・ジョン・ルーピンだ！」

風の唸りに消されないように叫ぶ声が聞こえた。ハリーは背筋に冷たいものが走った。何があったのだろう？

「私は狼人間で、ニンファドーラ・トンクスと結婚した。君は『貝殻の家』の『秘密の守人』で、私にここの住所を教え、緊急のときには来るようにと告げた！」

「ルーピン」ビルは、そうつぶやくなりドアに駆け寄り、急いで開けた。

ルーピンは入口に倒れ込んだ。真っ青な顔で旅行マントに身を包み、風にあおられた白髪まじりの髪は乱れている。ルーピンは立ち上がって部屋を見回し、誰がいるかを確かめたあと、大声で叫んだ。

「男の子だ！　ドーラの父親の名前を取って、テッドという名にした！」

ハーマイオニーが金切り声を上げた。

「えっ――？　トンクスが――トンクスが赤ちゃんを？」

「そうだ。そうなんだ。赤ん坊が生まれたんだ！」ルーピンが叫んだ。

テーブル中が喜びに沸き、安堵の吐息をもらした。ハーマイオニーとフラーは「おめでとう！」とかん高い声を上げた。ロンは、そんなものはいままで聞いたことがないという調子で「ヒエーッ、赤ん坊かよ！」と言った。

「そうだ――そうなんだ――男の子だ」

ルーピンは、幸せでぼうっとしているように見えた。ルーピンはテーブルをぐるっと回って、ハリーをしっかり抱きしめた。グリモールド・プレイスの厨房での出来事が、うそのようだった。

「君が名付け親になってくれるか？」ハリーを放して、ルーピンが聞いた。

「ぼ――僕が？」ハリーは舌がもつれた。

「そう、君だ、もちろんだ――ドーラも大賛成なんだ。君ほどぴったりの人はいない――」

「僕――ええ――うわぁ――」ハリーは感激し、驚き、うれしかった。

ビルはワインを取りに走り、フラーはルーピンに、一緒に飲みましょうと勧めていた。

「あまり長くはいられない。戻らなければならないんだ」

ルーピンは、全員にニッコリ笑いかけた。ハリーがこれまでに見たルーピンより、何歳も若く見えた。

「ありがとう、ありがとう、ビル」

ビルはまもなく、全員のゴブレットを満たした。みんなが立ち上がり、杯を高く掲げた。

「テディ・リーマス・ルーピンに」ルーピンが音頭を取った。「未来の偉大な魔法使いに！」

「赤ちゃんは、どちらーに似ていまーすか？」フラーが聞いた。

「私はドーラに似ていると思うんだが、ドーラは私に似ていると言うんだ。髪の毛が少ない。生まれたときは黒かったのに、一時間くらいでまちがいなく赤くなった。私が戻るころには、ブロンドになっているかもしれない。アンドロメダは、トンクスの髪も、生まれた日に色が変わりはじめたと言うんだ」

ルーピンはゴブレットを飲み干し、ビルがもう一杯注ごうとすると、ニコニコしながら「ああ、それじゃ、いただくよ。もう一杯だけ」と受けた。

風が小さな家を揺らし、暖炉の火がはぜた。そしてビルは、すぐにもう一本ワインを開けた。ルーピンの知らせはみんなを夢中にさせ、しばしの間、包囲されていることも忘れさせた。新しい生命の吉報が、心を躍らせた。小鬼だけは突然のお祭り気分に無関心な様子で、しばらくするとこっそりと、いまや一人で占領している寝室へと戻っていった。ハリーは、自分だけがそれに気づいていると思ったが、やがて、ビルの目が階段を上がる小鬼を追っていることに気づいた。

「いや……いや……ほんとうにもう帰らなければ」

もう一杯とすすめられるワインを断って、ルーピンはとうとう立ち上がり、再び旅行用マントを着た。

「さようなら、さようなら――二、三日のうちに、写真を持ってくるようにしよう――家の者たちも、私がみんなに会ったと知って喜ぶだろう――」

ルーピンはマントのひもをしめ、別れの挨拶に女性を抱きしめ、男性とは握手して、ニコニコ顔のまま、荒れた夜へと戻っていった。

「名付け親、ハリー！」テーブルを片づけるのを手伝って、ハリーと一緒にキッチンに入りながら、ビルが言った。「ほんとうに名誉なことだ！　おめでとう！」

　ハリーは手に持ったからのゴブレットを下に置いた。ビルは背後のドアを引いて閉め、ルーピンがいなくなっても祝い続けているみんなの話し声をしめ出した。

「君と二人だけで話したかったんだよ、ハリー。こんなに満員の家ではなかなかチャンスがなくてね」

　ビルは言いよどんだ。

「ハリー、君はグリップフックと何か計画しているね」

　質問ではなく、確信のある言い方だった。ハリーはあえて否定はせず、ただビルの顔を見つめて、次の言葉を待った。

「僕は小鬼のことを知っている」ビルが言った。「ホグワーツを卒業してから、ずっとグリンゴッツで働いてきたんだ。魔法使いと小鬼の間に友情が成り立つかぎりにおいてだが、僕には小鬼の友人がいると言える――少なくとも僕がよく知っていて、しかも好意を持っている小鬼がいる」

　ビルはまた口ごもった。

「ハリー、グリップフックに何を要求した？　見返りに何を約束した？」

「話せません」ハリーが言った。「ビル、ごめんなさい」

　背後のキッチンのドアが開いて、フラーがからになったゴブレットをいくつか持って入ってこようとした。

「待ってくれ」ビルがフラーに言った。「もう少しだけ」

　フラーは引き下がり、ビルがドアを閉めなおした。

「それなら、これだけは言っておかなければ」ビルが言葉を続けた。「グリップフックと何か取引をしたなら、特に宝に関する取引なら、特別に用心する必要がある。所有や代償、それに報酬に関する小鬼の考え方は、ヒトと同じではない」

ハリーは小さな蛇が体の中で動いたような、気持ちの悪いかすかなくねりを感じた。

「どういう意味ですか？」ハリーが聞いた。

「相手は種類がちがう生き物だ」ビルが言った。「魔法使いと小鬼の間の取引には、何世紀にもわたってごたごたがつきものだった――それは、すべて『魔法史』で学んだだろう。両方に非があったし、魔法使いが無実だったとはけっして言えない。しかし、一部の小鬼の間には、そして特にグリンゴッツの小鬼にはその傾向が最も強いのだが、金貨や宝に関しては、魔法使いは信用できないという不信感がある。魔法使いは小鬼の所有権を尊重しない、という考え方だ」

「僕は尊重――」ハリーが口を開いたが、ビルは首を振った。

「君にはわかっていないよ、ハリー。小鬼と暮らしたことのある者でなければ、誰も理解できないことだ。小鬼にとっては、どんな品でも、正当な真の持ち主は、それを作った者であり、買った者ではない。すべて小鬼の作ったものは、小鬼の目から見れば、正当に自分たちのものなのだ」

「でも、それを買えば――」

「――その場合は、金を払った者に貸したと考えるだろう。しかし、小鬼にとって、小鬼の作った品が魔法使いの間で代々受け継がれるという考えは、承服しがたいものなのだ。グリップフックが、目の前でティアラが手渡されるのを見たとき、どんな顔をしたか、君も見ただろう。承認できないという顔だ。小鬼の中でも強硬派の一人として、グリップフックは、最初に買った者が死んだら、その品は小鬼に返すべきだと考えていると思うね。小鬼製の品をいつまでも持っていて、対価も支払わず魔法使いの手から手へと引き渡す我々の習慣は、盗みも同然だと考えている」

ハリーは、いまや不吉な予感に襲われていた。ビルは、知らないふりをしながら、実はもっと多くのことを推測しているのではないか、とハリーは思った。

「僕が言いたいのは」ビルが居間へのドアに手をかけながら言った。「小鬼と約束するなら、充分注意しろということだよ、ハリー。小鬼との約束を破るより、グリンゴッツ破りをするほうがまだ危険性が少ないだろう」

「わかりました」居間へのドアを開けたビルに向かって、ハリーが言った。「ビル、ありがとう。僕、肝に銘じておく」

ビルのあとからみんなのいる所に戻りながら、ワインを飲んだせいにちがいないが、ハリーの頭に皮肉な考えが浮かんだ。テディ・ルーピンの名付け親になった自分は、ハリー自身の名付け親のシリウス・ブラックと同様、向こう見ずな道を歩みだしたようだ。

計画が立てられ、準備は完了した。一番小さい寝室の、マントルピースの上に置かれた小瓶には、長くて硬い黒髪が一本（マルフォイの館で、ハーマイオニーの着ていたセーターからつまんだ毛だ）丸まって入っていた。

「それに、本人の杖を使うんだもの」ハリーは、鬼胡桃の杖をあごでしゃくりながら言った。「かなり説得力があると思うよ」

ハーマイオニーは、杖を取り上げながら、杖が刺したりかみついたりするのではないかと、おびえた顔をした。

「私、これ、いやだわ」ハーマイオニーが低い声で言った。「ほんとうにいやよ。何もかもしっくりこないの。私の思いどおりにならないわ……**あの女の**一部みたい」

ハリーは、自分がリンボクの杖を嫌ったとき、ハーマイオニーが一蹴したことを思い出さずにはいられなかった。自分の杖と同じように機能しないのは気のせいにすぎないと主張し、練習あるのみだとハリーに説教したではないか。しかし、その言葉をそっくりそのままハーマイオニーに返すのは思いとどまった。グリンゴッツに押し入ろうとしているその前日に、ハーマイオニーの反感を買うのはまずいと感じたのだ。

「でも、あいつになりきるのには、役に立つかもしれないぜ」ロンが言った。「その杖が何をしたかを考えるんだ！」

「だって、それこそが問題なのよ！」ハーマイオニーが言った。「この杖が、ネビルのパパやママを拷問したんだし、ほかに何人を苦しめたかわからないでしょう？　この杖が、シリウスを殺したのよ！」

ハリーは、そのことを考えていなかった。杖を見下ろすと、急に、へし折ってやりたいという残忍な思いが突き上げてきた。脇の壁に立てかけてあるグリフィンドールの剣で、真っ二つにしてやりたかった。

「**自分の**杖がなつかしいわ」ハーマイオニーがみじめな声で言った。「オリバンダーさんが、私にも新しいのを一本作ってくれてたらよかったのに」

オリバンダーはその日の朝、ルーナに新しい杖を送ってきていた。ルーナはいま、裏の芝生に出て、遅い午後の太陽の光の中で、杖の能力を試していた。「人さらい」に杖を取り上げられたディーンが、かなり憂鬱そうにルーナの練習を見つめていた。

ハリーは、ドラコ・マルフォイのものだったサンザシの杖を見下ろした。ハリーにとってはその杖が、少なくともハーマイオニーの杖と同じ程度には役に立つことがわかり、驚くとともにうれしかった。オリバンダーが三人に教えてくれた杖の技の秘密を思い出し、ハリーはハーマイオニーの問題がなんなのかがわかるような気がした。ハーマイオニーは自分でベラトリックスから杖を奪ったわけではないので、鬼胡桃の杖の忠誠心を勝ち得ていなかったのだ。

寝室のドアが開いて、グリップフックが入ってきた。ハリーは反射的に剣の柄をつかんで引き寄せたが、すぐに後悔した。その動きを小鬼に気づかれたことがわかったのだ。気まずい瞬間を取りつくろおうとして、ハリーが言った。

「グリップフック、僕たち、最終チェックをしていたところだよ。ビルとフラーには、僕たちが明日発つことを知らせたし、わざわざ早起きして見送ったりしないように言っておいた」

ハリーたちは、この点はゆずらなかった。出発前に、ハーマイオニーがベラトリックスに変身するからだ。それに、これから三人のやろうとしていることを、ビルとフラーは知らないほうがよいし、怪しまないほうがよいのだ。もうここには戻らないということも説明した。「人さらい」に捕まった夜、パーキンズの古いテントを失ってしまったので、ビルが貸してくれた別のテントが、ハーマイオニーのビーズバッグに収まっていた。ハリーはあとで知って感心したのだが、ハーマイオニーはバッグを、片方のソックスに突っ込むというとっさの機転で賊から護ったのだ。

ビルやフラー、ルーナやディーンたちと別れるのはさびしかったし、この数週間満喫していた家庭のぬくもりを失うのも、もちろんつらかった。しかし、ハリーは「貝殻の家」に閉じ込められた状態から抜け出すのも待ち遠しかった。盗み聞きされないように気を使うことにも、小さな暗い部屋に閉じこもるのにも、うんざりしていた。特に、グリップフックをやっかい払いしたくてたまらなかった。しかし、いつ、どのようにして、しかもグリフィンドールの剣を渡さずに小鬼と別れるかは、未解決の問題で、ハリーは答えを持ち合わせていなかった。小鬼が、ハリー、ロン、ハーマイオニーの三人だけを残して五分以上いなくなることはめったになかったので、その問題をどう解決するかを決めるのは不可能だった。

「あいつ、ママより一枚上手だぜ」

小鬼の長い指が、あまりにもひんぱんにドアの端から現れるので、ロンが唸るように言った。ハリーは、ビルの教訓を思い出し、グリップフックが、ペテンにかけられることを警戒しているのではないかと疑わざるをえなかった。ハーマイオニーが、裏切り行為の計画には徹底的に反対だったので、ハリーは、うまく切り抜ける方法についてハーマイオニーの頭脳を借りることを、とっくにあきらめていた。ごく稀に、ロンと二人だけで、グリップフックなしの数分間をかすめとることができても、ロンの考えはせいぜい「出たとこ勝負さ、おい」だった。

その晩、ハリーはよく眠れなかった。朝早く目が覚めて、横になったまま、ハリーは魔法省に侵入する前夜に感じた、興奮にも似た決意を思い出した。今回は、不安とぬぐいきれない疑いとで、ハリーの心はぐらついていた。何もかもうまくいかないのではないかという不安を、振り払うことができなかった。ハリーは、計画は万全だと、くり返し自分を納得させた。グリップフックは、立ち向かう相手を知っているし、遭遇しそうな困難な問題には、すべて充分に備えた。それでも、ハリーは落ち着かなかった。一度か二度、ロンが寝返りを打つ音が聞こえ、ハリーは、ロンもまた眠れずにいるにちがいないと思った。しかし、同じ部屋にディーンがいるので、ハリーは何も言わなかった。

六時になって、ハリーは救われる思いがした。ロンと二人で寝袋から抜け出し、まだ薄暗い中で着替えをすませた。それから手はずどおりに、ハーマイオニーやグリップフックと落ち合う庭に出た。夜明けは肌寒かったが、もう五月ともなれば風はほとんどない。ハリーは、暗い空にまだ青白く瞬いている星を見上げ、岩に寄せては返す波の音を聞いた。この音が聞けなくなるのはさびしかった。

ドビーの眠る赤土の塚からは、もう緑の若芽が萌え出ていた。一年もたてば、塚は花で覆われるだろう。ドビーの名を刻んだ白い石は、すでに風雨にさらされたような趣が出ていた。ドビーを埋葬するのに、これほど美しい場所はほかになかっただろうと、ハリーはあらためてそう思った。それでも、ドビーをここに置いていくと思うと、悲しさで胸が痛んだ。ハリーは墓を見下ろし、ドビーはどうやって助けに来る場所を知ったのかと、またしても疑問に思った。ハリーの指が、無意識に首から下げた巾着に伸び、あの鏡のかけらのギザギザな手触りを感じた。あの時は、確かにダンブルドアの目を鏡の中に見たと思ったのだが……。その時、ドアの開く音で、ハリーは振り返った。

ベラトリックス・レストレンジが、グリップフックを従えて、こちらに向かって堂々と芝生を横切ってくるところだった。グリモールド・プレイスから持ってきた古着の一つを着て、歩きながら、小さなビーズバッグをローブの内ポケットにしまい込んでいる。正体はハーマイオニーだとはっきりわかってはいても、ハリーは、おぞましさで思わず身震いした。ベラトリックスは、ハリーより背が高く、長い黒髪を背中に波打たせ、厚ぼったいまぶたの下からハリーをさげすむような目で見た。しかし話しはじめると、ベラトリックスの低い声を通して、ハリーはハーマイオニーらしさを感じ取った。

「**反吐が出そうな味**だったわ。ガーディルートよりひどい！　じゃあ、ロン、ここへ来て。あなたに術を……」

「うん。でも、忘れないでくれよ。あんまり長いひげはいやだぜ――」

「まあ、何を言ってるの。ハンサムに見えるかどうかの問題じゃないのよ――」

「そうじゃないよ。邪魔っけだからだ！　でも鼻はもう少し低いほうがいいな。この前やったみたいにしてよ」

ハーマイオニーはため息をついて仕事に取りかかり、声をひそめて呪文を唱えながら、ロンの容貌のあちこちを変えていった。ロンはまったく実在しない人物になる予定で、ベラトリックスの悪のオーラがロンを護ってくれるだろうと、みんなが信じていた。一方、ハリーとグリップフックは、透明マントで隠れる手はずになっていた。

「さあ」ハーマイオニーが言った。「これでどうかしら、ハリー？」

変装していても、かろうじてロンだと見分けがついたが、たぶんそれは、本人をあまりにもよく知っているせいだろう、とハリーは思った。ロンは、髪の毛を長く波打たせ、濃い褐色のあごひげと口ひげを生やしていた。そばかすは消え、鼻は低く横に広がり、眉は太かった。

「そうだな、僕の好みのタイプじゃないけど、これで通用するよ」ハリーが言った。「それじゃ、行こうか？」

三人は、薄れゆく星明かりの下に、静かに影のように横たわる「貝殻の家」をひと目だけ振り返った。それから家に背を向け、境界線の壁を越える地点を目指して歩いた。「忠誠の呪文」はその地点で切れ、「姿くらまし」できるようになるのだ。門を出るとすぐ、グリップフックが口を開いた。

「確かここで、私は負ぶさるのですね、ハリー・ポッター？」

ハリーがかがみ、小鬼はその背中によじ登って、ハリーの首の前で両手を組んだ。重くはなかったが、ハリーは、小鬼の感触や、しがみついてくる驚くほどの力がいやだった。ハーマイオニーが、ビーズバッグから透明マントを出して二人の上からかぶせた。

「完璧よ」ハーマイオニーは、かがんでハリーの足元を確かめながら言った。「なんにも見えないわ。行きましょう」

ハリーはグリップフックを肩に乗せたまま、ダイアゴン横丁の入口、旅籠(はたご)の「漏れ鍋」に全神経を集中して、その場で回転した。しめつけられるような暗闇に入ると、小鬼はさらに強くしがみついてきた。数秒後、ハリーの足が歩道を打ち、目を開けると、そこはチャリング・クロス通りだった。マグルたちが、早朝のしょぼしょぼ顔で、小さな旅籠にはまったく気づかずに、あわただしく通り過ぎていく。

「漏れ鍋」のバーには、ほとんど誰もいなかった。腰の曲がった歯抜けの亭主トムが、カウンターの中でグラスを磨いていた。隅でヒソヒソ話をしていた二人の魔法戦士が、ハーマイオニーの姿をひと目見るなり、暗がりに身を引いた。

「マダム・レストレンジ」トムがつぶやき、ハーマイオニーが通り過ぎるときに、へつらうように頭を下げた。

「おはよう」ハーマイオニーが言った。ハリーがグリップフックを肩に乗せたまま、マントをかぶってこっそり通り過ぎる際、トムの驚いた顔が見えた。

「ていねいすぎるよ」宿から小さな裏庭に抜けながら、ハリーがハーマイオニーにささやいた。「ほかのやつらは、虫けら扱いにしなくちゃ！」

「はい、はい！」

ハーマイオニーはベラトリックスの杖を取り出し、目の前の平凡なれんがの壁をたたいた。たちまちれんがが渦を巻き、回転して、真ん中に現れた穴がだんだん広がっていった。そしてとうとう、狭い石畳のダイアゴン横丁へと続く、アーチ形の入口になった。

横丁は静まり返っていた。開店の時間にはまだ早く、買い物客の姿はほとんどなかった。もう何年も前になるが、ハリーがホグワーツの最初の学期の準備で来たときには、この曲がりくねった石畳の通りはにぎやかな場所だった。しかし、いまは様変わりしていた。これまでになく多くの店が閉じられ、窓に板が打ちつけられている一方、前回来たときにはなかった店が数軒、闇の魔術専門店として開店していた。あちこちのウィンドウに貼られたポスターから「問題分子ナンバーワン」の説明書きがついたハリー自身の顔が、ハリーをにらんでいる。

ボロを着た人たちが何人も、あちこちの店の入口にうずくまっていた。まばらな通行人に、うめくように呼びかけては、金銭をせびり、自分たちはほんとうに魔法使いなのだと言い張っている声が、ハリーの耳に届いた。一人の男は、片方の目を覆った包帯が血だらけだった。

横丁を歩きはじめると、物乞いたちはハーマイオニーの姿を盗み見て、たちまち、その目の前から、溶けてなくなるように姿を消した。フードで顔を隠し、クモの子を散らすように逃げていく後ろ姿を、ハーマイオニーは不思議なものを見るように眺めていた。するとそこへ、血だらけの包帯の男が現れ、よろよろとハーマイオニーの行く手をふさいだ。

「私の子供たち！」男は、ハーマイオニーを指差して大声で言った。正気を失ったような、かすれてかん高い声だった。「私の子供たちはどこだ？　あいつは子供たちに何をしたんだ？　おまえは知っている。**知っている！**」

「私――私はほんとに――」ハーマイオニーは口ごもった。

男はハーマイオニーに飛びかかり、のどに手を伸ばした。その時、バーンという音とともに赤い閃光(せんこう)が走り、男は気を失って仰向けに地面に投げ出された。ロンが杖をかまえたまま、ひげ面の奥から衝撃を受けたような顔をのぞかせて突っ立っていた。両側の窓々から、何人かが顔を出す一方、裕福そうな通行人が小さな塊になって、一刻も早く離れようと、ローブをからげて小走りにその場から立ち去った。

ハリーたちのダイアゴン横丁入場は、これ以上目立つのは難しいだろう、というほど人目についた。一瞬ハリーは、いますぐ立ち去って、別な計画を練るほうがよいのではないかと迷った。しかし、移動する間も相談する余裕もないうちに、背後で叫ぶ声が聞こえた。

「なんと、マダム・レストレンジ！」

ハリーはくるりと振り向き、グリップフックはハリーの首にさらにしがみついた。背の高い痩身の魔法使いが、大股で近づいてきた。王冠のように見えるもじゃもじゃした白髪で、鼻は高く鋭い。

「トラバースだ」小鬼がハリーの耳にささやいたが、その瞬間、ハリーはトラバースが誰だったか思い出せなかった。ハーマイオニーは思いっきり背筋を伸ばし、可能なかぎり見下した態度で言った。

「私に何か用か？」

トラバースは、明らかにむっとして、その場に立ち止まった。

「**死喰(しく)い人の一人だ！**」グリップフックが声を殺して言った。

ハリーはハーマイオニーに耳打ちして知らせようと、横歩きでにじり寄った。

「単にあなたに、挨拶をしようとしただけだ」トラバースが冷たく言った。「しかし、私が目ざわりだというこことなら……」

ハリーは、ようやくその声を思い出した。トラバースは、ゼノフィリウスの家に呼び寄せられた死喰い人の一人だった。

「いや、いや、トラバース、そんなことはない」ハーマイオニーは失敗を取りつくろうために、急いで言った。「しばらくだった」

「いやあ、正直言って、ベラトリックス、こんな所でお見かけするとは驚いた」

「そうか？　なぜだ？」ハーマイオニーが聞いた。

「それは」トラバースは咳払いした。「**聞いた話**だが、マルフォイの館の住人は軟禁状態だとか。つまり……その……**逃げられた**あとで」

ハリーは、ハーマイオニーが冷静でいてくれるように願った。もし、それがほんとうなら、もし、ベラトリックスが公の場に現れるはずがないなら――。

「闇の帝王は、これまで最も忠実にあの方にお仕えした者たちを、お許しになる」ハーマイオニーは見事に、ベラトリックスの侮蔑的な調子をまねた。

「トラバース、あなたは私ほどに、あの方の信用を得ていないのではないか？」

死喰い人のトラバースは感情を害したようだったが、同時に怪しむ気持ちは薄れたようだった。トラバースは、ロンがいましがた「失神の呪文」で倒した男をちらりと見た。

「こいつは、何故お怒りに触れたのですかな？」

「それはどうでもよい。二度と同じことはできまい」ハーマイオニーは冷たく言った。

「『杖なし』たちの中には、やっかいなのもいるようですな」トラバースが言った。「物乞いだけしているうちは、私は別にかまわんが、先週、ある女が、魔法省で私に弁護をしてくれと求めてきた。『**私は魔女です。魔女なんです。あなたにその証拠を見せます！**』」

トラバースはキーキー声をまねした。

「まるでその女に、私が自分の杖を与えるとでも思ったみたいに――しかし、いまあなたは」トラバースは興味深げに聞いた。「誰の杖をお使いかな、ベラトリックス？　うわさでは、あなたの杖は――」

「私の杖はここにある」ハーマイオニーはベラトリックスの杖を上げて、冷たく言った。

「トラバース、いったいどんなうわさを聞いているのかは知らないが、気の毒にもまちがった情報をお持ちのようだ」

トラバースはやや驚いた様子で、今度はロンに目を向けた。

「こちらのお連れは、どなたかな？　私には見覚えがないが」

「ドラゴミール・デスパルドだ」

ロンが他人になりすますのには、架空の外国人が一番安全だろうと、三人は決めていた。

「英語はほとんどしゃべれない。しかし、闇の帝王の目的に共鳴している。トランシルバニアから、我々の新体制を見学に来たのだ」

「ほう？　はじめまして、ドラゴミール」

「はじめって」ロンが手を差し出した。

トラバースは指を二本だけ出して、汚れるのが怖いとでもいうようにロンと握手した。

「ところで、あなたも、こちらの――えーと――共鳴しておられるお連れの方も、こんなに早朝、ダイアゴン横丁に何用ですかな？」トラバースが聞いた。

「グリンゴッツに用がある」ハーマイオニーが言った。

「なんと、私もだ」トラバースが言った。「金、汚い金！　それなくして我々は生きられん。しかし、実を言うと、指の長い友達とつき合わねばならんのは、嘆かわしいかぎりだ」

ハリーは、グリップフックの指が、一瞬首をしめつけるのを感じた。

「参りましょうか？」トラバースがハーマイオニーを、先へとうながした。

ハーマイオニーは、しかたなく並んで歩き、曲がりくねった石畳の道を、小さな店舗の上にひときわ高くそびえる、雪のように白いグリンゴッツの建物へと向かった。ロンはひっそりと二人の脇を歩き、ハリーとグリップフックはその後ろについた。

警戒心の強い死喰い人の出現は、最も望ましくない展開だった。トラバースが、すっかりベラトリックスだと思い込んでハーマイオニーの横を歩いているので、ハリーがハーマイオニーともロンとも話ができないのは、最悪だった。そうこうするうちに、大理石の階段の下に着いてしまった。階段の上には大きなブロンズの扉があった。グリップフックに警告されていたとおり、扉の両側には、制服を着た小鬼のかわりに、細長い金の棒を持った魔法使いが立っている。

「ああ、『潔白検査棒』だ」トラバースが大げさな身ぶりでため息をついた。「原始的だ――しかし効果あり！」

トラバースは階段を上がって、左右の魔法使いにうなずいた。魔法使いたちは金の棒を上げて、トラバースの体を上下になぞった。「検査棒」が、身を隠す呪文や隠し持った魔法の品を探知する棒だということを、ハリーは知っていた。わずか数秒しかないと判断し、ハリーはドラコの杖を二人の門番に順に向けて、呪文を二回つぶやいた。

「**コンファンド、錯乱せよ**」

ブロンズの扉から中を見ていたトラバースは気づかなかったが、門番の二人は呪文に撃たれたとたん、ビクッとした。

ハーマイオニーが長い黒髪を背中に波打たせて、階段を上った。

「マダム、お待ちください」検査棒を上げながら、門番が言った。

「たったいま、すませたではないか！」

ハーマイオニーが、ベラトリックスの傲慢な命令口調で言った。トラバースが眉を吊り上げて振り向いた。門番は混乱して、細い金の検査棒をじっと見下ろし、それからもう一人の門番を見た。

「ああ、マリウス、おまえはたったいま、この方たちを検査したばかりだよ」相方は、少しぼうっとした声で言った。

ハーマイオニーがロンと並んで、威圧するようにすばやく進み、ハリーとグリップフックは、透明のままそのあとから小走りに進んだ。敷居をまたいでからハリーがちらりと振り返ると、二人の魔法使いが頭をかいていた。

内扉の前には小鬼が二人立っていた。銀の扉には、盗人は恐ろしい報いを受けると警告した詩が書いてある。それを見上げたとたん、ハリーの心に思い出がくっきりとよみがえった。十一歳になった日、人生で一番すばらしい誕生日に、ハリーはこの同じ場所に立っていた。ハグリッドが脇に立ち、こう言った。

——**言ったろうが。ここから盗もうなんて、狂気の沙汰だわい。**

あの日のグリンゴッツは、不思議の国に見えた。魔法のかかった宝の山の蔵、ハリーのものだとはまったく知らなかった黄金。そのグリンゴッツに、盗みに戻ってこようとは、あの時は夢にも思わなかった……。次の瞬間、ハリーたちは、広々とした大理石のホールに立っていた。

細長いカウンターのむこう側で、脚高の丸椅子に座った小鬼たちが、その日の最初の客に応対していた。ハーマイオニー、ロン、トラバースの三人は、片めがねをかけて一枚の分厚い金貨を吟味している、年老いた小鬼のほうに向かった。ハーマイオニーは、ロンにホールの特徴を説明するという口実で、トラバースに先をゆずった。

小鬼は手にしていた金貨を脇に放り投げ、誰に言うともなく言った。

「レプラコーンの偽金貨だ」

それからトラバースに挨拶し、渡された小さな金の鍵を調べてから持ち主に返した。

ハーマイオニーが進み出た。

「マダム・レストレンジ！」

小鬼は、明らかに度肝を抜かれたようだった。

「なんと！　な――なんのご用命でございましょう？」

「私の金庫に入りたい」ハーマイオニーが言った。

年老いた小鬼は、少しあとずさりしたように見えた。ハリーはサッとあたりを見回した。トラバースがまだその場に残って見つめていたし、それればかりでなく、ほかの小鬼も数人、仕事の手を止めて顔を上げ、ハーマイオニーをじっと見ていた。

「あなた様の……身分証明書はお持ちで？」小鬼が聞いた。

「身分証明書？　こ――これまで、そんなものを要求されたことはない！」ハーマイオニーが言った。

「**連中は知っている！**」グリップフックがハリーの耳にささやいた。「**名をかたる偽者が現れるかもしれないと、警告を受けているにちがいない！**」

「マダム、あなた様の杖でけっこうでございます」小鬼が言った。

小鬼がかすかに震える手を差し出した。ハリーはそのとたんに気がついて、ぞっとした。グリンゴッツの小鬼たちは、ベラトリックスの杖が盗まれたことを知っているのだ。

「**いまだ。いまやるんだ**」グリップフックがハリーの耳元でささやいた。「**服従の呪文だ！**」

ハリーはマントの下でサンザシの杖を上げ、年老いた小鬼に向けて、生まれて初めての呪文をささやいた。

「**インペリオ！　服従せよ！**」

奇妙な感覚がハリーの腕を流れた。温かいものがジンジン流れるような感覚で、どうやらそれは、自分の心から流れ出て筋肉や血管を通り、杖と自分を結びつけて、いまかけた呪いへと流れ出していくようだった。小鬼はベラトリックスの杖を受け取り、念入りに調べていたが、やがてこう言った。

「ああ、新しい杖をお作りになったのですね、マダム・レストレンジ！」

「何？」ハーマイオニーが言った。「いや、いや、それは私の――」

「新しい杖？」

トラバースが再びカウンターに近づいてきた。周りの小鬼たちがまだ見つめている。

「しかし、そんなことがどうしてできる？　どの杖作りを使ったのだ？」

ハリーは考えるより先に行動していた。トラバースに杖を向け、ハリーはもう一度小声で唱えた。

「**インペリオ！　服従せよ！**」

「ああ、なるほど、そうだったか」

トラバースがベラトリックスの杖を見下ろして言った。

「なるほど、見事なものだ。それで、うまく機能しますかな？　杖はやはり、少し使い込まないとなじまないというのが、私の持論だが、どうですかな？」

ハーマイオニーは、まったくわけがわからないという顔だったが、結局、この不可解な成り行きを、何も言わずに受け入れたので、ハリーはホッとした。

年老いた小鬼がカウンターのむこうで両手を打つと、若手の小鬼がやってきた。

『鳴子』の準備を」

年老いた小鬼がそう言いつけると、若い小鬼はすっ飛んでいき、ガチャガチャと金属音のする革袋を手に、すぐに戻ってきて、袋を上司に渡した。

「よし、よし！　では、マダム・レストレンジ、こちらへ」

年老いた小鬼は、丸椅子からポンと飛び下りて姿が見えなくなった。

「私が金庫まで、ご案内いたしましょう」

年老いた小鬼がカウンターの端から現れ、革袋の中身をガチャつかせながら、いそいそと小走りでやってきた。トラバースは、口をだらりと開け、棒のように突っ立っていた。ロンがポカンとしてトラバースを眺めているせいで、周囲の目がこの奇妙な現象に引きつけられていた。

「待て――ボグロッド！」

別の小鬼が、カウンターのむこうからあたふたと走ってきた。

「私どもは、指令を受けております」

小鬼はハーマイオニーに一礼しながら言った。

「マダム・レストレンジ、申し訳ありませんが、レストレンジ家の金庫に関しては、特別な命令が出ています」

その小鬼が、ボグロッドの耳に急いで何事かをささやいたが、「服従」させられているボグロッドは、その小鬼を振り払った。

「指令のことは知っています。マダム・レストレンジはご自分の金庫にいらっしゃりたいのです……旧家です……昔からのお客様です……さあ、こちらへ、どうぞ……」

そして、相変わらずガチャガチャと音を立てながら、ボグロッドは、ホールから奥に続く無数の扉の一つへと急いだ。ハリーが振り返って見ると、トラバースは、異常にうつろな顔で、同じ場所に根が生えたように立っていた。ハリーは意を決して、杖をひと振りし、トラバースについてこさせた。トラバースは、おとなしく後ろからついてきた。一行は扉を通り、そのむこうのゴツゴツした石のトンネルへと出た。松明(たいまつ)がトンネルを照らしている。

「困ったことになった。小鬼たちが疑っている」

背後で扉がバタンと閉まるのを待って、透明マントを脱いだハリーが言った。グリップフックが肩から飛び下りた。ボグロッドもトラバースも、ハリー・ポッターが突然その場に現れたことに、驚く気配をまったく見せなかった。

「この二人は『服従』させられているんだ」

無表情にその場に立つトラバースとボグロッドを見て、困惑した顔で尋ねるハーマイオニーとロンに、ハリーが答えた。

「僕は、充分強い呪文をかけられなかったかもしれない。わからないけど……」

その時、また別の思い出がハリーの脳裏をかすめた。ハリーが初めて「許されざる呪文」を使おうとしたときに、本物のベラトリックス・レストレンジがかん高く叫んだ声だ。――**本気になる必要があるんだ、ポッター！**

「どうしよう？」ロンが聞いた。「まだ間に合ううちに、すぐここを出ようか？」

「出られるものならね」

ハーマイオニーが、ホールに戻る扉を振り返りながら言った。そのむこう側で何が起こっているか、わかったものではない。

「ここまで来た以上、先に進もう」ハリーが言った。

「けっこう！」グリップフックが言った。

「それでは、トロッコを運転するのに、ボグロッドが必要です。私にはもうその権限がありません。しかし、あの魔法使いの席はありませんね」

ハリーはトラバースに杖を向けた。

「**インペリオ！　服従せよ！**」

トラバースは回れ右して、暗いトンネルをきびきびと歩きはじめた。

「何をさせているんですか？」

「隠れさせている」

ボグロッドに杖を向けながら、ハリーが言った。ボグロッドが口笛を吹くと、小さなトロッコが暗闇からこちらに向かってゴロゴロと線路を走ってきた。全員がトロッコによじ登り、先頭にボグロッド、後ろの席にグリップフック、ハリー、ロン、ハーマイオニーがぎゅう詰めになって乗り込んだとき、ハリーは、背後のホールで叫び合う声を確かに聞いた。

トロッコはガタンと発車し、どんどん速度を上げた。壁の割れ目に体を押し込もうとして身をよじっているトラバースの横をあっという間に通り過ぎ、くねくね曲がる坂道の迷路を、トロッコは下へ下へと走った。ガタゴトと線路を走るトロッコの音にかき消されて、ハリーは何も聞こえなくなった。天井から下がる鍾乳石の間を飛ぶように縫って、どんどん地中深くもぐっていくトロッコから、ハリーは髪をなびかせながら何度もちらちらと後ろを振り返った。ハリーたちは、膨大な手がかりを残してきたも同然だった。考えれば考えるほど、ハーマイオニーをベラトリックスに変身させたのは愚かだったと、ハリーは後悔しはじめた。ベラトリックスの杖を誰が盗んだのか、死喰い人にはわかっているのに、その杖を持ってくるなんて――。

トロッコは、ハリーが入ったことのない、グリンゴッツの奥深くへと入り込んでいった。ヘアピンカーブを高速で曲がったとたん、線路にたたきつけるように落ちる滝が目に飛び込んできた。滝まであと数秒もない。グリップフックの叫び声がハリーの耳に入った。

「ダメだ！」

しかし、ブレーキを効かせる間もない。トロッコはズーンと滝に突っ込んだ。ハリーは目も口も水でふさがれ、何も見えず、息もできなかった。トロッコがぐらりと恐ろしく傾いたかと思うと、ひっくり返って、全員が投げ出された。トロッコがトンネルの壁にぶつかって粉々になる音や、ハーマイオニーが何か叫ぶ声が聞こえた瞬間、ハリーは無重力状態でスーッと地面に戻るのを感じた。ハリーはなんの苦もなく、岩だらけのトンネルに着地した。

「ク……クッション呪文」

ロンに助け起こされたハーマイオニーが、ゲホゲホ咳き込みながら言った。そのハーマイオニーを見て、ハリーは大変だと思った。そこにはベラトリックスの姿はなく、ぶかぶかのローブを着てずぶぬれになり、完全に元に戻ったハーマイオニーが立っていた。ロンも赤毛でひげなしになっていた。二人とも互いの顔を見、自分の顔をさわってみて、それに気づいていた。

「盗人落としの滝！」

よろよろと立ち上がったグリップフックが、水浸しの線路を振り返りながら言った。いまになってハリーは、それが単なる水ではなかったことに気づいた。

「呪文も魔法による隠蔽も、すべて洗い流します！　グリンゴッツに偽者が入り込んだことがわかって、我々に対する防衛手段が発動されたのです！」

ハーマイオニーが、ビーズバッグがまだあるかどうかを調べているのを見て、ハリーも急いで上着に手を突っ込み、透明マントがなくなっていないことを確かめた。振り返ると、ボグロッドが当惑顔で頭を振っているのが見えた。「盗人落としの滝」は、「服従の呪文」をも解いてしまったようだ。

「彼は必要です」グリップフックが言った。「グリンゴッツの小鬼なしでは、金庫に入れません。それに鳴子も必要です！」

「**インペリオ！　服従せよ！**」

ハリーがまた唱えた。その声は石のトンネルに反響し、同時に、頭から杖に流れる陶然とした強い制御の感覚が戻ってきた。ボグロッドは再びハリーの意思に従い、まごついた表情が礼儀正しい無表情に変わった。ロンは、金属の道具が入った革袋を急いで拾った。

「ハリー、誰か来る音が聞こえるわ！」

ハーマイオニーは、ベラトリックスの杖を滝に向けて叫んだ。

「**プロテゴ！　護れ！**」

「盾の呪文」がトンネルを飛んでいき、魔法の滝の流れを止めるのが見えた。

「いい思いつきだ」ハリーが言った。「グリップフック、道案内してくれ！」

「どうやってここから出るんだ？」

グリップフックのあとを、暗闇に向かって急いで歩きながら、ロンが聞いた。ボグロッドは年老いた犬のように、ハァハァ言いながらそのあとについてきた。

「いざとなったら考えよう」ハリーが言った。

ハリーは耳を澄ましていた。近くで何かがガランガランと音を立てて動き回っている気配を感じたのだ。

「グリップフック、あとどのくらい？」

「もうすぐです。ハリー・ポッター、もうすぐ……」

角を曲がったとたん、ハリーの警戒していたものが目に入った。予想していたとは言え、やはり全員が棒立ちになった。

巨大なドラゴンが、行く手の地面につながれ、最も奥深くにある四つか五つの金庫に誰も近づけないように立ちはだかっていた。長い間地下に閉じ込められていたせいで、色の薄れたうろこははげ落ちやすくなり、両眼は白濁したピンク色だ。両の後脚には足枷がはめられ、岩盤深く打ち込まれた巨大な杭に、鎖でつながれていた。とげのある大きな翼は、閉じられて胴体に折りたたまれていたが、広げればその洞をふさいでしまうだろう。ドラゴンは醜い頭をハリーたちに向けて吼え、その声は岩を震わせた。口を開くと炎が噴き出し、ハリーたちは走って退却した。

「ほとんど目が見えません」グリップフックが言った。

「しかし、そのためにますます獰猛になっています。ただ、我々にはこれを押さえる方法があります。鳴子を鳴らすと次にどうなるかを、ドラゴンは教え込まれています。それをこちらにください」

ロンが渡した革袋から、グリップフックは小さな金属の道具をいくつも引っ張り出した。道具を振ると、鉄床に小型ハンマーを打ち下ろすような、大きな音が響き渡った。グリップフックは道具を一人一人に渡し、ボグロッドは自分の分を素直に受け取った。

「やるべきことは、わかっていますね」

グリップフックがハリー、ロン、ハーマイオニーに言った。

「この音を聞くと、ドラゴンは痛い目にあうと思ってあとずさりします。そのすきにボグロッドが、手のひらを金庫の扉に押し当てるようにしなければなりません」

ハリーたちは、もう一度角を曲がりなおして、前進した。鳴子を振ると、岩壁に反響した音が何倍にも増幅されてガンガンと響き、ハリーは頭がい骨が震動するのを感じた。ドラゴンは再び咆哮を上げながら、あとずさりした。ハリーはドラゴンが震えているのに気づいた。近づいて見ると、その顔に何か所も荒々しく切りつけられた傷痕があり、ハリーは、鳴子の音を聞くたびに焼けた剣を怖がるよう、しつけられたのだろうと思った。

「手のひらを扉に押しつけさせてください！」

グリップフックがハリーをうながした。ハリーは再びボグロッドに杖を向けた。年老いた小鬼は命令に従い、木の扉に手のひらを押しつけた。金庫の扉が溶けるように消え、洞窟のような空間が現れた。天井から床までぎっしり詰まった金貨、ゴブレット、銀の鎧、不気味な生き物の皮――長いしげがついているものもあるし、羽根が垂れ下がっているのもある――宝石で飾られたフラスコ入りの魔法薬、冠をかぶったままの頭がい骨。

「探すんだ、早く！」急いで中に入りながら、ハリーが言った。

ハリーは、ハッフルパフのカップがどんなものか、ロンとハーマイオニーに話しておいたが、この金庫に隠されている分霊箱が、それ以外の未知のものなら、何を探してよいのかわからなかった。しかし、全体を見渡す間もなく、背後で鈍い音がして、金庫の扉が再び現れ、ハリーたちは閉じ込められてしまった。あたりはたちまち真っ暗闇になり、ロンが驚いて叫び声を上げた。

「心配いりません。ボグロッドが出してくれます！」グリップフックが言った。「杖灯りをつけていただけますか？　それに、急いでください。ほとんど時間がありません！」

「**ルーモス！　光よ！**」

ハリーが、杖灯りで金庫の中をぐるりと照らした。灯りを受けてキラキラ輝く宝石の中に、ハリーは、いろいろな鎖にまじって高い棚に置かれている偽のグリフィンドールの剣を見つけた。ロンとハーマイオニーも杖灯りをつけて、周りの宝の山を調べはじめていた。

「ハリー、これはどう――？　あぁぅ！」

ハーマイオニーが痛そうに叫んだ。ハリーが杖を向けて見ると、宝石をはめ込んだゴブレットがハーマイオニーの手から転がり落ちるところだった。ところが、落ちたとたんにそのゴブレットが分裂して同じようなゴブレットが噴き出し、あっという間に床を埋め、カチャカチャとやかましい音を立てながらあちこちに転がりはじめた。もともとのゴブレットがどれだったか、見分けがつかない。

「火傷したわ！」ハーマイオニーが、火ぶくれになった指をしゃぶりながらうめいた。

「『双子の呪文』と『燃焼の呪い』が追加されていたのです！」グリップフックが言った。「触れるものはすべて、熱くなり、増えます。しかしコピーには価値がない――宝物に触れ続けると、最後には増えた金の重みに押しつぶされて死にます！」

「わかった。なんにも手を触れるな！」

ハリーは必死だった。しかしそう言うそばから、ロンが、落ちたゴブレットの一つをうっかり足でついてしまい、熱さに跳びはねているうちに、ゴブレットがまた二十個ぐらい増えた。ロンの片方の靴の一部が、熱い金属に触れて焼け焦げていた。

「じっとして、動いちゃダメ！」ハーマイオニーは急いでロンを押さえようとした。

「目で探すだけにして！」ハリーが言った。

「いいか、小さい金のカップだ。穴熊が彫ってあって、取っ手が二つついている――そのほかに、レイブンクローの印がどこかについていないか見てくれ。鷲だ――」

三人はその場で慎重に向きを変えながら、隅々の割れ目まで杖で照らした。しかし、なんにも触れないというのは不可能だった。ハリーはガリオン金貨の滝を作ってしまい、偽の金貨がゴブレットと一緒になって、もはや足の踏み場もない。しかも輝く金貨が熱を発し、金庫はかまどの中のようだった。ハリーの杖灯りが、天井まで続く棚に置かれた盾の類（たぐい）や、小鬼製の兜（かぶと）を照らし出した。杖灯りを徐々に上へと移動させていくと、突然、あるものが見えた。ハリーの心臓は躍り、手が震えた。

「**あそこだ。あそこ！**」

ロンとハーマイオニーも、杖をそこに向けた。小さな金のカップが、三方からの杖灯りに照らされて浮かび上がった。ヘルガ・ハッフルパフのものだったカップ。ヘプジバ・スミスに引き継がれ、トム・リドルに盗まれたカップだ。

「だけど、いったいどうやって、なんにも触れないであそこまで登るつもりだ？」ロンが聞いた。

「**アクシオ！　カップよ、来い！**」

ハーマイオニーが叫んだ。必死になるあまり、計画の段階でグリップフックの言ったことを忘れてしまったらしい。

「むだです。むだ！」小鬼が歯がみした。

「それじゃ、どうしたらいいんだ？」ハリーは小鬼をにらんだ。「剣が欲しいなら、グリップフック、もっと助けてくれなきゃ――待てよ！　剣なら触れられるんじゃないか？　ハーマイオニー、剣をよこして！」

ハーマイオニーはローブをあちこち探って、やっとビーズバッグを取り出し、しばらくガサゴソかき回していたが、やがて輝く剣を取り出した。ハリーはルビーのはまった柄を握り、剣先で、近くにあった銀の細口瓶に触れてみた。増えない。

「剣をカップの取っ手に引っかけられたら——でも、あそこまでどうやって登ればいいんだろう？」

カップが置かれている棚は、誰も手が届かない。三人の中で一番背の高いロンでさえ届かなかった。呪文のかかった宝から出る熱が、熱波となって立ち上り、カップに届く方法を考えあぐねているハリーの顔からも背中からも、汗が滴っていた。その時、金庫の扉のむこう側で、ドラゴンの吼え声と、ガチャガチャいう音がだんだん大きくなってくるのが聞こえた。

いまや、完全に包囲されてしまった。出口は扉しかない。しかし扉のむこうには大勢の小鬼が近づきつつあるようだ。ハリーがロンとハーマイオニーを振り返ると、二人とも恐怖で顔が引きつっていた。

「ハーマイオニー」ガチャガチャという音がだんだん大きくなる中で、ハリーが呼びかけた。「僕、あそこまで登らないといけない。僕たちは、あれを破壊しないといけないんだ——」

ハーマイオニーは杖を上げ、ハリーに向けて小声で唱えた。

「**レビコーパス、身体浮上せよ**」

ハリーの体全体がくるぶしから持ち上がって、逆さまに宙に浮かんだ。とたんに鎧にぶつかり、白熱した鎧のコピーが中から飛び出して、すでにいっぱいになっている空間をさらに埋めた。ロン、ハーマイオニー、そして二人の小鬼が、押し倒されて痛みに叫びを上げながら、ほかの宝にぶつかった。その宝のコピーがまた増えた。満ち潮のように迫り上がってくる灼熱した宝に半分埋まり、みんなが悲鳴を上げてもがく中、ハリーは剣をハッフルパフのカップの取っ手に通し、剣先にカップを引っかけた。

「**インパービアス！　防水・防火せよ！**」

ハーマイオニーが、自分とロンと二人の小鬼を焼けた金属から護ろうとして、金切り声で呪文を唱えた。

その時、一段と大きな悲鳴が聞こえ、ハリーは下を見た。ロンとハーマイオニーが腰まで宝に埋まりながら、宝の満ち潮に飲まれようとするボグロッドを救おうと、もがいていた。しかし、グリップフックはすでに沈んで姿が見えず、長い指の先だけが見えていた。

ハリーは、グリップフックの指先を捕まえて引っ張り上げた。火ぶくれの小鬼が、泣きわめきながら少しずつ上がってきた。

「**リベラコーパス！　身体自由！**」

ハリーが呪文を叫び、グリップフックもろとも、ふくれ上がる宝の表面に音を立てて落下した。剣がハリーの手を離れて飛んだ。

「剣を！」熱い金属が肌を焼く痛みと戦いながら、ハリーが叫んだ。

グリップフックは灼熱した宝の山を何がなんでもさけようと、またハリーの肩によじ登った。

「剣はどこだ？　カップが一緒なんだ！」

扉のむこうでは、ガチャガチャ音が耳をつんざくほどに大きくなっていた――もう遅すぎる。

「そこだ！」

見つけたのも飛びついたのも、グリップフックだった。そのとたん、ハリーは、小鬼が、自分たちとの約束をまったく信用していなかったことを思い知った。グリップフックは、焼けた宝の海のうねりに飲み込まれまいと、片手でハリーの髪の毛をむんずとつかみ、もう一方の手に剣の柄をつかんで、ハリーに届かないよう高々と振り上げた。

剣先に取っ手が引っかかっていた小さな金のカップが、宙に舞った。小鬼を肩車したまま、ハリーは飛びついてカップをつかんだ。カップがじりじりと肌を焼くのを感じながらも、ハリーはカップを離さなかった。数えきれないハッフルパフのカップが、握った手の中から飛び出して、雨のように降りかかってきても離さなかった。その時、金庫の入口が開き、ハリーは、ふくれ続けた、火のように熱い金銀のなだれになす術もなく流されて、ロン、ハーマイオニーと一緒に金庫の外に押し出された。

体中を覆う火傷の痛みもほとんど意識せず、増え続ける宝のうねりに流されながら、ハリーはカップをポケットに押し込んで、剣を取り戻そうと手を伸ばした。しかし、グリップフックはもういなかった。頃合いを見計らって、すばやくハリーの肩からすべり下りたグリップフックは、周囲を取り囲む小鬼の中に紛れ込み、剣を振り回して叫んだ。

「泥棒！　泥棒！　助けて！　泥棒だ！」

グリップフックは、攻め寄せる小鬼の群れの中に消えた。手に手に短刀を振りかざした小鬼たちは、なんの疑問もなくグリップフックを受け入れたのだ。

熱い金属に足を取られながら、ハリーはなんとか立ち上がろうともがき、脱出するには囲みを破るほかはないと覚悟した。

「**ステューピファイ！　まひせよ！**」

ハリーの叫びに、ロンとハーマイオニーも続いた。赤い閃光が小鬼の群れに向かって飛び、何人かがひっくり返ったが、ほかの小鬼が攻め寄せてきた。その上、魔法使いの門番が数人、曲がり角を走ってくるのが見えた。

つながれたドラゴンが吼えたけり、吐き出す炎が小鬼の頭上を飛び過ぎた。魔法使いたちは身をかがめて逃げ出し、いま来た道を後退した。その時、啓示か狂気か、ハリーの頭に突然ひらめくものがあった。ドラゴンを岩盤に鎖でつないでいるがっしりした足枷に杖を向け、ハリーは叫んだ。

「**レラシオ！　放せ！**」

足枷が爆音を上げて割れた。

「こっちだ！」ハリーが叫んだ。そして、攻め寄せる小鬼たちに「失神呪文」を浴びせかけながら、ハリーは目の見えないドラゴンに向かって全速力で走った。

「ハリー――ハリー――何をするつもりなの？」ハーマイオニーが叫んだ。

「乗るんだ、よじ登って、さあ――」

ドラゴンは、まだ自由になったことに気づいていなかった。ハリーはドラゴンの後脚の曲がった部分を足がかりにして、背中によじ登った。うろこが鋼鉄のように硬く、ハリーが乗ったことも感じていないようだった。ハリーが伸ばした片腕にすがって、ハーマイオニーも登った。そのあとをロンが登ってきた直後、ドラゴンはもうつながれていないことに気づいた。

ドラゴンは、ひと声吼えて後脚で立ち上がった。ハリーはゴツゴツしたうろこを力のかぎりしっかりつかみ、両ひざをドラゴンの背に食い込ませた。ドラゴンは両の翼を開き、悲鳴を上げる小鬼たちをボウリングのピンのようになぎ倒して、舞い上がった。ハリー、ロン、ハーマイオニーの三人は、トンネルの開口部方向に突っ込んでいくドラゴンの背中にぴったり張りついていた。天井で体がこすれた。その上、追っ手の小鬼たちが投げる短剣が、ドラゴンの脇腹をかすめた。

「外には絶対出られないわ。ドラゴンが大きすぎるもの！」

ハーマイオニーが悲鳴を上げた。しかしドラゴンは、開けた口から再び炎を吐いて、トンネルを吹き飛ばした。床も天井も割れて砕けた。ドラゴンは、力任せに鉤爪で引っかき、道を作るのに奮闘していた。熱とほこりの中で、ハリーは両目を固く閉じていた。岩が砕ける音とドラゴンの咆哮は耳をろうするばかりで、ハリーは背中につかまっているのがやっとだった。いまにも振り落とされるのではないかと思った。その時、ハーマイオニーの叫ぶ声が聞こえた。

「**デイフォディオ！　掘れ！**」

ハーマイオニーは、ドラゴンがトンネルを広げるのを手伝っていた。新鮮な空気を求め、小鬼のかん高い声と、鳴子の音から遠ざかろうと格闘しているドラゴンのために、天井をうがっているのだ。ハリーとロンもハーマイオニーにならい、穴掘り呪文を連発して、天井を吹き飛ばした。

鼻息も荒く這い進む巨大な生き物は、地下の湖を通り過ぎたあたりで、行く手に自由と広い空間を感じ取った様子だった。背後のトンネルは、ドラゴンがたたきつけるとげのある尻尾と、たたき壊された瓦礫で埋まり、大きな岩の塊や、巨大な鍾乳石の残骸が累々と転がっていた。後方の小鬼の鳴らすガチャガチャという音は、だんだんくぐもり、前方にはドラゴンの吐く炎で、着々と道が開けていた――。

呪文の力とドラゴンの怪力が重なり、三人はついに地下トンネルを吹き飛ばして抜け出し、大理石のホールに突入した。小鬼も魔法使いも悲鳴を上げ、身を隠す場所を求めて逃げ惑った。とうとう翼を広げられる空間を得たドラゴンは、入口のむこうにさわやかな空気をかぎ分け、角の生えた頭をその方向に向けて飛び立った。

ハリー、ロン、ハーマイオニーを背中にしがみつかせたまま、ドラゴンは金属の扉を力ずくで突き破った。ねじれて蝶番からだらりとぶら下がった扉を尻目に、よろめきながらダイアゴン横丁に進み出たドラゴンは、そこから高々と大空に舞い上がった。

第27章　最後の隠し場所

舵(かじ)を取る手段はなかった。ドラゴン自身、どこに向かっているのか見えていない。もし急に曲がったり空中で回転したりすれば、三人ともその広い背中にしがみついていることはできないと、ハリーにはわかっていた。にもかかわらず、どんどん高く舞い上がり、ロンドンが灰色と緑の地図のように眼下に広がってくるにつれ、ハリーは、不可能と思われた脱出ができたことへの感謝の気持ちを圧倒的に強く感じていた。ドラゴンの首に低く身を伏せ、金属的なうろこにしっかりしがみついていると、ドラゴンの翼が風車の羽根のように送る冷たい風が、火傷(やけど)で火ぶくれになった肌に心地よかった。後ろでは、うれしいからか恐ろしいからか、ロンが声を張り上げて悪態をつき、ハーマイオニーはすすり泣いている。

五分もたつと、ドラゴンが三人を振り落とすのではないかという緊迫した恐れを、ハリーは少し忘れることができた。ドラゴンは、地下の牢獄(ろうごく)からなるべく遠くに離れることだけを思いつめているようだった。しかし、いつ、どうやって下りるかという問題を考えると、やはりかなり恐ろしかった。ハリーは、ドラゴンという生き物が休まずにどのくらい飛び続けられるのかを知らなかったし、このほとんど目の見えないドラゴンが、どうやって着陸地点を見つけるのか、見当もつかなかった。ハリーはひっきりなしにあたりに目を配った。額の傷痕がうずくような気がしたからだ……。

ハリーたちがレストレンジの金庫を破ったことが、ヴォルデモートの知るところとなるまでにどのくらいかかるだろう？　グリンゴッツの小鬼(ゴブリン)たちは、どのくらい急いでベラトリックスに知らせるだろう？　どのくらいたってから、盗まれた品物がなんなのかに気がつくだろう？　そして、金のカップがなくなっていると知れば、ヴォルデモートはついに気づくだろう。ハリーたちが分霊箱を探し求めていることに……。

ドラゴンは、より冷たく新鮮な空気にうえているようだった。どこまでも高く上がり、とうとういまは、冷たい薄雲が漂う中を飛んでいた。それまで、色のついた小さな点のように見えていたロンドンに出入りする車も、もう見えなくなった。ドラゴンは飛び続けた。緑と茶色の区画に分けられた田園の上を、景色を縫って蛇行するつや消しのリボンのような道や光る川の上を、どこまでも飛んだ。

「こいつは何を探してるんだ？」北へ北へと飛びながら、ロンが後ろから叫んだ。

「わからないよ」ハリーが叫び返した。

冷たくて手の感覚がなくなっていたが、かといって握りなおすことなど怖くてとてもできない。ハリーは、眼下に海岸線が通り過ぎるのが見えたらどうしようとずっと考えていた。もしドラゴンが広い海に向かっていたらどうなるのだろう。ハリーは寒さにかじかんでいた。それればかりか、死ぬほど空腹でのどもかわいていた。このドラゴンが最後に餌を食べたのはいつだろう？　きっとそのうちに、食料補給が必要になるのではないだろうか？　そして、もしその時、ちょうど食べごろの人間が三人背中に乗っていることに気づいたら？

太陽が傾き、空は藍色に変わったが、ドラゴンはまだ飛び続けていた。大小の街が矢のように通り過ぎ、ドラゴンの巨大な影が、大きな黒雲のように地上をすべっていった。ドラゴンの背に必死にしがみついているだけで、ハリーは体中のあちらこちらが痛んだ。

「僕の錯覚かなぁ？」長い無言の時間が過ぎ、やがてロンが叫んだ。「それとも、高度が下がっているのかなぁ？」

ハリーが下を見ると、日没の光で赤銅色に染まった深い緑の山々と湖がいくつか見えた。ドラゴンの脇腹から目を細めて確かめているうちにも、見る見る景色は大きくなり、細部が見えてきた。ドラゴンは、陽の光の反射で淡水の存在を感じ取ったらしい。ドラゴンはしだいに低く飛び、大きく輪を描きながら、小さめの湖の一つに的を絞り込んでいるようだった。

「充分低くなったら、いいか、飛び込め!」ハリーが後ろに呼びかけた。「ドラゴンが僕たちの存在に気づく前に、まっすぐ湖に!」

二人は了解したが、ハーマイオニーの返事は少し弱々しかった。その時ハリーには、ドラゴンの広く黄色い腹が湖の面に映って、小さく波打っているのが見えた。

「いまだ!」

ハリーはドラゴンの脇腹をずるずるすべり下りて、湖の表面目がけて足から飛び込んだ。落差は思ったより大きく、ハリーはしたたか水を打って、葦に覆われた凍りつくような緑色の水の世界に石が落下するように突っ込んだ。水面に向かって水を蹴り、あえぎながら顔を出して見回すと、ロンとハーマイオニーが落ちたあたりに、大きな波紋が広がっているのが見えた。ドラゴンは何も気づかなかったようだ。すでに十四、五メートルほど先をスーッと低空飛行し、傷ついた鼻面で水をすくっていた。ロンとハーマイオニーの顔がようやく水面に現れ、ゼイゼイあえぎながら水を吐き出しているうちに、ドラゴンは翼を強く羽ばたかせてさらに飛び、ついには遠くの湖岸に着陸した。

ハリー、ロン、ハーマイオニーの三人は、ドラゴンとは反対側の岸を目指して泳いだ。湖はそう深くはないように見えたが、そのうち、泳ぐというより、むしろ葦と泥をかき分けて進むことになった。やっと岸に着いたときには、三人とも水を滴らせ、息を切らしながら疲労困憊して、つるつるすべる草の上にばったり倒れた。

ハーマイオニーは咳き込み、震えながら横になったままだった。ハリーもそのまま横になって眠れたらどんなに幸せかと思ったが、よろよろと立ち上がって杖を抜き、いつもの保護呪文を周囲に張りめぐらせはじめた。

それが終わって二人のそばに戻ったハリーは、金庫から脱出して初めて、二人をまともに見た。二人とも、顔と腕中を火傷で赤く腫れ上がらせ、着ているものもところどころ焼け焦げて、痛さに顔をしかめて身をよじりながら、火傷にハナハッカのエキスを塗っていた。ハーマイオニーはハリーに薬瓶を渡し、「貝殻の家」から持ってきたかぼちゃジュース三本と、乾いた清潔なローブを三人分取り出した。着替えをすませた三人は、一気にジュースを飲んだ。

「まあ、いいほうに考えれば」

座り込んで両手の皮が再生するのを見ながら、ロンがようやく口を開いた。

「分霊箱を手に入れた。悪いほうに考えれば――」

「――剣がない」

ジーンズの焼け焦げ穴からハナハッカを垂らして、その下のひどい火ぶくれに薬をつけていたハリーが、歯を食いしばりながら言った。

「剣がない」ロンがくり返した。「あのチビの裏切り者の下衆野郎……」

ハリーはいま脱いだばかりのぬれた上着のポケットから分霊箱を引っ張り出し、目の前の草の上に置いた。カップは燦然と陽に輝き、ジュースをぐい飲みする三人の目を引いた。

「少なくともこれは、身につけられないな。首にかけたら少し変だろう」ロンが手のこうで口をぬぐいながら言った。

ハーマイオニーは、ドラゴンがまだ水を飲んでいる遠くの岸を眺めていた。

「あのドラゴン、どうなるのかしら？」ハーマイオニーが聞いた。「大丈夫かしら？」

「君、まるでハグリッドみたいだな」ロンが言った。「あいつはドラゴンだよ、ハーマイオニー。ちゃんと自分の面倒を見るさ。心配しなけりゃならないのは、むしろこっちだぜ」

「どういうこと？」

「えーと、この悲報を、どう君に伝えればいいのかなぁ」ロンが言った。「あのさ、あいつらは、**もしかしたら**、僕たちがグリンゴッツ破りをしたことに気づいた**かもしれないぜ**」

三人とも笑いだした。いったん笑いはじめると、止まらなかった。ハリーは笑いすぎて肋骨（ろっこつ）が痛くなり、空腹で頭がふらふらしたが、草に寝転び夕焼けの空を見上げて、のどがかれるまで笑い続けた。

「でも、どうするつもり？」

ハーマイオニーはヒクヒク言いながら、やっと笑いやんで真顔になった。

「わかってしまうでしょうね？『例のあの人』に、私たちが分霊箱のことを知っていることが！」

「もしかしたら、やつらは怖くてあの人に言えないんじゃないか？」ロンが望みをかけた。「もしかしたら、隠そうとするかも――」

その時、空も湖の水のにおいも、ロンの声もかき消え、ハリーは頭を刀で割かれたような痛みを感じた。

ハリーは薄明かりの部屋に立っていた。目の前に魔法使いが半円状に並び、足元の床には小さな姿が震えながらひざまずいている。

「俺様になんと言った？」

かん高く冷たい声が言った。頭の中は怒りと恐れで燃え上がっていた。このことだけを恐れていた――しかし、まさかそんなことが。どうしてそんなことが……。

小鬼は、ずっと高みから見下ろしている赤い目を見ることができず、震え上がっていた。

「もう一度言え！」ヴォルデモートがつぶやくように言った。「もう一度言ってみろ！」

「わ――わが君」小鬼は恐怖で黒い目を見開き、つかえながら言った。「わ――わが君……我々は、ど――努力いたしました。あ――あいつらを、と――止めるために……に――偽者が、わが君……破りました――金庫をや――破って――レストレンジ家のき――金庫に……」

「偽者？　どんな偽者だ？　グリンゴッツは常に、偽者を見破る方法を持っていると思ったが？　偽者は誰だ？」

「それは……それは……あのポ――ポッターのや――やつと、あとふ――二人の仲間で……」

「それで、やつらが盗んだものは？」

ヴォルデモートは声を荒らげた。恐怖がヴォルデモートをしめつけた。

「言え！　やつらは何を盗んだ？」

「ち……小さな――金のカ――カップです。わ――わが君……」

怒りの叫び、否定の叫びが、ヴォルデモートの口から他人の声のようにもれた。ヴォルデモートは逆上し、荒れ狂った。そんなはずはない。不可能だ。知る者は誰もいなかった。どうしてあの小僧が、俺様の秘密を知ることができたのだ？

ニワトコの杖が空を切り、緑の閃光（せんこう）が部屋中に走った。ひざまずいていた小鬼が、転がって絶命した。周りで見ていた魔法使いたちは、おびえきって飛びのき、ベラトリックスとルシウス・マルフォイは、ほかの者を押しのけて、真っ先に扉へと走った。ヴォルデモートの杖が、何度も何度も振り下ろされ、逃げ遅れた者は、一人残らず殺された。こんな報せを俺様にもたらし、金のカップのことを聞いてしまったからには――。

屍の間を、ヴォルデモートは荒々しく往ったり来たりした。頭の中に、次々に浮かんでくるイメージ。自分の宝、自分の護り、不死の碇――日記帳は破壊され、カップは盗まれた。もしも、もしもあの小僧が、ほかのものも知っているとしたなら？　知っているのだろうか？　すでに行動に移したのか？　ほかのものも探し出したのか？　ダンブルドアがやつの陰にいるのか？　俺様をずっと疑っていたダンブルドア、俺様の命令で死んだダンブルドア、いまやその杖は俺様のものとなったというのに、ダンブルドアは恥ずべき死のむこうから手を伸ばし、あの小僧を通して、あの小僧め――。

しかし、もしあの小僧が分霊箱のどれかを破壊してしまったのなら、まちがいなく、このヴォルデモート卿にはわかったはずだ。感じたはずではないか？　最も偉大なる魔法使いの俺様が、最も強大な俺様が、ダンブルドアを亡き者にし、ほかの名もない虫けらどもを数えきれないほど始末してくれたこの俺様が――そのヴォルデモート卿が、一番大切で尊い俺様自身が襲われ傷つけられるのに、気づかぬはずがないではないか？

確かに、日記帳が破壊されたときには感じなかった。しかしあれは、感じるべき肉体を持たず、ゴースト以下の存在だったからだ……いや、まちがいない。ほかのものは安全だ……ほかの分霊箱は手つかずだ……。

しかし、知っておかねばならぬ、確かめねば……。ヴォルデモートは部屋を往き来しながら、小鬼の死体を蹴飛ばした。煮えくり返った頭に、ぼんやりとしたイメージが燃え上がった。湖、小屋、そしてホグワーツ……。

わずかの冷静さが、いま、ヴォルデモートの怒りをしずめていた。あの小僧が、ゴーントの小屋に指輪が隠してあると知るはずがあろうか？　自分がゴーントの血筋であると知る者は、誰もいない。そのつながりは隠しとおしてきた。あの当時の殺人についても、この俺様が突き止められることはなかった。あの指輪は、まちがいなく安全だ。

それに、あの小僧だろうが誰だろうが、洞窟のことを知ることも、護りを破ることもできはすまい？ロケットが盗まれると考えるのは、愚の骨頂だ……。

学校はどうだ。分霊箱をホグワーツのどこに隠したかを知る者は、俺様ただ一人だ。自分だけがあの場所の、最も深い秘密を見抜いたのだから……。

それに、まだナギニがいる。これからは、身近に置かねばなるまい。もう俺様の命令を実行させるのはやめ、俺様の庇護のもとに置くのだ……。

しかし、確認のために、万全を期すために、それぞれの隠し場所に戻らねばならぬ。分霊箱の護りをさらに強化せねばなるまい……ニワトコの杖を求めたときと同様、この仕事は俺様一人でやらねばならぬ……。

どこを最初に訪ねるべきか？　最も危険なのはどれだ？　昔の不安感が脳裏をかすめた。ダンブルドアは、俺様の二番目の姓を知っている……ゴーントとの関係に気づいたかもしれぬ……隠し場所として、あの廃屋は、たぶん一番危ない。最初に行くべきは、あそこだ……。

湖、絶対に不可能だ……もっとも、ダンブルドアが、孤児院を通じて、俺様の過去のいたずらをいくつか知った可能性が、わずかにはあるが。

それに、ホグワーツ……しかし、あそこの分霊箱は安全だとわかりきっている。ポッターが網にかからずしてホグズミードに入ることは不可能だし、ましてや学校はなおさらだ。万が一のために、スネイプに、小僧が城に潜入しようとするやもしれぬ、と警告しておくのが賢明かもしれぬ……小僧が戻ってくる理由をスネイプに話すのは、むろん愚かしいことだ。ベラトリックスやマルフォイのやつらを信用したのは、重大な過ちだった。あいつらのバカさかげんと軽率さを見れば、そもそも信用なぞということ自体がいかに愚かしいことかを証明しているではないか？

まずは、ゴーントの小屋を訪ねるのだ。ナギニも連れていく。もはやこの蛇とは離れるべきではない……。

そしてヴォルデモートは荒々しく部屋を出て玄関ホールを通り抜け、噴水が水音を立てて落ちる暗い庭に出た。ヴォルデモートが蛇語で呼ぶ声に応えて、ナギニが長い影のようにするするとかたわらに寄ってきた……。

ハリーは、自分を現実に引き戻し、パッと目を開けた。陽が沈みかけ、ハリーは湖のほとりに横たわっていた。ロンとハーマイオニーが、ハリーを見下ろしている。二人の心配そうな表情や、傷痕がずきずき痛み続けていることから考えると、突然ヴォルデモートの心の中に旅をしていたことが、二人に気づかれてしまったらしい。ハリーは、肌がまだぬれているのに漠然と驚き、震えながらなんとか体を起こした。目の前の草の上には、何も知らぬげに金のカップが転がり、深い青色の湖は、沈む太陽の金色に彩られていた。

「『あの人』は知っている」

ヴォルデモートのかん高い叫びのあとでは、自分の声の低さが不思議だった。

「あいつは知っているんだ。そして、ほかの分霊箱を確かめにいく。それで、最後の一個は」

ハリーはもう立ち上がっていた。

「ホグワーツにある。そうだと思っていた。**そうだと思っていたんだ**」

「えっ？」

ロンはポカンとしてハリーを見つめ、ハーマイオニーはひざ立ちで心配そうな顔をしていた。

「何を見たの？　なぜ、それがわかったの？」

「あいつが、カップのことを聞かされる様子を見た。僕は――僕はあいつの頭の中にいて、あいつは――」ハリーは殺戮（さつりく）の場面を思い出した。「あいつは本気で怒っていた。それに、恐れていた。どうして僕たちが知ったのかを、あいつは理解できない。それで、これからほかの分霊箱が安全かどうか、調べにいくんだ。最初は指輪。あいつは、ホグワーツにある品が一番安全だと思っている。スネイプがあそこにいるし、見つからずに入り込むことがとても難しいだろうから。あいつはその分霊箱を最後に調べると思う。それでも、数時間のうちにはそこに行くだろう――」

「ホグワーツのどこにあるか、見たか？」ロンもいまや急いで立ち上がりながら、聞いた。

「いや。スネイプに警告するほうに意識を集中していて、正確にどこにあるかは思い浮かべていなかった――」

「待って、**待ってよ！**」

ロンが分霊箱を取り上げ、ハリーがまた透明マントを引っ張り出すと、ハーマイオニーが叫んだ。

「ただ**行く**だけじゃだめよ。なんの計画もないじゃないの。私たちに必要なのは――」

「僕たちに必要なのは、進むことだ」ハリーがきっぱりと言った。ハリーは眠りたかった。新しいテントに入るのを楽しみにしていた。しかしもうそれはできない。

「指輪とロケットがなくなっていることに気づいたら、あいつが何をするか想像できるか？　ホグワーツの分霊箱はもう安全ではないと考えて、どこかに動かしてしまったらどうなる？」

「だけど、どうやって入り込むつもり？」

「ホグズミードに行こう」ハリーが言った。「そして、学校の周囲の防御がどんなものかを見てから、なんとか策を考える。ハーマイオニー、透明マントに入って。今度はみんな一緒に行きたいんだ」

「でも、入りきらないし――」

「暗くなるよ。誰も、足なんかに気づきやしない」

暗い水面に翼の音が大きく響いた。心行くまで水を飲んだドラゴンが、空に舞い上がったのだ。三人は支度の手を止め、ドラゴンがだんだん高く舞い上がっていくのを眺めた。急速に暗くなる空を背景に飛ぶ黒い影のようなドラゴンが、近くの山のむこうに消えるまで、三人はその姿を見送っていた。それからハーマイオニーが進み出て、二人の真ん中に立った。ハリーはできるかぎり下までマントを引っ張り、それから三人一緒にその場で回転して、押しつぶされるような暗闇へと入っていった。

第28章　鏡の片割れ

ハリーの足が道路に触れた。胸が痛くなるほどなつかしいホグズミードの大通りが目に入った。暗い店先、村のむこうには山々の黒い稜線、道の先に見えるホグワーツへの曲がり角、「三本の箒」の窓からもれる明かり。そして、ほぼ一年前、絶望的に弱っていたダンブルドアを支えてここに降り立ったときのことが細部まで鮮明に思い出されて、ハリーは心が揺すぶられた。降り立った瞬間、そうしたすべての思いが一度に押し寄せた――しかしその時――ロンとハーマイオニーの腕をつかんでいた手をゆるめた、まさにその時に、事は起こった。

ギャーッという叫び声が空気を切り裂いた。カップを盗まれたと知ったときの、ヴォルデモートの叫びのような声だった。ハリーは、神経という神経を逆なでされるように感じた。三人が現れたことが引き金になったことはすぐにわかる。マントに隠れたほかの二人を振り返る間に、「三本の箒」の入口が勢いよく開き、フードをかぶったマント姿の死喰い人が十数人、杖をかまえて道路に躍り出た。

杖を上げるロンの手首を、ハリーが押さえた。失神させるには相手が多すぎる。呪文を発するだけで、敵に居所を教えてしまうだろう。死喰い人の一人が杖を振ると、叫び声はやんだが、まだ遠くの山々にこだまし続けていた。

「**アクシオ！　透明マントよ、来い！**」死喰い人が大声で唱えた。

ハリーはマントのひだをしっかりつかんだが、マントは動く気配さえない。「呼び寄せ呪文」は透明マントには効かなかった。

「かぶり物はなしということか、え、ポッター？」

呪文をかけた死喰い人が叫んだ。それから仲間に指令を出した。

「散れ、やつはここにいる」

死喰い人が六人、ハリーたちに向かって走ってきた。ハリー、ロン、ハーマイオニーは、急いであとずさりし、近くの脇道に入ったが、死喰い人たちは、そこからあと十数センチという所を通り過ぎていった。三人が暗闇に身をひそめてじっとしていると、死喰い人の走り回る足音が聞こえ、捜索の杖灯りが通りを飛び交うのが見えた。

「このまま逃げましょう！」ハーマイオニーがささやいた。「すぐに『姿くらまし』しましょう！」

「そうしよう」ロンが言った。

しかしハリーが答える前に、一人の死喰い人が叫んだ。

「ここにいるのはわかっているぞ、ポッター。逃げることはできない。おまえを見つけ出してやる！」

「待ち伏せされていた」ハリーがささやいた。「僕たちが来ればわかるように、あの呪文が仕掛けてあったんだ。僕たちを足止めするためにも、何か手が打ってあると思う。袋のネズミに――」

「『吸魂鬼』はどうだ？」別の死喰い人が叫んだ。「やつらの好きにさせろ。やつらなら、ポッターをたちまち見つける！」

「闇の帝王は、ほかの誰でもなく、ご自身の手でポッターを始末なさりたいのだ――」

「――吸魂鬼はやつを殺しはしない！　闇の帝王がお望みなのはポッターの命だ。魂ではない。まず吸魂鬼に接吻させておけば、ますます殺しやすいだろう！」

口々に賛成する声が聞こえた。ハリーは恐怖にかられた。吸魂鬼を追い払うためには守護霊を創り出さなければならず、そうすればたちまち三人の居場所がわかってしまう。

「とにかく『姿くらまし』してみましょう、ハリー！」ハーマイオニーがささやいた。

その言葉が終わらないうちに、ハリーは不自然な冷気が通りに忍び込むのを感じた。周りの明かりは吸い取られ、星までもが消えた。真っ暗闇の中で、ハーマイオニーが自分の手を取るのを感じた。三人はその場で回転した。

通り抜けるべき空間の空気が、固まってしまったかのようだ。「姿くらまし」はできなかった。死喰い人のかけた呪文は、見事に効いている。冷たさがハリーの肉に、しだいに深く食い込んできた。ハリーたち三人は、手探りで壁を伝いながら、音を立てないように脇道を奥へ奥へと入り込んだ。すると脇道の入口から、音もなくすべりながらやってくる吸魂鬼が見えた。十体、いやもっとたくさんいる。周りの暗闇よりも、さらに濃い黒でそれとわかる吸魂鬼は、黒いマントをかぶり、かさぶたに覆われたくさった手を見せていた。周辺に恐怖感があると、それを感じ取るのだろうか？　ハリーはきっとそうだと思った。さっきより速度を上げて近づいてくる。ハリーの大嫌いな、あのガラガラという息を長々と吸い込み、あたりを覆う絶望感を味わいながら、吸魂鬼が迫ってくる――。

ハリーは杖を上げた。あとはどうなろうとも、吸魂鬼の接吻だけは受けられない、受けるものか。ハリーが小声で呪文を唱えたときに思い浮かべていたのは、ロンとハーマイオニーのことだった。

「**エクスペクト　パトローナム！　守護霊よ来たれ！**」

銀色の牡鹿（おじか）が、ハリーの杖から飛び出して突撃した。吸魂鬼は蹴散らされたが、どこか見えない所から勝ち誇った叫び声が聞こえてきた。

「やつだ。あそこだ、あそこだ。あいつの守護霊を見たぞ。牡鹿だ！」

吸魂鬼は後退し、星が再び瞬きはじめた。死喰い人たちの足音がだんだん大きくなってきた。恐怖と衝撃で、ハリーがどうすべきか決めかねていると、近くでかんぬきをはずす音がして狭い脇道の左手の扉が開き、ガサガサした声が言った。

「ポッター、こっちへ、早く！」

ハリーは迷わず従った。三人は開いた扉から中に飛び込んだ。

「二階に行け。『マント』はかぶったまま。静かにしていろ！」

背の高い誰かが、そうつぶやきながら三人の脇を通り抜けて外に出ていき、背後で扉をバタンと閉めた。

ハリーにはどこなのかまったくわからなかったが、明滅する一本のろうそくの明かりであらためて見ると、そこは、おがくずのまき散らされた汚らしい「ホッグズ・ヘッド」のバーだった。三人はカウンターの後ろに駆け込み、もう一つ別の扉を通って、ぐらぐらした木の階段を急いで上がった。階段の先は、すり切れたカーペットの敷かれた居間で、小さな暖炉があり、その上にブロンドの少女の大きな油絵が一枚かかっていた。少女はどこかうつろなやさしい表情で、部屋を見つめている。

下の通りでわめく声が聞こえてきた。透明マントをかぶったまま、三人は、ほこりでべっとり汚れた窓に忍び寄り、下を見た。救い主は――ハリーはその時、それが「ホッグズ・ヘッド」のバーテンだと気づいたが――ただ一人だけフードをかぶっていない。

「それがどうした？」

バーテンは、フード姿の一人に向かって大声を上げていた。

「それがどうしたって言うんだ？　おまえたちが俺の店の通りに吸魂鬼を送り込んだから、俺は守護霊をけしかけたんだ！　あいつらにこの周りをうろつかれるのはごめんだ、そう言ったはずだぞ。あいつらはお断りだ！」

「あれは貴様の守護霊じゃなかった！」死喰い人の一人が言った。「牡鹿だった。あれはポッターのだ！」

「牡鹿！」バーテンはどなり返して杖を取り出した。「牡鹿！　このバカ——**エクスペクト　パトローナム！　守護霊よ来たれ！**」

杖から何か大きくて角のあるものが飛び出し、頭を低くしてハイストリート通りに突っ込み、姿が見えなくなった。

「俺が見たのはあれじゃない——」

そう言いながらも、死喰い人は少し自信をなくした口調だった。

「夜間外出禁止令が破られた。あの音を聞いたろう」仲間の死喰い人がバーテンに言った。「誰かが規則を破って通りに出たんだ——」

「猫を外に出したいときには、俺は出す。外出禁止なんてくそくらえだ！」

「『夜鳴き呪文』を鳴らしたのは、**貴様か？**」

「鳴らしたがどうした？　無理やりアズカバンに引っ張っていくか？　自分の店の前に顔を突き出した咎で、俺を殺すのか？　やりたきゃやれ！　だがな、おまえたちのために言うが、けちな闇の印を押して、『あの人』を呼んだりしてないだろうな。呼ばれて来てみれば、俺と年寄り猫一匹じゃ、お気に召さんだろうよ。さあ、どうだ？」

「よけいなお世話だ」死喰い人の一人が言った。「貴様自身のことを心配しろ。夜間外出禁止令を破りやがって！」

「それじゃあ、俺のパブが閉鎖になりゃ、おまえたちの薬や毒薬の取引はどこでする気だ？　おまえたちのこづかいかせぎはどうなるかねぇ？」

「脅す気か——？」

「俺は口が固い。だから、おまえたちはここに来るんだろうが？」

「俺はまちがいなく牡鹿の守護霊を見た！」最初の死喰い人が叫んだ。

「牡鹿だと？」バーテンが吠(ほ)え返した。「山羊(やぎ)だ、バカめ！」

「まあ、いいだろう。俺たちのまちがいだ」二人目の死喰い人が言った。「今度外出禁止令を破ってみろ、この次はそう甘くはないぞ！」

死喰い人たちは鼻息も荒く、大通りへ戻っていった。ハーマイオニーは、ホッとしてうめき声を上げ、ふらふらとマントから出て、脚のがたついた椅子にドサリと腰かけた。ハリーはカーテンをきっちり閉めてから、ロンと二人でかぶっていたマントを脱いだ。階下でバーテンが入口のかんぬきを閉めなおし、階段を上がってくる音が聞こえた。

ハリーは、マントルピースの上にある何かに気を取られた。少女の絵の真下に、小さな長方形の鏡が立てかけてある。

バーテンが部屋に入ってきた。

「とんでもないバカ者どもだ」三人を交互に見ながら、バーテンがぶっきらぼうに言った。「のこのこやってくるとは、どういう了見だ？」

「ありがとうございました」ハリーが言った。「お礼の申し上げようもありません。命を助けてくださって」

バーテンは、フンと鼻を鳴らした。ハリーはバーテンに近づき、針金色のパサついた長髪とひげに隠れた顔を見分けるように、じっとのぞき込んだ。バーテンはめがねをかけていた。汚れたレンズの奥に、人を見透(みとお)すような明るいブルーの目があった。

「僕がいままで鏡の中に見ていたのは、あなたの目だった」

部屋の中がしんとなった。ハリーとバーテンは見つめ合った。

「あなたがドビーをつかわしてくれたんだ」

バーテンはうなずき、妖精を探すようにあたりを見た。

「あいつが一緒だろうと思ったんだが。どこに置いてきた？」

「ドビーは死にました」ハリーが言った。「ベラトリックス・レストレンジに殺されました」

バーテンは無表情だった。しばらくしてバーテンが言った。

「それは残念だ。あの妖精が気に入っていたのに」

バーテンは三人に背を向け、誰の顔も見ずに、杖でこづいてランプに灯をともした。

「あなたはアバーフォースですね」ハリーがその背中に向かって言った。

バーテンは肯定も否定もせずに、かがんで暖炉に火をつけた。

「これを、どうやって手に入れたのですか？」ハリーは、シリウスの「両面鏡」に近づきながら聞いた。ほぼ二年前にハリーが壊した鏡と、対をなす鏡だった。

「ダングから買った。一年ほど前だ」アバーフォースが言った。「アルバスから、これがどういうものかを聞いていたんだ。ときどき君の様子を見るようにしてきた」

ロンが息をのんだ。

「銀色の牝鹿（めじか）！」ロンが興奮して叫んだ。「あれもあなただったのですか？」

「いったいなんのことだ？」アバーフォースが言った。

「誰かが、牝鹿の守護霊を僕たちに送ってくれた！」

「それだけの脳みそがあれば、フン、死喰い人になれるかもしれんな。たったいま、俺の守護霊は山羊だと証明してみせただろうが？」

「あっ」ロンが言った。「そうか……あのさ、僕、腹ぺこだ！」

ロンは、胃袋がグーッと大きな音を立てたのを弁解するように、つけ加えた。

「食い物はある」アバーフォースはすっと部屋を抜け出し、大きなパンの塊とチーズ、蜂蜜酒の入った錫製の水差しを手に、ほどなく戻ってきて、暖炉前の小さなテーブルに置いた。三人は貪るように飲み、かつ食べた。しばらくは、暖炉の火がはぜる音とゴブレットの触れ合う音や物をかむ音以外は、なんの音もしなかった。

「さて、それじゃあ」三人がたらふく食い、ハリーとロンが、眠たそうに椅子に座り込むと、アバーフォースが言った。「君たちをここから出す手立てを考えないといかんな。夜はだめだ。暗くなってから外に出たらどうなるか、聞いていただろう。『夜鳴き呪文』が発動して、連中は、ドクシーの卵に飛びかかるボウトラックルのように襲ってくるだろう。牡鹿を山羊と言いくるめるのも、二度目はうまくいくとは思えん。明け方まで待て。夜間外出禁止令が解けるから、その時にまた『マント』をかぶって、歩いて出発しろ。まっすぐホグズミードを出て、山に行け。そこからなら『姿くらまし』できるだろう。ハグリッドに会うかもしれん。あいつらに捕まりそうになって以来、グロウプと一緒にあそこの洞穴に隠れている」

「僕たちは逃げません」ハリーが言った。「ホグワーツに行かなければならないんです」

「ばかを言うんじゃない」アバーフォースが言った。

「そうしなければならないんです」

「君がしなければならんのは」アバーフォースは身を乗り出して言った。「ここから、できるだけ遠ざかることだ」

「あなたにはわからないことです。あまり時間がない。僕たちは、城に入らないといけないんだ。ダンブルドアが――あの、あなたのお兄さんが――僕たちにそうしてほしいと――」

暖炉の火が、アバーフォースのめがねの汚れたレンズを、一瞬曇らせ、明るい白一色にした。ハリーは巨大蜘蛛（ぐも）のアラゴグの盲いた目を思い出した。

「兄のアルバスは、いろんなことを望んだ」アバーフォースが言った。「そして、兄が偉大な計画を実行しているときには、決まってほかの人間が傷ついたものだ。ポッター、学校から離れるんだ。できれば国外に行け。俺の兄の、賢い計画なんぞ忘れっちまえ。兄はどうせ、こっちのことでは傷つかない所に行ってしまったし、君は兄に対してなんの借りもない」

「あなたには、わからないことです」ハリーはもう一度言った。

「わからない？」アバーフォースは静かに言った。「俺が、自分の兄のことを理解していないと思うのかね？　俺よりも君のほうが、アルバスのことをよく知っているとでも？」

「そういう意味ではありません」ハリーが言った。疲労と、食べすぎ飲みすぎで、頭が働かなくなっていた。「つまり……ダンブルドアは僕に仕事を遺（のこ）しました」

「へえ、そうかね？」アバーフォースが言った。「いい仕事だといいが？　楽しい仕事か？　簡単か？　半人前の魔法使いの小僧が、あまり無理せずにできるような仕事だろうな？」

ロンはかなり不ゆかいそうに笑い、ハーマイオニーは緊張した面持ちだった。

「僕は――いいえ、簡単な仕事ではありません」ハリーが言った。「でも、僕には義務が――」

『義務』？　どうして『**義務**』なんだ？　兄は死んでいる。そうだろうが？」アバーフォースが荒々しく言った。「忘れるんだ。いいか、兄と同じ所に行っちまう前に！　自分を救うんだ！」

「できません」

「なぜだ？」

「僕――」ハリーは胸がいっぱいになった。説明できない。かわりにハリーは反撃した。「でも、あなたも戦っている。あなたも『不死鳥の騎士団』のメンバーだ――」

「だった」アバーフォースが言った。「『不死鳥の騎士団』はもうおしまいだ。『例のあの人』の勝ちだ。もう終わった。そうじゃないとぬかすやつは、自分をだましている。ポッター、ここは君にとってけっして安全ではない。ヴォルデモートは、執拗（しつよう）に君を求めている。国外に逃げろ。隠れろ。自分を大切にするんだ。この二人も一緒に連れていくほうがいい」

アバーフォースは親指をぐいと突き出して、ロンとハーマイオニーを指した。

「この二人が君と一緒に行動していることは、もう誰もが知っている。だから、生きているかぎり二人とも危険だ」

「僕は行けない」ハリーが言った。「僕には仕事がある――」

「誰かほかの人間に任せろ！」

「できません。僕でなければならない。ダンブルドアがすべて説明してくれた――」

「ほう、そうかね？　それで、何もかも話してくれたかね？　君に対して正直だったかね？」

ハリーは心底「そうだ」と言いたかった。しかし、なぜかその簡単な言葉が口をついて出てこなかった。アバーフォースは、ハリーが何を考えているかを知っているようだった。

「ポッター、俺は兄を知っている。秘密主義を母親のひざで覚えたのだ。秘密とうそをな。俺たちはそうやって育った。そしてアルバスには……天性のものがあった」

老人の視線が、マントルピースの上にかかっている少女の絵に移った。ハリーがあらためてよく見回してみると、部屋にはその絵しかない。アルバス・ダンブルドアの写真もなければ、ほかの誰の写真もない。

「ダンブルドアさん？」ハーマイオニーが遠慮がちに聞いた。「あれは妹さんですか？　アリアナ？」

「そうだ」アバーフォースはそっけなく答えた。「娘さん、リータ・スキーターを読んでるのか？」

暖炉のバラ色の明かりの中でもはっきり見分けられるほど、ハーマイオニーは真っ赤になった。

「エルファイアス・ドージが、妹さんのことを話してくれました」

ハリーはハーマイオニーに助け舟を出した。

「あのしょうもないばかが……」

アバーフォースはブツブツ言いながら、蜂蜜酒をまたぐいとあおった。

「俺の兄の、毛穴という毛穴から太陽が輝くと思っていたやつだ。まったく。まあ、そう思っていた連中はたくさんいる。どうやら、君たちもその類のようだが」

ハリーはだまっていた。ここ何か月もの間、自分を迷わせてきたダンブルドアに対する疑いや確信のなさを、口にしたくはなかった。ドビーの墓穴を掘りながら、ハリーは選び取ったのだ。アルバス・ダンブルドアがハリーに示した、曲がりくねった危険な道をたどり続けると決心し、自分の知りたかったことのすべてを話してもらってはいないということも受け入れ、ただひたすら信じることに決めたのだ。再び疑いたくはなかった。目的から自分をそらそうとするものには、いっさい耳を傾けたくなかった。ハリーは、アバーフォースの目を見つめ返した。驚くほどその兄のまなざしに似ていた。明るいブルーの目は、やはり、相手をX線で透視しているような印象を与えた。ハリーは、アバーフォースが自分の考えを見透し、そういう考え方をするハリーを軽蔑していると思った。

「ダンブルドア先生は、ハリーのことをとても気にかけていました」

ハーマイオニーがそっと言った。

「へえ、そうかね？」アバーフォースが言った。「おかしなことに、兄がとても気にかけた相手の多くは、結局、むしろ放っておかれたほうがよかった、と思われる状態になった」

「どういうことでしょう？」ハーマイオニーが小さな声で聞いた。

「気にするな」アバーフォースが言った。

「でも、いまおっしゃったことは、とても深刻なことだわ！」ハーマイオニーが言った。「それ――それは、妹さんのことですか？」

アバーフォースは、ハーマイオニーをにらみつけた。出かかった言葉をかみ殺しているかのように唇が動いた。そして、せきを切ったように話しだした。

「妹は六つのときに、三人のマグルの少年に襲われ、暴力をふるわれた。妹が魔法を使っているところを、やつらは裏庭の生け垣からこっそりのぞいていたんだ。妹はまだ子供で、魔法力を制御できなかった。その年では、どんな魔法使いだってできはせん。たぶん、見ていた連中は怖くなったのだろう。生け垣を押し分けて入ってきた。もう一度やれと言われても、妹は魔法を見せることができなかった。それでやつらは、風変わりなチビに変なまねをやめさせようと図に乗った」

暖炉の明かりの中で、ハーマイオニーの目は大きく見開かれていた。ロンは少し気分が悪そうな顔だった。アバーフォースが立ち上がった。兄のアルバス同様背の高いアバーフォースは、怒りと激しい心の痛みで、突然、恐ろしい形相になった。

「妹はめちゃめちゃになった。やつらのせいで。二度と元には戻らなかった。魔法を使おうとはしなかったが、魔法力を消し去ることはできなかった。魔法力が内にこもり、妹を狂わせた。自分で抑えられなくなると、その力が内側から爆発した。妹はときどきおかしくなり、危険になった。しかし、いつもはやさしく、おびえていて、誰にも危害を加えることはなかった」

「そして父は、そんなことをしたろくでなしを追い」アバーフォースが話を続けた。「そいつらを攻撃した。父はそのためにアズカバンに閉じ込められてしまった。攻撃した理由を、父はけっして口にしなかった。魔法省がアリアナの状態を知ったら、妹は、聖マンゴに一生閉じ込められることになっただろう。アリアナのように精神不安定で、抑えきれなくなるたびに魔法を爆発させるような状態は、魔法省から、『国際機密保持法』をいちじるしくおびやかす存在とみなされただろう」

「家族は、妹をそっと安全に護ってやらなければならなかった。俺たちは引っ越し、アリアナは病気だと言いふらした。母は妹の面倒を見て、安静に幸せに過ごさせようとした」

「妹のお気に入りは、**俺**だった」そう言ったとき、アバーフォースのもつれたひげに隠れたしわだらけの顔から、泥んこの悪童が顔をのぞかせた。

「アルバスじゃない。あいつは家に帰ると、自分の部屋にこもりきりで、本を読んだりもらった賞を数えたり、『当世の最も著名な魔法使いたち』と手紙のやり取りをするばかりだった」アバーフォースはせせら笑った。「**あいつは**、妹のことなんか関わり合いになりたくなかったんだ。妹は俺のことが一番好きだった。母が食べさせようとしてもいやがる妹に、俺なら食べさせることができた。アリアナが発作を起こして激怒しているときに、俺ならなだめることができた。状態が落ち着いているときは、俺が山羊に餌をやるのを手伝ってくれた」

「妹が十四歳のとき……いや、俺はその場にいなかった」アバーフォースが言った。「俺がいたならば、なだめることができたのに。妹がいつもの怒りの発作を起こしたが、母はもう昔のように若くはなかった。それで……事故だったんだ。アリアナには抑えることができなかった。そして、母は死んだ」

ハリーは哀れみと嫌悪感の入りまじった、やりきれない気持ちになった。それ以上聞きたくなかった。しかしアバーフォースは話し続けた。アバーフォースが最後にこの話をしたのはいつのことだろう、いや、一度でも話したことがあるのだろうか、とハリーはいぶかった。

「そこで、アルバスの、あのドジなドージとの世界一周旅行は立ち消えになった。母の葬儀のために、二人は家にやってきた。そのあと、ドージだけが出発し、アルバスは家長として落ち着いたってわけだ。フン！」

アバーフォースは、暖炉の火につばを吐いた。

「俺なら、妹の面倒を見てやれたんだ。俺は、あいつにそう言った。学校なんてどうでもいい。家にいて、面倒を見るってな。兄は、俺が最後まで教育を受けるべきだ、**自分が**母親から引き継ぐ、とのたもうた。『秀才殿』も落ちぶれたものよ。心を病んだ妹の面倒を見たところで、一日おきに妹が家を吹っ飛ばすのを阻止したところで、なんの賞ももらえるものか。しかし兄は、数週間はなんとかかんとかやっていた……やつが来るまでは」

アバーフォースの顔に、今度こそまちがいなく危険な表情が浮かんだ。

「グリンデルバルドだ。そして兄はやっと、自分と同等な話し相手に出会った。**自分同様**優秀で、才能豊かな相手だ。すると、アリアナの面倒を見ることなんぞ二の次になった。二人は新しい魔法界の秩序の計画を練ったり、『**秘宝**』を探したり、ほかにも興味のおもむくままのことをした。すべての魔法族の利益のための壮大な計画だ。一人の少女がないがしろにされようが、アルバスが『**より大きな善のため**』に働いているなら、なんの問題があろう？」

「しかし、それが数週間続いたとき、俺はもうたくさんだと思った。ああ、そうだとも。俺のホグワーツに戻る日が間近に迫っていた。だから、俺は二人に言った。二人に面と向かって言ってやった。ちょうどいま、俺が君に話しているように」

そしてアバーフォースはハリーを見下ろした。兄と対決する屈強な怒れる十代のアバーフォースを、容易に想像できる姿だった。

「俺は兄に言った。すぐにやめろ。妹を動かすことはできない。動かせる状態じゃない。どこに行こうと計画しているかは知らないが、おまえに従う仲間を集めるための小賢しい演説に、妹を連れていくことはできないと、そう言ってやった。兄は気を悪くした」

めがねがまた暖炉の火を反射して白く光り、アバーフォースの目が一瞬さえぎられた。

「グリンデルバルドは、気を悪くするどころではなかった。やつは怒った。――ばかな小童だ、自分と優秀な兄との行く手を邪魔しようとしている――。やつはそう言った……自分たちが世界を変えてしまえば、そして隠れている魔法使いを表舞台に出し、マグルに身の程を知らせてやれば、俺の哀れな妹を隠しておく**必要**もなくなる。**それがわからないのか？**　とそう言った」

「口論になった……そして俺は杖を抜き、やつも抜いた。兄の親友ともあろう者が、俺に『磔の呪文』をかけたのだ――アルバスはあいつを止めようとした。それからは三つ巴の争いになり、閃光が飛びバンバン音がして、妹は発作を起こした。アリアナには耐えられなかったのだ――」

アバーフォースの顔から、まるで瀕死の重傷を負ったように血の気が失せていった。

「――だから、アリアナは助けようとしたのだと思う。しかし自分が何をしているのか、アリアナにはよくわかっていなかったのだ。そして、誰がやったのかはわからないが――三人ともその可能性はあった――妹は死んだ」

最後の言葉は泣き声になり、アバーフォースはかたわらの椅子にがっくりと座り込んだ。ハーマイオニーの顔は涙にぬれ、ロンは、アバーフォースと同じくらい真っ青になっていた。ハリーは、激しい嫌悪感以外、何も感じられなかった。聞かなければよかったと思った。聞いたことを、きれいさっぱり洗い流してしまいたいと思った。

「ほんとうに……ほんとうにお気の毒」ハーマイオニーがささやいた。

「逝ってしまった」アバーフォースがかすれ声で言った。「永久に、逝ってしまった」

アバーフォースはそでロで鼻をぬぐい、咳払いした。

「もちろん、グリンデルバルドのやつは、急いでずらかった。自国で前科のあるやつだから、アリアナのことまで自分の咎にされたくなかったんだ。そしてアルバスは自由になった。そうだろうが？　妹という重荷から解放され、自由に、最も偉大な魔法使いになる道を――」

「先生はけっして自由ではなかった」ハリーが言った。

「なんだって？」アバーフォースが言った。

「けっして」ハリーが言った。「あなたのお兄さんは、亡くなったあの晩、魔法の毒薬を飲み、幻覚を見ました。叫びだし、その場にいない誰かに向かって懇願しました。『**あの者たちを傷つけないでくれ、頼む……かわりにわしを傷つけてくれ**』」

ロンとハーマイオニーは、目を見張ってハリーを見た。湖に浮かぶ島で何が起こったのかを、ハリーは一度もくわしく話していなかった。ハリーとダンブルドアがホグワーツに戻ってからの一連の出来事の大きさが、その直前の出来事を完全に覆い隠してしまっていた。

「ダンブルドアは、あなたとグリンデルバルドのいる、昔の場面に戻っていたんだ。きっとそうだ」ハリーはダンブルドアのうめきと、すがるような言葉を思い出しながら言った。「先生は、グリンデルバルドが、あなたとアリアナとを傷つけている幻覚を見ていたんだ……それが先生にとっては拷問だった。あの時のダンブルドアをあなたが見ていたら、自由になったなんて言わないはずだ」

アバーフォースは、節くれだって血管の浮き出た両手を見つめて、想いにふけっているようだった。しばらくして、アバーフォースが言った。

「ポッター、確信があるのか？　俺の兄が、君自身のことより、より大きな善のほうに関心があったとは思わんのか？　俺の小さな妹と同じように、君が使い捨てにされているとは思わんのか？」

冷たい氷が、ハリーの心臓を貫いたような気がした。

「そんなこと信じないわ。ダンブルドアはハリーを愛していたわ」ハーマイオニーが言った。

「それなら、どうして身を隠せと言わんのだ？」アバーフォースが切り返した。「ポッターに、自分を大事にしろ、こうすれば生き残れる、となぜ言わんのだ？」

「なぜなら」ハーマイオニーより先に、ハリーが答えていた。「時には、自分自身の安全よりも、それ以上のことを考える**必要がある！**　時には、より大きな善のことを考え**なければならない！**　これは戦いなんだ！」

「君はまだ十七歳なんだぞ！」

「僕は成人だ。あなたがあきらめたって、僕は戦い続ける！」

「誰があきらめたと言った？」

「『不死鳥の騎士団』はもうおしまいだ』」ハリーがくり返した。「『例のあの人』の勝ちだ。もう終わった。そうじゃないと言うやつは、自分をだましている』」

「それでいいと言ったわけじゃない。しかし、それがほんとうのことだ！」

「ちがう」ハリーが言った。「あなたのお兄さんは、どうすれば『例のあの人』の息の根を止められるかを知っていた。そして、その知識を僕に引き渡してくれた。僕は続ける。やりとげるまで――でなければ、僕が倒れるまでだ。どんな結末になるかを、僕が知らないなんて思わないでください。僕にはもう、何年も前からわかっていたことなんです」

ハリーはアバーフォースがあざけるか、それとも反論するだろうと待ちかまえたが、どちらでもなかった。アバーフォースはただ、顔をしかめただけだった。

「僕たちは、ホグワーツに入らなければならないんです」ハリーがまた言った。「もし、あなたに助けていただけないのなら、僕たちは夜明けまで待って、あなたにはご迷惑をかけずに自分たちで方法を見つけます。**もし助けていただけるなら**――そうですね、いますぐ、そう言っていただけるといいのですが」

アバーフォースは椅子に座ったまま動かず、驚くほど兄と瓜二つの目で、ハリーをじっと見つめていた。やがて咳払いをして、アバーフォースはついと立ち上がり、小さなテーブルを離れてアリアナの肖像画のほうに歩いていった。

「おまえは、どうすればよいかわかっているね」アバーフォースが言った。

アリアナはほほえんで、後ろを向いて歩きはじめた。肖像画に描かれた人たちが普通するように、額縁の縁から出ていくのではなく、背後に描かれた長いトンネルに入っていくような感じだった。か細い姿がだんだん遠くなり、ついに暗闇に飲み込まれてしまうまで、ハリーたちはアリアナを見つめていた。

「あのぅ――これは――?」ロンが何か言いかけた。

「入口はいまやただ一つ」アバーフォースが言った。「やつらは、昔からの秘密の通路を全部押さえていて、その両端をふさいだ。学校と外とを仕切る壁の周りは吸魂鬼が取り巻き、俺の情報網によれば、校内は定期的に見張りが巡回している。あの学校が、これほど厳重に警備されたことは、いまだかつてない。中に入れたとしても、スネイプが指揮をとり、カロー兄妹が副指揮官だ。そんな所で、君たちに何ができるのやら……まあ、それは、そっちが心配することだな? 君は死ぬ覚悟があると言った」

「でも、どういうこと……?」

アリアナの絵を見て顔をしかめながら、ハーマイオニーが言った。

絵に描かれたトンネルのむこう側に、再び白い点が現れ、アリアナが今度はこちらに向かって歩いてきた。近づくにつれて、だんだん姿が大きくなってくる。さっきとちがって、アリアナよりも背の高い誰かが一緒だ。足を引きずりながら、興奮した足取りでやってくる。その男の髪はハリーの記憶よりもずっと長く伸び、顔には数箇所切り傷が見える。服は引き裂かれて破れていた。二人の姿はだんだん大きくなり、ついに顔と肩で画面が埋まるほどになった。そして、その画面全部が、壁の小さな扉のようにパッと前に開き、本物のトンネルの入口が現れた。その中から、伸び放題の髪に傷を負った顔、引き裂かれた服の、本物のネビル・ロングボトムが這い出してきた。ネビルは大きな歓声を上げながら、マントルピースから飛び下りて叫んだ。

「君が来ると信じていた！　**僕は信じていた！　ハリー！**」

第29章　失われた髪飾り

「ネビル――いったい――どうして――？」

ロンとハーマイオニーを見つけたネビルは、歓声を上げて二人を抱きしめていた。ハリーは、見れば見るほど、ネビルがひどい姿なのに気がついた。片方の目は腫れ上がり、黄色や紫のあざになっているし、顔には深くえぐられたような痕がある。全体にぼろぼろで、長い間、厳しい生活をしていた様子が見て取れた。それでも、ハーマイオニーから離れたときのネビルは、傷だらけの顔を幸せそうに輝かせて言った。

「君たちが来ることを信じてた！　時間の問題だって、シェーマスにそう言い続けてきたんだ！」

「ネビル、いったいどうしたんだ？」

「え？　これ？」

ネビルは首を振って、傷のことなど一蹴した。

「こんなのなんでもないよ。シェーマスのほうがひどい。いまにわかるけど。それじゃ、行こうか？あ、そうだ」

ネビルはアバーフォースを見た。

「アブ、あと二人来るかもしれないよ」

「あと二人？」

アバーフォースは険悪な声でくり返した。

「何を言ってるんだ、ロングボトム、あと二人だって？　夜間外出禁止令が出ていて、村中に『夜鳴き呪文』がかけられてるんだ！」

「わかってるよ。だからその二人は、このパブに直接『姿あらわし』するんだ」ネビルが言った。「ここに来たら、この通路からむこう側によこしてくれる？　ありがとう」

ネビルは手を差し出して、ハーマイオニーがマントルピースによじ登り、トンネルに入るのを助けた。ロンがそのあとに続き、それからネビルが入った。ハリーはアバーフォースに挨拶した。

「なんとお礼を言ったらいいのか。あなたは僕たちの命を二度も助けてくださいました」

「じゃ、その命を大切にするんだな」

アバーフォースがぶっきらぼうに言った。

「三度は助けられないかもしれんからな」

ハリーはマントルピースによじ登り、アリアナの肖像画の後ろの穴に入った。絵の裏側には、なめらかな石の階段があり、もう何年も前からトンネルがそこにあるように見えた。真鍮（しんちゅう）のランプが壁にかかり、地面は踏み固められて平らだ。歩く四人の影が、壁に扇のように折れて映っていた。

「この通路、どのくらい前からあるんだ？」

歩きだすとすぐに、ロンが聞いた。

「『忍びの地図』にはないぞ。な、ハリー、そうだろ？　学校に出入りする通路は、七本しかないはずだよな？」

「あいつら、今学期の最初に、その通路を全部封鎖したよ」ネビルが言った。「もう、どの道も絶対通れない。入口には呪いがかけられて、出口には死喰（しく）い人と吸魂鬼が待ち伏せしてるもの」

ネビルはニコニコ顔で後ろ向きに歩きながら、三人の姿をじっくり見ようとしていた。

「そんなことはどうでもいいよ……ね、ほんと？　グリンゴッツ破りをしたって？　ドラゴンに乗って脱出したって？　知れ渡ってるよ。みんな、その話で持ちきりだよ。テリー・ブートなんか、夕食のときに大広間でそのことを大声で言ったもんだから、カローにぶちのめされた！」

「うん、ほんとだよ」ハリーが言った。

ネビルは大喜びで笑った。

「ドラゴンは、どうなったの？」

「自然に帰した」ロンが言った。「ハーマイオニーなんか、ペットとして飼いたがったけどさ——」

「大げさに言わないでよ、ロン——」

「でも、これまで何していたの？　みんなは、君が逃げ回ってるだけだって言ってたけど、ハリー、僕はそうは思わない。何か目的があってのことだと思う」

「そのとおりだよ」ハリーが言った。「だけど、ホグワーツのことを話してくれよ、ネビル、僕たちなんにも聞いてないんだ」

「学校は……そうだな、もう以前のホグワーツじゃない」ネビルが言った。

話しながら笑顔が消えていった。

「カロー兄妹のことは知ってる？」

「ここで教えている、死喰い人の兄妹のこと？」

「教えるだけじゃない」ネビルが言った。「規律係なんだ。体罰が好きなんだよ、あのカロー兄妹は」

「アンブリッジみたいに？」

「ううん、二人にかかっちゃ、アンブリッジなんてかわいいもんさ。ほかの先生も、生徒が何か悪さをすると、全部カロー兄妹に引き渡すことになってるんだ。だけど、渡さない。できるだけさけようとしてるんだよ。先生たちも僕らと同じくらい、カロー兄妹を嫌ってるのがわかるよ」

「アミカス、あの男、かつての『闇の魔術に対する防衛術』を教えてるんだけど、いまじゃ『闇の魔術』そのものだよ。僕たち、罰則を食らった生徒たちに『磔の呪文』をかけて練習することになってる――」

「**えぇっ?**」

ハリー、ロン、ハーマイオニーの声が一緒になって、トンネルの端から端まで響いた。

「うん」ネビルが言った。「それで僕はこうなったのさ」

ネビルは、ほおの特に深い切り傷を指差した。

「僕がそんなことはやらないって言ったから。でも、はまってるやつもいる。クラッブとゴイルなんか、喜んでやってるよ。たぶん、あいつらが一番になったのは、これが初めてじゃないかな」

「妹のアレクトのほうは『マグル学』を教えていて、これは必須科目。僕たち全員があいつの講義を聞かないといけないんだ。マグルは獣だ、まぬけで汚い、魔法使いにひどい仕打ちをして追い立て、隠れさせたとか、自然の秩序がいま、再構築されつつある、なんてさ。この傷は」ネビルは、顔のもう一つの切り傷を指した。「アレクトに質問したら、やられた。おまえにもアミカスにも、どのくらいマグルの血が流れてるかって、聞いてやったんだ」

「おっどろいたなぁ、ネビル」ロンが言った。「気の利いたセリフは、時と場所を選んで言うもんだ」

「君は、あいつの言うことを聞いてないから」ネビルが言った。「君だってきっとがまんできなかったよ。それより、あいつらに抵抗して誰かが立ち上がるのは、いいことなんだ。それがみんなに希望を与える。僕はね、ハリー、君がそうするのを見て、それに気づいていたんだ」

「だけど、あいつらに包丁研ぎがわりに使われっちまったな」

ちょうどランプのそばを通り、ネビルの傷痕がくっきりと浮き彫りにされて、ロンは少し、たじろぎながら言った。

ネビルは肩をすくめた。

「かまわないさ。あいつらは純血の血をあまり流したくないから、口が過ぎればちょっと痛い目を見させるけど、僕たちを殺しはしない」

ネビルの話している内容のひどさと、それがごくあたりまえだというネビルの話の調子と、どちらがより嘆かわしいのか、ハリーにはわからなかった。

「ほんとうに危ないのは、学校の外で友達とか家族が問題を起こしている生徒たちなんだ。そういう子たちは、人質に取られている。あのゼノ・ラブグッドは『ザ・クィブラー』でちょっとズバズバ言いすぎたから、クリスマス休暇で帰る途中の汽車で、ルーナが引っ張っていかれた」

「ネビル、ルーナは大丈夫だ。僕たちルーナに会った――」

「うん、知ってる。ルーナがうまくメッセージを送ってくれたから」

ネビルは、ポケットから金貨を取り出した。ハリーは、それがダンブルドア軍団の連絡に使った偽のガリオン金貨だと、すぐわかった。

「これ、すごかったよ」

ネビルはハーマイオニーに、ニッコリと笑顔を向けた。

「カロー兄妹は、僕たちがどうやって連絡し合うのか全然見破れなくて、頭に来てたよ。僕たち、夜にこっそり抜け出して、『**ダンブルドア軍団、まだ募集中**』とか、いろいろ壁に落書きしていたんだ。スネイプは、それが気に入らなくてさ」

「して**いた?**」ハリーは、過去形なのに気づいた。

「うーん、だんだん難しくなってきてね」ネビルが言った。

「クリスマスにはルーナがいなくなったし、ジニーはイースターのあと、戻ってこなかった。僕たち三人が、リーダーみたいなものだったんだ。カロー兄妹は、事件の陰に僕がいるって知ってたみたいで、だから僕を厳しく抑えにかかった。それから、マイケル・コーナーが、やつらに鎖でつながれた一年生を一人解き放してやっているところを捕まって、ずいぶんひどく痛めつけられた。それで、みんな震え上がったんだ」

「マジかよ」上り坂になってきたトンネルを歩きながら、ロンがつぶやいた。

「ああ、でもね、みんなにマイケルみたいな目にあってくれ、なんて頼めないから、そういう目立つことはやめた。でも、僕たち戦い続けたんだ。地下運動に変えて、二週間前まではね。ところが、あいつらとうとう、僕にやめさせる道は一つしかないと思ったんだろうな。それで、ばあちゃんを捕まえようとした」

「**なんだって?**」ハリー、ロン、ハーマイオニーが同時に声を上げた。

「うん」坂が急勾配になって少し息を切らしながら、ネビルが言った。

「まあね、やつらの考え方はわかるよ。親たちをおとなしくさせるために子供を誘拐するっていうのは、うまくいった。それなら、その逆を始めるのは時間の問題だったと思うよ。ところが――」

ネビルが三人を振り返った。その顔がニヤッと笑っているのを見て、ハリーは驚いた。

「あいつら、ばあちゃんをあなどった。ひとり暮らしの老魔女だ、特に強力なのを送り込む必要はないって、たぶんそう思ったんだろう。とにかく――」

ネビルは声を上げて笑った。

「ドーリッシュはまだ聖マンゴに入院中で、ばあちゃんは逃亡中だ。ばあちゃんから手紙が来たよ」

ネビルはローブの胸ポケットをポンとたたいた。

「僕のことを誇りに思うって。それでこそ親に恥じない息子だ、がんばれって」

「かっこいい」ロンが言った。

「うん」ネビルがうれしそうに言った。

「ただね、僕を抑える手段がないと気づいたあとは、あいつら、ホグワーツには結局、僕なんかいらないと決めたみたいだ。僕を殺そうとしているのか、アズカバン送りにするつもりなのかは知らないけど、どっちにしろ、僕は姿を消す時が来たって気づいたんだ」

「だけど――」

ロンがさっぱりわからないという顔で言った。

「僕たち――僕たち、まっすぐホグワーツに向かっているんじゃないのか？」

「もちろんさ」ネビルが言った。「すぐわかるよ。ほら着いた」

角を曲がると、トンネルはそのすぐむこうで終わっていた。短い階段があって、その先に、アリアナの肖像画の背後に隠されていたと同じような扉があった。ネビルは扉を押し開けてよじ登り、くぐり抜けた。ハリーもあとに続いた。ネビルが、見えない人々に向かって呼びかける声が聞こえた。

「この人だーれだ！　僕の言ったとおりだろ？」

ハリーが通路のむこう側の部屋に姿を現すと、数人が悲鳴や歓声を上げた。

「**ハリー！**」

「ポッターだ。**ポッターだよ！**」

「ロン！」

「**ハーマイオニー！**」

色鮮やかな壁飾りやランプや大勢の顔が見え、ハリーは頭が混乱した。次の瞬間、ハリー、ロン、ハーマイオニーの三人は、二十人以上の仲間に取り囲まれ、抱きしめられて背中をたたかれ、髪の毛をくしゃくしゃにされ、握手攻めにあった。たったいま、クィディッチの決勝戦で優勝したかのようだった。

「**オッケー**、オッケー、落ち着いてくれ！」

ネビルが呼びかけ、みんなが一歩退いたので、ハリーはようやく周りの様子を眺めることができた。

まったく見覚えのない部屋だった。とびきり贅沢な樹上の家の中か、巨大な船室のような感じの大きな部屋だった。色とりどりのハンモックが、天井から、そして窓のない黒っぽい板壁に沿って張り出したバルコニーからぶら下がっている。板壁は、鮮やかなタペストリーで覆われていた。タペストリーは、深紅の地にグリフィンドールの金色のライオンの縫い取り、黄色地にハッフルパフの黒い穴熊、そして青地にレイブンクローのブロンズ色の鷲(わし)だ。銀と緑のスリザリンだけがない。本でふくれ上がった本棚、壁に立てかけた箒(ほうき)が数本、そして隅には大きな木のケースに入ったラジオがある。

「ここはどこ？」

「『必要の部屋』に決まってるよ！」ネビルが言った。

「いままで最高だろう？　カロー兄妹が僕を追いかけていた。それで、隠れ場所はここしかないと思ったんだ。なんとか入り込んだら、中はこんなになってたんだ！　最初に僕が入ったときは、全然こんなじゃなくて、ずっと小さかった。ハンモックが一つとグリフィンドールのタペストリーだけだったんだ。でも、ダンブルドア軍団のメンバーがどんどん増えるに連れて、部屋が広がったんだよ」

「それで、カロー兄妹は入れないのか？」

ハリーは扉を探して、ぐるりと見回しながら聞いた。

「ああ」

シェーマス・フィネガンが答えた。

ハリーは、その声を聞くまでシェーマスだとわからなかった。それほど傷だらけで、腫れ上がった顔だった。

「ここはきちんとした隠れ家だ。僕たちの誰かが中にいるかぎり、やつらは手を出せない。扉が開かないんだ。全部ネビルのおかげさ。ネビルはほんとうにこの部屋を**理解してる**。この部屋に、必要なことを**正確に**頼まないといけないんだ――たとえば、『カローの味方は、誰もここに入れないようにしたい』――そしたら、この部屋はそのようにしてくれる！　ただ、絶対に抜け穴がないようにしておかなきゃならないのさ！　ネビルはすごいやつだ！」

「たいしたことじゃないんだ。ほんと」

ネビルは謙遜した。

「ここに一日半ぐらい隠れていたら、すごくお腹（なか）がすいて、それで、何か食べるものが欲しいって願った。『ホッグズ・ヘッド』への通路が開いたのは、その時だよ。そのトンネルを通っていったら、アバーフォースに会った。アバーフォースが僕たちに、食料を提供してくれているんだ。なぜかこの『必要の部屋』は、それだけはしてくれない」

「うん、まあ、食料は『ガンプの元素変容の法則』の五つの例外の一つだからな」

ロンの言葉に、みんなあっけに取られた。

「それで、僕たち、もう二週間近く、ここに隠れているんだ」シェーマスが言った。「ハンモックが必要になるたびに、この部屋は追加してくれるし、女子が入ってくるようになったら、急にとてもいい風呂場が――」

「――女子がちゃんと体を洗いたいと思ったから、現れたの。ええそうよ」

ラベンダー・ブラウンが説明を加えた。ハリーはその時まで、ラベンダーがいることに気づかなかった。あらためてきちんと部屋を見回すと、ハリーの見知った顔がたくさんいるのに気がついた。双子のパチル姉妹もいるし、そのほかにも、テリー・ブート、アーニー・マクミラン、アンソニー・ゴールドスタイン、マイケル・コーナー。

「ところで、君たちが何をしていたのか、教えてくれよ」アーニーが言った。

「うわさがあんまり多すぎてね、僕たち『ポッターウオッチ』で、なんとか君の動きに追いつくようにしてきたんだ」

アーニーは、ラジオを指差した。

「君たちまさか、グリンゴッツ破りなんか、していないだろう?」

「したよ！」ネビルが言った。「それに、ドラゴンのこともほんとさ！」

バラバラと拍手が起こり、何人かが「ウワッ」と声を上げた。ロンは舞台俳優のようにおじぎした。

「何が目的だったの？」シェーマスが熱くなって聞いた。

三人は自分たちから質問することで、みんなの質問をかわそうとした。しかしその前に、稲妻形の傷痕に焼けるような激痛が走った。ハリーは、嬉々とした顔で知りたがっているみんなに急いで背を向けた。

「必要の部屋」は消え去り、ハリーは荒れはてた石造りの小屋の中に立っていた。足元のくさった床板がはぎ取られ、穴が開いたその脇に、掘り出された黄金の箱がからっぽになって転がっていた。ヴォルデモートの怒りの叫びが、ハリーの頭の中でガンガン響いた。

ハリーは、全力を振りしぼってヴォルデモートの心から抜け出し、ふらふらしながら自分のいる「必要の部屋」に戻ってきた。顔からは汗が噴き出し、ロンに支えられて立っていた。

「ハリー、大丈夫？」ネビルが声をかけていた。

「腰かけたら？　たぶんつかれているせいじゃ――？」

「ちがうんだ」

ハリーはロンとハーマイオニーを見て、ヴォルデモートが分霊箱の一つがなくなっているのに気づいたと、無言で伝えようとした。時間がどんどんなくなっていく。ヴォルデモートが次にホグワーツに来るという選択をしたなら、三人は機会を失ってしまう。

「僕たちは、先に進まなくちゃならない」

ハリーが言った。二人の表情から、ハリーは理解してくれたと思った。

「それじゃ、ハリー、僕たちは何をすればいい？」シェーマスが聞いた。「計画は？」

「計画？」ハリーがくり返した。

ヴォルデモートの激しい怒りに再び引っ張り込まれないようにと、ハリーはありったけの意思の力を使っていたし、傷痕は焼けるように痛み続けていた。

「そうだな、僕たちは――ロンとハーマイオニーと僕だけど――やらなくちゃいけないことがあるんだ。そのあとは、ここから出ていく」

今度は、笑う者も「ウワッ」と言う者もいなかった。ネビルが困惑した顔で言った。

「どういうこと？　『ここから出ていく』って？」

「ここにとどまるために、戻ってきたわけじゃない」

ハリーは痛みをやわらげようと傷痕をさすりながら言った。

「僕たちは大切なことをやらなければならないんだ――」

「なんなの？」

「僕――僕、話せない」

ブツブツというつぶやきがさざなみのように広がった。ネビルは眉根を寄せた。

「どうして僕たちに話せないの？『例のあの人』との戦いに関係したことだろう？」

「それは、うん――」

「なら、僕たちが手伝う」

ダンブルドア軍団のほかのメンバーも、ある者は熱心に、ある者は厳粛にうなずいた。中の二人が椅子から立ち上がり、すぐにでも行動する意思を示した。

「君たちにはわからないことなんだ」

ハリーは、ここ数時間の間に、この言葉を何度も言ったような気がした。

「僕たち――君たちには話せない。どうしても、やらなければならないんだ――僕たちだけで」

「どうして？」ネビルが尋ねた。

「どうしてって……」

最後の分霊箱を探さなければと焦り、少なくとも、どこから探しはじめたらいいかを、ロンとハーマイオニーの二人だけと話したいと焦るあまり、ハリーはなかなか考えがまとまらなかった。額の傷痕は、まだジリジリと焼けるように痛んでいた。

「ダンブルドアは、僕たち三人に仕事を遺(のこ)した」ハリーは慎重に答えた。「そして、そのことを話すわけには――つまり、ダンブルドアは、僕たちに、三人だけにその仕事をしてほしいと考えていたんだ」

「僕たちはその軍団だ」ネビルが言った。「ダンブルドア軍団なんだ。僕たちはそこで全員結ばれている。君たちが三人だけで行動していた間、僕たちは軍団の活動を続けてきた――」

「おい、僕たちはピクニックに行ってたわけじゃないぜ」ロンが言った。

「そんなこと、一度も言ってないよ。でも、どうして僕たちを信用できないのか、わからない。この『部屋』にいる全員が戦ってきた。だからカロー兄妹に狩り立てられて、ここに追い込まれてきたんだ。ここにいる者は全員、ダンブルドアに忠実なことを証明してきた――君に忠実なことを」

「聞いてくれ――」

ハリーは、そのあと何を言うのか考えていなかったが、言う必要もなくなった。ちょうどその時、背後のトンネルの扉が開いたからだ。

「伝言を受け取ったわ、ネビル！　こんばんは。あたし、三人ともきっとここにいると思ったもん！」ルーナとディーンだった。シェーマスは吠えるような歓声を上げてディーンに駆け寄り、無二の親友を抱きしめた。

「みんな、こんばんは！」ルーナがうれしそうに言った。「ああ、戻ってこられてよかった！」

「ルーナ」

ハリーは気をそらされてしまった。

「君、どうしたの？　どうしてここに――？」

「僕が呼んだんだ」

ネビルが、偽ガリオン金貨を見せながら言った。

「僕、ルーナとジニーに、君が現れたら知らせるって、約束したんだ。君が戻ってきたら、その時は革命だって、僕たち全員そう思ってた。スネイプとカロー兄妹を打倒するんだって」

「もちろん、そういうことだもゝ」

ルーナが明るく言った。

「そうでしょ、ハリー？　戦ってあいつらをホグワーツから追い出すのよね？」

「待ってくれ」

ハリーはせっぱ詰まって、焦りをつのらせた。

「すまない、みんな。でも、僕たちは、そのために戻ってきたんじゃないんだ。しなければならないことがある。そのあとは――」

「僕たちを、こんなひどい状態のまま残していくのか？」マイケル・コーナーが詰め寄った。

「ちがう！」ロンが言った。「僕たちがやろうとしていることは、結局はみんなのためになるんだ。すべては、『例のあの人』をやっつけるためなんだ――」

「それなら手伝わせてくれ！」ネビルが怒ったように言った。「僕たちも、それに加わりたいんだ！」

またしても背後で物音がして、ハリーは振り返った。とたんに心臓が止まったような気がした。壁の穴をよじ登ってきたのはジニーだった。すぐ後ろにフレッド、ジョージ、リー・ジョーダンが続いていた。ジニーは、ハリーに輝くような笑顔を向けた。ハリーは、ジニーがこんなに美しいことを忘れていた。いや、これまで充分に気がついていなかった。しかし、ジニーを見て、これほどうれしくなかったこともない。

「アバーフォースのやつ、ちょっといらついてたな」

フレッドは、何人かの歓迎の声に応えるように手を挙げながら言った。

「ひと眠りしたいのに、あの酒場が駅になっちまってさ」

ハリーは口をあんぐり開けた。リー・ジョーダンの後ろから、ハリーの昔のガールフレンドのチョウ・チャンが現れ、ハリーにほほえみかけていた。

「伝言を受け取ったわ」

チョウは、偽ガリオン金貨を持った手を挙げ、マイケル・コーナーのほうに歩いていって、横に座った。

「さあ、どういう計画だ、ハリー？」ジョージが言った。

「そんなものはない」

ハリーは、急にこれだけの人間が現れたことにとまどい、しかも傷痕の激しい痛みのせいで、状況が充分に消化しきれていなかった。

「実行しながら、計画をでっち上げるわけだな？　俺の好みだ」フレッドが言った。

「こんなこと、やめてくれ！」ハリーがネビルに言った。

「なんのために、みんなを呼び戻したんだ？　正気の沙汰じゃない――」

「僕たち、戦うんだろう？」

ディーンが、自分の偽ガリオン金貨を取り出しながら言った。

「伝言は、こうだ。『ハリーが戻った。僕たちは戦う！』。だけど、僕は杖がいるな――」

「持ってないのか、**杖を**――？」シェーマスが何か言いかけた。

ロンが、突然ハリーに向かって言った。

「みんなに手伝ってもらったら？」

「えっ？」

「手伝ってもらえるよ」

ロンは、ハリーとロンの間に立っているハーマイオニーにしか聞こえないように、声を落として言った。

「あれがどこにあるか、僕たちにはわかってない。早いとこ見つけないといけないだろ。みんなにはそれが分霊箱だなんて言う必要はないからさ」

ハリーはロンとハーマイオニーを交互に見た。ハーマイオニーがヒソヒソ声で言った。

「ロンの言うとおりだわ。私たち、何を探すのかさえわからないのよ。みんなの助けがいるわ」

ハリーがまだ納得しない顔でいると、ハーマイオニーがもうひと押しした。

「ハリー、何もかも一人でやる必要はないわ」

傷痕がうずき続け、また頭が割れてしまいそうな予感がしながら、ハリーは急いで考えをめぐらせた。ダンブルドアは、分霊箱のことはロンとハーマイオニー以外の誰にも言うなと警告した。――**秘密とうそをな。俺たちはそうやって育った。そしてアルバスには……天性のものがあった……**ハリーは、ダンブルドアになろうとしているのだろうか。秘密を胸に抱え、信用することを恐れているのか？　しかしダンブルドアはスネイプを信じた。その結果どうなったか？　一番高い塔の屋上での殺人……。

「わかった」ハリーは二人に向かって小声で言った。

「よーし、みんな」ハリーが「必要の部屋」全体に呼びかけると、話し声がやんだ。近くにいる仲間に冗談を飛ばしていたフレッドとジョージもぴたりと静かになり、全員が緊張し、興奮しているように見えた。

「僕たちはあるものを探している」ハリーが言った。「それは――『例のあの人』を打倒する助けになるものだ。このホグワーツにある。しかし、どこにあるのかはわからない。レイブンクローに属する何かかもしれない。誰か、そういうものの話を聞いたことはないか？　誰か、たとえば鷲の印がある何かを、どこかで見かけたことはないか？」

ハリーはもしやと期待しながら、レイブンクローの寮生たちを見た。パドマ、マイケル、テリー、チョウ。しかし答えたのは、ジニーの椅子のひじにちょこんと腰かけていたルーナだった。

「あのね、『失われた髪飾り』があるわ。その話をあんたにしたこと、ハリー、覚えてる？　レイブンクローの失われた髪飾りのことだけど？　パパがそのコピーを作ろうとしたんだもん」

「ああ、だけど失われた髪飾りって言うからには――」

マイケル・コーナーが、あきれたように目をぐるぐるさせながら言った。

「**失われた**んだ、ルーナ。そこが肝心なところなんだよ」

「いつごろ失われたの？」ハリーが聞いた。

「何百年も前だという話よ」

チョウの言葉で、ハリーはがっかりした。

「フリットウィック先生がおっしゃるには、髪飾りは創始者のレイブンクローと一緒に消えたんですって。みんな探したけど、でも」

「誰もその手がかりを見つけられなかった。そうよね？」

チョウは、レイブンクロー生に向かって訴えかけるように言った。

レイブンクロー生がいっせいにうなずいた。

「あのさ、髪飾りって、**どんなもの**だ？」ロンが聞いた。

「冠みたいなものだよ」テリー・ブートが言った。

「レイブンクローの髪飾りは、魔法の力があって、それをつけると知恵が増すと考えられていたんだ」

「うん、パパのラックスパート吸い上げ管は――」

しかし、ハリーがルーナをさえぎった。

「それで、誰もそれらしいものを見たことがないのか？」

みんなはまたうなずいた。ハリーはロンとハーマイオニーの顔を見たが、自分の失望が鏡のように映っているのを見ただけだった。長い間失われた品、そして手がかりさえない品が、城に隠された分霊箱である可能性はないように思われた……しかし、ハリーが別な質問を考えているとき、チョウがまた口を開いた。

「その髪飾りが、どんな形をしているか見たかったら、ハリー、私たちの談話室に連れていって、見せてあげるけど？　レイブンクローの像が、それをつけているわ」

ハリーの傷痕がまた焼けるように痛んだ。一瞬「必要の部屋」がぐらついてぼやけ、暗い大地がぐんぐん下になり、大蛇が肩に巻きついているのを感じた。ヴォルデモートはまた飛び立ったのだ。地下の湖へか、このホグワーツ城へか、ハリーにはわからなかった。どちらにしても、もう残された時間はほとんどない。

「あいつが動きだした」

ハリーはロンとハーマイオニーにこっそり言った。ハリーはチョウをちらりと見て、それからまた二人を見た。

「こうしよう。あんまりいい糸口にはならないと思うけど、でも、その像を見てくる。少なくとも、その髪飾りがどんなものかがわかる。ここで待っていてくれ、そして、ほら――もう一つのあれを――安全に保管していてくれ」

チョウが立ち上がったが、ジニーがかなり強い調子で言った。

「ダメ。ルーナがハリーを案内するわ。そうよね、ルーナ？」

「えぇエー、いいわよ。喜んで」

ルーナがうれしそうに言い、チョウは失望したような顔で、また座った。

「どうやって出るんだ？」ハリーがネビルに聞いた。

「こっちからだよ」

ネビルはハリーとルーナを、部屋の隅に案内した。そこにある小さな戸棚を開くと、急な階段に続いていた。

「行く先が毎日変わるんだ。だからあいつらは、絶対に見つけられない」ネビルが言った。「ただ問題は、出ていくのはいいんだけど、行く先がどこになるのか、はっきりわからないことだ。ハリー、気をつけて。あいつら、夜は必ず廊下を見回っているから」

「大丈夫」ハリーが答えた。「すぐ戻るよ」

ハリーとルーナは階段を急いだ。松明に照らされた長い階段で、あちこち思いがけない所に曲がり角があった。最後に二人は、どうやら固い壁らしいものの前に出た。

「ここに入って」

そう言いながら、ハリーは透明マントを取り出して、ルーナと自分にかぶせた。ハリーは壁を軽く押した。

壁はハリーがさわると溶けるように消え、二人は外に出た。振り返ると、壁がたちまちひとりでにふさがるのが見えた。そこは暗い廊下だった。ハリーはルーナを引っ張って物陰に移動し、首からかけた巾着を探って「忍びの地図」を取り出した。顔を地図にくっつけるようにして自分とルーナの点を探し、やっとそれを見つけた。

「ここは六階だ」

ハリーは、行く手の廊下から、フィルチの点が遠ざかっていくのを見つめながらささやいた。

「さあ、こっちだ」

二人はこっそりと進んだ。

ハリーは、何度も夜に城の中をうろついたことがあったが、心臓がこんなに早鐘を打ったことはなかったし、無事に移動することに、これほどさまざまな期待がかかっていたこともなかった。月光が四角に射し込む廊下を通り、ひそかな足音を聞きとがめて兜をキーキー鳴らす鎧のそばを通り過ぎ、得体の知れない何かがひそんでいるかもしれない角をいくつも曲がり、忍びの地図が読めるだけの明かりがある所では地図を確かめながら、ハリーとルーナは歩いた。ゴーストをやり過ごすために、二度立ち止まった。いつなんどき障害に出くわしてもおかしくはなかった。ハリーは、ポルターガイストのピーブズを何より警戒し、近づいてくるときの、それとわかる最初の物音を聞き逃すまいと、ひと足ごとに耳を澄ました。

「こっちよ、ハリー」

ルーナがハリーのそでを引き、螺旋階段のほうに引っ張りながら、声をひそめて言った。

二人は、目の回るような急な螺旋を上った。ハリーは、ここには来たことがなかった。やっとのことで扉の前に出た。取っ手も鍵穴もない。古めかしい木の扉がのっぺりと立っているだけで、鷲の形をしたブロンズのドア・ノッカーがついている。

ルーナが色白の手を差し出した。腕も胴体もない手が宙に浮いているようで、薄気味が悪かった。ルーナが一回ノックした。静けさの中で、その音はハリーには大砲が鳴り響いたように聞こえた。たちまち鷲のくちばしが開き、鳥の鳴き声ではなく、やわらかな、歌うような声が流れた。

「不死鳥と炎はどちらが先？」

「ンンン……どう思う、ハリー？」

ルーナが思慮深げな表情で聞いた。

「えっ？　合言葉だけじゃだめなの？」

「あら、ちがうよ。質問に答えないといけないんだもン」ルーナが言った。

「まちがったらどうなるの？」

「えーと、誰か正しい答えを出す人が来るまで、待たないといけないんだもン」ルーナが言った。「そうやって学ぶものよ。でしょ？」

「ああ……問題は、ほかの誰かが来るまで待つ余裕はないんだよ、ルーナ」

「うん。わかるよ」ルーナがまじめに言った。

「えーと、それじゃ、あたしの考えだと、答えは、円には始まりがない」

「よく推理しましたね」

声がそう言うと、扉がパッと開いた。

レイブンクローの談話室には人気がなく、広い円形の部屋で、ハリーが見たホグワーツのどの部屋よりさわやかだった。壁のところどころに優雅なアーチ形の窓があり、壁にはブルーとブロンズ色のシルクのカーテンがかかっている。日中なら、レイブンクロー生は、周りの山々のすばらしい景色が眺められるだろう。天井はドーム型で、星が描いてあり、濃紺のじゅうたんも同じ模様だ。テーブル、椅子、本棚がいくつかあり、扉の反対側の壁のくぼみに、背の高い白い大理石の像が建っていた。

ルーナの家で胸像を見ていたハリーは、ロウェナ・レイブンクローの顔だとすぐにわかった。その像は、寝室に続いていると思われるドアの脇に置かれていた。ハリーはやる心で、まっすぐに大理石の女性に近づいた。像は物問いたげな軽い微笑を浮かべて、ハリーを見返していた。美しいが、少し威嚇的でもあった。頭部には、大理石で、繊細な髪飾りの環が再現されている。フラーが結婚式で着けたティアラと、そうちがわないものだ。小さな文字が刻まれている。ハリーは透明マントから出て、レイブンクロー像の台座に乗り、文字を読んだ。

『計り知れぬ英知こそ、われらが最大の宝なり』

「つまり、おまえは文無しだね、能無しめ」

ケタケタという かん高い魔女の声がした。ハリーはすばやく振り向き、台座からすべり下りて床に立った。目の前に猫背のアレクト・カローの姿があった。ハリーが杖を上げる間もなく、アレクトはずんぐりした人差し指を、前腕のどくろと蛇の焼き印に押しつけた。

第30章　セブルス・スネイプ去る

指が闇の印に触れたとたん、ハリーの額の傷痕がこらえようもなく痛んだ。

星をちりばめた部屋が視界から消え、ハリーは崖の下に突き出した岩に立っていた。波が周囲を洗い、心は勝利感に躍った――小僧を捕らえた。

バーンという大きな音で、ハリーは我に返った。一瞬、自分がどこにいるのかもわからずハリーは杖を上げたが、目の前の魔女は、すでに前のめりに倒れていた。倒れた衝撃の大きさに、本棚のガラスがチリチリと音を立てた。

「あたし、ＤＡの練習以外で誰かを『失神』させたの、初めてだもン」ルーナはちょっとおもしろそうに言った。「思っていたより、やかましかったな」

確かにそうだった。天井がガタガタ言いだした。寝室に続くドアのむこう側から、あわてて駆けてくる足音が、だんだん大きく響いてきた。ルーナの呪文が、上で寝ていたレイブンクロー生を起こしてしまったのだ。

「ルーナ、どこだ？　僕、マントに隠れないと！」

ルーナの両足がふっと現れた。ハリーが急いでそばに寄り、ルーナが二人にマントをかけなおしたとき、ドアが開いて部屋着姿のレイブンクロー生がどっと談話室にあふれ出た。アレクトが気を失って倒れているのを見て、生徒たちは、息をのんだり驚いて叫んだりした。そろそろと、寮生がアレクトを取り囲みながら近づいた。野蛮な獣(けだもの)は、いまにも目覚めて寮生を襲うかもしれない。その時、勇敢な小さい一年生がアレクトにパッと近寄り、足の親指で尻をこづいた。

「死んでるかもしれないよ！」一年生が喜んで叫んだ。

「ねぇ、見て」レイブンクロー生がアレクトの周りに人垣を作るのを見て、ルーナがうれしそうにささやいた。「みんな喜んでるもンッ！」

「うん……よかった……」

ハリーは目を閉じた。傷痕がうずく。ハリーはヴォルデモートの心の中に沈んでいくことにした。

……トンネルを通り、最初の洞穴に着いた……こっちに来る前にロケットの安否を確かめることにしたのだ……しかし、それほど長くはかからないだろう……。

談話室の扉を激しくたたく音がして、レイブンクロー生はみんな凍りついた。扉のむこうで、鷲(わし)のドア・ノッカーからやわらかな歌うような声が流れてくるのが聞こえた。

「消失した物質はどこに行く？」

「そんなこと俺が知るか？　だまれ！」

アレクトの兄、アミカスのものだとすぐわかる、下品な唸(うな)り声だった。

「アレクト？　**アレクト**？　そこにいるのか？　あいつを捕まえたのか？　扉を開けろ！」

レイブンクロー生はおびえて、互いにささやき合っていた。すると、なんの前触れもなしに、扉に向けて銃を発射したような大きな音が、立て続けに聞こえてきた。

「**アレクト！** あの方が到着して、もし俺たちがポッターを捕まえていなかったら。――マルフォイ一家の二の舞になりてえのか？ **返事をしろ！**」

アミカスは、力のかぎり扉を揺すぶりながら、大声でわめいた。しかし、扉は頑として開かない。レイブンクロー生は全員あとずさりしていたし、中でもひどくおびえた何人かは、寝室に戻ろうとあわてて階段を駆け上がりはじめた。いっそ扉を吹き飛ばして、アミカスがこれ以上何かする前に「失神」させるべきではないか、とハリーが迷っていると、扉のむこうで、よく聞き慣れた別の声がした。

「カロー先生、何をなさっておいでですか？」

「この――クソッたれの――扉から――入ろうとしているんだ！」アミカスが叫んだ。「フリットウィックを呼べ！ あいつに開けさせろ、いますぐだ！」

「しかし、妹さんが中にいるのではありませんか？」マクゴナガル教授が聞いた。「フリットウィック先生が、宵の口に、あなたの緊急な要請で妹さんをこの中に入れたのではなかったですか？ たぶん、妹さんが開けてくれるのでは？ それなら城の大半の者を起こす必要はないでしょう」

「妹が答えねえんだよ、このばばぁ！ **てめえが**開けやがれ！ さあ開けろ！ いますぐ開けやがれ！」

「承知しました。お望みなら」

マクゴナガル教授は、恐ろしく冷たい口調で言った。ノッカーを上品にたたく音がして、歌うような声が再び尋ねた。

「消失した物質はどこに行く？」

「非存在に。つまり、すべてに」マクゴナガル教授が答えた。

「見事な言い回しですね」鷲のドア・ノッカーが応え、扉がパッと開いた。

アミカスが杖を振り回して扉から飛び込んでくると、残っていた数少ないレイブンクロー生は、矢のように階段へと走った。妹と同じように猫背のアミカスは、その青ぶくれの顔についている小さな目で、床に大の字に倒れて動かないアレクトを見つけた。アミカスは怒りと恐れの入りまじった叫び声を上げた。

「ガキども、何しやがった？」アミカスが叫んだ。「誰がやったか白状するまで、全員『磔（はりつけ）の呪文』にかけてやる――それよりも、闇の帝王がなんとおっしゃるか？」

妹の上に立ちはだかって、自分の額を拳でバシッとたたきながら、アミカスがかん高い声で叫んだ。

「やつを捕まえていねえ。その上ガキどもが妹を殺しやがった！」

「『失神』させられているだけですよ」

かがんでアレクトを調べていたマクゴナガル教授が、いらいらしながら言った。

「妹さんはまったくなんともありません」

「なんともねえもクソもあるか！」アミカスが大声を上げた。

「妹が闇の帝王に捕まったら、とんでもねえことにならぁ！　こいつはあの方を呼びやがった。俺の闇の印が焼けるのを感じた。あの方は、俺たちがポッターを捕まえたとお考えにならぁ！」

「『ポッターを捕まえた』？」マクゴナガル教授の声が鋭くなった。「どういうことですか？　『ポッターを捕まえた』とは？」

「あの方が、ポッターはレイブンクローの塔に入ろうとするかもしれねえって、そんでもって、捕まえたらあの方を呼ぶようにって、俺たちにそうおっしゃったのよ」

「ハリー・ポッターが、なんでレイブンクローの塔に入ろうとするのですか？　ポッターは私（わたくし）の寮生です！」

まさか、という驚きと怒りの声の中に、かすかに誇りが流れているのを聞き取り、ハリーは胸の奥に、ミネルバ・マクゴナガルへの愛情がどっと湧いてくるのを感じた。

「俺たちは、ポッターがここに来るかもしれねえ、と言われただけだ！」カローが言った。「なんでもへったくれも、ねえ！」

マクゴナガル教授は立ち上がり、用心深くキラリと部屋を眺め回した。ハリーとルーナの立っている、まさにその場所を、その目が二度行き過ぎた。

「ガキどもに、なすりつけてやる」

アミカスの豚のような顔が、突然、ずる賢くなった。

「そうだとも。そうすりゃいい。こう言うんだ。アレクトはガキどもに待ち伏せされた。上にいるガキどもによ」

アミカスは星のちりばめられた天井の、寝室のある方向を見上げた。

「そいでもって、こう言う。ガキどもが、無理やり妹に闇の印を押させた。だから、あの方はまちがいの知らせを受け取った……あの方は、ガキどもを罰する。ガキが二、三人減ろうが減るまいが、たいしたちがいじゃねえだろう？」

「真実とうそとのちがい、勇気と臆病とのちがいにすぎません」

マクゴナガル教授の顔からすっと血が引いた。

「要するに、あなたにも妹さんにも、そのちがいがわかるとは思えません。しかし、一つだけはっきりさせておきましょう。あなたたちの無能の数々を、ホグワーツの生徒たちのせいにはさせません。私が許しません」

「なんだと？」

アミカスがずいと進み出て、マクゴナガル教授の顔に息がかかるほどの所まで、無遠慮に詰め寄った。マクゴナガル教授は一歩も引かず、トイレの便座にくっついた不快なものでも見るようにアミカスを見下ろした。

「ミネルバ・マクゴナガルよぅ、**あんたが**許すの許さないのってぇ場合じゃあねえぜ。あんたの時代は終わった。いまは俺たちがここを仕切ってる。俺を支持しないつもりなら、つけを払うことになるぜ」

そしてアミカスは、マクゴナガル教授の顔につばを吐きかけた。

ハリーはマントを脱ぎ、杖を上げて言った。

「してはならないことを、やってしまったな」

アミカスがくるりと振り向いたとき、ハリーが叫んだ。

「**クルーシオ！　苦しめ！**」

死喰い人が浮き上がった。おぼれるように空中でもがき、痛みに叫びながらジタバタした。それから、本棚の正面に激突してガラスを破り、アミカスは気を失い、くしゃくしゃになって床に落ちた。

「ベラトリックスの言った意味がわかった」ハリーが言った。頭に血が上ってドクドク脈打っていた。「本気になる必要があるんだ」

「ポッター！」マクゴナガル教授が、胸元を押さえながら小声で言った。

「ポッター――あなたがここに！　いったい――？　どうやって――？」

マクゴナガル教授は落ち着こうと必死だった。

「ポッター、バカなまねを！」

「こいつは先生に、つばを吐いた」ハリーが言った。

「ポッター、私は――それはとても――とても**雄々しい行為**でした――しかし、わかっているのですか

――?」

「ええ、わかっています」

ハリーはしっかりと答えた。マクゴナガル教授があわてふためいていることが、かえってハリーを落ち着かせた。

「マクゴナガル先生、ヴォルデモートがやってきます」

「あら、もうその名前を言ってもいいの?」

ルーナが透明マントを脱ぎ捨てて、おもしろそうに聞いた。二人目の反逆者の出現に圧倒され、マクゴナガル教授はよろよろとあとずさりし、古いタータンチェックの部屋着の襟をしっかりつかんで、かたわらの椅子に倒れ込んだ。

「あいつをなんと呼ぼうが、同じことだ」ハリーがルーナに言った。「あいつはもう、僕がどこにいるかを知っている」

ハリーの頭のどこか遠い所で――焼けるように激しく痛む傷痕につながっているその部分で、ハリーは、不気味な緑の小舟に乗って暗い湖を急ぐヴォルデモートの姿を見ていた……あの石の水盆が置いてある小島に、まもなく到着する……。

「逃げないといけません」マクゴナガル教授が、ささやくように言った。

「さあ、ポッター、できるだけ急いで!」

「それはできません」ハリーが言った。「僕にはやらなければならないことがあります。先生、レイブンクローの髪飾りがどこにあるか、ご存じですか?」

「レ――レイブンクローの髪飾り? もちろん知りません――何百年もの間、失われたままではありませんか?」

マクゴナガル教授は、少し背筋を伸ばして座りなおした。

「ポッター、この城に入るなど、狂気の沙汰です、まったく狂気としか──」

「そうしなければならなかったんです」ハリーが言った。「先生、この城に隠されている何かを、僕は探さないといけないんです。それは髪飾り**かもしれない**──フリットウィック先生にお話しすることさえできれば──」

何かが動く物音、ガラスの破片のぶつかる音がした。アミカスが気づいたのだ。ハリーやルーナが行動するより早く、マクゴナガル先生が立ち上がって、ふらふらしている死喰い人に杖を向けて唱えた。

「**インペリオ、服従せよ**」

アミカスは、立ち上がって妹の所へ歩き、杖を拾って、ぎこちない足取りで従順にマクゴナガル教授に近づき、妹の杖と一緒に自分の杖も差し出した。それが終わると、アレクトの隣に横たわった。マクゴナガル教授が再び杖を振ると、銀色のロープがどこからともなく光りながら現れ、カロー兄妹にくねくねと巻きついて、二人一緒にきつく縛り上げた。

「ポッター」

マクゴナガル教授は、窮地におちいったカロー兄妹のことなど、物の見事に無視して、再びハリーのほうを向いた。

「もしも『名前を言ってはいけないあの人』が、あなたがここにいると知っているなら──」

その言葉が終わらないうちに、痛みにも似た激しい怒りがハリーの体を貫き、傷痕を燃え上がらせた。その瞬間、ハリーは石の水盆をのぞき込んでいた。

薬が透明になり、その底に安全に置かれているはずの金のロケットがない──。

「ポッター、大丈夫ですか？」

その声でハリーは我に返った。ハリーはルーナの肩につかまって体を支えていた。

「時間がありません。ヴォルデモートがどんどん近づいています。先生、僕はダンブルドアの命令で行動しています。ダンブルドアが僕に見つけてほしかったものを、探し出さなければなりません！ でも、僕がこの城の中を探している間に、生徒たちを逃がさないといけません――ヴォルデモーーのねらいは僕ですが、ついでにあと何人かを殺しても、あいつは気にもとめないでしょう。いまとなっては――」

僕が分霊箱を攻撃していると知ったいまとなっては」とハリーは心の中で文章を完結させた。

「あなたは**ダンブルドアの**命令で行動していると？」

マクゴナガル教授は、ハッとしたような表情でくり返し、すっと背筋を伸ばした。

「『名前を言ってはいけないあの人』から、この学校を護りましょう。あなたが、その――その何かを探している間は」

「できるのですか？」

「そう思います」マクゴナガル教授は、あっさりと言ってのけた。

「先生方は、知ってのとおり、かなり魔法に長けています。全員が最高の力を出せば、しばらくの間は『あの人』を防ぐことができるにちがいありません。もちろん、スネイプ教授については、なんとかしなければならないでしょうが――」

「それは、僕が――」

「――そして、闇の帝王が校門の前に現れ、ホグワーツがまもなく包囲されるという事態になるのであれば、無関係の人間をできるだけ多く逃がすのが、賢明というものでしょう。しかし、煙突飛行ネットワークは監視され、学校の構内では『姿あらわし』も不可能となれば――」

「手段はあります」

ハリーが急いで口をはさみ、ホッグズ・ヘッドに続く通路のことを説明した。

「ポッター、何百人という数の生徒の話ですよ――」

「わかっています、先生。でも、もしヴォルデモートと死喰い人が、学校の境界周辺に注意を集中していれば、ホッグズ・ヘッドから誰が『姿くらまし』しようが、関心を払わないと思います」

「確かに一理あります」マクゴナガル教授が同意した。教授が杖をカロー兄妹に向けると、銀色の網が縛られた二人の上にかぶさり、二人を包んで空中に吊り上げた。二人はブルーと金色の天井から、二匹の大きな醜い深海生物のようにぶら下がった。

「さあ、ほかの寮監に警告を出さなければなりません。あなたたちは、またマントをかぶったほうがよいでしょう」

マクゴナガル教授は扉までつかつかと進みながら、杖を上げた。杖先から、目の周りにめがねのような模様のある、銀色の猫が三匹飛び出した。守護霊はしなやかに先を走り、マクゴナガル教授とハリーとルーナが螺旋階段を下りる間、階段を銀色の明かりで満たした。

三人が廊下を疾走しはじめると、守護霊は一匹ずつ姿を消した。マクゴナガル教授はタータンチェックの部屋着で床をすりながら走り、ハリーとルーナは透明マントに隠れて、そのあとを追った。

三人がそこからさらに二階下に下りたとき、もう一つのひっそりした足音が加わった。まだ額のうずきを感じていたハリーが、最初にその足音を聞きつけた。忍びの地図を出そうと首から下げた巾着に触れたが、その前に、マクゴナガル教授も誰かがいることに気づいたようだった。立ち止まって杖を上げ、決闘の体勢を取りながら、マクゴナガル教授が言った。

「そこにいるのは誰です?」

「我輩だ」低い声が答えた。甲冑(かっちゅう)の陰から、セブルス・スネイプが歩み出た。

その姿を見たとたん、ハリーの心に憎しみが煮えたぎった。スネイプの犯した罪の大きさにばかり気を取られていたハリーは、スネイプの姿を見るまで、その外見の特徴を思い出しもしなかった。ねっとりした黒い髪が、細長い顔の周りにすだれのように下がっていることも、暗い目が、死人のように冷たいことも忘れていた。スネイプは寝巻き姿ではなく、いつもの黒いマントを着て、やはり杖をかまえ、決闘の体勢を取っていた。

「カロー兄妹はどこだ?」スネイプは静かに聞いた。

「あなたが指示した場所だと思いますね、セブルス」マクゴナガル教授が答えた。

スネイプはさらに近づき、その視線はマクゴナガル教授を通り越して、すばやく周りの空間に走っていた。まるでハリーがそこにいることを知っているかのようだ。ハリーも杖をかまえ、いつでも攻撃できるようにした。

「我輩の印象では」スネイプが言った。「アレクトが侵入者を捕らえたようだったが」

「そうですか?」マクゴナガル教授が言った。「それで、なぜそのような印象を?」

スネイプは左腕を軽く曲げた。その腕に、闇の印が刻印されているはずだ。

「ああ、当然そうでしたね」マクゴナガル教授が言った。「あなた方死喰い人が、仲間内の伝達手段をお持ちだということを、忘れていました」

スネイプは聞こえないふりをした。その目はまだマクゴナガル教授の周りをくまなく探り、まるで無意識のように振る舞いながら、しだいに近づいてきた。

「今夜廊下を見回るのが、あなたの番だったとは知りませんでしたな、ミネルバ」

「異議がおありですか？」

「こんな遅い時間に起き出して、ここに来られたのは何故ですかな？」

「何か、騒がしい物音が聞こえたように思いましたのでね」マクゴナガル教授が言った。

「はて？　平穏そのもののようだが」

スネイプはマクゴナガル教授の目をじっと見た。

「ハリー・ポッターを見たのですかな、ミネルバ？　なんとならば、もしそうなら、我輩はどうあっても——」

マクゴナガル教授は、ハリーが信じられないほどすばやく動いた。その杖が空を切り、ハリーは一瞬、スネイプが気絶してその場に崩れ落ちたにちがいないと思った。しかし、スネイプのあまりにも敏速な盾の呪文に、マクゴナガルが体勢を崩していた。マクゴナガルは壁の松明に向けて杖を振った。松明が腕木から吹き飛び、まさにスネイプに呪いをかけようとしていたハリーは、落下してくる炎からルーナをかばって引き寄せなければならなかった。松明は火の輪になって廊下いっぱいに広がり、投げ縄のようにスネイプ目がけて飛んだ——。

次の瞬間、火はもはや火ではなく、巨大な黒い蛇となった。その蛇をマクゴナガルが吹き飛ばし、煙に変えた。煙は形を変えて固まり、あっという間に手裏剣の雨となってスネイプを襲った。スネイプは甲冑を自分の前に押し出して、かろうじてそれをよけた。手裏剣はガンガンと音を響かせ、次々と甲冑の胸に刺さった——。

「ミネルバ！」

キーキー声がした。飛び交う呪文からルーナをかばいながらハリーが振り返ると、部屋着姿のフリットウィック先生とスプラウト先生が、こちらに向かって廊下を疾走してくるところだった。その後ろから、スラグホーン先生が巨体を揺すり、あえぎながら追ってきた。

「やめろ！」

フリットウィックが、杖を上げながらキーキー声で叫んだ。

「これ以上、ホグワーツで人を殺めるな！」

フリットウィックの呪文が、スネイプの隠れている甲冑に当たった。すると甲冑がガチャガチャと動きだし、両腕でスネイプをがっちりしめ上げた。それを振りほどいたスネイプが、逆に攻撃者たち目がけて甲冑を飛ばせた。ハリーとルーナが、横っ跳びに飛んで伏せたとたん、甲冑は壁に当たって大破した。ハリーが再び目を上げたときには、スネイプは一目散に逃げ出し、マクゴナガル、フリットウィック、スプラウトがすさまじい勢いで追跡していくところだった。スネイプは教室のドアからすばやく中に飛び込み、その直後に、ハリーはマクゴナガルの叫ぶ声を聞いた。

「卑怯者！　**卑怯者！**」

「どうなったの？　どうなったの？」ルーナが聞いた。

ハリーはルーナを引きずるようにして立たせ、二人で透明マントをなびかせながら廊下を走って、教室に駆け込んだ。がらんとした教室の中で、マクゴナガル、フリットウィック、スプラウトの三人の先生が、割れた窓のそばに立っていた。

「スネイプは飛び降りました」

ハリーとルーナが教室に駆け込んでくると、マクゴナガル教授が言った。

「それじゃ、**死んだ？**」

急に現れたハリーを見て、フリットウィックとスプラウトが、驚きの叫び声を上げるのも聞き流して、ハリーは窓際に駆け寄った。

「いいえ、死んではいません」マクゴナガルは苦々しく言った。「ダンブルドアとちがって、スネイプはまだ杖を持っていましたからね……それに、どうやらご主人様からいくつかの技を学んだようです」

学校の境界を仕切る塀に向かって闇を飛んでいく、巨大なコウモリのような姿を遠くに見て、ハリーは背筋が寒くなった。

背後で重い足音がした。スラグホーンが、ハァハァと息をはずませて現れたところだった。

「ハリー！」

エメラルド色の絹のパジャマの上から、巨大な胸をさすり、スラグホーンがあえぎあえぎ言った。

「なんとまあ、ハリー……これは驚いた……ミネルバ、説明してくれんかね……セブルスは……いったいこれは……？」

「校長はしばらくお休みです」

窓に開いたスネイプの形をした穴を指差しながら、マクゴナガル教授が言った。

「先生！」ハリーは、額に両手を当てて叫んだ。亡者のうようよしている湖が足元をすべっていくのが見え、不気味な緑の小舟が地下の岸辺にぶつかるのを感じた。殺意に満ちて、ヴォルデモートが舟から飛び降りた——。

「先生、学校にバリケードを張らなければなりません。あいつが、もうすぐやってきます！」

「わかりました。『名前を言ってはいけないあの人』がやってきます」

マクゴナガル教授がほかの先生方に言った。スプラウトとフリットウィックは息をのみ、スラグホーンは低くうめいた。

「ポッターはダンブルドアの命令で、この城でやるべきことがあります。ポッターが必要なことをしている間、私たちは、能力のおよぶかぎりのあらゆる防御を、この城に施す必要があります」

「もちろんおわかりだろうが、我々が何をしようと、『例のあの人』をいつまでも食い止めておくことはできないのだが？」フリットウィックが、キーキー声で言った。

「それでも、しばらく止めておくことはできるわ」スプラウト先生が言った。

「ありがとう、ポモーナ」

マクゴナガル教授が礼を言い、二人の魔女は、真剣な覚悟のまなざしを交わし合った。

「まず、我々がこの城に、基本的な防御を施すことにしましょう。それから、生徒たちを大広間に集めます。大多数の生徒は、避難しなければなりません。もし、成人に達した生徒が残って戦いたいと言うなら、チャンスを与えるべきだと思います」

「賛成」

スプラウト先生はもうドアのほうに急いでいた。

「二十分後に大広間で、私の寮の生徒と一緒にお会いしましょう」

スプラウト先生は小走りに出ていき、姿が見えなくなったが、ブツブツつぶやく声が聞こえた。

「『食虫蔓(づる)』『悪魔の罠(わな)』それに『スナーガラフの種』……そう、死喰い人が、こういうものと戦うところを拝見したいものだわ」

「私はここから術をかけられる」

フリットウィックが言った。窓まで背が届かず、ほとんど外が見えない状態で、フリットウィックは壊れた窓越しにねらいを定め、きわめて複雑な呪文を唱えはじめた。ハリーはザワザワという不思議な音を聞いた。フリットウィックが風の力を校庭に解き放ったかのようだった。

「フリットウィック先生」

ハリーは、小さな「呪文学」の先生に近づいて呼びかけた。

「先生、お邪魔してすみません。でも重要なことなのです。レイブンクローの髪飾りがどこにあるか、何かご存じではありませんか？」

「……**プロテゴ、ホリビリス、恐ろしきものから、護れ**――レイブンクローの髪飾り？」

フリットウィックが、キーキー声で言った。

「ポッター、ちょっとした余分の知恵があるのは、けっして不都合なことではないが、**このような**状況で、それが役に立つとはとうてい思えんが？」

「僕がお聞きしたいのは――それがどこにあるかだけです。ご存じですか？ ご覧になったことはありますか？」

「見たことがあるかじゃと？ 生きている者の記憶にあるかぎりでは、誰も見たものはない！ とっくの昔に失われたものじゃよ！」

ハリーはどうしようもない失望感と焦りの入りまじった気持ちになった。それなら、分霊箱は、いったいなんなのだろう？

「フィリウス、レイブンクロー生と一緒に、大広間でお会いしましょう！」

マクゴナガル教授はそう言うと、ハリーとルーナについてくるようにと手招きした。

三人がドアの所まで来たとき、スラグホーンがゆっくりとしゃべりだした。

「なんたること」

スラグホーンは、汗だらけの青い顔にセイウチひげを震わせて、あえぎながら言った。

「なんたる騒ぎだ！ はたしてこれが賢明なことかどうか、ミネルバ、私には確信が持てない。いいかね、『あの人』は、結局は進入する道を見つける。そうなれば、『あの人』をはばもうとした者はみな、由々しき危険にさらされる――」

「あなたもスリザリン生も、二十分後に大広間に来ることを期待します」マクゴナガル教授が言った。「スリザリン生と一緒にここを去るというなら、止めはしません。しかし、スリザリン生の誰かが、抵抗運動を妨害したり、この城の中で武器を取って我々に歯向かおうとするなら、ホラス、その時は、我々は死を賭して戦います」

「ミネルバ！」スラグホーンは肝をつぶした。

「スリザリン寮が、旗幟を鮮明にすべき時が来ました」

マクゴナガル教授が、何か言おうとするスラグホーンをさえぎって言った。

「生徒を起こしにいくのです、ホラス」

ハリーはまだブツブツ言っているスラグホーンを無視してその場を去り、ルーナと二人でマクゴナガル教授のあとを走った。教授は廊下の真ん中で体勢を整え、杖をかまえた。

「**ピエルトータム**――ああ、なんたること！　フィルチ、**こんな時に**――」

年老いた管理人が、わめきながらひょこひょこと現れたところだった。

「生徒がベッドを抜け出している！　生徒が廊下にいる！」

「そうすべきなのです、この救いようのないバカが！」マクゴナガルが叫んだ。「さあ、何か建設的なことをなさい！　ピーブズを見つけてきなさい！」

「ピ――ピーブズ？」フィルチは、そんな名前は初めて聞くというように言いよどんだ。

「そうです、**ピーブズです**、このバカ者が、**ピーブズです！**　この四半世紀、ピーブズのことで文句を言い続けてきたのではありませんか？　さあ、捕まえにいくのです。すぐに！」

フィルチは明らかに、マクゴナガル教授が分別を失ったと思ったらしかったが、低い声でブツブツ言いながら、背中を丸めてひょこひょこ去っていった。

「では、いざ――**ピエルトータム　ロコモーター！　すべての石よ、動け！**」

マクゴナガル教授が叫んだ。

すると、廊下中の像と甲冑が台座から飛び下りた。上下階から響いてくる衝撃音で、ハリーは、城中の仲間が同じことをしたのだとわかった。

「ホグワーツはおびやかされています！」マクゴナガル教授が叫んだ。「境界を警護し、我々を護りなさい。我らが学校への務めをはたすのです！」

騒々しい音を立て、叫び声を上げながら、動く像たちはなだれを打ってハリーの前を通り過ぎた。小さい像も、実物よりも大きい像もあった。動物もいる。甲冑は、鎧をガチャガチャいわせながら剣やら、とげのついた鎖玉やらを振り回していた。

「さて、ポッター」マクゴナガルが言った。「あなたとミス・ラブグッドは、友達の所に戻り、大広間に連れてくるのです――私はほかのグリフィンドール生を起こします」

次の階段の一番上でマクゴナガル教授と別れ、ハリーとルーナは「必要の部屋」の隠された入口に向かって走りだした。途中で、生徒たちの群れに出会った。大多数がパジャマの上に旅行用のマントを着て、先生や監督生たちに導かれながら大広間に向かっていた。

「あれはポッターだ！」

「**ハリー・ポッター！**」

「彼だよ、まちがいない、僕、いまポッターを見たよ！」

しかしハリーは振り向かなかった。そしてやっと「必要の部屋」の入口にたどり着き、魔法のかかった壁に寄りかかると、壁が開いて二人を中に入れた。ハリーとルーナは、急な階段を駆け下りた。

「うわ――？」

部屋が見えたとたん、ハリーは驚いて階段を二、三段踏みはずした。満員だ。部屋を出たときより、さらに混み合っている。キングズリーとルーピンが、ハリーを見上げていた。オリバー・ウッド、ケイティ・ベル、アンジェリーナ・ジョンソン、アリシア・スピネット、ビルとフラー、それにウィーズリー夫妻も見上げている。

「ハリー、何が起きているんだ？」階段下でハリーを迎えたルーピンが聞いた。

「ヴォルデモートがこっちに向かっているんだ。先生方が、学校にバリケードを築いている——スネイプは逃げた——みんな、なんでここに？　どうしてわかったの？」

「俺たちが、ダンブルドア軍団のほかのメンバー全員に、伝言を送ったのさ」フレッドが説明した。「こんなおもしろいことを、見逃すやつはいないぜ、ハリー。それで、DAが不死鳥の騎士団に知らせて、雪だるま式に増えたってわけだ」

「何から始める、ハリー？」ジョージが声をかけた。「何が起こっているんだ？」

「小さい子たちを避難させている。全員が大広間に集まって準備している」ハリーが言った。「僕たちは戦うんだ」

ウオーッと声が上がり、みんなが階段下に押し寄せた。全員が次々とハリーの前を走り過ぎ、ハリーは壁に押しつけられた。不死鳥の騎士団、ダンブルドア軍団、ハリーの昔のクィディッチ・チームの仲間、みんながまじり合い、杖を抜き、城の中へと向かっていた。

「来いよ、ルーナ」

ディーンが通りすがりに声をかけ、空いている手を差し出した。ルーナはその手を取り、ディーンについてまた階段を上っていった。

一気に人が出ていき、階段下の「必要の部屋」にはひと握りの人間だけが残った。ハリーもその中に加わった。ウィーズリーおばさんがジニーと言い争っていた。その周りに、ルーピン、フレッド、ジョージ、ビル、フラーがいる。

「あなたは、まだ未成年よ！」

ハリーが近づいたとき、ウィーズリーおばさんが娘に向かってどなっていた。

「私が許しません！　息子たちは、いいわ。でもあなたは、あなたは家に帰りなさい！」

「いやよ！」

ジニーは髪を大きく揺らして、母親にがっしり握られた腕を引き抜いた。

「私はダンブルドア軍団のメンバーだわ――」

「――未成年のお遊びです！」

「その未成年のお遊びが、『あの人』に立ち向かおうとしてるんだ。ほかの誰もやろうとしないことだぜ！」フレッドが言った。

「この子は、十六歳です！」ウィーズリーおばさんが叫んだ。「まだ年端も行かないのに！　あなたたち二人はいったい何を考えてるのやら、この子を連れてくるなんて――」

フレッドとジョージは、ちょっと恥じ入った顔をした。

「ママが正しいよ、ジニー」ビルがやさしく言った。「おまえには、こんなことをさせられない。未成年の子は全員去るべきだ。それが正しい」

「私、家になんか帰れないわ！」

目に怒りの涙を光らせて、ジニーが叫んだ。

「家族みんながここにいるのに、様子がわからないまま家で一人で待っているなんて、耐えられない。それに――」

ジニーの目が、初めてハリーの目と合った。ジニーはすがるようにハリーを見たが、ハリーは首を横に振った。ジニーは悔しそうに顔をそむけた。

「いいわ」

ホッグズ・ヘッドに戻るトンネルの入口を見つめながら、ジニーが言った。

「それじゃ、もう、さよならを言うわ、そして――」

あわてて走ってくる気配、ドシンという大きな音がした。トンネルをよじ登って出てきた誰かが、勢い余って倒れていた。一番手近の椅子にすがって立ち上がり、その人物は、ずれた角縁めがねを通して周りを見回した。

「遅すぎたかな？　もう始まったのか？　たったいま知ったばかりで、それで僕――僕――」

パーシーは、口ごもってだまり込んだ。家族のほとんどがいる所に飛び込むとは、予想もしていなかったらしい。驚きのあまり長い沈黙が続き、やがてフラーがルーピンに話しかけた。緊張をやわらげようとする、突拍子もない見え透いた一言だった。

「それで――ちーさなテディはお元気でーすか？」

ルーピンは不意をつかれて、目をぱちくりさせた。ウィーズリー一家に流れる沈黙は、氷のように固まっていくようだった。

「私は――ああ、うん――あの子は元気だ！」ルーピンは大きな声で言った。「そう、トンクスが一緒だ――トンクスの母親の所で」

パーシーとウィーズリー一家は、まだ凍りついたまま見つめ合っていた。

「ほら、写真がある！」

ルーピンは、上着の内側から写真を一枚取り出して、フラーとハリーに見せた。ハリーがのぞくと、明るいトルコ石色の前髪をした小さな赤ん坊が、むっちりした両手の握り拳をカメラに向けて振っているのが見えた。

「僕はバカだった！」

パーシーが吠えるように言った。あまりの大声に、ルーピンは手にした写真を落としかけた。

「僕は愚か者だった、気取ったまぬけだった。僕は、あの――あの――」

「魔法省好きの、家族を捨てた、権力欲の強い、大バカヤロウ」フレッドが言った。

パーシーはゴクリとつばを飲んだ。

「そう、そうだった！」

「まあな、それ以上正当な言い方はできないだろう」

フレッドが、パーシーに手を差し出した。

ウィーズリーおばさんはワッと泣きだしてパーシーに駆け寄り、フレッドを押しのけて、パーシーをしめ殺さんばかりに抱きしめた。パーシーは母親の背中をポンポンたたきながら、父親を見た。

「父さん、ごめんなさい」パーシーが言った。

ウィーズリーおじさんはしきりに目をしばたたかせてから、急いで近寄って息子を抱いた。

「いったいどうやって正気に戻った、パース？」ジョージが聞いた。

「しばらく前から、少しずつ気づいていたんだ」

旅行マントの端で、めがねの下の目をぬぐいながら、パーシーが言った。

「だけど、抜け出す方法がなかなか見つけられなかった。魔法省ではそう簡単にできることじゃない。裏切り者は次々投獄されているんだ。僕、アバーフォースとなんとか連絡が取れて、つい十分前に彼が、ホグワーツが一戦交えるところだと密かに知らせてくれたんだ」

「さあ、こんな場合には、監督生たちが指揮をとることを期待するね」ジョージが、パーシーのもったいぶった態度を見事にまねしながら言った。「さあ、諸君、上に行って戦おうじゃないか。さもないと大物の死喰い人は全部、誰かに取られてしまうぞ」

「じゃあ、君は、僕の義姉さんになったんだね？」

ビル、フレッド、ジョージと一緒に階段に急ぎながら、パーシーはフラーと握手した。

「ジニー！」ウィーズリーおばさんが大声を上げた。

ジニーは、仲なおりのどさくさ紛れに、こっそり上に上がろうとしていた。

「モリー、こうしたらどうだろう？」ルーピンが言った。「ジニーはこの部屋に残る。そうすれば、現場にいることになるし、何が起こっているかわかる。しかし、戦いのただ中には入らない」

「私は――」

「それはいい考えだ」

ウィーズリーおじさんが、きっぱりと言った。

「ジニー、おまえはこの『部屋』にいなさい。わかったね？」

ジニーは、あまりいい考えだとは思えないらしかったが、父親のいつになく厳しい目に出合って、うなずいた。ウィーズリー夫妻とルーピンも、階段に向かった。

「ロンはどこ？」ハリーが聞いた。「ハーマイオニーはどこ？」

「もう、大広間に行ったにちがいない」ウィーズリーおじさんが振り向きながら、ハリーに答えた。

「来る途中で二人に出会わなかったけど」ハリーが言った。

「二人は、トイレがどうとか言ってたわ」ジニーが言った。「あなたが出て行ってまもなくよ」

「トイレ？」

ハリーは、「必要の部屋」から外に向かって開いているドアまで急いで歩き、トイレの中を確かめた。からっぽだった。

「ほんとにそう言ってた？　トイ――？」

その時、傷痕が焼けるように痛み、「必要の部屋」が消え去って、ハリーは高い錬鉄の門から中を見ていた。

両側の門柱には羽の生えたイノシシが立っている。暗い校庭を通して城を見ると、煌々と明かりがついていた。ナギニが両肩にゆったりと巻きついている。彼は、殺人の前に感じる、あの冷たく残忍な目的意識に憑かれていた。

第31章　ホグワーツの戦い

魔法のかかった大広間の天井は暗く、星が瞬いていた。その下の四つの寮の長テーブルには、髪も服もくしゃくしゃな寮生たちが、あるいは旅行マントを着て、あるいは部屋着のままで座っていた。ホグワーツのゴーストたちが、あちこちで白い真珠のように光っている。死んでいる目も生きた目も、すべてマクゴナガル教授を見つめていた。教授は、大広間の奥の、一段高い壇上で話し、その背後にはパロミノのケンタウルス、フィレンツェをふくむ、学校に踏みとどまった教師たちと、戦いに馳せ参じた不死鳥の騎士団のメンバーが立っていた。

「……避難を監督するのはフィルチさんとマダム・ポンフリーです。監督生は、私が合図したら、それぞれの寮をまとめて指揮をとり、秩序を保って避難地点まで移動してください」

生徒の多くは、恐怖ですくんでいたが、ハリーが壁伝いに移動しながら、ロンとハーマイオニーを探してグリフィンドールのテーブルを見回しているとき、ハッフルパフのテーブルから、アーニー・マクミランが立ち上がって叫んだ。

「でも、残って戦いたい者はどうしますか？」

バラバラと拍手が湧いた。

「成人に達した者は、残ってもかまいません」マクゴナガル教授が言った。

「持ち物はどうなるの？」レイブンクローのテーブルから女子が声を張り上げた。「トランクやふくろうは？」

「持ち物をまとめている時間はありません」マクゴナガル教授が言った。「大切なのは、みなさんをここから無事避難させることです」

「スネイプ先生はどこですか?」スリザリンのテーブルから女子が叫んだ。

「スネイプ先生は、俗な言葉で言いますと、ずらかりました」

マクゴナガル教授の答えに、グリフィンドール、ハッフルパフ、レイブンクローの寮生たちから大歓声が上がった。

ハリーは、ロンとハーマイオニーを探しながら、グリフィンドールのテーブルに沿って奥に進んだ。ハリーが通り過ぎると寮生が振り向き、通り過ぎたあとにはいっせいにささやき声が湧き起こった。

「城の周りには、すでに防御が施されています」

マクゴナガル教授が話し続けていた。

「しかし、補強しないかぎり、あまり長くは持ちこたえられそうにもありません。ですから、みなさん、迅速かつ静かに移動するように。そして監督生の言うとおりに――」

マクゴナガル教授の最後の言葉は、大広間中に響き渡る別の声にかき消されてしまった。かん高い、冷たい、はっきりした声だ。どこから聞こえてくるのかはわからない。周囲の壁そのものから出てくるように思える。かつてその声が呼び出したあの怪物のように、声の主は何世紀にもわたってそこに眠っていたかのようだった。

「おまえたちが、戦う準備をしているのはわかっている」

生徒の中から悲鳴が上がり、何人かは互いにすがりつきながら、声の出所はどこかとおびえて周りを見回していた。

「何をしようがむだなことだ。俺様には敵わぬ。おまえたちを殺したくはない。ホグワーツの教師に、俺様は多大な敬意を払っているのだ。魔法族の血を流したくはない」

大広間が静まり返った。鼓膜を押しつける静けさ、四方の壁の中に封じ込めるには大きすぎる静けさだ。

「ハリー・ポッターを差し出せ」

再びヴォルデモートの声が言った。

「そうすれば、誰も傷つけはせぬ。ハリー・ポッターを、俺様に差し出せ。そうすれば、学校には手を出さぬ。ハリー・ポッターを差し出せ。そうすれば、おまえたちは報われる」

「真夜中まで待ってやる」

またしても、沈黙が全員を飲み込んだ。その場の顔という顔が振り向き、目という目がハリーに注がれた。ギラギラした何千本もの見えない光線が、ハリーをその場に釘づけにしているようだった。やがてスリザリンのテーブルから誰かが立ち上がり、震える腕を上げて叫んだ。

「あそこにいるじゃない！　ポッターは**あそこよ！**　誰かポッターを捕まえて！」

それがパンジー・パーキンソンだと、ハリーにはすぐわかった。

ハリーが口を開くより早く、周囲がどっと動いた。ハリーの前のグリフィンドール生が全員、ハリーに向かってではなく、スリザリン生に向かって立ちはだかった。次にハッフルパフ生が立ち、ほとんど同時にレイブンクロー生が立った。全員がハリーに背を向け、パンジーに対峙して、あちらでもこちらでもマントやそでの下から杖を抜いていた。ハリーは感激し、厳粛な思いに打たれた。

「どうも、ミス・パーキンソン」

マクゴナガル教授が、きっぱりと一蹴した。

「あなたは、フィルチさんと一緒に、この大広間から最初に出ていきなさい。ほかのスリザリン生は、そのあとに続いて出てください」

ハリーの耳に、ベンチが床をこする音に続いて、スリザリン生が大広間の反対側からぞろぞろと出ていく音が聞こえた。

「レイブンクロー生、続いて！」マクゴナガル教授が声を張り上げた。

四つのテーブルからしだいに生徒がいなくなった。スリザリンのテーブルには完全に誰もいなくなったが、レイブンクロー生が列をなして出ていったあとには、高学年の生徒の何人かが残ったし、ハッフルパフのテーブルにはさらに多くの生徒が残った。グリフィンドール生は大半が席に残り、マクゴナガル教授が壇から下りて、未成年のグリフィンドール生を追い立てなければならなかった。

「絶対にいけません、クリービー、行きなさい！　ピークス、**あなたもです！**」

ハリーは、グリフィンドールのテーブルにまとまっているウィーズリー一家の所に急いだ。

「ロンとハーマイオニーは？」

「見つからなかったのか――？」ウィーズリーおじさんが心配そうな顔をした。

しかし、おじさんの言葉はそこでとぎれた。キングズリーが壇に進み出て、残った生徒たちに説明しはじめたのだ。

「真夜中まであと三十分しかない。すばやく行動せねばならない！　ホグワーツの教授陣と不死鳥の騎士団との間で戦略の合意ができている。フリットウィック、スプラウトの両先生とマクゴナガル先生は、戦う者たちのグループを最も高い三つの塔に連れていく――レイブンクローの塔、天文台、そしてグリフィンドールの塔だ――見透し(みとお)がよく、呪文をかけるには最高の場所だ。一方、リーマスと――」キングズリーは、ルーピンを指した。「アーサー」今度は、グリフィンドールのテーブルにいるウィーズリーおじさんを指した。「そして私の三人だが、いくつかのグループを連れて校庭に出る。さらに、外への抜け道だが、学校側の入口の防衛を組織する人間が必要だ――」

「――どうやら俺たちの出番だぜ」

フレッドが、自分とジョージを指差して言った。キングズリーがうなずいて同意した。

「よし、リーダーたちはここに集まってくれ。軍隊を分ける！」

「ポッター」

生徒たちが指示を受けようと壇上に殺到して、押し合いへし合いしている中を、マクゴナガル教授が急ぎ足でハリーに近づいてきた。

「**何か探し物をするはずではないのですか？**」

「えっ？　あっ」ハリーが声を上げた。「あっ、そうです！」

ハリーは、分霊箱のことをすっかり忘れていた。この戦闘が、ハリーがそれを探すために組織されているということを、忘れるところだった。ロンとハーマイオニーの謎の不在が、ほかのことを一時的に頭から追い出してしまっていた。

「さあ、行くのです。ポッター、行きなさい！」

「はい――ええ――」

目という目が自分を追っているのを感じながら、ハリーは大広間から走りだし、避難中の生徒たちでまだごった返している玄関ホールに出た。生徒たちの群れに流されるままに、ハリーは大理石の階段を上り、上りきった所からは、人気のない廊下に沿って急いだ。緊迫した恐怖感で、ハリーの思考は鈍っていた。ハリーは気を落ち着けて、分霊箱を見つけることに集中しようとした。しかし頭の中は、ガラス容器に囚われたスズメバチのようにむなしくブンブン唸るばかりで、助けてくれるロンとハーマイオニーがいないと、どうも考えがまとまらなかった。ハリーは、誰もいない廊下の中ほどで歩調をゆるめて立ち止まり、主のいなくなった像の台座に腰かけて、首にかけた巾着から忍びの地図を取り出した。ロンとハーマイオニーの名前は、地図のどこにも見当たらなかった。もっともいまは、「必要の部屋」に向かう群れの点がびっしりとついているので、二人の点が埋もれている可能性もある、とハリーは思った。ハリーは、地図を巾着にしまい、両手に顔をうずめて目を閉じ、集中しようとした……。

ヴォルデモートは、僕がレイブンクローの塔に行くだろうと考えた。

そうだ。確固たる事実、そこが出発点だ。ヴォルデモートは、アレクト・カローをレイブンクローの談話室に配備した。そのわけはただ一つだ。ヴォルデモートは、分霊箱がその寮に関係していると、すでにハリーが知っていることを恐れたのだ。

レイブンクローとの関連で考えられる唯一の品は、失われた髪飾りらしい……だが、その髪飾りが分霊箱になりえたのだろうか？　レイブンクロー生でさえ、何世代にもわたって見つけられなかったその髪飾りを、スリザリン生であるヴォルデモートが見つけた？　そんなことがありうるだろうか？　どこを探せばよいかを、いったい誰が教えたのだろう？　生きている者の記憶にあるかぎりでは、誰も見た者はないというのに？

生きている者の記憶……。

ハリーは、両手で覆っていた目をパッと見開いた。そして勢いよく台座から立ち上がり、最後の望みをかけて、いま来た道を矢のように駆け戻った。大理石の階段に近づくにつれて、「必要の部屋」に向かって行進する何百人もの足音がだんだん大きくなってきた。監督生が大声で指示を出し、自分の寮の生徒たちをしっかり取り仕切ろうとしていた。どこもかしこも、押し合いへし合いだった。ザカリアス・スミスが、一年生を押し倒して列の前に行こうとしているのが見えた。あちこちで低学年の子供たちが泣き、高学年の生徒たちは必死になって友達や弟妹の名前を呼んでいた。

ハリーは白い真珠のような姿が、下の玄関ホールに漂っているのを見つけ、騒がしさに負けないように声を張り上げて呼んだ。

「ニック！　**ニック！**　君と話がしたいんだ！」

ハリーは生徒の流れに逆らって進み、やっとのことで階段下にたどり着いた。グリフィンドール塔のゴースト、「ほとんど首無しニック」が、そこでハリーを待っていた。

「ハリー、おなつかしい！」ニックは両手でハリーの手を握ろうとした。ハリーは、両手を氷水に突っ込んだように感じた。

「ニック、どうしても君の助けが必要なんだ。レイブンクロー塔のゴーストは誰？」

ほとんど首無しニックは、驚くと同時に、ちょっとむっとした顔をした。

「むろん、『灰色のレディ』ですよ。しかし、何かゴーストでお役に立つことをお望みなのでしたら

――？」

「そのレディじゃないとだめなんだ――どこにいるか知ってる？」

「さよう……」

群れをなして移動する生徒の頭上をじっと見ながら、ニックがあちらこちらと向きを変えると、ひだ襟の上で首が少しぐらぐらした。

「あそこにいるのがそのレディです、ハリー。髪の長い、あの若い女性です」

ニックの透明な人差し指の示す先に、背の高いゴーストの姿が見えたが、レディはハリーが見ていることに気づいて眉を吊り上げ、固い壁を通り抜けて行ってしまった。

ハリーは追いかけた。消えたレディを追って、ハリーも扉を通って廊下に出ると、その通路の一番奥をスイスイすべりながら離れていくレディが見えた。

「おーい――待って――戻ってくれ！」

レディは、床から十数センチの所に浮かんだまま、いったん止まってくれた。腰まで届く長い髪に、足元までの長いマントを着たレディは、美しいようにも見えたが、同時に傲慢で気位が高いようにも思えた。近づいてみると、話をしたことこそなかったが、ハリーが何度か廊下ですれちがったことのあるゴーストだった。

「あなたが『灰色のレディ』ですか？」

レディはうなずいたが、口をきかなかった。

「レイブンクロー塔のゴーストですか？」

「そのとおりです」無愛想な答え方だった。

「お願いです。力を貸してください。失われた髪飾りのことで教えていただけることがあったら、なんでもかまいません、知りたいのです」

レディの口元に、冷たい微笑が浮かんだ。

「お気の毒ですが」レディは立ち去りかけた。「それはお助けできませんわ」

「**待って！**」

叫ぶつもりはなかったのに、怒りと衝撃に打ちのめされそうになっていたハリーは、大声を出した。レディは止まって、ふわふわとハリーの前に浮かんだ。腕時計に目をやると、真夜中まであと十五分だった。

「急を要することなんだ」ハリーは激しい口調で言った。「もしその髪飾りがホグワーツにあるなら、僕は探し出さなければならない。いますぐに」

「髪飾りを欲しがった生徒は、あなたが初めてではない」レディはさげすむように言った。「何世代もにわたって、生徒たちがしつこく聞いた――」

「よい成績を取るためなんかじゃない！」

ハリーはレディに食ってかかった。

「ヴォルデモートに関わることなんだ――ヴォルデモートを打ち負かすためなんだ――それとも、そんなことには、あなたは関心がないのですか？」

レディは赤くなることはできなかったが、透明のほおが半透明になり、答える声が熱くなっていた。

「もちろんありますわ――なぜ、ないなどと――？」

「それなら、僕を助けて！」

レディの取り澄ました態度が乱れてきた。

「それ――それは、そういう問題ではなく――」レディが言いよどんだ。「私の母の髪飾りは――」

「あなたの**お母さんの？**」

レディは、自分に腹を立てているようだった。

「生ありしとき」レディは堅苦しく言った。「私は、ヘレナ・レイブンクローでした」

「あなたがレイブンクローの**娘？**　でも、それなら、髪飾りがどうなったのか、ご存じのはずだ！」

「髪飾りは、知恵を与えるものではあるが――」

レディは、明らかに落ち着きを取り戻そうと努力していた。

「はたしてそれが、あなたにとって、『あの人』を倒す可能性を大いに高めるものかどうかは疑問です。自らを『卿（きょう）』と呼ぶ、あのヴォ――」

「もう言ったはずだ！　僕はその髪飾りをかぶるつもりはない！」

ハリーは激しい口調で言った。

「説明している時間はない――でも、あなたがホグワーツのことを気にかけているなら、もしヴォルデモートが滅ぼされることを願っているなら、その髪飾りについてなんでもいいからご存じのことを、話してください！」

レディは宙に浮いたままハリーを見下ろして、じっとしていた。失望感がハリーをのみ込んだ。もしレディが何か知っているのなら、フリットウィックかダンブルドアに話していたはずだ。二人とも、レディにハリーと同じ質問をしたにちがいないのだから。ハリーは頭（かぶり）を振って、きびすを返しかけた。その時、レディが小さな声で言った。

「私は、母からその髪飾りを盗みました」

「あなたが――何をしたんですって？」

「**私は髪飾りを盗みました**」

ヘレナ・レイブンクローがささやくようにくり返した。

「私は、母よりも賢く、母よりも重要な人物になりたかった。私はそれを持って逃げたのです」

ハリーは、なぜ自分がレディの信頼を勝ち得たのかわからなかったが、理由を聞くのはやめた。ただ、レディが話し続けるのを、聞きもらすまいと耳を傾けた。

「母は、髪飾りを失ったことをけっして認めず、まだ自分が持っているふりをしたと言われています。髪飾りがなくなったことも、私の恐ろしい裏切りのことも、ホグワーツのほかの創始者たちにさえ秘密にしたのです」

「やがて母は病気になりました――重い病でした。私の裏切り行為にもかかわらず、母はどうしてももう一度だけ私に会いたいと、ある男に私を探させました。かつて私は、その男の申し出をはねつけたのですが、ずっと私に恋していた男です。その男なら、私を探し出すまではけっしてあきらめないことを、母は知っていたのです」

ハリーはだまって待った。レディは深く息を吸い、ぐっと頭をそらせた。

「その男は、私が隠れていた森を探し当てました。私が一緒に帰ることを拒むと、その人は暴力を振るいました。あの男爵は、カッとなりやすい質でしたから、私に断られて激怒し、私が自由でいることに嫉妬して、私を刺したのです」

「あの**男爵**？　もしかして――？」

「『血みどろ男爵』。そうです」

灰色のレディは、着ているマントを開いて、白い胸元に一か所黒く残る傷痕を見せた。

「自分のしてしまったことを目のあたりにして、男爵は後悔に打ちひしがれ、私の命を奪った凶器を取り上げて、自らの命を絶ちました。この何世紀というもの、男爵は悔悟の証（あかし）に鎖を身につけています……当然ですわ」

レディは、最後の一言を、苦々しくつけ加えた。

「それで……髪飾りは？」

「私を探して森をうろついている男爵の物音を聞いて、私がそれを隠した場所に置かれたままです。木のうろです」

「木のうろ？」ハリーがくり返した。「どの木ですか？　どこにある木ですか？」

「アルバニアの森です。母の手が届かないだろうと考えた、さびしい場所です」

「アルバニア」

ハリーはまたくり返した。混乱した頭に、奇跡的にひらめくものがあった。レディが、ダンブルドアにもフリットウィックにも話さなかったことを、なぜハリーに打ち明けたのかが、いまこそわかった。

「この話を、誰かにしたことがあるのですね？　別の生徒に？」

レディは目を閉じてうなずいた。

「私は……わからなかったのです……あの人が……お世辞を言っているとは。あの人は、まるで……理解してくれたような……同情してくれたような……」

そうなのだ、とハリーは思った。トム・リドルなら、自らには所有権のない伝説の品物を欲しがるという、ヘレナ・レイブンクローの気持ちを、確かに理解したことだろう。

「ええ、リドルが言葉巧みに秘密を引き出した相手は、あなただけではありません」

ハリーはつぶやくように言った。

「あいつは、その気になれば、魅力的になれた……」

そうやって、ヴォルデモートはまんまと、灰色のレディから、失われた髪飾りのありかを聞き出したんだ。遠く離れたその森まで旅をして、隠し場所から髪飾りを取り戻したんだ。おそらくホグワーツを卒業してすぐ、「ボージン・アンド・バークス」で働きはじめるより前だったろう。

それに、その隔絶されたアルバニアの森は、それから何年もあとになって、ヴォルデモートが十年もの長い間、目立たず、邪魔されずにひそむ場所が必要になったとき、すばらしい避難場所に思えたのではないだろうか？

しかし、髪飾りがいったん貴重な分霊箱になってからは、そんなありきたりの木に放置されていたわけではない……ちがう。髪飾りはひそかに、本来あるべき場所に戻されたのだ。ヴォルデモートが戻したにちがいない――。

「――ヴォルデモートが就職を頼みにきた夜だ！」ハリーは推理し終わった。

「え？」

「あいつは、髪飾りを城に隠した。学校で教えさせてほしいと、ダンブルドアに頼みにきた夜に！」

声に出して言ってみることで、ハリーにはすべてがはっきりわかった。

「あいつは、ダンブルドアの校長室に行く途中か、そこから戻る途中で、髪飾りを隠したにちがいない！　ついでに、教職を得る努力をしてみる価値はあった――それがうまくいけば、グリフィンドールの剣も手に入れるチャンスができたかもしれなかったから――ありがとう。ありがとう！」

当惑しきった顔で浮かんでいるレディをそこに残したまま、ハリーはその場を離れた。玄関ホールに戻る角を曲がったとき、ハリーは腕時計を確かめた。真夜中まであと五分。最後の分霊箱が**何か**はわかったものの、それが**どこに**あるかは、相変わらずさっぱりわからない……。

何世代にわたって、生徒が探しても見つけられなかった、ということは、たぶん髪飾りはレイブンクロー塔にはない――しかし、そこにないなら、どこだ？　永久に秘密であり続けるような場所として、トム・リドルは、ホグワーツ城にどんな隠し場所を見つけたのだ？

必死に推理しながらハリーは角を曲がったが、その廊下を二、三歩も歩かないうちに、左側の窓が大音響とともに割れて開いた。ハリーが飛びのくと同時に、窓から巨大な体が飛び込んできて反対側の壁にぶつかった。なんだか大きくて毛深いものが、キュンキュン鳴きながら到着したばかりの巨体から離れて、ハリーに飛びついた。

「ハグリッド！」

ひげもじゃの巨体が立ち上がったのを見て、ハリーは、じゃれつくボアハウンド犬のファングを引き離そうと苦戦しながら、大声で呼びかけた。

「いったい――？」

「ハリー、ここにいたか！　**無事だったんか！**」

ハグリッドは身をかがめて、肋骨が折れそうな力で、ちょっとだけハリーを抱きしめ、それから大破した窓辺に戻った。

「グロウピー、いい子だ！」

ハグリッドは窓の穴から大声で言った。

「すぐ行くからな、いい子にしてるんだぞ！」

ハグリッドのむこうの夜の闇に、炸裂する遠い光が見え、不気味な、泣き叫ぶような声が聞こえた。時計を見ると、真夜中だった。戦いが始まっていた。

「オーッ、ハリー」

ハグリッドがあえぎながら言った。

「ついに来たな、え？　戦う時だな？」

「ハグリッド、どこから来たの？」

「洞穴で、『例のあの人』の声を聞いてな」ハグリッドが深刻な声で言った。「遠くまで響く声だったろうが？　『ポッターを俺様に差し出すのを、真夜中まで待ってやる』。そんで、おまえさんがここにいるにちげえねえってわかった。何がおっぱじまっているかがわかったのよ。ファング、こら、**離れろっちゅうに**。そんで、加わろうと思ってやってきた。俺とグロウピーとファングとでな。森を通って境界を突破したっちゅうわけよ。グロウピーが、俺とファングを運んでな。あいつに、城で降ろしてくれっちゅうたら、窓から俺を突っ込んだ。まったく。そういう意味じゃあなかったんだが。ところで——ロンとハーマイオニーはどこだ？」

「それは」ハリーが言った。「いい質問だ。行こう」

二人は廊下を急いだ。ファングはそのかたわらを飛びはねながらついてきた。廊下という廊下から、人の動き回る音が聞こえてきた。走り回る足音、叫ぶ声。窓からは、暗い校庭にまた何本もの閃光が走るのが見えた。

「どこに行くつもりだ？」

ハリーのすぐ後ろからドシンドシンと床板を震わせて急ぎながら、ハグリッドが息を切らして聞いた。

「はっきりわからないんだ」

ハリーは、行き当たりばったりに廊下を曲がりながら言った。

「でも、ロンとハーマイオニーは、どこか、このあたりにいるはずだ」

戦いの最初の犠牲者が、すでに行く手の通路に散らばっていた。いつも職員室の入口を護衛していた一対の石の怪獣像が、どこか壊れた窓から流れてきた呪いに破壊され、残骸が床でピクピクと力なく動いていたのだ。ハリーが胴体から離れた首の一つを飛び越えたとき、首が弱々しくうめいた。

「ああ、俺にかまわずに……ここでバラバラのまま横になっているから……」

その醜い顔が、突然、ゼノフィリウスの家で見たロウェナ・レイブンクローの大理石の胸像を思い出させた。あのばかばかしい髪飾りをつけた像――それから、白い巻き毛の上に石の髪飾りをつけた、レイブンクロー塔の像……。

そして、廊下の端まで来たときに、三つ目の石の彫像の記憶が戻ってきた。あの年老いた醜い魔法戦士の像……その頭にハリー自身がかつらをかぶせ、その上に古い黒ずんだティアラを置いた――。ファイア・ウィスキーを飲んだような熱い衝撃が体を貫き、ハリーは転びかけた。

ついにハリーは、自分を待ち受けている分霊箱のありかを知った……。

誰も信用せず、一人で事を運んだトム・リドルは、傲慢にも、自分だけがホグワーツ城の奥深い神秘に入り込むことができると思ったのだろう。もちろん、ダンブルドアやフリットウィックのような模範生は、あのような場所に足を踏み入れることはなかった。しかし、この自分は、学校の誰もが通る道から外れた所をさまよった――ここに、ハリーとヴォルデモートだけが知る秘密があった。ダンブルドアが見つけることのなかった秘密を、とうとうハリーは見つけたのだ――。

その時、ネビルと、ほかに六人ほどの生徒を連れて嵐のように走り去るスプラウト先生に追い越され、ハリーは我に返った。全員が耳当てをつけ、大きな鉢植え植物のようなものを抱えている。

「マンドレイクだ！」

走りながら振り返ったネビルが、大声で言った。

「こいつを城壁越しにあいつらにお見舞いしてやる――きっといやがるぞ！」

どこに行くべきかがわかったハリーは、全力で走った。その後ろを、ハグリッドとファングが早駆けでついてきた。次々と肖像画の前を通り過ぎたが、絵の主たちもハリーたちと一緒に走っていた。肖像画の魔法使いや魔女たちが、ひだ襟や中世の半ズボン姿で、あるいは鎧(よろい)やマント姿で、互いのキャンバスになだれ込んではぎゅう詰めになり、城のあちこちで何が起きているかを大声で知らせ合っていた。その廊下の端まで来たとき、城全体が揺れた。大きな花瓶が、爆弾の炸裂するような力で台座から吹き飛ばされたのを見て、ハリーは、先生たちや騎士団のメンバーがかけた呪文より破壊的でもっと不吉な呪いが、城を捕らえたことを悟った。

「大丈夫だ、ファング――大丈夫だっちゅうに！」

ハグリッドが叫んだが、図体ばかりがでかいボアハウンド犬は、花瓶の破片が榴散弾(りゅうさんだん)のように降ってくる中を、一目散に逃げ出した。ハグリッドは怖気(おじけ)づいた犬を追って、ハリーを一人残し、ドタドタと走り去った。

ハリーは杖をかまえ、揺れる通路を押し進んだ。その廊下の端から端まで、小柄な騎士の絵のカドガン卿が、鎧をガチャつかせ、ハリーへの激励の言葉を叫びながら、絵から絵へと走り込んでついてきた。カドガン卿のあとからは、太った小さなポニーがトコトコと駆けてきた。

「ほら吹きにゴロツキめ、犬に悪党め、追い出せ、ハリー・ポッター、追い払え！」

廊下の角をすばやく曲がった所で、フレッドと、リー・ジョーダン、ハンナ・アボットらの少数の生徒たちが、城に続く秘密の抜け穴を隠している像の、主のいない台座のそばに立っているのを見つけた。全員が杖を抜き、隠された穴の物音に耳を澄ましている。

「打ってつけの夜だぜ！」

城がまた揺れたとき、フレッドが叫んだ。ハリーは高揚感と恐怖がまじり合った気持ちで、そのかたわらを駆け抜けた。次の廊下を全力疾走しているときに、あたりがふくろうだらけになった。ミセス・ノリスが威嚇的な鳴き声を上げながら、前脚でたたき落とそうとしていた。ふくろうを収まるべき場所に戻そうとしていたにちがいない……。

「ポッター！」

アバーフォース・ダンブルドアが、杖をかまえて、行く手に立ちふさがっていた。

「俺のパブを、何百人という生徒がなだれを打って通り過ぎていったぞ、ポッター！」

「知っています。避難したんです」ハリーが言った。「ヴォルデモートが――」

「――襲撃してくる。おまえを差し出さなかったから。うん」アバーフォースが言った。「耳が聞こえないわけじゃないからな。ホグズミード中があいつの声を聞いた。しかし、スリザリンの生徒を二、三人、人質に取ろうとは、誰も考えなかったのか？　無事に逃がした子の中には、死喰い人の子供たちもいる。何人か、ここに残しておくほうが利口だったのじゃないか？」

「そんなことで、ヴォルデモートを止められはしない」ハリーが言った。「それに、あなたのお兄さんなら、そんなことはけっしてしなかったでしょう」

アバーフォースはフンと唸って、急いでハリーと反対方向に去っていった。

あなたのお兄さんなら、そんなことはけっしてしなかった……そう、それはほんとうのことだ。ハリーは再び走りだしながら、そう思った。長年スネイプを擁護してきたダンブルドアだ。生徒を人質に取ることなど、けっしてしなかっただろう……。

最後の曲がり角を横すべりしながら曲がったとたん、ロンとハーマイオニーが目に入った。安心感と怒りで、ハリーは叫び声を上げげた。二人とも両腕いっぱいに、何か大きくて曲がった汚い黄色いものを抱え、ロンは箒(ほうき)を小脇に抱えていた。

「**いったい**、どこに消えていたんだ?」ハリーがどなった。

「『秘密の部屋』」ロンが答えた。

「秘密の――**えっ?**」

二人の前でよろけながら急停止して、ハリーが聞き返した。

「ロンなのよ。全部ロンの考えよ!」

ハーマイオニーが、息をはずませながら言った。

「とってもすごいと思わない? あなたが出ていってから、私たちあの『部屋』に残っていて、私がロンに言ったの。ほかの分霊箱を見つけても、どうやって壊すの? まだカップも片づけていないわ! そう言ったの。そしたらロンが思いついたのよ! バジリスク!」

「いったいどういう――?」

「分霊箱を破壊するためのものさ」ロンがさらりと言った。

ハリーは、ロンとハーマイオニーが両腕に抱えているものに目を落とし、それが、死んだバジリスクの頭がい骨からもぎ取った、巨大な曲がった牙だと気づいた。

「でも、どうやってあそこに入ったんだ？」

ハリーは、牙とロンを交互に見つめながら聞いた。

「蛇語を話さなきゃならないのに！」

「話したのよ！」ハーマイオニーがささやくように言った。「ロン、ハリーにやってみせて！」

ロンは、恐ろしい、のどの詰まるようなシューシューという音を出した。

「君がロケットを開けるとき、こうやったのさ」ロンは申し訳なさそうに言った。「ちゃんとできるまでに、何回か失敗したけどね、でも」ロンは謙遜して肩をすくめた。「僕たち、最後にはあそこに着いたのさ」

「ロンは**すーばらしかった！**」ハーマイオニーが言った。「すばらしかったわ！」

「それで……」

なんとか話についていこうと努力しながら、ハリーがうながした。

「それで……」

「ロンはすーばらしかった！」

「それで、分霊箱、もう一丁上がりだ」

そう言いながらロンは、上着の中から壊れたハッフルパフのカップの残骸を引っ張り出した。

「ハーマイオニーが刺したんだ。彼女がやるべきだと思ったのさ。ハーマイオニーは、まだその楽しみを味わってなかったからね」

「すごい！」ハリーが叫んだ。

「たいしたことはないさ」

そう言いながらも、ロンは得意げだった。

「それで、君のほうは、何があった?」

その言葉が終わらないうちに、上のほうで爆発音がした。三人がいっせいに見上げると、天井からほこりが落ちてくるのと同時に、遠くから悲鳴が聞こえた。

「髪飾りがどんな形をしていて、どこにあるかがわかった」

ハリーは早口で話した。

「あいつは、僕が古い『魔法薬』の教科書を隠した場所と、おんなじ所に隠したんだ。何世紀にもわたって、みんなが隠し場所にしてきた所だ。あいつは、自分しかその場所を見つけられないと思ったんだ。行こう」

壁がまた揺れた。ハリーは二人の先に立って、隠れた入口から階段を下り、「必要の部屋」に戻った。三人の女性以外は誰もいない。ジニー、トンクス、それに、虫食いだらけの帽子をかぶった老魔女だ。それがネビルの祖母だと、ハリーはすぐにわかった。

「ああ、ポッター」

老魔女は、ハリーを待っていたかのように、てきぱきと呼びかけた。

「何が起こっているか、教えておくれ」

「みんなは無事なの?」ジニーとトンクスが同時に聞いた。

「僕たちの知っているかぎりではね」ハリーが答えた。「ホッグズ・ヘッドへの通路にはまだ誰かいるの?」

ハリーは、誰かが部屋の中にいるかぎり、「必要の部屋」は様変わりすることができないことを知っていた。

「私が最後です」

ミセス・ロングボトムが言った。

「通路は私が封鎖しました。アバーフォースがパブを去ったあとに、通路を開けたままにしておくのは賢明ではないと思いましたからね。私の孫を見かけましたか？」

「戦っています」ハリーが言った。

「そうでしょうとも」老婦人はほこらしげに言った。「失礼しますよ。孫の助太刀に行かねばなりません」

ミセス・ロングボトムは、驚くべき速さで石の階段に向かって走り去った。

ハリーはトンクスを見た。

「トンクス、お母さんの所で、テディと一緒のはずじゃなかったの？」

「あの人の様子がわからないのに、耐えられなくて――」

トンクスは苦渋をにじませながら言った。

「テディは、母が面倒を見てくれるわ――リーマスを見かけた？」

「校庭で戦うグループを指揮する手はずだったけど――」

トンクスは、それ以上一言も言わずに走り去った。

「ジニー」ハリーが言った。「すまないけど、君もこの部屋から出ていてほしいんだ。ほんの少しの間だけ。そのあとでまた戻ってきていいよ」

ジニーは、保護された場所から出られることが、うれしくてしかたがない様子だった。

「あとでまた戻ってきていいんだからね！」

トンクスを追って駆け上がっていくジニーの後ろ姿に向かって、ハリーが叫んだ。

「**戻ってこないといけないよ！**」

「ちょっと待った！」ロンが鋭い声を上げた。「僕たち、誰かのことを忘れてる！」

「誰？」ハーマイオニーが聞いた。

「屋敷しもべ妖精たち。全員下の厨房（ちゅうぼう）にいるんだろう？」

「しもべ妖精たちも、戦わせるべきだっていうことか？」ハリーが聞いた。

「ちがう」ロンがまじめに言った。「脱出するように言わないといけないよ。ドビーの二の舞は見たくない。そうだろ？　僕たちのために死んでくれなんて、命令できないよ――」

ハーマイオニーの両腕から、バジリスクの牙がバラバラ音を立てて落ちた。ロンに駆け寄り、その両腕をロンの首に巻きつけて、ハーマイオニーはロンの唇に熱烈なキスをした。ロンも、持っていた牙と箒を放り投げ、ハーマイオニーの体を床から持ち上げてしまうほど夢中になって、キスに応えた。

「そんなことをしてる場合か？」

ハリーが力なく問いかけた。しかし何事も起こらないどころか、ロンとハーマイオニーは、ますます固く抱き合ったたままその場で体を揺らしていたので、ハリーは声を荒らげた。

「**おい！**　戦いの真っ最中だぞ！」

ロンとハーマイオニーは離れたが、両腕を互いに回し合ったたままだった。

「わかってるさ」

ロンは、ブラッジャーで後頭部をぶんなぐられたばかりのような顔で言った。

「だからもう、いまっきりないかもしれない。だろ？」

「そんなことより、分霊箱はどうなる？」ハリーが叫んだ。「悪いけど、君たち――髪飾りを手に入れるまで、がまんしてくれないか？」

「うん――そうだ――ごめん」

ロンが言った。ロンとハーマイオニーは、二人とも顔を赤らめて、牙を拾いはじめた。

三人が階段を上って再び上の階に出てみると、「必要の部屋」にいた数分の間に、城の中の状況がかなり悪化したことが明らかだった。壁や天井は前よりひどく振動し、あたり一面ほこりだらけで、一番近い窓からハリーが外を見ると、緑と赤の閃光が城の建物のすぐ下で炸裂するのが見え、死喰い人たちが、いまにも城に入るところまで近づいていることがわかった。見下ろすと、巨人のグロウプが、屋根からもぎ取ったらしい石の怪獣像のようなものを振り回して、不機嫌に吠えながらうろうろ歩いていくのが見えた。

「グロウプが、何人か踏んづけるように願おうぜ！」

近くからまた何度か響いてきた悲鳴を聞きながら、ロンが言った。

「味方じゃなければね！」

誰かが言った。ハリーが振り向くと、ジニーとトンクスが二人とも杖を抜き、隣の窓の所でかまえていた。窓ガラスが数枚なくなっている。ハリーが見ている間に、ジニーの呪いが、下の敵軍に正確にねらい定めて飛んでいった。

「娘さん、よくやった！」

ほこりの中からこちらに向かって走ってきた誰かが吠えた。少人数の生徒を率いて、白髪を振り乱して走り抜けていくアバーフォースの姿を、ハリーは再び目にした。

「どうやら敵は北の胸壁を突破しようとしている。敵側の巨人を引き連れているぞ！」

「リーマスを見かけた？」トンクスがアバーフォースの背に向かって叫んだ。

「ドロホフと一騎打ちしていた」アバーフォースが叫び返した。「そのあとは見ていない！」

「トンクス」ジニーが声をかけた。「トンクス、ルーピンはきっと大丈夫――」

しかしトンクスはもう、アバーフォースを追って、ほこりの中に駆け込んでいた。

ジニーは、とほうに暮れたように、ハリー、ロン、ハーマイオニーを振り返った。

「二人とも大丈夫だよ」むなしい言葉だと知りながら、ハリーがなぐさめた。

「ジニー、僕たちはすぐ戻るから、危ない場所から離れて、安全にしていてくれ――さあ、行こう！」

ハリーは、ロンとハーマイオニーに呼びかけ、三人は「必要の部屋」の前の壁まで駆け戻った。壁のむこう側で、「部屋」が次の入室者の願いを待っている。

――**僕は、すべてのものが隠されている場所が必要だ。**

ハリーは頭の中で部屋に頼み込んだ。三人が壁の前を三度走り過ぎたとき、扉が現れた。

三人が中に入って扉を閉めたとたん、戦いの騒ぎは消えた。あたりは静まり返っていた。三人は、都市のような外観の、大聖堂のように広大な場所に立っていた。大昔からの、何千人という生徒たちが隠した品物が積み重なって、見上げるような壁になっている。

「それじゃ、あいつは、**誰でも**ここに入れるとは考えなかったわけか？」

ロンの声が静寂の中で響いた。

「あいつは自分一人だけだと思ったんだ」

ハリーが言った。

「僕の人生で、隠し物をしなくちゃならないときがあったというのが、あいつの不運さ……こっちだ」

ハリーは二人をうながした。

「こっちの並びだと思う……」

ハリーはトロールの剥製を通り過ぎ、ドラコ・マルフォイが去年修理して、悲惨な結果をもたらした「姿をくらますキャビネット棚」の前を通った。それから先は、がらくたの間の通路を端から端まで見ながら迷った。次はどう行くのかが思い出せなかった……。

「**アクシオ、髪飾りよ、来い**」必死のあまり、ハーマイオニーが大声で唱えたが、三人に向かって飛んでくるものは何もなかった。グリンゴッツの金庫と同じで、どうやらこの部屋は、隠してある品を、そうやすやすとは引き渡さないようだ。

「手分けして探そう」ハリーが二人に言った。「老魔法戦士の石像を探してくれ。かつらをかぶってティアラをつけているんだ！　戸棚の上にのっている像だ。絶対にこの近くなんだけど……」

三人は、それぞれ隣り合わせの通路へと急いだ。そびえるがらくたの山の間に二人の足音が響くのが、ハリーの耳に入ってきた。瓶や帽子、木箱、椅子、本、武器、箒にバット……。

「どこかこの近くだ」

ハリーは、一人でブツブツ言った。

「このへんだ……このへん……」

以前に一度入ったときに、この部屋で見た覚えのある品物を探して、ハリーはだんだん迷路の奥深く進んでいった。自分の呼吸がはっきり聞こえた。そして――魂そのものが震えるような気がした――見つけた。すぐそこに、ハリーが古い「魔法薬」の教科書を隠した、表面がボコボコになった古い戸棚が見え、その上に、あばた面の石像が、ほこりっぽい古いかつらをかぶり、とても古そうな黒ずんだティアラをつけている。

まだ三メートルほど先だったが、ハリーはもう手を伸ばしていた。その時、背後で声がした。

「止まれ、ポッター」

ハリーはどきりとして振り向いた。クラッブとゴイルが杖をハリーに向け、肩を並べて立っていた。ニヤニヤ笑う二人の顔の間の小さなすきまに、ハリーはドラコ・マルフォイの姿を見つけた。

「おまえが持っているのは、僕の杖だぞ、ポッター」

クラッブとゴイルの間のすきまから、杖をハリーに向けて、マルフォイが言った。

「いまはちがう」

ハリーはサンザシの杖をギュッと握り、あえぎながら言った。

「勝者が杖を持つんだ、マルフォイ。おまえは誰から借りた？」

「母上だ」ドラコが言った。

別におかしい状況ではないのに、ハリーは笑った。ロンの足音もハーマイオニーのも、もう聞こえなくなっていた。髪飾りを探して、二人ともハリーの耳には届かない距離まで走っていってしまったらしい。

「それで、三人ともヴォルデモートと一緒じゃないのは、どういうわけだ？」

ハリーが問いかけた。

「俺たちはごほうびをもらうんだ」

クラッブの声は、図体のわりに、驚くほど小さかった。ハリーはこれまで、クラッブが話すのをほとんど聞いたことがなかった。クラッブは、大きな菓子袋をやると約束された幼い子供のような笑いを浮かべていた。

「ポッター、俺たちは残ったんだ。出ていかないことにした。おまえを『あの人』の所に連れていくことに決めた」

「いい計画だ」

ハリーはほめるまねをして、からかった。あと一歩という時に、まさかマルフォイ、クラッブ、ゴイルにくじかれようとは。ハリーはじりじりとあとずさりして、石の胸像の頭にずれてのっている分霊箱に近づいた。戦いが始まる前に、それを手に入れることさえできれば……。

「ところで、どうやってここに入った？」三人の注意をそらそうとして、ハリーが聞いた。

「僕は去年、ほぼ一年間『隠された品の部屋』に住んでいたようなものだ」マルフォイの声はピリピリしていた。「ここへの入り方は知っている」

「俺たちは外の廊下に隠れていたんだ」ゴイルがブーブー唸るような声で言った。「俺たちはもう、『目くらまし術』ができるんだぞ！」ゴイルの顔が、まぬけなニヤニヤ笑いになった。「そしたら、おまえが目の前に現れて、髪ぐさりを探してるって言った！　髪ぐさりってなんだ？」

「ハリー？」

突然ロンの声が、ハリーの右側の壁のむこうから響いてきた。

「誰かと話してるのか？」

鞭を振るような動きで、クラッブは十五、六メートルもある壁に杖を向けた。古い家具や壊れたトランク、古本やローブ、そのほかなんだかわからないがらくたが山のように積み上げられた壁だ。そして叫んだ。

「**ディセンド！　落ちろ！**」

壁がぐらぐら揺れだして、ロンのいる隣の通路に崩れ落ちかかった。

「ロン！」

ハリーが大声で呼ぶと、どこか見えない所からハーマイオニーの悲鳴が上がり、不安定になった山から壁のむこう側に大量に落下したがらくたが、床に衝突する音が聞こえた。ハリーは杖を壁に向けて叫んだ。

「**フィニート！　終われ！**」

すると壁は安定した。

「やめろ！」

呪文をくり返そうとするクラッブの腕を押さえて、マルフォイが叫んだ。

「この部屋を壊したら、その髪飾りとやらが埋まってしまうかもしれないんだぞ！」

「それがどうした？」クラッブは腕をぐいと振りほどいた。「闇の帝王が欲しいのはポッターだ。髪飾りなんか、誰が気にするってんだ？」

「ポッターは、それを取りにここに来た」

マルフォイは、仲間の血のめぐりの悪さにいらだちを隠せない口調だった。

「だから、その意味を考えろ――」

「『意味を考えろ』だぁ？」

クラッブは狂暴性をむき出しにして、マルフォイに食ってかかった。

「おまえがどう考えようと、知ったことか？ **ドラコ**、おまえの命令なんかもう受けないぞ。おまえも、おまえの親父(おやじ)も、もうおしまいだ」

「ハリー？」ロンが、がらくたの壁のむこうから再び叫んだ。「どうなってるんだ？」

「ハリー？」クラッブが口まねした。「どうなってるんだ？――**動くな**、ポッター！ **クルーシオ！ 苦しめ！**」

ハリーはティアラに飛びついていた。クラッブの呪いはハリーをそれたが、石像に当たり、石像が宙に飛んだ。髪飾りは高く舞い上がり、石像がのっていたがらくたの山の中に落ちて見えなくなった。

「**やめろ！**」

マルフォイがクラッブをどなりつけた。その声は、巨大な部屋に響き渡った。

「闇の帝王は、生きたままのポッターをお望みなんだ――」

「それがどうした？　いまの呪文は殺そうとしていないだろう？」

クラッブは、自分を押さえつけているマルフォイの手を払いのけながら叫んだ。

「あいにく、俺は、やれたら殺ってやる。闇の帝王はどっちみち、やつを殺りたいんだ。どこがちがうって言――？」

真っ赤な閃光がハリーをかすめて飛び去った。ハーマイオニーがハリーの背後から、角を回って走り寄り、クラッブの頭目がけて「失神呪文」を放ったのだ。マルフォイがクラッブを引いてよけたために、わずかのところで呪文は的をはずれた。

「あの『穢れた血』だ！　**アバダ　ケダブラ！**」

ハリーは、ハーマイオニーが横っ跳びにかわすのを見た。クラッブは殺すつもりでねらいをつけていた。ハリーの怒りが爆発し、ほかのいっさいが頭から吹き飛んでしまった。ハリーはクラッブ目がけて「失神呪文」を撃ったが、クラッブは呪文をよけるのにぐらっとよろけ、はずみでマルフォイの杖を手からはじき飛ばした。杖は、壊れた家具や箱の山の下に転がり、見えなくなった。

「やつを殺すな！　**やつを殺すな！**」

マルフォイが、ハリーにねらいをつけているクラッブとゴイルに向かって叫んだ。二人が一瞬躊躇したすきを、ハリーは逃さなかった。

「**エクスペリアームス！　武器よ去れ！**」

ゴイルの杖が手から離れて飛び、脇のがらくたの防壁の中に消えた。ゴイルは取り戻そうとして、その場でむなしく跳び上がった。ハーマイオニーが第二弾の「失神呪文」を放ち、マルフォイが飛びのいた。ロンが突然通路の端に現れ、クラッブ目がけて「全身金縛り術」を発射したが、惜しくもそれた。

クラッブはくるりと向きを変え、またしても「**アバダ　ケダブラ！**」と叫んだ。ロンは緑の閃光をよけて飛びのき、姿を隠した。ハーマイオニーが攻撃を仕掛け、ゴイルに「失神呪文」を命中させたが、杖を失ったマルフォイは、攻撃をよけて三本脚の洋服だんすの陰に縮こまった。

「どこか、このへんだ！」

ハリーは、古いティアラが落ちたあたりのがらくたの山を指しながら、ハーマイオニーに向かって叫んだ。

「探してくれ。僕はロンを助けに――」

「**ハリー！**」ハーマイオニーが悲鳴を上げた。

背後から押し寄せるごうごうという唸りで、ハリーはただならぬ危険を感じた。振り返ると、ロンとクラッブが、こちらに向かって全速力で走ってくるのが見えた。

「ゴミどもめ、熱いのが好きか？」クラッブが走りながら吠えた。

しかし、クラッブ自身が、自分のかけた術を制御できないようだった。異常な大きさの炎が、両側のがらくたの防壁をなめ尽くしながら、二人を追っていた。炎が触れたがらくたは、すすになって崩れ落ちていた。

「**アグアメンティ！　水よ！**」

ハリーが声を張り上げたが、杖先から噴出した水は、空中で蒸発した。

「**逃げろ！**」

マルフォイは、「失神」しているゴイルをつかんで引きずったが、クラッブは、いまやおびえた顔で、全員を追い越して逃げ去った。そのあとを追って飛ぶように走るハリー、ロン、ハーマイオニーのすぐ後ろから、炎が追いかけてきた。尋常な火ではない。クラッブは、ハリーのまったく知らない呪いを使ったのだ。全員が角を曲がると、炎は、まるで知覚を持った生き物が、全員を殺そうとして襲ってくるかのように追ってきた。しかも、炎はいまや突然姿を変え、巨大な炎の怪獣の群れになっていた。大蛇、キメラ、ドラゴンが、メラメラと立ち上がり、伏せ、また立ち上がった。何世紀にもわたって堆積してきた瓦礫の山は、怪獣の餌食になり、宙に放り投げられ、牙をむいた怪獣の口に投げ込まれたり、脚の鉤爪に蹴り上げられたりと、最後には地獄の炎に焼き尽くされた。

マルフォイ、クラッブ、ゴイルの姿が見えなくなった。ハリーとロン、ハーマイオニーは、追い詰められ、炎に取り囲まれた。炎の怪獣は爪を立て角を振り、尻尾を打ち鳴らして徐々に囲みを狭め、炎の熱が、強固な壁のように三人を包んだ。

「どうしましょう？」

ハーマイオニーが、耳をろうする炎の轟音の中で叫んだ。

「どうしたらいいの？」

「これだ！」

ハリーは一番手近ながらくたの山から、がっしりした感じの箒を二本つかんで、一本をロンに放った。ロンはハーマイオニーを引き寄せて後ろに乗せ、ハリーは二本目の箒にパッとまたがった。三人は強く床を蹴り、宙に舞い上がった。かみつこうとする炎の猛禽のとげとげしたくちばしは、ほんの二、三十センチの所で獲物を逃した。煙と熱は耐えがたい激しさだった。眼下では、呪いの炎が、お尋ね者の生徒たちが何世代にもわたって持ち込んだ禁制品を、何千という禁じられた実験の罪深い結果を、そしてこの部屋に避難した数えきれない人々の秘密を焼き尽くしていた。マルフォイやクラッブ、ゴイルは、影も形も見えない。ハリーは、三人を探して、略奪の炎の怪獣すれすれまで舞い降りたが、見えるのは炎ばかりだった。なんて酷い死に方だ……ハリーは、こんな結果を望んではいなかった……。

「ハリー、脱出だ、脱出するんだ！」

ロンが叫んだが、黒煙の立ち込める中で、扉がどこにあるのか見えなかった。

その時、ハリーは、大混乱のただ中に、燃え盛る轟々たる音の中に、弱々しく哀れな叫び声を聞きつけた。

「そんなこと――危険――すぎる――！」

ロンの叫びを背後に聞きながら、ハリーは空中旋回していた。めがねのおかげで煙から多少は護(まも)られ、ハリーは眼下の火の海を隈(くま)なく見回した。誰かが生きているしるしはないか、手足でも顔でもいい、まだ炭になっていないものはないか……。

見えた。マルフォイが、気を失ったゴイルを両腕で抱えたまま、焦げた机の積み重なった、いまにも崩れそうな塔の上に乗っていた。ハリーは突っ込んだ。マルフォイはハリーがやってくるのを見て、片腕を上げた。ハリーはその腕をつかんだが、これではだめだとすぐわかった。ゴイルが重すぎる。それに、汗まみれのマルフォイの手は、すぐにハリーの手からすべり落ちた――。

「そいつらのために僕たちが死ぬことになったら、君を殺すぞ、ハリー！」

ロンが吠えた。巨大な炎のキメラがロンたちに襲いかかった瞬間、ロンとハーマイオニーがゴイルを箒に引っ張り上げ、縦に横にと揺れながら、再び上昇した。マルフォイは、ハリーの箒の後ろに這(は)い上がった。

「扉だ。扉に行け。扉だ！」マルフォイが、ハリーの耳に叫んだ。逆巻く黒煙で息もつけず、ハリーはスピードを上げてロン、ハーマイオニー、ゴイルのあとに続いた。周囲には、貪欲な炎をまぬかれた最後の品々が、巻き上げられて飛んでいた。呪いの炎の怪獣たちは、勝利の祝いに、残った品々を高々と放り上げていた。優勝カップや盾、輝くネックレスや黒ずんだ古いティアラ……。

「**何をしてる！　何をしてるんだ！　扉はあっちだ！**」

マルフォイが叫んだが、ハリーはヘアピンカーブを切って飛び込んだ。髪飾りは、スローモーションで落ちていくかのように見える。大きく口を開けた大蛇の胃袋に向かって、回りながら、輝きながら落ちていく。その瞬間、ハリーは髪飾りをとらえた。手首にそれを引っかけた――。

大蛇がハリーに向かって鋭く襲いかかったが、ハリーは再び旋回していた。そして高々と舞い上がり、扉があると思われるあたりを目指し、そこに扉が開いていることを祈りながら、一直線に飛んだ。ロン、ハーマイオニー、ゴイルの姿はもうなかった。マルフォイは悲鳴を上げて、痛いほど強くハリーにしがみついていた。その時、煙を通して、ハリーは壁に長方形の切れ目があるのを見つけ、箒を向けた。次の瞬間、清浄な空気がハリーの肺を満たし、二人は廊下の反対側の壁に衝突した。

マルフォイは箒から落下し、息も絶え絶えに咳き込み、ゲーゲー言いながら、うつ伏せになって横たわっていた。ハリーは転がって、上半身を起こした。「必要の部屋」の扉はすでに消え、ロンとハーマイオニーが、床に座り込んであえいでいた。かたわらには、まだ気を失ったままのゴイルがいた。

「ク――クラッブ」

マルフォイは、口がきけるようになるとすぐ、のどを詰まらせながら言った。

「クラッブ」

「あいつは死んだ」ロンが厳しい口調で言った。

しばらくの間、あえいだり咳き込んだりする音以外は何も聞こえなかった。やがて、バーンという大きな音が、何度も城を揺るがし、透明な騎馬隊の大軍が疾駆していった。騎乗者のわきの下に抱えられた頭が、血に飢えた叫びを上げていた。「首無し狩人」の一行が通り過ぎたあと、ハリーはよろよろと立ち上がり、あたりを見回した。どこもかしこも戦いの最中だ。退却するゴーストの群れの叫びよりも、もっと多くの悲鳴が聞こえてきた。ハリーは突然戦慄を覚えた。

「ジニーはどこだ？」ハリーが鋭い声を上げた。「ここにいたのに。『必要の部屋』に戻ることになっているのに」

「冗談じゃない、あんな大火事のあとで、この部屋がまだ機能すると思うか？」

そう言いながらロンも立ち上がって、胸をさすりながら左右を見回した。

「手分けして探すか？」

「ダメよ」立ち上がったハーマイオニーが言った。

マルフォイとゴイルは、床に力なく伸びたままだった。二人とも杖がない。

「離れずにいましょう。さあ、行きましょうか――ハリー、腕にかけてるもの、何？」

「えっ？　ああ、そうだ――」

ハリーは手首から髪飾りをはずし、目の前に掲げた。まだ熱く、すすで黒くなっていたが、よく見ると小さな文字が彫ってあるのが読めた。

計り知れぬ英知こそ、われらが最大の宝なり

黒くねっとりした血のようなものが、髪飾りから流れ出ているように見える。突然、髪飾りが激しく震え、ハリーの両手の中で真っ二つに割れた。そのとたん、ハリーは、遠くからのかすかな苦痛の叫びを聞いたように思った。校庭からでも城からでもなく、たったいまハリーの手の中でバラバラになったものから響いてくる悲鳴だ。

「あれは『悪霊の火』にちがいないわ！」

砕けた破片に目をやりながら、ハーマイオニーがすすり泣くような声で言った。

「えっ？」

「『悪霊の火』――呪われた火よ――分霊箱を破壊する物質の一つなの。でも私なら絶対にそれを使わなかったわ。危険すぎるもの。クラッブは、いったいどうやってそんな術を――？」

「カロー兄妹から習ったにちがいない」ハリーが暗い声で言った。

「やつらが止め方を教えたときに、クラッブがよく聞いていなかったのは残念だぜ。まったく」ロンが言った。

ロンの髪は、ハーマイオニーの髪と同じく焦げて、顔はすすけていた。

「クラッブのやつが僕たちをみな殺しにしようとしてなけりゃ、死んじゃったのはかわいそうだけどさ」

「でも、気がついてるかしら？」ハーマイオニーがささやくように言った。「つまり、あとはあの大蛇を片づければ――」

しかし、ハーマイオニーは言葉を切った。叫び声や悲鳴が聞こえ、紛れもない戦いの物音が廊下いっぱいに聞こえはじめたからだ。周りを見回して、ハリーはどきりとした。死喰い人がホグワーツに侵入していた。仮面とフードをかぶった男たちと、それぞれ一騎打ちしているフレッドとパーシーの後ろ姿が見えた。

ハリーもロンもハーマイオニーも、加勢に走った。閃光があらゆる方向に飛び交い、パーシーの一騎打ちの相手が急いで飛びのいた。とたんにフードがすべり落ちて、飛び出した額とすだれ状の髪が見えた――。

「やあ、大臣！」

パーシーがまっすぐシックネスに向けて、見事な呪いを放った。シックネスは杖を取り落とし、ひどく気持ちが悪そうにローブの前をかきむしった。

「辞職すると申し上げましたかね？」

「パース、ご冗談を！」

自分の一騎打ちの相手が、三方向からの「失神呪文」を受けて倒れたところで、フレッドが叫んだ。シックネスは、体中から小さなとげを生やして床に倒れた。どうやらウニのようなものに変身していく様子だった。フレッドはパーシーを見て、うれしそうにニヤッと笑った。

「パース、**マジ**冗談言ってくれるじゃないか……おまえの冗談なんか、いままで一度だって――」

空気が爆発した。全員が一緒だったのに――ハリー、ロン、ハーマイオニー、フレッド、パーシー、そして二人の死喰い人。一人は「失神」し、一人は「変身」して足元に倒れている死喰い人もふくめて、みんな一緒だったのに。一瞬のうちに、危険が一時的に去ったと思ったその一瞬のうちに、世界が引き裂かれた。ハリーは空中に放り出されるのを感じた。唯一の武器である細い一本の棒をしっかり握り、両腕で頭をかばうことしかできなかった。仲間の悲鳴や叫びは聞こえても、その人たちがどうなったかは知るよしもない――。

引き裂かれた世界は、やがて収まり、薄暗い、痛みに満ちた世界に変わった。ハリーの体は、猛攻撃を受けた廊下の残骸に半分埋まっていた。冷たい空気で、城の側壁が吹き飛ばされたことがわかり、ほおに感じる生温かいねっとりしたもので、ハリーは自分が大量に出血していることを知った。その時、ハリーは内臓をしめつけるような、悲しい叫びを聞いた。炎も呪いも、こんな苦痛の声を引き出すことはできない。ハリーはふらふらと立ち上がった。その日一日で、こんなにおびえたことはない、たぶんいままでの人生で、こんなに怖かったことはない……。

ハーマイオニーが、瓦礫の中からもがきながら立ち上がった。壁が吹き飛ばされた場所の床に、三人の赤毛の男が肩を寄せ合っていた。ハリーはハーマイオニーの手を取って、二人で石や板の上をよろめき、つまずきながら近づいた。

「そんな――そんな――そんな！」誰かが叫んでいた。

「**だめだ！　フレッド！　だめだ！**」

パーシーが弟を揺すぶり、その二人の脇にロンがひざまずいていた。フレッドの見開いた両目は、もう何も見てはいない。最後の笑いの名残が、その顔に刻まれたままだった。

第32章　ニワトコの杖

世界の終わりが来た。それなのになぜ戦いをやめないのか？　なぜ城が恐怖で静かにならず、戦う者全員が武器を捨てないのか？　ハリーは、ありえない現実が飲み込めず、心は奈落へと落ちていった。フレッド・ウィーズリーが死ぬはずはない。自分の感覚のすべてがうそをついているのだ――。

その時、誰かが落下していくのが、爆破で側壁に開いた穴から見え、暗闇から呪いが飛び込んできて、みんなの頭の後ろの壁に当たった。

「伏せろ！」

ハリーが叫んだ。呪いが闇の中から次々と飛び込んできていた。ハリーとロンが同時にハーマイオニーを引っ張って、床に伏せさせた。パーシーはフレッドの死体の上に覆いかぶさり、これ以上弟を傷つけさせまいとしていた。

「パーシー、さあ行こう。移動しないと！」

ハリーが叫んだが、パーシーは首を振った。

「パーシー！」

ロンが、兄の両肩をつかんで引っ張ろうとした。すすとほこりで覆われたロンの顔に、いく筋もの涙の跡がついているのをハリーは見た。しかしパーシーは動かなかった。

「パーシー、フレッドはもうどうにもできない！　僕たちは――」

ハーマイオニーが悲鳴を上げた。振り返ったハリーは、理由を聞く必要がなくなった。小型自動車ほどの巨大な蜘蛛が、側壁の大きな穴から這い上ろうとしている。アラゴグの子孫の一匹が、戦いに加わったのだ。

ロンとハリーが、同時に呪文を叫んだ。呪文が命中し、怪物蜘蛛は仰向けに吹っ飛んで、肢を気味悪くピクピクけいれんさせながら闇に消えた。

「仲間を連れてきているぞ！」

呪いで吹き飛ばされた穴から、城の端をちらりと見たハリーが、みんなに向かって叫んだ。禁じられた森から解放された巨大蜘蛛が、次々と城壁を這い上ってくる。死喰い人たちは、禁じられた森に侵入したにちがいない。ハリーは大蜘蛛に向けて「失神呪文」を発射し、先頭の怪物を、這い上ってくる仲間の上に転落させた。大蜘蛛はすべて壁から転げ落ち、姿が見えなくなった。その時ハリーの頭上を、いくつもの呪いが飛び越していった。すれすれに飛んでいった呪文の力で、髪が巻き上げられるのを感じた。

「移動だ。**行くぞ！**」

ハーマイオニーを押してロンと一緒に先に行かせ、ハリーはかがんでフレッドのわきの下を抱え込んだ。ハリーが何をしようとしているのかに気づいたパーシーは、フレッドにしがみつくのをやめて手伝った。身を低くし、校庭から飛んでくる呪いをかわしながら、二人は力を合わせて、フレッドの遺体をその場から移動させた。

「ここに」ハリーが言った。

二人は甲冑が不在になっている壁のくぼみにフレッドの遺体を置いた。ハリーは、それ以上フレッドを見ていることに耐えられず、遺体がしっかり隠されていることを確かめてから、ロンとハーマイオニーを追った。廊下はもうもうとほこりが立ち込め、石が崩れ落ち、窓ガラスはとっくになくなっていた。マルフォイとゴイルの姿はもうなかったが、廊下の端でハリーは、敵とも味方とも見分けのつかない大勢の人間が走り回っているのを目にした。

「**ルックウッド！**」

角を曲がった所で、パーシーが牡牛(おうし)のような唸(うな)り声を上げ、生徒二人を追いかけている背の高い男に向かって突進した。

「ハリー、こっちよ！」ハーマイオニーが叫んだ。

ハーマイオニーは、ロンをタペストリーの裏側に引っ張り込んでいた。二人がもみ合っているように見えたので、ハリーは二人がまた抱き合っているのではないかと、一瞬変に勘ぐってしまった。しかし、ハーマイオニーは、パーシーを追って駆けだそうとするロンを抑えようとしていたのだった。

「言うことを聞いて――**ロン、聞いてよ！**」

「加勢するんだ――死喰い人を殺してやりたい――」

ほこりとすすで汚れたロンの顔はくしゃくしゃにゆがみ、体は怒りと悲しみでわなわなと震えていた。

「ロン、これを終わらせることができるのは、私たちのほかにはいないのよ！　お願い――ロン――あの大蛇が必要なの。大蛇を殺さないといけないの！」ハーマイオニーが言った。

しかしハリーには、ロンの気持ちがわかった。もう一つの分霊箱を探すことでは、仕返ししたい気持ちを満たすことはできない。ハリーも戦いたかった。フレッドを殺したやつらを懲らしめてやりたかった。それに、ウィーズリー一家のほかの人たちの無事を、確かめたかった。とりわけ、まちがいなくジニーがまだ――ハリーはそのあとの言葉を考えることさえ、耐えられなかった――。

「私たちだって**戦うのよ**、絶対に！」ハーマイオニーが言った。「戦わなければならないの。あの蛇に近づくために！　でも、いま、私たちが何をすべきか、み――見失わないで！　すべてを終わらせることができるのは、私たちしかいないのよ！」

ハーマイオニーも泣いていた。説得しながら、焼け焦げて破れたそでで、ハーマイオニーは顔をぬぐった。そして、ロンをしっかりつかんだまま、ハーマイオニーはフーッと深呼吸して自分を落ち着かせ、ハリーを見た。

「あなたは、ヴォルデモートの居場所を見つけないといけないわ。だって、大蛇はあの人が連れているんですもの。そうでしょう？　さあ、やるのよ、ハリー――あの人の頭の中を見るのよ！」

どうしてそう簡単にそれができたのだろう？　傷痕が何時間も前から焼けるように痛み、ヴォルデモートの想念を見せたくてしかたがなかったからだろうか？　ハーマイオニーに言われるまま、ハリーが目を閉じると、叫びや爆発音、すべての耳ざわりな戦いの音はしだいに消えていき、ついには遠くに聞こえる音になった。まるでみんなから遠く離れた所に立っているかのようだった……。


彼は陰気な、しかし奇妙に見覚えのある部屋の真ん中に立っていた。壁紙ははがれ、一か所を除いて窓という窓には板が打ちつけてある。城を襲撃する音はくぐもって、遠くに聞こえた。板のないただ一つの窓から、城の立つ場所に遠い閃光が見えてはいたが、部屋の中は石油ランプ一つしかなく暗かった。

杖を指で回して眺めながら、頭の中は、城のあの「部屋」のことを考えていた。彼だけが見つけることのできた、秘められたあの「部屋」。「秘密の部屋」と同じように、あの「部屋」を見つけるには、賢く、狡猾で、好奇心が強くなければならぬ……あの小僧には髪飾りは見つけられぬ――彼には自信があった。……しかし、ダンブルドアの操り人形めは、予想もしなかったほど深く進んできた……あまりにも深く……。

「わが君」

取りすがるような、しわがれた声に呼ばれて、彼は振り向いた。一番暗い片隅に、ルシウス・マルフォイが座っていた。ぼろぼろになり、例の男の子の最後の逃亡のあとに受けた懲罰の痕がまだ残っている。片方の目が腫れ上がって、閉じられたままだった。

「わが君……どうか……私の息子は……」

「おまえの息子が死んだとしても、ルシウス、俺様のせいではない。スリザリンのほかの生徒のように、俺様のもとに戻っては来なかった。おそらく、ハリー・ポッターと仲よくすることに決めたのではないか？」

「いいえ――けっして」ルシウスはささやくような声で言った。

「そうではないように望むことだな」

「わが君は――わが君は、ご心配ではありませんか？　ポッターが、わが君以外の者の手にかかって死ぬことを」

ルシウスが声を震わせて聞いた。

「差し出がましく……お許しください……戦いを中止なさり、城に入られて、わが――わが君ご自身が、お探しになるほうが……賢明だとは思し召されませんか？」

「偽ってもむだだ、ルシウス。おまえが停戦を望むのは、息子の安否を確かめたいからだろう。俺様にはポッターを探す必要はない。夜の明ける前に、ポッターのほうで俺様を探し出すだろう」

ヴォルデモートは、再び指にはさんだ杖に目を落とした。――気に入らぬ……ヴォルデモート卿をわずらわすものは、なんとかせねばならぬ……。

「スネイプを連れてこい」

「スネイプ？　わ――わが君」

「スネイプだ。すぐに。あの者が必要だ。一つ――務めを――はたしてもらわねばならぬ。行け」

おびえ、暗がりでつまずきながら、ルシウスは部屋を出ていった。ヴォルデモートは杖を指で回し、じっと見つめながら、その場に立ったままだった。

「それしかないな、ナギニ」

ヴォルデモートはつぶやきながら、あたりを見回した。巨大な太い蛇が、宙に浮く球の中で優雅に身をくねらせていた。ヴォルデモートがナギニのために魔法で保護した空間は、星をちりばめたようにきらめく透明な球体で、光る檻とタンクが一緒になったようなものだった。

ハリーは息をのみ、意識を引き戻して目を開けた。同時に、かん高い叫び声やわめき声、打ち合いぶつかり合う戦いの喧騒が、ワッと耳を襲った。

「あいつは『叫びの屋敷』にいる。蛇も一緒で、周囲を何かの魔法で護られている。あいつはたったいま、ルシウス・マルフォイにスネイプを迎えにいかせた」

「ヴォルデモートは、『叫びの屋敷』でじっとしているの?」ハーマイオニーは怒った。「自分は――自分は**戦いもせずに?**」

「あいつは、戦う必要はないと考えている」ハリーが言った。「僕があいつの所に行くと考えているんだ」

「でも、どうして?」

「僕が分霊箱を追っていることを知っている――ナギニをすぐそばに置いているんだ――蛇に近づくためには、僕があいつの所に行かなきゃならないのは、はっきりしている――」

「よし」ロンが肩を怒らせて言った。「それなら君は行っちゃだめだ。行ったらあいつの思うつぼだ。あいつはそれを期待してる。君はここにいて、ハーマイオニーを護ってくれ。僕が行って、捕まえて

――」

ハリーはロンをさえぎった。

「君たちはここにいてくれ。僕が『マント』に隠れて行く。終わったらすぐに戻って――」

「だめ」ハーマイオニーが言った。「私がマントを着て行くほうが、ずっと合理的で――」

「問題外だ」ロンがハーマイオニーをにらみつけた。

ハーマイオニーが反論しかけた。「ロン、私だってあなたと同じぐらい力が――」

その時、階段の一番上の、三人がいる場所を覆うタペストリーが破られた。

「**ポッター！**」

仮面をつけた死喰い人が二人、そこに立っていた。その二人が杖を上げきらないうちに、ハーマイオニーが叫んだ。

「**グリセオ！　すべれ！**」

三人の足元の階段が平らなすべり台になった。ハーマイオニーもハリーもロンも、速度を抑えることもできずに、矢のようにすべり下りた。あまりの速さに、死喰い人の放った「失神呪文」は三人のはるか頭上を飛んでいき、階段下を覆い隠しているタペストリーを射抜いて床で跳ね返り、反対側の壁に当たった。

「**デューロ！　固まれ！**」

ハーマイオニーがタペストリーに杖を向けて叫んだ。タペストリーは石になり、その裏側でグシャッという強烈な衝突音が二つ聞こえた。三人を追ってきた死喰い人たちは、タペストリーのむこう側でくしゃくしゃになったらしい。

「よけろ！」

ロンの叫びで、ハリーもハーマイオニーも、ロンと一緒に扉に張りついた。その脇を、走るマクゴナガル教授に率いられた机の群れが、全力疾走で怒濤のごとく駆け抜けていった。マクゴナガルは、三人に気づかない様子だった。髪はほどけ、片方のほおには深手を負っている。角を曲がりながらマクゴナガルの叫ぶ声が聞こえた。

「**突撃っ！**」

「ハリー、マントを着て」ハーマイオニーが言った。「私たちのことは気にせずに――」

しかし、ハリーは、透明マントを三人に着せかけた。三人一緒では大きすぎて覆いきれなかったが、あたりはほこりだらけだし、石が崩れ落ちて呪文のゆらめき光る中では、胴体のない足だけを見る者は誰もいないだろう、とハリーは思った。

三人が次の階段を駆け下りると、下の廊下は右も左も戦いの真っ最中だった。生徒も先生も、仮面をつけたままの、あるいははずれてしまった死喰い人を相手に戦っていた。両脇の肖像画には絵の主たちがぎっしり詰まって、大声で助言したり応援したりしていた。ディーンはどこからか奪った杖でドロホフに一騎打ちで立ち向かい、パーバティはトラバースと戦っていた。ハリー、ロン、ハーマイオニーはすぐに杖をかまえ、攻撃しようとしたが、戦っている者同士はジグザグと目にもとまらぬ速さで動き回っていて、呪文をかければ味方を傷つけてしまう恐れが大きい。緊張して杖をかまえたまま好機を待っていると、「**ウィイイイイイイイイイ！**」と大きな音がした。ハリーが見上げると、ピーブズがブンブン飛び回り、スナーガラフの種を死喰い人の頭上に落としているのが見えた。種が割れ、太ったイモムシのような緑色の塊茎が、ごにょごにょと死喰い人の頭を覆った。

「ウアッ！」ひとつかみほどの塊茎が、ロンの頭の上のマントに落ち、ロンが振り落とそうとしている間は、ぬるぬるした緑色の塊茎が宙を漂うという、ありえない状態になった。

「誰かそこに姿を隠しているぞ！」

仮面の死喰い人が一人、指差して叫んだ。

ディーンがそのすきをついて、一瞬気をそらしたその死喰い人を「失神呪文」で倒した。仕返ししようとしたドロホフを、パーバティが「全身金縛り術」で倒した。

「**行こう！**」ハリーが叫んだ。三人はマントをしっかり巻きつけて、頭を低くし、戦う人々の間を、スナーガラフの樹液だまりで足をすべらせながら、大理石の階段の上へ、そして玄関ホールへと、飛ぶように走った。

「僕はドラコ・マルフォイだ。僕はドラコだ。味方だ！」

ドラコが上の踊り場で、仮面の死喰い人に向かって訴えていた。ハリーは通りがかりにその死喰い人を「失神」させた。マルフォイが救い主に向かってニッコリしながらあたりを見回しているところへ、ロンがマントの下からパンチを食らわした。マルフォイは死喰い人の上に仰向けに倒れ、唇から血を流して、さっぱりわけがわからないという顔をした。

「命を助けてやったのは、今晩これで二回目だぞ、この日和見の悪党！」ロンが叫んだ。

階段も玄関ホールも戦闘中の敵味方であふれていた。どこを見ても、死喰い人が見えた。ヤックスリーは玄関の扉近くでフリットウィックと戦い、そのすぐ脇では、仮面の死喰い人がキングズリーと一騎打ちしている。生徒たちは四方八方に走り回り、傷ついた友達を抱えたり引きずったりしている生徒もいる。ハリーは仮面の死喰い人に「失神呪文」を発射したが、それて、危うくネビルに当たるところだった。ネビルは両手いっぱいの「有毒食虫蔓（づる）」を振り回して、どこからともなく現れていた。蔓は嬉々（きき）として一番近くの死喰い人に巻きついて、たぐり寄せはじめた。

ハリー、ロン、ハーマイオニーは、大理石の階段を駆け下りた。左側の砂時計が大破し、スリザリン寮の獲得した点を示すエメラルドがそこら中に転がり、走り回る敵も味方も、すべったりつまずいたりしていた。三人が玄関ホールに下りたとき、階段上のバルコニーから人が二人落ちてきた。そして灰色の影が――ハリーは何かの動物だと思ったが――玄関ホールの奥からまさに獣のように走ってきて、落ちてきた一人に牙を立てようとした。

「**やめてぇぇ！**」

叫び声を上げたハーマイオニーの杖から、大音響とともに呪文が飛んだ。弱々しく動いているラベンダー・ブラウンの体から、のけぞって吹き飛ばされたのは、フェンリール・グレイバックだった。グレイバックは大理石の階段の手すりにぶつかり、立ち上がろうともがいた。その時、白く輝く水晶玉がフェンリールの頭にバーンと落ちて割れた。フェンリールは倒れて、体を丸めたまま動かなくなった。

「まだありますわよ！」

欄干から身を乗り出したトレローニー先生が、かん高い声で叫んだ。

「お望みの方には、もっと差し上げますわ！　行きますわよ――」

トレローニー先生は、テニスのサーブのような動作で、バッグから取り出したもう一個の巨大な水晶玉を持ち上げ、杖を振るって飛ばせた。水晶玉は玄関ホールを横切って、窓をぶち割った。その時、玄関の重い木の扉がパッと開き、巨大蜘蛛の群れが玄関ホールになだれ込んできた。

恐怖の悲鳴が空気を引き裂き、戦っていた死喰い人もホグワーツ隊も、バラバラになった。押し寄せる怪物に向かって、赤や緑の閃光が飛び、巨大蜘蛛は身震いして後肢(あとあし)立ちになり、いっそう恐ろしい姿になった。

「どうやって外に出る？」悲鳴の渦の中で、ロンが叫んだ。

ハリーとハーマイオニーが返事をするより前に、三人とも突き飛ばされた。花柄模様のピンクの傘を振り回しながら、ハグリッドが嵐のごとく階段を駆け下りてきていた。

「こいつらを傷つけねえでくれ！　傷つけねえでくれ！」ハグリッドが叫んだ。

「**ハグリッド、やめろ！**」

何もかも忘れて、マントから飛び出したハリーは、玄関ホールを明るく照らし出すほど飛び交う呪いをよけ、体をかがめて走った。

「**ハグリッド、戻るんだ！**」

しかし、まだ半分も追いつかないうちに、ハリーの目の前で、ハグリッドの姿が巨大蜘蛛の群れの中に消えた。呪いに攻め立てられた大蜘蛛の群れは、ガサガサと音を立ててハグリッドをのみ込んだまま、うじゃうじゃと退却しはじめた。

「**ハグリッド！**」

ハリーは、誰かが自分の名前を呼ぶ声を聞いた。敵か味方か、しかしどうでもよかった。ハリーは、玄関の階段を校庭へと駆け下りた。巨大蜘蛛の群れは、獲物もろともうじゃうじゃと遠ざかり、ハグリッドの姿はまったく見えなかった。

「**ハグリッド！**」

ハリーは、巨大な片腕が、大蜘蛛の群れの中で揺れ動くのを見たような気がした。しかし、群れを追いかけるハリーを、途方もない巨大な足が阻んだ。暗闇の中からドシンと踏み下ろされたその足は、ハリーの立っている地面を震わせた。見上げると、六メートル豊かの巨人が立っていた。頭部は暗くて見えず、大木のような毛脛(けずね)だけが、城の扉からの明かりで照らし出されている。巨大な拳がなめらかに動き、強烈なひと殴りで上階の窓を打ち壊した。雨のように降りかかるガラスをさけて、ハリーは玄関ホールの入口に退却せざるをえなかった。

「ああ、なんてことを――！」

ロンと一緒にハリーを追ってきたハーマイオニーが、巨人を見上げて悲鳴を上げた。今度は巨人が、上階の窓から中の人間を捕まえようとしていた。

「**やめろ！**」

杖を上げたハーマイオニーの手を押さえて、ロンが叫んだ。

「『失神』なんかさせたら、こいつは城の半分をつぶしちまう――」

「**ハガー？**」

城の角のむこうから、グロウプがうろうろとやってきた。いまになってようやく、ハリーは、グロウプが、確かに小柄な巨人なのだと納得した。上階の人間どもを押しつぶそうとしていた、とてつもなく大きな巨人が、あたりを見回してひと声吼えた。小型巨人に向かってドスンドスンとやってくる大型巨人の足音は、石の階段を震わせた。グロウプはひん曲がった口をポカンと開け、れんがの半分ほどもある黄色い歯を見せていた。そして二人の巨人は、双方から獅子のように獰猛に飛びかかった。

「**逃げろ！**」ハリーが叫んだ。

巨人たちの取っ組み合う恐ろしい叫び声となぐり合いの音が、夜の闇に響き渡った。ハリーはハーマイオニーの手を取り、石段を駆け下りて校庭に出た。ロンがしんがりを務めた。ハリーはまだ、ハグリッドを見つけ出して救出する望みを捨ててはいなかった。全速力で走り続け、たちまち禁じられた森までの半分の距離を駆け抜けたが、そこでまた行く手をはばまれた。

周りの空気が凍った。ハリーの息は詰まり、胸の中で固まった。暗闇から現れた姿は、闇よりもいっそう黒く渦巻き、城に向かって大きな波のようにうごめいて移動していた。顔はフードで覆われ、ガラガラと断末魔の息を響かせ……。

ロンとハーマイオニーが、ハリーの両脇に寄り添った。背後の戦闘の音が急にくぐもり、押し殺され、吸魂鬼だけがもたらすことのできる重苦しい静寂が、夜の闇をすっぽりと覆いはじめた……。

「さあ、ハリー！」ハーマイオニーの声が遠くから聞こえてきた。「守護霊よ、ハリー、さあ！」

ハリーは杖を上げたが、どんよりとした絶望感が体中に広がっていた。フレッドは死んだ。そしてハグリッドはまちがいなく死にかけているか、もう死んでしまったかだ。ハリーの知らない所で、あと何人が死んでしまったことだろう。ハリー自身の魂が、もう半分肉体を抜け出してしまったような気がした……。

「ハリー、早く！」ハーマイオニーが悲鳴を上げた。

百人を超える吸魂鬼が、こちらに向かってするすると進んできた。ハリーの絶望感を吸い込みながら近づいてくる。約束されたごちそうに向かって……。

ロンの銀のテリアが飛び出し、弱々しく明滅して消えるのが見えた。ハーマイオニーのカワウソが空中でねじれて消えていくのが見えた。ハリー自身の杖は、手の中で震えていた。ハリーは近づいてくる忘却の世界を、約束された虚無と無感覚を、むしろ歓迎したいほどだった……。

しかしその時、銀の野ウサギが、猪（いのしし）が、そして狐（きつね）が、ハリー、ロン、ハーマイオニーの頭上を越えて舞い上がった。吸魂鬼は近づく銀色の動物たちの前に後退した。暗闇からやってきた三人が、杖を突き出し、守護霊を出し続けながら、ハリーたちのそばに立った。ルーナ、アーニー、シェーマスだった。

「それでいいんだよ」

ルーナが励ますように言った。まるで「必要の部屋」に戻ってＤＡの呪文練習をしているにすぎないという口調だ。

「それでいいんだもん。さあ、ハリー……ほら、何か幸せなことを考えて……」

「何か幸せなこと？」ハリーはかすれた声で言った。

「あたしたち、まだみんなここにいるよ」ルーナがささやいた。「あたしたち、まだ戦ってるもん。さあ……」

銀色の火花が散り、光が揺れた。そして、これほど大変な思いをしたことはないというほどの力を振りしぼり、ハリーは杖先から銀色の牡鹿を飛び出させた。牡鹿はゆっくりと駆けて前進し、吸魂鬼はいまや雲散霧消した。夜はたちまち元どおりの暖かさを取り戻したが、周囲の戦いの音もまた、ハリーの耳に大きく響いてきた。

「助かった。君たちのおかげだ」

ロンがルーナ、アーニー、シェーマスに向かって、震えながら言った。

「もうだめかと――」

その時、吼え声を上げ地面を震わせて、またしても別の巨人が、禁じられた森の暗闇から、誰の背丈よりも長い棍棒を振り回しながら、ゆらりゆらりと姿を現した。

「**逃げろ！**」ハリーがまた叫んだ。

言われるまでもなく、みんなもう散らばっていた。危機一髪、次の瞬間、怪物の巨大な足が、たったいまみんなの立っていた場所に正確に踏み下ろされていた。ハリーは周りを見回した。ロンとハーマイオニーはハリーについてきていたが、あとの三人は、再び戦いの中に姿を消していた。

「届かない所まで離れろ！」ロンが叫んだ。

巨人はまた棍棒を振り回し、その吼え声は夜をつんざいて校庭に響き渡った。校庭でけ炸裂する赤と緑の閃光が、闇を照らし続けていた。

「暴れ柳だ」ハリーが言った。「行くぞ！」

ハリーはやっとのことで、すべての思いを心の片隅に押し込めた。狭い心の空間に、すべてを封じ込めて、いまは見ることができないようにした。フレッドとハグリッドへの思い……城の内外に散らばっている、愛するすべての人々の安否に対する恐怖……すべてをいまは封印しなければならない。三人は走らなければならないのだから。蛇とヴォルデモートのいる所に行かなければならないのだから。そして、ハーマイオニーが言ったように、そのほかに事を終わらせる道はないのだから——。

ハリーは全速力で走った。死をさえ追い越すことができるのではないかと、半ばそんな気持ちになりながら、周りの闇に飛び交う閃光を無視して走った。海の波のように岸を洗う湖水の音も、風もない夜なのにきしむ禁じられた森の音も無視して走った。地面さえも反乱に立ち上がったような校庭を、これまでにこんなに速く走ったことはないと思えるほど速く走った。そして、ハリーが真っ先にあの大木を目にした。根元の秘密を守って、鞭(むち)のように枝を振り回す暴れ柳を。

ハリーは、あえぎながら走る速度をゆるめ、暴れる柳の枝をよけながら、古木をまひさせるたった一か所の樹皮のこぶを見つけようと、闇を透かしてその太い幹を見た。ロンとハーマイオニーが追いついてきたが、ハーマイオニーは息が上がって、話すこともできないほどだった。

「どう——どうやって入るつもりだ？」ロンが息を切らしながら言った。「その場所は——見えるけど——クルックシャンクスさえいてくれれば——」

「クルックシャンクス？」

ハーマイオニーが体をくの字に曲げ、胸を押さえてヒイヒイ声で言った。

「**あなたはそれでも魔法使いなの？**」

「あ——そうか——うん——」

ロンは周りを見回し、下に落ちている小枝に杖を向けて唱えた。

「**ウィンガーディアム　レヴィオーサ！　浮遊せよ！**」

小枝は地面から飛び上がり、風に巻かれたようにくるくる回ったかと思うと、暴れ柳の不気味に揺れる枝の間をかいくぐって、まっすぐに幹に向かって飛んだ。小枝が根元近くの一か所を突くと、身もだえしていた木はすぐに静かになった。

「完璧よ！」ハーマイオニーが、息を切らしながら言った。

「待ってくれ」

ほんの一瞬の迷いがあった。戦いの衝撃音や炸裂音が鳴り響いているその一瞬、ハリーはためらった。ヴォルデモートの思惑は、ハリーがこうすることであり、ハリーがやってくることだった……自分は、ロンとハーマイオニーを罠に引き込もうとしているのではないだろうか？

しかし、その一方、残酷で明白な現実が迫っていた。前進する唯一の道は、大蛇を殺すことであり、その蛇はヴォルデモートとともにある。そしてヴォルデモートは、このトンネルのむこう側にいる……。

「ハリー、僕たちも行く。とにかく入れ！」ロンがハリーを押した。

ハリーは、木の根元に隠された土のトンネルに体を押し込んだ。前に入り込んだときより、穴はずっときつくなっていた。トンネルの天井は低く、ほぼ四年前には体を曲げて歩かねばならない程度だったが、今度は這うしかない。杖灯りをつけ、ハリーが先頭を進んだ。いつなんどき、行く手をはばむものに出会うかもしれないと覚悟していたが、何も出てこなかった。三人は黙々と移動した。ハリーは、握った杖の先に揺れるひと筋の灯りだけを見つめて進んだ。

トンネルがようやく上り坂になり、ハリーは行く手に細長い明かりを見た。ハーマイオニーが、ハリーのかかとを引っ張った。

「『マント』よ！」ハーマイオニーがささやいた。「このマントを着て！」

ハリーは後ろを手探りした。ハーマイオニーは、杖を持っていないほうのハリーの手に、サラサラとすべる布を丸めて押しつけた。

ハリーは動きにくい姿勢のまま、なんとかそれをかぶり、「**ノックス、闇よ**」と唱えて杖灯りを消した。そして、這ったまま、できるだけ静かに前進した。いまにも見つかりはしないか、冷たく通る声が聞こえはしないか、緑の閃光が見えはしないかと、ハリーは全神経を張りつめていた。

するとその時、前方の部屋から話し声が聞こえてきた。トンネルの出口が、梱包用の古い木箱のようなものでふさがれているので、少しくぐもった声だった。息をすることもがまんしながら、ハリーは出口の穴ぎりぎりの所までにじり寄り、木箱と壁の間に残されたわずかなすきまからのぞき見た。

前方の部屋はぼんやりとした灯りに照らされ、海蛇のようにとぐろを巻いてゆっくり回っているナギニの姿が見えた。星をちりばめたような魔法の球体の中で、安全にぽっかりと宙に浮いている。テーブルの端と、杖をもてあそんでいる長く青白い指が見えた。その時、スネイプの声がして、ハリーは心臓がぐらりと揺れた。スネイプは、ハリーがかがんで隠れている所から、ほんの数センチ先にいた。

「……わが君、抵抗勢力は崩れつつあります――」

「――しかも、おまえの助けなしでもそうなっている」

ヴォルデモートがかん高いはっきりした声で言った。

「熟達の魔法使いではあるが、セブルス、いまとなってはおまえの存在も、たいした意味がない。我々はもうまもなくやりとげる……まもなくだ」

「小僧を探すようお命じください。私めがポッターを連れて参りましょう。わが君、私ならあいつを見つけられます。どうか」

スネイプが大股で、のぞき穴の前を通り過ぎた。ハリーはナギニに目を向けたまま、少し身を引いた。

ナギニを囲んでいる護りを貫く呪文は、あるのだろうか。しかし、何も思いつかなかった。一度失敗すれば、自分の居場所を知られてしまう……。

ヴォルデモートが立ち上がった。ハリーはいま、その姿を見ることができた。赤い目、平たい蛇のような顔、薄暗がりの中で、蒼白な顔がぼんやりと光っている。

「問題があるのだ、セブルス」ヴォルデモートが静かに言った。

「わが君？」スネイプが問い返した。

ヴォルデモートは、指揮者がタクトを上げる繊細さ、正確さで、ニワトコの杖を上げた。

「セブルス、この杖はなぜ、俺様の思いどおりにならぬのだ？」

沈黙の中で、ハリーは、大蛇がとぐろを巻いたり解いたりしながら、シューシューと音を出すのを聞いたような気がした。それとも、ヴォルデモートの歯の間からもれる息が、空中に漂っているのだろうか？

「わ——わが君？」スネイプが感情のない声で言った。「私めには理解しかねます。わが君は——わが君は、その杖できわめてすぐれた魔法を行っておいでです」

「ちがう」ヴォルデモートが言った。「俺様はいつもの魔法を行っている。確かに俺様は極めてすぐれているのだが、この杖は……ちがう。約束された威力を発揮しておらぬ。この杖も、昔オリバンダーから手に入れた杖も、なんらちがいを感じない」

ヴォルデモートの口調は、瞑想しているかのように静かだったが、ハリーの傷痕はずきずきとうずきはじめていた。つのる額の痛みで、ハリーは、ヴォルデモートの抑制された怒りが徐々に高まってきているのを感じ取った。

「なんらちがわぬ」ヴォルデモートがくり返した。

スネイプは無言だった。ハリーにはその顔が見えなかったが、危険を感じたスネイプが、ご主人様を安心させるための適切な言葉を探しているのではないか、という気がした。

ヴォルデモートは部屋の中を歩きはじめた。動いたので、その姿がハリーから一瞬見えなくなった。相変わらず落ち着いた声で話してはいたが、ハリーの痛みと怒りはしだいに高まっていた。

「俺様は時間をかけてよく考えたのだ、セブルス……俺様が、なぜおまえを戦いから呼び戻したかわかるか？」

その時、一瞬、ハリーはスネイプの横顔を見た。その目は、魔法の檻の中でとぐろを巻いている大蛇を見つめていた。

「いいえ、わが君。しかし、戦いの場に戻ることをお許しいただきたく存じます。どうかポッターめを探すお許しを」

「おまえもルシウスと同じことを言う。二人とも、俺様ほどにはあやつを理解してはおらぬ。ポッターを探す必要などない。あやつのほうから俺様の所に来るだろう。あやつの弱点を俺様は知っている。一つの大きな欠陥だ。周りでほかのやつらがやられるのを、見ておれぬやつなのだ。自分のせいでそうなっていることを知りながら、見てはおれぬのだ。どんな代償を払ってでも、止めようとするだろう。あやつは来る」

「しかし、わが君、あなた様以外の者に誤って殺されてしまうかもしれず――」

「死喰い人たちには、明確な指示を与えておる。ポッターを捕らえよ。やつの友人たちを殺せ――多く殺せば殺すほどよい――しかし、あやつは殺すな、とな」

「しかし、俺様が話したいのは、セブルス、おまえのことだ。ハリー・ポッターのことではない。おまえは俺様にとって、非常に貴重だった。非常にな」

「私めが、あなた様にお仕えすることのみを願っていると、わが君にはおわかりです。しかし――わが君、この場を下がり、ポッターめを探すことをお許しくださいますよう。あなた様のもとに連れて参ります。私にはそれができると――」

「言ったはずだ。許さぬ！」

ヴォルデモートが言った。ハリーは、もう一度振り向いたヴォルデモートの目が、一瞬ギラリと赤く光るのを見た。そして、マントをひるがえす音は、蛇の這う音のようだった。ハリーは、額の焼けるような痛みで、ヴォルデモートのいらだちを感じた。

「俺様が目下気がかりなのは、セブルス、あの小僧とついに顔を合わせたときに何が起こるかということだ！」

「わが君、疑問の余地はありません。必ずや――？」

「――いや、疑問があるのだ、セブルス。疑問が」

ヴォルデモートが立ち止まった。ハリーは再びその姿をはっきり見た。青白い指にニワトコの杖をすべらせながら、スネイプを見すえている。

「俺様の使った杖が二本とも、ハリー・ポッターを仕損じたのはなぜだ？」

「わ――私めには、わかりません、わが君」

「わからぬと？」

怒りが、杭を打ち込むようにハリーの頭を刺した。ハリーは、痛みのあまり叫び声を上げそうになり、拳を口に押し込んだ。ハリーは目をつむった。すると突然ハリーはヴォルデモートになり、スネイプの蒼白な顔を見下ろしていた。

「俺様のイチイの杖は、セブルス、なんでも俺様の言うがままに事をなした。ハリー・ポッターを亡き者にする以外はな。あの杖は二度もしくじりおった。オリバンダーを拷問したところ、双子の芯のことを吐き、別の杖を使うようにと言いおった。俺様はそのようにした。しかし、ルシウスめの杖は、ポッターの杖に出会って砕けた」

「我輩——私めには、わが君、説明できません」

スネイプはもう、ヴォルデモートを見てはいなかった。暗い目は、護られた球体の中でとぐろを巻く大蛇を見つめたままだった。

「俺様は、三本目の杖を求めたのだ、セブルス。ニワトコの杖、宿命の杖、死の杖だ。前の持ち主から、俺様はそれを奪った。アルバス・ダンブルドアの墓からそれを奪ったのだ」

再びヴォルデモートを見たスネイプの顔は、デスマスクのようだった。大理石のように白く、まったく動かなかった。その顔がしゃべったとき、うつろな両目の裏に、生きた人間がいることが衝撃的だった。

「わが君——小僧を探しにいかせてください——」

「この長い夜、俺様がまもなく勝利しようという今夜、俺様はここに座り——」

ヴォルデモートの声は、ほとんどささやき声だった。

「考えに考え抜いた。なぜこのニワトコの杖は、あるべき本来の杖になることを拒むのか、なぜ伝説どおりに、正当な所有者に対して行うべき技を行わないのか……そして、俺様はどうやら答えを得た」

スネイプは無言だった。

「おそらくおまえは、すでに答えを知っておろう？　何しろ、セブルス、おまえは賢い男だ。おまえは、忠実なよきしもべであった。これからせねばならぬことを、残念に思う」

「わが君――」

「ニワトコの杖が、俺様にまともに仕えることができぬのは、セブルス、俺様がその真の持ち主ではないからだ。ニワトコの杖は、最後の持ち主を殺した魔法使いに所属する。おまえがアルバス・ダンブルドアを殺した。おまえが生きているかぎり、セブルス、ニワトコの杖は、真に俺様のものになることはできぬ」

「わが君！」スネイプは抗議し、杖を上げた。

「これ以外に道はない」ヴォルデモートが言った。「セブルス、俺様はこの杖の主人にならねばならぬ。杖を制するのだ。さすれば、俺様はついにポッターを制する」

ヴォルデモートは、ニワトコの杖で空を切った。スネイプには何事も起こらず、一瞬、スネイプは、死刑を猶予されたと思ったように見えた。しかし、やがてヴォルデモートの意図がはっきりした。大蛇の檻が空中で回転し、スネイプは叫ぶ間もあらばこそ、その中に取り込まれていた。頭も、そして肩も。ヴォルデモートが蛇語で言った。

「殺せ」

恐ろしい悲鳴が聞こえた。わずかに残っていた血の気も失せ、蒼白になったスネイプの顔に、暗い目が大きく見開かれていた。大蛇の牙にその首を貫かれ、魔法の檻を突き放すこともできず、スネイプはがくりと床にひざをついた。

「残念なことよ」ヴォルデモートが冷たく言った。

ヴォルデモートは背を向けた。悲しみもなく、後悔もない。屋敷を出て指揮をとるべき時が来た。いまこそ自分の命のままに動くはずの杖を持って。ヴォルデモートは蛇を入れた、星をちりばめたような檻に杖を向けた。檻はスネイプを離れてゆっくり上昇し、スネイプは首から血を噴き出して横に倒れた。

ヴォルデモートは振り返りもせず、サッと部屋から出ていった。大蛇は巨大な球体に護られて、そのあとからふわふわとついていった。

トンネルの中では、我に返ったハリーが目を開けた。叫ぶまいと強くかんだ拳から血が出ていた。木箱と壁の小さなすきまから、いまハリーが見ているのは、床でけいれんしている黒いブーツの片足だった。

「ハリー！」

背後でハーマイオニーが、息を殺して呼びかけた。しかしハリーはすでに、視界をさえぎる木箱に杖を向けていた。木箱はわずかに宙に浮き、静かに横にずれた。ハリーは、できるだけそっと部屋に入り込んだ。

なぜそんなことをするのか、ハリーにはわからなかった。なぜ死にゆく男に近づくのかわからなかった。スネイプの血の気のない顔と、首の出血を止めようとしている指を見ながら、自分がどういう気持ちなのか、ハリーにはわからなかった。ハリーは透明マントを脱ぎ、憎んでいた男を見下ろした。瞳孔が広がっていくスネイプの暗い目がハリーをとらえ、話しかけようとした。ハリーがかがむと、スネイプはハリーのローブの胸元をつかんで引き寄せた。

死に際の、息苦しいゼイゼイという音が、スネイプののどからもれた。

「これを……取れ……これを……取れ」

血以外の何かが、スネイプからもれ出ていた。青みがかった銀色の、気体でも液体でもないものが、スネイプの口から、両耳と両目からあふれ出ていた。ハリーはそれがなんだか知っていた。しかし、どうしていいのかわからなかった――。

ハーマイオニーがどこからともなくフラスコを取り出し、ハリーの震える手に押しつけた。ハリーは杖で、その銀色の物質をフラスコにくみ上げた。フラスコの口元までいっぱいになったとき、スネイプにはもはや一滴の血も残っていないかのように見えた。ハリーのローブをつかんでいたスネイプの手がゆるんだ。

「僕を……見て……くれ……」スネイプがささやいた。

緑の目が黒い目をとらえた。しかし、一瞬の後、黒い両眼の奥底で、何かが消え、無表情な目が、一点を見つめたままうつろになった。ハリーをつかんでいた手がドサリと床に落ち、スネイプはそれきり動かなくなった。

第33章　プリンスの物語

ハリーはスネイプのかたわらにひざまずいたまま、ただその顔をじっと見下ろしていた。その時、出し抜けにすぐそばでかん高い冷たい声がした。あまりに近かったので、ヴォルデモートがまた部屋に戻ってきたかと思ったハリーは、フラスコをしっかり両手に握ったまま、はじかれたように立ち上がった。

ヴォルデモートの声は、壁から、そして床から響いてきた。ホグワーツと周囲一帯の地域に向かって話していることに、ハリーは気づいた。ホグズミードの住人やまだ城で戦っている全員が、ヴォルデモートの息を首筋に感じ、死の一撃を受けるほど近くに「あの人」が立っているかのように、はっきりとその声を聞いているのだ。

「おまえたちは戦った」かん高い冷たい声が言った。「勇敢に。ヴォルデモート卿(きょう)は勇敢さをたたえることを知っている」

「しかし、おまえたちは数多くの死傷者を出した。俺様に抵抗し続けるなら、一人また一人と、全員が死ぬことになる。そのようなことは望まぬ。魔法族の血が一滴でも流されるのは、損失であり浪費だ」

「ヴォルデモート卿は慈悲深い。俺様は、わが勢力を即時撤退するように命ずる」

「一時間やろう。死者を、尊厳をもってとむらえ。傷ついた者の手当てをするのだ」

「さて、ハリー・ポッター、俺様はいま、直接おまえに話す。おまえは俺様に立ち向かうどころか、友人たちがおまえのために死ぬことを許した。俺様はこれから一時間、禁じられた森で待つ。もし、一時間の後におまえが俺様のもとに来なかったならば、降参して出てこなかったならば、戦いを再開する。その時は、俺様自身が戦闘に加わるぞ、ハリー・ポッター。そしておまえを見つけ出し、おまえを俺様から隠そうとしたやつは、男も女も子供も、最後の一人まで罰してくれよう。一時間だ」

ロンもハーマイオニーも、ハリーを見て強く首を振った。

「耳を貸すな」ロンが言った。

「大丈夫よ」ハーマイオニーが激しい口調で言った。

「さあ――さあ、城に戻りましょう。あの人が森に行ったのなら、計画を練りなおす必要があるわ――」

ハーマイオニーはスネイプのなきがらをちらりと見て、それからトンネルの入口へと急いだ。ロンもあとに続いた。ハリーは透明マントをたぐり寄せ、スネイプを見下ろした。どう感じていいのかわからなかった。ただ、スネイプの殺され方と、殺された理由とに、衝撃を受けていた……。

三人はトンネルを這(は)って戻った。誰も口をきかなかった。しかしハリーの頭の中には、ヴォルデモートの声がまだ響いていた。ロンもハーマイオニーも、そうなのではないかと思った。

おまえは俺様に立ち向かうどころか、友人たちがおまえのために死ぬことを許した。俺様はこれから一時間、禁じられた森で待つ……一時間だ……。

城の前の芝生に、小さな包みのような塊がいくつも散らばっていた。夜明けまで、あと一時間ぐらいだろうか。しかし、あたりは真っ暗だった。三人は入口の石段へと急いだ。小舟ほどもある木靴の片方が、石段の前に転がっていたが、それ以外にはグロウプも、攻撃を仕掛けてきた相手の巨人も、なんの痕跡もなかった。

城は異常に静かだった。いまは閃光(せんこう)も見えず、衝撃音も、悲鳴も叫びも聞こえない。誰もいない玄関ホールの敷石は、血に染まっている。大理石のかけらや裂けた木片にまじって、エメラルドが床一面に散らばったままだ。階段の手すりの一部が吹き飛ばされていた。

「みんなはどこかしら?」ハーマイオニーが小声で言った。

ロンが先に立って大広間に入った。ハリーは入口で足がすくんだ。

各寮のテーブルはなくなり、大広間は人でいっぱいだった。生き残った者は、互いの肩に腕を回し、何人かずつ集まって立っていた。一段高い壇の上で、マダム・ポンフリーが何人かに手伝わせて、負傷者の手当てをしていた。フィレンツェも傷つき、脇腹からドクドクと血を流し、立つこともできずに体を震わせて横たわっていた。

死者は、大広間の真ん中に横たえられていた。フレッドのなきがらは、家族に囲まれていてハリーには見えなかった。ジョージが頭の所にひざまずき、ウィーズリーおばさんはフレッドの胸の上に突っ伏して体を震わせていた。おばさんの髪をなでながら、ウィーズリーおじさんのほおには、滝のような涙が流れていた。

ハリーには何も言わずに、ロンとハーマイオニーが離れていった。ハリーは、ハーマイオニーが、顔を真っ赤に泣き腫らしたジニーに近づいて、抱きしめるのを見た。ロンは、ビル、フラー、パーシーのそばに行った。パーシーは、ロンの肩を抱いた。ジニーとハーマイオニーが、家族のほうに近寄ろうと移動したとき、ハリーはフレッドの隣に横たわるなきがらをはっきりと見た。リーマスとトンクスだ。血の気の失せた顔は、静かで安らかだった。魔法のかかった暗い天井の下で、まるで眠っているように見えた。

ハリーは、入口からよろよろとあとずさりした。大広間が飛び去り、小さく縮んでいくような気がした。ハリーは胸が詰まった。そのほかに誰が自分のために死んだのかを、なきがらを見て確かめるなどとてもできない。ウィーズリー家のそばに行くことなど、とてもできない。ウィーズリー家のみんなの目を、まともに見ることなどできない。はじめから自分がわが身を差し出していれば、フレッドは死なずにすんだかもしれないのに……。

ハリーは大広間に背を向け、大理石の階段を駆け上がった。ルーピン、トンクス……感じることができなければいいのに……心を引き抜いてしまいたい。腸も何もかも、体の中で悲鳴を上げているすべてのものを、引き抜いてしまうことができればいいのに……。

城の中は、完全にからっぽだった。ゴーストまでが大広間の追悼に加わっているようだった。ハリーは、スネイプの最後の想いが入ったクリスタルのフラスコを握りしめて、走り続けた。校長室を護衛している石の怪獣像の前に着くまで、ハリーは速度をゆるめなかった。

「合言葉は？」

「**ダンブルドア！**」

ハリーは反射的に叫んだ。ハリーがどうしても会いたかったのが、ダンブルドアだったからだ。驚いたことに、怪獣像は横にすべり、背後の螺旋階段が現れた。

円形の校長室に飛び込んだハリーは、ある変化が起こっているのに気づいた。周囲の壁にかかっている肖像画は、すべてからだった。歴代校長は誰一人として、ハリーを待ち受けてはいなかった。どうやら全員が状況をよく見ようと、城にかけられている絵画の中を駆け抜けていったらしい。

ハリーはがっかりして、校長の椅子の真後ろにかかっている、ダンブルドアのいない額をちらりと見上げ、すぐに背を向けた。石の「憂いの篩」が、いつもの戸棚の中に置かれていた。ハリーは、それを持ち上げて机の上に置き、ルーン文字を縁に刻んだ大きな水盆に、スネイプの記憶を注ぎ込んだ。誰かほかの人間の頭の中に逃げ込めれば、どんなに気が休まることか……たとえ、あのスネイプがハリーに遺したものであれ、ハリー自身の想いより悪いはずがない。記憶は銀白色の不思議な渦を巻いた。どうにでもなれと自暴自棄な気持ちで、自分を責めさいなむ悲しみを、この記憶がやわらげてくれるとでも言うように、ハリーは迷わず渦に飛び込んだ。

頭から先に陽の光を浴び、ハリーの両足は温かな大地を踏んだ。立ち上がると、ほとんど誰もいない遊び場にいた。遠くに見える街の家並みの上に、巨大な煙突が一本そそり立っている。女の子が二人、それぞれブランコに乗って前後に揺れている。やせた男の子が、その背後の灌木の茂みからじっと二人を見ていた。男の子の黒い髪は伸び放題で、服装はわざとそうしたかと思えるほど、ひどくちぐはぐだった。短すぎるジーンズに大人の男物らしいだぶだぶでみすぼらしい上着、おかしなスモックのようなシャツを着ている。

ハリーは男の子に近づいた。せいぜい九歳か十歳のスネイプだ。顔色が悪く、小さくて筋張っている。ブランコをどんどん高くこいでいるほうの少女を見つめるスネイプの細長い顔に、憧れがむき出しになっていた。

「リリー、そんなことしちゃダメ！」年上の少女が、金切り声を上げた。

しかしリリーは、ブランコが弧を描いた一番高い所で手を離して飛び出し、大きな笑い声を上げながら、上空に向かって文字どおり空を飛んだ。そして、遊び場のアスファルトに墜落してくしゃくしゃになるどころか、空中ブランコ乗りのように舞い上がって、異常に長い間空中にとどまり、不自然なほど軽々と着地した。

「ママが、そんなことしちゃいけないって言ったわ！」

ペチュニアは、ズルズル音を立てて、サンダルのかかとでブランコにブレーキをかけ、ピョンと立ち上がって腰に両手を当てた。

「リリー、あなたがそんなことするのは許さないって、ママが言ったわ！」

「だって、わたしは大丈夫よ」

　リリーは、まだクスクス笑っていた。

「チュニー、これ見て。わたし、こんなことができるのよ」

　ペチュニアはちらりと周りを見た。遊び場には二人のほかに誰もいない。二人に隠れて、スネイプがいるだけだった。リリーは、スネイプがひそむ茂みの前に落ちている花を拾い上げた。ペチュニアは、見たい気持ちと許したくない気持ちの間で明らかに揺れ動きながらも、リリーに近づいた。リリーは、ペチュニアがよく見えるように近くに来るまで待ってから、手を突き出した。花は、その手のひらの中で、ひだの多い奇妙な牡蠣（かき）のように、花びらを開いたり閉じたりしていた。

「やめて！」ペチュニアが金切り声を上げた。

「何も悪さはしてないわ」そうは言ったが、リリーは手を閉じて、花を放り投げた。

「いいことじゃないわ」

　ペチュニアはそう言いながらも、目は飛んでいく花を追い、地面に落ちた花をしばらく見ていた。

「どうやってやるの？」ペチュニアの声には、はっきりとうらやましさがにじんでいた。

「わかりきったことじゃないか？」

　スネイプはもうがまんできなくなって、茂みの陰から飛び出した。ペチュニアは悲鳴を上げてブランコのほうに駆け戻った。しかしリリーは、明らかに驚いてはいたが、その場から動かなかった。スネイプは、姿を現したことを後悔している様子だった。リリーを見るスネイプの土気色のほおに、にぶい赤みがさした。

「わかりきったことって？」リリーが聞いた。

スネイプは興奮し、落ち着きを失っているように見えた。離れた所で、ブランコの脇をうろうろしているペチュニアにちらりと目をやりながら、スネイプは声を落として言った。

「僕は君がなんだか知っている」

「どういうこと？」

「君は……君は魔女だ」スネイプがささやいた。

リリーは侮辱されたような顔をした。

「**そんなこと**、他人に言うのは失礼よ！」

リリーはスネイプに背を向け、ツンと上を向いて、鼻息も荒くペチュニアのほうに歩いていった。

「ちがうんだ！」

スネイプは、いまや真っ赤な顔をしていた。ハリーは、スネイプがどうしてバカバカしいほどだぶだぶの上着を脱がないのだろう、といぶかった。その下に着ているスモックを見られたくないのだろうか？　スネイプは二人の少女を追いかけた。大人のスネイプと同じように、まるで滑稽なコウモリのような姿だった。

二人の姉妹は、反感という気持ちで団結し、ブランコの支柱が鬼ごっこの「たんま」の場所ででもあるかのようにつかまって、スネイプを観察していた。

「君はほんとに、**そうなんだ**」

スネイプがリリーに言った。

「君は**魔女なんだ**。僕はしばらく君のことを見ていた。でも、何も悪いことじゃない。僕のママも魔女で、僕は魔法使いだ」

ペチュニアは、冷水のような笑いを浴びせた。

「魔法使い！」

突然現れた男の子に驚きはしたが、もうそのショックから回復して、負けん気が戻ったペチュニアが叫んだ。

「**私**は、**あなた**が誰だか知ってるわ。スネイプって子でしょう！　この人たち、川の近くのスピナーズ・エンドに住んでるのよ」

ペチュニアがリリーに言った。ペチュニアの口調から、その住所がかんばしくない場所だと考えられていることは明らかだった。

「どうして、私たちのことをスパイしていたの？」

「スパイなんかしていない」

明るい太陽の下で、スネイプは暑苦しく、不快で、髪の汚れが目立った。

「どっちにしろ、**おまえ**のことなんかスパイしていない」スネイプは意地悪くつけ加えた。「**おまえ**はマグルだ」

ペチュニアには、その言葉の意味がわからないようだったが、スネイプの声の調子ははっきりわかった。

「リリー、行きましょう。帰るのよ！」

ペチュニアがかん高い声で言った。リリーはすぐに従い、去り際にスネイプをにらみつけた。遊び場の門をさっさと出ていく姉妹を、スネイプはじっと見ていた。ただ一人その場に残って観察していたハリーには、スネイプが苦い失望をかみしめているのがわかった。そして、スネイプが、この時のために、しばらく前から準備していたことを理解した。それなのに、うまくいかなかったのだ……。

場面が消え、いつの間にかハリーの周囲が形を変えていた。今度は低木の小さな茂みの中にいた。木の幹を通して、太陽に輝く川が見えた。木々の影が、すずしい緑の木陰を作っている。子供が二人、足を組み、向かい合って地面に座っている。スネイプは、今回は上着を脱いでいた。おかしなスモックは、木陰の薄明かりではそれほど変に見えなかった。

「……それで、魔法省は、誰かが学校の外で魔法を使うと、罰することができるんだ。手紙が来る」

「でもわたし、もう学校の外で魔法を**使ったわ！**」

「僕たちは大丈夫だ。まだ杖を持っていない。まだ子供だし、自分ではどうにもできないから、許してくれるんだ。でも十一歳になったら」

スネイプは重々しくうなずいた。

「そして訓練を受けはじめたら、その時は注意しなければいけない」

二人ともしばらく沈黙した。リリーは小枝を拾って、空中にくるくると円を描いた。小枝から火花が散るところを想像しているのが、ハリーにはわかった。それからリリーは小枝を落とし、男の子に顔を近づけて、こう言った。

「**ほんと**なのね？　冗談じゃないのね？　ペチュニアは、あなたがわたしにうそをついているんだって言うの。ペチュニアは、ホグワーツなんてないって言うの。でも、**ほんと**なのね？」

「僕たちにとってはほんとうだ」スネイプが言った。「でもペチュニアにとってじゃない。僕たちには手紙が来る。君と僕に」

「そうなの？」リリーが小声で言った。

「絶対だ」スネイプが言った。

髪は不ぞろいに切られ、服装もおかしかったが、自分の運命に対して確信に満ちあふれたスネイプが、手足を伸ばしてリリーの前に座っているさまは、奇妙に印象的だった。

「それで、ほんとうにふくろうが運んでくるの？」リリーがささやくように聞いた。

「普通はね」スネイプが言った。「でも、君はマグル生まれだから、学校から誰かが来て、君のご両親に説明しないといけないんだ」

「何かちがうの？　マグル生まれって」

スネイプは躊躇（ちゅうちょ）した。黒い目が緑の木陰で熱を帯び、リリーの色白の顔と深い色の赤い髪を眺めた。

「いいや」スネイプが言った。「何もちがわない」

「よかった」

リリーは、緊張が解けたように言った。ずっと心配していたのは明らかだ。

「君は魔法の力をたくさん持っている」スネイプが言った。「僕にはそれがわかったんだ。ずっと君を見ていたから……」

スネイプの声は先細りになった。リリーは聞いていなかった。緑豊かな地面に寝転んで体を伸ばし、頭上の林冠を見上げていた。スネイプは、遊び場で見ていたときと同じように熱っぽい目で、リリーを見つめた。

「おうちの様子はどうなの？」リリーが聞いた。

スネイプの眉間に、小さなしわが現れた。

「大丈夫だ」スネイプが答えた。

「ご両親は、もうけんかしていないの？」

「そりゃ、してるさ。あの二人はけんかばかりしてるよ」

スネイプは木の葉を片手につかみ取ってちぎりはじめたが、自分では何をしているのか気づいていないらしかった。

「だけど、もう長くはない。僕はいなくなる」

「あなたのパパは、魔法が好きじゃないの？」

「あの人はなんにも好きじゃない。あんまり」スネイプが言った。

「セブルス？」

リリーに名前を呼ばれたとき、スネイプの唇が、かすかな笑いでゆがんだ。

「何？」

「吸魂鬼のこと、また話して」

「なんのために、あいつらのことなんか知りたいんだ？」

「もしわたしが、学校の外で魔法を使ったら――」

「そんなことで、誰も君を吸魂鬼に引き渡したりはしないさ！　吸魂鬼というのは、ほんとうに悪いことをした人のためにいるんだから。魔法使いの監獄、アズカバンの看守をしている。君がアズカバンになんか行くものか。君みたいに――」

スネイプはまた赤くなって、もっと葉をむしった。すると後ろでカサカサと小さな音がしたので、ハリーは振り向いた。木の陰に隠れていたペチュニアが、足を踏みはずしたところだった。

「チュニー！」

リリーの声は、驚きながらもうれしそうだった。しかし、スネイプははじかれたように立ち上がった。

「今度は、どっちがスパイだ？」スネイプが叫んだ。「なんの用だ？」

ペチュニアは見つかったことに愕然（がくぜん）として、息もつけない様子だった。ハリーには、ペチュニアがスネイプを傷つける言葉を探しているのがわかった。

「あなたの着ているものは、いったい何？」

ペチュニアは、スネイプの胸を指差して言った。

「ママのブラウス？」

ボキッと音がして、ペチュニアの頭上の枝が落ちてきた。リリーが悲鳴を上げた。枝はペチュニアの肩に当たり、ペチュニアは後ろによろけてワッと泣きだした。

「チュニー！」

しかし、ペチュニアはもう走りだしていた。リリーはスネイプに食ってかかった。

「あなたのしたことね？」

「ちがう」

スネイプは挑戦的になり、同時に恐れているようだった。

「あなたがしたのよ！」

リリーはスネイプのほうを向いたまま、あとずさりしはじめた。

「**そうよ！**　ペチュニアを痛い目にあわせたのよ！」

「ちがう——僕はやっていない！」

しかし、リリーはスネイプのうそに納得しなかった。激しい目つきでにらみつけ、リリーは小さな茂みから駆けだして、ペチュニアを追った。スネイプは、みじめな、混乱した顔で見送っていた……。

そして場面が変わった。ハリーが見回すと、そこは九と四分の三番線で、ハリーの横に、やや猫背のスネイプが立ち、その隣に、スネイプとそっくりな、やせて土気色の顔をした気難しそうな女性が立っていた。スネイプは、少し離れた所にいる四人家族をじっと見ていた。二人の女の子が、両親から少し離れて立っている。リリーが何か訴えているようだった。ハリーは少し近づいて聞き耳を立てた。

「……ごめんなさい、チュニー、ごめんなさい！　ねぇ――」

リリーはペチュニアの手を取って、引っ込めようとする手をしっかり握った。

「たぶん、わたしがそこに行ったら――ねぇ、聞いてよ、チュニー！　たぶん、わたしがそこに行けば、ダンブルドア教授の所に行って、気持ちが変わるように説得できると思うわ！」

「私――行きたく――なんか――ない！」

ペチュニアは、握られている手を振りほどこうと、引いた。

「私がそんな、ばかばかしい城なんかに行きたいわけないでしょ。なんのために勉強して、わざわざそんな――そんな――」

ペチュニアの色の薄い目が、プラットホームをぐるりと見回した。飼い主の腕の中でニャーニャー鳴いている猫や、かごの中で羽ばたきしながらホーホー鳴き交わしているふくろう、そして生徒たち。中には、もうすそ長の黒いローブに着替えている生徒もいて、紅の汽車にトランクを積み込んだり、夏休み後の再会を喜んで歓声を上げ、挨拶を交わしたりしている。

「――私が、なんでそんな――そんな生まれそこないになりたいってわけ？」

ペチュニアはとうとう手を振りほどき、リリーは目に涙をためていた。

「わたしは生まれそこないじゃないわ」リリーが言った。「そんな、ひどいことを言うなんて」

「あなたは、そういう所に行くのよ」

ペチュニアは、反応を、さも楽しむかのように言った。

「生まれそこないのための特殊な学校。あなたも、あのスネイプって子も……変な者どうし。二人ともそうなのよ。あなたたちが、まともな人たちから隔離されるのはいいことよ。私たちの安全のためだわ」

リリーは、両親をちらりと見た。二人ともその場を満喫して、心から楽しんでいるような顔でプラットホームを見回していた。リリーはペチュニアを振り返り、低い、けわしい口調で言った。

「あなたは、変人の学校だなんて思っていないはずよ。校長先生に手紙を書いて、自分を入学させてくれって頼み込んだんだもの」

ペチュニアは真っ赤になった。

「頼み込む？　そんなことしてないわ！」

「わたし、校長先生のお返事を見たの。親切なお手紙だったわ」

「読んじゃいけなかったのに――」ペチュニアが小声で言った。「私のプライバシーよ――どうしてそんな――？」

リリーは、近くに立っているスネイプにちらりと目をやることで、白状したも同然だった。

ペチュニアが息をのんだ。

「あの子が見つけたのね！　あなたとあの男の子が、私の部屋にコソコソ入って！」

「ちがうわ――コソコソ入ってなんかいない――」

今度はリリーがむきになった。

「セブルスが封筒を見たの。それで、マグルがホグワーツと接触できるなんて信じられなかったの。それだけよ！　セブルスは、郵便局に、変装した魔法使いが働いているにちがいないって言うの。それで、その人たちがきっと――」

「魔法使いって、どこにでも首を突っ込むみたいね！」

ペチュニアは赤くなったと同じくらい青くなっていた。

「**生まれそこない！**」

ペチュニアは、リリーに向かって吐き捨てるように言い、これ見よがしに両親のいる所へ戻っていった……。

場面がまた消えた。ホグワーツ特急はガタゴトと田園を走っている。スネイプが列車の通路を急ぎ足で歩いていた。すでに学校のローブに着替えている。きっとあの不格好なマグルの服をいち早く脱ぎたかったのだろう。やがてスネイプは、あるコンパートメントの前で立ち止まった。中では騒々しい男の子たちが話している。窓際の隅の席に体を丸めて、リリーが座っていた。顔を窓ガラスに押しつけている。

スネイプはコンパートメントの扉を開け、リリーの前の席に腰かけた。リリーはちらりとスネイプを見たが、また窓に視線を戻した。泣いていたのだ。

「あなたとは、話したくないわ」リリーが声を詰まらせた。

「どうして？」

「チュニーがわたしを、に――憎んでいるの。ダンブルドアからの手紙を、わたしたちが見たから」

「それが、どうしたって言うんだ？」

リリーは、スネイプなんて大嫌いだという目で見た。

「だってわたしたち、姉妹なのよ！」

「あいつはただの――」

スネイプはすばやく自分を抑えた。気づかれないように涙をぬぐうのに気を取られていたリリーは、スネイプの言葉を聞いていなかった。

「だけど、僕たちは行くんだ！」

スネイプは、興奮を抑えきれない声で言った。

「とうとうだ！　僕たちはホグワーツに行くんだ！」

リリーは目をぬぐいながらうなずき、思わず半分ほほえんだ。

「君は、スリザリンに入ったほうがいい」

リリーが少し明るくなったのに勇気づけられて、スネイプが言った。

「スリザリン？」

同じコンパートメントの男の子の一人が、その時まではリリーにもスネイプにもまったく関心を示していなかったのに、その言葉で振り返った。それまで窓際の二人にだけ注意を集中させていたハリーは、初めて自分の父親に気づいた。細身でスネイプと同じ黒い髪だったが、どことなく、かわいがられ、むしろちやほやされてきたという雰囲気を漂わせていた。スネイプには、明らかに欠けている雰囲気だ。

「スリザリンになんか誰が入るか！　むしろ退学するよ、そうだろう？」

ジェームズは、むかい側の席にゆったりもたれかかっている男子に問いかけた。それがシリウスだと気づいて、ハリーはドキッとした。シリウスはニコリともしなかった。

「僕の家族は、全員スリザリンだった」シリウスが言った。

「驚いたなあ」ジェームズが言った。「だって、君はまともに見えると思ってたのに！」

シリウスがニヤッと笑った。

「たぶん、僕が伝統を破るだろう。君は、選べるとしたらどこに行く？」

ジェームズは、見えない剣を捧げ持つ格好をした。

「**『グリフィンドール、勇気ある者が住う寮！』**、僕の父さんのように」

スネイプが小さくフンと言った。ジェームズは、スネイプに向きなおった。

「文句があるのか？」

「いや」

言葉とは裏腹に、スネイプはかすかにあざ笑っていた。

「君が、頭脳派より肉体派がいいならね――」

「君はどこに行きたいんだ？　どっちでもないようだけど」シリウスが口をはさんだ。

ジェームズが爆笑した。リリーはかなり赤くなって座りなおし、大嫌いという顔でジェームズとシリウスを交互に見た。

「セブルス、行きましょう。別のコンパートメントに」

「オォォォォ……」

ジェームズとシリウスが、リリーのツンとした声をまねた。ジェームズは、スネイプが通るとき、足を引っかけようとした。

「まーたな、スニベルス！」

中から声が呼びかけ、コンパートメントの扉がバタンと閉まった……。

そしてまた場面が消えた……。


ハリーはスネイプのすぐ後ろで、ろうそくに照らされた寮のテーブルに向かって立っていた。テーブルには、夢中で見つめる顔がずらりと並んでいる。その時、マクゴナガル教授が呼んだ。

「エバンズ、リリー！」

ハリーは、自分の母親が震える足で進み出て、ぐらぐらした丸椅子に腰かけるのを見守った。マクゴナガル教授が組分け帽子をリリーの頭にかぶせた。すると、深みのある赤い髪に触れた瞬間、一秒とかからずに帽子が叫んだ。

「**グリフィンドール！**」

ハリーは、スネイプが小さくうめき声をもらすのを聞いた。リリーは帽子を脱ぎ、マクゴナガル教授に返して、歓迎に沸くグリフィンドール生の席に急いだ。しかし、その途中でスネイプをちらりと振り返ったリリーの顔には、悲しげな微笑が浮かんでいた。ハリーは、ベンチに腰かけていたシリウスが横に詰めて、リリーに席を空けるのを見た。リリーはひと目で、列車で会った男子だとわかったらしく、腕組みをしてあからさまにそっぽを向いた。

点呼が続いた。ハリーは、ルーピン、ペティグリュー、そして父親が、リリーとシリウスのいるグリフィンドールのテーブルに加わるのを見た。そして、あと十数人の組分けを残すだけになり、マクゴナガル教授がスネイプの名前を呼んだ。

ハリーは一緒に丸椅子まで歩き、スネイプが帽子を頭にのせるのを見た。

「**スリザリン！**」組分け帽子が叫んだ。

そしてセブルス・スネイプは、リリーから遠ざかるように大広間の反対側に移動し、スリザリン生の歓迎に迎えられた。監督生バッジを胸に光らせたルシウス・マルフォイが、隣に座ったスネイプの背中を軽くたたいた……。

そして場面が変わった……。

リリーとスネイプが、城の中庭を歩いていた。明らかに議論している様子だ。ハリーは急いで追いかけ、聞こうとした。追いついてみると、二人がどんなに背が伸びているかに気づいた。組分けから数年たっているらしい。

「……僕たちは友達じゃなかったのか？」スネイプが言っていた。「親友だろう？」

「**そうよ**、セブ。でも、あなたがつき合っている人たちの、何人かが嫌いなの！　悪いけど、エイブリーとかマルシベール！――**マルシベール！**　セブ、あの人のどこがいいの？　あの人、ぞっとするわ！　この間、あの人がメリー・マクドナルドに何をしようとしたか、あなた知ってる？」

リリーは柱に近づいて寄りかかり、細長い土気色の顔をのぞき込んだ。

「あんなこと、なんでもない」スネイプが言った。「冗談だよ。それだけだ――」

「あれは『闇の魔術』よ。あなたが、あれがただの冗談だなんて思うのなら――」

「ポッターと仲間がやっていることは、どうなんだ？」

スネイプが切り返した。憤りを抑えられないらしく、言葉と同時に、スネイプの顔に血が上った。

「ポッターと、なんの関係があるの？」

「夜こっそり出歩いている。ルーピンてやつ、なんだか怪しい。あいつはいったい、いつもどこに行くんだ？」

「あの人は病気よ」リリーが言った。「病気だってみんなが言ってるわ――」

「毎月、満月のときに？」スネイプが言った。

「あなたが何を考えているかは、わかっているわ」

リリーが言った。冷たい口調だった。

「どうして、あの人たちにそんなにこだわるの？　あの人たちが夜、何をしているかが、なぜ気になるの？」

「僕はただ、あの連中は、みんなが思っているほどすばらしいわけじゃないって、君に教えようとしているだけだ」

スネイプのまなざしの激しさに、リリーはほおを赤らめた。

「でも、あの人たちは、闇の魔術を使わないわ」リリーは声を低くした。「それに、あなたはとても恩知らずよ。この間の晩に何があったか、聞いたわ。あなたは暴れ柳のそばのトンネルをこっそり下りていって、そこで何があったかは知らないけれど、ジェームズ・ポッターがあなたを救ったと――」

スネイプの顔が大きくゆがみ、吐き捨てるように言った。

「救った？　救った？　君はあいつが英雄だと思っているのか？　あいつは自分自身と自分の仲間を救っただけだ！　君は絶対にあいつに――僕が君に許さない――」

「私に何を**許さない**の？　**何を許さないの？**」

リリーの明るい緑の目が、細い線になった。スネイプはすぐに言いなおした。

「そういうつもりじゃ――ただ僕は、君がだまされるのを見たくない――あいつは、君に気がある。ジェームズ・ポッターは、君のことが好きなんだ！」

言葉が、スネイプの意に反して無理やり出てきたかのようだった。

「だけどあいつは、ちがうんだ……みんながそう思っているみたいな……クィディッチの大物ヒーローだとか――」

スネイプは、苦々しさと嫌悪感とで、支離滅裂になっていた。リリーの眉がだんだん高く吊り上がっていった。

「ジェームズ・ポッターが、傲慢でいやなやつなのはわかっているわ」

リリーは、スネイプの言葉をさえぎった。

「あなたに言われるまでもないわ。でも、マルシベールとかエイブリーが冗談のつもりでしていることは、邪悪そのものだわ。セブ、**邪悪なことなのよ。**あなたが、どうしてあんな人たちと友達になれるのか、私にはわからない」

マルシベールとエイブリーを非難するリリーの言葉を、はたしてスネイプが聞いたかどうかさえ疑わしいと、ハリーは思った。リリーがジェームズ・ポッターをけなすのを聞いたとたん、スネイプの体全体がゆるみ、二人でまた歩きだしたときには、スネイプの足取りははずんでいた……。

そして場面が変わった……。

ハリーは、以前に見たことのある光景を見ていた。O・W・L試験の「闇の魔術に対する防衛術」を終えたスネイプが、大広間を出て、どこという当てもない様子で城から離れて歩いていた。たまたまスネイプが向かった先は、ジェームズ、シリウス、ルーピン、そしてペティグリューが一緒に座っているブナの木の下のすぐそばだった。ハリーは、今回は距離を置いて見ていた。ジェームズがセブルスを宙吊りにして侮辱したあとに、何が起こったかを知っていたからだ。何が行われ、何が言われたかを知っていたし、それをくり返して聞きたくはなかった。ハリーは、リリーがその集団に割り込み、スネイプを擁護しはじめるのを見た。屈辱感と怒りで、スネイプがリリーに向かって許しがたい言葉を吐くのが、遠くに聞こえた。

「**穢れた血**」

場面が変わった……。

「許してくれ」

「聞きたくないわ」

「許してくれ！」

「言うだけむだよ」

夜だった。リリーは部屋着を着て、グリフィンドール塔の入口の「太った婦人（レディ）」の肖像画の前で、腕組みをして立っていた。

「メリーが、あなたがここで夜明かしすると脅しているって言うから、来ただけよ」

「そのとおりだ。そうしたかもしれない。けっして君を『穢れた血』と呼ぶつもりはなかった。ただ――」

「口がすべったって？」リリーの声には、あわれみなどなかった。「もう遅いわ。私は何年も、あなたのことをかばってきた。私があなたと口をきくことさえ、どうしてなのか、私の友達は誰も理解できないのよ。あなたと大切な『死喰（しく）い人』のお友達のこと――ほら、あなたは否定もしない！　あなたたち全員がそれになろうとしていることを、否定もしない！『例のあの人』の一味になるのが待ち遠しいでしょうね？」

スネイプは口を開きかけたが、何も言わずに閉じた。

「私はもう、自分にうそはつけないわ。あなたはあなたの道を選んだし、私は私の道を選んだのよ」

「お願いだ――聞いてくれ。僕はけっして――」

「――私を『穢れた血』と呼ぶつもりはなかった？　でも、セブルス、あなたは、私と同じ生まれの人全部を『穢れた血』と呼んでいるわ。どうして、私だけがちがうと言えるの？」

スネイプは、何か言おうともがいていた。しかし、リリーは軽蔑した顔でスネイプに背を向け、肖像画の穴を登って戻っていった……。

廊下が消えたが、場面が変わるまでに、いままでより長い時間がかかった。ハリーは、形や色が置きかわる中を飛んでいるようだった。やがて周囲が再びはっきりし、ハリーは闇の中で、わびしく冷たい丘の上に立っていた。木の葉の落ちた数本の木の枝を、風がヒューヒュー吹き鳴らしている。大人になったスネイプが、息を切らしながら、杖をしっかり握りしめて、何かを、いや誰かを待ってその場でぐるぐる回っていた……自分には危害がおよばないと知ってはいても、スネイプの恐怖がハリーにも乗り移り、ハリーは、スネイプが何を待っているのかといぶかりながら、後ろを振り返った——。

するど、目もくらむような白い光線が闇をつんざいてジグザグに走った。ハリーは稲妻だと思った。ところが、スネイプの手から杖が吹き飛ばされ、スネイプはがっくりとひざをついた。

「殺さないでくれ！」

「わしには、そんなつもりはない」

ダンブルドアが「姿あらわし」した音は、枝を鳴らす風の音に飲み込まれていた。スネイプの前に立ったダンブルドアは、ローブを体の周りにはためかせ、その顔は下からの杖灯り(つえあか)に照らされていた。

「さて、セブルス？　ヴォルデモート卿が、わしになんの伝言かな？」

「ちがう——伝言ではない——私は自分のことでここに来た！」

スネイプは両手をもみしだいていた。黒い髪が顔の周りにバラバラにほつれて飛び、狂乱した様子に見えた。

「私は——警告にきた——いや、お願いに——どうか——」

ダンブルドアは軽く杖を振った。二人の周囲では、木の葉も枝も、吹きすさぶ夜風にあおられ続けていたが、ダンブルドアとスネイプが向かい合っている場所だけは静かになった。

「死喰い人が、わしになんの頼みがあると言うのじゃ？」

「あの――あの予言は……あの予測は……トレローニーの……」

「おう、そうじゃ」ダンブルドアが言った。「ヴォルデモート卿に、どれだけ伝えたのかな？」

「すべてを――聞いたことのすべてを！」スネイプが言った。「それがために――それが理由で――『あの方』は、それがリリー・エバンズだとお考えだ！」

「予言は、女性には触れておらぬ」ダンブルドアが言った。「七月の末に生まれる男の子の話じゃ」

「あなたは、私の言うことがおわかりになっている！『あの方』は、それがリリーの息子のことだとお考えだ。『あの方』はリリーを追いつめ――全員を殺すおつもりだ――」

「あの女がおまえにとってそれほど大切なら――」ダンブルドアが言った。「ヴォルデモート卿は、リリーを見逃してくれるにちがいなかろう？　息子と引き換えに、母親への慈悲を願うことはできぬのか？」

「そうしました――私はお願いしました――」

「見下げはてたやつじゃ」ダンブルドアが言った。

ハリーは、これほど侮蔑のこもったダンブルドアの声を、聞いたことがなかった。スネイプはわずかに身を縮めたように見えた。

「それでは、リリーの夫や子供が死んでも、気にせぬのか？　自分の願いさえ叶えば、あとの二人は死んでもいいと言うのか？」

スネイプは何も言わず、ただだまってダンブルドアを見上げた。

「それでは、全員を隠してください」スネイプはかすれ声で言った。「あの女を――全員を――安全に。お願いです」

「そのかわりに、わしには何をくれるのじゃ、セブルス？」

「か――かわりに？」

スネイプはポカンと口を開けて、ダンブルドアを見た。ハリーはスネイプが抗議するだろうと予想したが、しばらくだまったあとに、スネイプが言った。

「なんなりと」


丘の上の光景が消え、ハリーはダンブルドアの校長室に立っていた。そして、何かが、傷ついた獣のような恐ろしいうめき声を上げていた。スネイプが、ぐったりと前かがみになって椅子にかけ、ダンブルドアが立ったまま、暗い顔でその姿を見下ろしていた。やがてスネイプが顔を上げた。荒涼としたあの丘の上の光景以来、スネイプは百年もの間、悲惨に生きてきたような顔だった。

「あなたなら……きっと……あの女を……護る（まも）と思った……」

「リリーもジェームズも、まちがった人間を信用したのじゃ」ダンブルドアが言った。「おまえも同じじゃな、セブルス。ヴォルデモート卿が、リリーを見逃すと期待しておったのではないかな？」

スネイプは、ハァハァと苦しそうな息づかいだった。

「リリーの子は生き残っておる」ダンブルドアが言った。

スネイプは、ぎくっと小さく頭をひと振りした。うるさいハエを追うようなしぐさだった。

「リリーの息子は生きておる。その男の子は、彼女の目を持っている。そっくり同じ目だ。リリー・エバンズの目の形も色も、おまえは覚えておるじゃろうな？」

「**やめてくれ！**」スネイプが大声を上げた。「もういない……死んでしまった……」

「後悔か、セブルス？」

「私も……**私も**死にたい……」

「しかし、おまえの死が、誰の役に立つというのじゃ？」ダンブルドアは冷たく言った。「リリー・エバンズを愛していたなら、ほんとうに愛していたのなら、これからのおまえの道は、はっきりしておる」

スネイプは苦痛の靄（もや）の中を、じっと見透かしているように見えた。ダンブルドアの言葉がスネイプに届くまで、長い時間が必要であるかのようだった。

「どう――どういうことですか？」

「リリーがどのようにして、なぜ死んだかわかっておるじゃろう。その死をむだにせぬことじゃ。リリーの息子を、わしが護るのを手伝うのじゃ」

「護る必要などありません。闇の帝王はいなくなって――」

「――闇の帝王は戻ってくる。そしてその時、ハリー・ポッターは非常な危険におちいる」

長い間沈黙が続き、スネイプはしだいに自分を取り戻し、呼吸も整ってきた。ようやくスネイプが口を開いた。

「なるほど。わかりました。しかし、ダンブルドア、けっして――けっして明かさないでください！このことは、私たち二人の間だけにとどめてください！　誓ってそうしてください！　私には耐えられない……特にポッターの息子などに……約束してください！」

「約束しよう、セブルス。君の最もよい所を、けっして明かさぬということじゃな？」

ダンブルドアは、スネイプの残忍な、しかし苦悶（くもん）に満ちた顔を見下ろしながら、ため息をついた。

「君の、たっての望みとあらば……」

校長室が消えたが、すぐに元の形になった。スネイプがダンブルドアの前を往ったり来たりしていた。

「――凡庸、父親と同じく傲慢、規則破りの常習犯、有名であることを鼻にかけ、目立ちたがり屋で、生意気で――」

「セブルス、そう思って見るから、そう見えるのじゃよ」

ダンブルドアは『変身現代』から目も上げずに言った。

「ほかの先生方の報告では、あの子は控えめで人に好かれるし、ある程度の能力もある。わし個人としては、なかなか人をひきつける子じゃと思うがのう」

ダンブルドアはページをめくり、本から目を上げずに言った。

「クィレルから目を離すでないぞ、よいな？」

色が渦巻き、今度はすべてが暗くなった。スネイプとダンブルドアは、玄関ホールで少し離れて立っていた。クリスマス・ダンスパーティの最後の門限破りたちが、二人の前を通り過ぎて寮に戻っていった。

「どうじゃな？」ダンブルドアがつぶやくように言った。

「カルカロフの腕の刻印も濃くなってきました。あいつはあわてふためいています。制裁を恐れているのです。闇の帝王が凋落（ちょうらく）したあと、あいつがどれほど魔法省の役に立ったか、ご存じでしょう」

スネイプは横を向いて、鼻の折れ曲がったダンブルドアの横顔を見た。

「カルカロフは、もし刻印が熱くなったら、逃亡するつもりです」

「そうかの？」

ダンブルドアは静かに言った。フラー・デラクールとロジャー・デイビースが、クスクス笑いながら校庭から戻ってくるところだった。

「君も、一緒に逃亡したいのかな？」

「いいえ」

スネイプの暗い目が、戻っていくフラーとロジャーの後ろ姿を見ていた。

「私は、そんな臆病者ではない」

「そうじゃな」ダンブルドアが言った。「君はイゴール・カルカロフより、ずっと勇敢な男じゃ。のう、わしはときどき、『組分け』が性急すぎるのではないかと思うことがある……」

ダンブルドアは、雷に撃たれたような表情のスネイプをあとに残して立ち去った……。

そして次に、ハリーはもう一度校長室に立っていた。夜だった。ダンブルドアは、机の後ろの王座のような椅子に、斜めにぐったりもたれている。どうやら半分気を失っている。黒く焼け焦げた右手が、椅子の横にだらりと垂れている。スネイプは、杖をダンブルドアの手首に向けて呪文を唱えながら、左手で、金色の濃い薬をなみなみと満たしたゴブレットを傾け、ダンブルドアののどに流し込んでいた。やがてダンブルドアのまぶたがヒクヒク動き、目が開いた。

「なぜ」スネイプは前置きもなしに言った。「**なぜ**その指輪をはめたのです？　それには呪いがかかっている。当然ご存じだったでしょう。なぜ触れたりしたのですか？」

マールヴォロ・ゴーントの指輪が、ダンブルドアの前の机にのっていた。割れている。グリフィンドールの剣（つるぎ）がその脇に置いてあった。

ダンブルドアは、顔をしかめた。

「わしは……愚かじゃった。いたく、そそられてしもうた……」

「何に、そそられたのです？」

ダンブルドアは答えなかった。

「ここまで戻ってこられたのは、奇跡です！」

スネイプは怒ったように言った。

「その指輪には、異常に強力な呪いがかかっていた。うまくいっても、せいぜいその力を封じ込めることしかできません。呪いを片方の手に押さえ込みました。しばしの間だけ――」

ダンブルドアは黒ずんで使えなくなった手を上げ、めずらしい骨董品を見せられたような表情で、ためつすがめつ眺めていた。

「よくやってくれた、セブルス。わしはあとどのくらいかのう？」

ダンブルドアの口調は、ごくあたりまえの話をしているようだった。天気予報でも聞いているような調子だった。スネイプは躊躇したが、やがて答えた。

「はっきりとはわかりません。おそらく一年。これほどの呪いを永久にとどめておくことはできません。結局は、広がるでしょう。時間とともに強力になる種類の呪文です」

ダンブルドアはほほえんだ。あと一年も生きられないという知らせも、ほとんど、いや、まったく気にならないかのようだった。

「わしは幸運じゃ。セブルス、君がいてくれて、わしは非常に幸運じゃ」

「私をもう少し早く呼んでくださったら、もっと何かできたものを。もっと時間を延ばせたのに！」

スネイプは憤慨しながら、割れた指輪と剣を見下ろした。

「指輪を割れば、呪いも破れると思ったのですか？」

「そんなようなものじゃ……わしは熱に浮かされておったのじゃ、紛れもなく……」

ダンブルドアが言った。そして力を振りしぼって、椅子に座りなおした。

「いや、まことに、これで、事はずっと単純明快になる」

スネイプは、完全に当惑した顔をした。ダンブルドアはほほえんだ。

「わしが言うておるのは、ヴォルデモート卿がわしの周りにめぐらしておる計画のことじゃ。哀れなマルフォイ少年に、わしを殺させるという計画じゃ」

スネイプは、ダンブルドアの机の前の椅子に腰かけた。ハリーが何度もかけた椅子だった。ダンブルドアの呪われた手について、スネイプがもっと何か言おうとしているのがハリーにはわかったが、ダンブルドアは、この話題は打ち切るというていねいな断りの印に、その手を挙げた。スネイプは、顔をしかめながら言った。

「闇の帝王は、ドラコが成功するとは期待していません。これは、ルシウスが先ごろ失敗したことへの、懲罰にすぎないのです。ドラコの両親は、息子が失敗し、その代償を払うのを見てじわじわと苦しむ」

「つまり、あの子はわしと同じように、確実な死の宣告を受けているということじゃ」

ダンブルドアが言った。

「さて、わしが思うに、ドラコが失敗すれば当然その仕事を引き継ぐのは、君じゃろう？」

一瞬、間が空いた。

「それが、闇の帝王の計画だと思います」

「ヴォルデモート卿は、近い将来、ホグワーツにスパイを必要としなくなる時が来ると、そう予測しておるのかな？」

「あの方は、まもなく学校を掌握できると信じています。おっしゃるとおりです」

「そして、もし、あの者の手に落ちれば」

ダンブルドアは、まるで余談だがという口調で言った。

「君は、全力でホグワーツの生徒たちを護ると、約束してくれるじゃろうな？」

スネイプは短くうなずいた。

「よろしい。さてと、君にとっては、ドラコが何をしようとしているかを見つけ出すのが、最優先課題じゃ。恐怖にかられた十代の少年は、自分の身を危険にさらすばかりか、他人にまで危害をおよぼす。手助けし、導いてやるとドラコに言うがよい。受け入れるはずじゃ。あの子は君を好いておる――」

「――そうでもありません。父親が寵愛（ちょうあい）を失ってからは。ドラコは私を責めています。ルシウスの座を私が奪った、と考えているのです」

「いずれにせよ、やってみることじゃ。わしは自分のことより、あの少年が何か手立てを思いついたときに、偶然その犠牲になる者のことが心配じゃ。もちろん最終的には、わしらがあの少年をヴォルデモート卿の怒りから救う手段は、たった一つしかない」

スネイプは眉を吊り上げ、ちゃかすような調子で尋ねた。

「あの子に、ご自分を殺させるおつもりですか？」

「いやいや、**君が**わしを殺さねばならぬ」

長い沈黙が流れた。ときどきコツコツという奇妙な音が聞こえるだけだった。不死鳥のフォークスがイカの甲をついばんでいた。

「いますぐに、やってほしいですか？」

スネイプの声は皮肉たっぷりだった。

「それとも、少しの間、墓に刻む墓碑銘をお考えになる時間がいりますか？」

「おお、そうは急がぬ」ダンブルドアがほほえみながら言った。

「そうじゃな、その時は自然にやってくると言えよう。今夜の出来事からして」ダンブルドアは、なえた手を指した。「その時は、まちがいなく一年以内に来る」

「死んでもいいのなら」スネイプは乱暴な言い方をした。「ドラコにそうさせてやったらいかがですか？」

「あの少年の魂は、まだそれほど壊されておらぬ」ダンブルドアが言った。「わしのせいで、その魂を引き裂かせたりはできぬ」

「それでは、ダンブルドア、私の魂は？　私のは？」

「老人の苦痛と屈辱を回避する手助けをすることで、君の魂が傷つくかどうかは、君だけが知っていることじゃ」

ダンブルドアが言った。

「これはわしの、君へのたっての頼みじゃ、セブルス。何しろ、わしに死が訪れるというのは、チャドリー・キャノンズが今年のリーグ戦を最下位で終えるというのと同じくらい確かなことじゃからのう。白状するが、わしは、すばやく痛みもなしに去るほうが好みじゃ。たとえばグレイバックなどが関わって、長々と見苦しいことになるよりはのう――ヴォルデモートがやつをやとったと聞いたが？　または、獲物を食らう前にもてあそぶのが好きな、ベラトリックス嬢などとも関わりとうはないのう」

ダンブルドアは、気楽な口調だったが、かつて何度もハリーを貫くように見たそのブルーの目は、スネイプを鋭く貫いていた。まるで、いま話題にしている魂が、ダンブルドアの目には見えているかのようだった。ついにスネイプは、また短くうなずいた。

ダンブルドアは満足げだった。

「ありがとう、セブルス……」

校長室が消え、スネイプとダンブルドアが、今度は夕暮れの、誰もいない校庭を並んでそぞろ歩いていた。

「ポッターと、いく晩もひそかに閉じこもって、何をなさっているのですか？」

スネイプが唐突に聞いた。

ダンブルドアは、つかれた様子だった。

「なぜ聞くのかね？　セブルス、あの子に、**また**罰則を与えるつもりではなかろうな？　そのうち、あの子は、罰則で過ごす時間のほうが長くなることじゃろう」

「あいつは父親の再来だ――」

「外見は、そうかもしれぬ。しかし深い所で、あの子の性格は母親のほうに似ておる。わしがハリーとともに時間を過ごすのは、話し合わねばならぬことがあるからじゃ。手遅れにならぬうちに、あの子に伝えなければならぬ情報をな」

「情報を」

スネイプがくり返した。

「あなたはあの子を信用している……私を信用なさらない」

「これは信用の問題ではない。君も知ってのとおり、わしには時間がない。あの子がなすべきことをなすために、充分な情報を与えることが極めて重要なのじゃ」

「ではなぜ、私には、同じ情報をいただけないのですか？」

「すべての秘密を一つのかごに入れておきとうはない。そのかごが、長時間ヴォルデモート卿の腕にぶら下がっているとなれば、なおさらじゃ」

「あなたの命令でやっていることです！」

「しかも君は、非常によくやってくれておる。セブルス、君が常にどんなに危険な状態に身を置いておるか、わしが過小に評価しているわけではない。ヴォルデモートに価値ある情報と見えるものを伝え、しかも肝心なことは隠しておくという芸当は、君以外の誰にもたくせぬ仕事じゃ」

「それなのに、あなたは、『閉心術』もできず、魔法も凡庸で、闇の帝王の心と直接に結びついている子供に、より多くのことを打ち明けている！」

「ヴォルデモートは、その結びつきを恐れておる」ダンブルドアが言った。「それほど昔のことではないが、ヴォルデモートは、一度だけ、ハリーの心と真に結びつくという経験がどんなものかを、わずかに味わったことがある。それは、ヴォルデモートがかつて経験したことのない苦痛じゃった。もはや再び、ハリーに取り憑こうとはせぬだろう。わしには確信がある。同じやり方ではやらぬ」

「どうもわかりませんな」

「ヴォルデモート卿の魂は、損傷されているが故に、ハリーのような魂と緊密に接触することに耐えられんのじゃ。凍りついた鋼に舌を当てるような、炎に肉を焼かれるような――」

「魂？　我々は、心の話をしていたはずだ！」

「ハリーとヴォルデモート卿の場合、どちらの話も同じことになるのじゃ」

ダンブルドアはあたりを見回して、二人以外に誰もいないことを確かめた。禁じられた森の近くに来ていたが、あたりには人の気配はない。

「君がわしを殺したあとに、セブルス――」

「あなたは、私に何もかも話すことは拒んでおきながら、そこまでのちょっとした奉仕を期待する！」

スネイプが唸るように言った。その細長い顔に、心から怒りが燃え上がった。

「ダンブルドア、あなたは何もかも当然のように考えておいでだ！　私だって気が変わったかもしれないのに！」

「セブルス、君は誓ってくれた。ところで、君のするべき奉仕の話が出たついでじゃが、例の若いスリザリン生から、目を離さないと承知してくれたはずじゃが？」

スネイプは憤慨し、反抗的な表情だった。ダンブルドアはため息をついた。

「今夜、わしの部屋に来るがよい、セブルス、十一時に。そうすれば、わしが君を信用していないなどと、文句は言えなくなるじゃろう……」

そして場面は、ダンブルドアの校長室になり、窓の外は暗く、フォークスは止まり木に静かに止まっていた。身動きもせずに座っているスネイプの周りを歩きながら、ダンブルドアが話していた。

「ハリーは知ってはならんのじゃ。最後の最後まで。必要になる時まで。さもなければ、なさねばならぬことをやりとげる力が、出てくるはずがあろうか？」

「しかし、何をなさねばならないのです？」

「それはハリーとわしの、二人だけの話じゃ。さて、セブルス、よく聴くのじゃ。その時は来る――わしの死後に――反論するでない。口をはさむでない！　ヴォルデモート卿が、あの蛇の命を心配しているような気配を見せる時が来るじゃろう」

「ナギニの？」スネイプは驚愕した。

「さよう。ヴォルデモート卿が、あの蛇を使って自分の命令を実行させることをやめ、魔法の保護のもとに安全に身近に置いておく時が来る。その時には、たぶん、ハリーに話しても大丈夫じゃろう」

「何を話すと？」

ダンブルドアは深く息を吸い、目を閉じた。

「こう話すのじゃ。ヴォルデモート卿があの子を殺そうとした夜、リリーが盾となって自らの命をヴォルデモートの前に投げ出したとき、『死の呪い』はヴォルデモートに跳ね返り、破壊されたヴォルデモートの魂の一部が、崩れ落ちる建物の中に唯一残されていた生きた魂に引っかかったのじゃ。ヴォルデモート卿の一部が、ハリーの中で生きておる。その部分こそが、ハリーに蛇と話す力を与え、ハリーには理解できないでいることじゃが、ヴォルデモートの心とのつながりをもたらしているのじゃ。そして、ヴォルデモートの気づかなかったその魂のかけらが、ハリーに付着してハリーに護られているかぎり、ヴォルデモートは死ぬことができぬ」

ハリーは、長いトンネルのむこうに、二人を見ているような気がした。二人の姿ははるかに遠く、二人の声はハリーの耳の中で奇妙に反響していた。

「するとあの子は……あの子は死なねばならぬと？」

スネイプは落ち着き払って聞いた。

「しかも、セブルス、ヴォルデモート自身がそれをせねばならぬ。それが肝心なのじゃ」

再び長い沈黙が流れた。そしてスネイプが口を開いた。

「私は……この長い年月……我々が彼女のために、あの子を護っていると思っていた。リリーのために」

「わしらがあの子を護ってきたのは、あの子に教え、育み、自分の力を試させることが大切だったからじゃ」

目を固く閉じたまま、ダンブルドアが言った。

「その間、あの二人の結びつきは、ますます強くなっていった。寄生体の成長じゃ。わしはときどき、ハリー自身がそれにうすうす気づいているのではないかと思うた。わしの見込みどおりのハリーなら、いよいよ自分の死に向かって歩み出すその時には、それがまさにヴォルデモートの最期となるように、取り計らっているはずじゃ」

　ダンブルドアは目を開けた。スネイプは、ひどく衝撃を受けた顔だった。

「あなたは、死ぬべき時に死ぬことができるようにと、いままで彼を生かしてきたのですか？」

「そう驚くでない、セブルス。いままで、それこそ何人の男や女が死ぬのを見てきたのじゃ？」

「最近は、私が救えなかった者だけです」スネイプが言った。

　スネイプは立ち上がった。

「あなたは、私を利用した」

「はて？」

「あなたのために、私は密偵になり、うそをつき、あなたのために、死ぬほど危険な立場に身を置いた。すべてが、リリー・ポッターの息子を安全に護るためのはずだった。いまあなたは、その息子を、屠殺(とさつ)されるべき豚のように育ててきたのだと言う――」

「なんと、セブルス、感動的なことを」ダンブルドアは真顔で言った。「結局、あの子に情が移ったと言うのか？」

「**彼**に？」

　スネイプが叫んだ。

「**エクスペクト　パトローナム！　守護霊よ、来たれ！**」

　スネイプの杖先から、銀色の牝鹿(めじか)が飛び出した。牝鹿は校長室の床に降り立って、ひと跳びで部屋を横切り、窓から姿を消した。ダンブルドアは牝鹿が飛び去るのを見つめていた。そして、その銀色の光が薄れたとき、スネイプに向きなおったダンブルドアの目に、涙があふれていた。

「これほどの年月が、たってもか？」

「永遠に」スネイプが言った。

そして場面が変わった。今度は、ダンブルドアの机の後ろで、スネイプがダンブルドアの肖像画と話しているのが見えた。

「君は、ハリーがおじおばの家を離れる正確な日付を、ヴォルデモートに教えなければならぬぞ」ダンブルドアが言った。「そうせねば、君が充分に情報をつかんでいると信じておるヴォルデモートに、疑念が生じるじゃろう。しかし、おとり作戦を仕込んでおかねばならぬ――それで、たぶん、ハリーの安全は確保されるはずじゃ。マンダンガス・フレッチャーに『錯乱の呪文』をかけてみるのじゃ。それから、セブルス、君が追跡に加わらねばならなくなった場合は、よいか、もっともらしく君の役割をはたすのじゃ……わしは君が、なるべく長くヴォルデモート卿の腹心の部下でいてくれることを、頼みの綱にしておる。さもなくば、ホグワーツはカロー兄妹の勝手にされてしまうじゃろう……」

そして次は、見慣れない酒場で、スネイプがマンダンガスと額をつき合わせていた。マンダンガスの顔は奇妙に無表情で、スネイプは眉根を寄せて意識を集中させていた。

「おまえは、不死鳥の騎士団に提案するのだ」

スネイプが呪文を唱えるようにブツブツ言った。

「おとりを使うとな。『ポリジュース薬』だ。複数のポッターだ。それしかうまくいく方法はない。おまえは、我輩がこれを示唆したことは忘れる。自分の考えとして提案するのだ。わかったな？」

「わかった」

マンダンガスは焦点の合わない目で、ボソボソ言った……。

今度は、箒に乗ったスネイプと並んで、ハリーは雲一つない夜空を飛んでいた。スネイプは、フードをかぶった死喰い人を複数伴っている。前方に、ルーピンと、ハリーになりすましたジョージがいた……一人の死喰い人がスネイプの前に出て、杖を上げ、まっすぐルーピンの背中をねらった――。

「**セクタムセンプラ！　切り裂け！**」スネイプが叫んだ。

しかし、死喰い人の杖腕をねらったその呪いははずれ、かわりにジョージに当たった――。

そして次は、スネイプがシリウスの昔の寝室でひざまずいていた。リリーの古い手紙を読むスネイプの曲がった鼻の先から、涙が滴り落ちていた。二ページ目には、ほんの短い文章しか書かれていなかった。

ゲラート・グリンデルバルドの友達だったことがあるなんて。たぶんバチルダはちょっとおかしくなっているのだと思うわ！

愛を込めて　リリー

スネイプは、リリーの署名と「愛を込めて」と書いてあるページを、ローブの奥にしまい込んだ。それから、一緒に手に持っていた写真を破り、リリーが笑っているほうの切れ端をしまい、ジェームズとハリーの写っているほうの切れ端は、整理だんすの下に捨てた……。

そして次は、スネイプが再び校長室に立っているところへ、フィニアス・ナイジェラスが急いで自分の肖像画に戻ってきた。

「校長！　連中はディーンの森で野宿しています！　あの『穢れた血』が――」

「その言葉は、使うな！」

「――あのグレンジャーとかいう女の子が、バッグを開くときに場所の名前を言うのを、聞きました！」

「おう、それは重畳！」

校長の椅子の背後で、ダンブルドアの肖像画が叫んだ。

「さて、セブルス、剣じゃ！　必要性と勇気という二つの条件を満たした場合にのみ、剣が手に入るということを忘れぬように――さらに、それを与えたのが君だということを、ハリーに知られてはならぬ！　ヴォルデモートがハリーの心を読み、もしも君がハリーのために動いていると知ったら――」

「心得ています」

スネイプはそっけなく言った。スネイプがダンブルドアの肖像画に近づき、額の横を引っ張ると、肖像画がパッと前に開き、背後の隠れた空洞が現れた。その中から、スネイプはグリフィンドールの剣を取り出した。

「それで、この剣をポッターに与えることが、なぜそれほど重要なのか、あなたはまだ教えてはくださらないのですね？」

ローブの上に旅行用マントをサッとはおりながら、スネイプが言った。

「そのつもりは、ない」

ダンブルドアの肖像画が言った。

「ハリーには、剣をどうすればよいかがわかるはずじゃ。しかし、セブルス、気をつけるのじゃ。

ジョージ・ウィーズリーの事故のあとじゃから、君が姿を現せば、あの子たちは快く受け入れてはくれまい――」

スネイプは、扉の所で振り返った。

「ご懸念にはおよびません、ダンブルドア」

スネイプは冷静に言った。

「私に考えがあります……」

スネイプは校長室を出ていった。

ハリーの体が上昇し、「憂いの篩」から抜け出ていった。そしてその直後、ハリーはまったく同じ部屋の、じゅうたんの上に横たわっていた。まるでスネイプが、たったいまこの部屋の扉を閉めて、出ていったばかりのように。

第34章　再び森へ

とうとう真実が――。校長室で、勝利のための秘密を学んでいると思い込んでいたその場所で、ほこりっぽいじゅうたんにうつ伏せに顔を押しつけながら、ハリーはついに、自分が生き残るはずではなかったことを悟った。ハリーの任務は、両手を広げて迎える「死」に向かって、静かに歩いていくことだった。その途上で、ヴォルデモートの生への最後の絆を断ち切る役割だったのだ。つまり、ハリーが杖を上げて身を護ることもせず、観念してヴォルデモートの行く手に自らを投げ出しさえすれば、きれいに終わりが来る。ゴドリックの谷で成しとげられるはずだった仕事は、その時に成就するのだ。どちらも生きられない。どちらも生き残れない。

ハリーは、心臓が激しく胸板に打ちつけるのを感じた。死を恐れるハリーの胸の中で、むしろハリーを生かしておくために、より強く、雄々しく脈打っているのは、なんと不思議なことか。しかしその心臓は、止まらなければならない。しかもまもなく。鼓動はあと何回かで終わる。立ち上がって、最後にもう一度だけ城の中を歩き、校庭から禁じられた森へ入っていくまでに、あと何回鼓動する時間があるのだろう？

恐怖が、床に横たわるハリーを波のように襲い、体の中で葬送の太鼓が打ち鳴らされていた。死ぬのは苦しいことなのだろうか？　何度も死ぬような目にあい、そのたびに逃れてきたが、ハリーは、死そのものについて真正面から考えたことがなかった。どんな時でも、死への恐れより、生きる意志のほうがずっと強かった。しかし、いまはもう、逃げようとは思わなかった。ヴォルデモートから逃れようとは思わなかった。すべてが終わった。ハリーにはそれがわかっていた。残されているのはただ一つ。死ぬことだけだ。

プリベット通り四番地を最後に出発したあの夏の夜に、高貴な不死鳥の尾羽根の杖がハリーを救ったあの夜に、死んでしまえばよかった！　ヘドウィグのように、死んだこともわからずに一気に死ねたら！　それとも、愛する誰かを救うために、杖の前に身を投げ出すことができるなら……いまは両親の死に方さえうらやましかった。自らの破滅に向かって冷静に歩いていくには、別の種類の勇気が必要だろう。ハリーは指がかすかに震えるのを感じて、抑えようとした。壁の肖像画はすべて留守で、誰も見てはいなかったにもかかわらず……。

ゆっくりと、ほんとうにゆっくりと、ハリーは体を起こした。起こしながら、自分の生身の体を感じ、自分が生きていることをこれまでになく強く感じた。自分がどんなに奇跡的な存在であるかを、これまでどうして一度も考えたことがなかったのだろう？　頭脳、神経、そして脈打つ心臓――それらすべてが消える……少なくともハリーがそこから消える。ハリーは、ゆっくりと深く息をしていた。口ものどもからからだったが、目も乾ききっていて、涙はなかった。

ダンブルドアの裏切りなど、ほとんど取るに足りないことだった。何しろ、より大きな計画が存在したのだから。愚かにもハリーには、それが見えなかっただけのことなのだ。ハリーはいま、それを悟った。ハリーに生きてほしいというのがダンブルドアの願いだと、勝手に思い込んで、一度もそれを疑ったことはなかった。しかし、自分の命の長さは、分霊箱のすべてを取りのぞくのにかかる時間、と決められていたのだ。ハリーはいまになってそれがわかった。ダンブルドアは、分霊箱を破壊する仕事を、ハリーに引き継いだ。ハリーは従順にも、ヴォルデモートの生命の絆を少しずつ断ち切ってきた。しかしそれは、自分の生命の絆をも断ち切り続けることだった！　なんというすっきりした、なんという優雅なやり方だろう。何人もの命をむだにすることなく、すでに死ぬべき者として印された少年に、危険な任務を与えるとは。その少年の死自体は、惨事ではなく、ヴォルデモートに対して新たな痛手を与えるための死なのだ。

しかもダンブルドアは、ハリーが回避しないことを知っていた。それが**ハリー自身の**最期であっても、最後まで突き進むであろうことを知っていた。何しろ、ダンブルドアは、手間ひまをかけて、それだけハリーを理解してきたのだから。事を終結させる力がハリー自身にあると知ってしまった以上、ハリーは、自分のためにほかの人を死なせたりはしない。ダンブルドアもヴォルデモート同様、そういうハリーを知っていた。大広間に横たわっていたフレッド、ルーピン、トンクスのなきがらが、否応なしにハリーの脳裏によみがえり、ハリーは一瞬、息ができなくなった。死は時を待たない……。

しかしダンブルドアは、ハリーを買いかぶっていた。ハリーは失敗したのだ。蛇はまだ生きている。ヴォルデモートを地上に結びつけている分霊箱の一つが、ハリーが殺されたあとも残るのだ。確かに、その任務は、ほかの誰がやるにせよ、より簡単な仕事になるだろう。誰が成しとげるのだろう、とハリーは考えた……ロンとハーマイオニーなら、もちろん、何をすべきかをわかっているだろう……あの二人に打ち明けることを、ダンブルドアがハリーに望んだのは、そういう理由だったのかもしれない……ハリーが、自分の運命を少し早めにまっとうすることになった場合、その二人が引き継げるようにと……。

雨が冷たい窓を打つように、さまざまな思いが、真実という妥協を許さない硬い表面に打ちつけた。真実。ハリーは死なければならない、という真実。——**僕は、死ななければならない**。終わりが来なければならない。

ロンもハーマイオニーもどこか遠くに離れ、遠方の国にでもいるような気がする。ずいぶん前に、二人と別れたような気がした。別れの挨拶も、説明もするまいと、ハリーは心に決めた。この旅は、連れ立っては行けない。二人はハリーを止めようとするだろうが、それは、貴重な時間をむだにするだけだ。ハリーは、十七歳の誕生日に贈られた、くたびれた金時計を見た。ヴォルデモートが降伏のために与えた時間の、約半分が過ぎていた。

ハリーは立ち上がった。心臓が、バタバタともがく小鳥のように飛び跳ねて、肋骨にぶつかっていた。残された時間の少ないことを、知っているのかもしれない。もしかしたら、最期が来る前に、一生分の鼓動を打ち終えてしまおうと決めたのかもしれない。校長室の扉を閉め、ハリーはもう振り返らなかった。

城はからっぽだった。たった一人で、一歩一歩を踏みしめながら歩いていると、自分がもう死んで、ゴーストになって歩いているような気がした。肖像画の主たちは、まだ額に戻ってはいない。城全体が不気味な静けさに包まれ、残っている温かい血は、死者や哀悼者でいっぱいの大広間に集中しているかのようだった。

ハリーは透明マントをかぶって順々に下の階に下り、最後に大理石の階段を下りて玄関ホールに向かった。もしかしたら、どこか心の片隅で、誰かがハリーを感じ取り、ハリーを見て、引き止めてくれることを望んでいたのかもしれない。しかしマントはいつものように、誰にも見透せず、完璧で、ハリーは簡単に玄関扉にたどり着いていた。

そこで、危うくネビルとぶつかりそうになった。誰かと二人で、校庭から遺体の一つを運び入れるところだった。遺体を見下ろしたハリーは、またしても胃袋に鈍い一撃を食らったような痛みを感じた。コリン・クリービーだ。未成年なのに、マルフォイやクラッブ、ゴイルと同じように、こっそり城に戻ってきたにちがいない。遺体のコリンは、とても小さかった。

「考えてみりゃ、おい、ネビル、俺一人で大丈夫だよ」オリバー・ウッドはそう言うなり、コリンの両腕と両腿を握って肩に担ぎ上げ、大広間に向かった。

ネビルはしばらく扉の枠にもたれて、額の汗を手の甲でぬぐった。一気に年を取ったように見える。それからまた石段を下り、遺体を回収しに闇に向かって歩きだした。

ハリーはもう一度だけ、大広間の入口をちらと振り返った。動き回る人々が見えた。互いになぐさめたり、のどの渇きをうるおしたり、死者のそばにぬかずいたりしている。しかし、ハリーの愛する人々の姿は見えなかった。ハーマイオニーやロン、ジニーやウィーズリー家の誰の姿もまったく見当たらず、ルーナもいない。残された時間のすべてを差し出してでも、最後にその人たちをひと目見たいと思った。しかし、ひと目見てしまえば、それを見納めにする力など、出てくるはずがあろうか？　このほうがよいのだ。

ハリーは石段を下り、暗闇に足を踏み出した。朝の四時近くだった。校庭は死んだように静まり返り、ハリーがなすべきことをなしとげられるのかどうか、息をひそめて見守っているようだった。

ハリーは、別の遺体をのぞき込んでいるネビルに近づいた。

「ネビル」

「ウワッ、ハリー、心臓まひを起こすところだった！」

ハリーはマントを脱いでいた。念には念を入れたいという願いから、突然、ふっと思いついたことがあったのだ。

「一人で、どこに行くんだい？」ネビルが疑わしげに聞いた。

「予定どおりの行動だよ」ハリーが言った。「やらなければならないことがあるんだ。ネビル――ちょっと聞いてくれ――」

「ハリー！」ネビルは急におびえた顔をした。「ハリー、まさか、捕まりにいくんじゃないだろうな？」

「ちがうよ」ハリーはすらすらとうそをついた。「もちろんそうじゃない……別なことだ。でも、しばらく姿を消すかもしれない。ネビル、ヴォルデモートの蛇を知っているか？　あいつは巨大な蛇を飼っていて……ナギニって呼んでる……」

「聞いたことあるよ、うん……それがどうかした？」

「そいつを殺さないといけない。ロンとハーマイオニーは知っていることだけど、でも、もしかして二人が――」


その可能性を考えるだけでも、ハリーは恐ろしさに息が詰まり、話し続けられなくなったが、気を取りなおした。これは肝心なことだ。ダンブルドアのように冷静になり、万全を期して、予備の人間を用意し、誰かが遂行するようにしなければならない。ダンブルドアは、自分のほかに分霊箱のことを知っている人間が三人いることを知った上で、死んでいった。今度はネビルがハリーのかわりになるのだ。秘密を知る者は、まだ三人いることになるのだ。

「もしかして二人が――忙しかったら――そして君にそういう機会があったら――」

「蛇を殺すの？」

「蛇を殺してくれ」ハリーがくり返した。

「わかったよ、ハリー。君は、大丈夫なの？」

「大丈夫さ。ありがとう、ネビル」

ハリーが去りかけると、ネビルはその手首をつかんだ。

「僕たちは全員、戦い続けるよ、ハリー。わかってるね？」

「ああ、僕は――」

胸が詰まり、言葉がとぎれた。ハリーにはその先が言えなかった。ネビルは、それが変だとは思わなかったらしい。ハリーの肩を軽くたたいてそばを離れ、また遺体を探しに去っていった。

ハリーはマントをかぶりなおし、歩きはじめた。そこからあまり遠くない所で、誰かが動いているのが見えた。地面につっぷす影のそばにかがみ込んでいる。すぐそばまで近づいて初めて、ハリーはそれがジニーだと気づいた。

ハリーは足を止めた。ジニーは、弱々しく母親を呼んでいる女の子のそばにかがんでいた。

「大丈夫よ」ジニーはそう言っていた。「大丈夫だから。あなたをお城の中に運ぶわ」

「でも、私、**おうちに**帰りたい」女の子がささやいた。「もう戦うのはいや！」

「わかっているわ」ジニーの声がかすれた。「きっと大丈夫だからね」

ハリーの肌を、ざわざわと冷たい震えが走った。闇に向かって大声で叫びたかった。ここにいることをジニーに知ってほしかった。これからどこに行こうとしているのかを、ジニーに知ってほしかった。引き止めてほしい、無理やり連れ戻してほしい、家に送り返してほしい……。

しかし、ハリーはもう家に**戻っている**。ホグワーツは、ハリーにとって初めての、最高にすばらしい家庭だった。ハリー、ヴォルデモートそしてスネイプと、身寄りのない少年たちにとっては、ここが家だった……。

ジニーはいま、傷ついた少女のかたわらにひざをつき、その片手を握っていた。ハリーは力を振りしぼって歩きはじめた。そばを通り過ぎるとき、ジニーが振り返るのを見たような気がした。通り過ぎる人の気配を、ジニーが感じ取ったのだろうか。しかし、ハリーは声もかけず、振り返りもしなかった。

ハグリッドの小屋が、暗闇の中に浮かび上がってきた。明かりは消え、扉を引っかくファングの爪の音も、うれしげに吠える声も聞こえない。何度もハグリッドを訪ねたっけ。暖炉の火に輝く銅のやかん、固いロックケーキ、巨大なウジ虫、そしてハグリッドの大きなひげもじゃの顔。ロンがナメクジを吐いたり、ハーマイオニーがハグリッドのドラゴン、ノーバートを助ける手伝いをしたり……。

ハリーは歩き続けた。禁じられた森の端にたどり着き、そこで足がすくんだ。

木々の間を、吸魂鬼の群れがするする飛びまわっている。その凍るような冷たさを感じ、無事に通り抜けられるかどうか、ハリーには自信がなかった。守護霊を出す力は残っていない。もはや、体の震えを止めることさえできなくなっていた。死ぬことは、やはり、そう簡単ではなかった。息をしている瞬間が、草のにおいが、そして顔に感じるひんやりした空気が、とても貴重に思える。たいていの人には何年ものあり余る時間があり、それをだらだらと浪費しているというのに、自分は一秒一秒にしがみついている……。これ以上進むことはできないと思うと同時に、ハリーには進まなければならないこともわかっていた。長いゲームが終わり、スニッチは捕まり、空を去る時が来たのだ……。

スニッチ。感覚のない指で、ハリーは首からかけた巾着をぎこちなく手探りし、スニッチを引っ張り出した。

私は終わるときに開く。

ハリーは荒い息をしながら、スニッチをじっと見つめた。時間ができるだけゆっくり過ぎてほしいこの時に、急に時計が早回りしたかのようだった。理解するのが早すぎて、考える過程を追い越してしまったかのようだった。これが「終わるとき」なのだ。いまこそ、その時なのだ。

ハリーは、金色の金属を唇に押し当ててささやいた。

「僕は、まもなく死ぬ」

金属の殻がぱっくり割れた。震える手を下ろし、ハリーはマントの下でドラコの杖を上げて、つぶやくように唱えた。

「ルーモス、光よ」

二つに割れたスニッチの中央に、黒い石があった。真ん中にギザギザの割れ目が走っている。「蘇り(よみがえ)の石」は、ニワトコの杖を表す縦の線に沿って割れていたが、「マント」と「石」を表す三角形と円は、まだ識別できる。

そして再び、ハリーは頭で考えるまでもなく理解した。呼び戻すかどうかはどうでもいいことだ。まもなく自分もその仲間になるのだから。あの人たちを呼ぶのではなく、あの人たちが自分を呼ぶのだ。

ハリーは目をつむって、手の中で石を三度転がした。

事は起こった。周囲のかすかな気配で、ハリーにはそうとわかった。森の端の小枝の散らばった土臭い地面に足をつけて、はかない姿が動いている音が聞こえた。ハリーは目を開けて周りを見回した。

ゴーストともちがう、かといってほんとうの肉体を持ってもいない、ということがハリーにはわかった。ずいぶん昔のことになるが、日記から抜け出したあのリドルの姿に最も近く、記憶がほとんど実体になった姿だ。生身の体ほどではないが、しかしゴーストよりずっとしっかりした姿が、それぞれの顔に愛情のこもった微笑を浮かべて、ハリーに近づいてきた。

ジェームズは、ハリーとまったく同じ背丈だった。死んだ時と同じ服装で、髪はくしゃくしゃ、そしてめがねは、ウィーズリーおじさんのように片側が少し下がっている。

シリウスは背が高くハンサムで、ハリーの知っている生前の姿よりずっと若かった。両手をポケットに突っ込み、ニヤッと笑いながら、大きな足取りで軽やかに、自然な優雅さで歩いている。

ルーピンもまだ若く、それほどみすぼらしくなかったし、髪は色も濃く、よりふさふさしている。青春時代にさんざんほっつき歩いた、なつかしいこの場所に戻ってこられて幸せそうだった。

リリーは、誰よりもうれしそうにほほえんでいた。肩にかかる長い髪を背中に流してハリーに近づきながら、ハリーそっくりの緑の目で、いくら見ても見飽きることがないというように、ハリーの顔を貪るように眺めている。

「あなたはとても勇敢だったわ」

ハリーは、声が出なかった。リリーの顔を見ているだけで幸せだった。その場にたたずんで、いつまでもその顔を見ていたかった。それだけで満足だと思った。

「おまえはもうほとんどやりとげた」ジェームズが言った。「もうすぐだ……父さんたちは鼻が高いよ」

「苦しいの？」子供っぽい質問が、思わず口をついて出ていた。

「死ぬことが？　いいや」シリウスが言った。「眠りに落ちるよりすばやく、簡単だ」

「それに、あいつはすばやくすませたいだろうな。あいつは終わらせたいのだ」ルーピンが言った。

「僕、あなたたちに死んでほしくなかった」ハリーが言った。自分の意思とは関係なく、言葉が口をついて出てきた。「誰にも。許して――」

ハリーは、ほかの誰よりも、ルーピンに向かってそう言った。心から許しを求めた。「――男の子が生まれたばかりなのに……リーマス、ごめんなさい――」

「私も悲しい」ルーピンが言った。「息子を知ることができないのは残念だ……。しかし、あの子は、私が死んだ理由を知って、きっとわかってくれるだろう。私は、息子がより幸せに暮らせるような世の中を作ろうとしたのだとね」

森の中心から吹いてくると思われる冷たい風が、ハリーの額にかかる髪をかき上げた。この人たちのほうからハリーに行けとは言わないことを、ハリーは知っていた。決めるのは、ハリーでなければならないのだ。

「一緒にいてくれる？」

「ほかの人には見えない」

ハリーが聞いた。

「あの連中には、みんなの姿は見えないの？」

「私たちは、君の一部なのだ」シリウスが言った。

ハリーは母親を見た。

「最後の最後まで」ジェームズが言った。

「そばにいて」ハリーは静かに言った。

そしてハリーは歩きだした。吸魂鬼の冷たさも、ハリーをくじきはしなかった。その中を、ハリーは親しい人々と連れ立って通り過ぎた。みんなが、ハリーの守護霊の役目をはたし、一緒に古木の間を行進した。木々はますます密生して枝と枝がからみつき、足元の木の根は節くれだって曲がりくねっている。暗闇の中で、ハリーは透明マントをしっかり巻きつけ、しだいに森の奥深くへと入り込んでいった。ヴォルデモートがどこにいるのか、まったく見当がつかなかったが、必ず見つけられると確信していた。ハリーの横に、ほとんど音を立てずに歩くジェームズ、シリウス、ルーピン、リリーがいた。そばにいてくれるだけでハリーは勇気づけられ、一歩、また一歩と進むことができた。

ハリーはいま、心と体が奇妙に切り離されているような気がしていた。両手両足が意識的に命令しなくとも動き、まもなく離れようとしている肉体に、自分が運転手としてではなく、乗客として乗っているような気がした。城にいる生きた人間よりも、自分に寄り添って森の中を歩いている死者のほうが、いまのハリーにとってはより実在感があった。ロン、ハーマイオニー、ジニー、そしてほかのみんなが、ハリーにとっては、ゴーストのように感じられた。つまずき、すべりながら、ハリーは進んでいく。生の終わりに向かって、ヴォルデモートに向かって……。

ドスンという音とささやき声。何かほかの生き物が、近くで動いていた。ハリーはマントをかぶったまま立ち止まり、あたりを透かし見ながら耳を澄ました。母親も父親も、ルーピン、シリウスも立ち止まった。

「あそこに、誰かいる」近くで荒々しい声がささやいた。「あいつは『透明マント』を持っている。もしかしたら――？」

近くの木の陰から、杖灯り（つえあかり）をゆらめかせて二つの影が現れた。ヤックスリーとドロホフだった。暗闇に目を凝らして、ハリーや両親、シリウス、ルーピンが立っている場所を、まっすぐに見ている。どうやら二人には何も見えないらしい。

「絶対に、何か聞こえた」ヤックスリーが言った。「獣、だと思うか？」

「あのいかれたハグリッドのやつめ、ここに、しこたまいろんなものを飼っているからな」

ドロホフが、ちらりと後ろを振り返りながら言った。

ヤックスリーは腕時計を見た。

「もうほとんど時間切れだ。ポッターは一時間を使いきった。来ないな」

「しかしあの方は、やつが来ると確信なさっていた！　ご機嫌うるわしくないだろうな」

「戻ったほうがいい」ヤックスリーが言った。「これからの計画を聞くのだ」

ヤックスリーとドロホフは、きびすを返して森の奥深くへと歩いていった。ハリーはあとをつけた。二人についていけば、ハリーの望む場所に連れていってくれるはずだ。横を見ると、母親がほほえみかけ、父親が励ますようにうなずいた。

数分も歩かないうちに、行く手に明かりが見えた。ヤックスリーとドロホフは、空き地に足を踏み入れた。そこは、ハリーも知っている、怪物蜘蛛（ぐも）アラゴグのかつての棲処（すみか）だった。巨大な蜘蛛の巣の名残がまだあったが、アラゴグのもうけた子孫の大蜘蛛たちは、死喰い人（しくいびと）に追い立てられ、手先として戦わされていた。

空き地の中央にたき火が燃え、チラチラとゆらめく炎の明かりが、だまりこくってあたりを警戒している死喰い人の群れを照らしていた。まだ仮面とフードをつけたままの死喰い人もいれば、顔を現している者もいる。残忍で、岩のように荒けずりな顔の巨人が二人、群れの外側に座って、その場に巨大な影を落としていた。フェンリール・グレイバックが、長い爪をかみながら忍び歩いている姿や、ブロンドの大男ロウルが、出血した唇をぬぐっているのが見えた。ルシウス・マルフォイは、打ちのめされ恐怖におびえた表情をし、ナルシッサは、目が落ちくぼみ、心配でたまらない様子だった。

すべての目が、ヴォルデモートを見つめていた。その場に頭を垂れて立っているヴォルデモートは、ニワトコの杖を持ったろうのような両手を、胸の前で組んでいる。祈っているようでもあり、頭の中で時間を数えているようでもあった。空き地の端にたたずみながら、ハリーは場ちがいな光景を思い浮かべた。かくれんぼの鬼になった子供が、十まで数えている姿だ。ヴォルデモートの頭の後ろには、怪奇な後光のように光る檻（おり）が浮かび、大蛇のナギニが、その中でくねくねととぐろを巻いたり解いたりしていた。

ドロホフとヤックスリーが仲間の輪に戻ると、ヴォルデモートが顔を上げた。

「わが君、あいつの気配はありません」ドロホフが言った。

ヴォルデモートは、表情を変えなかった。たき火の灯りを映した目が、赤く燃えるように見えた。ゆっくりと、ヴォルデモートはニワトコの杖を長い指でしごいた。

「わが君――」

ヴォルデモートの一番近くに座っているベラトリックスが、口を開いた。髪も服も乱れ、顔が少し血にまみれてはいたが、ほかにけがをしている様子はない。

ヴォルデモートが手を挙げて制すると、ベラトリックスはそれ以上一言も言わず、ただうっとりと崇拝のまなざしでヴォルデモートを見ていた。

「あいつはやってくるだろうと思った」踊るたき火に目を向け、ヴォルデモートがかん高いはっきりした声で言った。「あいつが来ることを期待していた」

誰もが、無言だった。誰もが、ハリーと同じくらい恐怖にかられているようだった。ハリーの心臓は、いまや肋骨に体当たりし、ハリーがまもなく捨て去ろうとしている肉体から、逃げ出そうと必死になっているかのようだった。透明マントを脱ぐハリーの両手は、じっとりと汗ばんでいた。ハリーは、マントと杖を、一緒にローブの下に収めた。戦おうという気持ちが起きないようにしたかった。

「どうやら俺様は……まちがっていたようだ」ヴォルデモートが言った。

「**まちがっていないぞ**」

ハリーは、ありったけの力を振りしぼり、声を張り上げた。怖気(おじけ)づいていると思われたくなかった。

「蘇りの石」が、感覚のない指からすべり落ちた。たき火の灯りの中に進み出ながら、ハリーは、両親もシリウスもルーピンも消えるのを、目の端でとらえた。その瞬間、ハリーはヴォルデモートしか念頭になかった。ヴォルデモートと、たった二人きりだ。

しかし、その感覚はたちまち消えた。巨人が吼(ほ)え、死喰い人たちがいっせいに立ち上がったからだ。叫び声、息をのむ音、そして笑い声まで湧き起こった。ヴォルデモートは凍りついたようにその場に立っていたが、その赤い目はハリーをとらえ、ハリーが近づくのを見つめていた。二人の間にはたき火があるだけだった。

その時、わめき声がした――。

「**ハリー！　やめろ！**」

ハリーは声のほうを見た。ハグリッドが、ギリギリと縛り上げられ、近くの木に縛りつけられていた。

必死でもがくハグリッドの巨体が、頭上の大枝を揺らした。

「やめろ！　だめだ！　ハリー、何する気――？」

「だまれ！」ロウルが叫び、杖のひと振りでハグリッドをだまらせた。

ベラトリックスははじけるように立ち上がり、激しい息づかいで、ヴォルデモートとハリーを食い入るように見つめた。動くものと言えば、たき火の炎と、ヴォルデモートの背後に光る檻で、とぐろを巻いたり解いたりする蛇だけだった。

ハリーは、杖が胸に当たるのを感じたが、抜こうとはしなかった。蛇の護りはあまりに堅く、なんとかナギニに杖を向けることができたとしても、それより前に五十人もの呪いがハリーを撃つだろう。ヴォルデモートとハリーは、なおも見つめ合ったままだった。やがてヴォルデモートは小首をかしげ、目の前に立つ男の子を品定めしながら、唇のない口元をゆがめて、極めつきの冷酷な笑いを浮かべた。

「ハリー・ポッター」ささやくような言い方だった。その声は、パチパチはぜるたき火の音かと思えるほどだった。「生き残った男の子」

死喰い人は、誰も動かずに待っていた。すべてが待っていた。ハグリッドはもがき、ベラトリックスは息を荒らげていた。そしてハリーは、なぜかジニーを思い浮かべた。あの燃えるような瞳、そしてジニーの唇のあの感触――。

ヴォルデモートは杖を上げた。このままやってしまえば何が起こるのかと、知りたくてたまらない子供のように小首をかしげたままだ。ハリーは赤い目を見つめ返し、早く、いますぐにと願った。まだ立っていられるうちに、自分を抑制することができなくなる前に、恐怖を見抜かれてしまう前に――。

ハリーはヴォルデモートの口が動くのを見た。緑の閃光が走った。そして、すべてが消えた。

第35章　キングズ・クロス

ハリーはうつ伏せになって、静寂を聞いていた。完全に一人だった。誰も見ていない。ほかには誰もいない。自分がそこにいるのかどうかさえ、ハリーにはよくわからなかった。

ずいぶん時間がたってから、いや、もしかしたら時間はまったくたっていなかったのかもしれないが、ハリーは、自分自身が存在しているにちがいないと感じた。体のない、想念だけではないはずだ。なぜなら、ハリーは横たわっていた。まちがいなく何かの表面に横たわっている。触感があるのだ。自分が触れている何かも存在している。

この結論に達したのとほとんど同時に、ハリーは自分が裸なのに気づいた。自分以外には誰もいないという確信があったので、裸でいることは気にならなかったが、少し不思議に思った。感じることができるのと同じように、見ることもできるのだろうか、とハリーはいぶかった。目を開いてみて、ハリーは自分に目があることを発見した。

ハリーは明るい靄の中に横たわっていたが、これまで経験したどんな靄とも様子がちがっている。雲のような水蒸気が周囲を覆い隠しているのではなく、むしろ、靄そのものがこれから周囲を形作っていくようだった。ハリーが横たわっている床は、どうやら白い色のようで、温かくも冷たくもない。ただそこに、平らで真っさらなものとして存在し、何かがその上に置かれるべく存在していた。

ハリーは上体を起こした。体は無傷のようだ。顔に触れてみた。もう、めがねはかけていない。

その時、ハリーの周囲の、まだ形のない無の中から、物音が聞こえてきた。軽いトントンという音で、何かが手足をバタつかせ、振り回し、もがいている。哀れを誘う物音だったが、同時にやや猥雑な音だった。ハリーは、何か恥ずかしい秘密の音を盗み聞きしているような、居心地の悪さを感じた。

ハリーは、急に何かを身にまといたいと思った。

頭の中でそう願ったとたん、ローブがすぐ近くに現れた。ハリーはそれを引き寄せて身につけた。やわらかく清潔で温かい。驚くべき現れ方だ。欲しいと思ったとたんに、サッと……。

ハリーは立ち上がって、あたりを見回した。どこか大きな「必要の部屋」の中にいるのだろうか？　眺めているうちに、だんだん目に入るものが増えてきた。頭上には大きなドーム型のガラス天井が、陽光の中で輝いている。宮殿かもしれない。すべてが静かで動かない。ただ、バタバタという奇妙な音と、哀れっぽく訴えるような音が、靄の中の、どこか近くから聞こえてくるだけだ……。

ハリーはゆっくりとその場でひと回りした。ハリーの動きにつれて、目の前で周囲がひとりでに形作られていくようだった。明るく清潔で、広々とした開放的な空間、「大広間」よりずっと大きいホール、それにドーム型の透明なガラスの天井。まったく誰もいない。そこにいるのはハリーただ一人。ただし——。

ハリーはびくりと身を引いた。音を出しているものを見つけたのだ。小さな裸の子供の形をしたものが、地面の上に丸まっている。肌は皮をはがれでもしたようにザラザラと生々しく、誰からも望まれずに椅子の下に置き去りにされ、目につかないように押し込まれて、必死に息をしながら震えている。

ハリーは、それが怖いと思った。小さくて弱々しく、傷ついているのに、ハリーはそれに近寄りたくなかった。にもかかわらずハリーは、いつでも飛びすされるように身がまえながら、ゆっくりとそれに近づいていった。やがてハリーは、それに触れられるほど近くに立っていたが、とても触れる気にはなれなかった。自分が臆病者になったような気がした。なぐさめてやらなければならないと思いながらも、それを見るとむしずが走った。

「君には、どうしてやることもできん」

ハリーはくるりと振り向いた。アルバス・ダンブルドアが、ハリーに向かって歩いてくる。流れるような濃紺のローブをまとい、背筋を伸ばして、軽快な足取りでやってくる。

「ハリー」

ダンブルドアは両腕を広げた。手は両方とも白く完全で、無傷だった。

「なんとすばらしい子じゃ。なんと勇敢な男じゃ。さあ、一緒に歩こうぞ」

ハリーはぼうぜんとして、悠々と歩き去るダンブルドアのあとに従った。ダンブルドアは、哀れっぽい声で泣いている生々しい赤子をあとに、少し離れた所に置いてある椅子へと、ハリーをいざなった。ハリーはそれまで気づかなかったが、高く輝くドームの下に椅子が二脚置いてあった。ダンブルドアがその一つにかけ、ハリーは校長の顔をじっと見つめたまま、もう一つの椅子にストンと腰を落とした。長い銀色の髪やあごひげ、半月形のめがねの奥から鋭く見透すブルーの目、折れ曲がった鼻。何もかも、ハリーが覚えているとおりだった。しかし……。

「でも、先生は死んでいる」ハリーが言った。

「おお、そうじゃよ」ダンブルドアは、あたりまえのように言った。

「それなら……僕も死んでいる？」

「あぁ」

ダンブルドアは、ますますにこやかにほほえんだ。

「『それが問題だ』、というわけじゃのう？　全体として見れば、ハリーよ、わしはちがうと思うぞ」

二人は顔を見合わせた。老ダンブルドアは、まだ笑顔のままだ。

「ちがう？」ハリーがくり返した。

「ちがう」ダンブルドアが言った。

「でも……」

ハリーは反射的に、稲妻形の傷痕に手を持っていったが、そこに傷痕はなかった。

「でも、僕は死んだはずだ――僕は防がなかった！　あいつに殺されるつもりだった！」

「それじゃよ」ダンブルドアが言った。「それが、たぶん、大きなちがいをもたらすことになったのじゃ」

ダンブルドアの顔から、光のように、炎のように、喜びがあふれ出ているようだった。こんなに手放しで、こんなにはっきり感じ取れるほど満足しきったダンブルドアを、ハリーは初めて見た。

「どういうことですか？」ハリーが聞いた。

「君にはもうわかっているはずじゃ」

ダンブルドアが、左右の親指同士をくるくる回しながら言った。

「僕は、あいつに自分を殺させた」ハリーが言った。「そうですね？」

「そうじゃ」ダンブルドアがうなずいた。「続けて！」

「それで、僕の中にあったあいつの魂の一部は……」

ダンブルドアはますます熱くうなずき、晴れ晴れと励ますような笑顔を向けてハリーをうながした。

「……なくなった？」

「そのとおりじゃ！」ダンブルドアが言った。「そうじゃ。あの者が破壊したのじゃ。君の魂は完全無欠で、君だけのものじゃよ、ハリー」

「でも、それなら……」

ハリーは振り返って、椅子の下で震えている小さな傷ついた生き物を一瞥（いちべつ）した。

「先生、あれはなんですか？」

「我々の救いのおよばぬものじゃよ」ダンブルドアが言った。

「でも、もしヴォルデモートが『死の呪文』を使ったのなら――」

ハリーは話を続けた。

「そして、今度は誰も僕のために死んでいないのなら――僕はどうして生きているのですか？」

「君にはわかっているはずじゃ」

ダンブルドアが言った。

「振り返って考えるのじゃ。ヴォルデモートが、無知の故に、欲望と残酷さの故に、何をしたかを思い出すのじゃ」

ハリーは考え込み、視線をゆっくり移動させて、周囲をよく見た。二人の座っている場所がもしも宮殿なら、そこは奇妙な宮殿だった。椅子が数脚ずつ、何列か並び、切れ切れの手すりがあちこちに見えるが、そこにいるのは、やはり、ハリーとダンブルドアの二人だけで、あとは、椅子の下にいる発育不良の生き物だけだった。その時、なんの苦もなく、答えがハリーの唇に上ってきた。

「あいつは、僕の血を入れた」ハリーが言った。

「まさにそうじゃ！」

ダンブルドアが言った。

「あの者は君の血を採り、それで自分の生身の身体を再生させた！ あの者の血管に流れる君の血が、ハリー、リリーの護（まも）りが、二人の中にあるのじゃ！ あの者が生きているかぎり、あの者は君の命をつなぎとめておる！」

「僕が生きているのは……あいつが生きているから？　でも、僕……僕、その逆だと思っていた！　二人とも死ななければならないと思ったけど？　それともどっちでも同じこと？」

ハリーは、背後でもがき苦しむ泣き声と物音に気をそらされ、もう一度振り返った。

「ほんとうに、僕たちにはどうにもできないのですか？」

「助けることは不可能じゃ」

「それなら、説明してください……もっとくわしく」

ハリーの問いに、ダンブルドアはほほえんだ。

「君はのう、ハリー、あの者が期せずして作ってしまった、七つ目の分霊箱だったのじゃ。あの者は、自らの魂を非常に不安定なものにしてしもうたので、君のご両親を殺害し、幼子までも殺そうという言語に絶する悪行をなしたとき、魂が砕けた。あの部屋から逃れたものは、あの者が思っていたより少なかったのじゃ。あの者は、自分の肉体だけではなく、それ以上のものをあの場に置いていったのじゃ。犠牲になるはずだった君に、生き残った君に、あの者の一部が結びついて残されたのじゃ」

「しかも、ハリー、あの者の知識は、情けないほど不完全なままじゃった！　ヴォルデモートは、自らが価値を認めぬものに関して理解しようとはせぬ。屋敷しもべ妖精やおとぎ話、愛や忠誠、そして無垢。ヴォルデモートは、こうしたものを知らず、理解しておらぬ。**まったく何も**。こうしたもののすべてが、ヴォルデモートを凌駕する力を持ち、どのような魔法もおよばぬ力を持つという真実を、あの者はけっして理解できなかった」

「ヴォルデモートは、自らを強めると信じて、君の血を入れた。あの者の身体の中に、母君が君を護るために命を捨ててかけた魔法が、わずかながら取り込まれた。母君の犠牲の力を、あの者が生かしておる。そして、その魔法が生き続けるかぎり、君も生き続け、ヴォルデモート自身の最後の望みである命の片鱗も生き続ける」

ダンブルドアはハリーにほほえみかけ、ハリーは目を丸くしてダンブルドアを見た。

「先生はご存じだったのですか？　このことを——はじめからずっと？」

「推量しただけじゃ。しかしわしの推量は、これまでのところ、大方は正しかったのう」

ダンブルドアはうれしそうに言った。それから二人は、座ったまま、長い間だまっていた。長く感じただけかもしれない。背後の生き物は、相変わらずヒイヒイ泣きながら震えていた。

「まだあります」

ハリーが言った。

「まだわからないことが。僕の杖は、どうしてあいつの借り物の杖を折ったのでしょう？」

「それについては、定かにはわからぬ」

「それじゃ、推量でいいです」

ハリーがそう言うと、ダンブルドアは声を上げて笑った。

「まず理解しておかねばならぬのは、ハリー、君とヴォルデモート卿が、前人未踏の魔法の分野をともに旅してきたということじゃ。しかしながら、いまから話すようなことが起きたのではないかと思う。前例のないことじゃから、どんな杖作りといえども予測できず、ヴォルデモートに対しても説明できはしなかった、とわしはそう思う」

「君にはもうわかっているように、ヴォルデモート卿は、人の形によみがえったとき、意図せずして君との絆を二重に強めた。魂の一部を君に付着させたまま、あの者は、自分を強めるためと考えて、君の母君の犠牲の力を、一部自分の中に取り込んだのじゃ。その犠牲がどんなに恐ろしい力を持っているかを的確に理解していたなら、ヴォルデモートはおそらく、君の血に触れることなどとてもできなかったじゃろう……いや、さらに言えば、もともとそれが理解できるくらいなら、あの者は所詮ヴォルデモート卿ではありえず、また、人を殺めたりしなかったかもしれぬ」

「この二重の絆を確実なものにし、互いの運命を、歴史上例を見ないほどしっかりと結びつけた状態で、ヴォルデモートは、君の杖と双子の芯を持つ杖で君を襲った。すると、知ってのとおり、まか不思議なことが起こった。芯同士が、二人の杖が双子であることを知らなかったヴォルデモート卿には、予想外の反応を示したのじゃ」

「あの夜、ハリーよ、あの者のほうが、君よりももっと恐れていたのじゃ。君は死ぬかもしれぬということを受け入れ、むしろ積極的に迎え入れた。ヴォルデモート卿にはけっしてできぬことじゃ。君の勇気が勝った。君の杖があの者の杖を圧倒したのじゃ。その結果、二本の杖の間に、二人の持ち主の関係を反映した何事かが起こった」

「君の杖はあの夜、ヴォルデモートの杖の力と資質の一部を吸収した、とわしは思う。つまり、ヴォルデモート自身の一部を、君の杖が取り込んでおったのじゃ。そこで、あの者が君を追跡したとき、君の杖はヴォルデモートを認識した。血を分けた間柄でありながら不倶戴天の敵である者を認識して、ヴォルデモート自身の魔法の一部を、彼に向けて吐き出したのじゃ。その魔法は、ルシウスの杖がそれまでに行ったどんな魔法よりも強力なものじゃった。君の杖は、君の並外れた勇気と、ヴォルデモート自身の恐ろしい魔力をあわせ持っていた。ルシウス・マルフォイの哀れな棒切れなど、敵うはずもないじゃろう？」

「でも、僕の杖がそんなに強力だったのなら、どうしてハーマイオニーがそれを折ることができたのでしょう？」ハリーが聞いた。

「それはのう、杖のすばらしい威力は、ヴォルデモートに対してのみ効果があったからじゃ。魔法の法則の深奥を、あのように無分別にいじくり回したヴォルデモートに対してのみじゃ。あの者に向けてのみ、君の杖は異常な力を発揮した。それ以外は、ほかの杖と変わることはない……もちろん、よい杖ではあったがのう」

ダンブルドアは、やさしい言葉をつけ加えた。

ハリーは長いこと考え込んだ。いや、数秒だったかもしれない。ここでは、時間などをはっきり認識するのが、とても難しかった。

「あいつは、あなたの杖で僕を殺した」

「わしの杖で、君を殺し**そこねた**のじゃ」

ダンブルドアが、ハリーの言葉を訂正した。

「君が死んでいないということで、君とわしは意見が一致すると思う――じゃが、もちろん」

ダンブルドアは、ハリーに対して礼を欠くことを恐れるかのようにつけ加えた。

「君が苦しんだことを軽く見るつもりはない。過酷な苦しみだったにちがいない」

「でもいまは、とてもいい気分です」

ハリーは、清潔で傷一つない両手を見下ろしながら言った。

「ここはいったい、どこなのですか？」

「そうじゃのう、わしが君にそれを聞こうと思っておった」

ダンブルドアが、あたりを見回しながら言った。

「君は、ここがどこだと思うかね？」

ダンブルドアに聞かれるまで、ハリーにはわかっていなかった。しかし、いまはすぐに答えられることに気づいた。

「なんだか」

ハリーは考えながら答えた。

「キングズ・クロス駅みたいだ。でも、ずっときれいだし誰もいないし、それに、僕の見るかぎりでは、汽車が一台もない」

「キングズ・クロス駅！」

ダンブルドアは、遠慮なくクスクス笑った。

「なんとまあ、そうかね？」

「じゃあ、先生はどこだと思われるんですか？」

ハリーは少しむきになって聞いた。

「ハリーよ、わしにはさっぱりわからぬ。これは、いわば、**君の**晴れ舞台じゃ」

ハリーには、ダンブルドアが何を言っているのかわからなかった。ダンブルドアの態度が腹立たしくなってハリーは顔をしかめたが、その時、いまどこにいるかよりも、もっと差し迫った問題を思い出した。

「死の秘宝」

ハリーは言った。その言葉でダンブルドアの顔からすっかり笑いが消えたのを見て、ハリーの腹も収まった。

「ああ、そうじゃな」ダンブルドアは、逆に心配そうな顔になった。

「どうなのですか？」

ダンブルドアと知り合って以来初めて、ハリーは、老成したダンブルドアではない顔を見た。刹那ではあったが、老人どころか、いたずらの最中に見つかった小さな子供のような表情を見せたのだ。

「許してくれるかのう？」ダンブルドアが言った。「君を信用しなかったこと、君に教えなかったことを、許してくれるじゃろうか？　ハリー、わしは、君がわしと同じ失敗をくり返すのではないかと恐れただけなのじゃ。わしと同じ過ちを犯すのではないかと、それだけを恐れたのじゃ。ハリー、どうか許しておくれ。もうだいぶ前から、君がわしよりずっとまっすぐな人間だとわかっておったのじゃが」

「何をおっしゃっているのですか？」

ダンブルドアの声の調子や、急にダンブルドアの目に光った涙に驚いて、ハリーが聞いた。

「秘宝、秘宝」ダンブルドアがつぶやいた。「死に物狂いの、人間の夢じゃ！」

「でも、秘宝は実在します！」

「実在する。しかも危険なものじゃ。愚者たちへのいざないなのじゃ」ダンブルドアが言った。「そしてこのわしも、その愚か者であった。しかし、君はわかっておろう？　もはやわしには、君に秘すべきことは何もない。君は知っておるのじゃ」

「何をですか？」

ダンブルドアは、ハリーに真正面から向き合った。輝くようなブルーの目に、涙がまだ光っていた。

「死を制する者。ハリーよ、死を克服する者じゃ！　わしは、結局のところ、ヴォルデモートよりましな人間であったと言えようか？」

「もちろんです」ハリーが言った。「もちろんですとも――そんなこと、聞くまでもないでしょう？　先生は、意味もなく人を殺したりしませんでした！」

「そうじゃ、そうじゃな」

ダンブルドアはまるで、小さな子供が励ましを求めているように見えた。

「しかし、ハリー、わしもまた、死を克服する方法を求めたのじゃよ」

「あいつと同じやり方じゃありません」ハリーが言った。

ダンブルドアにあれほどさまざまな怒りを感じていたハリーが、この高い丸天井の下に座り、自己否定するダンブルドアを弁護しようとしているとは、なんと奇妙なことか。

「先生は、秘宝を求めた。分霊箱をじゃない」

「秘宝を」ダンブルドアがつぶやいた。「分霊箱をではない。そのとおりじゃ」

しばらく沈黙が流れた。背後の生き物が訴えるように泣いても、ハリーはもう振り返らなかった。

「グリンデルバルドも、秘宝を探していたのですね？」ハリーが聞いた。

ダンブルドアは一瞬目を閉じ、やがてうなずいた。

「それこそが、何よりも強くわしら二人を近づけたのじゃ」

ダンブルドアが、静かに言った。

「二人の賢しく傲慢な若者は、同じ思いに囚われておった。グリンデルバルドがゴドリックの谷にひかれたのは、すでに察しがついておろうが、イグノタス・ペベレルの墓のせいじゃ。三番目の弟が死んだ場所を、探索したかったからじゃ」

「それじゃ、ほんとうのことなんですね？」ハリーが聞いた。「何もかも？　ペベレル兄弟が――」

「――物語の中の三兄弟なのじゃ」

ダンブルドアがうなずきながら言った。

「そうじゃとも。わしはそう思う。兄弟がさびしい道で『死』に遭うたかどうか……。むしろわしは、ペベレル兄弟が才能ある危険な魔法使いで、こうした強力な品々を作り出すことに成功した可能性のほうが高いと思う。そうした品々が『死』自身の秘宝であったという話は、作られた品物にまつわる伝説としてでき上がったものじゃろう」

『マント』は、知ってのとおり、父から息子へ、母から娘へと、何世代にもわたって受け継がれ、イグノタスの最後の子孫にたどり着いた。その子は、イグノタスと同じく『ゴドリックの谷』という村に生まれた」

ダンブルドアは、ハリーにほほえみかけた。

「僕？」

「君じゃ。ご両親が亡くなられた夜、『マント』がなぜわしの手元にあったか、君はすでに推量しておることとじゃろう。ジェームズが、死の数日前に、わしに『マント』を見せてくれた。学生時代、ジェームズのいたずらがなぜ見つからずにすんだのか、それで大方の説明がついた！　わしは、自分の目にしたものが信じられなかった。借り受けて調べてみたい、とジェームズに頼んだ。その時には、秘宝を集めるという夢はとうにあきらめておったのじゃが、それでも、『マント』をよく見てみたいという思いに抗しきれなかった……。それは、わしがそれまで見たこともない『マント』じゃった。非常に古く、すべてにおいて完璧で……。ところがそのあと、きみの父君が亡くなり、わしは、ついに二つの秘宝を我がものにした！」

ダンブルドアは、痛々しいほど苦い口調で言った。

「でも、『マント』は、僕の両親が死を逃れるための役には、立たなかったと思います」

ハリーは急いで言った。

「ヴォルデモートは、父と母がどこにいるかを知っていました。『マント』があっても、二人に呪いが効かないようにすることはできなかったでしょう」

「そうじゃ」ダンブルドアはため息をついた。「そうじゃな」

ハリーはあとの言葉を待ったが、ダンブルドアが何も言わないので、先をうながした。

「それで先生は、『マント』を見たときにはもう、秘宝を探すのをあきらめていたのですね？」

「ああ、そうじゃ」

ダンブルドアはかすかな声で言った。力を振りしぼってハリーと目を合わせているように見えた。

「君は、何が起こったかを知っておる。知っておるのじゃ。君よりわし自身が、どんなに自分を軽蔑しておるか」

「でも僕、先生を軽蔑したりなんか――」

「それなら、軽蔑すべきじゃ」

ダンブルドアが言った。そして深々と息を吸い込んだ。

「わしの妹の病弱さの秘密を、君は知っておる。マグルたちのしたことも、その結果、妹がどうなったかも。哀れむべきわしの父が復讐(ふくしゅう)を求め、その代償にアズカバンで死んだことも知っておろう。わしの母が、アリアナの世話をするために、自分自身の人生を捨てておったこともな」

「わしはのう、ハリー、憤慨したのじゃ」

ダンブルドアはあからさまに、冷たく言い放った。ダンブルドアは、いま、ハリーの頭越しに、遠くのほうを見ていた。

「わしには才能があった。優秀じゃった。わしは逃げ出したかった。輝きたかった。栄光が欲しかった」

「誤解しないでほしい」

ダンブルドアの顔に苦痛がよぎり、そのためにその表情は再び年老いて見えた。

「わしは、家族を愛しておった。両親を愛し、弟も妹も愛していた。しかし、わしは自分本位だったのじゃよ、ハリー。際立って無欲な君などには想像もつかぬほど、利己的だったのじゃ」

「母の死後、傷ついた妹と、つむじ曲がりの弟に対する責任を負わされてしまったわしは、怒りと苦い気持ちを抱いて村に戻った。かごの鳥だ、才能の浪費だ、わしはそう思った！　その時、ちょうど、あの男がやってきた……」

ダンブルドアは、再びハリーの目をまっすぐに見た。

「グリンデルバルドじゃ。あの者の考えがどんなにわしをひきつけたか、どんなに興奮させたか、ハリー、君には想像できまい。マグルを力で従属させる。われら魔法族が勝利する。グリンデルバルドとわしは、革命の栄光ある若き指導者となる」

「いや、いくつか疑念を抱きはした。良心の呵責を、わしはむなしい言葉でしずめた。すべては、より大きな善のためなのだからと。多少の害を与えても、魔法族にとって、その百倍もの見返りがあるのだからと。心の奥の奥で、わしはゲラート・グリンデルバルドの本質を知っていただろうか？　知っていたと思う。しかし目をつむったのじゃ。わしらが立てていた計画が実を結べば、わしの夢はすべて叶うのじゃからと」

「そして、わしらのくわだての中心に、『死の秘宝』があった！　グリンデルバルドが、どれほどそれに魅了されていたか！　わしらが二人とも、どれほど魅入られていたか！　『不敗の杖』、わしらを権力へと導く武器！　『蘇りの石』――わしは知らぬふりをしておったが、グリンデルバルドにとってそれは、『亡者』の軍隊を意味した！　わしにとっては、白状するが、両親が戻ることを、そしてわしの肩の荷がすべて下ろされることを意味しておったのじゃ」

「そして『マント』……なぜかわしら二人の間では、ハリー、『マント』のことは、さして大きな話題になることはなかった。二人とも、『マント』なしで充分姿を隠すことができたからのう。『マント』の持つ真の魔力は、もちろん、所有者だけでなくほかの者をも隠し、護るために使えるという点にあった。わしは、もしそれを見つけたら、アリアナを隠すのに役に立つじゃろうと考えた。しかし、わしら二人が『マント』に関心を持ったのは、主に、それで三つの品が完全にそろうからじゃった。伝説によれば、三つの品すべてを集めた者は、真の死の征服者になると言われており、それは無敵になることだと、わしらはそう解釈した」

「死の克服者、無敵のグリンデルバルドとダンブルドア！　二か月の愚かしくも残酷な夢、そのためにわしは、残されたたった二人の家族を、ないがしろにしたのじゃ」

「そして……何が起こったか知っておろう。現実が戻ってきたのじゃ。粗野で無学で、しかも、わしなどよりずっとあっぱれな弟が、それを教えてくれた。わしをどなりつける弟の真実の声を、わしは聞きとうなかった。か弱く不安定な妹を抱えて、秘宝を求める旅に出ることはできないなどと、聞かされとうはなかった」

「議論が争いになった。グリンデルバルドは抑制を失った。気づかぬふりをしてはおったが、グリンデルバルドにはそのような面があると、常々わしが感じておったものが、恐ろしい形で飛び出した。そしてアリアナは……母があれほど手をかけ、心にかけていたものを……床に倒れて死んでいた」

ダンブルドアは小さくあえぎ、声を上げて泣きはじめた。ハリーは手を伸ばした。そして、ダンブルドアに触れることができるとわかってうれしくなった。ハリーは、ダンブルドアの片腕をしっかりと握りしめた。するとダンブルドアは、徐々に自分を取り戻した。

「さて、わし以外の誰もが予測できたことだったのじゃが、グリンデルバルドは逃亡した。あの者は、権力を掌握する計画と、マグルを苦しめるくわだてと、『死の秘宝』の夢を持って姿を消した。わしが励まし、手助けした夢じゃ。グリンデルバルドは逃げ、残ったわしは、妹を葬り、一生の負い目と恐ろしい後悔という、身から出たさびの代償を払いながら生きてきた」

「何年かがたった。グリンデルバルドのうわさが聞こえてきた。計り知れぬ力を持つ杖を、手に入れたという話じゃった。わしのほうは、その間、魔法大臣に就任するよう、一度ならず請われた。当然わしは断った。権力を持つわし自身は信用できぬということを、とうに学び取っていたからじゃ」

「でも先生は、よい大臣になったはずです。ファッジやスクリムジョールより、ずっとよい大臣に」ハリーは思わず言った。

「そうじゃろうか？」

ダンブルドアは重苦しい調子で言った。

「そうは言いきれまい。若いとき、わしは、自分が権力とその誘いに弱いことを証明した。興味深いことじゃが、ハリーよ、権力を持つのに最もふさわしい者は、それを一度も求めたことのない者なのじゃ。君のように、やむなく指揮をとり、そうせねばならぬために権威の衣を着る者は、自らが驚くほど見事にその衣を着こなすのじゃ」

「わしは、ホグワーツにあるほうが安全な人間じゃった。よい教師であったと思う――」

「一番よい教師でした――」

「やさしいことを言ってくれるのう、ハリー。しかしながら、わしが、若き魔法使いたちの教育に忙しく打ち込んでいる間に、グリンデルバルドは、軍隊を作り上げておった。人々は、あの者がわしを恐れていると言うた。おそらくそうじゃったろう。しかし、わし自身がグリンデルバルドを恐れていたほどではなかったろう」

「いや、死ぬことをではない」

ハリーのまさかという表情に応えるように、ダンブルドアが言った。

「グリンデルバルドの魔法の力が、わしをどうにかすることを恐れたわけではない。二人の力が互角であることを、いや、わしのほうがわずかに勝っていることを、わしは知っていた。わしが恐れたのは真実じゃ。つまり、あの最後の恐ろしい争いで、二人のうちのどちらの呪いがほんとうに妹を殺したのか、わしにはわからなかった。君はわしを臆病者と言うかもしれぬ。そのとおりじゃろう。ハリー、わしが何よりも恐れたのは、妹の死をもたらしたのが、わしだと知ることじゃった。わしの傲慢さと愚かさが一因だったばかりでなく、実際に妹の命の火を吹き消してしまったのも、わしの一撃だったと知ることを恐れたのじゃ」

「グリンデルバルドは、それを知っておったと思う。わしが何を恐れていたかを、あの者は知っておったと思う。わしはグリンデルバルドと見(まみ)えるのを、一日延ばしにしておったのじゃが、とうとう、これ以上抵抗するのはあまりにも恥ずべきことじゃという状態になった。人々が死に、グリンデルバルドは止めようもないやに見えた。そしてわしは、自分にできることをせねばならなかった」

「さて、その後に起こったことは知っておろう。わしは決闘した。杖を勝ち取ったのじゃ」

また沈黙がおとずれた。誰の呪いでアリアナが死んだのかを、ダンブルドアが知ったのかどうか、ハリーは聞かなかった。知りたくなかったし、それよりもダンブルドアに話させるのがいやだった。ようやくハリーは、「みぞの鏡」でダンブルドアが何を見たかを知った。そして、鏡のとりこになったハリーに、ダンブルドアがなぜあれほど理解を示してくれたのかがわかった。

二人は、長い間だまったままだった。背後の泣き声は、ハリーにはもうほとんど気にならなかった。

しばらくしてハリーが言った。

「グリンデルバルドは、ヴォルデモートが杖を追うのを阻止しようとしました。グリンデルバルドは、うそをついたのです。つまり、あの杖を持ったことはない、というふりをしました」

ダンブルドアは、ひざに目を落としてうなずいた。曲がった鼻に、涙がまだ光っていた。

「風の便りに、孤独なヌルメンガードの独房で、あの者が後年、悔悟の念を示していたと聞いた。そうであってほしいと思う。自分がしたことを恥じ、恐ろしく思ったと考えたい。ヴォルデモートにうそをついたのは、つぐないをしようとしたからであろう……ヴォルデモートが秘宝を手に入れるのを、阻止しようとしたのであろう……」

「……それとも、先生の墓を暴くのを阻止しようとしたのでは？」

ハリーが思ったままを言うと、ダンブルドアは目頭をぬぐった。

またしばらくの沈黙の後、ハリーが口を開いた。

「先生は、『蘇りの石』を使おうとなさいましたね」

ダンブルドアはうなずいた。

「何年もかかって、ようやくゴーントの廃屋に埋められているその石を見つけた。石は秘宝の中でもわしが一番強く求めていたものじゃった――もっとも、若いときは、まったくちがう理由で石が欲しかったのじゃが。石を見て、わしは正気を失ったのじゃよ、ハリー。すでにそれが『分霊箱』になっていることも、指輪にはまちがいなく呪いがかかっていることも、すっかり忘れてしもうた。指輪を取り上げ、それをはめた。一瞬、わしは、アリアナや母、そして父に会えると思った。そして、みんなに、わしがどんなにすまなく思っているかを伝えられると思ったのじゃ……」

「わしはなんたる愚か者だったことか。ハリーよ、長の歳月、わしは何も学んではおらなかった。『死の秘宝』を、一つにまとめるに値しない者であった。そのことを、わしはそれまで何度も思い知らされていたのじゃが、その時に、決定的に思い知ったのじゃ」

「どうしてですか？」ハリーが言った。「当然なのに！　先生はまたみんなに会いたかった。それがどうして悪いんですか？」

「ハリー、三つの秘宝を一つにすることができる人間は、おそらく百万人に一人であろう。わしは、せいぜい秘宝の中で最も劣り、一番つまらぬものを所有するに値する者であった。『ニワトコの杖』を所有し、しかもそれを吹聴せず、それで人を殺さぬことに適しておったのじゃ。わしは杖を手なずけ、使いこなすことを許された。なぜなら、わしがそれを手にしたのは、勝つためではなく、ほかの人間をその杖から護るためだったからじゃ」

「しかし『マント』は、むなしい好奇心から手に入れた。そうじゃから、わしに対しては、真の所有者である、君に対する働きと同じ効果はなかったことじゃろう。『石』にしても、わしの場合、安らかに眠っている者を、無理やり呼び戻すために使ったことじゃろう。自らの犠牲を可能にするために使った、君の場合とはちがう。君こそ、三つの秘宝を所有するにふさわしい者じゃ」

ダンブルドアは、ハリーの手を軽くたたいた。ハリーは顔を上げて老人を見上げ、ほほえんだ。自然に笑いかけていた。ダンブルドアに腹を立て続けることなど、どうしてできよう？

「こんなに難しくする必要が、あったのですか？」

ダンブルドアは、動揺したようにほほえんだ。

「ハリー、わしはのう、すまぬが、ミス・グレンジャーが君の歩みを遅らせてくれることを当てにしておった。君の善なる心を、熱い頭が支配してしまいはせぬかと案じたのじゃ。誘惑の品々に関する事実をあからさまに提示されれば、君もわしと同じように、誤ったときに、誤った理由で秘宝を手にしようとするのではないかと、それを恐れたのじゃ。君が秘宝を手に入れるなら、それらを安全に所有してほしかった。君は真に死を克服する者じゃ。なぜなら、真の死の支配者は、『死』から逃げようとはせぬ。死なねばならぬということを受け入れるとともに、生ある世界のほうが、死ぬことよりもはるかに劣る場合があると理解できる者なのじゃ」

「それで、ヴォルデモートは、秘宝のことを知らなかったのですか？」

「知らなかったじゃろう。分霊箱にしたものの一つが、『蘇りの石』であることにも気づかなかったのじゃから。しかし、ハリー、たといあの者が秘宝のことを知っていたにせよ、最初の品以外に興味を持ったとは思えぬ。『マント』が必要だとは考えなかったろうし、『石』にしても、いったい誰を死から呼び戻したいと思うじゃろう？　ヴォルデモートは死者を恐れた。あの者は誰をも愛さぬ」

「でも先生は、ヴォルデモートが杖を追うと予想なさったでしょう？」

「リトル・ハングルトンの墓場で、君の杖がヴォルデモートの杖を打ち負かしたときから、わしは、あの者が杖を求めようとするにちがいないと思うておった。あの者は、最初のうち、君の腕のほうが勝っていたがために敗北したのではないかと、それを恐れておったのじゃ。しかし、オリバンダーを拉致し、双子の芯のことを知った。ヴォルデモートは、それですべてが説明できると思ったのじゃ。ところが借り物の杖も、君の杖の前では同じことじゃった！　ヴォルデモートは、君の杖をそれほど強力にしたのが君の資質だと考えるのではなく、つまり、君に備わっていて自らには欠如している才能が何かを問うてみるのではなく、当然ながら、すべての杖を破るとうわさに聞く、唯一の杖を探しに出かけたのじゃ。ヴォルデモートにとっては、『ニワトコの杖』への執着が、君への執着に匹敵するほど強いものになった。『ニワトコの杖』こそ、自らの最後の弱みを取りのぞき、真に自分を無敵にするものと信じたのじゃ。哀れなセブルスよ……」

「先生が、スネイプによるご自分の死を計画なさったのなら、『ニワトコの杖』は、スネイプに渡るようにしようと思われたのですね？」

「確かに、そのつもりじゃった」

ダンブルドアが言った。

「しかし、わしの意図どおりには運ばなかったじゃろう？」

「そうですね」ハリーが言った。

「その部分はうまくいきませんでした」

背後の生き物が急にビクッと動き、うめいた。ハリーとダンブルドアは、いままでで一番長い間、無言で座っていた。その長い時間に、ハリーには、次に何が起こるのかが、静かに降る雪のように徐々に読めてきた。

「僕は、帰らなければならないのですね？」

「君しだいじゃ」

「選べるのですか？」

「おお、そうじゃとも」

ダンブルドアがハリーにほほえみかけた。

「ここはキングズ・クロスだと言うのじゃろう？　もし君が帰らぬと決めた場合は、たぶん……そうじゃな……乗車できるじゃろう」

「それで、汽車は、僕をどこに連れていくのですか？」

「先へ」

ダンブルドアは、それだけしか言わなかった。

また沈黙が流れた。

「ヴォルデモートは、『ニワトコの杖』を手に入れました」

「さよう。ヴォルデモートは、『ニワトコの杖』を持っておる」

「それでも先生は、僕に帰ってほしいのですね？」

「わしが思うには」

ダンブルドアが言った。

「もし君が帰ることを選ぶなら、ヴォルデモートの息の根を完全に止める可能性はある。約束はできぬがのう。しかし、ハリー、わしにはこれだけはわかっておる。君が再びここに戻るときには、ヴォルデモートほどにここを恐れる理由はない」

ハリーは、離れた所にある椅子の下の暗がりで、震え、息を詰まらせている生々しい生き物に、もう一度目をやった。

「死者を哀れむではない、ハリー。生きている者を哀れむのじゃ。特に愛なくして生きている者たちを。君が帰ることで、傷つけられる人間や、引き裂かれる家族の数を少なくすることができるかもしれぬ。それが君にとって、価値ある目標と思えるのなら、我々はひとまず別れを告げることとしよう」

ハリーはうなずいて、ため息をついた。この場所を去ることは、禁じられた森に入っていったときに比べれば、難しいとは言えない。しかし、ここは温かく、明るく、平和なのに、これから戻っていく先には痛みがあり、さらに多くの命が失われる恐れがあることがわかっている。ハリーは立ち上がった。ダンブルドアも腰を上げ、二人は互いに、長い間じっと見つめ合った。

「最後に、一つだけ教えてください」

ハリーが言った。

「これは現実のことなのですか？　それとも、全部、僕の頭の中で起こっていることなのですか？」

ダンブルドアは晴れやかにハリーに笑いかけた。明るい靄が再び濃くなり、ダンブルドアの姿をおぼろげにしていたが、その声はハリーの耳に大きく強く響いてきた。

「もちろん、君の頭の中で起こっていることじゃよ、ハリー。しかし、だからと言って、それが現実ではないと言えるじゃろうか？」

第36章 誤算

ハリーは再びうつ伏せになって、地面に倒れていた。禁じられた森のにおいが鼻腔を満たした。ほおにヒヤリと固い土を感じ、倒れたときに横にずれためがねの蝶番（ちょうつがい）がこめかみに食い込むのを感じた。体中が一分のすきもなく痛み、「死の呪文」に打たれた箇所は、鉄籠手（てつごて）をつけた拳を打ち込まれて傷ついたように感じる。ハリーは、倒れたままの位置で、左腕を不自然な角度に曲げ、口はポカンと開けたままじっとしていた。

ハリーが死んだことを祝う勝利の歓声が聞こえるだろうと思ったが、あたりにはあわただしい足音と、ささやき声や気づかわしげにつぶやく声が満ちているだけだった。

「**わが君……わが君……**」

ベラトリックスの声だった。まるで恋人に話しかけているようだ。ハリーは、目を開ける気にはなれなかったが、すべての感覚で現状の難しさを探ろうとした。胸に何か固いものが押しつけられているのを感じるので、杖（つえ）はまだローブの下に収まっているらしい。胃袋のあたりに薄いクッションが当てられているような感触からして、「透明マント」もそこに、外からは見えないように隠されているはずだ。

「**わが君……**」

「もうよい」ヴォルデモートの声がした。

また足音が聞こえた。数人の死喰（しく）い人が、同じ場所からいっせいに後退したようだ。何が起きているのか、なぜなのかをどうしても知りたくて、ハリーは薄目を開けた。

ヴォルデモートが立ち上がろうとしている気配だ。死喰い人が数人、あわててヴォルデモートのそばを離れ、空き地に勢ぞろいしている仲間の群れに戻った。ベラトリックスだけが、ヴォルデモートのそばにひざまずいて、その場に残っていた。

ハリーはまた目を閉じ、いま見た光景のことを考えた。どうやら、ヴォルデモートは倒れていたらしく、死喰い人たちがその周りに集まっていた。「死の呪文」でハリーを撃ったとき、何かが起こったのだ。ヴォルデモートも気を失ったのだろうか？　どうもそのようだ。すると、二人とも短い時間失神して、二人ともいま戻ってきた……。

「わが君、どうか私めに――」

「俺様に手助けはいらぬ」

ヴォルデモートが冷たく言った。ハリーには見えなかったが、ベラトリックスが、差し出した手を引っ込める様子が想像できる。

「あいつは……死んだか？」

空き地は、完全に静まり返っていた。誰もハリーに近づかない。しかし、全員の目がハリーに注がれるのを感じ、その力で、ハリーはますます強く地面に押しつけられるような気がした。指一本、まぶたの片方でも、ピクリと動きはしないかとハリーは恐れた。

「おまえ」

ヴォルデモートの声とともに、バーンという音がして、痛そうな小さい悲鳴が聞こえた。

「あいつを調べろ。死んでいるかどうか、俺様に知らせるのだ」

誰が検死に来るのか、ハリーにはわからなかった。持ち主の意に逆らいドクドク脈打つ心臓を抱えてその場に横たわったまま、ハリーは調べられるのを待った。しかし同時にハリーは、ヴォルデモートが、すべてが計画どおりには運ばなかったことを疑い、用心して自分に近づかないのだと気づいて、わずかにではあったがホッとした。思ったよりやわらかい両手が、ハリーの顔に触れ、片方のまぶたをめくり上げ、そろそろとシャツの中に入って胸に下り、心臓の鼓動を探った。ハリーは、女性の速い息づかいを聞き、長い髪が顔をくすぐるのを感じた。女性は、ハリーの胸板を打つ、しっかりした生命の鼓動を感じ取ったはずだ。

「ドラコは生きていますか？　城にいるのですか？」

ほとんど聞き取れないほどのかすかな声だった。女性は、唇をハリーの耳につくほど近づけ、覆いかぶさるようにしてその長い髪でハリーの顔を見物人から隠していた。

「ええ」ハリーがささやき返した。

胸に置かれた手がギュッと縮み、ハリーは、その爪が肌に突き刺さるのを感じた。その手が引っ込められ、女性は体を起こした。

「死んでいます！」

ナルシッサ・マルフォイが、見守る人々に向かって叫んだ。

今度こそ歓声が上がった。死喰い人たちが勝利の叫びを上げ、足を踏み鳴らした。ハリーは、閉じたまぶたを通して、赤や銀色の祝いの閃光がいっせいに空に打ち上げられるのを感じた。

地面に倒れて死んだふりをしながら、ハリーは事態を理解した。ナルシッサは、息子を探すには勝利軍としてホグワーツ城に入るしかないことを、知っているのだ。ナルシッサにとっては、ヴォルデモートが勝とうが負けようが、もはやどうでもよいことなのだ。

「わかったか？」

ヴォルデモートが、歓声をしのぐかん高い声で叫んだ。

「ハリー・ポッターは、俺様の手にかかって死んだ。もはや生ある者で、俺様をおびやかす者は一人もいない！　よく見るのだ！　**クルーシオ！　苦しめ！**」

ハリーは、こうなることを予想していた。自分の屍（しかばね）が、汚されることもなく森のしとねに横たわったままでいられるはずがない。ヴォルデモートの勝利を証明するために、死体に屈辱を与えずにはおかないはずだ。ハリーの体は宙に持ち上げられた。だらりとした様子を保つには、ありったけの意思の力が必要ではあったが、予想していたような痛みはなかった。一度、二度、三度と空中に放り上げられ、めがねが吹っ飛び、杖がローブの下で少しずれるのを感じたが、ハリーは、ぐったりと生気のない状態を維持したままでいた。最後にもう一度地面に落下するハリーを見て、空き地全体にあざけりとかん高い笑い声が響き渡った。

「さあ」

ヴォルデモートが言った。

「城へ行くのだ。そして、やつらの英雄がどんなざまになったかを、見せつけてやるのだ。死体を誰に引きずらせてくれよう？　いや――待て――」

あらためて笑いが湧き起こった。やがてハリーは、体の下の地面が震動するのを感じた。

「貴様が運ぶのだ」ヴォルデモートが言った。「貴様の腕の中なら、いやでもよく見えるというものだ。そうではないか？　ハグリッド、貴様のかわいい友人を拾え。めがねもだ――めがねをかけさせろ――やつだとわかるようにな」

誰かが、わざと乱暴に、めがねをハリーの顔に戻した。しかし、ハリーを持ち上げた巨大な両手は、かぎりなくやさしかった。ハリーは、ハグリッドの両腕が、激しいすすり泣きで震えているのを感じた。両腕であやすように抱かれたハリーの上に、大粒の涙がぼたぼた落ちてきた。こんなハグリッドに、まだすべてが終わったわけではないとほのめかすことなど、とてもできない。ハリーは身動きもせず、言葉も発しなかった。

「行け」

ヴォルデモートの言葉で、ハグリッドは、からみ合った木々を押し分け、禁じられた森の出口に向かって、よろめきながら歩きだした。木の枝がハリーの髪やローブに引っかかったが、ハリーはじっと動かず、口をだらしなく開けたまま目を閉じていた。あたりは暗く、周りでは死喰い人が歓声を上げ、ハグリッドは身も世もなく泣きじゃくっていて、ハリーの首筋が脈打っているかどうかを確かめる者は、誰もいなかった……。

巨人が二人、死喰い人の後ろから、すさまじい音を立てて歩いていた。ハリーの耳に、巨人が通る道々、木々がギシギシときしんで倒れる音が聞こえた。あまりの騒音に、鳥たちは鋭い鳴き声を上げながら空に舞い上がり、死喰い人のあざ笑う声もかき消されるほどだった。勝利の行進は、広々とした校庭を目指して進んだ。しばらくすると、目を閉じていても、暗闇が薄れるのが感じられ、木立がまばらになってきたことがわかった。

「**ベイン！**」

ハグリッドの突然の大声に、ハリーは危うく目を開けるところだった。

「満足だろうな、臆病者の駄馬どもが。おまえたちは戦わんかったんだからな？　満足か、ハリー・ポッターが――死――死んで……？」

ハグリッドは言葉が続かず、新たな涙にむせた。ハリーは、どのくらいのケンタウルスがこの行進を見ているのかと気になったが、危険をおかしてまで目を開けようとは思わなかった。群れのそばを通り過ぎるとき、ケンタウルスに軽蔑の言葉を浴びせる死喰い人もいた。まもなくハリーは、新鮮な空気から、森の端にたどり着いたことを感じた。

「止まれ」

ハグリッドは、ヴォルデモートの命令に無理やり従わされたにちがいない。ハグリッドが少しよろめいたのを感じて、ハリーはそう思った。死喰い人たちが立っている場所に、いまや冷気が立ち込め、ハリーの耳に、森の境界を見回っている吸魂鬼の、ガラガラという息が聞こえてきた。しかし吸魂鬼はもはや、ハリーに影響を与えることはないだろう。生き延びたという事実が、あたかも父親の牡鹿（おじか）の守護霊が、ハリーの胸の中に入り込んだように、吸魂鬼に対する護符となって、ハリーの中で燃えていた。

誰かが、ハリーのそばを通り過ぎた。それがヴォルデモート自身であることは、そのすぐあとに、魔法で拡大された声が聞こえてきたことからわかった。声は校庭を通って高まり、ハリーの鼓膜を破るほどに鳴り響いた。

「ハリー・ポッターは死んだ。おまえたちが、やつのために命を投げ出しているときに、やつは、自分だけ助かろうとして、逃げ出すところを殺された。おまえたちの英雄が死んだことの証（あかし）に、死骸を持ってきてやったぞ」

「勝負はついた。おまえたちは戦士の半分を失った。俺様の死喰い人たちの前に、おまえたちは多勢に無勢だ。『生き残った男の子』は完全に敗北した。もはや、戦いはやめなければならぬ。抵抗を続ける者は、男も、女も、子供も虐殺されよう。その家族も同様だ。城を捨てよ。俺様の前にひざまずけ。さすれば命だけは助けてやろう。おまえたちの親も、子供も、兄弟姉妹も生きることができ、許されるのだ。そしておまえたちは、我々がともに作り上げる、新しい世界に参加するのだ」

校庭も城も、静まり返っていた。ヴォルデモートがこれほど近くにいては、ハリーはとうてい目を開けることができない。

「来い」

ヴォルデモートがそう言いながら、前に進み出る音が聞こえ、ハグリッドがそのあとに従わされる動きを感じた。今度こそ、ハリーは薄目を開けた。すると、大蛇のナギニを肩にのせたヴォルデモートが、ハリーとハグリッドの前を意気揚々と進んでいくのが見えた。ナギニはもう、魔法の檻から解き放たれていた。しかし、両側を行進する死喰い人に気づかれずに、ローブに隠し持った杖を引き抜ける可能性はない。ゆっくりと夜が白みはじめていた……。

「ハリー」ハグリッドがすすり泣いた。「おお、ハリー……ハリー……」

ハリーは再び固く目を閉じた。死喰い人たちが城に近づいたのを感じ、ハリーは耳をそばだてて、死喰い人のザックザックという足音と歓喜の声の中から、城の内側に生き残っている人々の気配を聞き分けようとした。

「止まれ」

死喰い人たちが止まった。開かれた学校の玄関扉に面して、死喰い人たちが一列に広がる物音が聞こえた。閉じたまぶたを通してでさえ、玄関ホールからハリーに向かって流れ出す、赤みがかった光が感じ取れた。ハリーは待った。ハリーが命を捨ててまで護ろうとした人々が、いまにも、ハグリッドの腕の中で紛れもなく死んでいるハリーを見るはずだ。

「**あぁぁっ！**」

ハリーは、マクゴナガル教授がそんな声を出すとは、夢にも思わなかった。それだけにその叫び声はいっそう悲痛だった。別の女性が、ハリーの近くで声を上げて笑うのが聞こえた。マクゴナガルの絶望の悲鳴で、ベラトリックスが得意になっているのだ。ハリーは、ほんの一瞬また薄目を開けた。開かれた扉から、人々があふれ出るのが見えた。戦いに生き残った人々が玄関前の石段に出て征服者に対峙し、自らの目でハリーの死の真実を確かめようとしていた。ヴォルデモートがハリーのすぐ前に立ち、ろうのような指一本でナギニの頭をなでているのが見えた。ハリーはまた目を閉じた。

「そんな！」

「そんな！」

「ハリー！　**ハリー！**」

ロン、ハーマイオニー、そしてジニーの声は、マクゴナガルの声より悲痛だった。ハリーはどんなに声を返したかったことか。しかし、ハリーはなおもだまって、だらんとしたままでいた。三人の叫びが引き金になり、生存者たちが義に奮い立ち、口々に死喰い人を罵倒する叫び声を上げた。しかし――。

「だまれ！」

ヴォルデモートが叫び、バーンという音とまぶしい閃光とともに、全員が沈黙させられた。

「終わったのだ！　ハグリッド、そいつを俺様の足元に下ろせ。そこが、そいつにふさわしい場所だ！」

ハリーは芝生に下ろされるのを感じた。

「わかったか？」

ヴォルデモートが言った。ハリーが横たわっている場所のすぐ脇を、ヴォルデモートが大股で往ったり来たりするのを感じた。

「ハリー・ポッターは、死んだ！　惑わされた者どもよ、いまこそわかっただろう？　ハリー・ポッターは、最初から何者でもなかった。ほかの者たちの犠牲に頼った小僧にすぎなかったのだ！」

「ハリーはおまえを破った！」

ロンの大声で呪文が破れ、ホグワーツを護る戦士たちが、再び叫びだした。しかしまた、さらに強力な爆発音が、再び全員の声を消し去った。

「こやつは、城の校庭からこっそり抜け出そうとするところを殺された」

ヴォルデモートが言った。その声に、自分のうそを楽しむ響きがあった。

「自分だけが助かろうとして殺された――」

しかし、ヴォルデモートの声はそこでとぎれた。小走りに駆けだす音、叫び声、そしてまたバーンという音が聞こえ、閃光が走って痛みにうめく声がした。ハリーは、ごくわずかに目を開けた。誰かが仲間の群れから飛び出し、ヴォルデモートを攻撃したのだ。その誰かが「武装解除」され、地面に打ちつけられるのが見えた。ヴォルデモートは、奪った挑戦者の杖を投げ捨てて、笑っていた。

「いったい誰だ？」

ヴォルデモートが、蛇のようにシューシューと息を吐きながら言った。

「負け戦を続けようという者が、どんな目にあうか、進んで見本を示そうというのは誰だ？」

ベラトリックスが、うれしそうな笑い声を上げた。

「わが君、ネビル・ロングボトムです！　カロー兄妹をさんざんてこずらせた小僧です！　例の闇祓い夫婦の息子ですが、覚えておいででしょうか」

「おう、なるほど、覚えている」

ヴォルデモートは、やっと立ち上がったネビルを見下ろした。敵味方の境の戦場に、武器もなく、隠れる場所もなく、ネビルはただ一人立っていた。

「しかし、おまえは純血だ。勇敢な少年よ、そうだな？」

ヴォルデモートは、からっぽの両手で拳を握りしめて、自分と向き合って立っているネビルに問いかけた。

「だったらどうした？」ネビルが大声で言った。

「おまえは、気概と勇気のあるところを見せた。それに、おまえは高貴な血統の者だ。貴重な死喰い人になれる。ネビル・ロングボトム、我々にはおまえのような血筋の者が必要だ」

「地獄の釜の火が凍ったら、仲間になってやる」ネビルが言った。「ダンブルドア軍団！」

ネビルの叫びに応えて、城の仲間から歓声が湧き起こった。ヴォルデモートの「だまらせ呪文」でも抑えられない声のようだ。

「いいだろう」

ヴォルデモートが言った。なめらかなその声に、ハリーは、最も強力な呪いよりも危険なものを感じた。

「それがおまえの選択なら、ロングボトムよ、我々はもともとの計画に戻ろう。どういう結果になろうと――」ヴォルデモートが静かに言った。「おまえが決めたことだ」

薄目を開けたままで、ハリーはヴォルデモートが杖を振るのを見た。たちまち、破れた城の窓の一つから、不格好な鳥のようなものが、薄明かりの中に飛び出し、ヴォルデモートの手に落ちた。ヴォルデモートは、そのかびだらけのもののとがった端を持って、振った。ぼろぼろで、からっぽの何かが、だらりと垂れ下がった。組分け帽子だ。

「ホグワーツ校に、組分けはいらなくなる」ヴォルデモートが言った。

「四つの寮もなくなる。わが高貴なる祖先であるサラザール・スリザリンの紋章、盾、そして旗があれば充分だ。そうだろう、ネビル・ロングボトム？」

ヴォルデモートが杖をネビルに向けると、ネビルの体が硬直した。そして、その頭に、目の下まですっぽり覆うように、無理やり帽子がかぶせられた。城の前で見ていた仲間の一団が動いた。すると死喰い人がいっせいに杖を上げ、ホグワーツの戦士たちを遠ざけた。

「ネビルがいまここで、愚かにも俺様に逆らい続けるとどうなるかを、見せてくれるわ」

ヴォルデモートはそう言うと、杖を軽く振った。組分け帽子がメラメラと燃え上がった。悲鳴が夜明けの空気を引き裂いた。ネビルは動くこともできず、その場に根が生えたように立ったまま炎に包まれた。ハリーはこれ以上耐えられなかった。行動しなければ――。

その瞬間、一時にいろいろなことが起こった。

遠い校庭の境界から、どよめきが聞こえた。その場からは見えない遠くの塀を乗り越えて、何百人とも思われる人々が押し寄せ、雄叫びを上げて城に突進してくる音だ。

同時に、グロウプが、「**ハガー！**」と叫びながら、城の側面からドスンドスンと現れた。その叫びに応えて、ヴォルデモート側の巨人たちが吼え、大地を揺るがしながら、グロウプ目がけて雄象のように突っ込んでいった。

さらにひづめの音が聞こえ、弓弦が鳴り、死喰い人の上に突然矢が降ってきた。不意をつかれた死喰い人は、叫び声を上げて隊列を乱した。ハリーは、ローブから透明マントを取り出し、パッとかぶって飛び起きた。ネビルも動いた。

すばやいなめらかな動きで、ネビルは自分にかけられていた「金縛りの術」を解いた。炎上していた帽子が落ち、ネビルはその奥から、何か銀色のものを取り出した。輝くルビーの柄――。

銀の剣を振り下ろす音は、押し寄せる大軍の叫びと、巨人のぶつかり合う音、ケンタウルスのひづめの音にのまれて聞こえなかったが、剣の動きはすべての人の目を引きつけた。ひと太刀で、ネビルは大蛇の首を切り落とした。首は玄関ホールからあふれ出る明かりにぬめぬめと光り、回りながら空中高く舞った。ヴォルデモートは口を開け、怒りの叫びを上げたが、その声は誰の耳にも届かなかった。そして大蛇の胴体は、ドサリとヴォルデモートの足元に落ちた。

透明マントに隠れたまま、ハリーはヴォルデモートが杖を上げる前に、ネビルとの間に「盾の呪文」

をかけた。その時、悲鳴やわめき声、そして戦う巨人たちがとどろかせる足音を乗り越えて、ハグリッドの叫ぶ声が一段と大きく聞こえてきた。

「**ハリー！**」ハグリッドが叫んだ。「**ハリー――ハリーはどこだ？**」

何もかもが混沌(こんとん)としていた。突撃するケンタウルスが死喰い人を蹴散らし、誰もが巨人たちに踏みつぶされまいと逃げまどっていた。そして、どこからともなく援軍のとどろきがますます近づいてきた。巨大な翼を持つ生き物たちの、ヴォルデモート側の巨人の頭上を襲って飛び回る姿が、ハリーの目に入った。セストラルたちとヒッポグリフのバックビークが、巨人たちの目玉を引っかく一方、グロウプは相手をめちゃくちゃになぐりつけていた。そしていまや、ホグワーツの防衛隊とヴォルデモートの死喰い人軍団の区別なく、魔法使いたちは城の中に退却せざるをえない状態だった。ハリーは、死喰い人を見つけるたびに呪いを撃ち、撃たれたほうは、誰に何を撃ち込まれたのかもわからずに倒れて、退却する人々に踏みつけられていた。

透明マントに隠れたまま、人波に押されて玄関ホールに入ったハリーは、ヴォルデモートを探し、ホールの反対側で呪いを放ちながら大広間に後退していく、その姿を見つけた。四方八方に呪いを飛ばしながら、ヴォルデモートはかん高い声で部下に指令を出し続けていた。ハリーは、ヴォルデモートの犠牲になりかかっていたシェーマス・フィネガン、ハンナ・アボットに、「盾の呪文」をかけた。二人はヴォルデモートの脇をすり抜けて大広間に飛び込み、戦いの真っ最中の仲間に加わった。

玄関前の石段には、味方が続々と押し寄せていた。チャーリー・ウィーズリーがエメラルド色のパジャマを着たままのホラス・スラグホーンを追い越して入ってくるのが見えた。二人は、ホグワーツに残って戦っていた生徒の家族や友人たちと、ホグズミードに店や家を持つ魔法使いたちを率いて戻ってきたのだ。ケンタウルスのベイン、ロナン、マゴリアンが、ひづめの音も高く大広間に飛び込んできたその時、ハリーの背後の、厨房に続く扉の蝶番が吹き飛んだ。

ホグワーツの屋敷しもべ妖精たちが、厨房の大ナイフや肉切り包丁を振りかざし、叫び声を上げて玄関ホールにあふれ出てきた。その先頭に立ち、レギュラス・ブラックのロケットを胸に躍らせたクリーチャーが、この喧騒の中でもはっきり聞こえる食用ガエルのような声を張り上げていた。

「戦え！　戦え！　わがご主人様、しもべ妖精の擁護者のために！　闇の帝王と戦え！　勇敢なるレギュラス様の名のもとに戦え！　戦え！」

しもべ妖精たちは、敵意をみなぎらせた小さな顔を生き生きと輝かせ、死喰い人のくるぶしをめった切りにし、すねを突き刺した。ハリーの目の届くかぎりどこもかしこも、死喰い人は、圧倒的な数に押されて総崩れだった。呪文に撃たれたり、突き刺さった矢を傷口から抜いたり、しもべ妖精に足を刺される者もいれば、なんとか逃げようとして、押し寄せる大軍にのみ込まれる者もいた。

しかし、まだ終わったわけではない。ハリーは一騎打ちする人々の中を駆け抜け、逃れようともがく捕虜たちの前を通り過ぎて、大広間に入った。

ヴォルデモートは戦闘の中心にいて、呪文の届く範囲一帯に、強力な呪いを打ち込んでいた。ハリーは的確にねらいを定められず、姿を隠したまま、ヴォルデモートにより近づこうと周りをかき分けて進んだ。歩ける者は誰もが大広間に押し入ってきて、中はますます混雑していた。

ハリーは、ヤックスリーが、ジョージとリー・ジョーダンに床に打ちのめされ、ドロホフが、フリットウィックの手にかかって悲鳴を上げて倒れるのを見た。ワルデン・マクネアは、ハグリッドに取って投げられ、部屋の反対側の石壁にぶつかって気絶し、ずるずると壁をすべり落ちて床に伸びた。ロンとネビルはフェンリール・グレイバックを倒し、アバーフォースはルックウッドを「失神」させ、アーサーとパーシーは、シックネスを床に打ち倒した。ルシウス・マルフォイとナルシッサは、戦おうともせずに、息子の名を叫びながら、戦闘の中を走り回っていた。

ヴォルデモートはいま、マクゴナガル、スラグホーン、キングズリーの三人を一度に相手取り、冷たい憎しみの表情で対峙していた。三人は、呪文を右へ左へとかわしたり、かいくぐったりしながら包囲していたが、ヴォルデモートをしとめることはできないでいる――。

ベラトリックスも、ヴォルデモートから四、五十メートル離れた所で、しぶとく戦っていた。主君と同じように、三人を一度に相手取っている。ハーマイオニー、ジニー、ルーナは、力のかぎり戦っていたが、ベラトリックスは一歩も引かなかった。「死の呪文」がジニーをかすめ、危うくジニーの命が――。

ハリーは、ヴォルデモートから気をそらしてしまった。

ハリーは目標を変え、ヴォルデモートにではなく、ベラトリックスに向かって走りだした。しかし、ほんの数歩も行かないうちに、横様に突き飛ばされた。

「私の娘に何をする！　この女狐め！」

ウィーズリー夫人は駆け寄りながらマントをかなぐり捨てて、両腕を自由にした。ベラトリックスはくるりと振り返り、新しい挑戦者を見て大声を上げて笑った。

「おどき！」

ウィーズリー夫人が三人の女の子をどなりつけ、シュッと杖をしごいて決闘に臨んだ。モリー・ウィーズリーの杖が空を切り裂き、すばやく弧を描くのを、ハリーは恐怖と高揚感の入りまじった気持ちで見守った。ベラトリックス・レストレンジの顔から笑いが消え、歯をむき出して唸りはじめた。双方の杖から閃光が噴き出し、二人の魔女の足元の床は熱せられて、亀裂が走った。二人とも本気で相手を殺すつもりの戦いだ。

「おやめ！」

応援しようと駆け寄った数人の生徒に、ウィーズリー夫人が叫んだ。

「下がっていなさい！　**下がって！**　この女は私がやる！」

何百人という人々がいまや壁際に並び、ふた組の戦いを見守った。ヴォルデモート対三人の相手、ベラトリックス対モリーだ。ハリーは、マントに隠れたまま立ちすくみ、ふた組の間で心が引き裂かれていた。攻撃したい、しかし護ってあげたい。それに、罪もない者を撃ってしまわないともかぎらない。

「私がおまえを殺してしまったら、子供たちはどうなるだろうね？」

モリーの呪いが右に左に飛んでくる中を跳ね回りながら、ベラトリックスは、主君同様、狂気の様相でモリーをからかった。

「ママが、フレディちゃんとおんなじようにいなくなったら？」

「おまえなんかに――二度と――私の――子供たちに――手を――触れさせて――なるものか！」

ウィーズリー夫人が叫んだ。

ベラトリックスは声を上げて笑った。いとこのシリウスが、ベールのむこうに仰向けに倒れる前に上げた、あの興奮した笑い声と同じだった。突然ハリーは、次に何が起こるかを予感した。

モリーの呪いが、ベラトリックスの伸ばした片腕の下をかいくぐって踊り上がり、胸を直撃した。心臓の真上だ。

ベラトリックスの悦に入った笑いが凍りつき、両眼が飛び出したように見えた。ほんの一瞬だけ、ベラトリックスは何が起こったのかを認識し、次の瞬間、ばったり倒れた。周囲から「ウオーッ」という声が上がり、ヴォルデモートはかん高い叫び声を上げた。

ハリーは、スローモーションで振り向いたような気がした。目に入ったのは、マクゴナガル、キングズリー、スラグホーンの三人が仰向けに吹き飛ばされ、手足をばたつかせながら宙を飛んでいる姿だった。最後の、そして最強の副官が倒され、ヴォルデモートの怒りが炸裂（さくれつ）したのだ。ヴォルデモートが杖を上げ、モリー・ウィーズリーをねらった。

「**プロテゴ！　護れ！**」

ハリーが大声で唱えた。すると「盾の呪文」が、大広間の真ん中に広がった。ヴォルデモートは、呪文の出所を目を凝らして探した。その時、ハリーが透明マントを脱いだ。

衝撃の叫びや歓声と、あちこちから湧き起こる「ハリー！」「**ハリーは生きている！**」の叫びは、しかし、たちまちやんだ。ヴォルデモートとハリーがにらみ合い、同時に、互いに距離を保ったまま円を描いて動きだしたのを見て、見守る人々は恐れ、周囲は静まり返った。

「**誰も手を出さないでくれ**」

ハリーが大声で言った。水を打ったような静けさの中で、その声はトランペットのように鳴り響いた。

「こうでなければならない。僕でなければならないんだ」

「ポッターは本気ではない」

ヴォルデモートは赤い目を見開き、シューシューと息を吐きながら言った。

「ポッターのやり方はそうではあるまい？　今日は誰を盾にするつもりだ、ポッター？」

「誰でもない」ハリーは一言で答えた。

「分霊箱はもうない。残っているのはおまえと僕だけだ。一方が生きるかぎり、他方は生きられぬ。二人のうちどちらかが、永遠に去ることになる……」

「どちらかがだと？」

ヴォルデモートがあざけった。全身を緊張させ、真っ赤な両眼を見開き、いまにも襲いかかろうとする蛇のようだ。

「勝つのは自分だと考えているのだろうな？　そうだろう？　偶然生き残った男の子。ダンブルドアに操られて生き残った男の子」

「偶然？　母が僕を救うために死んだときのことが、偶然だと言うのか？」

ハリーが問い返した。二人は互いに等距離を保ち、完全な円を描いて、横へ横へと回り込んでいた。ハリーには、ヴォルデモートの顔しか見えなかった。

「偶然か？　僕があの墓場で、戦おうと決意したときのことが？　今夜、身を護ろうともしなかった僕がまだこうして生きていて、再び戦うために戻ってきたことが、偶然だと言うのか？」

「**偶然だ！**」

ヴォルデモートがかん高く叫んだ。しかし、まだ攻撃してこない。見守る群集は、石のように動かない。何百人もいる大広間の中で、二人以外は誰も息をしていないかのようだった。

「偶然だ。たまたまにすぎぬ。おまえは、自分より偉大な者たちの陰に、めそめそとうずくまっていたというのが事実だ。そして俺様に、おまえの身代わりにそいつらを殺させたのだ！」

「今夜のおまえは、ほかの誰も殺せない」

ぐるぐる回り込みながら互いの目を見すえ、緑の目が赤い目を見つめて、ハリーが言った。

「おまえはもうけっして、誰も殺すことはできない。わからないのか？　僕は、おまえがこの人々を傷つけるのを阻止するために、死ぬ覚悟だった――」

「しかし死ななかったな！」

「――死ぬつもりだった。だからこそ、こうなったんだ。僕のしたことは、母の場合と同じだ。この人たちを、おまえから護ったのだ。おまえがこの人たちにかけた呪文は、どれ一つとして完全には効かなかった。まだ気がつかないのか？　おまえは、この人たちを苦しめることはできない。指一本触れることはできない。リドル、おまえは過ちから学ぶことを知らないのか？」

「**よくも**――」

「ああ、言ってやる」ハリーが言った。「トム・リドル、僕はおまえの知らないことを知っている。おまえにはわからない、大切なことをたくさん知っている。おまえがまた大きな過ちを犯す前に、いくつかでも聞きたいか？」

ヴォルデモートは答えず、獲物をねらうように回り込んでいた。ハリーは、一時的にせよヴォルデモートの注意を引きつけ、その動きを封じることができたと思った。ハリーがほんとうに究極の秘密を知っているのではないかというかすかな可能性に、ヴォルデモートはたじろいでいる……。

「また愛か？」ヴォルデモートが言った。蛇のような顔があざけっている。

「ダンブルドアお気に入りの解決法、**愛**。それが、いつでも死に打ち克つとやつは言った。だが、愛は、やつが塔から落下して、古いろう細工のように壊れるのを阻止しなかったではないか？　**愛**、おまえの『穢れた血』の母親が、ゴキブリのように俺様に踏みつぶされるのを防ぎはしなかったぞ、ポッター――それに、今度こそ、おまえの前に走り出て、俺様の呪いを受け止めるほど、おまえを愛している者はいないようだな。さあ、俺様が攻撃すれば、今度は何がおまえの死を防ぐと言うのだ？」

「一つだけある」ハリーが言った。

二人はまだ互いに回り込み、相手にだけ集中し、最後の秘密だけが、二人を隔てていた。

「いま、おまえを救うものが愛でないのなら」ヴォルデモートが言った。「俺様にはできない魔法か、さもなくば俺様の武器より強力な武器を、おまえが持っていると信じ込んでいるのか？」

「両方とも持っている」ハリーが言った。

蛇のような顔に衝撃がサッと走るのを、ハリーは見逃さなかった。しかし、それはたちまち消えた。

ヴォルデモートは声を上げて笑いはじめた。悲鳴より、もっと恐ろしい声だった。おかしさのかけらもない狂気じみた声が、静まり返った大広間に響き渡った。

「俺様をしのぐ魔法を、**おまえが**知っていると言うのか？」ヴォルデモートが言った。「この**俺様を**、ヴォルデモート卿をしのぐと？　ダンブルドアでさえ夢想だにしなかった魔法を行った、この俺様をか？」

「いいや、ダンブルドアはそれを夢見た」ハリーが言った。「しかし、ダンブルドアは、おまえより多くのことを知っていた。知っていたから、おまえのやったようなことはしなかった」

「つまり、弱かったということだ！」ヴォルデモートがかん高く叫んだ。「弱いが故に、できなかったのだ。弱いが故に、自分の掌握できたはずのものを、そして俺様が手にしようとしているものを、手に入れられなかっただけのことだ！」

「ちがう。ダンブルドアはおまえより賢明だった」ハリーが言った。「魔法使いとしても、人間としても、よりすぐれていた」

「俺様が、アルバス・ダンブルドアに死をもたらした！」

「おまえが、そう思い込んだだけだ」ハリーが言った。「しかし、おまえはまちがっていた」

見守る群集が、初めて身動きした。壁際の何百人がいっせいに息をのんだ。

「**ダンブルドアは死んだ！**」

ヴォルデモートは、ハリーに向かってその言葉を投げつけた。その言葉が、ハリーに耐えがたい苦痛を与えるとでもいうように。

「あいつのむくろはこの城の校庭の、大理石の墓の中で朽ちている。俺様はそれを見たのだ、ポッター。あいつは戻ってはこぬ！」

「そうだ。ダンブルドアは死んだ」ハリーは落ち着いて言った。「しかし、おまえの命令で殺されたのではない。ダンブルドアは、自分の死に方を選んだのだ。死ぬ何か月も前に選んだのだ。おまえが自分の下僕だと思っていたある男と、すべてを示し合わせていた」

「なんたる子供だましの夢だ！」

そう言いながらも、ヴォルデモートはまだ攻撃しようとはせず、赤い目はハリーの目をとらえたまま離さなかった。

「セブルス・スネイプは、おまえのものではなかった」ハリーが言った。「スネイプはダンブルドアのものだった。おまえが僕の母を追いはじめたときから、ダンブルドアのものだった。おまえは、一度もそれに気づかなかった。それは、おまえが理解できないもののせいだ。リドル、おまえは、スネイプが守護霊を呼び出すのを、見たことがなかっただろう？」

ヴォルデモートは答えなかった。二人は、いまにも互いを引き裂こうとする二頭の狼のように、回り続けた。

「スネイプの守護霊は牝鹿だ」ハリーが言った。「僕の母と同じだ。スネイプは子供のころからほとんど全生涯をかけて、ぼくの母を愛したからだ。それに気づくべきだったな」

ヴォルデモートの鼻の穴がふくらむのを見ながら、ハリーが言った。

「スネイプは、僕の母の命乞いをしただろう？」

「スネイプは、あの女が欲しかった。それだけだ」ヴォルデモートがせせら笑った。「しかし、あの女が死んでからは、女はほかにもいるし、より純血の、より自分にふさわしい女がいると認めた――」

「もちろん、スネイプはおまえにそう言った」ハリーが言った。「しかし、スネイプは、おまえが母をおびやかしたその瞬間から、ダンブルドアのスパイになった。そして、それ以来ずっと、おまえにそむいて仕事をしてきたんだ！　ダンブルドアは、スネイプが止めを刺す前に、もう死にかけていたのだ！」

「どうでもよいことだ！」

一言一言を、魅入られたように聞いていたヴォルデモートは、かん高く叫んで、狂ったように高笑いした。

「スネイプが俺様のものか、ダンブルドアのものかなど、どうでもよいことだ。俺様の行く手に、二人がどんなつまらぬ邪魔ものを置こうとしたかも問題ではない！　俺様はそのすべてを破壊した。スネイプが偉大なる**愛**を捧げたとかいう、おまえの母親を破壊したと同様にだ！　ああ、しかし、これですべてが腑に落ちる、ポッター、おまえには理解できぬ形でな！」

「ダンブルドアは、ニワトコの杖を俺様から遠ざけようとした！　あいつは、スネイプが杖の真の持ち主になるように図った！　しかし、小僧、俺様のほうがひと足早かった——おまえが杖に手を触れる前に、俺様が杖にたどり着いたし、おまえが真実に追いつく前に、俺様が真実を理解したのだ。俺様は三時間前に、セブルス・スネイプを殺した。そして、ニワトコの杖、死の杖、宿命の杖は、真に俺様のものになった！　ダンブルドアの最後の謀は、ハリー・ポッター、失敗に終わったのだ！」

「ああ、そのとおりだ」ハリーが言った。「おまえの言うとおりだ。しかし、僕を殺そうとする前に、忠告しておこう。自分がこれまでにしてきたことを、考えてみたらどうだ……考えるんだ。リドル、そして、少しは後悔してみろ……」

「何をたわけたことを？」

ハリーがこれまで言ったどんな言葉より、どんな思いがけない事実やあざけりより、これほどヴォルデモートを驚愕させた言葉はなかった。ハリーは、ヴォルデモートの瞳孔が縮んで縦長の細い切れ目になり、目の周りの皮膚が白くなるのを見た。

「最後のチャンスだ」ハリーが言った。「おまえには、それしか残された道はない……さもないと、おまえがどんな姿になるか、僕は見た……。勇気を出せ……努力するんだ……少しでも後悔してみるんだ……」

「よくもそんなたわ言を――?」ヴォルデモートがまた言った。

「ああ、言ってやるとも」ハリーが言った。

「いいか、リドル。ダンブルドアの最後の計画が失敗したことは、僕にとって裏目に出たわけじゃない。おまえにとって裏目に出ただけだ」

ニワトコの杖を握る、ヴォルデモートの手が震えていた。そしてハリーは、ドラコの杖をいっそう固く握りしめた。その瞬間がもう数秒後に迫っていることを、ハリーは感じた。

「その杖はまだ、おまえにとっては本来の機能をはたしていない。なぜなら、おまえが殺す相手をまちがえたからだ。セブルス・スネイプが、ニワトコの杖の真の所有者だったことはない。スネイプが、ダンブルドアを打ち負かしたのではない」

「スネイプが殺した――」

「聞いていないのか? **スネイプはダンブルドアを打ち負かしてはいない!** ダンブルドアの死は、二人の間で計画されていたことなんだ! ダンブルドアは、杖の最後の真の所有者として、敗北せずに死ぬつもりだった! すべてが計画どおりに運んでいたら、杖の魔力はダンブルドアとともに死ぬはずだった。なぜなら、ダンブルドアから杖を勝ち取る者は、誰もいないからだ!」

「それなら、ポッター、ダンブルドアは俺様に杖をくれたも同然だ!」

ヴォルデモートの声は、邪悪な喜びで震えていた。

「俺様は、最後の所有者の墓から、杖を盗み出した! 最後の所有者の望みに反して、杖を奪った! 杖の力は俺様のものだ!」

「まだわかっていないらしいな、リドル？　杖を所有するだけでは充分ではない！　杖を持って使うだけでは、杖はほんとうにおまえのものにはならない。オリバンダーの話を聞かなかったのか？　**杖は魔法使いを選ぶ……**ニワトコの杖は、ダンブルドアが死ぬ前に新しい持ち主を認識した。その杖に一度も触れたことさえない者だ。新しい主人は、ダンブルドアの意思に反して杖を奪った。その実、自分が何をしたのかに一度も気づかずに。この世で最も危険な杖が、自分に忠誠を捧げたとも知らずに……」

ヴォルデモートの胸は激しく波打っていた。ハリーは、いまにも呪いが飛んでくることを感じ取っていた。自分の顔をねらっている杖の中に、しだいに高まっているものを感じていた。

「ニワトコの杖の真の主人は、ドラコ・マルフォイだった」

ヴォルデモートの顔が、衝撃で一瞬ぼうぜんとなった。しかし、それもすぐに消えた。

「それが、どうだというのだ？」

ヴォルデモートは静かに言った。

「おまえが正しいとしても、ポッター、おまえにも俺様にもなんら変わりはない。おまえにはもう不死鳥の杖はない。我々は技だけで決闘する……そして、おまえを殺してから、俺様はドラコ・マルフォイを始末する……」

「遅すぎたな」ハリーが言った。「おまえは機会を逸した。僕が先にやってしまった。何週間も前に、僕はドラコを打ち負かした。この杖はドラコから奪ったものだ」

ハリーは、サンザシの杖をピクピク動かした。大広間の目という目が、その杖に注がれるのを、ハリーは感じた。

「要するに、すべてはこの一点にかかっている。ちがうか？」

ハリーはささやくように言った。

「おまえの手にあるその杖が、最後の所有者が『武装解除』されたことを知っているかどうかだ。もし知っていれば……ニワトコの杖の真の所有者は、僕だ」

二人の頭上の、魔法で空を模した天井に、突如、茜色と金色の光が広がり、一番近い窓のむこうに、まぶしい太陽の先端が顔を出した。光は同時に二人の顔に当たった。ヴォルデモートの顔が、突然ぼやけた炎のようになった。ヴォルデモートのかん高い叫びを聞くと同時に、ハリーはドラコの杖でねらいを定め、天に向かって一心込めて叫んでいた。

「**アバダ　ケダブラ！**」

「**エクスペリアームス！**」

ドーンという大砲のような音とともに、二人が回り込んでいた円の真ん中に、黄金の炎が噴き出し、二つの呪文が衝突した点を印した。ハリーは、ヴォルデモートの緑の閃光が自分の呪文にぶつかるのを見た。ニワトコの杖は高く舞い上がり、朝日を背に、黒々と、ナギニの頭部のようにくるくると回りながら、魔法の天井を横切ってご主人様の元へと向かった。ついに杖を完全に所有することになった持ち主に向かって、自分が殺しはしないご主人様に向かって飛んできた。的を逃さないシーカーの技で、ハリーの空いている片手が杖をとらえた。その時、ヴォルデモートが両腕を広げてのけぞり、真っ赤な目の、切れ目のように細い瞳孔が裏返った。トム・リドルは、ありふれた最期を迎えて床に倒れた。その身体は弱々しくしなび、ろうのような両手には何も持たず、蛇のような顔はうつろで、何も気づいてはいない。ヴォルデモートは、跳ね返った自らの呪文に撃たれて死んだ。そしてハリーは、二本の杖を手に、敵の抜け殻をじっと見下ろしていた。

身震いするような一瞬の沈黙が流れ、衝撃が漂った。次の瞬間、ハリーの周囲がドッと沸いた。見守っていた人々の悲鳴、歓声、叫びが空気をつんざく。新しい太陽が、強烈な光で窓を輝かせ、人々はワッとハリーに駆け寄った。真っ先にロンとハーマイオニーが近づき、二人の腕がハリーに巻きついた。二人のわけのわからない叫び声が、ハリーの耳にガンガン響いた。そしてジニーが、ネビルが、ルーナがいた。それからウィーズリー一家とハグリッドが、キングズリーとマクゴナガルが、フリットウィックとスプラウトがいた。

ハリーは、誰が何を言っているのか一言も聞き取れず、誰の手がハリーをつかんでいるのか、引っ張っているのか、体のどこか一部を抱きしめようとしているのか、わからなかった。何百という人々がハリーに近寄ろうとし、なんとかして触れようとしていた。

ついに終わったのだ。「生き残った男の子」のおかげで――。

ゆっくりと、ホグワーツに太陽が昇った。そして大広間は生命と光で輝いた。歓喜と悲しみ、哀悼と祝賀の入りまじったうねりに、ハリーは欠かせない主役だった。みんながハリーを求めていた。指導者であり象徴であり、救い主であり先導者であるハリーと一緒にいたがった。ハリーが寝ていないことも、ほんの数人の人間と一緒に過ごしたくてしかたがないことも、誰も思いつかないようだった。遺族と話をして手を握り、その涙を見つめ、感謝の言葉を受けたりしなければならなかった。

陽(ひ)が昇るにつれ、四方八方からいつの間にか報(しら)せが入ってきた。国中で「服従の呪文」にかけられていた人々が我に返ったこと、死喰い人たちが逃亡したり捕まったりしていること、アズカバンに収監されていた無実の人々が、いまこの瞬間に解放されていること、そして、キングズリー・シャックルボルトが魔法省の暫定大臣に指名されたこと、などなど……。

ヴォルデモートの遺体は、大広間から運び出され、フレッド、トンクス、ルーピン、コリン・クリービー、そしてヴォルデモートと戦って死んだ五十人以上に上る人々のなきがらとは離れた小部屋に置かれた。マクゴナガルは寮の長テーブルを元どおりに置いたが、もう誰も、各寮に分かれて座りはしなかった。みんながまじり合い、先生も生徒も、ゴーストも家族も、ケンタウルスも屋敷しもべ妖精も一緒だった。フィレンツェは隅に横たわり、回復しつつあったし、グロウプは壊れた窓からのぞき込んでいた。そしてみんなが、グロウプの笑った口に食べ物を投げ込んでいた。しばらくして、疲労困憊したハリーは、ルーナが同じベンチの隣に座っていることに気づいた。

「あたしだったら、しばらく一人で静かにしていたいけどな」ルーナが言った。

「そうしたいよ」ハリーが言った。

「あたしが、みんなの気をそらしてあげるもゝ」ルーナが言った。『マント』を使ってちょうだいね」

ハリーが何も言わないうちに、ルーナが叫んだ。

「うわァー、見て。ブリバリング・ハムディンガーだ！」

そしてルーナは窓の外を指差した。聞こえた者はみな、その方向を見た。ハリーは「マント」をかぶり、立ち上がった。

ハリーはもう、誰にも邪魔されずに大広間を移動できた。二つ離れたテーブルに、ジニーを見つけた。母親の肩に頭をもたせて座っている。ジニーと話す時間はこれから来るはずだ。何時間も、何日も、いやたぶん何年も。ネビルが見えた。食事している皿の横に、グリフィンドールの剣を置き、何人かの熱狂的な崇拝者に囲まれている。テーブルとテーブルの間の通路を歩いていると、マルフォイ家の三人が、はたしてそこにいてもいいのだろうか、という顔で小さくなっているのが見えた。しかし、誰も三人のことなど気にかけていなかった。目の届くかぎり、あちこちで家族が再会していた。そしてやっと、ハリーは一番話したかった二人を見つけた。

「僕だよ」

ハリーは二人の間にかがんで、耳打ちした。

「一緒に来てくれる？」

二人はすぐに立ち上がり、ハリー、ロン、ハーマイオニーの三人は、一緒に大広間を出た。大理石の階段は、あちこちが大きく欠け、手すりの一部もなくなっていたし、数段上がるたびに瓦礫（がれき）や血の跡が見えた。

どこか遠くで、ピーブズが、廊下をブンブン飛びまわりながら、自作自演で勝利の歌を歌っているのが聞こえた。

やったぜ　勝ったぜ　俺たちは
ちびポッターは　英雄だ
ヴォルちゃんついに　ボロちゃんだ
飲めや　歌えや　さあ騒げ！

「まったく、事件の重大さと悲劇性を、感じさせてくれるよな？」

ドアを押し開けてハリーとハーマイオニーを先に通しながら、ロンが言った。

幸福感はそのうちやってくるだろう、とハリーは思った。しかしいまは、疲労感のほうが勝っていた。それに、フレッド、ルーピン、トンクスを失った痛みが、数歩歩くごとに肉体的な傷のようにキリキリと刺し込んできた。ハリーはいま、何よりもまず、大きな肩の荷が下りたことを感じ、とにかく眠りたかった。

しかし、その前に、ロンとハーマイオニーに説明しなければならない。これだけ長い間、ハリーと行動をともにしてきた二人には、真実を知る権利がある。一つ一つ事細かに、ハリーは「憂いの篩」で見たことを物語り、禁じられた森での出来事を話した。二人が受けた衝撃と驚きをまだ口に出す間もないうちに、三人はもう、暗黙のうちに目的地と定めていた場所に着いていた。

校長室の入口を護衛する怪獣像は、ハリーが最後に見たあと、打たれて横にずれていた。横に傾いて、少しふらふらしている様子で、もう合言葉もわからないのではないかとハリーは思った。

「上に行ってもいいですか？」ハリーは怪獣像に聞いた。

「ご自由に」怪獣像がうめいた。

三人は怪獣像を乗り越えて、石の螺旋階段に乗り、エスカレーターのようにゆっくりと上に運ばれていった。階段の一番上で、ハリーは扉を押し開けた。

石の「憂いの篩」が、机の上のハリーが置いた場所にあった。それをひと目見ると同時に、耳をつんざく騒音が聞こえ、ハリーは思わず叫び声を上げた。呪いをかけられたか、死喰い人が戻ってきてヴォルデモートが復活したか、と思ったのだ――。

しかしそれは、拍手だった。周り中の壁で、ホグワーツの歴代校長たちが総立ちになって、ハリーに拍手していた。帽子を振り、ある者はかつらを打ち振りながら、校長たちは額から手を伸ばし、互いの手を強く握りしめていた。描かれた椅子の上で、飛びはねて踊っている。ディリス・ダーウェントは人目もはばからず泣き、デクスター・フォーテスキューは旧式のラッパ型補聴器を振り、フィニアス・ナイジェラスは、持ち前のかん高い不快な声で叫んでいる。

「それに、スリザリン寮がはたした役割を、特筆しようではないか！　我らが貢献を忘れるなかれ！」

しかしハリーの目は、校長の椅子のすぐ後ろにかかっている一番大きな肖像画の中に立つ、ただ一人に注がれていた。半月形のめがねの奥から、長い銀色のあごひげに涙が滴っていた。その人からあふれ出てくる誇りと感謝の念は、不死鳥の歌声と同じ癒やしの力でハリーを満たした。

やがてハリーは両手を挙げた。すると肖像画たちは、敬意を込めて静かになり、ほほえみかけたり目をぬぐったりしながら、耳を澄ましてハリーの言葉を待った。しかしハリーは、ダンブルドアだけに話しかけ、細心の注意を払って言葉を選んだ。つかれはて、目もかすんでいたが、最後の忠告を求めるために、ハリーは残る力を振りしぼった。

「スニッチに隠されていたものは――」

ハリーは語りかけた。

「森で落としてしまいました。その場所ははっきりとは覚えていません。でも、もう探しに行くつもりもありません。それでいいでしょうか？」

「ハリーよ、それでよいとも」

ダンブルドアが言った。ほかの肖像画は、わけがわからず、なんのことやらと興味を引かれた顔だった。

「賢明で勇気ある決断じゃ。君なら当然そうするじゃろうと思っておった。誰かほかに、落ちた場所を知っておるか？」

「誰も知りません」

ハリーが答えると、ダンブルドアは満足げにうなずいた。

「でも、イグノタスの贈り物は持っているつもりです」

ハリーが言うと、ダンブルドアはニッコリした。

「もちろんハリー、君が子孫に譲るまで、それは永久に君のものじゃ！」

「それから、これがあります」

ハリーがニワトコの杖を掲げると、ロンとハーマイオニーがうやうやしく杖を見上げた。ぼんやりした寝不足の頭でも、ハリーはそんな表情は見たくないと感じた。

「僕は、欲しくありません」ハリーが言った。

「なんだって？」ロンが大声を上げた。「気は確かか？」

「強力な杖だということは知っています」

ハリーはうんざりしたように言った。

「でも、僕は、自分の杖のほうが気に入っていた。だから……」

ハリーは首にかけた巾着を探って、二つに折れて、ごく細い不死鳥の尾羽根だけでかろうじてつながっている柊の杖を取り出した。ハーマイオニーは、これだけひどく壊れた杖は、もう直らないと言った。ハリーは、もしこれがだめなら、もう望みはないということだけがわかっていた。

ハリーは折れた杖を校長の机に置き、ニワトコの杖の先端で触れながら唱えた。

「**レパロ、直れ**」

ハリーの杖が再びくっつき、先端から赤い火花が飛び散った。ハリーは成功したことを知った。ハリーが柊と不死鳥の杖を取り上げると、突然、指が温かくなるのを感じた。まるで杖と手が、再会を喜び合っているかのようだった。

「僕はニワトコの杖を」

心からの愛情と称賛のまなざしで、じっとハリーを見ているダンブルドアに、ハリーは話しかけた。

「元の場所に戻します。杖はそこにとどまればいい。僕がイグノタスと同じように自然に死を迎えれば、杖の力は破られるのでしょう？　最後の持ち主は敗北しないままで終わる。それで杖はおしまいになる」

ダンブルドアはうなずいた。二人は互いにほほえみ合った。

「本気か？」

ロンが聞いた。ニワトコの杖を見るロンの声に、かすかに物欲しそうな響きがあった。

「ハリーが正しいと思うわ」

ハーマイオニーが静かに言った。

「この杖は、役に立つどころか、やっかいなことばかり引き起こしてきた」

ハリーが言った。

「それに、正直言って――」

ハリーは肖像画たちから顔をそらし、グリフィンドール塔で待っている、四本柱のベッドのことだけを思い浮かべ、クリーチャーがそこにサンドイッチを持ってきてくれないかな、と考えながら言った。

「僕はもう、一生分のやっかいを充分味わったよ」

終章　十九年後

その年の秋は、突然やってきた。九月一日の朝はリンゴのようにサクッとして黄金色だった。小さな家族の集団が、車の騒音の中を、すすけた大きな駅に向かって急いでいた。車の排気ガスと行き交う人々の息が、冷たい空気の中で、クモの巣のように輝いていた。父親と母親が、荷物でいっぱいのカートを一台ずつ押し、それぞれの上に大きな鳥かごがカタカタ揺れていた。かごの中のふくろうが、怒ったようにホーホーと鳴いている。泣きべそをかいた赤毛の女の子が、父親の腕にすがり、二人の兄のあとについてぐずぐずと歩いていた。

「もうすぐだよ、リリーも行くんだからね」ハリーが、女の子に向かって言った。

「二年先だわ」リリーが鼻を鳴らしながら言った。「**いますぐ**行きたい！」

人混みを縫って九番線と十番線の間の柵に向かう家族とふくろうを、通勤者たちが物めずらしげにじろじろ見ていた。先を歩くアルバスの声が、周りの騒音を超えてハリーの耳に届いた。息子たちは、車の中で始めた口論を蒸し返していた。

「僕、**絶対ちがう！**　**絶対**スリザリンじゃない！」

「ジェームズ、いいかげんにやめなさい！」ジニーが言った。

「僕、ただ、こいつが**そうなるかもしれない**って言っただけさ」ジェームズが弟に向かってニヤリと笑った。「別に悪いことなんかないさ。こいつは**もしかしたら**スリザ――」

しかし、母親の目を見たジェームズは、口をつぐんだ。ポッター家の五人が、柵に近づいた。ちょっと生意気な目つきで弟を振り返りながら、ジェームズは母親の手からカートを受け取って走りだした。次の瞬間、ジェームズの姿は消えていた。

「手紙をくれるよね？」アルバスは、兄のいなくなった一瞬を逃さず、すばやく両親に頼んだ。

「そうしてほしければ、毎日でも」ジニーが言った。

「**毎日**じゃないよ」アルバスが急いで言った。「ジェームズが、家からの手紙はだいたいみんな、一か月に一度しか来ないって言ってた」

「お母さんたちは去年、週に三度もジェームズに手紙を書いたわ」ジニーが言った。

「それから、お兄ちゃんがホグワーツについて言うことを、何もかも信じるんじゃないよ」ハリーが口をはさんだ。「冗談が好きなんだから。おまえのお兄ちゃんは」

二人は並んでもう一台のカートを押し、だんだん速度を上げた。柵に近づくとアルバスはひるんだが、衝突することはなかった。そして家族はそろって、九と四分の三番線に現れた。

紅色のホグワーツ特急がもくもくと吐き出す濃い白煙で、あたりがぼんやりしていた。その霞の中を、誰だか見分けがつかない大勢の人影が動き回っていて、ジェームズはすでにその中に消えていた。

「みんなは、どこなの？」プラットホームを先へと進み、ぼやけた人影のそばを通り過ぎるたびにのぞき込みながら、アルバスが心配そうに聞いた。

「ちゃんと見つけるから大丈夫よ」ジニーがなだめるように言った。

しかし、濃い蒸気の中で、人の顔を見分けるのは難しかった。持ち主から切り離された声だけが、不自然に大きく響いていた。ハリーは、箒に関する規則を声高に論じているパーシーの声を聞きつけたが、白煙のおかげで立ち止まって挨拶せずにすみ、よかったと思った。

「アル、きっとあの人たちだわ」突然ジニーが言った。

霞の中から、最後部の車両の脇に立っている、四人の姿が見えてきた。ハリー、ジニー、リリー、アルバスは、すぐ近くまで行ってやっと、その四人の顔をはっきり見た。

「やあ」アルバスは心からホッとしたような声で言った。

もう真新しいホグワーツのローブに着替えたローズが、アルバスにニッコリ笑いかけた。

「それじゃ、車は無事、駐車させたんだな？」ロンがハリーに聞いた。「僕は、ちゃんとやったよ。ハーマイオニーは、僕がマグルの運転試験に受かるとは思っていなかったんだ。だろ？　僕が試験官に『錯乱の呪文』をかけるはめになるんじゃないかって予想してたのさ」

「そんなことないわ」ハーマイオニーが抗議した。「私、あなたを完全に信用していたもの」

「実は、**ほんとに**『錯乱』させたんだ」アルバスのトランクとふくろうを汽車に積み込むのを手伝いながら、ロンがハリーにささやいた。「僕、バックミラーを見るのを忘れただけなんだから。だって、考えても見ろよ、僕はそのかわりに『超感覚呪文』が使えるんだぜ」

プラットホームに戻ると、リリーと、ローズの弟のヒューゴが、晴れてホグワーツに行く日が来たら、どの寮に組分けされるかについてさかんに話し合っていた。

「グリフィンドールに入らなかったら、勘当するぞ」ロンが言った。「プレッシャーをかけるわけじゃないけどね」

「**ロン！**」ハーマイオニーがたしなめた。

リリーとヒューゴは笑ったが、アルバスとローズは真剣な顔をした。

「本気じゃないのよ」ハーマイオニーとジニーが取りなしたが、ロンはそんなことはとっくに忘れ、ハリーに目配せして、四、五十メートルほど離れたあたりを、そっとあごで示した。一瞬蒸気が薄れて、移動する煙を背景にした三人の影が、くっきりと浮かび上がっていた。

「あそこにいるやつを見てみろよ」

妻と息子を伴ったドラコ・マルフォイが、ボタンをのど元まできっちりとめた黒いコートを着て立っていた。額がややはげ上がり、その分とがったあごが目立っている。その息子は、アルバスがハリーに似ていると同じくらい、ドラコに似ていた。

ドラコはハリー、ロン、ハーマイオニー、そしてジニーが自分を見つめていることに気づき、そっけなく頭を下げ、すぐに顔をそむけた。

「あれがスコーピウスって息子だな」ロンが声を低めて言った。「ロージィ、試験は全科目あいつに勝てよ。ありがたいことに、おまえは母さんの頭を受け継いでる」

「ロン、そんなこと言って」ハーマイオニーは半分厳しく、半分おもしろそうに言った。「学校に行く前から、反目させちゃだめじゃないの！」

「君の言うとおりだ、ごめん」そう言いながらもロンは、がまんできずにもう一言つけ加えた。「だけど、ロージィ、あいつと**あんまり**親しくなるなよ。おまえが純血なんかと結婚したら、ウィーズリーおじいちゃんが、絶対許さないぞ」

「ねぇ、ねぇ！」

ジェームズが再び顔を出した。トランクもふくろうもカートも、もうどこかにやっかいばらいしてきたらしく、ニュースを伝えたくてむずむずしている。

「テディがあっちのほうにいるよ」ジェームズは振り返って、もくもく上がる蒸気のむこうを指した。「いま、そこでテディを見たんだ！ それで、何してたと思う？ **ビクトワールにキスしてた！**」

たいして反応がないので、ジェームズは明らかにがっかりした顔で、大人たちを見上げた。

「**あの**テディだよ！ **テディ・ルーピン！ あの**ビクトワールにキスしてたんだよ！ **僕たち**のいとこ

の！　だから僕、テディに何してるのって聞いたんだ——」

「二人の邪魔をしたの？」ジニーが言った。「あなたって、**ほんとうに**ロンにそっくり——」

「——そしたらテディは、ビクトワールを見送りに来たって言った！　そして僕、あっちに行けって言われた。テディはビクトワールに**キス**してたんだよ！」

ジェームズは、自分の言ったことが通じなかったのではないかと、気にしているようにくり返した。

「ああ、あの二人が結婚したらすてきなのに！」リリーがうっとりとささやいた。「そしたらテディは、**ほんとうに**私たちの家族になるわ！」

「テディは、いまだって週に四回ぐらいは、僕たちの所に夕食を食べにくる」ハリーが言った。「いっそ、僕たちと一緒に住むようにすすめたらどうかな？　そのほうがてっとりばやい」

「いいぞ！」ジェームズが熱狂的に言った。「僕、アルと一緒の部屋でかまわないよ——テディが僕の部屋を使えばいい！」

「だめだ」ハリーがきっぱり言った。「おまえとアルが一緒の部屋になるのは、家を壊してしまいたいときだけだ」

ハリーは、かつてフェービアン・プルウェットのものだった、使い込まれた腕時計を見た。

「まもなく十一時だ。汽車に乗ったほうがいい」

「ネビルに、私たちからよろしくって伝えるのを忘れないでね！」ジェームズを抱きしめながら、ジニーが言った。

「ママ！　先生に『**よろしく**』なんて言えないよ！」

「だって、あなたはネビルと**友達**じゃないの——」

ジェームズは、やれやれという顔をした。

「学校の外ならね。だけど学校ではロングボトム教授なんだよ。『薬草学』の教室に入っていって、先生に『**よろしく**』なんて言えないよ……」

常識のない母親は困る、とばかりに頭を振りながら、ジェームズは気持ちのはけ口にアルバス目がけて蹴りを入れた。

「それじゃ、アル、あとでな。セストラルに気をつけろ」

「セストラルって、見えないんだろ？　**見えないって言ったじゃないか！**」

しかし、ジェームズは笑っただけで、母親にしぶしぶキスさせ、父親をそそくさと抱きしめて、急に混みはじめた汽車に飛び乗った。家族に手を振る姿が見えたのもつかの間、ジェームズはたちまち、友達を探しに汽車の通路を駆けだしていた。

「セストラルを心配することはないよ」ハリーがアルバスに言った。「おとなしい生き物だ。何も怖がることはない。いずれにしても、おまえは馬車で学校に行くのではなくて、ボートに乗っていくんだ」

ジニーが、アルバスにお別れのキスをした。

「クリスマスには会えるわ」

「それじゃね、アル」ハリーは、息子を抱きしめながら言った。「金曜日に、ハグリッドから夕食に招待されているのを忘れるんじゃないよ。ピーブズには関わり合いにならないこと。やり方を習うまでは誰とも決闘してはいけないよ。それから、ジェームズにからかわれないように」

「僕、スリザリンだったらどうしよう？」

父親だけにささやいた声だった。アルバスにとって、それがどんなに重大なことで、どんなに真剣にそれを恐れているかを、出発間際だからこそこらえきれずに打ち明けたのだとハリーにはよくわかった。

ハリーは、アルバスの顔を少し見上げるような位置にしゃがんだ。三人の子供の中で、アルバスだけがリリーの目を受け継いでいた。

「アルバス・セブルス」

ハリーは、ジニー以外は誰にも聞こえないようにそっと言った。ジニーは、もう汽車に乗っているローズに手を振るのに忙しいふりをするだけの気配りがあった。

「おまえは、ホグワーツの二人の校長の名前をもらっている。その一人はスリザリンで、父さんが知っている人の中でも、おそらく一番勇気のある人だった」

「だけど、**もしも**――」

「――そうなったら、スリザリンは、すばらしい生徒を一人獲得したということだ。そうだろう？　アル、父さんも母さんも、どっちでもかまわないんだよ。だけど、もしおまえにとって大事なことなら、おまえはスリザリンでなく、グリフィンドールを選べる。組分け帽子は、おまえがどっちを選ぶかを考慮してくれる」

「ほんと？」

「父さんには、そうしてくれた」ハリーが言った。

ハリーはこのことを、どの子供にも打ち明けたことはなかった。そのとたん、アルバスが感じ入ったように目を見張るのを、ハリーは見た。しかし、その時、紅色の列車のドアがあちこちで閉まりはじめ、最後のキスや忠告をするために子供に近づく親たちの姿が、蒸気で霞んだ輪郭になって見えた。アルバスは列車に飛び乗り、その後ろからジニーがドアを閉めた。一番近くの車窓のあちこちから、生徒たちが身を乗り出していた。汽車の中からも外からも、ずいぶん多くの顔が、ハリーのほうを振り向くように見えた。

「どうしてみんな、**じろじろ見ているの？**」

ローズと一緒に首を突き出していたアルバスが、ほかの生徒たちを見ながら聞いた。

「君が気にすることはない」ロンが言った。「僕のせいなんだよ。僕はとても有名なんだ」

アルバスも、ローズ、ヒューゴ、リリーも笑った。

汽車が動きだし、ハリーは、すでに興奮で輝いている息子の細い顔をじっと見ながら、汽車と一緒に歩いた。息子がだんだん離れていくのを見送るのは、なんだか生き別れになるような気持ちだったが、
ハリーはほほえみながら手を振り続けた……。

蒸気の最後の名残が、秋の空に消えていく。列車が角を曲がっても、ハリーはまだ手を挙げて別れを告げていた。

「あの子は大丈夫よ」

ジニーがつぶやくように言った。

ハリーはジニーを見た。そして手を下ろしながら、無意識に額の稲妻形の傷痕に触れていた。

「大丈夫だとも」

この十九年間、傷痕は一度も痛まなかった。

すべてが平和だった。

完

J.K. ローリング

J.K. ローリングは、不朽の人気を誇る「ハリー・ポッター」シリーズの著者。1990年、旅の途中の遅延した列車の中で「ハリー・ポッター」のアイデアを思いつくと、全7冊のシリーズを構想して執筆を開始。1997年に第1巻『ハリー・ポッターと賢者の石』が出版、その後、完結までにはさらに10年を費やし、2007年に第7巻となる『ハリー・ポッターと死の秘宝』が出版された。シリーズは現在85の言語に翻訳され、発行部数は6億部を突破、オーディオブックの累計再生時間は10億時間以上、制作された8本の映画も大ヒットとなった。また、シリーズに付随して、チャリティのための短編『クィディッチ今昔』と『幻の動物とその生息地』(ともに慈善団体〈コミック・リリーフ〉と〈ルーモス〉を支援)、『吟遊詩人ビードルの物語』(〈ルーモス〉を支援)も執筆。『幻の動物とその生息地』は魔法動物学者ニュート・スキャマンダーを主人公とした映画「ファンタスティック・ビースト」シリーズが生まれるきっかけとなった。大人になったハリーの物語は舞台劇『ハリー・ポッターと呪いの子』へと続き、ジョン・ティファニー、ジャック・ソーンとともに執筆した脚本も書籍化された。その他の児童書に『イッカボッグ』(2020年)『クリスマス・ピッグ』(2021年)があるほか、ロバート・ガルブレイスのペンネームで発表し、ベストセラーとなった大人向け犯罪小説「コーモラン・ストライク」シリーズも含め、その執筆活動に対し多くの賞や勲章を授与されている。J.K. ローリングは、慈善信託〈ボラント〉を通じて多くの人道的活動を支援するほか、性的暴行を受けた女性の支援センター〈ベイラズ・プレイス〉、子供向け慈善団体〈ルーモス〉の創設者でもある。
J.K. ローリングに関するさらに詳しい情報はjkrowlingstories.comで。

松岡佑子 訳

翻訳家。国際基督教大学卒、モントレー国際大学院大学国際政治学修士。日本ペンクラブ会員。スイス在住。訳書に「ハリー・ポッター」シリーズ全7巻のほか、「少年冒険家トム」シリーズ、映画オリジナル脚本版「ファンタスティック・ビースト」シリーズ、『ブーツをはいたキティのはなし』『とても良い人生のために』『イッカボッグ』『クリスマス・ピッグ』(以上静山社)がある。

ハリー・ポッターと死の秘宝〈25周年記念特装版〉

2024年12月1日　第1刷発行

著者　J.K. ローリング
訳者　松岡佑子
発行者　松岡佑子
発行所　株式会社静山社
〒102-0073 東京都千代田区九段北1-15-15
電話・営業 03-5210-7221　https://www.sayzansha.com

装丁　城所潤+大谷浩介(ジュン・キドコロ・デザイン)
装画　カワグチタクヤ
組版　アジュール
印刷　中央精版印刷株式会社
製本　株式会社ブックアート

ISBN978-4-86389-924-7　Not to be Sold Separately